dtv-Lexikon
Ein Konversationslexikon in 20 Bänden

dtv-Lexikon
Ein Konversationslexikon in 20 Bänden

Band 9: His–Kaki

Deutscher
Taschenbuch
Verlag

dtv

1980

Mit Genehmigung erarbeitet nach Unterlagen der Lexikon-Redaktion
des Verlages F. A. Brockhaus, Wiesbaden
Umschlaggestaltung: Celestino Piatti
Gesamtherstellung: C. H. Beck'sche Buchdruckerei, Nördlingen
Printed in Germany · ISBN 3-423-03059-3

Hinweise für den Gebrauch des dtv-Lexikons

Reihenfolge im Abc

Die Stichwörter folgen einander nach dem Abc. Für das Einordnen gelten alle fett gedruckten Buchstaben, auch wenn das Stichwort aus mehreren Wörtern besteht; die Umlaute ä, ö, ü und die wie Umlaute gesprochenen Doppelbuchstaben ae, oe, ue werden behandelt wie die einfachen Buchstaben a, o, u; also folgen z. B. aufeinander: **Bockhuf, Bockkäfer, Böckler, Böcklin, Bockmühle.** Die Doppellaute ai, au, äu, ei, eu werden wie getrennte Buchstaben behandelt, ebenso sch, st, sp usw., ferner ae, oe, ue, wenn sie nicht wie ä, ö, ü gesprochen werden; also folgen z. B. aufeinander: **Bodoni, Boer, Boeslunde, Boethius, bofen.** Wörter, die man unter **C** vermißt, suche man unter **K** oder **Tsch** oder **Z,** bei **Dsch** vermißte Wörter unter **Tsch,** bei **J** vermißte unter **Dsch** oder **I**; ebenso im umgekehrten Fall. Wird ein Stichwort in zwei Formen oder Schreibungen angeführt, so ist die erste die gebräuchlichere.

Trennstrich

Um bei zusammengesetzten Wörtern die Bestandteile zu verdeutlichen, wird ein dünner senkrechter Strich verwendet. Er bedeutet also nicht ohne weiteres die Silbentrennung.

Betonung und Aussprache

Die Betonung ist durch einen Strich (′) vor dem betonten Selbstlaut angegeben, z. B. **B′andung.** Die Aussprache seltener Wörter und Namen wird nach dem Internationalen Lautschriftsystem bezeichnet, z. B. **Courage** [kuraʒə]. Die Lautzeichen bedeuten:

a = vorderes a: m*a*tt
ɑ = hinteres a: w*a*r
ɑ̃ = nasales ɑ: frz. c*en*time
ʌ = dumpfes a: engl. b*u*t
γ = niederländ. g, wie sächs. Wa*g*en
ç = stimmloses ch: i*ch*
x = stimmloses ch: Ba*ch*
æ = breites ä: engl. h*a*t
ɛ = offenes e: f*e*tt
e = geschlossenes e: B*ee*t
ə = dumpfes e: all*e*
ɛ̃ = nasales ɛ: frz. bass*in*
λ = mouilliertes l: ital. de*gl*i
ŋ = nasales n: la*n*ge
ɲ = mouilliertes n: frz. Boulo*gn*e
ɔ = offenes o: K*o*pf
o = geschlossenes o: S*o*hn
ɔ̃ = nasales ɔ: frz. sal*on*
œ = offenes ö: H*ö*lle
ø = geschlossenes ö: H*öh*le
œ̃ = nasales œ: frz. *un*
s = stimmloses s: wa*s*
z = stimmhaftes s: lei*s*e
ʃ = stimmloses sch: Ta*sch*e
ʒ = stimmhaftes sch: frz. Eta*g*e
θ = stimmloses th: engl. *th*ing
ð = stimmhaftes th: engl. *th*e
v = wie w in: *w*o, *W*iese
w = halbvokalisches w: engl. *w*ell
y = ü: R*ü*be

Langer Vokal wird durch nachfolgenden Doppelpunkt bezeichnet (z. B. ɑ: in H*aa*r); b d f g h i j k l m n p r u geben etwa den deutschen Lautwert wieder.

Herkunft der Wörter (Etymologie)

Die Herkunftsangaben stehen in eckiger Klammer hinter dem Stichwort. Die Zeitangaben beziehen sich auf das erste Auftreten eines Wortes im D e u t s c h e n, z. B. ›Lutherzeit‹, ›Goethezeit‹. Fremdwörter werden durch Angabe der Herkunftssprache gekennzeichnet: **anim′oso** [ital.]; das fremdsprachige Herkunftswort wird gebracht, wenn es wichtig ist: **Am′ause** [mhd. aus franz. émail]. Wo die wörtliche deutsche Entsprechung des fremden Begriffs von Bedeutung ist, wird sie angegeben: **allons** [ɑlɔ̃, franz. ›gehen wir!‹].

Zeichen

Die Zugehörigkeit zu einer besonderen Sprachschicht machen folgende Zeichen kenntlich:

† = veralteter Ausdruck
B = Bibel- und Kanzelsprache
D = dichterische und gehobene Sprache
G = gemeiner oder Gauneraussdruck
H = scherzhafter Ausdruck
K = Kanzleistil, geschraubter Ausdruck
M = Mundartwort oder nur landschaftlich verbreitetes Wort
S = schlechter Stil
U = Umgangssprache

Weitere Zeichen: * geboren (zu ... am ...), † gestorben (zu ... am ...). Der Pfeil → fordert auf, das dahinterstehende Wort nachzuschlagen. BILD bedeutet: die zugehörige Abbildung suche man an der hier genannten Stelle; ähnlich: ÜBERSICHT, TAFEL, KARTE.

Anregungen und Verbesserungsvorschläge

aus dem Kreise der Benutzer sind stets willkommen und werden genau geprüft; da der Verlag nicht auf jeden Hinweis antworten kann, spricht er seinen Dank für jede Hilfe schon hier aus.

Abkürzungen

Häufig sind Endungen oder Wortteile weggelassen, die man ohne Schwierigkeit ergänzen kann, z. B. span. für spanisch; abgek. für abgekürzt; Abt. für Abteilung; in den eckigen Klammern d. für deutsch in: niederd.; oberd. Weitere Abkürzungen →Maße und Gewichte, physikalische →Maßeinheiten, →mathematische Zeichen, →chemische Elemente u. a.

Abg.	Abgeordneter
ABGB	Allgemeines Bürgerliches Gesetzbuch (Österr.)
AG	Aktiengesellschaft
AGer.	Amtsgericht
ahd.	althochdeutsch
Arr.	Arrondissement
Art.	Artikel
a. St.	alten Stils
A. T.	Altes Testament
Bd., Bde.	Band, Bände
Bez.	Bezirk, Bezeichnung
BezA.	Bezirksamt
BezGer.	Bezirksgericht
BGB	Bürgerliches Gesetzbuch
BRT	Bruttoregistertonne
d. Ä.	der (die) Ältere
das.	daselbst
Dep.	Departement
Distr.	Distrikt
d. J.	der (die) Jüngere
dt.	deutsch
Dtl.	Deutschland
DurchfVO.	Durchführungs-Verordnung
Eigw.	Eigenschaftswort
Einw., Ew.	Einwohner
EStG	Einkommensteuergesetz
e. V.	eingetragener Verein
Ez.	Einzahl
Gem.	Gemeinde
Ges.	Gesetz; Gesellschaft
GewO	Gewerbeordnung
Gfsch.	Grafschaft
GG	Grundgesetz
Gouv.	Gouvernement, Gouverneur
grch., griech.	griechisch
GVG	Gerichtsverfassungsgesetz
Hb.	Handbuch
hd.	hochdeutsch
HGB	Handelsgesetzbuch
hg. v.	herausgegeben von
Hptw.	Hauptwort
Hwb.	Handwörterbuch
Hzgt.	Herzogtum
i. J.	im Jahre
Jb.	Jahrbuch
Jh., Jhs.	Jahrhundert(s)
Kap.	Kapital
Kgr.	Königreich
KO	Konkursordnung
Kr.	Kreis
Kw.	Kunstwort
lat.	lateinisch
LdGer.	Landgericht
Lit.	Literatur
Lw.	Lehnwort
MA.	Mittelalter
md.	mitteldeutsch

MdB	Mitglied des Bundestags
MdR	Mitglied des Reichstags
mhd.	mittelhochdeutsch
Mill.	Million
Min.	Minister
MinPräs.	Ministerpräsident
Mitt.	Mitteilung(en)
mlat.	mittellateinisch
mnd.	mittelniederdeutsch
Mz.	Mehrzahl
N	Nord(en)
n. Br.	nördliche(r) Breite
n. Chr.	nach Christi Geburt
nhd.	neuhochdeutsch
nlat.	neulateinisch
n. St.	neuen Stils
N. T.	Neues Testament
O	Ost(en)
o. J.	ohne Jahr
ö. L.	östliche(r) Länge
OLdGer.	Oberlandesgericht
OR	Obligationenrecht (Schweiz)
Präs.	Präsident
Prof.	Professor
Prov.	Provinz
Ps.	Psalm
ref.	reformiert
RegBez.	Regierungsbezirk
RegPräs.	Regierungspräsident
RT	Registertonne
Rep.	Republik
S	Süd(en)
s. Br.	südliche(r) Breite
StGB	Strafgesetzbuch
StPO	Strafprozeßordnung
Stw.	Stammwort
svw.	soviel wie
TH	Technische Hochschule
u. d. T.	unter dem Titel
ü. M., u. M.	über (unter) dem Meeresspiegel
urspr.	ursprünglich
v. Chr.	vor Christi Geburt
Verf.	Verfassung; Verfasser
VerwBez.	Verwaltungsbezirk
vgl.	vergleiche
Vfg. v.	Verfügung vom
v. Gr.	von Greenwich
v. H.	vom Hundert
Vors.	Vorsitzender
VO. v.	Verordnung vom
W	West(en)
Wb.	Wörterbuch
w. L.	westliche(r) Länge
WO	Wechselordnung
ZGB	Zivilgesetzbuch (Schweiz)
ZPO	Zivilprozeßordnung
^{3}1950	3. Auflage 1950

Verzeichnis der Tafeln am Schluß des Bandes.

his, das **His,** *Musik:* das um einen Halbton erhöhte H.

His, Wilhelm, Anatom, * Basel 9. 7. 1831, † Leipzig 1. 5. 1904, förderte die Histologie (bes. des Zentralnervensystems) und die Embryologie. Sein Sohn *Wilhelm,* * Basel 29. 12. 1863, † Riehen bei Basel 10. 11. 1934, entdeckte das *Hissche Bündel* im Reizleitungssystem des Herzens.

H'iskia, in der Vulgata **Ezechias,** König von Juda, 715–686 v. Chr. (2. Kön. 18; Jes. 38).

Hisp'ania [lat.], **Hispanien,** alter Name der Pyrenäenhalbinsel.

Hispani'ola [lat. ›Kleinspanien‹], ursprüngl. **Española,** angelsächs. Name für Haiti.

Hispar, Riesengletscher im Karakorum, 62 km lang und 326 qkm groß.

Hiss'argebirge, Kette im Alai, bis 5700 m hoch.

Hissarl'ik [türk. ›Schloßberg‹], Ruinenhügel in Kleinasien, →Troja.

Histadrut [hebr. ›Zusammenschluß‹], die Dez. 1920 in Palästina gegründete zionist. Arbeitergewerkschaft; wurde nach 1948 in Israel zur mächtigsten Organisation (über 30% der Bevölkerung).

Histam'in, aus der Aminosäure **Histidin** durch Kohlendioxydabspaltung entstehende Verbindung mit starker physiolog. Wirksamkeit. H. erweitert die Blutkapillaren und tritt bei Überempfindlichkeitsreaktionen (Bronchialasthma, Heufieber, Nesselsucht, Allergie) vermehrt auf. Die Wirkung des H. wird durch das körpereigene Enzym Histaminase, auch durch bestimmte Arzneimittel, die Antihistamine, gehemmt oder aufgehoben.

Histiaia, griech. Stadt des Altertums an der Nordküste von Euböa, heute *Oreoi,* gehörte zum 1. Attischen Seebund, beteiligte sich jedoch am Aufstand Euböas gegen Athen 446 v. Chr., worauf in H. eine Kolonie athenischer Siedler angelegt wurde, die den Namen Oreos erhielt.

Histid'in, →Histamin.

Histochem'ie [grch. Kw.], Lehre vom Vorkommen der chem. Stoffe in bestimmten Zellen und Organen.

Histogen'ese [griech.], die Lehre von der Entstehung der Gewebe.

Histok'ompatibilit'ät [lat.], Gewebsverträglichkeit, die Verträglichkeit zwischen einem überpflanzten Gewebe (Transplantat) und dem Gewebe des Empfängers im Hinblick auf Gewebsantigene; da diese erbgebunden sind, findet sich vollständige H. nur bei eineiigen Zwillingen.

Histolog'ie [griech.], **Gewebelehre,** das Wissen von den Geweben der Lebewesen. Die 1838/39 durch M. Schleiden und Th. Schwann begründete Zellenlehre ermöglichte das Erkennen der Zellen als Bausteine der Gewebe. Der Begründer der neueren H. ist A. v. Kölliker (1817–1905). Die mikroskop. Erforschung der Gewebe erlebte einen großen Aufschwung, als es gelang, frische Gewebe abzutöten und sie in einen Zustand überzuführen, in dem sie unverändert bleiben *(histolog. Fixierung).* Die moderne H. hat mit neuen optischen Verfahren und der Elektronenmikroskopie auch das lebende Gewebe erforscht.

Histol'yse [grch. Kw.], Gewebseinschmelzung, Gewebsauflösung.

Hist'one [grch. Kw.], zu den Proteinen gehörige Eiweißkörper.

Histo|radiograph'ie [grch. Kw.], die Substanzanalyse, Mengenbestimmung und Lokalisation einzelner chemischer Elemente und deren verschiedener Gewebsbausteine durch quantitative Auswertung der Absorptionsunterschiede besonders langwelligen Röntgenlichtes in histologischen Gewebsschnitten. Die Ergebnisse werden dargestellt im *Historadiogramm.*

Hist'orienbibel, eine erzählende Wiedergabe der Hl. Schrift, durch apokryphe und profangeschichtl. Bestandteile erweitert, vielfach mit Miniaturen von hohem künstlerischem Wert. Vorbild war die Weltchronik des Rudolf von Ems.

Historienbild, Geschichtsbild, (TAFELN Seite 8/9), die künstlerische Darstellung geschichtl. Ereignisse. Vorgänge aus der zeitgenöss. Geschichte wurden schon von den Ägyptern und Assyrern (Reliefs) geschildert. Von der griechischen Geschichtsmalerei vermittelt die durch eine Mosaikkopie bekannte →Alexanderschlacht eine Vorstellung. Kriegerische Taten und Szenen aus Feldzügen stellen auch die in der römischen Kaiserzeit entstandenen Reliefs der Trajans- und Mark-Aurel-Säule sowie der Triumphbögen dar. Im Mittelalter boten vor allem Bildteppiche (erhalten der Teppich von →Bayeux), später auch Buchmalereien (J. Fouquet) Gelegenheit zu geschichtl. Schilderungen. Von den H. der italien. Renaissance sind die Fresken ihrer größten Maler nicht vollendet worden (Leonardo und Michelangelo im Palazzo Vecchio zu Florenz) oder zugrunde gegangen (Tizian im Dogenpalast zu Venedig). Das bedeutendste der im Norden entstandenen ist die Alexanderschlacht von Altdorfer (München). Im Barock entwickelte sich als eigene Gattung das *Schlachtenbild.* Alle H. der Zeit überragt die Übergabe von Breda (Madrid, Prado) von Velazquez. Die Schrekken des Krieges schilderte Callot in seinen Radierungen und zu Anfang des 19. Jhs. Goya, dessen Darstellungen aus der Geschichte seiner Zeit (Erschießung Aufständischer; Madrid, Prado) ohne Nachfolge blieben. Mit den die Taten Napoleons verherrlichenden H. französ. Maler (David, Gérard, Gros u. a.), die vor allem für die Ruhmesgalerie in Versailles entstanden, setzte die sich in ganz Europa verbreitende Historienmalerei des 19. Jhs. ein, die sowohl Ereignisse der Gegenwart als auch der Vergangenheit darstellte (Delacroix, Delaroche u. a.). Von starkem Einfluß waren die belgischen Historienmaler (Wappers, Gallait u. a.). Unter den deutschen Künstlern

HISTORIENBILD I

1

2

3

1 *Die Beute aus Jerusalem; Relief am Titusbogen, Rom, 81 n. Chr.* **2** *Kaiser Heinrich VII. auf seiner Romfahrt 1310 den Mont Cenis überschreitend; Miniatur aus dem Codex Balduini, 14. Jh. (Trier).* **3** *A. v. Menzel: Friedrich II. in Lissa; Holzschnitt in Kuglers Geschichte Friedrichs des Großen, 1842*

1

2

1 *E. Manet: Die Erschießung Kaiser Maximilians von Mexiko; gemalt 1867 (Mannheim, Kunsthalle).* **2** *Ferdinand Hodler: Auszug der Jenenser Studenten im Jahre 1813; Wandgemälde 1908 (Jena, Universität)*

ragen Cornelius und Rethel hervor, vor allem aber Menzel mit Holzschnitten und Gemälden aus der Geschichte Friedrichs d. Gr., sowie Piloty, Kaulbach und A. v. Werner, unter den russischen Wereschtschagin und Repin. Manets ›Erschießung Kaiser Maximilians‹ (Mannheim, Kunsthalle) blieb ein vereinzelter Versuch des Impressionismus. Im 20. Jh. gelangte der Schweizer Hodler zu neuen monumentalen Gestaltungen (Auszug der Jenenser Studenten; Jena, Universität). Das Wandbild ›Guernica‹ von Picasso (New York, Museum of Modern Art) stellt ein Ereignis aus dem Spanischen Bürgerkrieg in der Bildsprache der modernen Kunst dar.

Historiogr'aph [griech.], Geschichtsschreiber, **Historiograph'ie,** Geschichtsschreibung.

hist'orische Geograph'ie, Forschungsgebiet mit Aufgaben sowohl geograph. wie histor. Art: Wiederherstellung des geograph. Bildes der einzelnen geschichtl. Epochen auf Grund von Feld- und Bodenforschung (Archäologie) und nach schriftl. Quellen.

hist'orische Hilfswissenschaften, die Wissensgebiete, die zur vorbereitenden Kritik der Geschichtsquellen notwendig sind: Schriften- und Handschriftenkunde (Paläographie), Inschriftenkunde, Urkundenlehre, Siegelkunde, Münzkunde, Genealogie, Wappenkunde, Chronologie, historische Geographie.

Hist'orische Kommission, Institut zur Herausgabe von Geschichtsquellen. Das älteste wurde 1858 auf Rankes Anregung in München gegründet. Die meisten H. K. sind landesgeschichtliche Publikationsinstitute, so für Baden (1883), Württemberg (1891) u. a.

Hist'orischer Materialismus, geschichtsphilos. Lehre, →Materialismus.

Hist'orische Schule, →Rechtswissenschaft, →Volkswirtschaftslehre.

Historische Zeitschrift, die führende Zeitschrift der dt. Geschichtswissenschaft, gegr. 1859 von H. v. Sybel, seit 1893 hg. v. F. Meinecke, seit 1949 von L. Dehio, seit 1950 von L. Dehio und W. Kienast, seit 1957 von T. Schieder und W. Kienast (bis 1968), jetzt mit Th. Schieffer.

Historisch-politische Blätter für das katholische Deutschland, 1838 in München von G. Phillips, E. Jarcke und G. Görres gegründete, viele Jahrzehnte von J. K. Jörg herausgegebene, bis 1922 erschienene Halbmonatsschrift. Ihre Tradition versuchte die 1924 von M. Buchner gegr. Monatsschrift ›Gelbe Hefte‹ fortzusetzen (bis 1941).

Histor'ismus [griech.], eine Weltansicht, die alle Erscheinungen des kulturellen Lebens aus ihrer Geschichte heraus zu verstehen sucht. Da die geschichtl. Erkenntnis das Einmalige und Individuelle heraushebt, gerät der H. in Gegensatz zu allen geistigen Haltungen, die auf das Allgemeine abzielen.

Das eigentl. Erscheinungsgebiet des H. waren die Geisteswissenschaften, in denen im Laufe des 19. Jhs. mehrere **Historische Schulen** auftraten, so in der Rechtswissenschaft (F. K. v. Savigny, J. Grimm, R. v. Jhering, O. v. Gierke u. a.) oder der Volkswirtschaftslehre (B. Hildebrand, W. Roscher, K. Knies, G. Schmoller, A. Wagner, Gegner: C. Menger). Darüber hinaus kam es zu einer durchgreifenden Historisierung aller Geisteswissenschaften, so daß der H. über den größten Teil des vorigen Jahrhunderts hin eine herrschende Bewegung war.

LIT. F. Nietzsche: Vom Nutzen und Nachteil der Historie für das Leben (1874); E. Troeltsch: Der H. und seine Probleme (1922); Der H. und seine Überwindung (1924); K. Heussi: Die Krisis des H. (1932); F. Meinecke: Die Entstehung des H. (1936).

Histri'one, altröm., aus dem Etruskischen entlehnte Bezeichnung für Schauspieler.

Hita ['ita], **1)** Ginés Pérez de, span. Schriftsteller, * Prov. Murcia um 1544, † das. nach 1619, schrieb den geschichtl. Roman ›Historia de las guerras civiles de Granada‹ (1595 bis 1604).

2) Juan Ruiz, span. Dichter, →Ruiz.

Hitchcock [h'itʃkɔk], Alfred, engl. Filmregisseur, * London 13. 8. 1899, Drehbuchautor psycholog. Kriminalfilme. Filme: Das Fenster zum Hof (1954), Psycho (1960), Die Vögel (1962/63), Marnie (1964), Topas (1969), Frenzy (1971).

Hitler, Adolf, nationalsoz. Politiker, »Führer und Reichskanzler«, * Braunau (Oberösterr.) 20. 4. 1889, † (Selbstmord zus. mit seiner Frau Eva, geb. Braun) Berlin 30. 4. 1945, deutscher Staatsangehöriger durch Einbürgerung in Braunschweig 1932; wollte Maler werden, wurde in Wien in die Akademie der Bildenden Künste wegen mangelnder Begabung nicht aufgenommen, lebte als Gelegenheitsarbeiter und Postkartenmaler, ging 1913 nach München. Im 1. Weltkrieg war H. Soldat im dt. Heer, 1919 wurde er Mitglied der »Deutschen Arbeiter-Partei«, aus der die NSDAP hervorging. Bald nach der Ruhrbesetzung mißlang ihm in München am 8./9. 11. 1923 der Versuch, zus. mit Ludendorff die bayrische und die Reichsregierung zu stürzen. H. wurde zu fünf Jahren Festungshaft verurteilt, aber schon im Dez. 1924 aus Landsberg, wo er sein Programmbuch ›Mein Kampf‹ geschrieben hatte, entlassen. 1925 gründete er die NSDAP neu (→Nationalsozialismus). Die Notlage weiter Schichten nach Krieg und Inflation, die Diskriminierungen des Versailler Vertrags, die geringe Verwurzelung der Demokratie im Volk sowie die steigende Arbeitslosigkeit bes. nach der Wirtschaftskrise 1930 agitatorisch ausnutzend, gelang es ihm, steigende Erfolge für seine Partei bei den Wahlen zu erringen. Im Gegensatz zu seinen Bestrebungen vor 1923, suchte er nun »legal«, unter Beachtung der Verfassung, zur Macht zu gelangen. Es gelang ihm, mit Unterstützung von →SA und →SS und durch seine rhetor. Begabung, die nationalsozialist. Fraktion im Reichstag zu stärken. Am 30. 1. 1933 wurde H. als Führer der stärksten Partei zum

Reichskanzler ernannt. Er schaltete zuerst seine polit. Gegner, dann seine bisher. Bundesgenossen aus. Nach dem Tode des Reichspräs. von Hindenburg (2. 8. 1934) machte er sich als »Führer und Reichskanzler« zum Staatsoberhaupt. Er errichtete den »Führerstaat«, eine auf der Rassen- und Machtideologie fußende, das Herrschaftsstreben eines »Großdeutschen Reichs« verkörpernde Parteidiktatur. Juden und Kommunisten wurden als Todfeinde verfolgt, Liberalismus, Parlamentarismus, Humanität verhöhnt und ebenso wie die Sozialdemokratie und die Gewerkschaften »ausgemerzt«; der soziale Friede wurde durch Machtspruch hergestellt, durch Staatsaufträge und Aufrüstung die Arbeitslosigkeit beseitigt und ein wirtschaftl. Aufschwung herbeigeführt. Die Freiheits- und Menschenrechte wurden aufgehoben; Kultur, Wissenschaft und Kunst ebenso wie Staat, Wirtschaft und Wehrmacht »gleichgeschaltet«, straff zentral gelenkt und durch einen feinmaschigen Polizeiapparat überwacht, Kirche und Christentum immer offener bekämpft, jede Opposition mit der Waffe des Konzentrationslagers im Keim erstickt. Unter den Schlagworten »Volksgemeinschaft« und »Friedenspolitik« organisierte er, mit sicherem Instinkt für Massenpsychologie, eine ruhelose Propaganda, die die Bevölkerung im Sinne der Parteidoktrin und der jeweils gewünschten Stimmung bearbeitete. Ein Fanatiker mit übersteigertem Selbstbewußtsein, trieb H. seit 1933, zunächst unter Duldung des Auslands, die weltpolit. Entwicklung voran, die zum Zweiten →Weltkrieg führte. Er ist für die Schrecken dieses »totalen« Kriegs in erster Linie maßgeblich und verantwortlich. →Deutsche Geschichte.

LIT. H. Rauschning: Gespräche mit H. (1940, 1973); A. Bullock: H. – A Study in tyranny (1952; dt. 1953); H. Picker: H.s Tischgespräche im Führerhauptquartier 1941/42, hg. v. P. E. Schramm (^{2}1965); A. Kubizek: A. H., mein Jugendfreund (Graz 1953); F. Jetzinger: H.s Jugend (Wien 1956); H. Heiber: A. H. (1960); W. Hofer: Die Diktatur H.s bis zum Beginn des 2. Weltkriegs (1960); H. H. Hoffmann: Der H.-Putsch (1961); H. Bennecke: H. und die SA. (1962); P. E. Schramm: H. als militär. Führer (1962); K. Bracher u. a.: Die nat.-sozialist. Machtergreifung (1962); H. Heiber (Hrsg.): Hitlers Lagebesprechungen (1962); M. Domarus: H., Reden u. Proklamationen 1932–1945 (1962); H.s Weisungen für die Kriegführung 1939–1945, hg. v. W. Hubatsch (1965). ›Es spricht der Führer‹. 7 exemplar. Hitler-Reden, hg. v. H. v. Kolze, H. Krausnick u. F. A. Krummacher (1966); Reden des Führers. Politik u. Propaganda A. H.s 1922–1945, hg. v. E. Klöss (1967); W. Maser: A. H. (^{3}1972); J. C. Fest: H. Eine Biographie (^{6}1974).

Adolf Hitler

H'itler-Jugend, abgekürzt **HJ,** die Jugendorganisation der NSDAP, 1926 gegründet; 1936 Staatsjugend unter Leitung eines »Reichsjugendführers«, mit seit 1939 pflichtmäßiger Mitgliedschaft. Untergliederungen: »Deutsches Jungvolk« (DJ) und »Deutsche Jungmädel« (DJM; 10–14jährige), »Hitlerjugend« (HJ) und »Bund Deutscher Mädel« (BDM; 14–18jährige).

H'itra, Hitteren, 565 qkm große, flache und z. T. bewaldete Insel W-Norwegens vor dem Eingang zum Drontheimfjord.

H'ittorf, Johann Wilhelm, Physiker, * Bonn 27. 3. 1824, † Münster (Westfalen) 28. 11. 1914, Prof. in Münster, untersuchte die Ionen und ihre Wanderung bei der Elektrolyse, entdeckte die geradlinige Ausbreitung, Eigenschaften und Wirkungen der Kathodenstrahlen.

H'itzausschlag, Knötchenausschlag beim Pferd.

H'itzbläschen, kleine, rasch wieder verschwindende Flüssigkeitsbläschen der menschl. Oberhaut, bes. im Sommer.

H'itzdraht|instrument, elektr. Meßinstrument, bei dem ein dünner Metalldraht durch Strom erhitzt und seine Ausdehnung auf einen Zeiger übertragen wird.

Hitzdrahtverfahren, →Van-Arkel-de-Boer-Verfahren.

Hitze, Franz, kath. Theologe, * Hanemicke (Westf.) 16. 3. 1851, † Nauheim 20. 7. 1921, war als Zentrumspolitiker (im Reichstag seit 1884) und als Prof. der christl. Gesellschaftslehre in Münster (seit 1893) zu seiner Zeit der maßgebende Berater der dt. kath. Sozialpolitik.

H'itzebeständigkeit, die Widerstandsfähigkeit bes. metallischer Werkstoffe gegen chem. Einflüsse bei hohen Temperaturen.

H'itzig, Julius Eduard, Kriminalist, Verleger und Schriftsteller, * Berlin 26. 3. 1780, † das. 26. 11. 1849, war mit Z. Werner und E. T. A. Hoffmann befreundet, gründete 1808 in Berlin eine Verlagsbuchhandlung und stand in enger Verbindung mit der konservativ-nationalgesinnten Romantikergruppe. Er schrieb Biographien von Z. Werner, E. T. A. Hoffmann und Chamisso.

H'itzschlag, griech. *Hyperthermie,* eine schwere Gesundheitsstörung durch Wärmestauung. H. kann auch ohne unmittelbare Sonnenbestrahlung eintreten, bes. bei feuchtwarmem Wetter und Windstille, verdunstungshindernder Kleidung und körperl. Anstrengung. Anzeichen: Schweißausbruch, Übelkeit, Durst, Erbrechen, Kopfschmerzen, Störungen des Gehörs, der Sprache und des Ganges, plötzliches Hinstürzen unter Bewußtlosigkeit, schwacher und beschleunigter Herz- und Atmungstätigkeit. *Behandlung:* →Erste Hilfe.

Hjalmar [j'almar, nord. ›der Heldenmütige‹], männlicher Vorname.

Hj'älmarsee, schwed. **Hjälmaren** [jɛl-], See in der mittelschwed. Senke, 484 qkm groß, bis 18 m tief, entwässert nach NO zum Mälarsee.

Hj'arrandi, eine Sängergestalt aus der frühen Wikingerzeit. Er scheint identisch zu sein mit dem *Horand* des dt. Kudrunepos und dem engl. *Heorenda. Hjarrandaliod* waren eine Art von Zaubergesängen.

Hj'ortspring [dän. ›Hirschsprung‹], Landgut auf der Insel Alsen, Dänemark, bekannt durch einen bedeutenden vorchristl. Moorfund (Boot von 11 m Länge und Waffen).

HK, Abkürzung für Hefnerkerze.

hl, Abkürzung für Hektoliter.

Hl., hl., Abkürzung für heilig.

h. l., Abk. für **hoc loco** (lat.), d. h. an diesem Orte, an dieser Stelle.

Hl'asko, Marek, poln. Schriftsteller, * Warschau 14. 1. 1934, † Wiesbaden 14. 6. 1969, seit 1958 in der Bundesrep. und in Israel; schrieb Romane und Erzählungen.

WERKE. Erster Schritt in Wolken (1956), Der achte Tag der Woche u. a. Erzählungen (1956; dt. 1958), Der Nächste ins Paradies (1957; dt. 1960), Alle hatten sich abgewandt (dt. 1965).

Hlinka, Andrej, slowak. Politiker, * Černova 27. 9. 1864, † Rosenberg 16. 8. 1938, kathol. Priester, gründete 1905 die *Slowak. Volkspartei* und forderte von Ungarn, seit 1919 von der Tschechoslowakei Autonomie für die Slowakei. Kampforganisation der Partei war die **H.-Garde.**

Hlond [xl-], August, Kardinal (seit 1927), * Brzenskowitz (Kr. Kattowitz) 5. 7. 1881, † Warschau 22. 10. 1948, Salesianer Don Boscos, 1925 Bischof von Kattowitz, 1926 Erzbischof von Gnesen und Posen, 1946 Erzbischof von Gnesen und Warschau. H. war ein energischer kirchl. Verfechter der poln. Politik gegenüber der dt. Minderheit und, seit 1945, der poln. Ansprüche auf die Oder-Neiße-Linie.

H. M., engl. Abkürzung für **His (Her) Majesty,** Seine (Ihre) Majestät. **H. M. S.,** die engl. Kriegsschiffbezeichnung **His (Her) Majesty's Ship,** Seiner (Ihrer) Majestät Schiff.

h-Moll-Messe, *Hohe Messe in h-Moll,* Vertonung des lat. Messetextes von J. S. Bach für Chor, Solisten und Orchester, am 27. 7. 1733 dem Kurfürsten August II. von Sachsen gewidmet.

HO, Abk. für →Handelsorganisation.

Ho, chem. Zeichen für Holmium.

Hoangho, Fluß in China, →Huangho.

Hoare [hɔ:], Sir Samuel, engl. Politiker, →Templewood.

Ho'azin [indian.] *der,* **Zigeunerhuhn,** *Opisthocomus hoatzin,* großer hühnerartiger Baumvogel der trop. Überschwemmungswälder Südamerikas; die Jungen tragen an jedem Flügel zwei Krallen.

Hoazin (nat. Länge 62 cm); unten: Flügel eines Nestjungen mit Krallen

Hobart [h'oubɑ:t], Hauptstadt des Staates Tasmanien, Australien, an der Mündung des Derwent, am Fuß des Mount Wellington, mit (1971) 153000 Ew.; kathol. Erzbischofssitz, Universität. H., gegr. 1804 als Walfängersiedlung, hat Maschinenindustrie; Ausfuhrhafen.

H'obbema, Meindert, holländ. Maler, * Amsterdam 31. 10. 1638, † das. 17. 12. 1709, Schüler des J. van Ruisdael, Landschaftsmaler. Seit seiner Ernennung zum Weinmeister 1668 nicht mehr künstlerisch tätig. (Allee von Middelharnis, Nat. Gall. London).

H'obbes [hɔbz], Thomas, engl. Philosoph, * Malmesbury 5. 4. 1588, † Hardwicke 4. 12. 1679, studierte in Oxford, war Hauslehrer in der Familie des Grafen von Devonshire, bereiste Frankreich und Italien und floh vor Ausbruch der Revolution 1640

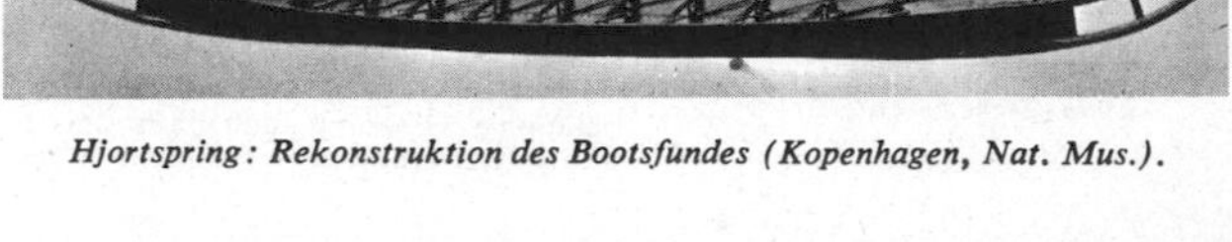

Hjortspring: Rekonstruktion des Bootsfundes (Kopenhagen, Nat. Mus.).

nach Paris, wo er den späteren Karl II. Stuart unterrichtete. Unter Cromwell kehrte er 1651 nach England zurück. H. gründete seine Philosophie auf die mathematisch-mechanische Naturauffassung. An die Stelle des Denkens über Außerweltliches setzte er die Erörterung der Grundbegriffe der Natur wie Raum, Zeit, Bewegung. Wandte seine Naturauffassung auf die Staats- und Gesellschaftslehre an.

WERKE. Über den Bürger (lat. 1647; dt. 1918), Lehre vom Körper (lat. 1655; dt. 1915), Über den Menschen (lat. 1659; dt. 1918), Leviathan (engl. 1651; dt. 1936, neu 1966), Philos. Werke, lat., 5 Bde. (1839–45). Engl. Werke, 11 Bde. (1839–45).

LIT. C. v. Brockdorff: H. (^{2}1929).

H'obby [engl.] *das*, Steckenpferd, Liebhaberei.

hobeln, mit dem Hobel glätten, bearbeiten. Das H. ist ein Verfahren der spanabhebenden Formung. Das *H. von Holz* wird handwerklich mit dem Hobel und maschinell mit der Hobelmaschine ausgeführt. – Der *Hobel* besteht aus dem *Hobeleisen*, einer geschliffenen Stahlklinge, das mit einem Holzkeil im *Hobelkasten* befestigt ist. Beim *Doppel-* oder *Putzhobel* ist auf dem eigentl. Hobeleisen noch ein zweites Eisen befestigt.

Zum Abrichten ebener Flächen dient die *Rauhbank*, zum Ausarbeiten muldenförmiger Flächen der *Schiffhobel* mit gekrümmter Sohle, für grobe Vorarbeiten der *Schrupphobel*, zum sauberen Bearbeiten der *Schlichthobel*.

Die *Hobelbank* ist ein Arbeitstisch zum Einspannen und Festhalten hölzerner Werkstücke. *Hobelmaschinen* besitzen umlaufende Messerwellen. Bei *Abrichthobelmaschinen* wird das Holz an den Maschinentisch angedrückt und über die rotierende Messerwelle weggeschoben. Die *Dickten-* *(Dicken-)* *hobelmaschine* stellt planparallele Flächen her.

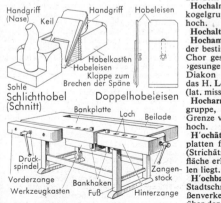

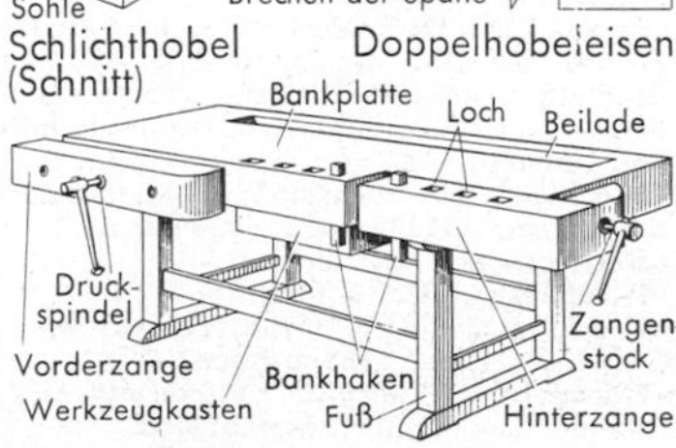

Hobel und Hobelbank

Hobelmaschinen für *Metalle* besitzen eingespannte *Hobelmeißel*, ggf. in der Form des zu erzeugenden Profils *(Formhobeln)*. Bewegt wird entweder das Werkstück *(Tisch-* oder *Langhobelmaschine)* oder ein gleitender Stößel mit dem Werkstück *(Kurzhobler, Shaping-Maschine)*.

Hobhouse [h'ɔbhaus], Leonhard Trelawney, engl. Philosoph, * St. Ive (Cornwall) 8. 9. 1864, † Alençon (Normandie) 21. 6. 1929, Prof. in London, suchte durch seinen Evolutionismus insbes. eine die polit. Pflichten und Freiheiten ausgleichende Staatslehre zu begründen.

WERKE. The theory of knowledge (^{3}1921), Morals in evolution, 2 Bde. (^{2}1923), Metaphysical theory of the state (^{2}1923; dt. 1924).

Hobo'isten, Hautboisten, zunächst die Spieler der →Oboe, später die Musiker der Infanteriekapellen.

Hob'oë [franz. haut-bois] *die*, →Oboe.

H'oboken, 1) Industrievorstadt von Antwerpen, mit (1970) 33 800 Ew., an der Schelde; Eisenhütten, Werften, Wollkämmereien. **2)** [h'ouboukən], Stadt und Hafen in New Jersey, USA, mit (1970) 45 400 Ew., am Hudson gegenüber New York; Techn. Hochschule.

Hobrecht, Jakob, Komponist, →Obrecht.

hoc 'anno [lat.], in diesem Jahre.

Hoccleve [h'ɔkli:v], Thomas, engl. Dichter, * 1368, † 1450. Sein Hauptwerk ist ein dem nachmaligen König Heinrich V. gewidmeter Fürstenspiegel.

hoc est [lat.], abgek. **h. e.,** das ist, das heißt.

Hoch, das →Hochdruckgebiet.

H'ochäcker, Hochbifänge, hochgewölbte Ackerbeete zwischen tiefen Furchen, galten früher als vorgeschichtlich, sind aber mittelalterl. Ursprungs, in N-Deutschland schon aus dem 1. Jh. n. Chr. bezeugt.

Hochalmspitze, höchster Gipfel der Ankogelgruppe in den Hohen Tauern, 3355 m hoch.

Hochaltar, →Altar.

Hochamt, *kath. Liturgie:* eine Messe, bei der bestimmte Teile vom Priester und vom Chor gesungen werden (lat. missa cantata ›gesungene Messe‹). Wenn dem Priester Diakon und Subdiakon assistieren, heißt das H. **Leviten-H., Levitenamt, levitiertes H.** (lat. missa solemnis ›feierliche Messe‹).

Hocharn, höchster Gipfel der Goldberggruppe, in den Hohen Tauern, an der Grenze von Kärnten und Salzburg, 3258 m hoch.

H'ochätzung, die Herstellung von Druckplatten für den Hochdruck durch Ätzung (Strichätzung, Autotypie), so daß die Druckfläche erhaben über den übrigen Plattenteilen liegt.

H'ochbahn, elektrische Bahn, bes. als Stadtschnellbahn, zur Entlastung des Straßenverkehrs auf Brückenkonstruktionen über der Straßenebene geführt.

H'ochbau, der Zweig der Bautechnik, der

sich mit der Herstellung von Gebäuden befaßt. Gegensatz: Tiefbau.

H'ochbehälter, ein unterirdischer Behälter in hochgelegenem Gelände zum Sammeln von Wasser für die Wasserversorgung.

H'ochberg, Markgrafen von, Nebenlinien der bad. Zähringer, nach dem von den Franzosen 1689 zerstörten Bergschloß H. oder *Hachberg* bei Freiburg i. Br. Die jüngste Linie stammt aus der morganat. Ehe des späteren Großherzogs Karl Friedrich von Baden mit der Freiin Geyer v. Geyersberg; sie gelangte 1830 auf den Thron.

hochbeschlagen, *Jägersprache:* hochträchtiges Schalenwild.

Hochbifang [ahd. ›Umfang‹] *der,* →Hochäcker.

Hochbild, 1) *Kartographie:* →Relief, **Hochbildkarten,** →Reliefkarten. **2)** *Graphik:* →Prägedruck.

Hochblatt, Blattgebilde im Blütenstand oder dicht unter ihm.

Hochburgund, auch **Transjuranisches Burgund,** →Burgund.

H'ochdecker, ein Flugzeug (Eindecker), mit Tragflügeln über dem Rumpf.

Hochdeutsch, →deutsche Sprache; **hochdeutsche Lautverschiebung,** →Lautverschiebung.

H'ochdorf, Bezirkshauptort im Kanton Luzern, Schweiz, mit (1970) 5200 Ew.; Milcherzeugnisse, Obst- und Getreidebau, verschiedene Industrie.

H'ochdruck, ein →Druckverfahren, bei dem die zum Abdruck kommenden Teile der Druckform erhöht liegen.

H'ochdruckapparate, Druckbomben, Bomben, chemische Reaktionsgefäße für hohe Drucke bis 700, selten bis 2000 at. Sie werden heute meist im Wickelverfahren hergestellt, d. h. durch Aufwickeln von profilierten Stahlbändern bei 800° C auf ein Kernrohr, Deckel und Rohrleitungen durch Flanschverbindungen angeschlossen.

H'ochdruckgebiet, Antizyklone, ein Gebiet hohen Luftdrucks, bei dem der Druck vom Kern nach außen abnimmt. Der Wind umkreist den Kern auf der N-Halbkugel im Sinne des Uhrzeigers, auf der S-Halbkugel entgegengesetzt. Ein längere Zeit ortsfestes H. besteht meist aus Warmluft; in höheren Breiten kommt auch ein kaltes H. vor.

H'ochdruckkrankheit, *essentielle Hypertonie,* dauernd erhöhter →Blutdruck mit Schwindel, Kopfdruck, Herzklopfen, Atemnot, Reizbarkeit u. a. Zu der erbbedingten Veranlagung treten als Ursachen der H. das spannungsgeladene Leben der neuzeitl. Zivilisation (→Managerkrankheit, →Zivilisationskrankheiten), fettreiche, vitaminarme Nahrung, Alkohol- und Tabakmißbrauch.

H'ochdruckmaschinen, Buchdruckpressen, alle Maschinen zur Ausübung des Hochdruckverfahrens (→Druckverfahren). Hauptgruppen sind Tiegeldruckpressen, Druckautomaten, Stoppzylinderschnellpressen, Eintouren- und Zweitourenmaschinen, Zweifarben-Zweitourenmaschinen, Mehrfarbenmaschinen, Bogen- und Rollen-(Rotations-)maschinen. Rotations- und Spezialmaschinen drucken von endloser Papierbahn (Rolle). *Zeitungsrotationsmaschinen* können in einem Durchlauf 96 Seiten und mehr drucken, Schnelläufer-Hochleistungsmaschinen machen bis zu 30000 Zylinderumdrehungen stündlich.

H'ochdrucktechnik, Technik der Verformung bes. von Metallen und Gläsern, bei einem Druck von 30000 atü und darüber.

Hoche, Alfred Erich, Psychiater, * Wildenhain 1. 8. 1865, † Baden-Baden 16. 5. 1943, Prof. in Freiburg i. Br., Gegner der Freudschen Psychoanalyse; Dichtungen unter dem Pseudonym **Alfred Erich.**

H'och|ebene, Hochfläche, Hochland, Hochplateau, höher gelegene, ausgedehnte ebene bis flachwellige Landschaft, in den Tropen und Subtropen wegen des Klimas als Siedlungsgebiet wertvoll. Man bezeichnet mitunter schon Gebiete über 200 m als H.; die H. von Tibet liegen in Höhen von 3500 bis 5000 m ü. M.

Hocheis, die Eisschicht der steilen Hänge der Gipfelregion der Hochgebirge, entstanden aus dem Durchtränken des Hangschnees mit sommerlichen Schmelzwassern.

Hochenegg, Julius, Chirurg, * Penzing bei Wien 2. 8. 1859, † Wien 11. 5. 1940, das. Prof., arbeitete bes. über Darm-, Nieren- und Leberchirurgie sowie über bösartige Geschwülste.

Hoch|energiephysik, die Physik der Erscheinungen im Bereich der Atomkerne und Elementarteilchen, die bei Umsetzungen hoher und höchster Energien auftreten. Zu ihnen gehören künstl. Kernreaktionen, insbes. aber die Umwandlungen der Elementarteilchen ineinander *(Elementarteilchenphysik).* Die für Prozesse der H. notwendigen Energien werden in der kosm. Ultrastrahlung angetroffen oder mit großen Teilchenbeschleunigern künstlich erzeugt. Zu den größten dieser Maschinen zählen das Brookhaven-AG-Synchrotron (33 GeV) und das CERN-Protonensynchrotron (28 GeV).

Hochepot [ɔʃpo, frz.], ein ragoutartiges Gericht, meist aus Ochsenschwanz mit Schweinsfüßen, Gemüsen und Kartoffeln, auch aus Rindfleisch.

Höcherl, Hermann, Politiker (CSU), * Brennberg b. Regensburg 31. 3. 1912, Jurist, seit 1953 MdB, 1957 Vors. der Landesgruppe der CSU im Bundestag; 1961–65 Bundesminister des Innern, 1965–69 Bundesminister für Ernährung, Landwirtschaft und Forsten.

H'ochfeiler *der,* höchster Gipfel der Zillertaler Alpen, 3510 m hoch; über ihn läuft die österreich.-italien. Grenze.

H'ochfinanz, →Haute Finance.

H'ochfirst *der,* Berg im südl. Schwarzwald, östl. vom Titisee, 1188 m hoch.

Hochflosser, *Mollienisia velifera,* ein Zierfisch aus der Familie Zahnkarpfen.

H'ochfrequenz, Wechselstrom von sehr hoher Schwingungszahl (3 kHz bis 300

GHz), entsprechend einer Wellenlänge von 100 km bis 1 mm. H. wird in der Funk- und Fernsprechtechnik, in der Medizin, zur Wärmeerzeugung im elektr. oder magnet. Feld (Trocknen, Glühen, Härten, Schmelzen, Schweißen usw.) verwendet.

Hochfrequenzastronomie, →Radioastronomie.

H'ochfrequenzgeräte, Hochfrequenzapparate, werden in der *industriellen Technik* vielseitig angewandt. Bei *induktiven Verfahren* werden elektrisch leitende Körper von Spulen umfaßt und erhitzen sich infolge der induzierten Ströme. Die wichtigsten Anwendungen sind: Anlassen, Härten, Glühen, Weich- und Hartlöten, Schmelzen, Schweißen. *Dielektrische Verfahren* sind auf Nichtleiter beschränkt. Diese erwärmen sich auf Grund ihrer dielektr. Verluste im Felde eines mi Hochfrequenz gespeisten Kondensators. Anwendung: Kunststoff-Schweißung und -Preßtechnik, Trocknung, Vulkanisieren, Holzverleimung, Sterilisieren, Kochen, Backen, Grillen.

H'ochfrequenzkinematographie, Filmaufnahmetechnik bei sehr schnell verlaufenden Vorgängen mit entsprechend hoher Bildwechselzahl. Führt man den Film mit der normalen Bildwechselzahl von 24 Bildern je Sekunde vor, so ergibt sich eine »Zeitdehnung«.

H'ochfrequenzmaschine, ein Generator zur Erzeugung von Wechselströmen hoher Schwingungszahl.

H'ochfrequenzspektroskop'ie, Mikrowellenspektroskopie, Verfahren zur Erforschung des Aufbaus von Molekülen und Atomen mit Hilfe von hochfrequenten elektromagnet. Wellen (Mikrowellen). Bei atomaren Systemen gibt es Quantenzustände, deren Energien sich so wenig unterscheiden, daß Strahlungsübergänge zwischen ihnen mit Hilfe der gewöhnl. (Licht-)Spektroskopie nicht mehr erfaßbar sind. Wenn die ausgesandten elektromagnet. Wellen dabei im Bereich der Zentimeter- und Millimeterwellen liegen, lassen sich die aus der Hoch- und Höchstfrequenztechnik (Mikrowellentechnik) bekannten Methoden der selektiven Strahlungsabsorption anwenden. Diese Methoden dienen dazu, um Aussagen höchster Genauigkeit über bestimmte Eigenschaften atomarer Systeme, z. B. über magnet. Kernmomente, Kopplung von Spin- und Bahnbewegung bei Elektronen in angeregten Atomzuständen, zu gewinnen.

H'ochfrequenztelephonie, Trägerfrequenztelephonie, das Fernsprechen auf Leitungen, auch Starkstromleitungen, mit Hochfrequenzströmen. Die H. gestattet eine mehrfache Ausnutzung der Fernsprechleitungen, bis 1400 Gespräche über ein Adernpaar.

Hochgall, höchster Gipfel der Rieserfernergruppe der Ostalpen, 3435 m hoch, im Verlauf der österreich.-italien. Grenze.

H'ochgebirge, jedes hohe, bes. das über die Baumgrenze und Schneegrenze aufragende Gebirge, mit scharfen Gipfel- und Kammformen und oft schluchtartigen Tälern. Diese Formen sind häufig Zeichen gegenwärtiger oder ehemaliger Vergletscherung. Während arkt. Gebirge schon unter 1000 m, die Gebirge der mittleren Breiten etwa in 2000 m Höhe Hochgebirgscharakter haben, gibt es in den Tropen Gebirge von über 3000 m Höhe mit den sanfteren Formen unserer Mittelgebirge. Die H. der Erde verlaufen hauptsächlich in zwei großen Gürteln: dem südeurop.-asiatischen (Atlas-Pyrenäen-Alpen-Kaukasus-Pamir-Himalaja) und dem amerikanischen (Alaska-Rocky Mountains Nordamerikas und die Gebirge westlich davon -Kordilleren Südamerikas bis nach Patagonien); das sind Zonen erdgeschichtlich junger Faltung, Überschiebung und starker Hebung. H. sind oft Kultur- und Völkerscheiden.

Hochgericht, 1) →Halsgericht. **2)** Richtstätte; der Ort, an dem der Galgen oder das Schafott stand.

H'ochgolling *der,* der höchste Gipfel der Niederen Tauern, 2863 m, an der Grenze von Salzburg und Steiermark.

Hochgrade, →Freimaurerei.

Hochhaus, Gebäude, in dem der Fußboden mindestens eines Aufenthaltsraumes mehr als 22 m über der natürl. Gebäudeoberfläche liegt.
Moderne H. wurden ermöglicht durch die Entwicklung des Stahl- und Stahlbetonbaus, der elektrisch betriebenen Aufzüge und der techn. Installationen. Schon im klassischen Altertum gab es H., z. B. in Rom Fachwerkhäuser von etwa 35 m Höhe. In Arabien und im Großen Atlas stehen heute noch alte H. Das moderne H. stammt aus Nordamerika. Die ersten waren noch aus Backstein errichtet, 7 u. später 10 Stockwerke hoch, und entstanden um 1860; das 1883 von J. W. Root errichtete *Monadnock-Building* in Chicago hatte bereits 17 Stockwerke.

Hochheim, Stadt im Main-Taunus-Kreis, Hessen, über dem Main, (1977) 14300 Ew.; AGer, Weinbau, -handel.

Hochhuth, Rolf, Schriftsteller, * Eschwege 1. 4. 1931, schrieb die Schauspiele ›Der Stellvertreter‹ (1963), ›Soldaten‹ (1967), ›Tod eines Jägers‹ (1977).

Hochjoch, vergletscherter Paß in den Ötztaler Alpen, zwischen dem Venter und Schnalser Tal, 2875 m hoch, im Verlauf der österreichisch-italien. Grenze.

Hochkalter, Kalkgipfel in den Berchtesgadener Alpen, Bayern, 2607 m hoch, mit dem kleinen Blaueis, dem nördlichsten Gletscher der Alpen.

Ho Chi Minh, →Ho Tschi Minh.

h'ochkant liegt ein Balken, wenn die schmale Fläche auf der Unterstützung ruht.

H'ochkirch, Gem. im Kr. Bautzen, in der Oberlausitz. Hier wurde im Siebenjährigen Krieg Friedrich d. Gr. von den Österreichern unter Daun besiegt (14. 10. 1758).

H'ochkirche, 1) die hochkirchl. Bewegung in der →Anglikanischen Kirche. **2)** die *Hoch-*

kirchl. Vereinigung, 1918 gegründet, seit 1947 *Evang.-ökumen. Vereinigung des Augsburgischen Bekenntnisses*; tritt für das Bischofsamt in apostol. Nachfolge, stärkere Betonung der sichtbaren Kirche und ihres Amtes, Zurücktreten der Predigt und Ausbau des Gottesdienstes in streng gebundener Form ein.

H'ochkommissar, Hoher Kommissar, Oberkommissar, engl. *High Commissioner*, französ. *Haut Commissaire*, Titel des Überwachungs- oder Beratungsorgans in abhängigen oder besetzten Ländern, bes. in Protektoraten. In der Bundesrep. Dtl. traten bei Inkrafttreten des Besatzungsstatuts 1949 an die Stelle der Militärgouverneure der westl. Besatzungsmächte drei H., die bis 1955 die →Alliierte Hohe Kommission bildeten (Sitz auf dem Petersberg bei Bonn).

H'ochkommissar für Flüchtlinge, den Verein. Nationen unterstehende, 1951 errichtete Dienststelle zum Schutz von Emigranten und Flüchtlingen, die vor dem 1. 1. 1951 ihre Heimat verlassen haben oder nicht in sie zurückkehren können; Sitz Genf. Das internat. Abkommen von Genf vom 28. 7. 1951 (1. 9. 1953 von der Bundesrep. Dtl. unterzeichnet) untersagt jede Diskriminierung nach Herkunft, Rasse oder Religion sowie die Ausweisung. In Auswanderungsfragen arbeitet der H. f. F. mit dem →Internationalen Komitee für europ. Auswanderung zusammen; für die Vertriebenen in Dtl. ist er nicht zuständig (→Staatenlose, →Nansenpaß). Der H. f. F. löste am 31. 12. 1951 die →Internat. Flüchtlingsorganisation ab.

H'ochkönig, höchster Gipfel der Übergossenen Alm in den Salzburger Kalkalpen, 2938 m hoch.

H'ochkonjunktur, Phase des Konjunkturablaufs, in der Produktion und Beschäftigung, z. T. auch die Gewinne, Aktienkurse und Preise steigen. Bei Überspannung der H. besteht die Gefahr des Umschlags in eine wirtschaftl. Depression (→Konjunktur).

Hochkultur, →Kultur.

H'ochland, 1) im Gegensatz zum Tiefland das höher gelegene Land (→Hochebene). **2)** das schott. Bergland.

H'ochland, eine 1903 von C. Muth in München gegründete und bis zum Verbot (1941) herausgegebene Monatsschrift, die das geistige und künstlerische Leben der dt. Katholiken spiegelt und sich mit den Gegenwartsfragen auseinandersetzt. Seit 1946 Zweimonatsschrift, bis 1960 hg. von F. J. Schöningh, bis 1966 geleitet von K. Schaezler, seitdem in Köln hg. von F. Greiner. Seit 1972 als ›Neues Hochland‹ hg. von H. Lindemann; stellte Ende 1974 das Erscheinen ein.

H'ochmeister, der oberste Leiter des →Deutschen Ordens u. a. geistl. Ritterorden.

hochnotpeinliches Gericht, →Halsgericht.

Hochob'ir, Gipfel der Karawanken, südöstl. Klagenfurt, 2141 m hoch.

H'och|ofen, ein Schachtofen zur Verhüttung der Eisenerze, →Eisen.

Hoch'osterwitz, Burg in Kärnten, bei St. Veit a. d. Glan, auf einem 175 m hohen Kalkfelsen (680 m ü. M.).

H'ochparterre [deutsch-franz.], ein Hocherdgeschoß, das auf einem Kellergeschoß aufgebaut ist.

H'ochpaß, *Fernmeldetechnik:* eine Schaltung, die von einer bestimmten Grenze an nur die hohen Frequenzen durchläßt und die tiefen sperrt.

Hochplatte, 2082 m hoher Berg auf der Wasserscheide zwischen Lech und Ammer.

hochpolym'er [Kw. grch.], aus einer sehr großen Anzahl gleicher oder gleichartiger Moleküle zusammengesetzt.

H'ochrad, frühe Form des Fahrrads: großes Vorder-, kleines Hinterrad.

Hochrechnung, mit Hilfe von Rechenautomaten (Computern) erstellte Voraussage eines Ergebnisses; bisher bes. bei Wahlen nach der Auszählung nur weniger Stimmkreise erfolgreich angewandt.

Hochschulen, Einrichtungen für Forschung, Lehre und Studium. Das Studium an H. bereitet auf Berufe vor, die die Anwendung wissenschaftl. Kenntnisse und Methoden oder die Fähigkeit zu künstler. Gestaltung erfordern. Es gibt in der Bundesrep. Dtl. folgende Hochschularten, die sich nach Aufgabenstellung und Zugangsvoraussetzungen unterscheiden: Universitäten, Technische Universitäten und Technische H., Pädagogische H., Fachhochschulen, Gesamthochschulen, Kunst- und Musikhochschulen sowie einige Spezial-H.

Die H. in der BRD sind mit wenigen Ausnahmen Einrichtungen der Länder mit dem Recht der Selbstverwaltung durch eigene Organe (Fakultäten/Fachbereiche als Grundeinheiten, auf zentr. Ebene Konzil, Senat, Rektor/Präsident). Rahmenvorschriften auf Bundesebene brachte das Hochschulrahmengesetz vom 26. 1. 1976.

Das H.-Studium dauert je nach Studiengang 3 bis 5 Jahre und schließt i. d. R. mit einer Staats- oder Hochschulprüfung ab. Je nach Art der Abschlußprüfung werden Hochschulgrade (Magister, Diplom, Doktor und – bei Fachhochschulen – die Graduierungsbezeichnung grad.) verliehen.

Voraussetzung zum Studium ist eine entsprechende Hochschulreife. In Studiengängen, in denen wegen beschränkter Platzzahl (numerus clausus) Zulassungsbeschränkungen an allen Hochschulen der BRD bestehen (bes. in den medizin. Fächern), erfolgt die Auswahl der Bewerber nach einheitl. Maßstäben durch eine Zentralstelle der Länder in Dortmund.

Hochschule für Leibesübungen, Deutsche, abgek. DHfL, 1920 von Carl Diem gegründet, bis 1936 Ausbildungsanstalt für Turn- und Sportlehrer, mit 3jähr. Studium, wurde in die Reichsakademie (1936–45) übergeführt, dann →Sporthochschule.

Hochschule für Verwaltungswissenschaften, Speyer, 1947 als Akademie gegr., seit 1950 H., bildet Referendare für den höheren Ver-

Hochschulen in der BRD

Zahl der Studierenden:	1970/71	1976/77
Aachen, TU	12323	21684
Augsburg	—	3655
Bamberg, GH	—	1538
Bayreuth	—	687
Berlin, FU	15077	32240
Berlin, TU	9932	21712
Bielefeld	—	5331
Bochum	12488	23381
Bonn	16236	25635
Braunschweig, TU	5536	8484
Bremen	—	4853
Clausthal, TU	1737	2778
Darmstadt, TU	6859	10882
Dortmund	—	4754
Duisburg, GH	—	5349
Düsseldorf	1857	6613
Eichstätt, GH	—	1466
Erlangen-Nürnberg	11365	16126
Essen, GH	—	10026
Frankfurt a.M.	16147	23306
Freiburg	12371	16869
Gießen	9442	13808
Göttingen	11610	19587
Hagen (Fernuniv.)	—	3570
Hamburg	21310	27300
Hamburg (Bundesw.)	—	1651
Hamburg (Wirtsch.)	—	878
Hannover (Med. H.)	—	1530
Hannover, TU	7267	13402
Hannover (Tierärztl. H.)	—	1079
Heidelberg	12921	18498
Hohenheim	—	2763
Kaiserslautern	—	2129
Karlsruhe	7904	11593
Kassel, GH	—	5636
Kiel	8335	12010
Köln	19124	25612
Köln (Dt. Sporth.)	—	2202
Konstanz	874	2921
Lübeck (Med. H.)	—	318
Mainz	11460	18888
Mannheim	—	6738
Marburg	8638	14735
München	28510	36314
München, TU	9418	13309
München (Bundesw.)	—	2346
Münster	19227	29340
Neuendettelsau, GH	—	305
Oldenburg	—	3589
Osnabrück	—	3470
Paderborn, GH	—	6788
Regensburg	3636	9486
Saarbrücken	8207	11778
Siegen, GH	—	5815
Speyer (Verw. wiss.)	—	216
Stuttgart	7976	11412
Trier	—	2921
Tübingen	12738	18076
Ulm	—	1804
Wuppertal, GH	—	6155
Würzburg	9545	12795
insgesamt	342180	630136[1]

[1] Ferner Pädogog. H. mit rd. 73000 und Theolog. H. mit rd. 2000 Studierenden.

waltungsdienst und höhere Beamte für die innere Verwaltung aus (seit 1961 Habilitationsrecht).

Hochschulen für Politik, Anstalten zum Studium der polit. Wissenschaften: 1) *Deutsche H. f. P.*, Berlin, 1920 gegr., 1949 Neugründung, jetzt *Otto-Suhr-Institut* der Freien Universität Berlin; Diplomprüfung nach 8 Semestern. 2) *Hochschule für polit. Wissenschaften*, München, 1950 gegr.

H'ochschulreife, die Berechtigung zum Besuch wissenschaftl. Hochschulen, →höhere Schulen, →Reifeprüfung.

H'ochschwab *der*, höchster Gipfel des 30 km langen H.-Plateaus der Österreich. Kalkalpen, 2278 m hoch.

H'ochsee, das offene, küstenferne →Meer.

H'ochsitz, *Jägersprache:* →Anstand.

Hochspannung, elektr. Spannung von mehr als 1000 V (= 1 kV) gegen Erde (bei Schaltanlagen: mehr als 250 V). H. werden mit Wechsel- oder Drehstromgeneratoren bzw. mit Transformatoren erzeugt. Verwendet werden sie bes. zur Übertragung großer elektr. Leistungen; die Übertragungsanlagen arbeiten mit Spannungen von 6 kV bis 750 kV.

H'ochspannungsanzeiger, elektr. Gerät zum Nachweis von Hochspannungen an Leitungen und Apparaten, als Funkenprüfer zur Prüfung der Zündanlage an Kraftfahrzeugen.

H'ochsprache, die in Aussprache, Wortschatz, grammat. Regeln als vorbildlich angesehene Sprachform einer Kultursprache, im Unterschied zu Umgangssprache und Mundarten.

Höchst, 1) H. am Main, seit 1928 Teil Frankfurts, Sitz der →Farbwerke Hoechst AG.

2) H. im Odenwald, Gem. im Odenwaldkreis, Hessen, an der Mümling, (1977) 8100 Ew.; Gummiwerke.

Höchstadt (an der Aisch), Stadt im Kr. Erlangen-Höchstadt, Mittelfranken, Bayern, mit (1977) 8600 Ew.; Kirche (15.–18. Jh.).

Höchstädt an der Donau, Stadt im Kreis Dillingen, RegBez. Schwaben, Bayern, mit (1977) 3500 Ew., links der Donau; Spielwaren-, Tubenindustrie. Im Span. Erbfolgekrieg siegten Prinz Eugen von Savoyen und Marlborough zwischen H. und Blindheim (engl. Blenheim) am 13. 8. 1704 über die Franzosen und Bayern.

Hochstand, *Jägersprache:* →Anstand.

Hochstapler [Gaunersprache, von stapeln, (bayr.) ›betteln‹; 1727], Gauner, der sich meist unter hochklingenden Namen, falschen Titeln oder Adelsprädikaten usw. Zutritt zu bestimmten Gesellschaftskreisen verschafft, um Betrügereien auszuüben.

Höchster Porzellan, in der 1746 als Privatunternehmen gegr., 1778 kurmainzisch gewordenen Manufaktur Höchst hergestelltes Porzellan. Modellmeister waren L. Russinger und J. P. Melchior. Spätere Ausformungen sind häufig. Marke: Rad mit und ohne Krone. 1796 wurde die Manufaktur aufgelöst, 1965 wieder neu gegründet.

Höchstes Wesen, *Geistesgeschichte:* der seit der Aufklärung und bes. in der Franz. Revolution aufgekommene philosophische Begriff für Gott; ein Versuch, den christlichen Gottesbegriff abzulehnen, ohne damit dem materialist. Monismus zu verfallen.

H'öchstfrequenztechnik, Teilgebiet der Hochfrequenztechnik, umfaßt den Bereich von $3 \cdot 10^8$ bis $3 \cdot 10^{11}$ Hz (Dezimeter-, Zentimeter-, Millimeterwellen). Nachrichtenverbindungen in größerer Anzahl können bei den drahtlosen Übertragungsverfahren nur dann störungsfrei arbeiten, wenn die Frequenzen genügenden Abstand voneinander haben. Im Bereich der Rundfunkwellen (200–600 m, 1,5 bis $0{,}5 \cdot 10^6$ Hz) sind bei 9 kHz Senderabstand nur 111 Sender unterzubringen, während im Bereich der Dezimeterwellen 300000 Sender störungsfrei arbeiten könnten. Außerdem werden bei höheren Frequenzen die benötigten Antennensysteme kleiner, so daß sie mit einfachen Mitteln schwenkbar eingerichtet werden können. Schließlich kann man Dezimeter-, Zentimeter- und Millimeterwellen mit Hilfe von Parabolspiegeln, ähnlich wie beim Lichtscheinwerfer, bündeln und so mit kleiner Sendeleistung und geringerer Empfängerempfindlichkeit gleiche Empfangsgüten erreichen sowie insbes. Peilungen hoher Meßgenauigkeit ermöglichen.

H'öchstgeschwindigkeit, **1)** die technisch mögliche Geschwindigkeit von Verkehrsmitteln; **2)** die rechtlich zulässige →Fahrgeschwindigkeit von Kraftfahrzeugen.

H'ochstift, **1)** vielfach gebrauchter Ausdruck für die mittelalterl. Bistümer, deren Domkapitel und die Reichsabteien. **2)** →Freies Deutsches Hochstift.

Hochsträß *das,* Hochfläche (bis 686 m) der Schwäb. Alb, zwischen Donau und Blau, westl. von Ulm.

H'ochstrombogen, Hochstromkohlebogen, ein Lichtbogen mit über 100 A Stromstärke und Temperaturen über 10000° C.

H'öchstspannung, elektr. Spannung von 200000 V und darüber.

Hochstuhl, slowen. **Velik i Stol,** höchster Gipfel der Karawanken, südl. von Klagenfurt, 2238 m hoch; an der österr.-jugoslaw. Grenze.

Hochtor, höchster Gipfel der Ennstaler Alpen, Österreich, 2372 m hoch.

Hoch- und Deutschmeister, **1)** Titel des Oberhaupts des →Deutschen Ordens seit 1530. **2)** →Deutschmeister 2).

H'ochvakuumröhren, hoch luftleer gepumpte Gefäße, insbes. für elektr. Entladungen, z. B. Radio-, Sende-, Fernsehröhren, Gleichrichter, Photozellen, Kathodenstrahloszillographen, Glühlampen, Röntgenröhren.

H'ochvakuumtechnik, die Erzeugung, Messung und Aufrechterhaltung sehr niedriger Gasdrucke:

Grobvakuum	760 bis 10^2 Torr,
Zwischenvakuum ..	10^2 bis 10^0 Torr,
Feinvakuum.......	10^0 bis 10^{-3} Torr,
Hochvakuum	10^{-3} bis 10^{-7} Torr,
Ultrahochvakuum...	unter 10^{-7} Torr.

Zur Messung dienen *Manometer, Vakuummeter.* Hochvakuum wird techn. angewandt in Hochvakuumröhren, Hochspannungsanlagen für Kernumwandlungen, Teilchenbeschleunigern, Massenspektrographen, Elektronenmikroskopen, zur Destillation von temperaturempfindl. Stoffen (Vitaminkonzentraten, Weichmachern u. ä.), zur Trocknung, insbes. Gefriertrocknung von Seren, Antibiotika, Herstellung von Blutkonserven, zur Trocknung von Nahrungs- und Genußmitteln, wie Fruchtsäften u. ä., zur Trocknung und Imprägnierung von Hochspannungskabeln, -kondensatoren, beim Schmelzen, Sintern und Gießen von hochwertigen Metallen, beim Aufdampfen von Metallen in dünnen Schichten zur Herstellung von Spiegeln, bei der Aufdampfung von reflexvermindernden Schichten für die Optik in Glühlampen u. a. Zur Erzielung von Drücken unter 10^{-9} Torr benutzt man die elektrische Gasaufzehrung, Getter-Ionen-Pumpen und das →Kryopumpen. Besonders wichtig für Arbeiten im Ultravakuum aber ist die Kenntnis der partialdruckmäßigen Zusammensetzung des Restgasdruckes im Vakuumbehälter. Zu dessen Messung sind eine Reihe von Geräten entwickelt worden: *Omegatron, Farvitron, Topatron, Massenfilter.*

Die Bedeutung des Ultravakuums liegt in den langen Wiederbedeckungszeiten t ($t \sim 1/P$; für $P = 10^{-6}$ Torr ist $t = 1$ sec), die zum Experimentieren mit sauberen, gasfreien Oberflächen benötigt werden.

H'ochverrat, der gegen den Bestand des Staates gerichtete gewaltsame Angriff auf die Staatsverfassung, das Staatsgebiet oder das Staatsoberhaupt. Im Unterschied zu dem gegen die äußere Staatssicherheit gerichteten →Landesverrat zielt der H. auf den Umsturz der inneren staatl. Ordnung (→Staatsgefährdung). Nach § 81 ff. StGB ist H. strafbar, wenn er sich gegen die Bundesrep. Dtl. oder gegen eins ihrer Länder richtet. Die Strafdrohung reicht von 6 Monaten Freiheitsstrafe (bei mildernden Umständen) bis zu lebenslanger Freiheitsstrafe. Auch die Vorbereitung und der Versuch des H. sind strafbar. Ähnliche Strafdrohungen in *Österreich* (§§ 242 ff. StGB) und in der *Schweiz* (Art. 265 StGB). In der *DDR* wird Staatsverrat mit Freiheitsstrafe nicht unter 10 Jahren oder lebenslänglich bestraft; in besonders schweren Fällen Todesstrafe.

Hochvogel, Berg der Allgäuer Alpen, 2594 m hoch, an der deutsch-österr. Grenze.

Hochwald, **1)** 748 m hoher Phonolithberg südwestl. von Zittau, im Lausitzer Bergland. **2)** der höchste Rücken des →Hunsrück. **3)** 850 m hoher Porphyrkegel im Waldenburger Bergland, Schlesien.

Hochwald, →Forstwirtschaft.

Hochwälder, Fritz, Dramatiker, * Wien 28. 5. 1911, 1938 Emigration nach Zürich, zeigt in seinen Dramen das In- und Gegeneinanderwirken religiöser und polit. Motive, göttlicher und menschlicher Planung.

WERKE. Das heilige Experiment (1941), Der öffentl. Ankläger (1948), Donadieu (1953), Die Herberge (1957), Der Himbeerpflücker (1965), Der Befehl (1967).

H'ochwasser, 1) Zustand der größten Wasserführung eines Flusses oder der höchste Wasserstand eines Sees; Überschwemmung. **2)** *Tidehochwasser*, der höchste Stand der tägl. →Gezeiten.

Hochwild, Wild für hohe →Jagd.

Hochwohlgeboren, ehemal. Höflichkeitsanrede; Prädikat der Freiherren, Barone, Ritter, Edeln und unbetitelten Adligen.

H'ochwürden, Anrede für evangelische Geistliche vom Superintendenten aufwärts, in Österreich für alle evangelischen Geistlichen; ferner für alle katholischen Priester, die weder Prälaten sind noch ein höheres Kirchenamt bekleiden. Höhere Geistliche werden angeredet: Hochwürdigster Herr (oder: Ew. Gnaden), Hochwürdigste Exzellenz (Bischof), Hochwürdigste Eminenz (Kardinal).

Hochwurz, der gelbe →Enzian.

H'ochzahl, *Mathematik:* der Exponent, →Potenz.

Hochzeit [mhd. hohe Zeit ›Festzeit‹], **1)** früher jedes hohe Fest, heute nur noch die Eheschließung, die **grüne H.** Als Erinnerungen an die Wiederkehr des Hochzeitstages werden allgemein gefeiert die *silberne H.* nach 25, die *goldene* nach 50, die *diamantene* nach 60 Jahren, die *eiserne* landschaftlich verschieden nach 65, 70 oder 75 Jahren, nach 70 Jahren auch als *Gnaden-H.* Die H. ist mit zahlreichen Volksbräuchen verbunden. Die Einladung zur H. ergeht auf dem Lande oft noch durch einen *Hochzeitsbitter*. Die Mitgift der Braut wird auf dem *Braut-* oder *Kammerwagen* zum Hause des Bräutigams gefahren. Am Abend vor der H. findet als Vorfeier der *Polterabend* statt. Eine besondere *Hochzeitstracht* ist namentlich für die Braut gebräuchlich. In die Kirche werden die Brautleute durch den *Brautführer* und die *Brautjungfern* geführt. Beim *Hochzeitsmahl* sind Art und Folge der Gerichte durch alten Brauch geregelt. Gegen Mitternacht wird der Braut eine Haube aufgesetzt *(Haubung)*.

2) *Buchdruckersprache:* ein irrtümlicherweise doppelt gesetztes Wort.

Hochzeitsflug, bei vielen Insekten das Schwärmen vor der Begattung.

Hochzeitshaus, Tanzhaus, städt. Gebäude des MA.s und der Renaissancezeit zur Abhaltung von Festen, für die das bürgerl. Haus nicht genug Raum bot, häufig auch ein Saal im Rathaus, in einem Zunfthaus u. ä. H. stehen noch in Marburg/Lahn, Alsfeld/Oberhessen und Hameln; eins der größten war das »Tanz- und Kaufhaus« *Gürzenich* in Köln.

Hochzeitskleid, auffällige, z. T. farbenprächtige Bildungen der Haut oder des Gefieders bei vielen Tierarten zur Paarungszeit, so Farbänderung, Kammbildung u. a.

Hochzeitsmünzen, Hochzeitsmedaillen, auf die Hochzeit oder das Hochzeitsjubiläum eines Herrscherpaares geprägte Denkmünzen oder Medaillen, bereits aus hellenist. Zeit bekannt, bes. seit dem 17. Jh. auch in bürgerl. Kreisen beliebt. Seit dieser Zeit gab es auch Hochzeitsgeschenkmünzen mit dem Bild eines jungen Paares, das von Christus getraut wird.

H'ochzucht, Haustierzucht, die als führend in einer Landestierzucht anerkannt ist.

Hocke, Gustav René, Schriftsteller, Essayist, * Brüssel 1. 3. 1908.

WERKE. Der tanzende Gott (1948), Die Welt als Labyrinth (1958), Manierismus in der Literatur (1959), Das europäische Tagebuch (1963).

H'ocke [zu hocken], **1)** *Turnen:* eine Stellung in tiefer Kniebeuge bei Aufstützen der Hände vor den Füßen (Hockstellung). Auch ein Übersprung über Pferd, Bock, Kasten u. ä. mit angezogenen Beinen zwischen den aufgestützten Händen (Hocksprung) oder ohne Handaufstützen (freie H.). **2)** *Ringen:* die →Bank. **3)** *Skilau :* eine tiefe Abfahrtstellung. **4)** geschlossene Aufstellung von Getreidegarben.

Hockenheim, Stadt im Rhein-Neckar-Kreis, Baden-Württemberg, mit (1977) 16 800 Ew., in der Rheinebene; Spargel-, Tabakbau, Zigarren-, Metall-, Elektro-, Holzindustrie, Pianofabrik, Schwerbetonwaren, Konserven. **Hockenheim-Ring,** 7,725 km lange Rennstrecke für Motorräder, seit 1966 zum **Motodrom** (für Rennwagen) umgebaut.

Höcker, 1) Fettpolster (beim Kamel, Zebu). **2)** →Buckel.

H'ockergrab [zu hocken], ein Grab, in dem der Tote in sitzender oder liegender Hockstellung bestattet ist. In Europa treten

Hockergrab: männl. und weibl. Skelett (Fundort: Grimaldigrotten bei Mentone)

liegende Hocker von der Altsteinzeit an auf, bes. häufig in der Jungsteinzeit und der Bronzezeit. Im Vorderen Orient, in Westeuropa, in Amerika und bei vielen Naturvölkern finden sich auch *sitzende Hocker*. Man versucht die Bestattungsart zu erklären als Ausnützung beschränkten Grabraumes, Nachahmung der natürl. Schlafstellung oder der Lage des Embryos im Mutterleib, vorwiegend aber als Fesselung des Leichnams aus Furcht vor Wiederkehr des Toten.

Höckerkelch, die Pflanzengattung →Cuphea.

Hockerland, Oberland, Seen- und Endmoränenlandschaft zwischen Passarge und Geserichsee, Ostpreußen, in den Kernsdorfer Höhen bis 313 m hoch; im Nordteil reich an Wäldern und Seen.

Hockey [h'ɔki, engl., von altfranz. hoquet ›Schäferstab‹], **Stockball,** Rasenkampfspiel zwischen zwei Mannschaften von je 11 Spielern (1 Tormann, 2 Verteidiger, 3 Läufer, 5 Stürmer). Diese versuchen, einen lederüberzogenen Korkball (160 g, Umfang 23 cm) mit gekrümmten Schlägern *(Hockeystöcken)* innerhalb des Schußkreises in das Tor des Gegners zu schießen. Sieger ist die Mannschaft, die die meisten Tore erzielt hat. Die Spieldauer beträgt 2 × 35 Minuten. Das Spiel beginnt mit dem *Bully (Abschlag)* auf der Mittellinie. Es stehen sich hierbei zwei Gegner gegenüber, die mit ihren Stöcken im dreimaligen Wechsel auf den Boden und gegen den Stock des Gegners schlagen, und dann sofort den Ball fortzuschlagen suchen. Gelangt der Ball über die Seitenlinie, muß er eingerollt werden; wird er über die Torlinie getrieben, gibt es einen *Eckschlag (Ecke)*, wenn ihn die verteidigende, einen Freischlag des Verteidigers vom Schußkreisrand, wenn ihn die angreifende Mannschaft zuletzt berührt hat. Für Regelverletzungen werden vom Schiedsrichter Strafschläge erteilt. Die H.-Vereine in der Bundesrep. Dtl. sind im *Deutschen H.-Bund*, gegr. 1909, zusammengeschlossen. Neuerdings wird H. auch als *Hallenhockey* gespielt. Ferner →Eishockey.

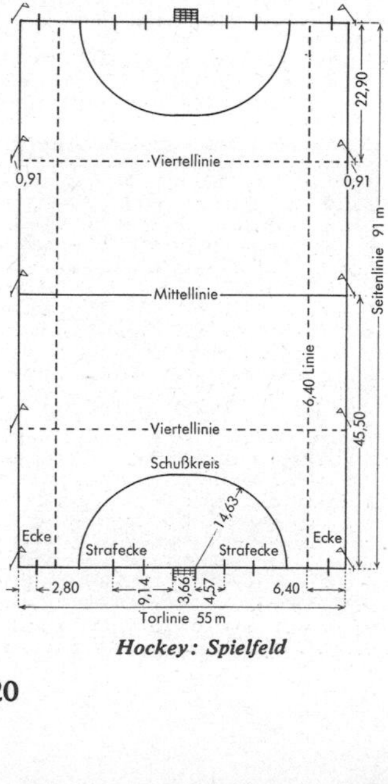

Hockey: Spielfeld

hoc loco [lat.], abgek. **h. l.,** an diesem Ort.

Hoddis, Jakob van, eigentl. Hans *Davidsohn*, Schriftsteller, * Berlin 16. 5. 1887, † bei Koblenz 30. 4. 1942, Lyriker des Frühexpressionismus, 1909 Mitbegründer des *Neuen Clubs* und des *Neopathetischen Cabarets*; war seit 1914 geisteskrank und wurde 1942 aus einer Nervenheilanstalt abtransportiert und »liquidiert«. – Weltende, gesammelte Dichtungen (Zürich 1958).

Hodeg'etik [grch. ›Wegweisung‹], die Angabe des Weges zum Eindringen in ein Wissensgebiet.

Hod'eida, Hodaida, Hafenstadt in Jemen, am Roten Meer, mit (1970) 45000 Ew. (Araber, Somali, Inder), meist Händler und Kaufleute; Ausfuhr von Kaffee, Häuten.

Hoden, Hode, lat. *Testis, Testiculus*, griech. *Orchis*, die männl. Geschlechtsdrüse (BILD Geschlechtsorgane). Beim Menschen liegen die beiden eiförmigen H. im *Hodensack* (Scrotum). Der H. besteht aus vielen feinen Kanälchen *(Samenkanälchen, Samenröhrchen)*, in denen die Samenfäden erzeugt werden. Die Kanälchen schließen sich zu etwa 12 Ausführungsgängen zusammen, die in den *Nebenhoden* (Epididymis) eintreten. Hier vereinigen sie sich zu dem *Samenleiter*, der sich mit den zur Aufsammlung des Samens bestimmten *Samenbläschen* verbindet und mit diesen in einem gemeinschaftlichen Ausführungsgang *(Ausspritzungsgang)* in die Harnröhre mündet. Bei vielen Säugetieren liegt der H. dauernd in der Leibeshöhle, bei der menschl. Frucht nur bis zum neunten Monat; er tritt dann durch den Leistenkanal in den Hodensack. Über die Hormone des H. →Geschlechtshormone.

Hoden|atrophie [griech.], Verkümmerung des Hodens; tritt auf bei endokrinen Störungen, bei Allgemeinerkrankungen wie Tuberkulose, und im Greisenalter als normaler Rückbildungsvorgang.

H'odenbruch, ein Eingeweidebruch, bei dem der Bruchinhalt bis hinab in den Hodensack getreten ist.

H'oden|entzündung, griech. *Orchitis*, schmerzhafte Anschwellung des Hodens nach Unfall oder bei Infektionskrankheiten. Behandlung: Bettruhe, Hochlagerung, feuchte Umschläge.

H'odenwassersucht, →Wasserbruch.

Hodgkin [h'ɔdʒkin], 1) Alan Lloyd, engl. Physiologe, * Banbury 5. 2. 1914, erhielt 1963 zusammen mit J. C. Eccles und A. F. Huxley den Nobelpreis für Medizin für seine Studien über Nervenleitung.

2) **Crowfoot-H.**, Dorothy, engl. Chemikerin, * Kairo 12. 5. 1910. Arbeiten über die Struktur organischer Verbindungen, bes. Vitamin B_{12}. Nobelpreis für Chemie 1964.

3) Thomas, engl. Kliniker und Pathologe, * Tottenham 17. 8. 1798, † Jaffa (auf einer Orientreise) 4. 4. 1866, beschrieb 1832 die nach ihm benannte **Hodgkinsche Krankheit** (→Lymphogranulomatose).

Ferdinand Hodler: Der Holzfäller (1910)

Hodler, Ferdinand, schweizer. Maler, * Bern 14. 3. 1853, † Genf 19. 5. 1918, studierte bei B. Menn in Genf, wo er, abgesehen von einigen Reisen (Spanien, 1878/79; Paris, 1891; Italien, 1905) tätig war. Das 1890 entstandene Gemälde ›Die Nacht‹, mit dem er den Naturalismus überwand, war der Wendepunkt seiner Entwicklung. Im Gegensatz zum Impressionismus gelangte er zu einem strengen, durch klare Formen und Farben bestimmten Stil, in dem er symbolhaft gestaltete Figuren und geschichtl. Ereignisse malte. Seine monumentale Wirkungen erstrebende Kunst vermochte sich vor allem in Wandgemälden zu entfalten.

WERKE. Die Nacht (1890, Bern, Mus.), Die Enttäuschten (1892, ebd.), Der Auserwählte (1893, ebd.), Eurhythmie (1895, ebd.), Wilhelm Tell (1903, Slg. Koffmann, Solothurn), Der Frühling (1901, Essen, Folkwangmuseum). Wandmalereien: Rückzug bei Marignano (1896–1900, Zürich, Landesmus.), Auszug der Jenenser Studenten 1813 (1908, Jena, Universität; TAFEL Historienbild II, 2), Einmütigkeit (1913, Hannover, Rathaus).

LIT. C. A. Loosli: F. H., 16 Mappen u. 1 Textbd. (1918–21); F. H.s Leben, Werk und Nachlaß, 4 Bde. (1921–24); W. Hugelshofer: F. H. (1952).

Hódmezövásárhely [h'o:dmɛzø:va:ʃa:rhɛλ], Stadt in Ungarn, an der unteren Theiß, mit (1970) 52800 Ew.; landwirtschaftl. Industrie, Viehmarkt.

Hodogr'aph [grch. Kw.] *der,* **1)** *Physik:* die Kurve, die die Endpunkte der für jeden Zeitpunkt von einem festen Punkt aus nach Größe und Richtung aufgezeichneten Geschwindigkeiten bilden. **2)** Laufzeitkurve der Erdbebenwellen.

Hodorf, in der Störmarsch (Kr. Steinburg), Schleswig-Holstein, gelegene Siedlung des 1. bis 4. nachchristl. Jahrhunderts.

Hodosk'op, Nachweisgerät für energiereiche Teilchen aus einer Anzahl edelgasgefüllter, dünner Glasröhrchen, die im Feld eines Kondensators liegen.

Hödr, Hod, neuisländ. **Hödur,** Bruder des Gottes →Baldr.

Hodscha, Enver, alban. Politiker, →Hoxha.

Hodža [h'odʒa], Milan, slowak. Politiker (Agrarier), * Sučany (Slowakei) 1. 2. 1878, † Clearwater (USA) 27. 6. 1944, mehrmals Landwirtschaftsminister, vertrat eine enge tschechisch-slowak. Zusammenarbeit; 1938 tschechoslowak. MinPräs., emigrierte nach den USA.

Hoefnagel [h'u:f-], Joris, oder **Hufnagel,** Georg, niederländ. Miniaturmaler und Zeichner, * Antwerpen 1542, † Wien 9. 9. 1600, bereiste Europa, war an bayr. und habsburg. Höfen tätig, schuf Buchmalereien, hauptsächlich topograph. und naturwissenschaftliche Illustrationen.

Hoekendijk [h'ukendɛjk], Johannes Christian, evang. Theologe, * Garut (Java) 3. 5. 1912, 1949–52 Sekr. des Weltkirchenrates; seit 1952 Prof. in Utrecht.

Hoek van Holland [huk fan -], südwestl. Landvorsprung Südhollands, am »Neuen Wasserweg«, Vorhafen und Vorstadt Rotterdams, Seebad. Ausgangspunkt einer Linie nach England (Harwich).

Hof [german. Stw.], **1)** unmittelbar zum Haus gehöriger Platz. **2)** landwirtschaftlicher Betrieb, meist Bauernhaus mit Betriebsgebäuden und Feldern; auch Herrengut, Rittergut. **3)** die Haushaltung der Fürsten. In der german. Zeit gehörte zu ihnen die Gefolgschaft. Seit der Christianisierung kamen Priester und Kanzlisten (Referendarii) hinzu; seit dem 8. Jh. übernahmen deren Aufgaben die Kapellane. Neben den vier alten →Hofämtern entwickelten sich weitere, und neben fürstl. Herren, die diese Dienste ehrenhalber versahen, traten solche, die sie praktisch wahrnahmen und dafür mit Lehen belohnt wurden, deren Erblichkeit angestrebt wurde. Um den Einfluß der Thronvasallen zu vermindern, besetzte der franz. König die großen Hofämter seit dem 12. Jh. nicht mehr; in Deutschland wurden sie zum Anspruch auf die Würde der →Kurfürsten benutzt. Der Ausbau der Fürstenmacht führte zur Vermehrung der Hoforgane, von denen sich mit der Zeit die wichtigsten als eigene Behörden ablösten (H.-Kammer, H.-Kanzlei). Der **Hofstaat,**

die Gesamtheit der im Hofdienst Stehenden, war zeitlich und örtlich verschieden, aber stets streng gegliedert. Vorbild im Zeremoniell war im 15. Jh. der burgund., im 16. der span., im 17. Jh. der franz. Hof. Der preuß. Königs-H. unterschied drei Grade von *H.-Chargen*, in Österreich hatte man Oberste Hofämter, Garden und Hofdienste. Es gab *ständige Dienste*, z. B. den des Oberstkämmerers sowie den der Hofbeamten, und *vorübergehende*, z. B. den des Kammerherrn. H.-Prediger und H.-Beichtvater gehörten gleichfalls zum H.-Staat. **4)** weißer oder farbiger Lichtkreis von geringem Durchmesser um Sonne und Mond. **5)** Eckfeld des Halmabrettes.

Hof, Stadtkreis und Kreisstadt im RegBez. Oberfranken, Bayern, an der oberen Saale, 495 m ü. M., mit (1977) 54400 Ew., hat LdGer., AGer., mehrere höhere Schulen, Museum, Theater, Stadtarchiv, Botan. Garten; Textil-, Maschinen- und Porzellanindustrie, Brauereien. H., gegr. um 1230, war seit 1373 im Besitz der Burggrafen von Nürnberg, kam 1792 mit Ansbach-Bayreuth an Preußen, 1810 an Bayern.

Hofacker, Ludwig, evang. Theologe, * Wildbad 15. 4. 1798, † als Pfarrer in Rielingshausen bei Marburg 18. 11. 1828, wurde nach einer plötzlichen Bekehrung Erweckungsprediger. Er stand mit seinem Bruder *Wilhelm* (* 1805, † 1848) an der Spitze des schwäbischen Pietismus.

WERKE. Predigten (1828–31, [42]1892), Das Heil in Christus (1953).

LIT. A. Pagel: L. H. (1952).

Hof|ämter, die Ämter am fürstl. →Hof. Die bereits unter den fränkischen Königen bestehenden Dienste als *Truchseß (Seneschall)*, *Marschall*, *Kämmerer* und *Schenk* wurden seit Otto I. von den höchsten Reichsfürsten ausgeübt. Die Träger dieser mit der Zeit erblich gewordenen **Erzämter** beanspruchten – zusammen mit den drei rhein. Erzbischöfen als **Erz-Kanzlern** – das Recht auf die Würde der →Kurfürsten. In Anlehnung an die Erzämter entstanden **Erbämter,** deren Inhaber zunächst Stellvertreter in den Funktionen der alten Ämter, später bloße Titelträger waren (Erb-Truchseß, Erb-Marschall usw.). Bei den Landesfürsten gab es entsprechend Erb-Landes-Hofämter.

H'öfats *die*, Berg in den Allgäuer Alpen, südöstl. von Oberstdorf, 2259 m hoch.

H'ofbauer, in Dörfern ohne Rittergut der Besitzer des größten Hofes.

H'ofbauer, Klemens Maria, der »Apostel Wiens«, * Taßwitz in Mähren 26. 12. 1751, † Wien 15. 3. 1820, trat 1784 in den Redemptoristenorden ein, führte den Orden in Warschau, in der Schweiz und in Wien ein, wo er seit 1808 wirkte und insbes. auf die Wiener Spätromantik großen Einfluß hatte. 1909 heiliggesprochen; Tag: 15. 3.

H'ofburg, Burg, das frühere kaiserl. Schloß in →Wien, jetzt Sitz des Bundespräs. und hoher Ämter; Sammlungen. **Hofburgtheater,** →Burgtheater.

H'ofdame, adlige Dame, die den gesellschaftlichen Hofdienst bei einer Fürstin versieht.

Hofdienste, die →Fron, die →Hoffahrt.

H'ofer, 1) Andreas, * St. Leonhard (Passeiertal) 22. 11. 1767, † Mantua 20. 2. 1810, besaß das Wirtshaus »Am Sande« (daher der »Sandwirt von Passeier«). Er trat im Mai 1809 an die Spitze der Tiroler Volkserhebung gegen die bayr. Herrschaft und vertrieb die Bayern durch die Siege am Berg Isel (25. und 29. 5.). Auch nach dem österreichisch-französ. Waffenstillstand (12. 7.) setzte er den Kampf fort, vernichtete Rheinbundtruppen (Sachsenklemme), zwang den französ. General Lefebvre durch einen neuen Sieg am Berg Isel (13. 8.) zum Abzug und führte nun die Verwaltung des Landes. Als es von dem besiegten Österreich preisgegeben wurde, erneuerte er noch einmal den Widerstand, erlag aber am 1. 11. der feindl. Übermacht und hielt sich in einer Almhütte verborgen. Durch Verrat wurde er hier von den Franzosen gefangengenommen und in Mantua standrechtlich erschossen. Schauspiel von Schönherr (Der Judas von Tirol, 1927); Lied ›Zu Mantua in Banden‹ von Jul. Mosen (1831).

2) Karl, Maler, * Karlsruhe 11. 10. 1878, † Berlin 3. 4. 1955, arbeitete in Rom und Paris, lehrte 1920–34 an der Berliner Akademie, deren Direktor er 1945 wurde. Seine dem strengen Idealismus von Marées verwandte, von Cézanne beeinflußte Kunst umfaßte außer Landschaften vor allem figürliche Darstellungen mit klarer Farbgebung und Komposition, das Spätwerk wird von düsterer Darstellungsthematik (Nachkriegszeit) bestimmt

Karl Hofer: Blumenwerfende Mädchen

Höfer, Josef, kathol. Theologe, * Weidenau (Sieg) 15. 11. 1896, war 1936–40 Lehrbeauftragter an der Univ. Münster i. W. (Pastoraltheologie), 1946–54 Prof. für Geschichte der Philosophie und Theologie an der Erzbischöfl. Akademie in Paderborn. 1954 bis 1967 (geistl.) Botschaftsrat an der Dt. Botschaft beim Vatikan. Mithg. des Lexikons für Theologie und Kirche ([2]1957 ff.).

Hoefer, Edmund, Schriftsteller, * Greifswald 15. 10. 1819, † Cannstatt 22. 5. 1882, Freund W. Raabes, beschrieb in Erzählungen seine pommersche Heimat.

H'öfe|recht, ein Sonderrecht für Bauerngüter, das diese durch Verbot der Teilung, oft auch der Belastung erhalten und sichern soll. Nach den in der Bundesrep. Dtl. geltenden Landesgesetzen *(Höfeordnung)* gilt Einzelerbfolge, Miterben sind in Geld abzufinden; Belastungen sind genehmigungspflichtig. Der Vorrang des männl. Geschlechts bei der Hoferbfolge wurde durch das Ges. zur Änderung der Höfeordnung vom 24. 8. 1964 aufgehoben. Das H. entwickelte sich aus dem Anerbenrecht; der Nationalsoz. brachte mit dem Erbhofrecht eine übertriebene Ausgestaltung. – Lange u. Wulff: Die Höfeordnung ([6]1965).

Hoff, 1) Ferdinand, Internist, * Kiel 19. 4. 1896, Prof. in Frankfurt (Main); seine Forschungen gelten in erster Linie den vegetativen Regulationen und der inneren Sekretion; er förderte insbes. die unspezif. Therapie unter Berücksichtigung der natürl. Abwehrkräfte des Menschen.

WERKE. Behandlung innerer Krankheiten (1940, [10]1962), Klin. Physiologie u. Pathologie (1950, [6]1962).

2) Karl Ernst Adolf von, Geologe, * Gotha 1. 11. 1771, † das. 24. 5. 1837, war Mitbegründer des Aktualismus.

WERKE. Gesch. d. natürl. Veränderungen der Erdoberfläche, 1–3 (1822–34), 4 u. 5 (1840/41).

3) Jacobus Hendricus van't, Chemiker, * Rotterdam 30. 8. 1852, † Berlin 1. 3. 1911, Prof. in Amsterdam und Berlin, erhielt 1901 den Nobelpreis. H. ist durch seine Lehre vom asymmetrischen Kohlenstoffatom der Begründer der Stereochemie; er entdeckte den Zusammenhang zwischen osmotischem Druck und molekularer Zusammensetzung, gab die Grundzüge der Lehren von der Reaktionsgeschwindigkeit, vom chem. Gleichgewicht und von der Dissoziation.

Hoffa, Albert, Mediziner, * Richmond (Südafrika) 31. 5. 1859, † Köln (auf einer Reise) 31. 12. 1907, Prof. in Würzburg, einer der ersten modernen Orthopäden; schuf (1889) die erste blutige, nicht verstümmelnde Operation zur Behandlung der angeborenen Hüftgelenkverrenkung.

Hoffahrt, die Verpflichtung des Lehnsmannes, das Hoflager des Lehnsherrn zu besuchen.

H'offart [von mhd. Hochfahrt], eitler Stolz, Aufgeblasenheit.

H'öffding, Harald, dän. Philosoph, * Kopenhagen 11. 3. 1843, † das. 2. 7. 1931 als Prof.; bekämpfte, von Kant und dem engl. Positivismus beeinflußt, Metaphysik und Intuitionismus.

WERKE. Psychologie in Umrissen (1882; dt. 1887), Ethik (1887; dt. [3]1922), Kierkegaard (1892; dt. [3]1922), Der menschliche Gedanke (1910; dt. 1911), Humor als Lebensgefühl (1916; dt. [2]1930). Selbstdarstellung (1923), Erinnerungen (1928).

Höffer, Paul, Komponist, * Wuppertal-Barmen 21. 12. 1895, † Berlin 31. 8. 1949, schuf Kammer- und Orchestermusik, Chorwerke und Kantaten, Kinderlieder, die Oper ›Der falsche Waldemar‹ (1934), Jugend- und Gebrauchsmusik.

H'offmann, 1) August Heinrich, gewöhnlich **Hoffmann von Fallersleben** genannt, Dichter und Germanist, * Fallersleben bei Braunschweig 2. 4. 1798, † Schloß Corvey a. d. Weser 19. 1. 1874, wurde 1830 Prof. in Breslau, 1842 auf Grund seiner ›Unpolitischen Lieder‹ (2 Bde. 1840/41) entlassen und landesverwiesen; seit 1860 Bibliothekar des Herzogs von Ratibor in Corvey. H. veröffentlichte neben freiheitlich-patriotischer Lyrik (das Lied ›Deutschland, Deutschland über alles‹ entstand 1841 auf Helgoland) heitere, sanglich-gesellige Lieder, Kinder- und Liebeslieder; entdeckte die Fragmente von Otfrieds Evangelienbuch und das Ludwigslied und schrieb über die Geschichte des Liedes.

WERKE. Gesammelte Werke (8 Bde., 1890 bis 1893), Auswahl (4 Bde., 1924). Briefe (1907). Mein Leben (2 Bde., 1892–94).

2) Ernst Theodor Wilhelm (aus Verehrung für Mozart nannte er sich **E. Th. Amadeus H.**, als Schriftsteller nur *E. T. A. Hoffmann*), Erzähler, Komponist, * Königsberg i. Pr. 24. 1. 1776, † Berlin 25. 6. 1822, war seit 1800 an Obergerichten in Posen, Plozk und Warschau tätig; als Preußen nach 1806 seine polnischen Gebietsteile verlor, ging er 1807 nach Berlin, 1808 nach Bamberg, wo er Maler, Musiklehrer, Kritiker, Dirigent, Dramaturg, Theaterarchitekt war. 1813/14 wirkte er abwechselnd in Leipzig und Dresden als Kapellmeister. 1814 siedelte er nach Berlin über, wo er 1816 Richter am Kammergericht wurde und ein für ihn kennzeichnendes Doppeldasein als Beamter und Bürger und als den Musen und dem Wein huldigender Künstler führte. Seine romantischen Kunstmärchen, seine Novellen und Erzählungen bewegen sich in einer realist. Wirklichkeit, in die unvermittelt eine hintergründig-dämonische, grotesk-phantastische Spukwelt hereinbricht. Auf dem Gebiet der Musik ist er der Begründer der romant. Oper.

WERKE. Erzählungen: Phantasiestücke in Callots Manier (4 Bde., 1814/15), Nachtstücke (1817), Die Serapionsbrüder (4 Tle., 1819–21), Letzte Erzählungen (1825). Märchen: Klein Zaches (1815), Meister Floh (1822). Capriccio: Prinzessin Brambilla (1821). Romane: Die Elixiere des Teufels (1. Tl., 1815; 2. Tl., 1816), Lebensansichten des Katers Murr nebst fragmentarischer Biographie des Kapellmeisters Johannes Kreisler (unvollendetes selbstbiographisches

Hauptwerk, 2 Bde., 1820–22). Werke, 15 Bde. (²1927), krit. Ausgabe (1908 ff., nicht abgeschlossen), Ausw. (1958). Briefe, 3 Bde. (1912); Tagebücher (1915). – Tondichtungen: Miserere, Grand Trio, romantische Opern: Aurora, Undine (1816). Gesamtausgabe der musikalischen Werke 1922 ff. Poetische Werke, 14 Bde. (1957–67), Sämtliche Werke (1963–65).

LIT. G. Ellinger: E. T. A. H. (1894); W. Harich: E. T. A. H., 2 Bde. (1922); T. Craner: Das Groteske bei E. T. A. H. (1966); E. T. A. H., dargest. v. G. Wittkop-Ménardeau (1966).

E. T. A. Hoffmann: Selbstbildnis

3) Heinrich, unter Hinzufügung des Namens seiner Frau **Hoffmann-Donner** genannt, Dichter, * Frankfurt 13. 6.1809, † das. 20. 9. 1894, war 1851–89 leitender Arzt an der städt. Irrenanstalt, schrieb lyr. Gedichte, Balladen, wurde in weitesten Kreisen bekannt durch seine von ihm selbst mit Bildern ausgestatteten Kinderschriften, bes. durch den ›Struwwelpeter‹ (zuerst 1847; in fast alle Sprachen Europas übersetzt). ›Lebenserinnerungen‹ (hg. v. E. Hessenberg, 1926).

LIT. G. A. Bogeng: Der Struwwelpeter und sein Vater (1939).

4) Johannes, Politiker, * Landsweiler (Saarland) 23. 12. 1890, † Völklingen 21. 9. 1967, gründete 1945 im Saargebiet die Christl. Volkspartei (CVP); 1947–55 MinPräs.

5) Josef, Architekt, * Pirnitz (Mähren) 15. 12. 1870, † Wien 7. 5. 1956, hatte durch sein Wirken für die 1903 von ihm mitgegründeten Wiener Werkstätten starken Anteil an der Erneuerung des Kunsthandwerks und gehörte zu den führenden Architekten der vom Jugendstil ausgehenden Baubewegung; Palais Stoclet in Brüssel (1911); Villen in Wien.

6) Karl-Heinz, kommunistischer Politiker, * Mannheim 28. 11. 1910, Maschinenschlosser, emigrierte 1935 in die Sowjetunion, Besuch der Frunse-Akademie, 1936/37 Bataillonsführer, dann Politkommissar im Span. Bürgerkrieg, wurde in der DDR 1952 Gen.-Leutnant der Kasernierten Volkspolizei, 1956 der Nationalen Volksarmee, 1959 Gen.-Oberst. Seit 14. 7. 1960 ist er Verteidigungsminister.

7) Kurt, Filmregisseur, * Freiburg i. Brsg. 12. 11. 1910. Filme: Das Wirtshaus im Spessart (1958), Wir Wunderkinder (1958), Das Spukschloß im Spessart (1960).

8) Ludwig, Architekt, * Darmstadt 30. 7. 1852, † Berlin 11. 11. 1932, Stadtbaurat von Berlin, wo er das Stadthaus, Krankenhäuser, Schulen, Museen u. a. baute; ferner Reichsgericht in Leipzig (1886–95, mit Dybwald).

9) Max, preuß. Generalmajor, * Homberg (Bez. Kassel) 25. 1. 1869, † Bad Reichenhall 8. 7. 1927, war im Aug. 1916 als Nachfolger Ludendorffs Chef des Generalstabs des Oberbefehlshabers Ost, maßgebend am Frieden von Brest Litowsk beteiligt. Nach 1920 führten ihn kriegsgeschichtl. Studien zu scharfen Angriffen auf Hindenburg und Ludendorff.

10) H., **Hofmann,** Melchior, Wiedertäufer, * Schwäbisch Hall vor 1500, † Straßburg um 1543, erwartete als Chiliast für 1533 die Verwirklichung eines neuen Jerusalem; einer der intellektuellen Urheber des sozialrevolutionären »Reiches Gottes zu Münster«.

Hoffmann-Krayer, Eduard, * Basel 5. 12. 1864, † das. 28. 11. 1936, schweizer. Germanist und Volkskundler, Begründer der Schweizer. Gesellschaft für Volkskunde.

Hoffmann-La Roche & Co. AG, Basel, schweizer. Unternehmen für chem. und pharmazeut. Erzeugnisse; gegr. 1896. Viele Konzernges., u. a. die *Deutsche Hoffmann-La Roche AG*, Grenzach (Baden).

Hoffmann und Campe Verlag (1781), Hamburg: Schöne Lit., Merianhefte.

Josef Hoffmann: Palais Stoclet in Brüssel

H'offmannstropfen [nach dem Arzt *Friedr. Hoffmann*, * 1660, † 1742], Gemisch von 1 Teil Äther und 3 Teilen Alkohol, belebendes, krampflösendes Mittel.

H'öffner, Joseph, Erzbischof von Köln (1969), Kardinal, * Horhausen (Westerwald) 24. 12. 1906; 1945 Prof. am Priesterseminar zu Trier, 1951 Prof. in Münster, 1962–69 Bischof von Münster, seit 1976 Vors. der Dt. Bischofskonferenz.

WERKE. Die dt. Katholiken und die soziale Frage im 19. Jh. (1954), Sozialpolitik im dt. Bergbau ([2]1956), Das Ethos des Unternehmers (1957), Industrielle Revolution und religiöse Krise (1961), Christliche Gesellschaftslehre ([6]1975).

Hoffnung, lat. *spes*, griech. *elpis*, die Erwartung eines ersehnten oder gewünschten Zustandes, eine in der seelischen Tiefenschicht verwurzelte Grundstimmung, die stark die menschliche Handlungsbereitschaft mitbestimmt. Im *christl.-theolog.* Sinn wurzelt die H. im Glauben und ist mit ihm als das zuversichtliche Verlangen nach dem ewigen Heil untrennbar verbunden. Nach kath. Glaubenslehre gehört sie zu den göttlichen Tugenden.

Hoffnungskauf, lat. *emptio spei*, ein Kauf, bei dem eine Gewinnchance den Kaufgegenstand bildet (Kauf eines Loses). Der Käufer übernimmt das Risiko, daß seine Erwartung nicht in Erfüllung geht. Er kann seine Leistung nicht zurückfordern.

Hofgänger, Scharwerker, →Instleute.

Hofgastein, →Gastein.

Hofg'eismar, Stadt im Kreis Kassel, Hessen, mit (1977) 13 400 Ew., hat AGer., Evangel. Akademie, Predigerseminar, Gymnasium, Industrie.

Hofgeistliche, die mit dem kirchl. Dienst an einem weltl., im MA. auch an einem geistl. Hof betrauten Geistlichen. Geschichtlich wichtig sind: 1) der Hofklerus **(Hofkapelle)** der merowingischen, karolingischen, ottonischen und salischen Herrscher. Aus der Hofkapelle gingen die Bischöfe hervor; die Hofkapläne wurden vielfach in der königl. Kanzlei beschäftigt; ihr Leiter, der Erzkaplan, war seit dem 9. Jh. zugleich (Erz-)Kanzler, seit dem 10. Jh. Erzbischof von Mainz. – 2) die **Hofbeichtväter** an den kath. Höfen der Neuzeit, überwiegend Jesuiten. – 3) die **Hofprediger** an den protestant. Höfen, vornehmlich in Deutschland. Sie waren vielfach zugleich maßgeblich an der Leitung der Landeskirche beteiligt.

Hofgericht, im dt. MA. die königlichen, landesherrl. und grundherrl. Gerichte.

1) Das *königliche H.* **(Reichshofgericht)** war das oberste Gericht des Reiches, durch das der König seine Gerichtsbarkeit persönlich oder durch einen Stellvertreter ausübte. Durch den Mainzer Reichslandfrieden von 1235 wurde ein ständiger beamteter Vertreter des Königs, der **Reichshofrichter** (iustitiarius curiae regiae), eingesetzt. Urteilsfinder waren die anwesenden Großen und Hofbeamten. Das H. war für Klagen gegen Reichsunmittelbare und über Reichsgut zuständig. Es konnte jeden schwebenden Prozeß von den Untergerichten zur Entscheidung an sich ziehen *(ius evocandi)* und war Berufungsinstanz für alle Gerichte. Diese Zuständigkeit wurde mehr und mehr durch *privilegia de non evocando* und *de non apellando* ausgeschlossen. Stets blieb das H. aber in Fällen der Rechtsverweigerung zuständig. Seit dem 15. Jh. trat neben das H. ein vom König aus Hofmeister und Räten gebildetes →Kammergericht. 1495 wurde daraus das reichsgesetzlich geordnete →Reichskammergericht.

2) Die *landesherrlichen H.* (in Brandenburg das Kammergericht) schoben sich seit Ausbildung der Landeshoheit zwischen Reichshofgericht und gewöhnl. Landgerichte. Das fürstl. H. war ordentliches Gericht der höheren Stände und Berufungsgericht für alle unteren Gerichte. Es trat am jeweiligen Hoflager unter Vorsitz des Fürsten oder eines Stellvertreters zusammen. Eine festere Verfassung erhielten die H. erst im 16. Jh. (z. B. Wittenberg 1529, Braunschweig 1556).

3) Die *grundherrlichen H. (Bau-, Hübnerding, Hofsprache)* waren zuständig für Streitigkeiten der Hofgenossen unter sich und mit dem Herrn sowie für Angelegenheiten der freiwilligen Gerichtsbarkeit, z. B. Verleihung von Hofgütern. Sie tagten auf dem grundherrl. Fronhof unter Vorsitz des Grundherrn oder seines Meiers. Urteilsfinder waren die Grundholden oder aus ihnen entnommene Schöffen, Rechtsquelle die bäuerl. Weistümer.

Hofhaimer, Paul von (seit 1515), Komponist, * Radstadt (Salzburg) 25. 1. 1459, † Salzburg 1537, einer der bedeutendsten Orgelspieler seiner Zeit, Komponist mehrstimmiger Lieder, Humanistenoden und Orgelstücke.

H'ofheim, 1) Stadt im Kreis Haßberge, Unterfranken, Bayern, am Fuß der Haßberge, 251 m ü. M., mit (1977) 2600 Ew.; Metallverarbeitung, Sägewerke, Streichgarnspinnerei, Baumaschinen-, Textil-, Spielwaren-, Bürstenfabrik.

2) **H. am Taunus,** Stadt (1352) im Main-Taunus-Kreis, Hessen, mit (1977) 32 600 Ew. H. war im 1. Jh. n. Chr. ein wichtiger röm. Stützpunkt.

h'öfisch, fein, edel, der guten Lebensart gemäß im Sinne des mittelalterl. Rittertums. Die idealistischen höfischen Vorstellungen prägten sich bes. in der **höfischen Dichtung** aus. Ihr gehören an: die höfische Lyrik (der →Minnesang) und das höfische →Epos. Seit dem 2. Jahrzehnt des 13. Jhs. verfiel die höfische Dichtung, doch wirkte der Zauber ihrer Glanzzeit noch bis in die Tage Kaiser Maximilians fort.

LIT. H. Naumann u. G. Müller: Höf. Kultur (1929); H. Naumann: Dt. Kultur im Zeitalter des Rittertums (1938); E. Köhler: Ideal und Wirklichkeit in der höfischen Epik (1956); H. Kolb: Der Begriff der Minne und das Entstehen der höfischen Lyrik (1958).

H'ofkanzlei, eine 1620 errichtete Zentralbehörde in Wien für die auswärtige, innere und Justizverwaltung der habsburg. Länder; sie war zugleich oberster Gerichtshof; seit 1749 Haus-, Hof- und Staatskanzlei.

H'ofkriegsrat, in Österreich seit 1556 die oberste Militärverwaltungsbehörde, 1848 in das Kriegsministerium umgewandelt.

Höfler, Alois, österr. Philosoph, * Kirchdorf 6. 4. 1853, † Wien 26. 2. 1922, Prof. in Prag und Wien, einer der ersten Theoretiker der Gestaltpsychologie.

WERKE. Logik (²1922), Naturwissenschaft u. Philosophie (1920/21).

H'öflich, Lucie, Schauspielerin, * Hannover 20. 2. 1883, † Berlin 9. 10. 1956, spielte bes. in tragischen Rollen, leitete 1946–50 das Schweriner Theater.

H'oflieferant, Titel für Geschäftsinhaber, die einen Fürstenhof beliefern.

Hofmann, 1) Anton, kath. Theologe, * Rinchnach (Niederbayern) 4. 10. 1909, war Regens des Klerikalseminars in Passau und wurde 1961 Bischof-Koadjutor (mit dem Recht der Nachfolge) des Bischofs von Passau, 1968 Bischof.

2) August Wilhelm von (1890), Chemiker, * Gießen 8. 4. 1818, † Berlin 5. 5. 1892, Prof. in London, Bonn und Berlin. Die Arbeiten H.s gaben den Anstoß zur Gründung der Teerfarbenindustrie und übten großen Einfluß auf die Entwicklung der organ. Chemie aus: ›Einleitung in die moderne Chemie‹ (⁶1877).

3) Fritz, Chemiker, * Kölleda (Thür.) 2. 11. 1866, † Hannover 29. 10. 1956, Mitarbeiter von Duisberg in Elberfeld, seit 1918 Prof. in Breslau, entwickelte den Kunstkautschuk ›Buna‹.

4) Johann von (1857), evangel. Theologe, * Nürnberg 21. 12. 1810, † Erlangen 20. 12. 1877, war Prof. in Rostock, seit 1845 in Erlangen das Haupt der Erlanger Theologenschule.

WERKE. Weissagung u. Erfüllung, 2 Bde. (1841–44), Der Schriftbeweis, 2 Bde. (1852 bis 1856; ²1857–60 in 3 Bdn.), Die Hl. Schrift, 8 Bde. (1862–77).

5) Karl Andreas, Chemiker, * Ansbach 2. 4. 1870, † Berlin 15. 10. 1940, Prof. in Berlin, arbeitete über Radioaktivität, Eisen-Zyan-Verbindungen, Sulfide, Katalyse u. a. m.

6) Ludwig von, Maler, * Darmstadt 17. 8. 1861, † Pillnitz 23. 8. 1945, schuf Gemälde, Wandbilder, Lithographien und Holzschnitte, die im Sinne des Jugendstils Gestalten in idealen Landschaften darstellen.

7) Melchior, →Hoffmann, Melchior.

8) Walter, Bibliothekar, * Dresden 24. 3. 1879, † Leipzig 24. 4. 1952, seit 1912 Direktor der Städt. Bücherhallen in Leipzig, gab 1915–32 die ›Hefte für Büchereiwesen‹ heraus.

H'ofmannsthal, Hugo von, Dichter, * Wien 1. 2. 1874, † Rodaun bei Wien 15. 7. 1929, schuf zunächst im schwermütig-skeptischen Geist des Fin de siècle Dichtungen voll Musikalität und Wortzauber, wandte sich dann mit dem Drama ›Elektra‹ (1903) einer mit den Augen Nietzsches und der modernen Psychologie (S. Freud) gesehenen Antike zu. Mit dem ›Jedermann‹ (1911), einer Wiederbelebung des mittelalterl. Mysterienspiels, stellte er sich in die abendländ.-christl. Tradition, und mit dem ›Salzburger großen Welttheater‹ (1922, nach Calderón) setzte er die Überlieferung des span.-österr. Barocktheaters fort. Im Zusammenwirken mit R. Strauss schuf er eine neue Form des Musiktheaters mit literarisch anspruchsvollen Libretti. Die schwerer zugänglichen symbolhaften Spätdramen behandeln thematisch neue Probleme (Ehe, Staat). Meisterhaft sind seine formvollendeten Novellen und die zahlreichen kulturhistorischen Essays.

WERKE. Dramen: Theater in Versen (1891), Der Tor und der Tod (1893). Lustspiele: Christinas Heimreise (1910), Der Schwierige (1921). Textbücher für R. Strauss: Elektra (1909), Der Rosenkavalier (1911), Ariadne auf Naxos (1912), Die Frau ohne Schatten (1916), Die ägyptische Helena (1928), Arabella (1933). – Ges. Werke, hg. v. H. Steiner (1950ff.). Briefwechsel mit St. George (²1953), R. Strauss (1952), R. Borchardt (1954), C. J. Burckhardt (1956), A. Schnitzler (1964), Helene von Nostitz (1965), E. K. v. Bebenburg (1966), Briefe der Freundschaft (mit E. v. Bodenhausen, 1953).

LIT. G. und H. H. Schaeder: H. v. H. (1933); K. J. Naef: H.s Wesen und Werk (1938); H. v. H. im Spiegel seiner Freunde, hg. v. H. A. Fiechtner (1949); W. Jens: H. und die Griechen (1955); W. Metzeler: Ursprung u. Krise v. H.s Mystik (1956); E. Pulver: H.s Schriften zur Lit. (Bern 1956); R. Alewyn: Über H. v. H. (²1960); E. Hederer: H. v. H. (1960); W. Derungs: Form u. Weltbild d. Gedichte H. v. H.s in ihrer Entwicklung (Zürich 1960); M. Hamburger: H. v. H. (1964); G. Wunberg: Der frühe H. (1965); H. Weber: H. v. H. Bibliographie d. Schrifttums 1892–1963 (1966); L. Wittmann: Sprachthematik und dramatische Form im Werk H.s (1966); W. Volke: H. v. H. (1967).

Hofmannsw'aldau, Christian **Hofmann von**, Dichter, * Breslau 25. 12. 1617, † das. 18. 4. 1679, Hauptvertreter der Zweiten Schles. Schule, wollte als Weltmann mit den zeitgenöss. Italienern (Marino) und Franzosen in geistreicher Formspielerei wetteifern. Gegenüber der weltanschaulichen Schwere des Hochbarock überwiegt bei H. üppige Sinnlichkeit. Er verfaßte Epigramme, geistliche Gedichte, galante Lieder, Heldenbriefe im Stil Ovids und Draytons.

WERK. Herrn v. H. und anderer Deutschen auserlesene und bisher ungedruckte Gedichte, 7 Tle. (1697, Neudr., hg. v. B. Neukirch, 1965).

LIT. E. Rotermund: C. v. H. (1963).

H'ofmarke, die →Hausmarke.

H'ofmarschall, an Fürstenhöfen der Beamte, der das Hauswesen leitet.

H'ofmeister, **1)** Leiter des königl. oder landesherrlichen Hofes. **2)** Gutshofverwalter. **3)** Hauslehrer, Erzieher, vor allem im 18. Jh.

Hofmeister, Friedrich H. Verlag (1807), Frankfurt a. M. (früher Leipzig): Musik.

Hofmeister, Wilhelm, Botaniker, * Leipzig 18. 5. 1824, † Leipzig-Lindenau 12. 1. 1877, wurde 1863 Prof. in Heidelberg, 1872 in Tübingen. H. entdeckte den heterophasischen Generationswechsel der Moose und Farne und beschrieb als erster Samenanlage und Entwicklung des Embryos der Blütenpflanzen.

Hofmiller, Josef, Schriftsteller, * Kranzegg (Allgäu) 26. 4. 1872, † Rosenheim 11. 10. 1933, das. Oberstudienrat. Mithg. der ›Süddeutschen Monatshefte‹, Übersetzer, Kritiker, Essayist.

WERKE. Über den Umgang mit Büchern (1927), Franzosen (1928), Nordische Märchen (1933, 1961), Letzte Versuche (1934).

H'ofnarr, ein Spaßmacher an Fürstenhöfen. H. belebten bes. bei der Tafel die Unterhaltung. Sie kamen im Mittelalter auf, waren seit dem 15. Jh. verbreitet und an dt. Höfen noch im 18. Jh. beliebt. Tracht: Narrenkappe, -zepter, übergroßer Halskragen, auch Schellen an der Kleidung. Als H. nahm man mitunter Krüppel oder Zwerge (z. B. Karl Philipps von der Pfalz Zwerg Perkeo). Als »lustige Räte« genossen die H. Narrenfreiheit.

Hofpfalzgraf, eine von Kaiser Karl IV. geschaffene Würde, die an die alte Stellung des →Pfalzgrafen als Hofbeamten anknüpfte; sie wurde auch auf Körperschaften, wie z. B. die Jurist. Fakultät der Universität Innsbruck, übertragen. Die H. wurden von den Kaisern (bis 1806) für die einzelnen Territorien mit der Vollmacht ausgestattet, Adelsbriefe, akadem. Würden und den Titel eines poeta laureatus zu verleihen sowie Notare zu ernennen.

H'ofrat, Geheimer Rat, 1) eine früher in den dt. Territorien bestehende oberste Regierungs- und Justizbehörde *(Kanzlei, Regierung)*. **2)** ehem. Titel für Beamte und verdiente Männer, wird in Österreich noch als Ehrentitel verliehen.

H'ofrecht, im Mittelalter das die Verhältnisse zwischen dem Grundherrn und den abhängigen Bauern regelnde Recht (→Hofgericht).

H'ofreite *die,* im Mittelalter das um jedes Haus gelegene Hof- und Gartenland, dann auch Gebäude, Inventar und Besitz insgesamt.

Hofschranze [mhd. schranz ›Riß, Schlitztracht‹], Stutzer, Schmeichler, abfällige Bezeichnung für höhere Hofbediente.

Hofschule, Palastschule, lat. *schola palatina,* die seit dem 6. Jh. am Hofe der Merowinger nach röm. Vorbild bestehende Schule, in der die Kinder, vornehmlich die Söhne des Königs und seiner Großen, in den Freien Künsten und in lat. Sprache unterrichtet wurden. Karl d. Gr. erneuerte die in Verfall geratenen H. durch die Berufung fremder Gelehrter.

H'ofstaat, die Gesamtheit der Hofbeamten, die den Dienst am Hofe eines Fürsten versehen.

Hofstadter [-stetə], Robert, amerikan. Physiker, * New York 5. 2. 1915, Prof. in Princeton und Stanford, erhielt für seine Untersuchungen über die Struktur des Protons und des Neutrons 1961 den Nobelpreis (zus. mit R. Mössbauer).

H'ofstätter, Peter Robert, Psychologe, * Wien 20. 10. 1913, 1956 Prof. in Wilhelmshaven, 1960 Dir. des Psycholog. Inst. der Univ. Hamburg.

WERKE. Einf. in die Tiefenpsychologie ([2]1950), Die Psych. u. d. Leben (1951), Sozialpsychologie ([2]1964), Gruppendynamik (1957), Psychologie (1957), Das Denken in Stereotypen (1960), Einführung in die Sozialpsychologie ([4]1966).

H'ofstede de Groot [γrot], Cornelis, niederländ. Kunstgelehrter, * Dwingelo 9. 11. 1863, † Haag 14. 4. 1930, einer der besten Kenner der holländischen Malerei des 17. Jahrhunderts.

WERKE. Rembrandt, 8 Bde. (Paris 1897 bis 1905; mit W. v. Bode), Verz. der Werke der hervorragendsten holländ. Maler des 17. Jhs., 10 Bde. (1907–28).

Hoftag, lat. *Curia,* im Fränk. und im mittelalterl. Deutschen Reich eine vom König nach freiem Belieben berufene Versammlung der weltl. und geistl. Großen, die der König bei wichtigen Anlässen um Rat fragte. Von diesem formlosen H. leitete sich seit dem 12. Jh. das durch Herkommen gefestigte Recht der Großen her, zur Beratung in Reichsangelegenheiten zugezogen zu werden, die *Reichsstandschaft* (→Reichsstände). Ende des 15. Jhs. setzte sich für den H. der Name →Reichstag durch.

Hoftrauer, vom Hofmarschallamt verordnete Trauer.

Hogarth [h'ougɑ:θ], William, engl. Maler und Kupferstecher, * London 10. 11. 1697, † das. 25. 10. 1764, malte in Gemäldefolgen Szenen des gesellschaftlichen Lebens. Seine in moralischer Absicht geschaffenen Bilder

William Hogarth: Der Morgen (Kupferstich aus der Folge der Vier Jahreszeiten)

(Moral Pictures) begründeten die engl. Genremalerei und Karikatur.

WERKE. In Stichen verbreitete Bilderfolgen (die Gemälde im Soane Museum und der Nationalgalerie in London): Das Leben einer Dirne (1731), Das Leben eines Wüstlings (1735; danach Strawinskys Oper ›The Rake's Progress‹), Modeehe (1745), Die Wahlen (1755–58). Das Tor von Calais (1749, London, Nationalgalerie).

LIT. H. Reiter: W. H. (1930).

H'öger, Fritz, Architekt, * Bekenreihe (Holstein) 12. 6. 1877, † Bad Segeberg 21. 6. 1949, suchte den norddt. Backsteinbau zu erneuern mit kraftvoll gegliederten, durch Ornamentformen und Farbziegel belebte Bauten: Chilehaus in Hamburg (1922/23); Sprinkenhof, ebd. (1927–29); Rathaus in Rüstringen (1929); Kirche in Berlin-Wilmersdorf (1930/1931).

Fritz Höger: Chilehaus in Hamburg

Hogg, Quintin McGarel, →Hailsham.

H'oegner, Wilhelm, Politiker (SPD), * München 23. 9. 1887, Jurist, 1930–33 MdR; emigrierte in die Schweiz. Sept. 1945 bis Dez. 1946 bayr. MinPräs., 1946 Prof. und (bis 1947) Landesvorsitzender der SPD und Justizmin., 1950–1954 Innenmin. und stellvertret. MinPräs., 1954–57 MinPräs. von Bayern. – H. schrieb eine Geschichte der Weimarer Republik (Die verratene Republik, 1959) und Lebenserinnerungen (Der schwierige Außenseiter, 1960), ferner ›Der politische Radikalismus in Deutschland 1919–1933‹ (1966).

H'oggar, afrikan. Gebirge, →Ahaggar.

H'ogland, Insel im Finn. Meerbusen, →Suursaari.

Hogshead [h'ɔgshed, ›Schweinskopf‹], engl. Hohlmaß unterschiedl. Größe für Wein: 238,5 (alt) bis 286,25 *l* (Oxhoft).

Hoguet [ɔgɛ], Charles, dt. Maler, * Berlin 21. 11. 1821, † das. 4. 8. 1870, malte bes. Seestücke.

Hohbarr, Hochbarr, Burgruine im Unterelsaß bei Zabern, schon 1100 als festes Schloß der Bischöfe von Straßburg erwähnt, 1650 zerstört, liegt 458 m ü. M.

Höhe, 1) die Erhebung eines Punktes der Erdoberfläche über der Meeresfläche *(absolute H.)*. Die *relative H.* ist der senkrechte Abstand eines Punktes von der Talsohle, eines Berggipfels von seinem Fuß. **2)** jede Landerhebung, ohne Rücksicht auf ihre Entstehung und Form (ÜBERSICHT Die größten Höhen der Erde, Seite 29). **3)** *Geometrie:* der senkrechte Abstand eines Punktes von einer Grundlinie oder -fläche. **4)** *Astronomie:* der Winkel zwischen den Richtungen zu einem Gestirn und zum Horizont. Seine größte H. erreicht ein Gestirn im Meridian. Der Kreis, der alle Orte verbindet, auf denen ein Gestirn zur selben Zeit die gleiche H. hat, heißt *Höhengleiche*.

Hohe Acht, Basaltkuppe in der Eifel, 746 m hoch.

Hohe Behörde, bis Juli 1967 ausführendes Organ der →Montanunion, Sitz Luxemburg. Die H. B. bestand aus 9 Mitgl., von denen 8 durch die Regierungen der Mitgliedstaaten ernannt wurden. An der Spitze standen ein Präsident und zwei Vizepräsidenten. Präsidenten: 1952 J. Monnet, 1955 R. Mayer (Franzosen), 1958 P. Finet (Belgier), 1959 P. Malvestiti (Italiener), seit 1963 Dino del Bo (Italiener).

Hohe Eule, Berg im Eulengebirge, 1014 m hoch.

H'oheit, 1) die höchste Staatsgewalt und die damit verbundenen Rechte (→Hoheitsrechte). **2)** Titel fürstl. Personen. Die Prinzen eines Königshauses und die Großherzöge wurden als *Königliche H.*, der deutsche Kronprinz und die österr. Erzherzöge als *Kaiserliche H.* angeredet.

Hoheitsgewässer, →Dreimeilenzone.

H'oheitsrechte, die mit der staatl. Hoheit verknüpften Rechte zur Ausübung der Staatsgewalt, z. B. Justiz-, Wehr-, Finanzhoheit u. a. Im demokrat. Rechtsstaat sind die H. durch →Gewaltenteilung in die Zuständigkeit mehrerer oberster Staatsorgane gegeben, ihre Ausübung durch →Grundrechte beschränkt. In Bundesstaaten stehen die H. z. T. dem Gesamtstaat, z. T. den Gliedstaaten zu. Überstaatl. Zusammenschlüsse wie z. B. die Montanunion und die EWG können in die nationalen H. eingreifen.

H'oheitszeichen, Staatssymbole, die sinnbildl. Zeichen staatl. Gewalt, z. B. Flaggen, Wappen, Staatssiegel, auch Grenzzeichen. In der Bundesrep. Dtl. wird mit Freiheitsstrafe bestraft, wer H. oder die Hymne verunglimpft oder ein öffentlich angebrachtes H. des Bundes oder eines Landes entfernt, zerstört, beschädigt, unkenntlich macht oder beschimpfenden Unfug daran verübt (§ 90a StGB).

Hohe Mense *die*, der höchste Berg im Habelschwerdter Gebirge, 1083 m hoch.

Hohe Messe, die →h-Moll-Messe von Joh. Seb. Bach.

Hohen'asperg, gut erhaltene ehemalige Festung des 16. Jhs. auf einem 356 m hohen Keuperberg, nordwestl. von Ludwigsburg, diente im 18. u. 19. Jh. als württemberg. Staatsgefängnis, in dem u. a. Süß-Oppenheimer, Schubart, Friedr. List, Karl August Hase gefangengehalten wurden. Heute Krankenhaus der Landesstrafanstalten.

H'ohenberg, Sophie, Herzogin von, →Chotek.

Hohen'elbe, tschech. **Vrchlabí,** Stadt in Nordböhmen, Tschechoslowakei, am Südfuß des Riesengebirges, mit (1971) 11 000 (1939: 6 300) Ew.

Hohen'ems, Markt in Vorarlberg, Österreich, am Talhang rechts des Rheins, 433 m ü. M., mit (1971) 11800 Ew., Fundort von 2 Handschriften des →Nibelungenliedes. H. wird überragt von der Burg Glopper (**Neu-Ems,** 1343) und der Ruine **Alt-Ems** (12. Jh.). Es hat Textil- und Metallindustrie.

Hohenfr'iedeberg, Stadt im Kr. Jauer, Niederschlesien, hatte (1939) 1100 Ew., im Waldenburger Bergland. Hier siegte Friedrich d. Gr. am 4. 6. 1745 über die Österreicher und Sachsen im 2. Schlesischen Krieg. – Der **Hohenfriedberger Marsch** wurde angeblich von Friedrich d. Gr. nach dem Sieg von H. komponiert.

Hohenfurth, tschech. **Vyšší Brod,** tschechoslowak. Stadt in Südböhmen, an der oberen Moldau, 560 m ü. M., mit rd. 2000 Ew.; 1259 gegr. Zisterzienserstift mit 1370 z. T. erneuerter Kirche, für die um 1340 der Hohenfurther Altar geschaffen wurde.

Hohenhausen, Elise, Freiin von, Schriftstellerin, * Eschwege 7. 3. 1812, † Berlin 31. 1. 1899, war befreundet mit Annette v. Droste-Hülshoff.

WERKE. Berühmte Liebespaare, 4 Bde. (1870–84), Der Roman des Lebens, 2 Bde. (1876), Aus Goethes Herzensleben (1884).

H'ohenheim, südlicher Stadtteil von Stuttgart mit einem 1785 erbauten Schloß, darin die 1818 gegr. Landwirtschaftl. Hochschule, seit 1967 Universität.

Hohenheim, 1) Franziska, Reichsgräfin von (1774), geb. von Bernardin, * Adelmannsfelden (Kr. Aalen) 10. 1. 1748, † Kirchheim unter Teck 1. 1. 1811, seit 1770 morganat. Ehefrau des Herzogs Karl Eugen von Württemberg, 1786 als Herzogin anerkannt.

2) →Paracelsus.

Hohenhöwen, Hohenhewen, Basaltkegel im →Hegau, 848 m hoch.

Hohenkrähen, 645 m hoher Phonolithkegel im Hegau, mit Burgruine.

H'öhenkrankheit, Fliegerkrankheit, span. *Soroche,* wird ausgelöst im Zusammenspiel mit anderen Umweltänderungen durch Sauer-

DIE GRÖSSTEN HÖHEN DER ERDE

ASIEN (in m; Auswahl)

Mount Everest	8848
K 2	8611
Kangchendzönga	8579
Lhotse	8510
Makalu	8481
Dhaulagiri	8222
Tscho Oju	8189
Manaslu	8125
Nanga Parbat	8125
Annapurna I	8087
Gasherbrum I	8068
Broad Peak	8047
Gasherbrum II	8035
Shisha Pangma	8013
Ulugh Mustagh	7723
Minja Konka	7590
Pik Kommunismus	7495
Pik Pobedy	7439
Demawend	5604
Elbrus	5633
Ararat	5156
Kljutschewskaja Sopka	4850
Kinabalu	4101
Fudschijama	3776

SÜDAMERIKA

Aconcagua	6957
Ojos del Salado	6880
Mercedario	6800
Huascaran	6768
Llullaillaco	6723
Illampu	6550
Illimani	6447
Chimborasso	6310
Misti	5842
Tolima	5620
Icutu	3353
Itatiaía	2804

NORD-, MITTELAMERIKA

Mount McKinley	6187
Mount Logan	6050
Pico de Orizaba	5653
Mount St. Elias	5486
Popocatepetl	5451
Iztaccihuatl	5286
Mt. Fairweather	4663
Nevado de Toluca	4578
Mount Whitney	4418
Mount Elbert	4396
Mount Rainier	4391
Blanca Peak	4383
Mount Shasta	4316
Mount Mitchell	2037

AFRIKA

Kilimandscharo	5895
Kenia	5194
Ruwenzori	5127
Ras Daschan	4620
Meru	4630
Karissimbi	4507
Elgon	4311
Toubkal	4165
Kamerunberg	4070
Cathkin Peak	3650

EUROPA

Montblanc	4807
Monte Rosa	4634
Matterhorn	4477
Finsteraarhorn	4274
Jungfrau	4158
Mönch	4099
Gran Paradiso	4061
Piz Bernina	4049
Großglockner	3798
Mulhacén	3481
Maladetta	3404
Ätna	3263
Zugspitze	2962
Monte Corno	2914
Olymp	2911
Gerlsdorfer Spitze	2663
Glittertind	2481
Narodnaja	1883
Ben Nevis	1343

AUSTRALIEN, OZEANIEN

Carstenszspitze	5030
Maunakea	4208
Mount Cook	3763
Mount Kosciusko	2234

ANTARKTIS

Executive-Committee-Geb.	6100
Markham	4600
Andrew Jackson	4500
Mount Erebus	3794

stoffverarmung des Blutes als Folge des niederen Luftdrucks in größeren Höhen. Es kommt zu Müdigkeit, Trägheit und Entschlußlosigkeit. Das Zusammenspiel der Muskeln ist gestört (Veränderungen der Schrift). Auf Erstickungsgefühl, Schwindel, Stirnkopfschmerzen, Übelkeit und Erbrechen folgen Bewußtlosigkeit, Schleimhautblutungen. Bes. gefährdet sind Menschen mit Schäden an Herz und Kreislauf. Flieger müssen bei Höhen über 4000 m die Sauerstoffmaske tragen.

H'öhenkreis, Scheitelkreis, *Astronomie:* jeder Kreis, der durch den Scheitelpunkt (Zenit) und den Fußpunkt (Nadir) des Beobachters geht.

H'öhenkult, Bergkult, Höhendienst, die Verehrung von Höhen und Bergen, die als Stützen des Himmels oder Sitze der Götter betrachtet werden (z. B. Fudschisan in Japan, Olymp bei den Griechen, Sinai bei den Juden).

H'öhenkurort, ein Klimakurort (→Klima).

H'öhenleitwerk, beim Flugzeug der aus der feststehenden *Höhenflosse* und dem bewegl. *Höhenruder* bestehende Teil des Leitwerks.

Hohenl'imburg, ehem. Stadt im Kreis Iserlohn, Nordrhein-Westfalen, mit (1973) 26300 Ew., an der Lenne, 120–360 m ü. M., Heimatmuseum im Schloß (Höhenburg aus dem 13. Jh., im 18. Jh. umgebaut); Kalksteinbrüche, Stoffdruckerei, Herstellung v. Bandeisen, Federn, Draht. H. gehört seit 1. 1. 1975 zu Hagen.

Hohenl'inden, Gem. im Kr. Ebersberg, Oberbayern, (1977) 2100 Ew. Hier siegte der französ. General Moreau am 3. 12. 1800 über die Österreicher.

H'öhenlinien, Schichtlinien, Isohypsen, auf Landkarten die Linien, die Punkte gleicher Höhen miteinander verbinden.

Hohenl'ohe, fränk. Adelsgeschlecht, seit 1744 und 1764 reichsfürstlich, seit 1806 zum größeren Teil unter württemberg., zum kleineren Teil unter bayr. Landeshoheit. Die beiden Hauptlinien, *H.-Neuenstein* (protestant.) und *H.-Waldenburg* (kath.), haben sich in die Zweige: H.-Langenburg, H.-Öhringen (seit 1861 Herzöge von Ujest), H.-Ingelfingen, H.-Bartenstein, H.-Jagstberg, H.-Waldenburg-Schillingsfürst und H.-Schillingsfürst (seit 1840 Herzöge von Ratibor und Fürsten von Corvey) geteilt.

1) Chlodwig, Fürst zu **H.-Schillingsfürst** (1845), Prinz von Ratibor und Corvey (1840), * Rotenburg a. d. Fulda 31. 3. 1819, † Ragaz 6. 7. 1901, liberal und kleindeutsch gesinnt, war 1866–70 bayr. MinPräs. und Außenmin. Er setzte im Zollparlament die Zolleinigung der süddt. Staaten mit Preußen durch. 1874 wurde er deutscher Botschafter in Paris, 1885 Statthalter von Elsaß-Lothringen, 1894–1900 war H. Reichskanzler und preuß. MinPräs. – ›Denkwürdigkeiten‹ (2 Bde. 1906/07; Bd. 3 erst 1931 hg. v. K. A. v. Müller).

2) Friedrich Ludwig, Fürst zu **H.-Ingelfingen,** preuß. General, * Ingelfingen 31. 1. 1746, † Slawentzitz (Cosel) 15. 2. 1818, besiegte die Franzosen am 20. 9. 1794 bei Kaiserslautern, wurde von Napoleon am 14. 10. 1806 bei Jena geschlagen und streckte am 28. 10. bei Prenzlau die Waffen.

3) Gustav Adolf, Bruder von 1), Kurienkardinal (seit 1866), * Rotenburg a. d. Fulda 26. 2. 1823, † Rom 30. 10. 1896, seit 1846 in Rom, 1849 Priester, 1857 Titular-Erzbischof. H. unterstützte auf dem 1. Vatikanum die Gegner des Unfehlbarkeitsdogmas.

Hohenlohekreis, Kreis im RegBez. Stuttgart, Baden-Württemberg; Kreisstadt: Künzelsau.

H'öhenmarke, in das Mauerwerk von festen Gebäuden oder in Steinpfeiler eingelassener eiserner Bolzen mit Höhenangabe.

H'öhenmesser, ein Meßinstrument für die Flughöhe eines Luftfahrzeugs. Der *barometrische H.* (das wichtigste Höhenmeßgerät), ein →Barometer mit Skaleneichung, gibt die *absolute Höhe* über dem Meeresspiegel an, läßt also den tatsächlichen Abstand vom Erdboden nicht erkennen und liefert außerdem bei unbekanntem Bodenluftdruck falsche Angaben. Es wird aber als einfachstes Gerät benutzt. Die *relative Höhe* über Grund zeigt stets der *elektrische H.* an. Er mißt entweder die Kapazität zwischen Luftfahrzeug und Boden *(kapazitiver H.)* oder die stehenden Wellen, die vom Luftfahrzeug ausgesandte ultrakurze elektromagnet. Wellen mit den am Boden reflektierten Wellen erzeugen *(Reflexions-H.)*, oder, ähnlich dem Echolot, die Laufzeit kurzer elektromagnet. Impulse.

H'öhenmessung, die Ermittlung des Höhenunterschieds zwischen zwei Punkten, wird durchgeführt: 1) in flachem Gelände durch *Nivellieren* mit einem Nivellierinstrument, das in der Mitte der Meßstrecke aufgestellt wird; die Endpunkte der Strecke kennzeichnen Nivellierlatten, an denen der Höhenunterschied abgelesen wird. 2) in gebirgigem Gelände und bei großen Höhenunterschieden durch *trigonometrische H.* Die Horizontalentfernungen müssen durch Dreiecksmessung bekannt sein, die Höhenwinkel der geneigten Ziellinien werden mit Theodolit gemessen. 3) durch →Höhenmesser.

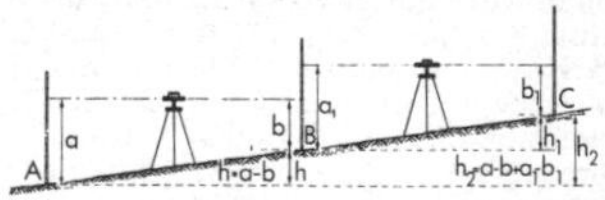

Höhenmessung: nivellieren. AB, BC *Meßstrecke,* h_1, h_2 *Höhendifferenz der Ablesungen* a, b, a_1, b_1

Hohenm'ölsen, Kreisstadt im Bez. Halle, südöstl. von Weißenfels, 164 m ü. M., mit (1964) 6500 Ew.; Braunkohlenindustrie. – Bei H. siegte am 15. 10. 1080 Rudolf von Schwaben über Heinrich IV., fand aber selbst den Tod.

Hohen N'euendorf, Gemeinde im Bez. Potsdam, mit (1964) 9700 Ew.

Hohenn'euffen, Randberg der Schwäb. Alb bei Nürtingen, 743 m hoch, mit Burgruine.

H'öhenrauch, Trübung der Luft durch Rauch und Abgase, z. B. von Wald-, Steppen-, Moorbränden *(Heerrauch)*, Vulkanausbrüchen.

Hohenrechberg, Randberg der Schwäb. Alb bei Schwäbisch Gmünd, 707 m hoch, mit Burgruine (12. Jh., Jan. 1865 durch Blitzschlag zerstört) und Wallfahrtskirche.

Hohens'alza, poln. **Inowrocław,** Kreisstadt in der Woiwodschaft Bromberg, Polen, mit (1971) 55 900 Ew., jod- und bromhaltiges Solbad, Salzbergwerke, Eisengießerei, Maschinen- und Zuckerfabriken. H. erhielt nach 1253 dt. Stadtrecht und war 1772 bis 1918/20 preußisch.

Hohenschw'angau, Schloß bei Füssen, 800 m ü. M., ursprünglich welfisch, seit 1567 bayerisch, 1832 von Maximilian II. neu aufgebaut; im Inneren Fresken aus der deutschen Sage u. a. von Moritz von Schwind.

H'öhensonne, 1) die natürl. Sonne im Hochgebirge. **2)** Handelsname für eine Quarzlampe zum Bestrahlen mit an ultravioletten Strahlen (vorwiegend zwischen 400 und 200 mμ Wellenlänge) reichem Licht, z. B. die *Quecksilberquarzlampe* oder *künstliche H.* Anwendung bes. gegen Rachitis, Erschöpfungszustände; auch zur Hautbräunung aus kosmetischen Gründen.

Hohenst'aufen, Randberg der Schwäb. Alb nordöstl. von Göppingen, 683 m hoch, mit den Resten der 1525 im Bauernkrieg zerstörten Stammburg der →Staufer.

H'ohenstein, 1) Grafschaft H., früherer Name des Landkreises Nordhausen, Thüringen.

2) H. in Ostpreußen, Stadt im Kr. Osterode, in der ostpreuß. Seenplatte, hatte (1939) 4200 Ew.; Ordenshaus (1351–60). H. kam 1945 stark zerstört unter poln. Verwaltung *(Olsztynek)*. Südwestl. von H. liegt →Tannenberg.

H'ohenstein-'Ernstthal, Kreisstadt im Bez. Karl-Marx-Stadt (Chemnitz), im Erzgebirgischen Becken, 310–480 m ü. M., mit (1974) 16 600 Ew.; Textil- und Metallwarenindustrie, Textilfachschule. In der Nähe die Auto- und Motorrad-Rennstrecke *Sachsenring*.

Hohenst'offeln, 844 m hoher Basaltkegel im Hegau, durch Steinbruchbetrieb seines zweiten Gipfels beraubt.

H'öhenstrahlung, →kosmische Ultrastrahlung.

Hohens'yburg, Burgruine auf dem Ardeygebirge (Westfalen), 242 m ü. M.

Hohentw'iel, Phonolithkegel bei Singen im Hegau, 689 m hoch, mit den Ruinen einer Festung; war einst gekrönt von einem Kloster und einer Burg. Hier wohnte im 10. Jh. die Herzogin Hedwig von Schwaben (Scheffels Roman ›Ekkehard‹, 1855). 1800 wurde die Festung von den Franzosen gesprengt.

Hohenwart, Karl Siegmund Graf von, österr. Politiker, * Wien 12. 2. 1824, † das. 26. 4. 1899, war 1871 MinPräs. und Innenminister.

Hohenw'arte-Talsperre, Talsperre (182 Mill. cbm) der 27 km lang zwischen Eichicht und Ziegenrück aufgestauten Saale.

H'öhenwetterkarte, Darstellung der jeweiligen Temperatur- und Windlagen zwischen 1500 und 5000 m und höher, für den Flugwetterdienst.

H'öhenwinkel, Erhebungswinkel, Elevationswinkel, der Winkel zwischen der Visierlinie zu einem höher gelegenen Punkt und der Waagerechten. **Tiefenwinkel, Depressionswinkel** heißt der gleiche Winkel, wenn der anvisierte Punkt unterhalb der waagerechten Ebene liegt.

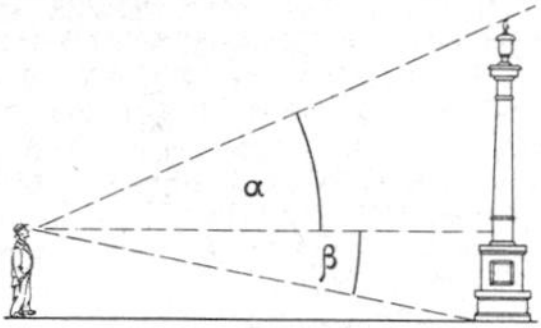

Höhenwinkel:
α Erhebungswinkel, β Tiefenwinkel

Hohenz'ieritz, ehemals großherzogl. mecklenburg. Lustschloß in waldreicher Landschaft nördl. von Neustrelitz; Sterbeort der Königin Luise (1810).

Hohenz'ollern, deutsches Herrschergeschlecht, nach dem die Burg H. vielleicht erst ihren Namen erhielt. Die H. stammen vermutlich von den Burchardingern ab, die im 10. Jh. Herzöge von Schwaben waren. Um 1100 wird Friedrich Graf von Zolre genannt. Graf Friedrich III. erheiratete 1191 die Burggrafschaft Nürnberg (als Burggraf Friedrich I.). Durch die Teilung unter s. Söhnen um 1227 spaltete sich das Geschlecht in die fränk. (später evangel.) und die schwäb. (kathol.) Linie.

Fränkische Linie. Burggraf Friedrich III. († 1297) erwarb Bayreuth und Kulmbach, sein Sohn 1331 Ansbach; sein Enkel Friedrich V. wurde 1363 Reichsfürst. Burggraf Friedrich VI. erhielt 1415/17 von Kaiser Sigismund das Kurfürstentum Brandenburg (als Kurfürst Friedrich I.). Kurfürst Albrecht Achilles machte 1473 die fränk. Fürstentümer zu einer Sekundogenitur des Kurhauses Brandenburg. Die Nachkommen seines ältesten Sohnes Johann Cicero behaupteten in gerader Linie die brandenburg. Kurwürde, erlangten 1701 unter Friedrich III. (I.) die preuß. Königskrone und 1871 unter Wilhelm I. die deutsche Kaiserwürde (bis 1918; →Brandenburg, Geschichte; →Preußen, Geschichte). Das Hzgt. Preußen, wo ein Zweig der Nebenlinien 1525 zur Regierung gelangt war, fiel 1618 an die Hauptlinie. Mit Markgraf Alexander erlosch diese letzte fränk. Nebenlinie 1806, nachdem er bereits 1791 beide Fürstentümer an Preußen abgetreten hatte (→Ansbach-Bayreuth).

Schwäbische Linie. 1576 entstanden die Zweige *H.-Hechingen* (die Gfsch. H. mit der Burg) und *H.-Sigmaringen* (Sigmaringen, Veringen und Haigerloch); beide wurden 1623 in den Reichsfürstenstand erhoben. Ihre Häupter gehörten 1806–13 dem Rheinbund an und dankten im Dez. 1849 zugunsten des Königs von Preußen ab. Die Linie H.-Hechingen starb 1869 aus. Ein Zweig der Linie H.-Sigmaringen gelangte 1866 auf den rumän. Thron. Fürst Leopold wurde bekannt durch seine span. Thronkandidatur 1870.

LIT. J. Großmann, E. Berner, G. Schuster, K. T. Zingeler: Genealogie d. Gesamthauses H. (1905); R. Schneider: Die H. (1958).

Hohenz'ollern, 1) Zollern, Schloß auf dem Kegel des Zollernberges (855 m) am Rand der Schwäb. Alb, südlich von Hechingen, wohl im 11. Jh. angelegt, 1423 und im Dreißigjährigen Krieg zerstört, durch Friedrich Wilhelm IV. 1847–67 neugotisch wiederaufgebaut; birgt seit 1952 die Särge Friedrich Wilhelms I. und Friedrichs d. Gr., die Hohenzoller. Landessammlung und die H.-Gedächtnisstätte.

Bergschloß Hohenzollern

2) Hohenzollernsche Lande, die ehemaligen Fürstentümer H.-Hechingen und H.-Sigmaringen (→Hohenzollern, Schwäbische Linie); sie reichten als schmaler Landstreifen vom oberen Neckar bei Horb über die Schwäb. Alb und die obere Donau bis ins Bodenseevorland. 1849 wurden sie vereinigt und kamen als Prov. an Preußen, 1945 an das Land Württ.-H. (Kreise Hechingen und Sigmaringen), 1951 an das Land Baden-Württemberg.

Hohenz'ollernkanal, Teil des →Berlin-Stettiner Großschiffahrtswegs.

Hohenz'ollernscher H'ausorden, 1) Fürstlich H. H., gestiftet 1841, aufgehoben 1919. **2)** preußischer Hausorden für Verdienste um das kgl. Haus, 1851 von 1) abgezweigt.

Hohe Pforte, bis 1924 der Hof und Palast des Sultans in Konstantinopel, auch die türkische Regierung, bes. das Außenmin.

Hohepr'iester, Hoherpr'iester, der jüdische Oberpriester, wurde feierlich geweiht durch Salbung (3. Mos. 21, 10) und Anlegen der Amtskleidung (2. Mos. 28, 1 ff., 29, 5). Die Würde des H., urspr. auf Lebenszeit, war in der Familie des Aaron erblich, wurde aber, vor allem in den Syrerkriegen, oft nach Willkür und Bestechung vergeben. Das N. T. nennt H. auch die gewesenen H. und andere Glieder der hohenpriesterl. Familie. Der H. hatte als Mittler zwischen Jahwe und dem Volk am →Versöhnungstag die Liturgie zu halten; außerdem stand ihm die Oberleitung des Tempeldienstes zu. In Übereinstimmung mit der Theorie gewann er allmählich auch die polit. Führung und Vertretung des jüd. Volkes. Seine Amtskleidung bestand aus einem dunkelblauen Oberkleid, aus dem →Ephod, aus der daran angebrachten, mit 12 Edelsteinen besetzten Tasche mit den →Urim und Thummim und aus einem Turban mit der Inschrift »Dem Jahwe heilig« auf einer Goldplatte.

Hoher Bogen, ein Bergzug des Böhmerwaldes, 1072 m hoch.

höhere Gewalt, lat. *vis maior,* franz. *force majeure,* Naturgewalt wie Blitzschlag, Hagel, Erdbeben; im Recht jedes Ereignis, das der Betroffene nicht verschuldete und durch Anwendung der erforderlichen Sorgfalt nicht abwenden konnte; entbindet vielfach von übernommenen Verpflichtungen (z. B. § 233 ZPO).

höhere Landbauschule, Ausbildungsstätte junger Landwirte für den Beruf des Betriebsleiters; Abschlußexamen als »Staatl. geprüfter Landwirt« oder »Staatl. geprüfter Betriebsleiter« nach einjähr. Besuch. Die ehem. h. L. ist heute *Fachhochschule für Landbau* und setzt Fachschulreife voraus.

höhere Schulen, die zur Hochschulreife oder Fachhochschulreife führenden Schulen, in der Bundesrep. Dtl. die →Gymnasien, ferner Oberstufen oder Studienstufen, die auf Gesamtschulsystemen aufbauen, Abendgymnasien, teils. Wirtschaftsgymnasium, freie Schulen, private Schulen; in der DDR die »erweiterte polytechnische Oberschule«, in Österreich h. S., in der Schweiz Mittelschule. Unterhalten werden die h. S. teils durch Gemeinden und Gemeindeverbände, teils durch den Staat. Kommunale h. S. bedürfen als öffentliche Schulen der Anerkennung durch den Staat. Die Schulaufsicht liegt gewöhnlich bei den Landesregierungen, den Regierungspräsidenten oder besonderen Schulkollegien. Die Lehrkräfte an h. S. (Studienräte) werden grundsätzlich an Universitäten (oder Techn. Hochschulen) ausgebildet.

GESCHICHTLICHES. Im Abendland war aus den Kloster- und Domschulen des MA.s das Gymnasium entstanden. Hinzu traten vereinzelt seit dem 18. Jh., bes. aber seit dem 19. Jh. →Realanstalten, die um 1900 in Deutschland volle Gleichberechtigung erhielten, in den zwanziger Jahren Deutsche Oberschulen, auch Aufbauschulen. Lehrpläne, Sprachenfolge u. ä. blieben in den einzelnen dt. Ländern uneinheitlich. Die Neuregelung von 1938 unterschied nur noch zwischen Oberschulen (für Jungen oder für Mädchen) und (wenigen) Gymnasien für Jungen. Nach 1945 ging die Entwicklung der h. S. wieder auf Ländergrundlage und daher auf sehr verschiedenen Wegen vor sich.

Hoher Göll, Berg in den Salzburger Alpen, 2522 m; bayer.-österr. Grenze.

Hoher Hagen, Basalterhebung (508 m) auf der Dransfelder Hochfläche, im SW von Göttingen.

Hoher 'Ifen, 2232 m hoher Berg zwischen den Allgäuer Alpen (Kl. Walsertal) und dem Bregenzer Wald.

Hoher Kapf, 1122 m hoher Berg der Allgäuer Voralpen, zwischen Kempten und Isny, auf der Wasserscheide Rhein/Donau.

Hoher Kommiss'ar, →Hochkommissar.

Hoher M'eißner, →Meißner.

Hohermut, Hohermuth, Georg, dt. Konquistador, * Speyer oder Memmingen, † Coro (Venezuela) 10. 6. 1540, unternahm vom 13. 5. 1535 bis zum 27. 5. 1538 zusammen mit Philipp von →Hutten im Dienste der Welser auf der Suche nach dem Goldland, dem Kulturbereich der Chibcha, einen Vorstoß in das Innere von Venezuela bis zum Rio Bermejo im Quellgebiet des Amazonas.

Hoher P'eißenberg, Aussichtsberg mit Wetterwarte, 989 m ü. M., bei →Peißenberg, Oberbayern; Wallfahrtskirche (16.–18. Jh.).

Hoher Rat, höchste jüdische Staatsbehörde, →Synedrion.

Hoher Staufen, der →Hohenstaufen.

Höherversicherung, →freiwillige Versicherung.

Hohe Salve, 1829 m hoher Aussichtsberg der Kitzbühler Alpen in Tirol, nördl. vom Brixental.

Hohe Schule, höhere Reitkunst, →Reiten.

Hohes Licht, Berg in den Allgäuer Alpen (2652 m).

Hohes Lied, Lied der Lieder, ein Buch des Alten Testaments, eine auf König Salomo zurückgeführte Sammlung israel. Hochzeitslieder; schon bei den Juden sinnbildlich auf die Liebe Gottes zu Israel, später auf Christus und die Kirche als Bräutigam und Braut gedeutet, seit Herder auch als Sammlung weltlicher Liebeslieder aufgefaßt.

LIT. Kommentare von M. Haller (1940; evang.); J. Fischer (1950; kath.); H. Schmökel: Heilige Hochzeit und H. L. (1956); F. Ohly: H.-L.-Studien (1958).

Hohes Rad, Berg im Riesengebirge, 1509 m hoch.

Hohe Straße, Hohe Landstraße, die seit Beginn des 13. Jhs. bekannte Handelsstraße, die von Frankfurt a. M. über Eisenach, Erfurt, Halle, Leipzig, Bautzen, Görlitz nach Breslau führte. Ihre Bedeutung verlor sie im 18. Jh., als die Kanalbauten in Brandenburg den Verkehr stärker durch die nördlicheren Gebiete lenkten.

Hohes Venn [indogerman. fenn ›Sumpf‹], der breite, kahle, vermoorte, niederschlagsreiche Höhenrücken des Rhein. Schiefergebirges im NW der Eifel, im *Botrange* [bɔtrɑ̃ʒ], auf belg. Gebiet, 692 m hoch.

Hohe T'atra, Teil der Karpaten, →Tatra.

Hohe Tauern, ein Teil der Ostalpen, →Tauern.

Hohkönigsburg, Burg im Elsaß, westl. von Schlettstadt, auf einem 755 m hohen Bergkegel der Vogesen. Die H. wird um 1147 als stauf. Besitz erwähnt, wurde 1462 und 1633 zerstört, kam 1899 an Wilhelm II., der sie von B. Ebhardt bis 1908 wieder aufbauen ließ.

Hohl|adern, die →Hohlvenen.

Hohlbaum, Robert, Erzähler, * Jägerndorf 28. 8. 1886, † Graz 4. 2. 1955, schrieb polit.-histor. Romane vom großdt. Gesichtspunkt aus.

WERKE. Die deutsche Passion (1924), Die Flucht in den Krieg (1934), Te Deum (Bruckner-Roman, 1950), Sonnenspektrum (Goethe-Roman, 1951), Der König von Österreich (1956).

H'ohlblocksteine, großformatige Steine aus Beton, Gips, Bimsstein oder gebranntem Ton mit ein- oder zweiseitig offenen Hohlräumen zur Gewichtsverminderung und Wärmeisolierung. *Hohlblockziegel* sind Hohlblöcke aus gebranntem Ton.

Höhle, größere Hohlform im Gestein. Die H. sind entweder mit dem Gestein zugleich entstanden, z. B. in Eruptivgestein (Gasblasen), Kalktuffen, Korallenriffen, oder nachträglich, z. B. durch Wasserwirkung, Auswitterung, Sandschliff, Kluftbildung. Die Ausdehnung wechselt zwischen einigen Metern und mehreren Kilometern, die Form kann die einer Spalte, Klamm, eines Schlauchs, Kanals, Tunnels oder einer Halle, eines Domes sein. *Erosions-H.* entstehen durch die Brandung an Küsten, z. B. die Fingalshöhle auf Staffa, die Blaue Grotte von Capri. *Korrosions-H.* finden sich in Gips, Steinsalz, bes. Kalkstein und Dolomit; in diesen *(Karst-)*H., die zunächst nur Klüfte, Bruch- und Schichtfugen waren, löst kohlensäurehaltiges Sickerwasser den massigen Kalk und Dolomit, fließendes und zirkulierendes Wasser führt zur Zernagung und Aushöhlung. In *Tropfstein-H.* scheidet Tropfwasser Kalksinter aus: nach unten wachsen die Deckenzapfen (Stalaktiten), ihnen entgegen die Bodenzapfen (Stalagmiten), sie vereinigen sich zu Säulen, Vorhängen, Kaskaden. *Eishöhlen* bilden sich dort, wo das einfließende Tagwasser auf dem Gefrierpunkt ist und einfallende kalte Winterluft im Sommer nicht abfließen kann. *Höhlenwasser* stammt zumeist von der Erdoberfläche, es bildet z. T. Höhlenflüsse.

Die vielfach gefundenen Siedlungsreste zeigen, daß H. schon dem Menschen der

Eiszeit Zuflucht waren; daneben dienten sie kultischen Zwecken, wovon Opferfunde und Felsbilder zeugen. Noch heute benutzen Naturvölker vereinzelt H. als Winterwohnplatz, bauen natürl. H. aus (→Cliff-dwellings) oder graben sich künstliche H.

Die dauernd auf dunkle H. beschränkten *Höhlentiere* zeigen bleiche Färbung, Taststärke, Augenrückbildung (manche Krebs-, Spinnen-, Kerbtiere, Tausendfüßer, der Grottenolm). Nicht auf H. beschränkt sind die Höhlenhyäne und der Höhlenbär der Eiszeit und Fledermäuse. – Als *Höhlenpflanzen* können manche in H., Kellern und Bergwerken mit sehr schwacher Belichtung lebensfähige Algen, Moose, Farne, auch Blütenpflanzen gelten, ferner lichtunabhängige Pilze und Bakterien.

Höhle: Tropfsteinhöhle in der Schwäbischen Alb mit Stalaktiten und Stalagmiten

Hohle Gasse, Hohlweg bei Küßnacht, der Sage nach der Ort der Erschießung Geßlers durch Tell.

Höhlenbär, *Ursus spelaeus,* ausgestorbene höhlenbewohnende Bärenart, das häufigste Raubtier der Diluvialzeit. Der H. war ein Jagdtier der ältesten Steinzeit.

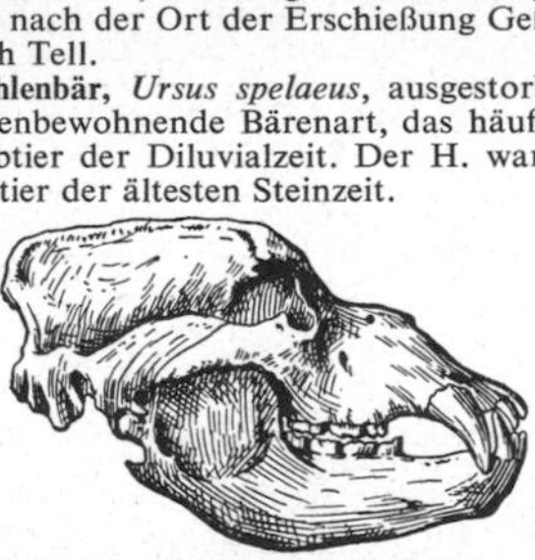

Höhlenbär: Schädel (etwa $^1/_{10}$ nat. Gr.)

Höhlenhy'äne, *Hyaena spelaea,* eine in der Diluvialzeit über Mitteleuropa verbreitete, ausgestorbene höhlenbewohnende Hyänenart.

Höhlenkloster in Kiew, russisch **Petscherskaja Lawra,** eins der ältesten und bekanntesten russ. Klöster. Bald nach 1050 gegründet, wurde das H. zum kirchenpolit. und kulturell wichtigsten Kloster Rußlands vor dem Mongoleneinfall. Im 17. und im 19. Jh. erlebte es neue Blütezeiten.

H'öhlenkult, die Verehrung von Höhlen als Geburtsplätze oder Aufenthaltsorte der Gottheiten und ihre Benutzung zu Kulthandlungen.

Höhlenlöwe, *Felis spelaea,* ausgestorbene Großkatze des Diluviums, um ein Drittel größer als die Löwen der Gegenwart. Ihre Reste sind auch in vielen Ablagerungen Europas gefunden worden. Bilder des H. sind an den Wänden südfranz. Höhlen überliefert.

H'öhlentempel, Felsentempel, ein in Fels gehauener Tempel, bes. in Vorderindien (Adschanta, Ellora, Karli), auch in Ägypten (→Abu Simbel).

Höhlenzeichnungen, →Felsbilder.

hohle See, Wellen beim Übergang vom tiefen zum flachen Wasser mit überschlagenden Wellenköpfen.

H'ohlfuß, Fuß mit stark erhöhtem Längsgewölbe.

H'ohlgewebe, Schlauchgewebe, Stoff aus zwei übereinanderliegenden Geweben, die nur an den Rändern verbunden sind; für nahtlose Säcke, Schläuche, Wursthüllen u. dgl.

H'ohlhörner, die →Horntiere.

H'ohlkehle, Ausrundung des Übergangs zwischen zwei senkrecht aufeinanderstoßenden Bauteilen, z. B. Decke und Wand.

Hohlklinge, eine Messerklinge mit Hohlschliff.

H'ohlladung, abgek. **HL,** Sprengkörper, bei dem die Spreng- und Durchschlagswirkung durch einen halbkugelförmigen oder konischen Hohlraum an der Seite, die dem zu zerstörenden Objekt zugekehrt ist, punktförmig konzentriert wird. H. werden für Artilleriegeschosse, Sprengladungen und Panzernahbekämpfungsmittel verwendet. BILD Geschoß, 4.

H'ohlleiter, eine Übertragungsleitung für elektromagnet. Wellen höchster Frequenz (→Höchstfrequenztechnik); ein Metallrohr von meist kreisrundem oder rechteckigem Querschnitt mit gut leitenden Innenwänden, durch die die elektromagnet. Wellen zusammengehalten und geführt werden.

H'ohlmaß, Raummaß, Maß für Flüssigkeiten und schüttbare Güter (Getreide u. ä.), meist zylinder- oder prismenförmig (Kastenmaß). →Maße und Gewichte.

H'ohlnadel, ärztl. Gerät, →Kanüle.

H'ohlnaht, durchbrochene Zierlinie in Leinengewebe, die durch Ausziehen von Längsfäden und zweiseitige Bündelung der Querfäden durch Schlingenstich entsteht; oft als Verzierung des Saumes angewendet *(Hohlsaum).*

H'ohloh, Buntsandsteinhochfläche im nordöstl. Schwarzwald, 988 m hoch, trägt den

Hohlohsee und das von Hochmoor und Wald bedeckte Naturschutzgebiet des *Wildsees* und *Hornsees.*

H'ohlpfennig, Hohlmünze, der →Brakteat.

H'ohlraumstrahlung, schwarze Strahlung, die Strahlung eines →schwarzen Körpers.

H'ohlseil, eine hohle, aus vielen nebeneinanderliegenden Flachdrähten bestehende blanke Leitung für elektrische Hochspannungsfreileitungen (über 100000 Volt), meist aus Kupferbronze.

H'ohlsog, die →Kavitation.

Hohlspaten, *Forstwirtschaft:* Spaten mit geformtem Blatt, mit dem Pflanzlöcher ausgestochen und bes. Ballenpflanzen leichter als mit gewöhnl. Spaten gepflanzt werden können.

Hohlspiegel, schwach gekrümmte Kugelhaube mit spiegelnder Innenseite.

Hohlsteg, *Drucktechnik:* ein mit Hohlräumen versehener Bleikörper zum Ausfüllen größerer Satzstellen, die nicht mitdrucken sollen.

H'ohlsteine, alle normalformatigen Glas-, Beton- und Ziegelhohlsteine sowie Deckenhohlziegel (Deckensteine) mit eingearbeiteten Hohlräumen.

H'ohltaube, →Tauben.

H'ohltiere, *Zölenteraten,* Stamm der mehrzelligen Tiere, mit strahlig um eine Achse angeordneten Körperteilen, im Wasser lebend. Die Grundgestalt entspricht der Gastrula (→Entwicklung); sie wird durch Verdickung der Körperwand, durch taschen- oder kanalartige Fortsätze am Gastralraum und Fangarme um den Mundafter bereichert. Unterstämme: →Nesseltiere und →Rippenquallen.

H'ohlvenen, Hohladern, die beiden starken Venenstämme, *obere* und *untere H.*, durch die das Blut aus dem Körper in den rechten Vorhof des Herzens zurückfließt (TAFEL Blut II).

H'ohlweg, durch einen Geländeeinschnitt führender Weg.

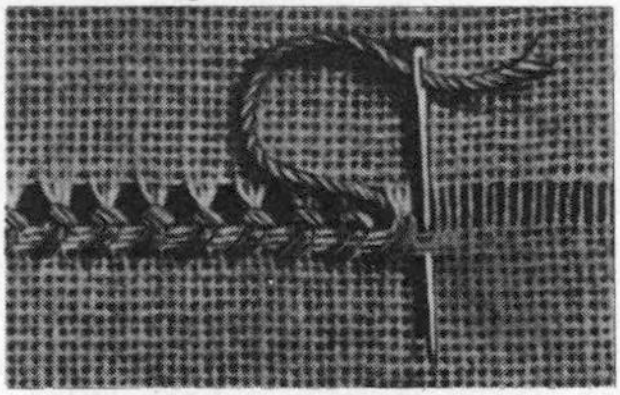

Hohlnaht (Hohlsaum; nach Beyer)

H'ohlwelle, ein Antriebselement bei elektr. Lokomotiven für hohe Geschwindigkeiten *(Hohlwellenantrieb)*. Die H. liegt zwischen den Rädern, umschließt die Kernachse des anzutreibenden Radsatzes mit so viel Spielraum, daß diese ungehindert der Federung folgen kann, während die H. selbst ohne Spiel sich in einem Lager am Motorgehäuse dreht und von der Motorwelle mit einer Zahnradübersetzung angetrieben wird. Die Drehung wird von der H. auf die Achse des Treibrades mit verschiedenen nachgiebigen Mitteln, Federn, Gelenken oder Gummielementen, übertragen.

H'ohlwurz, →Lerchensporn.

H'ohlzahn, Hanfnessel, Daun, *Galeopsis,* Lippenblütergattung, einjährige, taubnessel- oder ziestähnliche Kräuter. Mitteleurop. Arten: *gemeiner H.* (wilder Hanf, kleines Löwenmaul, Brennkraut, G. tetrahit), mit borstigem Stengel und weißen bis karminroten Blüten, in Wäldern und als Unkraut; *bunter* oder *schöner H.* (G. speciosa), mit hellgelben und violetten Blüten, in Gebirgswäldern; *Gottesgnadenkraut* (G. ochroleuca), mit blaßgelben Blüten, auf kalkarmem Boden, früher Volksmittel bes. gegen Lungenschwindsucht.

Hohlziegel, 1) *Hohlpfannen, Mönchziegel, Nonnenziegel* und *Firstziegel,* →Dachziegel; **2)** alle normalformatigen Mauerhohlziegel, Mauer-Langloch- und Querlochziegel, fünf- und allseitig geschlossene Lochziegel und der Deckenhohlziegel.

Hohndorf, Gem. im Bez. Karl-Marx-Stadt (Chemnitz), am NW-Rand des Lugau-Ölsnitzer Kohlengebietes, mit (1964) 6700 Ew.; Steinkohlenförderung, Textilindustrie.

H'ohneck, Hoheneck, der dritthöchste Vogesengipfel (1361 m) über dem Talschluß des Münstertals und des Schluchtpasses an der Kammstraße; Skigelände. Elektrische Bahn von Gérardmer bis unter den Gipfel. Quellgebiet der Meurthe und der Moselotte.

Hohneklippen, Granitklippen im Oberharz nordöstl. von Schierke, in der Leistenklippe 901 m hoch.

H'ohner, Matth. Hohner AG, Trossingen (Württ.), bedeutende Instrumentenfabrik; Hand- und Mundharmonikas, Akkordeons, Computer, Prüf- und Steuerungsgeräte, elektronische Musikinstrumente; gegr. 1857.

H'ohneujahr, im Volksbrauch der eigentliche Beginn des neuen Jahres am 6. 1., zusammenfallend mit dem Dreikönigsfest und dem kirchl. Epiphaniasfest. H. ist der letzte Tag der Zwölften, in Bayern die *feiste Rauhnacht* genannt, und gilt deshalb als Tummelzeit unheimlicher Mächte, so der Perchta oder Berchta in Ober- und Mitteldeutschland.

H'ohnstein, Hohenstein, ehemalige Grafschaft und Ruine einer um 1120 erbauten Burg am Südharz. Das alte Grafengeschlecht starb 1593 aus; darauf kam ein Teil der Grafschaft an die Welfen (Hannover), ein anderer 1648 an Brandenburg. Der preuß. Landkr. Nordhausen erhielt 1888 den Namen Kreis Grafschaft Hohenstein.

H'ohnsteiner Puppenspiele, künstlerische Handpuppenspiele, gegr. von M. Jacob 1921 in Hartenstein (Erzgeb.), seit 1928 in der Jugendburg Hohnstein (Elbsandsteingebirge), seit 1945 in Hamburg.

Hohoff, Curt, Schriftsteller, * Emden 18. 3. 1913, Kritiker und Erzähler.

WERKE. Woina, Woina (1951), Paulus in Babylon (1956), Schnittpunkte (1963), Gefährlicher Übergang (1964), Die Märzhasen (1966), Die Nachtigall (1977).

Höhr-Grenzhausen, Stadt im Westerwaldkreis, Rheinland-Pfalz, mit (1977) 8200 Ew., Mittelpunkt des »Kannenbäckerlandes«, hat Staatl. Ing.- u. Werkschule für Keramik, keram., Porzellan- und glasveredelnde Industrie, Herstellung von Bruyère-Pfeifen, Apothekeneinrichtungen.

Hoiellart [hɔia:], Gem. in der belg. Prov. Brabant, südwestl. Brüssel, hat 6600 Ew. (1962) und ist das Zentrum für die Erzeugung der »Brüsseler Trauben«. Das »gläserne Dorf« verfügt über 13000 Treibhauseinheiten. Außerdem hat H. Weinindustrie und in Groenendael eine bekannte Pferderennbahn.

Hoitsu, Sakai, japan. Maler, * 1761, † 1829, aus dem Fürstenhause von Himeji, Meister der Schulen von Koetsu und Korin.

Hojeda, Ojeda [ɔx'ɛ-], Alonzo de, span. Entdecker, * Cuenca in Neukastilien um 1470, † in Haïti 1515, nahm an der 2. Fahrt des Kolumbus nach Amerika teil. 1499 unternahm er mit Juan de la Cosa und Amerigo Vespucci eine Expedition an die N-Küste Südamerikas (Guayana, Orinoco, Maracaibo). 1502 und 1505 scheiterte er mit seinen Versuchen, am Golf von Maracaibo eine Niederlassung zu gründen.

Hojo [hodʒo], japan. Adelsgeschlecht, dessen Häupter 1219–1333 als Regierungsverweser von Kamakura die tatsächlichen Beherrscher Japans waren.

Hok'etus [mlat.], **Hoquetus, Ochetus**, satztechn. Mittel der mehrstimmigen Musik des 13.–15. Jhs. Rasch aufeinanderfolgende Pausen und Noten in verschiedenen Stimmen greifen dabei so ineinander, daß sie sich zu einer Stimme ergänzen.

Hokkaido, Yezo, Ezo, fälschlich **Jesso**, die nördlichste große Insel Japans, umfaßt 78 508 qkm (mit Nebeninseln).

H'okkohühner, *Cracidae*, trop.-südamerikan. Familie der Hühnervögel mit Federhaube, Baumtiere; darunter die *eigentl. H.* mit kurzem, hohem Schnabel und die *Schakuhühner* mit längerem, schmächtigerem Schnabel.

Hokusai [hɔksɑi], Katsushika, japan. Maler, * Edo (Tokio) 21. 10. 1760, † das. 10. 5. 1849; in seinem ungewöhnlich umfangreichen Werk (er illustrierte mehr als 500 Bücher mit etwa 10000 Holzschnittseiten) schuf er Landschaftsbilder und Farbholzschnitte aus dem Leben Japans.

LIT. F. A. Kauffmann: Die Woge des H. (1938); J. Hillier: H. (dt. 1956).

H'okusp'okus [aus einer Zauberformel des 16. Jhs.: hax pax max deus adimax], Formel der Gaukler; Gaukelei, Blendwerk.

Hoel [hø:l], Sigurd, norweg. Schriftsteller, * Nord-Odal 14. 12. 1890, † Oslo 14. 10. 1960, schrieb Romane, z. T. voll scharfer Satire gegen das Bürgertum. (Ein Tag im Oktober, 1931; dt. 1932), Essays.

Hol'arktis [grch. Kw.], europäisch-nordasiatisch-nordamerikan. Florenreich, →Pflanzengeographie. **Holarktische Region,** die gemeinsame Bezeichnung für Paläarktische und Nearktische Region, →Tiergeographie.

Holbach, Paul Heinrich Dietrich, Baron von, Philosoph, * Edesheim (Rheinpfalz) 1723, † Paris 21. 6. 1789, gehörte zum Kreis der Enzyklopädisten, vertrat den Materialismus und Atheismus.

WERKE. System der Natur (1770; dt. 1841, neu 1960), Ausgewählte Texte (1959).

Hokusai: Der Yoshino-Wasserfall (Farbholzschnitt, um 1830)

Holbein, 1) Ambrosius, Maler und Zeichner, Sohn von 2), * Augsburg vermutl. 1494, † Basel 1519 oder 1520, ging mit seinem Bruder Hans 1515 nach Basel, wo er 1517 Meister wurde und für Verleger Holzschnitte lieferte.

2) Hans d. Ä., Maler, * Augsburg um 1465, † Isenheim 1524, malte Altartafeln (Dominikaner-Altar, 1501, Frankfurt, Städelsches Institut; Kaisheimer Altar, 1502, München, Pinakothek), deren in der Spätgotik wurzelnder Stil sich später der Renaissance näherte (Sebastians-Altar, 1516, München, Pinakothek).

LIT. C. Beutler und G. Thiem: H. H. d. Ältere (1960).

3) Hans d. J., Maler, Sohn von 2), * Augsburg 1497/98, † London 1543, lernte bei seinem Vater und ging 1515 nach Basel, von wo aus er Oberitalien, Frankreich und 1526–28 England besuchte. 1532 ließ er sich endgültig in London nieder, 1536 wurde er Hofmaler Heinrichs VIII. – H. löste sich von der Tradition der altdeutschen Malerei; sein Stil vereinigt die Formen der beginnenden deutschen Renaissance. In Basel, wo sich ihm die neue Welt des Humanismus erschloß, erhielt er bald eine Fülle von Aufträgen. Außer Fresken, die zugrunde gegangen, aber durch Entwurfszeichnungen bekannt sind (Fassadenmalereien in Luzern und Basel; Wandbilder im Baseler Rathaussaal, einige Bruchstücke erhalten), entstanden Altarbilder, graphische Arbeiten, bes. für Bücher, Zeichnungen für Glasmalereien und Bildnisse. In London malte er Wandbilder für die deutschen Kaufleute im Stalhof und für Heinrich VIII. in Whitehall, die nicht erhalten geblieben sind.

WERKE. Bildnisse des Bürgermeisters Meyer und seiner Frau (1516, Basel, Kunstmuseum); B. Amerbach (1519, ebd.); Leichnam Christi (1521, ebd.); Madonna mit Heiligen (1522, Solothurn, Museum); Erasmus v. Rotterdam (1523, London; Basel; Paris); Madonna des Bürgermeisters Meyer (1526, Darmstadt); Bildnis der Frau und Kinder H.s (1528/29, Basel); Miniaturbildnis des Erasmus v. Rotterdam (um 1530–32, ebd.; BILD Erasmus); Bildnisse deutscher Kaufleute in London (G. Gisze, 1532, Berlin; D. Born, 1533, Windsor, u. a.); Bildnisse der engl. Königsfamilie (BILD Heinrich VIII.; Jane Seymour, 1536, Wien; Anna v. Cleve, 1539/40, Paris) und Angehöriger des Hofs (Morette, 1534/35, Dresden; Howard, 1538/39, Windsor u. a.); Die Gesandten (1533, London); Christine von Dänemark (1538, London). *Graphik:* Holz- und Metallschnitte, bes. für Bücher (Titelblätter, Randleisten, Initialen, Verlegerzeichen); Totentanz, 58 Holzschnitte, um 1523/24 (Buchausgabe, Lyon,

Hans Holbein d. Ä.: Selbstbildnis (Silberstiftzeichnung; Chantilly, Mus.)

1538); 91 Holzschnitte zum Alten Testament, um 1529/30 (Buchausgabe, Lyon, 1538). *Zeichnungen:* Bildnisse (viele in Windsor Castle; BILD Anne Boleyn); Entwürfe für Wandmalereien, für das Kunsthandwerk.

LIT. W. Waetzoldt: H. H. d. J. Werk und Welt (1938); H. A. Schmidt: H. H. d. J., 3 Bde. (1945–48); W. Pinder: H. d. J. und das Ende der altdeutschen Kunst (1951); Die Malerfamilie H. in Basel, Katalog der Ausstellung in Basel (1960, mit Bibliographie); H. H. d. J., Gemälde, Gesamtausg. (1961).

Hans Holbein d. J.: Bildnis seiner Frau und Kinder (um 1528; Basel, Kunstmus.)

H'olberg, Ludvig, norweg.-dän. Dichter und Geschichtsschreiber, * Bergen 3. 12. 1684, † Kopenhagen 28. 1. 1754, das. 1717 Prof. der Metaphysik, später der Geschichte, der beherrschende Aufklärer in Dänemark und Norwegen, der auf fast allen Gebieten eine Nationalliteratur in dänischer Sprache schuf. Aus Anlaß der Eröffnung eines dän. Theaters in Kopenhagen schrieb er 1722/23 über 20 Komödien. Er wurde damit nächst Molière der wirkungsvollste Vertreter der nachbarocken klassizist. Komödie.

WERKE. Komödien: Der polit. Kannegießer (1722), Jean de France, Erasmus Montanus, Jeppe vom Berge. Komisches Heldengedicht: Peder Paars (1719/20; dt. 1850). Satir.-utopischer Roman: Niels Klims unterirdische Reise (1741; dt. 1741). Komödien, dt. v. H. und A. Holtorf, 2 Bde. (1943).

H'olcus, die Gattung →Honiggras.

H'olden, in der german. Götterlehre die Schar der Toten, im Volksglauben bes. die der ungetauften Kinder, der luftigen, den Elfen wesensverwandten Geister oder der Hexen, fährt, namentlich während der Zwölf Nächte, durch die Luft. Als ihre Führerin gilt *Holda (Hulda)*, in Mitteldeutschland *Frau Holle* (→Perchta).

Holden [h'ouldn], William, amerikan. Filmschauspieler, * O'Fallon (Ill.) 17. 4. 1918. Filme: Sunset Boulevard (Boulevard der Dämmerung, 1950), Sabrina (1954), Picnic (Picknick, 1955), The bridge on the river Kwai (Die Brücke am Kwai, 1957).

Hölderlin, Friedrich, Dichter, * Lauffen am Neckar 20. 3. 1770, † Tübingen 7. 6. 1843. Für den theolog. Beruf bestimmt, besuchte er die Klosterschulen in Denkendorf und Maulbronn. Darauf bezog er das Tübinger Stift, wo er mit R. Magenau und L. Neuffer einen Dichterbund und mit Hegel und Schelling einen Freundschaftsbund schloß. Rousseau, Klopstock und Schiller, Spinoza und Hemsterhuis, die Ideale der Franz. Revolution und das Griechentum wurden zu bestimmenden Jugendeindrücken (›An die Ideale der Menschheit‹). Durch Schillers Vermittlung wurde er Hauslehrer bei Charlotte v. Kalb auf dem unterfränk. Gut Waltershausen (1793); 1794 ging er nach Jena, um Fichte und Niethammer zu hören, vor allem aber, um Schiller nahe zu sein. Schiller wandte sich nach anfängl. Förderung von H. ab, weil er nur die Fehler seiner eigenen überwundenen schwärmerisch-subjektivistischen Jugend bei H. wiederfand. Niedergeschlagen ging H. nach Nürtingen; 1796 übernahm er eine Hauslehrerstelle in der Familie des Bankiers Gontard in Frankfurt a. M., dessen Gattin Susette, geb. Borkenstein, (* 1768, † 1802) er schwärmerisch verehrte; sie ist die »Diotima«, deren Wesen und Liebe seine Dichterkraft neu beflügelte und zur Reife führte. 1798 mußte er unter demütigenden Umständen das Haus Gontard verlassen und neue Hauslehrerstellen in Hauptwyl (Schweiz) und Bordeaux übernehmen. Von Bordeaux kehrte er unheilbar geisteskrank zurück, lebte zunächst in Homburg und Nürtingen, seit 1806 in der Pflege eines Tischlers in Tübingen.

H., der, lange verkannt, erst seit dem 1. Weltkrieg zu starker Wirkung kam, war vor allem Lyriker. Auch der Briefroman ›Hyperion‹ (1797–99), wie viele seiner größeren Dichtungen aus mehrfachen Vorstufen erwachsen, ist getragen vom Reichtum einer rhythmisch-musikalischen, wesentlich lyrisch getönten Sprache. Die Handlung tritt hinter der poetischen Entfaltung der Schicksale, Leiden, Beglückungen und Ideale zurück. Das in Frankfurt begonnene und trotz immer neu vertiefender Bearbeitung Bruchstück gebliebene Drama ›Der Tod des Empedokles‹ (1798/99) verwandelt die Sage vom Tod des Philosophen im Ätna in ein religiöses Mysterium: der Held läutert sich durch Verlassensein von Gott und den Menschen und vermittelt damit seinem Volk wieder die Lebenseinheit mit den göttlichen Mächten. In der *Lyrik* gelangt H. von persönlich-stimmungshaften reinen Natur- und Liebesgedichten zu den großen, immer objektiver gerichteten Elegien (›Menons Klage um Diotima‹, ›Archipelagus‹, ›Brot und Wein‹). Das Bild vom neuen Retter verdichtet sich zum Bild des Mittlers, des »Versöhnenden«, des »Einzigen«, zu Christus, der den antiken Göttertag als letzter beendet und einen neuen einleitet. In seinen letzten, in gedrängter, hartgefügter, mythisch-dunkler Bilder- und Zeichensprache geschriebenen Werken geht H. zu freien Rhythmen über. Gleichzeitig entstanden in den letzten Schaffensjahren die nachdichtenden Übersetzungen von Hymnen Pindars sowie des ›Ödipus‹ und der ›Antigone‹ des Sophokles.

WERKE. Krit. Ausgaben: 6 Bde. (1913–23), 5 Bde. (1914–26), Kleine Stuttgarter Ausg., 6 Bde. (1944–59), Große Stuttgarter Ausg., 6 Bde. in 10 (1946–61).

LIT. Darst. von W. Böhm, 2 Bde. (1928 bis 1930); P. Böckmann (1935); K. Hildebrandt ([3]1940); R. Guardini ([2]1955); W. Michel (11. Tsd. 1949); E. Müller (1944); H.-Jahrbuch (seit 1967); H.-Bibliographie 1938–50, bearb. v. M. Kohler u. A. Kelletat (1953); fortgef. 1951–55 in: H.-Jahrb. 9 (1955/56); H. Häussermann: Friedensfeier. Eine Einf. in H.s Christushymnen (1959); L. J. Ryan: H.s Lehre vom Wechsel der Töne (1960); H.-H. Schottmann: Metapher u. Vergleich in der Sprache F. H.s (1960); F. Beissner: H. Reden u. Aufsätze (1961); W. de Boer: H.s Deutung des Daseins (1961); Katalog der H.-Handschriften (1961); M. Heidegger: Erläuterungen zu H.s Dichtung ([4]1971); P. Szondi: H.-Studien ([2]1970); U. Hölscher: Empedokles und H. (1965); A. Pellegrini: F. H. (1965); L. J. Ryan: H.s Hyperion (1965); P. Bertaux: H. und die Französ. Revolution ([2]1970); P. Weiss: H. (Stück, Neufass. 1976); P. Härtling: H. (Roman 1976).

F. Hölderlin (Gemälde von F. K. Hiemer; Marbach/N., Schiller-Nat.-Mus.)

H'oldinggesellschaft, engl. *Holding Company*, eine Gesellschaft, die ohne eigene Erzeugungstätigkeit lediglich Anteile anderer Gesellschaften im Besitz hat, um so Einfluß auf deren Geschäftstätigkeit auszuüben. H. dienen bes. als Dachgesellschaften von Konzernen (→Kapitalanlagegesellschaft).

H'oleček [-tʃɛk], Josef, tschech. Schriftsteller, * Stožice 27. 2. 1853, † Prag 6. 3. 1929, Panslawist, schrieb die Romanchronik ›Naši‹ (Die Unsrigen, 11 Bde., 1898–1913) aus dem Leben Südböhmens.

H'olenstein, Thomas, schweizer. Politiker (kathol.-konservativ), * St. Gallen 7. 2. 1896, † Locarno 31. 10. 1962, Jurist, 1937 bis 1954 Mitgl. des Nationalrats, 1953 dessen Präs., 1954–59 Bundesrat; 1958 Bundespräs.

H'olger D'anske, Gestalt der Heldensage, →Ogier der Däne.

H'olgersen, Alma, Musikerin, Malerin, Schriftstellerin, * Innsbruck 27. 4. 1899, † das. 18. 2. 1976, schrieb Gedichte und Romane (Maximilian, 1965).

Holiday [h'ɔlide], Billie, amerikan. Jazzsängerin, * Baltimore (Md.) 7. 4. 1915, † New York 17. 7. 1959.

Holinshed [h'ɔlinʃed], Raphael, engl. Historiograph, † um 1580. Sein aus früheren Werken zusammengeschriebenes Geschichtswerk ist eine der wichtigsten Quellen Shakespeares.

Hol'ismus [von griech. holos ›ganz‹], eine zwischen Vitalismus und Mechanismus vermittelnde Lehre, nach der die Grundsätze der Physik aus denen der Biologie ableitbar sein sollen.

LIT. J. S. Haldane: The Philosophical Basis of Biology (1931; dt. 1932); A. Meyer-Abich: Ideen und Ideale der biolog. Erkenntnis (1934); Smuts: Die holist. Welt ([3]1936; dt. 1938).

H'olitscher, Arthur, Schriftsteller, * Budapest 22. 8. 1869, † Genf 14. 10. 1941, schrieb psychol. Romane, Reisebücher.

Holl, Elias, Baumeister, * Augsburg 28. 2. 1573, † das. 6. 1. 1646, Stadtbaumeister von Augsburg, baute dort 1602–07 das Zeughaus (TAFEL Deutsche Kunst II, 1), 1615–20 das Rathaus und den Perlachturm in einem Stil, der spätgotische Neigung mit frühbarocken italienischen Formen verband. Weitere Werke in Augsburg: Stadtmetzig (1609), Wertachbrugger Tor (1615).

LIT. H. Hieber: E. H. (1923); O. Schürer: E. H. (1938).

Hollabr'unn, Stadt in Niederösterreich, 240 m ü. M., mit (1971) 10300 Ew., hat BezGer., Landwirtschafts- und höhere Schule, Landerziehungsheim, Museum; Ziegelei, Sägewerke.

H'olland [Holtland ›Baumland‹], **1)** *im weiteren Sinne* das ganze Königreich der Niederlande, die früheren »Generalstaaten«. **2)** *im engeren Sinne* die niederländ. Prov. Nordholland und Südholland, die alte Grafschaft H. Diese bildete sich nach dem Sturz der Normannenherrschaft in jahrhundertelangem Ringen mit den Bischöfen von Utrecht; in ihr ging das alte Westfriesland auf. Nach dem Aussterben des Grafenhauses, das auch die Gfsch. Seeland innehatte, kamen beide mit dem Hennegau 1345 an Bayern, 1433 an Burgund und 1482 an Habsburg. Seit dessen Sturz ist H. das Kernland der nördl. →Niederlande.

Hollander, Walther von, Schriftsteller, * Blankenburg (Harz) 29. 1. 1892, † Niendorf 30. 9. 1973; Zeit- und Unterhaltungsromane, Essays, Filmmanuskripte.

H'olländer, 1) niederfränk. Teilstamm an der Nordseeküste zu beiden Seiten der Rheinmündung; im weiteren Sinn alle →Niederländer. **2)** *Papierherstellung:* Maschine zum Zerkleinern der Faserstoffe. **3)** Selbstfahrer für Kinder.

Hollaender, Felix, Schriftsteller, * Leobschütz 1. 11. 1867, † Berlin 29. 5. 1931; Dramaturg am Deutschen Theater in Berlin, 1920 als Nachfolger Max Reinhardts Leiter des Großen Schauspielhauses, dann Theaterkritiker; schrieb Zeit-, Unterhaltungsromane.

Holländer'ei, Milchwirtschaftsbetriebe, im 17. Jh. nach holländ. Vorbild angelegt.

h'olländern, *Buchbinderei:* eine Art des Heftens, bei der die einzelnen Bogen eines Buches in sich nur durch einen Fadenabschnitt geheftet, untereinander aber durch den Umschlag zusammengehalten werden, an den sie mit dem Rücken geklebt sind.

Holl'andia, Hauptstadt von ehem. Niederländisch-Neuguinea, seit 1963 →Sukarnapura, seit 1969 Djajapura.

holländische Kunst, Sprache, Literatur, →niederländ. Kunst usf.

Holländischer Krieg, der zweite Eroberungskrieg (nach dem →Devolutionskrieg) Ludwigs XIV. von Frankreich, der 1672, mit England verbündet, in Holland einfiel, das aber durch Wilhelm III. von Oranien gerettet wurde. Darauf bildete sich ein europ. Gegenbündnis (Österreich, Spanien, Brandenburg). Die Franzosen kämpften am Oberrhein (Turenne) und in den Span. Niederlanden erfolgreich; doch besiegte der Große Kurfürst ihre schwed. Bundesgenossen (Fehrbellin 1675). In den Friedensschlüssen von Nimwegen 1678/79 erhielt Frankreich von Spanien die Freigfsch. Burgund, Cambrai und Valenciennes.

holländische Soße, Soße aus Eigelb und zerlassener Butter, mit Zitrone, Salz, Pfeffer gewürzt; **falsche h. S.** wird aus Mehl, Eigelb, Butter und Fisch- oder Gemüsewasser bereitet.

H'ollar, Wenzel, Radierer, * Prag 13. 6. 1607, † London 28. 3. 1677, nach seiner Lehrzeit bei M. Merian in Frankfurt a. M. tätig in Straßburg, dann in London, schuf etwa 3000 Radierungen (Stadt- und Landschaftsansichten, Frauentrachten, Porträts).

Hölle [zu altnord. Hel], **1)** *Religionsgeschichte:* →Totenwelt. **2)** *Christl. Eschatologie:* der Ort, an dem die von Gott abgefallenen Engel (→Teufel) und die als »Todsünder« gestorbenen Menschen ihre ewige Strafe (→Verdammnis) erleiden. Diese Auffassung stützt sich auf das N. T. (Matth. 13, 41–42; Mark. 9, 42–43; 2. Thess. 1, 8–9; Hebr. 10, 26–31; Offb. 20, 15). Das kirchl. Lehramt hat dogmatisch nur die ewige Dauer der H. und die Ungleichheit der Höllenstrafen festgelegt und die Apokatastasis verworfen. In der *protestant. Theologie* wird die Unabänderlichkeit des H.-Zustandes ebenfalls vielfach anerkannt; doch findet sich bei ihr stärker als bei der katholischen die Einsicht in die Schwierigkeiten, die sich aus dem Dasein ewig Verdammter für den Glauben an Gottes Liebe und an die Wirksamkeit seiner Gnade ergeben.

Die H. wurde in der Kunst sehr viel später als der Himmel dargestellt, wohl zuerst im Zusammenhang mit Darstellungen des →Jüngsten Gerichts, das neben der →Höllenfahrt Christi der häufigste Anlaß für sie blieb. Die abendländ. Kunst kennt spätestens im 8. Jh. den H.-Rachen, der die Sünder verschlingt, hat aber auch Vorstellungen von einer der Himmelsstadt entgegengesetzten Höllenstadt.

H'olledau, die →Hallertau.

H'öllenfahrt Christi, das Hinabsteigen der Seele Christi nach seinem Tod in die Vorhölle zur Befreiung der Seelen der Gerechten. Die H. C. gehört als Satz des Apostolikums zur Lehre beider Kirchen; in der kathol. ist sie dogmatisch festgelegt. Oft dargestellt, bes. in der byzantin. Kunst.

H'öllengebirge, verkarsteter Gebirgsstock zwischen dem Atter- und dem Traunsee in Österreich, im **Höllenkogel** 1862 m hoch.

H'öllenmaschine, zu verbrecherischen Anschlägen benutztes Sprenggerät, bei dem die Explosion durch ein einstellbares Uhrwerk ausgelöst wird.

Höllennatter, schwarze →Kreuzotter.

H'öllenstein, in Stangenform gegossenes Silbernitrat als Ätzstift.

H'öllental, 1) Tal des Hammersbaches bei Garmisch, mit der großartigen *Höllentalklamm.* **2)** Tal der oberen Dreisam im südl. Schwarzwald, von der *Höllentalbahn* (Freiburg–Donaueschingen) durchfahren. **3)** Talkessel der Schwarza zwischen Raxalpe und Schneeberg in Niederösterreich.

H'öller, Karl, Komponist, * Bamberg 25. 7. 1907, Kirchen-, Konzert- und Filmmusik.

H'öllerer, Walter, Literarhistoriker, * Sulzbach-Rosenberg 19. 12. 1922, Prof. in Berlin; schrieb Gedichte, Essays.

Holler'ithmaschine, eine von H. Hollerith (* 1860, † 1929) erfundene Lochkartenmaschine, →Lochkarte.

Holley, Robert W., amerikan. Biochemiker, * Urbana (Ill.) 28. 1. 1922, Prof. an der Cornell-Universität, Ithaca, erhielt den Nobelpreis für Medizin 1968 (zusammen mit N. W. Nirenberg und H. G. Khorana) für die Aufklärung des genet. Codes.

H'ollywood [-wud], Filmstadt in Kalifornien, USA, Stadtteil von Los Angeles.

Holm [zu ahd. halp ›Stiel‹, ›Handhabe‹], **1)** Stiel an Äxten. **2)** querliegender, mit den Stützen verzapfter Balken, *Kappbaum.* **3)** im Flugzeugbau die Längsträger in Rumpf oder Tragflächen. **4)** *Geschütz:* Arm der Spreizlafette. **5)** *Turnen:* Längsstange am Barren u. ä. **6)** *Rudern:* Innenhebel (Schaft) eines Ruders.

Holm [german. Stw.], **1)** ursprüngl. Hügel. **2)** Fluß- oder Küsteninsel. **3)** Schiffswerft.

Holm, Korfiz, Schriftsteller, * Riga 21. 8. 1872, † München 5. 8. 1942; 1898–1900 Hauptschriftleiter des ›Simplicissimus‹, Mitarbeiter, seit 1918 Teilhaber des Verlags Albert Langen in München.

H'olmenkollen, Höhe nördl. von Oslo, Norwegen, mit Skisprungschanze. In der *Holmenkollenwoche* finden jährlich internat. Wettkämpfe im Langlauf und Skispringen statt.

Holmenkollen

Holmes [houmz], Sherlock, Detektiv in vielen Erzählungen von Conan →Doyle.

Holmes [houmz], Oliver Wendell, amerikan. Schriftsteller, * Cambridge (Mass.) 29. 8. 1809, † Boston 7. 10. 1894, Prof. der Anatomie und Physiologie, schrieb vielgelesene witzig-rationalistische Essays.

H'olmium, Zeichen **Ho,** sehr seltenes metallisches Element aus der Gruppe der Lanthaniden, Ordnungszahl 67, Massenzahl 165, Atomgewicht 164, 93; ohne techn. Bedeutung.

holo . . . [griech.], ganz . . .

Holo|edr'ie [griech.], Vollflächigkeit; *Kristallkunde:* das Vorhandensein aller Kristallflächen.

Holof'ernes, assyr. Feldhauptmann im bibl. Buche Judith, der von →Judith ermordet wird.

Holographie, Laserphotographie, ein Verfahren zur Abbildung beleuchteter Objekte durch Rekonstruktion des Lichtwellenfeldes. Das 1948 von D. Gabor vorgeschlagene Verfahren wurde erst seit der Erfindung des Lasers vielseitig anwendbar. Die Vorteile des dadurch entstehenden räumlichen Bildes sind für Wissenschaft und Technik von großer Bedeutung.

Holoth'urien [grch.], die →Seewalzen.

Holoz'än [griech.], neuere Bezeichnung für →Alluvium. →geologische Formationen.

H'olroyd, Sir Charles, engl. Maler und Graphiker, * Leeds 9. 4. 1861, † London 17. 11. 1917, Landschafter.

Hols'atia, mittellatein. Name für Holstein.

H'oelscher, Ludwig, Violoncellist, * Solingen 23. 8. 1907, namhafter Solist.

H'ol|schuld, Schuld, die bei Fälligkeit beim Schuldner einzuziehen (zu holen) ist, z. B. die Wechselschuld. Gegensatz: Bringschuld.

Holst, Erich Walther von, * Riga 28. 11. 1908, † Herrsching 26. 5. 1962, seit 1954 Direktor des Max-Planck-Inst. f. Verhaltensphysiologie in Seewiesen (Obb.), schuf die

Grundlagen für eine physiologische Erforschung der komplexeren Leistungen des Zentralnervensystems und damit des Verhaltens der höheren Lebewesen. Er entdeckte die Fähigkeit des Nervensystems, endogen-automat. Reize zu produzieren und zu koordinieren, mit Mittelstaedt das Reafferenzprinzip, erfand Methoden, um Stimmungen zu messen und das Wirkungsgefüge der Instinkte durch punktförmige Erregung des Stammhirns zu erschließen.

H'olstein, ehemaliges Herzogtum, der südl. Teil des Landes Schleswig-Holstein, den die Eider und der Nord-Ostsee-Kanal von Schleswig trennen. H. erscheint um 800 als nördl. Teil des Stammesgebietes der Sachsen; es setzt sich zusammen aus Dithmarschen im W, Stormarn im S und dem eigentl. H. (Gau der Holsten oder Holtsaten, »Waldsassen«) im N, dazu Wagrien im O. Karl d. Gr. unterwarf H. mit Hilfe der slaw. Obotriten, denen er dafür Wagrien überließ. Während →Dithmarschen vielfach eigene Wege ging, wurden 1110/11 die Schauenburger Grafen von H. und Stormarn; sie eroberten Wagrien, das ganz eingedeutscht wurde, und wiesen die dän. Eingriffe ab (→Bornhöved). Graf Gerhard d. Gr. (1304–40) gewann auch vorübergehend die tatsächl. Herrschaft über Dänemark, und seine Söhne erwarben 1386 das Hzgt. Schleswig. Nach dem Aussterben der Hauptlinie der Schauenburger (1459) kamen H. und Schleswig an das Haus Oldenburg, das 1449 den dän. Königsthron bestiegen hatte. 1474 wurde H. zum Herzogtum erhoben. Über die weitere Geschichte →Schleswig-Holstein.

H'olstein, Friedrich von, Diplomat, * Schwedt 24. 4. 1837, † Berlin 8. 5. 1909, war 1878–1906 im Auswärtigen Amt und zunächst ein kenntnisreicher Gehilfe Bismarcks. An dessen Sturz beteiligt, wurde H. zum außenpolit. Ratgeber des »Neuen Kurses« (Nichterneuerung des Rückversicherungsvertrags mit Rußland). Politisch begabt, entwickelte sich H., der, bes. aus Abneigung gegen Wilhelm II., jede verantwortl. Stellung mied, zu einem im Hintergrund wirkenden Sonderling *(Graue Eminenz)*. – ›Lebensbekenntnis in Briefen an eine Frau‹, hg. v. H. Rogge (1932). Die geheimen Papiere F. v. H.'s, 1 (^{2}1958), 2 (1957), 3 (1961).

LIT. H. Rogge: H. u. Hohenlohe (1957).

Holsteinische Schweiz, Teil der *Holsteinischen Seenplatte*, des westlichen Teils des Baltischen Landrückens, umfaßt das Gebiet um Eutin mit Plöner, Keller- und Ukleisee.

Holsten, die Bewohner von Holstein.

H'olstentor, Stadttor in Lübeck, ein reich gegliederter Backsteinbau mit zwei gedrungenen Seitentürmen, 1478 vollendet.

Holt, Harold E., austral. Politiker, * Sydney 5. 8. 1908, † (ertrunken) Portsea (Austral.) 17. 12. 1967, Jurist, 1949–58 Arbeitsmin., 1949–56 gleichzeitig Einwanderungsmin., 1958–66 Finanzmin., seit Jan. 1966 MinPräs.

H'oltei, Karl von, Schriftsteller und Schauspieler, * Breslau 24. 1. 1798, † das. 12. 2. 1880, machte das Vaudeville in der Form des »Liederspiels« auf der dt. Bühne heimisch (›Die Wiener in Berlin‹). Seine Rühr- und Volksstücke (›Lenore‹, 1829, mit dem Lied ›Schier dreißig Jahre bist du alt‹; ›Ein Trauerspiel in Berlin‹, mit der Figur des Eckenstehers Nante), seine ›Schlesischen Gedichte‹ (1830) und seine z. T. autobiograph. Romane waren sehr beliebt.

WERKE. Erzählende Schriften, 40 Bde. (1861–66), Theater, 6 Bde. (1867).

H'oltemme, Holzemme, linker Nebenfluß der Bode, entspringt beim Brocken, durchfließt die Schlucht *Steinerne Renne* und mündet bei Gröningen; 45 km lang.

H'oltenau, seit 1922 Teil von →Kiel.

Holthausen, Ferdinand, Anglist, * Soest (Westf.) 9. 9. 1860, † Wiesbaden 19. 9. 1956, schrieb Elementar- und Wörterbücher altgerman. Dialekte.

Holthusen, Hans Egon, Schriftsteller, * Rendsburg 15. 4. 1913, Literaturkritiker, Essayist, Lyriker; Vertreter eines illusionslosen Existenzialismus.

WERKE. Hier in der Zeit (Gedichte, 1949), Der unbehauste Mensch (Essays, 1951, ^{3}1955), Labyrinthische Jahre (Gedichte, 1952), Das Schiff (1956), Das Schöne und das Wahre (1958, Essays), Kritisches Verstehen (1961).

H'ölty, Ludwig Christoph Heinrich, Dichter, * Mariensee bei Hannover 21. 12. 1748, † Hannover 1. 9. 1776, Mitgl. des Göttinger Hainbundes; schwermütige und naiv-volkstümliche Gedichte (›Üb' immer Treu und Redlichkeit‹). H. ist einer der ersten Balladendichter. Sämtl. Werke, 2 Bde. (1914–18).

H'oltzendorff, Franz von, Kriminalist und Staatsrechtler, * Vietmannsdorf (Uckermark) 14. 10. 1829, † München 4. 2. 1889,

Holstentor in Lübeck

Prof. in Berlin und München, reformierte Strafwesen und Gefängnisanstalten.

Hol'under [german.], verschied. Pflanzen: **1) Flieder,** *Sambucus,* Gattung der Geißblattgewächse, Holzpflanzen, mit gegenständigen, unpaarig gefiederten Blättern und Trugdolden oder Rispen strahliger Blüten, rundlichen Steinbeeren. Der *schwarze H.* (Holderbaum, Holderbusch, Hollerbusch, *Schibicke,* S. nigra), ein Strauch oder Bäumchen mit gelblichweißen, stark duftenden Blüten in flachen Trugdolden und violettschwarzen Beeren, wächst in fast ganz Europa, Kleinasien und Westsibirien. Sein gelblichweißes, oft gemasertes Holz dient zu Schnitzereien und Drechslereien, die Blüte als schweißtreibender Tee *(Fliedertee, Holundertee),* die süßsäuerlich schmeckenden Beeren zum Bereiten von Fliedermus oder Holundersirup (Holunderlatwerge), Holunderbeerwein und -suppe, zum Färben von Wein, Limonade und Speisen. In Europa wachsen ferner: *Traubenholunder* (roter H., Korallenholunder, Berg-, Hirschholder, *Hundsbeere,* S. racemosa) und *Zwerg-H.* (Acker-, Feld-, Krautholder, Attich, S. ebulus). **2) blauer H.,** →Syringe.

Holy Island [h'ouli 'ailənd], **Lindisfarne,** kleine engl. Insel vor der Küste der Gfsch. Northumberland mit den Ruinen einer 1093 an Stelle eines älteren Klosters (635–883) neu gegr. Benediktinerabtei und eines Schlosses von 1500.

Holyoake [h'oulіouk], **1)** George Jakob, engl. Freidenker und Sozialpolitiker, * Birmingham 13. 4. 1817, † Brighton 22. 1. 1906, gründete die Zeitschriften ›The Reasoner‹ (1846) und ›Secular Review‹ (1874).

2) Keith, neuseeländ. Politiker, * Mangamutu 11. 2. 1904, war 1949–57 stellvertr. MinPräs. und Landwirtschaftsmin., 1960 bis 1972 MinPräs.

Holyoke [h'ouliouk], Stadt in Massachusetts, USA, am Connecticut, mit (1970) 50100 Ew.; Papierindustrie.

Holyrood Palace [h'ɔliru:d p'ælis], Schloß in →Edinburgh.

Holywood [h'ɔliwud] oder **Halifax,** John, lat. **Johannes de Sacro Bosco,** engl. Mathematiker und Astronom, vermutl. aus Halifax in Yorkshire, lebte und lehrte seit 1230 in Paris, wo er 1244 oder 1256 starb. H. ist der Verfasser elementarer Einführungen in die Astronomie und Arithmetik, die bis ins 17. Jh. herausgegeben, ergänzt und kommentiert wurden.

Holz [german. Stw.], die von Bast und Rinde befreite Hauptmasse des Stammes der Bäume. H. ist hartes, meist abgestorbenes Pflanzengewebe, das insbes. bei den Holzgewächsen (Bäume, Sträucher) den Holzkörper der Stämme, Äste und Wurzeln bildet. Die Zellen des H. sind meist langgestreckte, hohle Libriformfasern (bei den Nadelhölzern Tracheiden), die etwa parallel zur Stammachse liegen. Sie geben dem H. Festigkeit. Bei den Laubhölzern wird das Wasser in weiten Gefäßen (Tracheen) geleitet, die bei großporigen Arten (Eiche, Esche, Nußbaum, Ulme) am *Hirnholz* (Querschnitt, Hirnschnitt) als Poren, am Längsschnitt als Nadelstriche sichtbar sind. Die von der Rinde ins Holz verlaufenden Markstrahlen dienen der Atmung, sie bestehen vorwiegend aus dünnwandigen Parenchymzellen. Die *Jahresringe* entstehen in Gebieten mit ausgeprägten Jahreszeiten; sie bestehen aus lockerem Frühholz und dichtem Spätholz. Die jüngeren Jahresringe bilden das saftreiche *Splint-H.*; im Stamminnern liegt der oft durch eingelagerte Gerb- und Farbstoffe dunkel gefärbte Kern, in dessen Mitte die bis zu einigen mm dicke Markröhre.

Die *Zusammensetzung* ist für alle H.-Arten sehr ähnlich: 50% Kohlenstoff, 43% Sauerstoff, 6% Wasserstoff, Rest Stickstoff und mineralische Elemente. An chem. Verbindungen enthält H. 40–50% Zellulose, 20 bis 30% Lignin und 20–25% Hemizellulosen (Holzpolyosen), ferner Harze, Fette, Stickstoff-Verbindungen, Gerb-, Farb- und mineralische Stoffe.

Das spezifische Gewicht des H. hängt von der Holzart ab, ist aber auch innerhalb des gleichen Baumes unterschiedlich (Splint-H. ist leichter als Kern-H.). Am leichtesten ist das H. von Balsa (0,13), Fichte hat ein spezif. Gewicht von 0,43, Kiefer 0,49, Eiche 0,65, Buche 0,68. Das schwerste H. ist Pockholz (1,23). Bei weniger als 30% Wassergehalt schwindet H. beim Trocknen und wird fester, es quillt bei Wasseraufnahme, und zwar in verschiedenen Richtungen unterschiedlich. Trockene Kiefer hat im Mittel in Faserrichtung eine Zugfestigkeit von 1040, Druckfestigkeit von 550, Biegefestigkeit 1000, Elastizitätsmodul 120000 kp (kg) je qcm. Quer zur Faserrichtung sind Festigkeit und Elastizitätsmodul wesentlich niedriger. Die akustischen Eigenschaften von H. sind sehr gut. In trockenem Zustand ist H. ein elektrischer Isolator. Es ist leicht bearbeitbar, kommt in vielen Farben vor und erhält durch Anschnitt von Jahresringen, Markstrahlen und Gefäßen oft eine schöne Maserung. Der untere Heizwert lufttrockenen H. ist 4000 Kalorien/kg.

Einheimische Nadelhölzer sind: Kiefer, Fichte, Tanne, Lärche; *einheimische Laubhölzer:* Eiche, Ulme (Rüster), Rotbuche, Weißbuche, Esche, Erle, Ahorn, Birke, Silberpappel, Linde, Weide, Nußbaum, Roßkastanie, Edelkastanie, Akazie, Vogelbeerbaum, Birnbaum, Kirschbaum, Pflaumen- oder Zwetschenbaum, Platane. *Ausländische Hölzer:* Pitchpine, Olivenholz, Mahagoni, Ebenholz, Teakholz, Pockholz, Buchsbaum, Zedernholz, Jarrah-Holz, Blackbutt, Quebrachoholz, Jakaranda- oder Palisanderholz, Bruyèreholz, Hickoryholz. *Wohlriechende Hölzer* sind z. B. Weichselholz, Sandelholz. *Farbhölzer* (zur Bereitung von Farbstoffen): Blau- und Kampecheholz, Rotholz, Gelbholz.

Holzschutz. Anhaltende Feuchtigkeit mit

Luftzutritt und Wärme haben Fäulnis infolge Pilzbefall zur Folge; der gefährlichste Pilz ist der Hausschwamm. Holzzerstörende Insekten sind Termiten, Hausbock, Schiffsbohrwurm u. a. Holzschutz gegen Schädlinge wird oberflächlich erreicht durch Streichen, Spritzen, Tauchen oder als Vollschutz durch Trogtränkung, Drucktränkung, Impfung mit wasserlöslichen Arsen-, Fluor- und Schwermetallverbindungen, ferner mit Teeröl, Chlornaphthalin u. ä. Schutz gegen Feuer ist möglich durch deckende Aufstriche, die bei Hitzeeinwirkung erstickende Gase oder eine luftundurchlässige Glasur erzeugen.

Nutzung. Die Bäume werden mit Axt und Säge gefällt, aufgearbeitet, sortiert und nach der Holzmeßanweisung *(Homa)* gemessen. *Langnutz-H.* (Stämme und Stangen) wird nach Festgehalt berechnet, Maßeinheit ist 1 Festmeter (fm). *Schichtnutz-H.* wird aufgeschichtet und der Rauminhalt des Holzstoßes (einschl. Hohlräume) in Raummetern (rm) oder Ster berechnet. *Brennholzsortimente* (Scheit-, Knüppel-, Stock-H., Reisig und Brennrinde) werden auch in Schichtmaßen aufgearbeitet.

Wirtschaft. Viele Industrieländer können ihren Holzbedarf nicht im eigenen Land decken, daher ist H. eines der wichtigsten Handelsgüter. Deutschland war vor dem 2. Weltkrieg das zweitgrößte Holzeinfuhrland der Welt. Etwa seit 1938 wurden die dt. Wälder stark übergenutzt. Der Mehreinschlag gegenüber dem Zuwachs betrug im Krieg etwa 50%, in der Nachkriegszeit zeitweilig 180–330%. Etwa 40% des H. wird in Deutschland vom Baugewerbe verbraucht. Weitere Großverbraucher sind Möbel-, Fahrzeug- und Packstoff-Industrie; außerdem Zellstoff-H. (6%) und Gruben-H. (6%), Schwellen für den Bahnoberbau (2%) und Masten (2%). Der Verbrauch an Brenn-H. geht laufend zurück. Abfallholz wird verwendet für Zellstoff, Leichtbauplatten, Hartplatten, Räucherspäne, Holzverzuckerung u. a. Der Holzverbrauch auf der Erde beträgt je Kopf und Jahr etwa 1 fm, in Deutschland 0,7 fm.

In der *Holzindustrie* vollzieht sich seit Jahrzehnten der Übergang vom Handwerks- und Meisterbetrieb zum Ingenieur- und Fabrikbetrieb. Ein bedeutender Zweig ist die Holzzurichtung und -konservierung, wobei das Rundholz in Säge- und Hobelwerken zu Schnittholz verarbeitet und in Imprägnierwerken haltbar gemacht wird. Holzteile für den Wohnungsbau, billigere Möbel, Parkett werden meist fabrikmäßig hergestellt, Holzhäuser, Baracken u. dgl. in besonderen Betrieben. Die Herstellung von Holzwaren ist sehr stark aufgegliedert. Auch in der Küferei und Faßherstellung ist das Handwerk, die Herstellung von Wagen überhaupt, zurückgetreten. Dafür hat H. als Rohstoff der chem. Technik Bedeutung gewonnen.

Der *Deutsche Holzwirtschaftsrat (DHWR)*, Koblenz, ist ein freiwilliger Zusammenschluß der Spitzenverbände und -vereine der Holzwirtschaft in der Bundesrep. Dtl. (gegr. 1949). *Holzforschungsinstitute* bestehen in Reinbek, Braunschweig, Stuttgart, Darmstadt. Die *Deutsche Gesellschaft für Holzforschung* hat ihren Sitz in München.

KULTURGESCHICHTE. Die Verwendung des H. zum Feuermachen gilt als Beginn menschl. Kulturtätigkeit. Neben Knochen und Feuerstein war H. schon in der Altsteinzeit ein wichtiger Werkstoff. Von der Mittelsteinzeit an sind Schlitten nachgewiesen. Seit der Jungsteinzeit wurden Pflug, Wagen, Einbaum, Hausrat aus H. gefertigt. Das Haus wurde in Mittel-, Nord- und Osteuropa bis in die geschichtl. Zeit fast nur aus H. gebaut (Pfahlbauten).

Durch die Zeitbestimmungen mit Hilfe der Jahresringe alter Bäume (Dendrochronologie) und des Radiokarbonverfahrens ist H. eines der wichtigsten Datierungsmittel der Vorgeschichtsforschung geworden.

LIT. R. Trendelenburg: Das H. als Rohstoff ([2]1955); F. Kollmann: Technologie des H. und der H.-Werkstoffe ([2]1951); ders.: Holzspanwerkstoffe (1966); L. Vorreiter: Holztechnolog. Hb., 3 Bde. (1949, 1958, 1963); Holzbaukunst. Eine Gesch. der abendländ. Holzarchitektur, hg. v. H. J. Hansen (1969); H.-Lexikon, 2 Bde., hg. v. E. König ([2]1972). *Zeitschrift:* Holz als Roh- und Werkstoff (seit 1937).

HERSTELLUNG VON SCHNITTHOLZ
(in 1000 cbm; 1970)

Welt	*400000*
Argentinien	716[1]
Australien	3255
Belgien	635
Brasilien	6889[1]
Bundesrep. Dtl.	9383
Dänemark	840[1]
DDR	1929[1]
Finnland	7310
Frankreich	9390
Großbritannien	822
Italien	2289
Japan	41557[1]
Jugoslawien	3065
Kanada	26578
Neuseeland	1730[1]
Niederlande	278
Norwegen	2080
Österreich	5376
Schweden	12297
Schweiz	1424
Spanien	2250
UdSSR	114000
USA	84725

[1]1969.

Holz, Arno, Schriftsteller, * Rastenburg (Ostpr.) 26. 4. 1863, † Berlin 26. 10. 1929, einer der Begründer und Theoretiker des Naturalismus (›Das Buch der Zeit. Lieder eines Modernen‹, 1886; Novellen ›Papa Hamlet‹, 1889, Drama ›Familie Selicke‹, 1890, beide Werke mit Joh. Schlaf). Seine

Tragikomödie ›Traumulus‹ (1904, mit O. Jerschke) wurde verfilmt. Mit seiner Freude am Wort- und Satzprunk und seiner Phantasie zeigte H. barockes Formgefühl (Phantasus, 2 Tle. 1898/99, erw. 1916, 1924; Dafnis, 1904, parodistische Nachahmung der Barocklyrik).

WERKE. Das Werk, 10 Bde. (1924–26), Werke, 7 Bde. (1961 ff.).

Hölz, Max, Kommunist, * Moritz (bei Riesa) 14. 10. 1889, † (ertrunken) bei Gorki 18. 9. 1933, leitete 1920/21 die kommunist. Aufstände im Vogtland und in Mittel-Dtl.; 1921 zu lebenslängl. Zuchthaus verurteilt, 1928 amnestiert, ging in die Sowjetunion.

WERK. Vom Weißen Kreuz zur Roten Fahne (Erinnerungen, 1929).

Holzamer, Karl, * Frankfurt a. M. 13. 10. 1906, seit 1946 Prof. für Philosophie und Pädagogik an der Univ. Mainz, Präs. des Bundes Kath. Erzieher, 1962–77 Intendant des Zweiten Deutschen Fernsehens.

H'olzapfel, unveredelter Wildapfel.

H'olzapfel, Rudolf Maria, Kulturphilosoph, Psychologe und Dichter, * Krakau 26. 4. 1874, † Muri bei Bern 8. 2. 1930, lebte zuletzt in der Schweiz. H. erstrebte eine neue wissensch. Seelenforschung als Grundlage für eine Neugestaltung des sozialen, sittlichen und künstlerischen Lebens. Hauptwerk: ›Panideal‹ (1901; endgültig 2 Bde., 1923). In der Schrift ›Welterlebnis‹ (2 Tle., 1928) suchte er ein neues religiöses Weltbild zu schaffen.

H'olzbau, die ursprüngliche und naturgegebene Bauart in holzreichen Gebieten. Die älteste europ. Form ist der *Pfostenbau* aus eingerammten dünnen Rundhölzern mit lehmumhülltem Flechtwerk aus Zweigen und Ruten als Wandfüllung; er ist als Vorstufe des Fachwerks anzusehen. Ihm folgt der *Blockbau* aus waagerecht aufeinandergelegten Rundhölzern und der *Bohlenbau* aus senkrecht stehenden halbierten Stämmen und später aus bearbeiteten dicken Brettern. Größte Bedeutung und Verbreitung hat das →Fachwerk gewonnen. Der *Ingenieur-H.* entwickelte neuere Verfahren *(Dübel-H., Nagel-H., Leim-H.).*

Holzbauer, Ignaz, Komponist, * Wien 17. 11. 1711, † Mannheim 7. 4. 1783, war seit 1750 Hofkapellmeister in Stuttgart, seit 1753 in Mannheim (→Mannheimer Schule), schrieb Opern, Kammer- und Kirchenmusik und 65 Sinfonien.

H'olzbiene, *Xylocopa,* hummelähnliche, größtenteils südländ. Bienengattung, deren Weibchen Röhren in Holz mit Zellen für die Brut anlegen.

H'olzbildhauerei, Holzbildnerei, Holzskulptur, die Kunst, Bildwerke aus Holz zu arbeiten. Der Bildschnitzer schlägt zuerst die Grundformen mit groben Schnitzeisen aus dem Holzblock heraus und schnitzt dann mit feineren Eisen die Einzelheiten. Die H. war zu allen Zeiten verbreitet, bes. in der deutschen Spätgotik. Die Bildwerke wurden meist *gefaßt,* d. h. mit einem Kreide- oder Gipsgrund bedeckt, oft über Leinwand, und dann farbig bemalt (TAFEL Deutsche Kunst, III, 2, 3, 4; BILD Andachtsbild; TAFEL Chines. Kunst, I, 6).

Holzblasinstrumente, eine Gruppe von Blasinstrumenten, z. B. Flöten, Klarinetten, Oboen, Fagotte, →Blasinstrumente (TAFEL).

H'olzbock, Hundszecke, *Ixodes ricinus,* eine im Gebüsch häufige Zecke. Das Männchen ist nur 2 mm lang. Das 4 mm lange, gelbrote Weibchen läßt sich auf Menschen oder Säugetiere fallen, saugt Blut, schwillt dabei bis zu Erbsengröße an und erscheint dann bleigrau. Da der Rüssel beim Abreißen leicht steckenbleibt, betupfe man den H. mit Öl, worauf er losläßt.

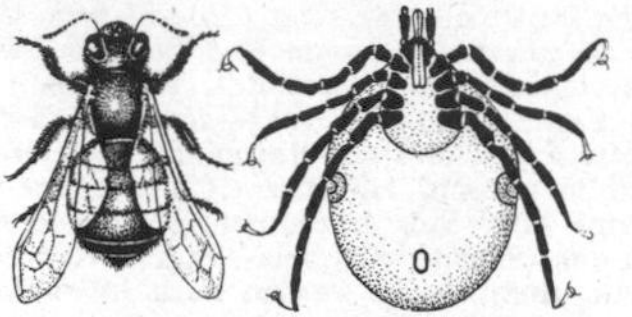

links Holzbiene, rechts Holzbock

H'olzbrandtechnik, das Einbrennen von Schrift und Verzierungen mit einem glühenden Stift in Bretter, Teller, Kästen.

H'olzdestillation, die trockene Erhitzung des Holzes in luftdicht abgeschlossenen eisernen Behältern; man gewinnt hierbei Holzgas, Holzessig, Holzteer, Holzkohle. Die H. hat heute sehr an Bedeutung verloren.

H'olzdraht, Holzstäbchen von 1–3 mm Dicke und bis zu 6 m Länge zur Herstellung von Holzgeweben u. dgl.

H'oelzel, Adolf, Maler, * Olmütz 13. 5. 1853, † Stuttgart 17. 5. 1934, lebte in Dachau, wo er realist. Landschafts- und Figurenbilder malte, 1906–19 Akademieprof. in Stuttgart. Theoretische Bemühungen um eine Harmonielehre der Farben führten ihn zur abstrakten Kunst (Glasmalereien und Pastelle).

Holzer, 1) Johann, Maler, * Burgeis (Tirol) 1708, † Clemenswerth (Hann.) 21. 7. 1740, Schüler von Bergmüller in Augsburg, wo er meist ansässig war. Er schuf Fassadenfresken, Deckengemälde (St. Anton, Obb.) und Altarbilder in feinabgestuften, wuchtigen Kompositionen.

2) Rudolf, Schriftsteller, * Wien 28. 7. 1875, † das. 17. 7. 1965, Journalist; nach Raimund, Grillparzer orientierter Dramatiker.

H'olz|essig, ein bei der trockenen Destillation des Holzes gewonnener Essig, enthält außer Essigsäure noch Methylalkohol, Azeton, Furfurol, Phenole, wirkt keimtötend, dient zur Darstellung von Methylalkohol, Essigsäure und essigsauren Salzen.

H'olzfachschulen, Ausbildungsstätten für künftige Gehilfen, Meister, Techniker, Betriebsingenieure und Industriekaufleute in der Holzindustrie: für *Sägewerker, Zimmerhandwerk, Tischlerei, Innenarchitektur,*

Schnitzerei, Drechslerei. Ein Studium (8 Semester) der Holz- und Forstwissenschaft ist an der Universität Hamburg eingerichtet (Abschluß: *Diplom-Holzwirt*). Zusatzstudium an der *Bundesforschungsanstalt für Forst- und Holzwirtschaft,* Reinbek-Hamburg, ist möglich.

H'olzfaserplatten, in der Bautechnik, im Möbel- und Fahrzeugbau verwendete Platten aus minderwertigem Faserholz, Holzabfällen, oft auch unter Zusatz anderer pflanzl. Faserstoffe mit oder ohne Bindemittel. Werden die Platten ohne Druck getrocknet, erhält man poröse *Isolier-* oder *Dämmplatten* zur Wärme- und Schallisolierung. Beim Trocknen unter Druck entstehen *Hartplatten.*

H'olzfäule, Holzzersetzung durch sehr verschiedene Pilze.

H'olzgas, 1) ein Gemisch aus Kohlendioxyd, Kohlenmonoxyd, Wasserstoff, Methan, das bei der Holzdestillation entsteht. **2)** das beim Vergasen von Holz oder Holzkohle im Holzgasgenerator entstehende stickstoffreiche Gasgemisch, das als Motortreibgas verwendet werden kann.

H'olzgeist, Gemisch aus Methylalkohol, Azeton, Methylazetat u. dgl., wird aus Holzessig durch Destillation gewonnen, dient hauptsächlich zur Gewinnung von Methylalkohol und Azetaten.

H'olzgewebe, Gewebe aus feinen, dichtliegenden Holzstreifen, Holzstäbchen *(Holzstabgewebe, Baculagewebe)* oder aus Rohrstengeln (Matten). Hüte werden aus schmalen Spänen der Weide und Zitterpappel, Spankörbe aus breiten Fichtenholzstreifen hergestellt. H. für Rollvorhänge, Untersätze bestehen im Schuß aus weichen Stäbchen (Weide, Pappel, Linde), die von einer Leinen- oder Baumwollkette zusammengehalten werden.

Holzheim, ehem. Gem. im Kr. Grevenbroich, Nordrh.-Westf., links der Erft, (1973) 8000 Ew., gehört seit 1974 zu Neuss.

Holzkirchen, Markt im Kr. Miesbach, Obb., im Alpenvorland, mit (1977) 6300 Ew.

H'olzkitt, Kitt aus Harzseifen und Leinöl, gemischt mit Kalk, Kreide oder Ton, zum Ausfüllen von Vertiefungen in Holz. *Plastisches Holz* besteht aus Holzmehl mit Bindemitteln, meist Zelluloseestern.

H'olzknecht, Guido, Röntgenarzt, * Wien 3. 12. 1872, † das. (Röntgenkrebs) 30. 10. 1931, hat die Anwendung der Röntgenstrahlen in der Heilkunde gefördert und wichtige Meßgeräte angegeben.

H'olzkohle, Erzeugnis der Erhitzung von Holz bei beschränktem Luftzutritt; seit alters durch Köhlerei gewonnen. H. wird als Reinigungsmittel von Flüssigkeiten und Gasen verwendet, ferner als Entfärbungsmittel, zum Zeichnen.

H'olzkrähe, der Schwarzspecht, →Spechte.

Holzmann, Philipp H. AG, Frankfurt a. M., eine der größten dt. Baugesellschaften; gegr. 1849 von Joh. Phil. Holzmann (* 1805, † 1870), seit 1917 AG.

H'olzmeister, Clemens, Architekt, * Fulpmes (Tirol) 27. 3. 1886, baute Kirchen, Schulen, Hotels sowie Staatsbauten in der Türkei; bekannt auch durch seinen Umbau des Salzburger Festspielhauses.

Holzm'inden, Kreisstadt im RegBez. Hannover, Niedersachsen, mit (1977) 23200 Ew., im Weserbergland, 90 m ü. M., hat AGer., 3 höhere Schulen, Staatsbauschule, Handelslehranstalten; Holz-, Glas-, Aromen-, Duftstoff- und Elektroindustrie.

H'olz|öl, fettes Öl aus Tungbaumfrüchten, leinölähnlich; zu Kitt, Firnis, Lack.

H'olzpappe, aus Holzschliff hergestellte Pappe.

H'olzpilz, holzangreifende Pilze, bes. der Hausschwamm.

H'olzschleifmaschine, eine Maschine zum Glätten von Bauteilen aus Holz mittels einer mit Schleifpapier bespannten umlaufenden Trommel *(Trommel-Schleifmaschine)* oder Scheibe *(Scheiben-Schleifmaschine)* oder eines umlaufenden Bandes aus Schleifleinen *(Band-Schleifmaschine).*

H'olzschliff, Holzstoff, ein Faserstoff, der durch Zerschleifen entrindeten Holzes (insbes. Fichten-, Tannen-, Kiefernholz) gewonnen wird. Die entrindeten Holzstämme werden auf die Breite der Schleifsteine zurechtgeschnitten und dann in Schleifmaschinen unter Wasserzusatz zerschliffen. Beim *Kaltschliff* wird die durch die Reibung entstehende Wärme durch Wasserzusatz abgeführt. Beim *Heißschliff* (mit geringem Wasserzusatz) erhält man feinere und längere Fasern, die für die Papierfabrikation gut geeignet sind. Der rohe Faserstoff wird mit viel Wasser verdünnt, in Splitterfängern von groben Stücken befreit und auf Entwässerungsmaschinen in Form von Pappen ausgearbeitet. Der so gewonnene *Weißschliff*

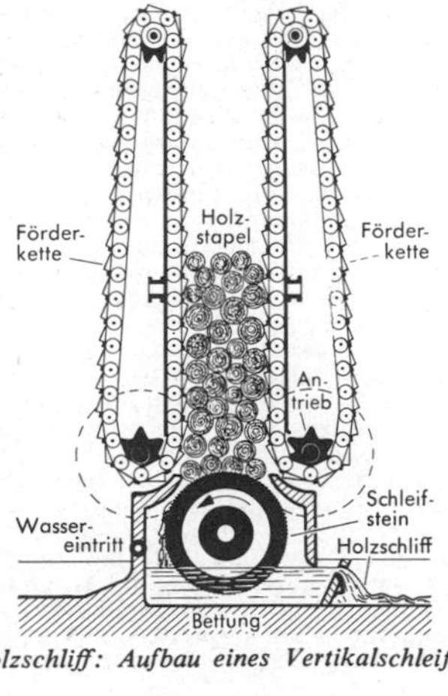

Holzschliff: Aufbau eines Vertikalschleifers

ist von gelblichweißer Farbe. *Braunschliff* entsteht, wenn das Holz vor dem Schleifen gekocht wird und dabei seine Farbe ändert. Der H. ist einer der wichtigsten Rohstoffe für die Herstellung von Papier und Pappe. – Das Holzschleifen wurde 1843 von Friedr. Gottlob Keller in Hainichen (Sachsen) erfunden.

Holzschnitt (TAFELN Seite 48/49), die Kunst, eine Zeichnung in eine Holzplatte (Holzstock) zu schneiden sowie der von dieser auf Papier abgezogene Druck (im 19. Jh. auch *Xylographie* genannt). Auf der geglätteten, meist mit einer dünnen Kreideschicht überzogenen Oberfläche des Holzstocks wird das Bild des Künstlers (im Mittelalter des »Reißers«) zuerst vorgezeichnet und dann von dem Formschneider, der auch der entwerfende Künstler selbst sein kann, so viel Holz mit dem Messer, auch mit dem Stichel ausgehoben, daß die übriggebliebenen Stege oder Flächen einen schwarzen Abdruck auf weißem Grund ergeben. Abgedruckt wird mit der Handfläche, einem Lederballen (Reiber) oder der Druckerpresse. Als Holzstöcke dienten bis Ende des 18. Jhs. in der Längsrichtung des Stammes geschnittene und mit dem Schneidemesser bearbeitete Langholzplatten, meist aus Birnbaum. Th. →Bewick brachte den im 19. Jh. vielverwendeten *Hirnholzstich* auf, bei dem aus quer zur Faser geschnittenen Holzstöcken, meist aus Buchsbaum, ganz feine Linien mit dem Holzstichel herausgestochen werden. Aus dem Holzstich entwickelte sich der *Tonstich*, der im Gegensatz zum Linienholzschnitt malerische Halbtöne wiedergibt. Von zwei oder mehr Platten gedruckt werden der *Helldunkelschnitt* und der *Farbholzschnitt*. Der *Weißschnitt* läßt in den Holzstock eingeritzte Linien weiß auf schwarzem Grund erscheinen.

GESCHICHTE. Die Technik des H. entwickelte sich um 1400 aus der des Zeugdrucks, die das Abendland aus dem Orient übernommen hatte. Zuerst entstanden Einblattdrucke, dann auch Blockbücher und nach Erfindung der Buchdruckerkunst vor allem Buchillustrationen. Die frühen H. gaben nur Umrisse wieder und wurden farbig ausgemalt. Erst um die Mitte des 15. Jhs. begann man auch die Binnenform mit Linienwerk zu füllen und auf Farben zu verzichten. 1498 erschienen die H. zur Apokalypse, die erste der graph. Folgen Dürers, der die Ausdrucksmittel des H. zu ihrer höchsten Vollendung entwickelte. Die Arbeit an den großen, von Kaiser Maximilian in Auftrag gegebenen Holzschnittwerken verband Dürer mit den Augsburger Künstlern, bes. Burgkmair (BILD Fugger). Die neben den Werken Dürers hervorragendsten H. der Zeit schufen Cranach d. Ä., Baldung, Altdorfer und Holbein d. J. Seit dem Ende der Dürerzeit verlor der H. an Bedeutung. Im 17. und 18. Jh. wurde er durch den Kupferstich verdrängt. Im 19. Jh. verbreitete sich der von Th. Bewick erfundene Holzstich vor allem in Frankreich (Doré). Deutsche Künstler, wie vor allem Rethel, hielten zunächst noch am Linienholzschnitt fest. Die malerischen Zeichnungen Menzels zur Geschichte Friedrichs d. Gr. (1840) wurden dagegen von Holzstechern übertragen (TAFEL Historienbild I). Eine Wiederbelebung ging gegen Ende des 19. Jhs. von England aus. Anregend wirkte auch der japan. Farbholzschnitt. Neue Ausdruckswirkungen fanden der Norweger Munch und die deutschen Expressionisten (BILD Heckel) und in neuerer Zeit HAP Grieshaber, H. Janssen und H. Ackermann. Buchholzschnitte schuf vor allem Maillol.

In China hatte sich der H. sehr viel früher als in Europa entwickelt (die ältesten Funde aus dem 7./8. Jh.). Farbholzschnitte sind aus der Zeit um 1600 erhalten. Bekannt sind vor allem die H. der vielbändigen Mallehrbücher ›Zehnbambushalle‹ (1643 ff.) und ›Senfkorngarten‹ (1679 ff.). In Japan, wo man den H. schon im 8. Jh. verwendete, wurde er im 17. Jh. zu einer eigenen Kunstgattung. Im 18. Jh. kam der Vielfarbendruck und Blindpressung auf (→Harunobu). Dargestellt wurden vor allem Szenen aus dem Frauenleben (→Utamaro) und dem Theater (→Sharaku), im 19. Jh. auch Landschaften (→Hokusai, Hiroshige).

LIT. H. T. Musper: Der H. in fünf Jahrhunderten (1964).

H'olzschnitzerei, eine mit dem Schnitzmesser gearbeitete Verzierung an hölzernen Gegenständen, bes. Möbeln; auch ein kleineres Holzbildwerk (→Holzbildhauerei).

H'olzschuh, 1) ganz aus Holz geschnitzter Schuh, z. B. die in Holland üblichen **Klompen. 2)** *Holzpantoffel*, pantoffelförmiger Halbschuh mit hölzerner Sohle und ledernem Blatt.

Holzschuher, Hieronymus, Nürnberger Ratsherr, * Nürnberg 1469 (?), † das. 9. 5. 1529. Die H. gehören seit Anfang des 12. Jhs. zu den ältesten stadtadeligen Geschlechtern Nürnbergs; im 13. Jh. Ministerialen der Burggrafen, zählten sie später zur fränk. Reichsritterschaft.

Holzschutz, Holzkonservierung, Maßnahmen gegen die Zerstörung des Holzes durch Holzschädlinge wie Bakterien, Pilze, Insekten, Muscheln und Krebse. Zu den wichtigsten holzzerstörenden Insekten gehören der →Hausbock und der Klopfkäfer. Wirksamer H. durch Anstreichen, Tauchen, Spritzen mit giftig wirkenden Schutzstoffen oder durch Saftverdrängung am frisch geschlagenen Holz *(boucherisieren, Boucherie-Verfahren)*, auch durch Anbringen von Bandagen (z. B. an Holzmasten), die mit Salzgemischen gefüllt sind. – **Holzschutzmittel** sind entweder organ. Stoffe wie Teere und deren Destillationsprodukte, Erdölprodukte, Phenole, Chlornaphthalin, organ. Säuren oder Basen, Kohlenwasserstoffe u. a. oder anorgan. Verbindungen wie Kalium-, Natrium-, Ammonium-, Zink-, Arsen-, Antimon-Salze, Quecksilber-, Chrom-, Kupfer-Verbindungen u. a. **Feuerschutzmittel** verzögern die Entflammbarkeit des Holzes. Man verwendet wärmedämmende und wärmebindende Mittel durch Streichen, Spritzen, Tauchen. Meist sind es Salzgemische auf Ammonphosphat-Basis oder, heute seltener, pigmentiertes Wasserglas.

Es gibt auch **Mehrzweckmittel,** die neben der Feuerschutzwirkung eine Gefährdung durch Pilzbefall und tierische Holzzerstörer ausschließen.

H'olzschwamm, der →Hausschwamm.

H'olz|spanplatte, aus verleimten Holzspänen bestehender Holzwerkstoff. Verwendung als Möbelbauplatte, wie die Tischlerplatte, und als Bauplatte im Innenausbau.

H'olzspiritus, durch Gärung bei der Holzverzuckerung gewonnener Äthylalkohol.

Holzstich, Holzstock, →Holzschnitt.

H'olztapete, eine Tapete aus dünn geschältem Holz, das auf eine Papier- oder Gewebeunterlage geklebt ist.

H'olztaube, Wildtaube, bes. die Ringeltaube.

H'olztee, Blutreinigungstee, harntreibendes Gemisch aus geschnittenem Guajak-, Fenchel-, Süßholz und Hauhechelwurzel.

H'olzteer, schwarze, ölige, scharf riechende Flüssigkeit, die bei der trockenen Destillation von Holz gewonnen wird; enthält Benzol, Naphthalin, Phenole, Kresol u. a., dient z. B. als Tränkungsmittel für Schiffstaue.

H'olzverbindungen, die Zusammenfügung von Hölzern im Zimmermannsbau, Ingenieurholzbau und in der Schreinerei durch Formung der Berührungsflächen oder besondere Befestigungsmittel (Nägel, Dübel, Schrauben) oder durch beide.

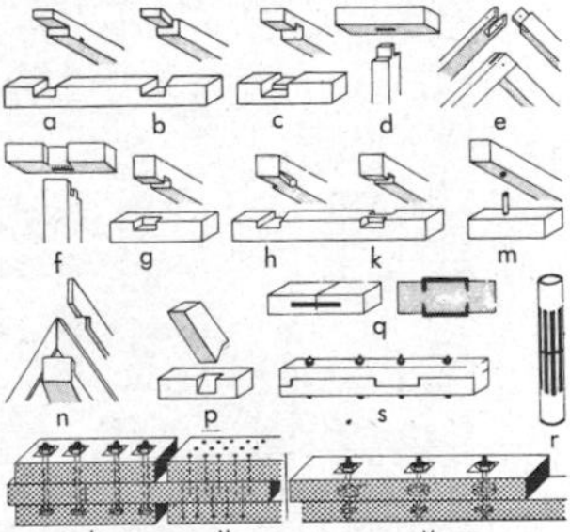

Holzverbindungen: a *einfache,* b *schwalbenschwanzförmige,* c *hakenförmige Überblattung,* d *einfacher gerader Zapfen,* e *Scherzapfen,* f *Blattzapfen,* g *einseitig gerader,* h *schwalbenschwanzförmiger,* k *zweiseitig gerader Kamm,* m *Verdübelung,* n, p *Verklauungen am Dachfirst und an der Schwelle,* q *Verlängerung liegender,* r *stehender Hölzer,* s, t, u, v *Holzverstärkungen:* s *mit Schraubenbolzen und Verzahnung,* t *mit Schraubenbolzen,* u *mit Nägeln,* v *mit Schraubenbolzen und Ringdübeln (→Dübel)*

Im *Zimmermannsbau* werden ausgeführt: Verbindung sich kreuzender Hölzer *(Winkelverbände)* als Überblattungen, Verzapfungen, Verkämmungen, Verdübelungen, Verklauungen; Verbindungen zur Verlängerung von Hölzern *(Längsverbände)*; Holzverstärkungen *(Querschnittverbände)*; Verbindungen zur Herstellung größerer Flächen *(Breitenverbände)*.

Beim *Ingenieurholzbau* müssen alle Glieder statisch berechnet werden. Die H. werden durch Dübel, Bolzen, Nagelung hergestellt.

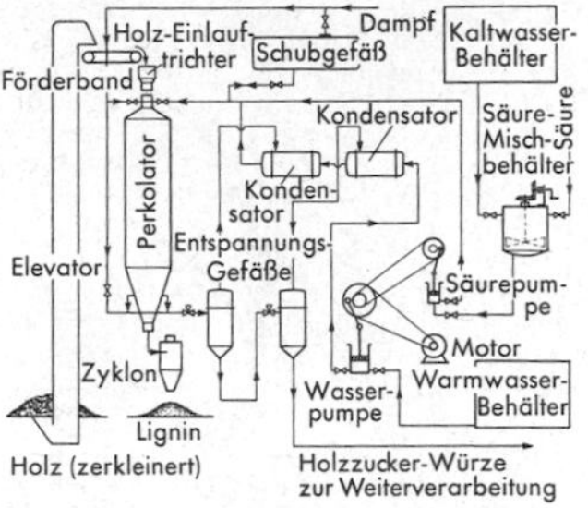

Holzverzuckerung: Schema einer Scholler-Anlage (nach Winnacker-Weingaertner: Chem. Technologie)

H'olzverzuckerung, die Überführung der Zellulose des Holzes in Traubenzucker. Bei dem Verfahren nach →Bergius wirkt auf Sägespäne aus Fichtenholz gesättigte Salzsäure bei gewöhnlicher Temperatur ein, löst die Zellulose heraus und verwandelt sie in Traubenzucker, während das Lignin zurückbleibt. Die Lösung wird im Vakuum vom größten Teil der Salzsäure befreit und kann dann entweder auf Trockenzucker für Mastzwecke verarbeitet oder auf Alkohol oder Futterhefe vergoren werden. Nach dem Verfahren von Scholler wird das zerkleinerte Holz mit verdünnter Schwefelsäure bei 160–190° C unter Druck behandelt. Um den sich bildenden Zucker der zersetzenden Wirkung der heißen Säure möglichst rasch zu entziehen, wird die Lösungsflüssigkeit durch das in einem hohen Turm aufgeschichtete Holz hindurchgedrückt (»perkoliert«). Die austretende Lösung enthält etwa 5% Traubenzucker.

Holzwarth, Hans, Ingenieur, * Dornhan (Württ.) 20. 8. 1877, † Oberhausen 21. 8. 1953, entwickelte 1905–08 die nach ihm benannte Gasturbine *(Holzwarth-Turbine)*.

H'olzweg, Waldweg für Holzabfuhr, der meist blind am Schlag endet.

H'olzweibchen, Holz- oder Moosfräulein, im deutschen Volksglauben gutmütige Waldgeister.

Holzweißig, Gem. im Bez. Halle, mit (1964) 6400 Ew.; Braunkohlenindustrie.

H'olzwespen, *Siricidae,* Familie großer Pflanzenwespen mit langem Hinterleib. Die Weibchen legen die Eier in Holz, worin die

HOLZSCHNITT I

1

2

3

4

1 *Die hl. Dorothea (um 1400–10).* **2** *Holzschnitt aus Cherubino da Spoleto: Fior di virtù; Venedig (1487).* **3** *Albrecht Dürer: Johannes, die sieben Leuchter erblickend; aus der Apokalypse (1498).* **4** *Urs Graf: Satyrfamilie; Weißschnitt (1520)*

HOLZSCHNITT II

1

2

3

4

1 *Adolph Menzel: Voltaire; Holzstich aus Kuglers Geschichte Friedrichs d. Gr. (1840).* **2** *Edvard Munch: Alter Mann (1905).* **3** *Chines. Farbholzschnitt: Bambus; aus dem ›Malbuch vom Senfkorngarten‹ (1679).* **4** *Japan. Farbholzschnitt von Utamaro: Bei Kerzenschein musizierende Damen (2. Hälfte des 18. Jhs.)*

Larven Gänge ausfressen; sie schaden u. a. an Nadelhölzern.

Holzw'ickede, Gemeinde im Kreis Unna, Nordrhein-Westfalen, mit (1977) 14 200 Ew., am Nordhang der Haar, 80 bis 115 m ü. M.; Erzeugung von Stahlrohren, Bau von Feld- und Industriebahnen.

H'olzwolle, Holzspäne von 1–4 mm Breite und 0,03–0,4 mm Dicke, auf der H.-Maschine von einer Holzrolle abgeschält; dient zu Verpackungen, Polstern, Streuersatz. *Holzwolleplatte*, eine Leichtbauplatte aus H., mit Magnesit, Zement oder Gips gebunden; gute Wärme- und Schallisolation.

H'olzwürmer, volkstümlich für verschiedene, in Holz vorkommende Tiere, meist Käfer oder deren Larven; bes. Bohrkäfer und Bockkäfer.

H'olzzement, ein Kitt zum Ausbessern schadhafter Stellen in Holz, besteht aus Sägemehl oder -spänen, vermischt mit einem Bindemittel.

H'olzzucker, 1) aus Holzzellulose durch Abbau gewinnbarer Zucker, →Holzverzukkerung. **2)** die im Holz vorhandene →Xylose.

Hom'agium [mlat., von homo ›Mensch‹, ›Lehnsmann‹], franz. **Hommage,** der Huldigungseid des Vasallen.

Hóman [h'o:mən], Bálint, ungar. Historiker und Politiker, * Budapest 29. 12. 1885, † Budapest 1951 (im Zuchthaus), war 1925 bis 1932 Prof. in Budapest, 1932–42 Kultus-Min., 1946 zu lebenslängl. Zwangsarbeit verurteilt.

Homann, Joh. Baptist, Kartenstecher, * Kamlach 20. 3. 1663, † Nürnberg 1. 7. 1724, gründete 1702 in Nürnberg einen Verlag, dessen Landkarten und Globen berühmt wurden.

Homatrop'in, Mandelsäureester des Tropins, erzeugt Pupillenerweiterung von kürzerer Dauer als Atropin.

Homberg, 1) Stadt im Schwalm-Eder-Kreis, Hessen, zu Füßen des Schloßberges mit der Burgruine H., an der Efze, mit (1977) 14 500 Ew.; H. erhielt 1234 Stadtrecht.

2) H. am Niederrhein, ehem. Stadt im Kreis Moers, Nordrhein-Westfalen, mit (1973) 35 900 Ew., am linken Rheinufer gegenüber von Duisburg-Ruhrort; Schifferschule; Steinkohlenbergbau, chem. Industrie, Mühlenbetriebe, Reedereien. H. gehört seit 1975 zu Duisburg.

3) H. (Ohm), Stadt im Vogelsbergkreis, Hessen, mit (1977) 7500 Ew.; H. erhielt 1236 Stadtrecht.

Hömberg, Hans, Schriftsteller, * Berlin 14. 12. 1903; schrieb Komödien (Kirschen für Rom, 1940), Drehbücher, Unterhaltungsromane (Der Haifisch soll leben, 1966).

H'omburg, 1) Kreisstadt im Saarland (Saar-Pfalz-Kreis), mit (1977) 41 600 Ew., ist Sitz der medizin. Fakultät der Univ. Saarbrücken; hat Eisen-, Maschinen-, feinmechanische, Holz-, Bau-, Textilindustrie.

2) Bad H. vor der Höhe, Kreisstadt des Hochtaunus-Kreises, Hessen, vor dem östl. Taunus, 200 m ü. M., mit (1977) 50 900 Ew., hat AGer., höhere Schulen, Museum, Institut für Quellenforschung und Bäderlehre. H., seit 1834 Bad, bekannt durch seine kohlensäurehaltigen Kochsalz- und Eisenquellen, war 1622–1866 Sitz der Landgrafen von Hessen-Homburg. Das Schloß wurde 1680 neu gebaut und wiederholt erweitert (Turm aus dem Mittelalter).

H'omburg, Prinz von, →Friedrich 14).

H'omburg [nach Bad H.], Herren-Filzhut mit Mittelfalte und steifem hochgerolltem, eingefaßtem Rand.

Home [hju:m], **1)** Lord (1951), Alexander F. **Douglas-Home,** brit. Politiker, →Douglas-Home, Sir Alexander F.

2) William Douglas, schott. Dramatiker, Bruder von 1), * Edinburgh 3. 6. 1912, schrieb Gesellschaftskomödien.

H'omel, russ. Stadt, →Gomel.

Home Office [houm 'əfis], das brit. Innenministerium.

Hom'er, griech. **H'omeros,** lebte Ende des 8. Jhs. v. Chr., galt den Alten vor allem als der Dichter der Epen →Ilias und →Odyssee. Heimat und Wirkungskreis H.s liegen im ionischen Kleinasien. Die Legende stattete H. mit den Zügen des wandernden Rhapsoden aus. Die beiden Epen fußen auf einer bis ins zweite Jahrtausend zurückreichenden Überlieferung, gehen aber in ihrer Gestaltung auf die zweite Hälfte des 8. Jhs. v. Chr. zurück, wobei die Odyssee ein wenig jünger ist als die Ilias.

Gestützt auf antike Nachrichten und französ. und italien. Vorgänger stellte 1795 F. A. Wolf die These auf, die beiden Epen seien das Werk einer ganzen Anzahl von Homeriden. Seitdem hat die Frage nach der Einheit der beiden Schöpfungen die Forschung beschäftigt; man neigt heute, bes. bei der ›Ilias‹, wieder mehr zur Anerkennung des einheitlichen geformten Aufbaus. Die Meinung, auch die Odyssee sei von dem Ilias-Dichter verfaßt, wird nur noch von wenigen vertreten.

Bahnbrechend für die H.-Renaissance wurde England (H.-Übersetzung von Chapman, 1598–1616). In Deutschland entstanden im 18. Jh. die H.-Übersetzungen von Bürger, Stolberg, bes. von J. H. Voss (Odyssee, 1781; Ilias, 1793). Vor allem Winckelmann und Goethe sind von H. angeregt worden.

LIT. Textausg. der Ilias und Odyssee v. P. von der Mühll (Basel 1946). Weitere dt. Übersetzungen von Th. v. Scheffer ([5]1958), R. A. Schröder (1929–43, Neudruck, Ges. Werke, Bd. 4, 1952); Ilias, Griech.-Dt., übertr. v. H. Rupé ([2]1961); Odyssee, Griech.-Dt., übertr. v. H. Weiher ([2]1961); Odyssee, in dt. Prosa v. W. Schadewaldt (1966); W. Schadewaldt: Von Homers Welt und Werk ([4]1965); H. Schrade: Götter und Menschen H.s (1952); W. Kullmann: Die Quellen der Ilias (1960); K. Reinhardt: Die Ilias und ihr Dichter (1961); F. Eichhorn: H.s Odyssee

(1965); S. Besslich: Schweigen – Verschweigen – Übergehen (1966); A. Heubeck: Die homerische Frage (1967); U. v. Wilamowitz-Moellendorff: Homerische Untersuchungen (1884; neu 1967).

Homer [h'oumə], Winslow, amerikan. Maler, * Boston 24. 2. 1836, † Prout's Neck (Maine) 29. 9. 1910, nahm als Zeichner am Bürgerkrieg teil, wandte sich dann der Malerei zu (Genrebilder).

Hom'erische Hymnen, Sammlungen von 34 Götterhymnen, die sich in Metrik und Sprache Homer anschließen. Die ältesten reichen bis ins 8./7. Jh. v. Chr., die jüngeren wurden z. T. erst in hellenistischer Zeit verfaßt.

hom'erisches Gelächter, lautes Gelächter (nach Homer, Ilias 1, 559; Odyssee 8, 326; 20, 346, »unauslöschliches Gelächter«).

Home rule [h'oum ru:l, engl. ›Selbstregierung‹], die von der Irischen Nationalpartei seit 1877 (im Unterschied zu den Feniern) auf parlamentar. Wege erstrebte nationale Selbständigkeit Irlands im Rahmen des Brit. Weltreichs, erreicht 1921. →Irland, Geschichte.

Homespun [h'oumspʌn, engl.], tuch- oder köperbindiger, rauher Cheviotstoff aus groben Streichgarnen; für Sportanzüge und Mäntel.

Homestead Act [h'oumsted ækt, ›Heimstättengesetz‹], amerikan. Gesetz vom 20. 5. 1862, nach dem Farmen auf Regierungsland kostenlos überlassen werden, wenn sie 5 Jahre bebaut worden sind.

Homil'etik [grch. Kw., von ›homilia‹], heißt seit dem 17. Jh. die Lehre von der Predigt überhaupt (nicht nur von der →Homilie). Die H. ist ein Zweig der prakt. Theologie; sie wird seit der ersten H., Augustins Schrift ›De doctrina christiana‹ [lat. ›Von der christl. Lehre‹], eingeteilt in die *materiale H.*, die sich mit der Auswahl, den Quellen und der Verarbeitung des Predigtstoffes befaßt, und in die *formale H.*, die seine zweckmäßige Darbietung, also das Rhetorische lehrt. Hinzu tritt seit dem 18. Jh. die *prinzipielle H.*, eine Erörterung über Wesen und Zweck der Predigt.

Homili'arium [grch.-lat.], mittelalterl. Sammlung von →Homilien, auch von Predigten überhaupt, oft geordnet nach den Perikopen des Kirchenjahres.

Homil'ie [griech. ›Rede‹], deutende Betrachtung einer Bibelstelle, eine Form der Predigt.

Hom'ilius, Gottfried August, Organist und Komponist, * Rosenthal bei Königstein 2. 2. 1714, † Dresden 5. 6. 1785, Schüler von J. S. Bach, war seit 1755 Kreuzkantor in Dresden.

Homin'iden [lat. Kw.], **Menschenartige,** Familie der Primaten, umfaßt die Prähomininen (→Australopithecinen) und die →Euhomininen mit ihren ausgestorbenen Formen.

Hommage [ɔma:ʒ, franz.], →Homagium.

homme [ɔm, frz.], Mensch, Mann; **h. de lettres** [də lɛtr], Literat.

homo... [griech.], gleich...

H'omo [lat.], Mensch, Mann; wissenschaftl. Bezeichnung des Menschen. *H. heidelbergensis*, →Heidelberger Unterkiefer, *H. neandertalensis King*, nach dem Fund von →Neandertal, *H. sapiens* der jetztzeitl. Menschentyp (→Neanthropinen; →Menschenrassen). *H. faber*, der Mensch als schaffendes Wesen, *H. novus*, Neuling, Emporkömmling. *H. oeconomicus*, ein rein nach wirtschaftlichen Prinzipien handelnder Mensch.

homogam'etisch [grch. Kw.] nennt man ein Individuum, das entweder nur männchen- oder nur weibchenbestimmende Keimzellen bildet.

homog'en [grch.], gleichartig. **1)** *Mathematik:* eine *homogene Funktion* der Dimension n ist eine Funktion mehrerer Veränderlicher x, y..., die sich im ganzen mit t^n multipliziert, wenn man jede der Veränderlichen mit t multipliziert; z. B. ist $2x^2+xy-3y^2$ eine homogene Funktion der Dimension 2. **2)** *Physik und Chemie:* ein *homogener Körper* ist überall gleich beschaffen; in einem *homogenen Feld* hat die Feldstärke überall die gleiche Richtung und Größe; ein *homogenes System* ist in allen Teilen entweder nur fest oder nur flüssig oder nur gasförmig.

homogenis'ieren, Homogenisation, 1) die Herstellung einer beständigen Emulsion aus nicht mischbaren Flüssigkeiten. In der *Homogenisiermaschine* wird das grob vorsuspendierte Gemisch durch einen Spalt von $^1/_{1000}$ bis $^3/_{1000}$ mm Weite gepreßt. **2)** Wärmebehandlung von metallischen Werkstoffen, die ein gleichmäßiges Gefüge herstellen soll.

Homogenität, Homogene|ität, Gleichartigkeit, Geschlossenheit.

Homog'yne [grch.], →Brandlattich.

homol'og [griech.], **1)** *Geometrie:* gleichliegend, entsprechend. **2)** *Biologie: homologe Organe*, Körperteile, die trotz verschiedener Gestalt und Leistung stammesgeschichtlich als verwandt gelten, z. B. Lunge und Schwimmblase, Kartoffelknolle und Stengel. **3)** *Chemie: homologe Verbindungen*, Stoffe, die sich bei grundsätzlich gleicher Struktur und daher ähnl. Eigenschaften nur durch Gruppen CH_2 unterscheiden.

Homonh'on, Iomonhol, Malhon, kleine Philippineninsel. Hier landete Magellan am 17. 3. 1521.

homon'om [grch.], gleichwertig; **homonome Segmentierung,** gleichartige Gliederung des Körpers, z. B. beim Regenwurm.

Homon'ym [griech.], **1)** gleichlautendes Wort mit anderer Bedeutung, z. B. *der Leiter* und *die Leiter*. **2)** Rätsel, das mit dem Doppelsinn von Wörtern spielt. **Homonymie,** Gleichnamigkeit verschiedener Gegenstände.

homöo... [griech.], ähnlich...

Homöopath'ie [griech.], Krankenbehandlung durch kleine Dosen von Arzneimitteln, die in großen Dosen bei Gesunden Krankheitserscheinungen hervorrufen, die denen der zu heilenden Krankheit ähneln; z. B. Behandlung des Schnupfens durch sehr geringe Mengen Jod. Im Gegensatz zu diesem Ähnlichkeitsgrundsatz nannte S. Hahnemann, der 1796 die H. schuf, die sonst übliche Behandlungsweise *Allopathie*, weil ihre Arzneimittel meist gegensätzliche Krankheitserscheinungen hervorrufen; Beispiel: Behandlung des Durchfalls mit Opium. Die neuen Erkenntnisse über Vitamine, Hormone und die Bedeutung der Spurenelemente haben das gegenseitige Verständnis der früher feindlichen Richtungen in der Heilkunde gefördert. Das Verfahren der H. wird als *Reizbehandlung* angesehen, bei der die Abstimmung des Mittels an Hand der Krankheitszeichen des Einzelfalles vorgenommen wird. Die Kleinheit der Dosis wird durch Verdünnen *(Potenzieren)* des Arzneimittels (Verreiben oder Verschütteln) mit Milchzucker oder verdünntem Alkohol erreicht. Die Verdünnung 1:10 wird als D_1 (1. Dezimalpotenz), 1:100 als D_2 (2. Dezimalpotenz) bezeichnet, die Verdünnung $1:10^{30}$ als 30. Potenz (heute üblich höchstens bis D_{12}).

LIT. S. Hahnemann: Organon der Heilkunst ([6]1921, neubearb. 1955); Deutsches homöopath. Arzneibuch, hg. v. W. Schwabe (Neudr. [2]1950); O. Leeser: Lehrbuch der H., 4 Bde. (1960); M. Kabisch: Kleine homöopath. Therapie ([4]1960); H. Ritter: Aktuelle H. (1962); K. Stauffer: Homöotherapie ([5]1965).

Homöost'ase [griech.], engl. *Homeostasis*, der durch physiolog. Kreisprozesse erzielte Gleichgewichtszustand der Organismen, der zur Erhaltung ihres Daseins erforderlich ist. Der Begriff wurde 1932 von dem amerikan. Physiologen W. B. Cannon geprägt, 70 Jahre, nachdem Claude Bernard das Prinzip der »Konstanthaltung des inneren Milieus« formuliert hatte. W. R. Hess hat das homöostat. Regulationsprinzip mit der Ermüdbarkeit und dem Erholungsbedürfnis zentralnervöser Funktionen (z. B. Schlaf-Wach-Periodik) in Verbindung gebracht. Im Sinne der Kybernetik wird der Begriff H. auch auf techn. Regelsysteme und informationsverarbeitende Maschinen übertragen (z. B. der *Homöostat*, nach Ashby). →Ergotropie, →Trophotropie.

H'omophon'ie [griech.] *Musik:* die Setzweise, bei der nur eine Stimme melodieführend hervortritt, während die übrigen Stimmen lediglich die harmoniegebende Begleitung sind; Gegensatz: Polyphonie.

Homopl'astik [grch.], **Homoioplastik**, operativer Ersatz verlorengegangenen Gewebes durch arteigenes; z. B. Verpflanzen von einem Menschen auf den andern. Gegensatz: Heteroplastik. Die →Transplantation von Gewebe desselben Individuums heißt **Autoplastik.**

Homopt'eren, die →Gleichflügler.

Homosexualität [griech.-lat. Kw.], die gleichgeschlechtliche Liebe. Die moderne Sexualwissenschaft bewertet die H. völlig neutral. Die Ursachen der H. sind nicht eindeutig bekannt. Es gibt die positivist. Theorie (Kinsey), daß die in jedem Menschen veranlagte H. nur unterschiedlich in Erscheinung tritt (→lesbische Liebe, →Päderastie).

Rechtliches. Durch das 1. Strafrechtsreformgesetz vom 10. 5. 1969 wurden die bisherigen §§ 175, 175a StGB aufgehoben. Nach nochmaliger Änderung (4. Strafrechtsreformgesetz v. 23. 11. 1973) stellt § 175 StGB nur noch sexuelle Handlungen erwachsener Männer mit Jugendlichen unter Strafe.

In *Österreich* ist die H. seit 1. 9. 1971 zwischen Erwachsenen straffrei. Das *schweizer.* StGB (Art. 194) bestraft nur gewerbsmäßige oder die unter Mißbrauch eines Abhängigkeitsverhältnisses begangene Homosexualität. Straffrei ist H. in den Niederlanden und den roman. Ländern.

homot'yp [grch.], einander entsprechend; **h. Organe** sind z. B. rechtes und linkes Auge.

Homo|us'ie [griech.], Wesenseinheit. **Homöusie** [griech.] Wesensähnlichkeit. →Arianer.

homo|zyg'ot [griech.], mit gleichartiger Erbanlage.

Homs, Stadt in Syrien, am Orontes, mit (1970) 215 500 Ew.; Getreide-, Obst- und Gartenbau; Seidenind. Erdölraffinerie.

H., das antike *Emesa*, wurde unter Domitian römisch und erlebte seine Blütezeit bes. unter Heliogabal. 272 siegte hier Aurelian über Zenobia von Palmyra. Später stand H. unter byzantin. Herrschaft, dann fiel es nacheinander in die Hände der Araber, Seldschuken (Tutusch 1093, Saladin 1175) und Kreuzfahrer und kam nach den Niederlagen der Mongolen (1260 und 1281) unter osman. Herrschaft.

Hom'unculus [Verkleinerungsform von lat. homo ›Mensch‹], kleiner Mensch; Menschlein; in Goethes ›Faust‹ II ein von Wagner auf chem. Wege erzeugter Mensch nach der von Paracelsus gegebenen Anleitung.

Hon, engl. Abk. für →Honourable.

Honan, Prov. in China, im S der Nordchines. Tiefebene, 168 000 qkm, (1970) 55 Mill. Ew. Hauptstadt ist Tschengtschou.

Honanseide [nach der chines. Prov. Honan], handgewebtes chines. Seidengewebe in Taftbindung aus ungleichmäßig gesponnener Tussahseide.

H'ondecoeter [-kutər], Melchior d', holländ. Maler, * Utrecht 1636, † Amsterdam 3. 4. 1695, Sohn des Geflügelmalers *Gijsbert d'H.* (* 1604, † 1653) und Enkel des fläm. Landschafters *Gillis d'H.* († 1638), der wie Coninxloo von Antwerpen nach Holland ging. H. malte Geflügelhöfe.

H'ondius, →Mercator.

H'ondo [japan. ›Hauptland‹], **Honschu,** fälschlich (in Europa) auch **Nihon, Nippon,** Hauptinsel von Japan, umfaßt 230 766 qkm mit (1970) 82,6 Mill. Ew.

H'ondsrug [-rux], Höhenrücken in der

niederländ. Prov. Drente, 26 m hoch; Megalithgräber.

Hondt, Pieter de, →Canisius.

H'ondtsches Verteilungsverfahren, nach dem Belgier Victor d'Hondt genanntes Verfahren zur Errechnung der Abg.-Sitze bei der Verhältniswahl (z. B. in der Bundesrep. Dtl.). →Wahlrecht.

Hond'uras, amtl. span. **República de H.,** Republik in Mittelamerika, 112088 qkm mit (1976) 2,980 Mill. Ew.; Hauptstadt ist Tegucigalpa.

Natur. H. liegt am Golf von H. des Karib. Meeres und reicht im S bis an den Fonseca-Golf des Stillen Ozeans. Es ist, abgesehen vom Flachland des NO (mit großen Lagunen) von Mittelgebirge (bis 2100 m) erfüllt und in jungen Vulkangipfeln bis 2590 m hoch. Das Klima ist im Küstenland heiß und feucht, im Gebirge gemäßigt, die Pflanzenwelt tropisch und waldreich (27% der Gesamtfläche sind Wald). – H. ist dünn bevölkert; die meist röm.-kathol. *Bevölkerung* besteht zu 70% aus Mischlingen zwischen Weißen, Indianern und Negern, 10% Indianern. Haupterwerbszweige sind Landwirtschaft, Bergbau und Holzwirtschaft. Angebaut werden vor allem Bananen (zu 90% amerikan. Plantagengesellschaften), ferner Kaffee, Tabak, Zuckerrohr, Baumwolle, Mais, Reis, Hirse, Bohnen. Die Viehzucht wurde seit 1959 stark intensiviert. Wichtigstes Exportholz ist die Kiefer. Bergbau vor allem auf Zink und Blei, ferner auf Silber und Gold. Ausfuhr von Bananen (42%), Kaffee, Holz. Haupthandelspartner sind die USA, Guatemala, die Bundesrep. Dtl.

Der Verkehr ist durch die natürlichen Gegebenheiten erschwert. Von den rd. 1 200 km Eisenbahnlinien dienen 550 km dem öffentl. Verkehr. Die Straßen (4 640 km) sind z. T. befestigt. Wichtigstes Verkehrsmittel ist das Flugzeug, internat. Flughäfen in Tegucigalpa und San Pedro Sula. Die größten Seehäfen sind Puerto Cortes (Atlantik) und Amapala (Pazifik). Handelsflotte: 60 000 BRT.

Staat. Nach der Verfassung vom 6. 6. 1965 wird der Präsident auf 6 Jahre gewählt; er übt mit drei Vizepräsidenten die Exekutive aus und ernennt die ihm verantwortl. Minister. Der Nationalkongreß hat 64 vom Volk auf 6 Jahre gewählte Abg.

Verwaltungseinteilung in 18 Departamentos. Wappen: TAFEL Wappen III. Flagge: TAFEL Flaggen I. Maße und Gewichte metrisch. Währungseinheit ist die Lempira zu 100 Centavos.

Rechtsprechung nach span. und franz. Vorbild; oberster Gerichtshof in Tegucigalpa. Bildungswesen noch rückständig trotz allgem. Schulpflicht; Universität in Tegucigapa. Allgem. Wehrpflicht.

GESCHICHTE. H. wurde 1524 von den Spaniern erobert, gehörte seit 1823 zu den Verein. Staaten von Zentralamerika und wurde 1838 eine selbständige Republik, deren Geschichte von inneren Unruhen und von Kriegen mit den Nachbarn ausgefüllt war. Im 20. Jh. geriet es in wirtschaftliche Abhängigkeit von den Nordamerikanern; trat auch 1918 in den 1. Weltkrieg ein. 1933 bis 1948 herrschte der Diktator Tiburcio Andino, der eine autoritäre Verfassung erließ (1936) und 1941 die diplomat. Beziehungen zum Dt. Reich abbrach. Nach ruhiger Entwicklung unter Präsident Galvez (1948–54) übernahm im Okt. 1956 durch Staatsstreich eine Militärjunta unter General Rodriguez die Gewalt. Mit Inkrafttreten einer neuen Verfassung wurde Dez. 1957 R. Villeda Morales Präsident. Auch Morales wurde durch einen Staatsstreich gestürzt. 1963–71 reg. O. Lopez Arellano, wieder nach Sturz des gewählten Präs. R. E. Cruz von Dez. 1972 bis April 1975 (gestürzt). Präs.: J. A. Melgar Castro.

H. ist Gründermitgl. der UN (1945) und gehört der OAS an (1948).

Hond'urasgras, Agaven- und Bromelienfaser.

H'onecker, Erich, Politiker (SED), * Neunkirchen (Saar) 25. 8. 1912, Dachdecker, als Kommunist 1935–45 verhaftet; 1946–55 Vorsitzender der FDJ; seit 1958 ist H. Mitglied des Politbüros und Sekretariats der SED, seit 3. 5. 1971 Erster Sekr.; seit Okt. 1976 auch Staatsratsvors.

Honegger, Arthur, Komponist, * Le Havre 10. 3. 1892, † Paris 27. 11. 1955, schweizer. Abstammung, zunächst von Debussy, später von Strawinsky beeinflußt, erregte Aufsehen mit dem Orchesterwerk ›Pacific 231‹ (1924). Besonders pflegte er die Monumentalform des szenisch. Oratoriums: König David (1921), Johanna auf dem Scheiterhaufen (1938). Ferner komponierte er 3 Opern, 5 Symphonien, Orchesterstücke, Kammermusik, Lieder. – Er schrieb: Ich bin Komponist (1952), Beschwörungen (1955).

h'onen, ziehschleifen, ein Verfahren der spanenden Formung, bei dem das Werkzeug *(Honwerkzeug, Honkopf, Honahle)* hin- und hergehende Bewegung, das Werkstück drehende Bewegung ausführen. Beim Arbeiten wird reichlich Flüssigkeit, meist synthet. dünnflüssiges Öl zum Kühlen und Wegspülen der Späne zugeführt. – Das *Schlicht-H.* und *Polier-H.* dient zur Erzie-

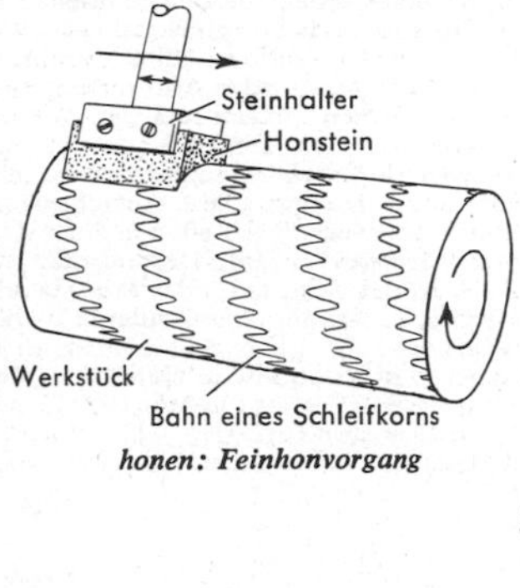

honen: Feinhonvorgang

lung hoher Maßhaltigkeit und Oberflächengüte, z. B. bei Motorzylindern. Höchste Maßhaltigkeit und Oberflächengüte wird mit dem *Fein-H. (Feinziehschleifen, Superfinish, Schwingschleifen)* erreicht.

hon'ett [franz.; Gottschedzeit], anständig, ehrsam.

Hoengen, ehem. Gem. im Kreis Aachen, Nordrhein-Westfalen, mit (1971) 15400 Ew.; gehört jetzt zu Alsdorf.

Hongkong, amtl. engl. **Hong Kong** [chines. ›duftender Sund‹], brit. Besitzung an der südchines. Küste, umfaßt die Insel H., die Halbinsel Kaulun und einen Teil ihres Hinterlandes (»New Territories«), 1045 qkm mit (1975) 4,4 Mill. Ew. (einschl. des Militärs); bis 1959 hatte H. 1,4 Mill. Flüchtlinge aus der Volksrep. China aufgenommen. Hauptstadt ist Victoria (1971: 521000 Ew.). H. hat Universität; Textil-, feinmechan., Konserven- und Metallind. und ist Geld- und Warenumschlagplatz für alle größeren Märkte im Fernen Osten. – H. wurde 1842/43 (Vertrag von Nanking) brit. Kronkolonie, 1860 kam die Halbinsel Kaulun dazu; 1898 wurde der Besitz durch einen Pachtvertrag auf 99 Jahre um die »New Territories« erweitert. Dez. 1941 bis Sept. 1945 war H. in japanischer Hand. Seit 1956 hat H. Selbstverwaltung: Gouverneur, Exekutivrat und Gesetzgebungsrat (17 Mitgl., davon 4 Chinesen).

LIT. H. Hürlimann: H. (Zürich 1962).

H'onig [german. Stw.], klebrige, gelbliche bis dunkelbraune, süße Flüssigkeit, die die Bienen aus eingesogenem Nektarsaft der Blüten, aus Honigtau u. a. im Honigmagen herstellen. Die chemische Zusammensetzung ist durchschnittlich: 75% Zucker (davon 70% Invertzucker, 5% Rohrzucker), 6% Nichtzucker (darunter 0,1–0,2% organ. Säuren, 0,3–2,7% Eiweiß, 0,1–0,35% Asche) und 19% Wasser. Die Eiweißstoffe stammen meist aus der Biene und sind Enzyme (Invertase und Diastase). Wegen dieser Enzyme und der würzigen Stoffe darf H. niemals über 50° C erhitzt werden. Den eingetragenen Nektar geben die Sammelbienen an Stockbienen ab, die ihn mit Enzymen versetzen, den Rohrzucker größtenteils in Invertzucker verwandeln, das Wasser größtenteils herausziehen, den entstandenen H. in Zellen speichern und zudeckeln. Die Gewinnung aus der Wabe ist beim Korbimker ein Auslaufenlassen oder Auspressen, auch unter Erwärmen *(Seim-, Tropf-, Preß-, Stampfhonig)*, bei den mit beweglichen Rähmchen arbeitenden Imkern das reinlichere und wirtschaftlichere Ausschleudern aus vorher entdeckelten Zellen in einer Zentrifuge *(Schleuderhonig)*. Der reinste, teuerste H. ist der *Scheiben-* oder *Wabenhonig*, der in frisch gebauten, unbebrüteten Waben verkauft wird. H. wird verwendet als Brotaufstrich, für alkoholische Getränke (Met, Liköre), zu Honig- und Lebkuchen, in Abfällen als Rohstoff für Essig. Als Nahrungs- und Heilmittel findet H. seit Jahrtausenden Verwendung. In der Medizin hat H. wegen seiner entzündungshemmenden Wirkung noch Bedeutung. Wegen seines hohen Nährwertes (100 g = 300 kal.) eignet sich H. bes. als Kräftigungsmittel. Honigausfuhrländer sind bes. Amerika, Australien, Neuseeland.

Honig|ameise, Ameisengatt., bei der ein Teil der Arbeiter mit Honig so vollgefüttert wird, daß ihr Hinterleib kirschförmig aufgetrieben ist. Dem Mund dieser lebendigen Behälter (»Honigtöpfe«) wird später Honig abgenötigt.

Honig|anzeiger, afrikanische Bartvögel, die ihre Eier wie der Kuckuck in Nester fremder Vögel legen und beim Auffinden von Bienenbrutwaben, ihrer Hauptnahrung, schreien und so auf den Bienenstock hinweisen.

H'onigblatt, zum Nektarium umgewandeltes Blüten- oder Staubblatt.

H'onigdachse, Raubtiere der Familie Marder, nicht zu den echten →Dachsen gehörig.

H'onigdrüse, →Nektarium.

H'onigfalke, der Wespenbussard (→Bussard).

H'onigfresser, *Meliphagidae*, australische Familie schmalschnäbliger Singvögel, die mit pinselartiger Zunge Blütenhonig aufnehmen und wohl auch Pollen übertragen.

H'oniggras, Roßgras, *Holcus*, Grasgattung mit lockerer Rispe. Das bis meterhohe, blaugrüne, ausdauernde *wollige H.* (*Honig-, Zuckerschmiele, Süßgras, weißes Timotheegras, weißer Meddel*, H. lanatus) wächst in ganz Europa und Nordasien (in Nordamerika eingebürgert) als minderwertiges Futtergras und ist in buntblättriger Abart Ziergras.

H'onigklee, 1) Steinklee, *Melilotus*, Schmetterlingsblütergattung, mit Kumarinduft,

Honigklee (Melilotus officinalis): a *Blüte,* b *Frucht,* c *Fruchtlängsschnitt (Hauptbild* $^1/_3$ *nat. Gr.)*

dreizähligen Blättern und blattwinkelständigen Blütentrauben. Die gelbblütige, bis 1 m hohe, zweijährige Bienennährpflanze *Ackerhonigklee* (**Motten-, Gold-, Schotenklee, Schaben-, Motten-, Meluttenkraut,** M. officinalis) wächst auf Brachland Europas und Asiens. Der weißblütige, noch höhere *weiße H.* (**Wunder-, Riesen-Bucharaklee,** M. albus) und der Acker-H. liefern Volksarzneien und Mottenmittel. **2) Gelber H.,** ein Hornklee.

H'onigkuchen, mit Honig zubereitetes Backwerk, Leb-, Pfefferkuchen.

H'onigmond, die Flitterwochen.

H'onigmotte, →Bienenmotte.

H'onigpalme, *Jubaea spectabilis,* dickstämmige Fiederpalme Chiles mit eßbarem Nußkern *(Coquito).* Der Saft gibt Palmhonig.

Honigpflanzen, Pflanzen, die durch Nektarien in den Blüten, an Blattstengeln oder Nebenblättern, oder durch Blattporen süße Säfte absondern, die von Hautflüglern (Bienen, Hummeln) gesammelt und zu Honig verarbeitet werden. **Honigblatt,** ein zu einem Nektarium umgewandeltes Blüten- oder Staubblatt, z. B. bei Hahnenfußgewächsen. – **Honigblumen** sind nektarhaltige Blüten ohne farbige Hüllblätter, mit klebrigem Pollen (z. B. Blütenkätzchen der Weide).

H'onigpilz, der →Hallimasch.

H'onigsauger, *Nektarinien,* Familie tropisch-afrikan. und -asiat. Singvögel mit farbenprächtigem, schillerndem Gefieder und langem Schnabel, mit dem sie Nektar und kleinste Insekten aus Blüten nehmen. Die Nester hängen als schlanke Beutel von Zweigspitzen herab.

H'onigstein, Mell'it, honiggelbes, fettglänzendes, in Pyramiden kristallisierendes Mineral, chemisch honigsaure Tonerde; in thüringischen und böhmischen Braunkohlenlagern.

H'önigswald, Richard, Philosoph, * Ungar. Altenburg 18. 7. 1875, † New Haven (USA) 11. 6. 1947, Prof. in Breslau und München; Neukantianer.

WERKE. Die Philos. des Altertums (^{2}1924), Denkpsychologie (^{2}1925), Grundfragen der Erkenntnistheorie (1931), Gesch. der Erkenntnistheorie (1933), Systemat. Selbstdarstellung (1933), Philos. und Sprache (1937), Schriften aus dem Nachlaß, 4 Bde. (1957 bis 1961).

H'onigtau, 1) *pflanzlicher H.,* zuckerhalt. Überzug auf Blättern, Blüten, jungen Zweigen. H. kann von den Pflanzen selbst ausgeschieden werden, wenn bestimmte Umweltbedingungen transpirationshemmend wirken; von Getreideblüten wird er nach Befall durch den Erreger des →Mutterkorns abgesondert. **2)** *tierischer H.* aus Ausscheidungen von Blattläusen. Für die Wirtspflanzen der Blattläuse wirkt H. sich bes. durch die folgende Ansiedlung von Rußtaupilzen nachteilig aus.

Honigwein, der →Met.

Honi soit qui mal y pense [ɔni swa ki mal i pãs, franz. ›ein Schelm, wer Arges dabei denkt‹], Wahlspruch des engl. →Hosenbandordens.

Honneurs [ɔnœ:rs, franz.], **1)** Ehrenbezeigungen. **2)** *Karten- und Kegelspiel:* bestimmte Karten (Figuren) oder Kegel, die besonders gelten.

H'onnef (am Rhein), Bad H., Stadt im Rhein-Sieg-Kreis, Nordrhein-Westfalen, (1977) 21 000 Ew., Kurort am Fuß des Siebengebirges, 57–450 m ü.M., höhere Schulen; chem.-pharmazeut. Ind., Konservenfabriken, Transformatorenwerk. Gegenüber von Bad H. liegen die Rheininseln *Nonnenwerth* und *Grafenwerth.*

H'onnefer Modell, in Honnef beschlossenes, 1957–71 verwirklichtes Studentenförderungssystem (→Studium).

Hönningen, Bad H., Stadt im Kr. Neuwied, Rheinl.-Pfalz, am rechten Rheinufer, mit (1977) 5700 Ew., hat Mineralquellen, Thermalschwimmbad.

Honol'ulu, Hauptstadt des Staates Hawaii der USA und Haupthafen der Hawaii-Inseln, mit (1970) 324 900 Ew., malerisch gelegen; 1920 gegr. Universität, Erdbebenwarte, Museum; Maschinenfabriken, Schiffswerften. H. ist Luftverkehrs- und Schifffahrtsknoten im Pazifik. Westlich liegt der Flottenstützpunkt →**Pearl Harbor** mit großen Trockendocks und Großfunkstelle.

honor'abel [lat.], ehrend, ehrbar.

Honor'ar [lat. ›Ehrengeschenk‹], eine Vergütung für Dienstleistungen von Ärzten, Rechtsanwälten, Künstlern usw., entweder auf Grund von Gebührenordnungen, freier Vereinbarung oder Angemessenheit. Das *Autoren-H.* kann als einmalige Vergütung (Pauschal-H.) oder als laufende Gewinnbeteiligung vereinbart werden (Absatz-H.).

Honor'arprofessor [von lat. honor ›Ehre‹], *Professor honorarius,* nebenamtlicher Hochschullehrer, der wegen seiner wissenschaftlichen Leistungen zum H. ernannt und mit einem besonderen Lehrgebiet beauftragt wird.

Honorati'oren [von lat. honoratus ›geehrt‹], angesehene Ortseinwohner.

hon'oris causa [lat.], abgekürzt **h. c.,** ehrenhalber. (→Doktor).

Hon'orius, röm. Kaiser (395–423 n. Chr.), * 9. 9. 384, † 15. 8. 423, jüngerer Sohn Theodosius' I., wurde 395 erster Kaiser des Weström. Reiches; sein Bruder Arkadios erhielt Ostrom.

Hon'orius, H. I., Papst (625–638), † Rom 12. 10. 638, 681 als Häretiker verurteilt (→Monotheleten).

H'onos [lat. ›Ehre‹], altröm. Personifizierung des Kriegsruhms, dargestellt als Jüngling mit Lanze und Füllhorn.

Honourable [ɔ'nərəbl, engl. ›ehrenwert‹], abgek. **Hon.,** Ehrentitel, der bes. den Namen der Mitglieder des engl. Hochadels vorgesetzt wird.

Honschu, Honshu [japan. ›Hauptinsel‹], japan. Insel, →Hondo.

Hont, Mündungsarm der →Schelde.

H'onter(us), eigentlich **Groß,** Johannes,

Reformator der Siebenbürger Sachsen, * Kronstadt 1498, † das. 23. 1. 1549, Gelehrter und Buchdrucker, seit 1544 Stadtpfarrer in Kronstadt. Sein ›Reformationsbüchlein‹ (1542) wurde 1547 zur ›Kirchenordnung aller Deutschen in Siebenbürgen‹.

H'ontheim, Johann Nikolaus von, Weihbischof von Trier, * das. 27. 1. 1701, † Schloß Montquentin (Luxemburg) 2. 9. 1790, vertrat unter dem Decknamen *Justinus Febronius* die bischöfliche Selbständigkeit gegenüber dem Papsttum (→Febronianismus, →Emser Punktation).

H'onthorst, Gerard van, holländ. Maler, * Utrecht 4. 11. 1590, † das. 27. 4. 1656, schloß sich in Rom der Malerei Caravaggios an. Seine Bilder stellen meist Nachtszenen relig. und weltl. Art dar.

Honvéd [h'onve:d, ungar. ›Vaterlandsverteidiger‹], 1848 Freiwilligentruppen in Ungarn, seit 1867 die ungar. Landwehr, 1919 bis 1945 die ganze ungar. Wehrmacht.

Ho-o [japan.], chines. **Feng** [›männl. Phönix‹], Fabelvogel. Sein Erscheinen kündet Glück.

Hooch, Pieter de, holländ. Maler, getauft Rotterdam 20. 12. 1629, † Amsterdam nach 1677, tätig 1655–65 in Delft, später in Amsterdam, malte Bilder aus dem holländ. Bürgerhaus, →Gesellschaftsstücke.

Pieter de Hooch: Mutter und Kind (Amsterdam, Rijksmus.)

Hood [hud], **Mount H.,** 3420 m hoher, gletscherbedeckter Vulkankegel im Kaskadengebirge der USA.

Hood [hud], **1)** Robin, →Robin Hood.

2) Thomas, engl. Dichter, * London 23. 5. 1799, † das. 3. 5. 1845, schrieb die sozialen Gedichte ›The song of the shirt‹ (1843) und ›The bridge of sighs‹ (1845), beide dt. von Freiligrath.

H'oofden [niederländ. ›Häupter‹], südlichster Teil der Nordsee, vor der Straße von Dover.

Hooft, Pieter Corneliszoon, * Amsterdam 16. 3. 1581, † im Haag 21. 5. 1647, Hauptvertreter der niederländ. Renaissancedichtung (Gedichte, Dramen, Lustspiele) und bedeutender niederländ. Geschichtsschreiber des 17. Jahrhunderts.

Hooge, eine der →Halligen.

Hoogen, Matthias, Politiker (CDU), * Straelen/Niederrhein 25. 6. 1904, Jurist, MdB seit 1949, war 1953–64 Vors. des Rechtsausschusses des Bundestags, war nach Vizeadmiral a. D. Heye von Dez. 1964 bis März 1970 Wehrbeauftragter. (Nachfolger: F.-R. Schultz).

Hoogeveen [h'o:ɣəfe:n], Moorkolonie im S der niederländ. Prov. Drente, Industrie und Rosenzucht.

Hooghe [ho:xə], Romeyn de, holländ. Radierer und Plastiker, getauft Amsterdam 10. 9. 1645, begraben Haarlem 15. 6. 1708, stellte in großen Folgen polit. und kriegerische Zeitereignisse dar und veröffentlichte auch polit. Karikaturen.

Hoogli [h'u:gli], **Hooghli,** Mündungsarm des Ganges, →Hugli.

Hoogstraeten [h'o:xstrɑ:tən], **Hochstraten, 1)** Jakob van, Dominikaner, * Hoogstraeten (Brabant) um 1460, † Köln 27. 1. 1527, wirkte seit 1510 als Inquisitor für Köln, Mainz, Trier, wurde in den →Dunkelmännerbriefen verspottet.

2) Samuel van, holländ. Maler, * Dordrecht 2. 8. 1627, † das. 19. 10. 1678, Schüler (um 1642) Rembrandts in Amsterdam, wohnte in Dordrecht, war in Wien, London, Italien und im Haag. Er malte und zeichnete in Rembrandts Art, später schuf er häufig Perspektiv-Bilder.

Hooke [huk], Robert, engl. Naturforscher, * Freshwater (Insel Wight) 18. 7. 1635, † London 3. 3. 1703, Prof. in London, entdeckte das nach ihm benannte **Hookesche Gesetz** (→Elastizität) und verbesserte zahlreiche bereits bekannte Verfahren und Geräte, wobei er immer in Prioritätsstreitigkeiten geriet; mit einem verbesserten Mikroskop entdeckte er (an Kork) den zelligen Aufbau des Pflanzenkörpers.

Hooker [h'ukə], **Mount H., 1)** Berg im Kanad. Felsengebirge, 3200 m hoch. **2)** Berg in der Wind River Range des Felsengebirges der USA, 4113 m hoch.

Hooker [h'ukə], Richard, engl. Theologe, * Hearikee bei Exeter 1553 (1554?), † Bishopsbourne (Kent) 2. 11. 1600, entwickelte eine für die Verfassung der Anglikan. Kirche grundlegende Naturrechtslehre.

Hoorn, Kap H., auch **Kap Horn,** steiles Vorgebirge an der Südspitze Südamerikas, 1616 von dem Niederländer Schouten benannt.

H'oorn, Hoorne, Philipp II. von **Montmorency-Nivelle,** Graf von, * 1524, † (hingerichtet) Brüssel 5. 6. 1568, wurde Kapitän der fläm. Garden des span. Königs, Mitglied des niederländ. Staatsrats, Admiral von Flandern, Statthalter von Geldern und Zütphen. Als Befürworter der Duldsamkeit gegenüber den Protestanten trat er mit →Egmont an die Spitze der Opposition gegen die span. Verwaltung. H. wurde mit Egmont auf Veranlassung →Albas enthauptet.

H'oornik, Eduard, niederländ. Schriftsteller, * Haag 9. 3. 1910, schrieb sozialrealistische und sozialkritische Gedichte.

Hoover [h'u:və], 1) Herbert Clark, amerikan. Politiker (Republikaner), * West Branch (Iowa) 10. 8. 1874, † New York 20. 10. 1964, Bergwerksingenieur, organisierte im 1. Weltkrieg das Quäker-Hilfswerk für Belgien, Deutschland, Österreich, Rußland und Polen, war 1921–28 Handelsminister, 1929–33 der 31. Präsident der USA. Die Weltwirtschaftskrise suchte er vergeblich durch Unterstützung der Landwirtschaft und der Banken zu bekämpfen. Das *Hoover-Moratorium* für die Reparationen verhinderte 1931 den Zusammenbruch der dt. Volkswirtschaft und leitete die Streichung der Reparationen ein. Im und nach dem 2. Weltkrieg führte er Hilfsaktionen in Polen, Griechenland und Deutschland durch. ›The American Road‹, 4 Bde. (1938–49), ›Memoiren‹, 3 Bde. (dt. 1953/54). – Sein Sohn *Herbert Clark H.* (* London 4. 8. 1903), Erdölfachmann, war Aug. 1954–Dez. 1956 stellvertr. Außenminister.

2) J. Edgar, amerikan. Kriminalist, * Washington 1. 1. 1895, † das. 1. 5. 1972, wurde 1934 Leiter des Bundeskriminalamtes der USA, das er zu einer umfassenden Organisation ausbaute.

Hoover-Damm [h'u:və-], früher **Boulder-Damm,** Staudamm im Engtal des Coloradoflusses im SW der USA, 221 m hoch, Stausee 180 km lang; dient der Kraftgewinnung, Bewässerung und dem Hochwasserschutz.

Hope [houp], Anthony, →Hawkins 1).

Hopeh, Hopei [chines. ›nördl. vom Flusse‹ (Huangho)], 1421–1928 **Tschili,** Provinz in China, 195 000 qkm, (1970) 46 Mill. Ew. Hauptstadt Schikiachwang.

H'opfe, Vogelfamilie mit dem →Wiedehopf.

H'opfen [german. Stw.], *Humulus lupulus*, Kletterstaude der Familie Kannabinazeen der nördlichen gemäßigten Zone; Feldfrucht; eine 4–8 m hohe, rechtswindende zweihäusige Schlingpflanze. Der Stengel ist mit Klimmhaaren besetzt. Die männl. Blütenstände bilden rispenartige Trugdolden mit weißlich-grünen Blüten. Kultiviert werden nur weibl. Pflanzen, deren Fruchtstände, Dolden, zur Würze und Haltbarmachung des Bieres verwendet werden. Der wirksame Teil der Dolden ist das in den Lupulindrüsen gebildete *Hopfenmehl* (Lupulin enthaltende Drüsenschuppen), ein grün- bis goldgelbes klebriges Pulver von würzig-bitterem Geschmack. Aus den H.-Reben wird neuerdings eine Faser, die *H.-Wolle* gewonnen. Der H. liebt humusreichen, frischen, lehm- oder mergelhaltigen, warmen Boden. Zur Anlage von *H.-Gärten* benutzt man *Fechser*, aus 3- bis 5jährigen Wurzelstöcken geschnittene Stecklinge. Von den 8–10 wachsenden Trieben *(Reben)* werden 2–3 angebunden, die anderen entfernt und z. T. wie Spargel genutzt *(H.-Spargel)*. Die Aufleitung der H.-Reben geschieht an Steigdrähten, die mit Haken an 5–7 m hohen Laufdrähten befestigt sind. Als Gerüst dienen 7–8 m lange

Hopfen: a *Sproßstück mit männl. Blütenständen,* b *männl. Blüte,* c *Kätzchen des weibl. Blütenstandes,* d *Sproßstück mit Fruchtzapfenständen (Dolden),* e *Schuppenblatt des Fruchtzapfens,* f *Drüsen davon (Hopfenmehl),* g *Stengelstück mit Klimmstacheln (*a *und* d *etwa* $^1/_4$ *nat. Gr.)*

Stangen. Der Qualitätshopfenbau wird bes. in süddt. Ländern betrieben, fast ganz in kleinbäuerl. Spezialkulturen. Die geernteten Hopfendolden werden möglichst auf künstl. Trockenanlagen *(H.-Darre)* bei 30–32° C und guter Durchlüftung gleichmäßig getrocknet. – Der H. war schon Griechen und Römern bekannt. Als Bierwürze wird er in Deutschland seit dem 8. Jh. angebaut.

H'opfen, Hans von (1888), Schriftsteller, * München 3. 1. 1835, † Großlichterfelde 19. 11. 1904, Mitglied des Münchner Dichterkreises; schrieb Romane.

Hopfenblattlaus, Hopfenlaus, *Phorodon humuli*, tritt im Sommer häufig an der Unterseite der Hopfenblätter als Schädling auf und sucht im Spätjahr als Winterwirt Pflaumenarten auf.

H'opfenbuche, *Ostrya carpinifolia*, hainbuchenartiger Laubbaum Südeuropas und des Orients, mit hopfenähnlichen weiblichen Blütenkätzchen.

Hopfenschimmel, echter Mehltau des Hopfens.

Hopfenstange, lange Haltestange für Hopfen.

Hopfenstrauch, →Lederstrauch.

Hopfer, Daniel, Waffenätzer, Radierer, Holzschneider, * Kaufbeuren um 1470, † Augsburg 1536, das. seit 1493 nachweisbar, übertrug das für die Verzierung von Waffen und Rüstungen gebräuchliche Ätzverfahren auf die Graphik. Seine von geätzten Eisenplatten gedruckten Blätter (Eisenradierungen), die in ornamentalen und figürl. Darstellungen italien. und dt. Vorbilder (bes. P. Flötner) selbständig verarbeiten, regten vermutlich andere Künstler zu der neuen Technik der Radierung an.

Hopff, Heinrich, Chemiker, * Kaiserslautern 19. 10. 1896, † Vercorin (Wallis) 16. 7. 1977, war seit 1950 Prof. an der Univ. Mainz, seit 1952 Prof. an der ETH Zürich, 1958 Lavoisier-Medaille.

WERKE. Grundriß der Anorgan. Chemie ([16]1963), Grundriß der Organ. Chemie ([17]1971), Die Polyamide (mit A. Müller u. F. Wenger, 1954).

H'opi, auch **Moki, Moqui,** Stamm der →Pueblo.

H'opje [niederländ. ›Tablette‹], holländisches Sahnebonbon.

H'öpker-'Aschoff, Hermann, Politiker (FDP), * Herford 31. 1. 1883, † Karlsruhe 15. 1. 1954, Jurist, war 1925–31 preuß. Finanzminister und MdR (Dt. Demokrat. Partei); 1946 Finanzminister von Nordrhein-Westfalen, gehörte 1948/49 als Mitgl. der FDP dem Parlamentar. Rat an, 1949 bis 1951 MdB; seit Sept. 1951 Präsident des Bundesverfassungsgerichts.

H'opkins [h'ɔpkinz], **1)** Sir Frederick Gowland, engl. Chemiker, * Eastbourne 20. 6. 1861, † Cambridge 16. 5. 1947, Prof. in Cambridge, entdeckte 1903 das Tryptophan, wies Vitamin A und B in der Milch nach. 1929 erhielt er zusammen mit dem niederländischen Hygieniker Eijkman den Nobelpreis für Medizin.

2) Gerard Manley, engl. Dichter, * Stratford 11. 6. 1844, † Dublin 8. 6. 1889, Jesuit, Seelsorger im Armenviertel von Liverpool, 1884 Prof. in Dublin, war durch sprachl. und rhythmische Experimente um eine Erneuerung der dichter. Sprache bemüht.

WERKE. Gedichte, Schriften, Briefe, übertr. v. F. Kemp und H. Rinn (1954).

3) Harry Lloyd, amerikan. Politiker, * Sioux City (Iowa) 7. 8. 1890, † New York 29. 1. 1946, war 1938–40 Handelsminister, führte danach als enger Vertrauter Roosevelts Sondermissionen in Großbritannien und der Sowjetunion durch.

Hopkinson [h'ɔpkinsn], John, engl. Elektrotechniker, * Manchester 27. 7. 1849, † Schweiz (bei Besteigung der Petite Dent de Veisivi) 27. 8. 1898, Schöpfer der wissensch. Grundlagen für Konstruktion und Berechnung von Generatoren; Erfinder des Dreileitersystems.

H'opkins-Universität, die **Johns Hopkins University** in Baltimore, gegr. 1876 bes. auf Grund der Stiftungen des Bankiers Johns Hopkins (* 1795, † 1873).

H'oepli, Ulrico, * 1847, † 1935, italienischer Buchhändler und Verleger schweizer. Herkunft.

Hopl'it [griech.], altgriech. Schwerbewaffneter.

H'oppe, Marianne, * Rostock 26. 4. 1911, Bühnen- und Filmschauspielerin. Filme: Der Herrscher (1937), Der Schritt vom Wege (1939), Romanze in Moll (1943).

H'oppegarten, Pferderennbahn (für Flach- und Hindernisrennen) 18 km östl. Berlin.

H'oppegartner Husten, →Viruskatarrh der Pferde.

Hoppe-Seyler, Ernst Felix Immanuel, Physiologe und Chemiker, * Freyburg an der Unstrut 26. 12. 1825, † Wasserburg am Bodensee 10. 8. 1895, zuletzt Prof. in Straßburg, schrieb bahnbrechende Arbeiten über Blutfarbstoffe und Eiweißstoffe.

Hoppner, John, engl. Porträtist dt. Herkunft, * London 4. 4. 1758, † das. 23. 1. 1810, war 1793 Hofmaler des Prinzen von Wales.

Hoeppner, Ernst von, preuß. General, * Tonnin (Pommern) 14. 1. 1860, † Großmokratz (Insel Wollin) 25. 9. 1922, im 1. Weltkrieg Generalstabschef der 3., dann der 2. Armee, seit 8. 10. 1916 Kommandierender General der Luftstreitkräfte.

H'opser, Tanz, Sprung, →Ekossaise, →Galopp.

H'ora [von griech. choros ›Reigen‹], rumän. volkstümlicher Reigentanz in weichem, ruhigem Schrittmaß. Eine der ersten Beschreibungen gab M. Opitz in seinem Lehrgedicht ›Zlatna‹ (1623).

h'ora [lat.], Jahreszeit; Stunde. **H. can'onica** [lat. ›kanonische Stunde‹], in der kath. Kirche die vorgeschriebene Gebetsstunde.

H'orand, im Kudrunlied ein Sänger, der durch seine hohe Kunst das Herz der schönen Hilde von Irland für seinen Herrn, den König Hettel von Dänemark, gewinnt.

Hor'arium, Gebetbuch für Laien, Stundenbuch.

Hor'atier, altröm. patrizisches Geschlecht. Nach der Sage sollen 3 H., Drillingsbrüder, unter Tullus Hostilius durch ihren Sieg über die **Curiatier,** auch Drillinge, Rom die Herrschaft über Albalonga gebracht haben. *Publius Horatius Cocles* (»der Einäugige«) wird die Verteidigung der Tiberbrücke gegen den Etrusker Porsenna (507 v. Chr.) zugeschrieben.

Hor'az, lat. Quintus **Horatius** Flaccus, röm. Dichter, * Venusia (Venosa) in Apulien 8. 12. 65 v. Chr. als Sohn eines Freigelassenen, † 27. 11. 8 v. Chr., wurde nach Cäsars Ermordung Militärtribun im Heer des Brutus, schlug sich dann als Schreiber durch, bis Maecenas für ihn sorgte und ihm ein Landgut schenkte. Aus seiner frühesten Schaffenszeit stammen seine beiden Bücher der ›Satiren‹ (etwa 35 und 30 v. Chr.), von ihm ›Sermones‹ (Gespräche) genannt, poetische Plaudereien in Hexametern, sowie ein Band ›Epoden‹. Seine ›Oden‹ (Carmina) knüpften an die alten griech. Meister (Pindar, Archilochos, Sappho, Alkaios) an und wurden dennoch klassische latein. Beispiele für das lyrische Gedicht der Geselligkeit, Liebe, Freundschaft und des Weines sowie für den Hymnus und das Staatsgedicht (Sechs Römeroden, III, 1–6); für die sakrale

Jahrhundertfeier 17 v. Chr. schuf er das ›Carmen Saeculare‹, das offizielle Festlied. Die ›Episteln‹ (Buch I 20 v. Chr., Buch II wohl in den letzten Lebensjahren) sind poetische Briefe; das zweite Buch enthält seine bis heute nachwirkende ›Ars poetica‹.

WERKE. Opera, hg. v. F. Klingner ([3]1959); Omnia opera, erläutert v. A. Kiessling u. R. Heinze, 3 Bde. (1961–64); Sämtliche Werke, lat.-dt., hg. v. H. Färber u. W. Schöne (1964).

LIT. H. Hommel: H. (1950); K. Büchner: H. (1962); E. Fraenkel: H. (1957; dt. 1963); W. Wili: H. und die augusteische Kultur ([2]1966); Wege zu H., hg. v. H. Oppermann (1966).

Horb (am Neckar), Stadt im Kreis Freudenstadt, Baden-Württemberg, mit (1977) 19 200 Ew., 400–436 m ü. M.; höhere Schule, Fachschulen, Heimat-Mus.; Gewerbe- u. Ind.-Betriebe.

H. gehörte seit 1381 zu Vorderösterreich und kam 1805 an Württemberg. Wahrzeichen sind der Schütteturm (1422) und die Stiftskirche.

H'örbereich, der Bereich der mit dem Ohr wahrnehmbaren Schallwellen. Er umfaßt etwa 20 Oktaven, d. h. die Schallschwingungen von etwa 16 Hz bis etwa 20 kHz. Die größte Empfindlichkeit liegt zwischen 1000 und 4000 Hz.

H'örbiger, Hanns, österreich. Ingenieur, * Atzgersdorf (Niederösterr.) 29. 11. 1860, † Mauer b. Wien 11. 10. 1931, vertrat die wissenschaftlich nicht anerkannte Welteislehre. Seine Söhne *Paul H.* (* Budapest 29. 4. 1894) und *Attila H.* (* Budapest 21. 4. 1896) sind Schauspieler beim Film und Theater (Burgtheater). Attila H. ist verheiratet mit Paula Wessely.

Horch, ehem. dt. Kraftwagenmarke. Gründer der *H.-Werke,* die 1932 in der Auto Union GmbH aufgingen, war *A. Horch* (* 1868, † 1951).

H'orchgerät, Horchapparat, Richtungshörer, Unterwasserschallanlage und Gerät zum Auffinden von Flugzeugen bei Nacht und zum Einsteuern der Scheinwerfer; heute durch das Sonargerät und durch Radar ersetzt.

H'orde [aus tatar. urdu ›Lager‹], Gruppe mehrerer Familien mit gemeinschaftl. Lagerplatz, bes. bei den Jäger- und Sammler-Völkern.

Hordem'in [Kw.], ein Alkaloid aus Gerstenkeimen mit blutdrucksteigernder Wirkung.

Hord'eolum [lat.], Augenliderkrankung, →Gerstenkorn.

Hordeum, die Grasgattung →Gerste.

H'oreb, bibl. Berg, →Sinai.

Hore Belisha [hɔːə bəl'iʃə], Leslie, Lord (1954), engl. Politiker, * London 7. 9. 1893, † Reims 16. 2. 1957, Rechtsanwalt, war 1923–31 liberales, 1931–41 national-liberales Unterhausmitgl., 1934–37 Verkehrs-, 1937 bis 1940 Kriegsminister.

H'oren, 1) die griech. Göttinnen der Jahreszeiten; bei Hesiod die drei Göttinnen der Gesetzmäßigkeit, Gerechtigkeit und des Friedens: Eunomia, Dike und Eirene. **Die H.** nannte sich die bedeutendste Zeitschrift der Goethezeit, von Schiller 1795–97 in Cottas Verlag herausgegeben (neugedruckt 1959). **2)** die Gebetszeiten (Teile) des Stundengebets.

H'orgen, Bezirksort im Kanton Zürich, Schweiz, (1970) 15 700 Ew., am linken Ufer des Zürichsees; Weinbau, vielseit. Industrie und Gewerbe.

Hörgerät, Hörapparat, Hörhilfe, ein Hilfsgerät für Schwerhörige, bei dem der von einem Mikrophon aufgenommene Schall verstärkt und durch einen in das Ohr gesteckten Hörer oder ein hinter das Ohr an den Knochen gepreßtes Hörstück übertragen wird. Mikrophon und Verstärker sind in einem Brillenbügel *(Hörbrille)* oder in einem hinter dem Ohr oder unter der Kleidung getragenen Kästchen zusammengefaßt.

H'oria, 1) Hora, Nicolai, rumän. Freiheitsheld, * 1730, † Alba Iulia (Karlsburg) 28. 2. 1785, wurde nach Niederwerfung der gegen den ungar. Adel aufständischen rumän.-siebenbürg. Leibeigenen gerädert.

2) Vintila, rumän. Schriftsteller, * Segarcea 18. 12. 1915, schrieb Lyrik, Essays und Romane (Gott ist im Exil geboren, 1960; dt. 1961); lebt seit 1945 in Argentinien.

H'öriger, in älterer Zeit ein von einer Grundherrschaft dinglich Abhängiger. Die Hörigkeit entstand seit dem 8. Jh. durch Ablösung des Wehrdienstes. Die an die Scholle gebundenen H. (Halbfreien) galten als Zubehör des Bauernguts. Eine noch stärkere Abhängigkeit war die Erbuntertänigkeit. Die letzten Reste der Hörigkeit sind im 19. Jh. mit der Bauernbefreiung beseitigt worden.

H'örigkeit, 1) dingliche Unfreiheit (→Höriger). **2)** *Psychologie:* Abhängigkeit eines Menschen von einem andern, die bis zur Selbstaufgabe des einen Teils geht, bes. als sexuelle Hörigkeit.

Horiz'ont [griech., von horizein ›begrenzen‹], **1) Gesichtskreis, Kimm,** der Kreis um einen Beobachter, der die Erdoberfläche von dem Himmelsgewölbe abzugrenzen scheint *(scheinbarer H.).* Wegen der atmosphär. Strahlenbrechung kann der Beobachter etwas mehr als eine Himmelshalbkugel überblicken. Der so entstehende *natürliche H.* liegt also unterhalb des scheinbaren H. *(Kimmtiefe).* Die Aussichtsweiten sind 27 km bei 50 m, 38 km bei 100 m und 120 km bei 1000 m Erhebung über die Erde. Der *wahre* oder *geozentrische H.* ist die Ebene, die parallel zum scheinbaren H. durch den Erdmittelpunkt geht. *Künstlicher H.* ist eine horizontale, spiegelnde Fläche, die am besten durch eine Schale mit Quecksilber hergestellt werden kann. **2)** *Geologie:* eine durch bestimmte Fossilien gekennzeichnete Schicht.

Horizont'al|ablenkung, *Fernsehen:* die waagerechte Ablenkung des Elektronenstrahls in der Bildröhre des Empfängers und der Abtaströhre des Senders; sie muß in beiden Röhren gleichlaufen. Die Zahl der in der Sekunde abgetasteten Zeilen *(Horizontalfrequenz)* beträgt nach der europäischen Norm mit 625 Zeilen je Bild und 25 Bildern je Sekunde 15625.

Horizont'alpendel, Pendel, das in einer nahezu waagerechten Ebene um eine gegen die Senkrechte nur wenig geneigte Drehachse schwingt, zur Beobachtung von Lotabweichungen und als Seismometer (BILD bei Heronsball, Bd. 8, S. 278).

H'orkheimer, Max, Sozialphilosoph, * Stuttgart 14. 2. 1895, † Nürnberg 7. 7. 1973, wurde 1930 und wieder 1949 Prof. in Frankfurt a. M., 1934 Direktor des Institute of Social Research (New York).

WERKE. Eclipse of Reason (1947), Dialektik d. Aufklärung (mit Th. W. Adorno, 1947). Hg. d. Ztschr. f. Sozialforsch. (1932–39), Studies in Philosophy and Social Science (1940–42), Studies in Prejudice, 5 Bde. (1949/50).

Hormayr, Joseph, Freiherr von, österr. Historiker, * Innsbruck 20. 1. 1782, † München 5. 11. 1848; war seit 1803 Leiter des Wiener Staatsarchivs. Er bereitete im Einverständnis mit Erzherzog Johann den Tiroler Aufstand 1809 vor. H. trat 1828 in bayer. Dienste, seit 1846 Dir. des bayer. Reichsarchivs.

Horm'one [von grch. hormao ›ich rege an‹], im lebenden Organismus gebildete, in kleinsten Mengen wirksame Stoffe, die den Ablauf von Stoffwechselreaktionen quantitativ regelnd steuern. Ist das beim Gesunden herrschende hormonale Gleichgewicht gestört, kommt es zu Stoffwechselentgleisungen mit verschiedensten Krankheitsbildern. Viele H. wirken unabhängig, andere stehen in übergeordneten Wechselbeziehungen zueinander und steuern sich gegenseitig über Rückkoppelungsmechanismen.

H. werden in endokrinen Drüsen (mit innerer Sekretion) gebildet und direkt in die Blutbahn abgegeben, in der sie zum Wirkungsort (Erfolgsorgan) befördert werden, oder sie entstehen in bestimmten Geweben (Gewebshormone).

Die wichtigsten Hormonlieferanten bei Mensch und Wirbeltieren sind: Hoden und Eierstock, Mark und Rinde der Nebenniere, Schilddrüse, Nebenschilddrüsen (Epithelkörperchen), Bauchspeicheldrüse, Hirnanhangdrüse und Mutterkuchen.

Chemisch sind die H. 1) Steroide, 2) Abkömmlinge von Aminosäuren und 3) Eiweißkörper (Peptide und Proteine).

Die meisten Hormondrüsen sind unmittelbar lebensnotwendig, eine besondere, übergeordnete Stellung nimmt die Hirnanhangdrüse ein.

Viele H. konnten durch Isolierung aus den betreffenden Drüsen gewonnen und ihre chem. Strukturen aufgeklärt werden. Fast alle sind heute synthetisch herstellbar. Durch chem. Abwandlung eines Hormonmoleküls werden verstärkte oder ganz neue Wirkungen eines H. erzielt.

Als Arzneimittel finden H. vor allem zur Behebung von Ausfallserscheinungen Verwendung (Substitutionstherapie): z. B. Insulin bei Diabetes (Zuckerkrankheit), Östrogen im Klimakterium, Thyroxin bei Schilddrüsenunterfunktion.

H. kommen nicht nur im Organismus von Mensch und Wirbeltieren vor, man kennt sie auch bei Insekten. Bei Pflanzen spricht man von Phytohormonen (Wuchsstoffen).

Die Lehre von den H. ist die Endokrinologie.

WICHTIGE HORMONE

Schilddrüse: *Thyroxin, Trijodthyronin* (Aminosäureabkömmlinge) regeln Grundumsatz, Wachstum, Entwicklung; *Calcitonin* (Polypeptid), Gegenspieler des Parathormons, regelt den Kalzium- und Phosphatstoffwechsel.

Nebenschilddrüsen (Epithelkörpercben): *Parathormon*, reguliert Kalzium- und Phosphatspiegel des Blutes.

Hoden und Eierstöcke: →Geschlechtshormone, chemisch Steroide, regulieren die Geschlechtsfunktionen.

Nebennieren, Nebennierenrinde: etwa 40 verschiedene Corticosteroide;

1) Mineralocorticoide, wie *Aldosteron*, wirkt auf Wasser- und Mineralhaushalt;

2) Glucocorticoide regulieren bes. den Kohlenhydratstoffwechsel;

3) Androcorticoide beeinflussen weibl. Geschlechtsmerkmale.

Nebennierenmark: *Adrenalin, Arterenol (Nor-Adrenalin)*, Wirkstoffe des sympath. Nervensystems, regeln Kohlenhydratstoffwechsel und Kreislauf.

Langerhanssche Inseln der Bauchspeicheldrüse: *Insulin* und *Glukagon*, Polypeptide, regeln gemeinsam den Zuckerstoffwechsel.

Hirnanhangdrüse, Vorderlappen: *Adrenocorticotropes H. ACTH (Corticotropin)*, regt die Tätigkeit der Nebennierenrinde an; *follikelstimulierendes H. (FSH*, früher *Prolan A)*, reguliert mit dem *zwischenzellstimulierenden H. (ICSH*, früher *Prolan B)* Bildung der Follikel und der Gelbkörper im Eierstock;

Laktationshormon (*Prolactin*, LTH), reguliert die Milchbildung der Brustdrüse;

Wachstumshormon (*Somatotropin*, STH), reguliert den Eiweiß- und Kohlenhydratstoffwechsel;

thyreotropes H. (TSH, Thyreotropin), ein Polypeptid, reguliert die Tätigkeit der Schilddrüse.

Hinterlappen: *Antidiuretisches H. (Adiuretin, Vasopressin)*, regelt den Wasserhaushalt, bewirkt Steigerung des Blutdrucks; *Oxytocin*, ein Polypeptid, regt Uterusmuskulatur zur Kontraktion an.

Horm'onpräparate, Arzneimittel von hormonartiger Wirkung; sie bestehen entweder aus der getrockneten und pulverisierten Tierdrüse, aus gereinigten Drüsenextrakten, aus den aus innersekretor. Drüsen isolierten oder aus künstl. hergestellten reinen Hormonen; auch chem. Verbindungen, die in der Wirkung bestimmten Hormonen entsprechen, rechnen hierzu.

Schilddrüsenhormonpräparate: Anwendung bei Schilddrüsenunterfunktion (z. B. bei Kretinismus, Myxödem) und bei Fettsucht.

Epithelkörperchenhormonpräparate: Anwendung zur Behandlung von zu niedrigem Blutkalziumspiegel, insbes. der Tetanie.

Hodenhormonpräparate (Testosteron): Anwendung u. a. zur Beseitigung von Kastrationsfolgen, bei Erkrankungen der weibl. Geschlechtsorgane.

Eierstockhormonpräparate: Präparate mit östrogener Wirkung werden angewandt bei Unterentwicklung der Geschlechtsorgane, Störungen der Menstruation, Erkrankungen der Wechseljahre u. a.; Gelbkörperhormon dient zur Behandlung der Amenorrhöe und Sterilität; Kombinationspräparate aus Gelbkörperhormonen und Östradiolverbindungen verhindern eine Befruchtung bei tägl. Einnahme, sie sind als antikonzeptionelle Mittel im Handel (Anti-Baby-Pille).

Nebennierenhormonpräparate: Nebennierenrinden-H.: Desoxycorticosteronacetat oder Aldosteron beeinflussen den Mineral- und Wasserhaushalt des Körpers, Cortison und Cortisol wurden durch ihre Abkömmlinge, Prednison, Prednisolon (Dexamethason) u. a., verdrängt; Anwendung bei Ausfallerscheinungen der Nebennierenrinde in der Kreislauf- und Nierenfunktion, ferner bei akutem und chron. Gelenkrheumatismus, bei Hautkrankheiten (Kollagenkrankheiten), bei lymphat. Leukämie, Lymphogranulomatose, schwerem Asthma, Entzündungen am Auge und allerg. Reaktionen.

Bauchspeicheldrüsenhormonpräparate: Die gereinigten und standardisierten Extrakte aus Bauchspeicheldrüsen von Schlachttieren enthalten das Insulin: es wird fast ausschließlich zur Behandlung der Zuckerkrankheit verwendet.

Hirnanhangdrüsenpräparate: Präparate, die die gonadotropen Hormone des Hypophysenvorderlappens oder die gonadotropen Substanzen aus Serum und Schwangerenharn enthalten, haben etwa das gleiche Anwendungsgebiet wie die Keimdrüsenhormone. Von den Hormonen des Hypophysenhinterlappens regt das Oxytocin die Wehentätigkeit an.

Horm'us, Hormuz, Ormuz, Insel an der Küste Irans, in der Straße von H. Auf der Insel lag die im 14. Jh. vom Festland herüberverlegte alte Stadt H., ein führender Handelsplatz, der 1515–1622 portugiesisch war.

Horn [german. Stw.], **1)** →Hörner. **2)** *Chemie:* ein von den Oberhautzellen gebildeter harter Eiweißstoff, der hauptsächlich aus dem stark schwefelhaltigen Keratin besteht. H. ist zäh und elastisch; es läßt sich spanabhebend bearbeiten und in erwärmtem Zustand verformen. Herstellung von Knöpfen, Kämmen, Griffen. **3)** *Musik:* das *Jagd-* oder *Waldhorn*, ital. *Corno*, ist ein Blechblasinstrument aus einer mehrfach kreisförmig gewundenen Messingröhre mit Kesselmundstück, ausladendem Schalltrichter, seit 1830 als *Ventilhorn* mit 3 Ventilen. Der Ton entsteht dadurch, daß der Luftstrom durch die als Membran wirkenden Lippen in schneller, regelmäßiger Folge unterbrochen wird. Die Naturtöne werden durch verstärkte Lippenspannung hervorgebracht, die chromatischen Zwischentöne durch Niederdrücken der Ventile. Das H. ist ein transponierendes Instrument; von den einst zahlreichen Stimmungen sind noch gebräuchlich die F- und B-Stimmung, die beide auch im *Doppelhorn* vereinigt sind. Beim ursprünglichen Naturhorn ohne Ventil mußte man zur Erzielung der Zwischentöne zwischen den Naturtönen stopfen, d. h. die rechte Faust mehr oder weniger tief in den Schalltrichter einführen. 1753 erfand man das *Inventi'onshorn*, bei dem man durch verschied. Einsatzbogen verschied. Stimmungen erhielt.

Horn: Tonumfang. Die ( ) sind nicht vollklingende Pedaltöne; a *Notierung, gleichzeitig Klang des Horns in hoch C;* b *Klang des B-Horns. Horn in tief B klingt eine Oktave tiefer;* c *Klang des F-Horns*

Horn, 1) Kap H., Südspitze Südamerikas, →Hoorn.

2) Vorort von Hamburg, mit dem von Wichern gegr. →Rauhen Haus; Rennbahn.

3) H. in Lippe, seit 1970 **H.-Bad Meinberg,** Stadt im Kr. Lippe, Nordrhein-Westf., am SO-Ende des Teutoburger Waldes, mit (1977) 17 000 Ew.; spätgot. Hallenkirche, Burg, Fachwerkhäuser aus dem 17./18. Jh. Westl. von H. liegen die →Externsteine.

4) Bez.-Stadt in Niederösterreich, im Waldviertel, mit (1973) 36 900 Ew., 6 km südwestl. H. liegt das Benediktinerstift *Altenburg* (gegr. 1144) und 4 km südl. Schloß *Rosenburg* mit einem Turnierhof (1614).

Horn [hurn], **1)** Arvid Bernhard, Graf, schwed. Staatsmann, * Halikko (Finnland) 6. 4. 1664, † Ekebyholm (Uppland) 17. 4.

1742, begleitete Karl XII. nach Polen, setzte 1704 die Absetzung Augusts des Starken als König von Polen durch. Unter Friedrich I. war H. 1720–38 der Leiter der gesamten Politik Schwedens.

2) Gustaf Karlsson (af Björneborg), Graf, schwed. Feldherr, * Örbyhus (Uppland) 22. 10. 1592, † Skara 10. 5. 1657, wurde 1628 Feldmarschall und war seit 1630 in Deutschland. Er wurde (6. 9. 1634) bei Nördlingen gefangengenommen und erst 1642 freigelassen. 1644 führte H. ein Heer nach Schonen und nötigte 1645 die Dänen zum Frieden von Brömsebro.

H'ornavan, 251 qkm großer See in Nord-Schweden, 418 m ü. M., ist mit 221 m der tiefste See Schwedens.

H'ornbaum, Hagebuche, Weißbuche, →Hainbuche.

Hornberg, 1) Stadt im Ortenaukreis, Baden-Württemberg, mit (1977) 5100 Ew., Kurort im Gutachtal des Schwarzwalds, 375 m ü. M. – H. gehörte 1444–1810 zu Württemberg. In einem Gefecht gegen die Villinger 1519 ergaben sich die Hornberger, nachdem sie über 100 Schuß nutzlos verfeuert hatten (Freilichtspiele ›Das Hornberger Schießen‹). **2)** Burg am unteren Neckar, über der Gem. Neckarzimmern, war die Lieblingsburg des Götz von Berlichingen, der hier 1562 starb.

H'ornblatt, Hornkraut, Igellock, Zinken, Wasserzinken, *Ceratophyllum,* Wasserpflanzengattung der Vielfrüchter (Polykarpen) mit langen, gabelig verzweigten Sprossen, die mit Quirlen zerschlitzter Blätter besetzt sind; Aquarienpflanzen.

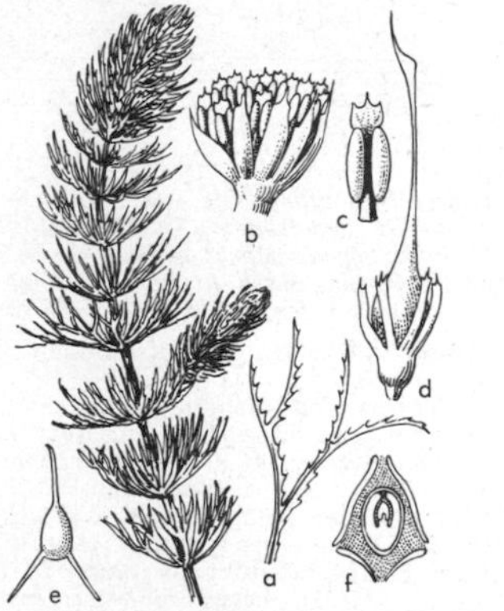

Hornblatt (Ceratophyllum demersum): a *Blatt,* b *männl. Blütenstand,* c *männl. Blüte,* d *weibl. Blüte,* e *Frucht,* f *Fruchtlängsschnitt (Hauptbild etwa ²/₅ nat. Größe)*

H'ornblende, Mineral. **1)** *Hornblenden* nennt man allg. die Amphibole, Kalkmagnesiasilikate mit Tonerde und Eisen von wechselnder Zusammensetzung. **2)** *gemeine H.* ist meist schwarzer, tonerdehaltiger Amphibol.

H'ornblendefels, Amphib'olfels, Amphibol'it, grünschwarze, körnige oder schieferige Gesteine, die neben Hornblende meist noch Feldspat, manchmal auch Quarz, Granat, Chlorit, Pyroxen enthalten.

Hörnchen, *Sciuridae,* Nagetierfamilie mit den echten europ. und amerikan. →Eichhörnchen, den nordamerikan. **Rothörnchen** *(Tamiasciurini),* den afrikan.-asiat. **Borstenhörnchen** *(Funambulini),* den oriental. **Baum-** und **Zwerghörnchen** *(Callosciurini),* den afrikan. **Zieselhörnchen** *(Xerini),* den →Murmeltieren, →Präriehunden, →Zieseln und der Unterfamilie der →Flughörnchen.

Hornchurch [h'ɔ:ntʃə:tʃ], ehem. Stadt in der engl. Gfsch. Essex, wurde 1965 nach London eingemeindet.

H'örnen Siegfried, Hürnen Seyfried, mittelhochdeutsches Gedicht, erzählt Jugendtaten Siegfrieds; nur in Drucken des 16. Jhs. erhalten (um 1527; neu hg., ²1911); Grundlage des Trauerspiels von Hans Sachs und des Volksbuchs vom gehörnten Siegfried (1726).

H'orner, Johann Friedrich, * Zürich 27. 3. 1831, † das. 20. 12. 1886, Augenarzt, Prof. in Zürich; führte die Antiseptik in die Augenheilkunde ein.

H'örner, spitze Gebilde an der Stirn vieler Wiederkäuer; Hohlkegel aus Hornstoff, die auf Knochenzapfen des Stirnbeins aufsitzen, aus deren Hautüberkleidung hervorgehen und meist ohne Abwurf fortwachsen (anders als das →Geweih einschließlich des Gehörns des Rehbocks). Der Zuwachs der H. der Kuh bildet jährlich einen Ringwulst *(Hornring).* Die H. der Nashörner sitzen über den Nasenbeinen auf Lederhautfortsätzen.

H'örnerhaube, Frauenhaube des 15. Jhs., zwei hörnerartige Wülste, zwischen denen ein Schleier auf den Rücken hinabhing (BILD Hauben).

H'örnerschlitten, Schlitten mit hörnerartig hochgezogenen Kufen.

H'ör|nerv, →Ohr.

H'orney, 1) Brigitte, Tochter von 2, * Berlin 29. 3. 1911; Bühnen- und Filmschauspielerin (Befreite Hände, 1939; Das Mädchen von Fanö, 1940).

2) Karen, Psychoanalytikerin, * Hamburg 16. 9. 1885, † New York 4. 12. 1952, war tätig in Berlin, seit 1932 in Chikago und New York. Sie wies besonders auf die sozialen und kulturellen Bedürfnisse des Menschen hin.

WERKE. Neue Wege der Psychoanalyse (dt. 1951), Der neurotische Mensch in unserer Zeit (dt. 1951), Unsere inneren Konflikte (dt. 1954), Prolegomena zu einer medizin. Anthropologie (dt. 1954).

H'ornfasan, *Tragopan,* südasiat. Fasanengattung mit dem *Satyrhuhn.*

H'ornfels, Kornubian'it, dichte, zähe Kontaktgesteine von grauer, bläulich- oder bräunlichschwarzer Farbe, bestehen aus

Glimmer, Quarz, Feldspat, Andalusit, Kordierit.

H'ornfessel, 1) in der Tracht des MA.s breites, schräg über Brust und Rücken getragenes Bandelier. **2)** Schnur, an der das Hifthorn getragen wurde; später ein nur dem hirschgerechten Jäger zustehendes Ehrenzeichen.

H'ornfrosch, Gattung großer, bunter südamerikan. Frösche mit zipfelförm. oberen Lidern und kammartigen Warzenreihen auf Kopf und Rücken.

H'ornhaut, 1) oberste Hautschicht aus verhornten Zellen. **2)** Teil des →Auges.

H'ornhautentzündung, griech. *Keratitis*, Erkrankung des Auges, die durch Bildung undurchsichtiger Narben oft schwere bleibende Störungen des Sehvermögens hinterläßt. Eine oberflächliche Hornhautabschürfung kann durch Eindringen von Eitererregern zum *Hornhautgeschwür* werden und zum Verlust des Auges führen. Anzeichen: Trübung der Hornhaut, meist Rötung des Augapfels, Lichtempfindlichkeit, Tränenfluß.

H'ornhautkegel, griech. *Keratokonus*, durch Verdünnen der Hornhautmitte verursachte, oft doppelseitige Gestaltänderung der Hornhaut, die dann einen abgestumpften Kegel bildet. Folge: starke Kurz- und Stabsichtigkeit (Astigmatismus). Ausgleich nur durch Haftgläser.

H'ornhautübertragung, griech. *Keratoplastik*, das Überpflanzen der Hornhautscheibe vom Auge eines Verstorbenen, z. B. bei Hornhauttrübung.

H'ornhecht, Grünknochen, eßbar. Trughechtfisch an europ. Küsten, mit beim Kochen grün werdenden Knochen.

Hornick, Hörnigk, Philipp Wilhelm von, Nationalökonom, * Frankfurt a. M. 23. 1. 1640, † Passau 23. 10. 1714, stand im Dienst des Fürstbischofs von Passau. H. schrieb: ›Österreich über alles, wenn es nur will‹ (1684), ein Hauptwerk des deutschen Merkantilismus.

H'ornisgrinde, höchste Erhebung des nördl. Schwarzwaldes, 1164 m.

Horn'isse, bis 3½ cm lange Faltenwespe, die in hohlen Bäumen, Mauerspalten, Gebäudenischen ein mehr als kopfgroßes, papierartiges Nest baut. BILD Faltenwespen.

H'ornissen, H'orniggeln, *schweiz.* schlagballähnl. Volksspiel, →Hornussen.

Horn'issenschwärmer, ein Schmetterling, →Glasflügler.

H'ornklee, *Lotus*, kleinstaudige Gattung der Schmetterlingsblüter. Der gelbblütige *gemeine H.* (Schoten-, Gold-, Gelb-, gelber Honig-, gehörnter Steinklee, Frauenschühlein) ist eine wertvolle Futterpflanze trokkener Wiesen; der größere, an den Hülsen viersäumige *Spargelklee* (Spargelerbse, -bohne), wächst auf feuchten Wiesen.

H'ornkorallen, Rindenkorallen, *Gorgonia*, auf dem Meeresgrund festgewachsene achtstrahlige Korallen mit innerer horniger Achse; z. B. die Edelkoralle.

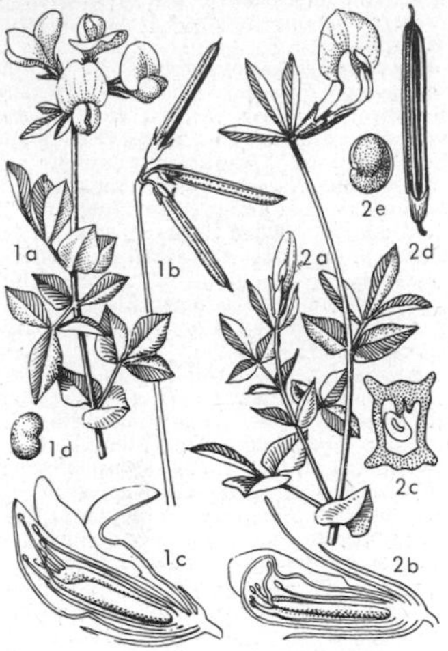

Hornklee: 1a *Lotus corniculatus in Blüte,* 1b *Fruchthülsen,* 1c *Blütenlängsschnitt,* 1d *Samen;* 2a *Lotus siliquosus in Blüte,* 2b *Blütenlängsschnitt,* 2c *Fruchtknotenquerschnitt,* 2d *Hülse,* 2e *Samen* (1a, 1b, 2a *und* 2d *etwa* ²/₅ *nat. Gr.*)

H'ornkraut, 1) *Cerastium*, mierenähnliche, weißblütige Gattung der Nelkengewächse mit hornförmigen, beim Reifen mit Zähnen klaffenden Fruchtkapseln. Das *Ackerhornkraut* (Käseblume, Hühnerdarm) ist auf

Hornkraut (Cerastium arvense): a *Kelchblatt mit häutigem Rand,* b *Blütenblatt,* c *Fruchtknoten,* d *Fruchtlängsschnitt (Hauptbild etwa* ¹/₃ *nat. Gr.)*

trockenerem Grasland der nördlichen gemäßigten Zone häufig. **2)** die Gattung →Hornblatt.

Hornkümmel, →Rittersporn.

Hörnling, *Calocera,* Gatt. der niederen Basidienpilze. Der *klebrige H.* (Calocera viscosa), geweihförmig, dottergelb, 5–8 cm hoch, wächst auf Nadelholzstümpfen.

H'ornmohn, *Glaucium,* Pflanzengattung der Mohngewächse, graugrüne Kräuter mit gelben oder rotgelben Blüten; sommerliche Gartenblumen aus den Mittelmeerländern.

Hornpipe [h'ɔ:npɑip, engl. ›Hornpfeife‹], ein nach dem gleichnamigen Blasinstrument bezeichneter altengl. Volkstanz schottischer Abkunft im $^3/_2$-Takt.

H'ornrabe, Gatt. der →Nashornvögel.

Hornring, →Hörner.

H'örnschapp [dän. Lw.] *das,* ein Eckschrank in der Spätrenaissance, bes. in Niederdeutschland, mit zwei Ansichtsseiten.

H'ornsilber, Chlorargyrit, Kerargyrit, eins der reichsten Silbererze, in regulären, stark glänzenden Kriställchen vorkommend, gelblichgrau bis lichtbräunlich, chemisch Silberchlorid mit 75,27% Silber.

H'ornstein, dichter, unregelmäßig geformter, feinkristalliner Quarz.

H'ornstrauch, Hartriegel, Kornelkirsche, *Cornus,* Pflanzengattung der Familie *Hornstrauchgewächse* (Kornazeen); meist außertrop. Bäume und Sträucher mit gegenständigen Blättern, zwittrigen Blüten und zweisamigen Steinfrüchten. Der *rote H.* (roter Hartriegel, Blutweide, Beinweide, Teufels-, Tintenbeere, Totentraube, C. sanguinea), ein Strauch mit hängenden, rotrindigen Zweigen, weißen bis gelblichen, widerlich riechenden Blütendolden und blauschwarzen, weiß punktierten, kugeligen Früchten, wächst in Auenwäldern. Der *gelbe H.* (Kornelkirsche, Dirlitze, Dürlitze, Herlitze, Kratzbeere, Judenkirsche, Cornus mas), mit

Hornstrauch: Gelber Hornstrauch; a *Blüten-,* b *Fruchtzweig,* c *Blüte,* d *angeschnittene Frucht*

hellgelben, vor den Blättern erscheinenden Blüten in kugeligen Trugdolden, wächst in trockenen Laubgehölzen des wärmeren Europas und in Vorderasien; er ist außerdem Zierstrauch. Das harte, zähe, schwer spaltbare Holz liefert Geräte, Holzkohle, Knotenstöcke (Ziegenhainer). Die scharlach- bis kirschroten, glänzenden, süßsäuerlichen Steinbeeren liefern Beerenobst und in Südosteuropa und im Orient die Limonade Sorbet (Scherbet).

H'orntiere, *Bovidae,* **Hohlhörner,** *Cavicornia,* Gruppe der Paarhufer, zu denen bes. die Rinder gehören.

H'ornung [german. zu altnord. hornungr, altfries. horning ›Bastard‹, ›gekürzter Monat‹], Februar.

H'ornussen, dem Schlagballspiel ähnl. schweizer. Volksspiel zwischen zwei Mannschaften. Der *Hornuß,* eine eiförmige Hartgummischeibe, wird mit einem 2 m langen biegsamen Stecken weggeschlagen. Die Gegenpartei versucht ihn mit den *Schindeln* oder *Schaufeln* (große Holzbretter mit Stiel) abzufangen.

H'ornviper (TAFEL Schlangen II), *Aspis cerastes,* giftige Otter nordafrikan. Sandgebiete mit zwei Kopfhörnchen.

H'ornvögel, die →Nashornvögel.

Höroldt, fälschlich **Herold,** Johann Gregor, Porzellanmaler, * Jena 6. 8. 1696, † Meißen 26. 1. 1775, entwickelte an der Porzellanmanufaktur Meißen viele Farben und Typen der Bemalung. Sein Stil bestimmte über die Mitte des Jhs. hinaus den europ. Porzellandekor.

Horol'ogion [griech.], liturg. Buch der Ostkirche, enthält insbes. die nicht wechselnden Teile des Stundengebets.

Horol'ogium [grch.-lat.], **Pendeluhr,** südl. Sternbild.

Hor'opter [grch. Kw.], die Gesamtheit aller Punkte der Außenwelt, die beim Sehen mit beiden Augen *einfach* gesehen werden, da sie sich auf identischen Netzhautstellen in beiden Augen abbilden; eine von der Augenstellung abhängige Kurve.

Horosk'op [griech.], die auf Ort, Tag und Stunde eines Ereignisses, bes. einer Geburt, berechnete Stellung der Gestirne. In einen aus den 12 Tierkreiszeichen bestehenden Kreis werden Sonne, Mond, Planeten, →Aspekte und →Häuser eingetragen. Ein solches H. wird in der →Astrologie als Grundlage für Charakter- und Schicksalsdeutungen benutzt.

H'orowitz, Wladimir, Pianist, * Kiew 1. 10. 1904, lebt seit 1940 in New York; als Interpret bes. der Werke von Schumann, Liszt, Skrjabin, Rachmaninow bekannt.

Horoztepe, Ruinenhügel bei Erbaa in der nordöstl. Türkei mit benachbartem Friedhof der frühen Bronzezeit. In einem Fürstengrab fand man Bronzegeräte und -figuren aus der Zeit um 2200 v. Chr.

Horrebow-Talcott-Methode [-bout'ɔ:lkət-], ein Verfahren zur Ortsbestimmung mit dem Zenitteleskop. Man mißt mikrometrisch die

Differenz der Zenitdistanzen von zwei Sternen, die in der Nähe des Zenits kurz hintereinander durch den Meridian gehen, der eine nördl., der andere südl. vom Zenit. Diese Differenz, vermehrt um die Summe der Deklinationen beider Sterne, ist gleich der doppelten geograph. Breite.

H'orrem, ehem. Gem. im Kr. Bergheim (Erft), Nordrhein-Westfalen, mit (1973) 8500 Ew., am Fuß der Ville, hat Maschinenindustrie, Quarz-, Ton- und Braunkohlengruben. H. gehört seit 1975 zu Kerpen.

horr'end, horr'ibel [lat.], grausig, schauderhaft, **horribile dictu,** schrecklich zu sagen.

Horribili(s)cr'ibrifax, Hauptgestalt des gleichnamigen Lustspiels von Gryphius, Verkörperung eines prahlerischen, aber feigen Offiziers.

H'ör|rohr, das →Stethoskop.

H'orror [lat.], Grausen, Abscheu. **Horror vacui,** bezeichnet die bis ins 17. Jh. herrschende Vorstellung, daß die Natur vor einem leeren Raum einen Abscheu besitzt und solche Räume mit allen Mitteln und mit aller Kraft auszufüllen sucht.

H'orsa, sagenhafter Führer der Angelsachsen, →Hengist und Horsa.

Hoerschelmann, Fred von, dt. Schriftsteller, * Hapsal (Estland) 16. 11. 1901, † Tübingen 4. 6. 1976, Dramen, Hörspiele.

WERKE. Der Palast der Armen (1956), Der Käfig (1962).

Horschelt, Theodor, Maler und Zeichner, * München 16. 3. 1829, † das. 3. 4. 1871, malte Schlachtenbilder, bes. aus Algerien und Rußland.

H'ör|schwelle, der geringste Schalldruck, der für eine Hörempfindung nötig ist. Sie liegt z. B. für einen Ton von 2000 Hz bei 0,0002 Mikrobar; wird der Schalldruck größer als 100 Mikrobar, empfindet man nur noch Schmerz *(Schmerzschwelle)*.

Hors d'œuvre [ɔ:r dœ:vrə, franz.], Vorspeise, Nebengericht vor der Suppe.

Hörsel, rechter Zufluß der Werra, in Thüringen, entspringt als *Kleine Leina* über Finsterbergen, durchfließt Eisenach und mündet bei Hörschel.

H'örselberge, höhenreicher Muschelkalkzug am rechten Ufer der Hörsel, östl. Eisenach, im **Großen H.** 484 m hoch. Nach der Sage wohnte im Innern Wodans wütendes Heer, Freia, Frau Holle, die Venus, zu der Tannhäuser kommt (»Venusberg«); auch Sitz der Hölle und des Fegefeuers. Vor dem **Hörselloch,** das in eine 22 m lange Höhle führt, sitzt nach dem Volksglauben der getreue Eckart.

H'orsens, Hafenstadt in Ostjütland, Dänemark, mit (1973) 53000 Ew.; Handels- und Industriezentrum.

Horseshoe Fall [h'ɔ:sʃu fɔ:l, engl. ›Hufeisenfall‹], der kanadische Teil der →Niagarafälle.

H'örsing, Otto, Politiker (SPD), * Groß-Schillininken (Ostpr.) 18. 7. 1874, † Berlin 25. 8. 1937, Metallarbeiter, Parteisekretär, 1920–27 Oberpräsident der Prov. Sachsen; gründete mit K. Höltermann 1924 das →Reichsbanner Schwarz-Rot-Gold.

H'örspiel, das eigengesetzliche Wort- und Klangkunstwerk des Rundfunks, das durch zwangsläufigen Verzicht auf Sichtbarkeit eine neue Kunstform darstellt. Das H. kennt nicht das Nebeneinander des Schauplatzes, es kann den Zuhörer nur allmählich durch Wort, Geräusch und Musik »ins Bild« hineinführen. Dafür ist es auch viel weniger als das Schauspiel an Schauplätze gebunden; es kann mit der filmmäßigen Technik des »Ein- und Zurückblendens« Räume und Zeiten überspringen.

LIT. F. Knilli: Das H. (1961); H. Schwitzke: Das H. (1963); E. K. Fischer: Das H. (1964).

Horst, männl. Vorname.

Horst [german. Stw., ›Dickicht‹], **1)** Nest der Raubvögel. **2)** Gebüsch, Strauchwerk, Gehölz, hervortretende größere Waldbaumgruppe. **3)** *Erdgeschichte:* eine zwischen Verwerfungen stehengebliebene Scholle.

Horst, Karl-August, Literaturkritiker, * Darmstadt 10. 8. 1913, † Benediktbeuern 30. 12. 1973.

WERKE. Die dt. Lit. der Gegenwart (1957), Das Spektrum des modernen Romans (1960), Kritischer Führer durch die deutsche Literatur der Gegenwart (1962), Das Abenteuer der dt. Literatur im 20. Jh. (1964).

Horst (an der Emscher), seit 1928 Stadtteil von →Gelsenkirchen.

H'orstsaat, durch →Dibbeln entstandene Saat.

H'ör|stummheit, Sprachstörung, →Stummheit.

Horta ['ɔrtɑ], Distrikthauptort der portugies. Azoreninsel →Fayal, (1970) 4600 Ew.; Kabel- und Funkstation, Flughafen.

Horta, Victor, belg. Architekt, * Gent 6. 1. 1861, † Etterbeek 8. 9. 1947, gehört zu den Erneuerern der belg. Architektur. Bauten: Wohnhaus in der Rue de Turin (1893), Maison du Peuple (1897), beide in Brüssel. Hauptwerk der späteren Zeit: Palais des Beaux-Arts, Brüssel (1928).

Hortense [ɔrtɑ̃s], Königin von Holland, * Paris 10. 4. 1783, † Arenenberg (Thurgau) 5. 10. 1837, Tochter des Generals →Beauharnais und der späteren Kaiserin →Josephine, heiratete 1802 Napoleons I. Bruder →Ludwig Bonaparte. Von ihren ehel. drei Söhnen soll der jüngste, der spätere Napoleon III., einem Liebesverhältnis mit dem holländ. Admiral Verhuel entstammen; außerehelich ist der Herzog von Morny. ›Mémoires‹, 3 Bde. (1927; dt. 1928).

Hort'ensie, *Hydrangea,* strauchartige Gattung der Steinbrechgewächse in Amerika, Ostindien und Ostasien mit gegenständigen Blättern und Scheindolden mit blumenblattfarbigen Kelchblättern; alte Kulturpflanze, aus chines. Gärten zuerst im 18. Jh. in England eingeführt. Manche rotblühenden H. lassen sich in eisenhalt. Moorerde oder durch Alaunsalz blau färben. Blütenstrauch des freien Landes ist der *virginische Wasserstrauch* (H. arborescens). BILD S. 66.

Hortensie (etwa 1/5 nat. Gr.)

Hort'ensius, Quintus H. Hortalus, röm. Redner, * 114, † 50 v. Chr., war 69 Konsul. H. galt als der erste Redner seiner Zeit, bis ihn Cicero überflügelte, dessen Prozeßgegner er häufig war, z. B. im Prozeß des Verres (70). Cicero schrieb ihm in der Einleitung zum ›Brutus‹ einen Nachruf.

H'orthy, Nikolaus **H. von Nagybánya,** ungar. Admiral (1918) und Staatsmann, * Kenderes 18. 6. 1868, † Estoril (bei Lissabon) 9. 2. 1957, wurde 1918 Oberbefehlshaber der österreich.-ungar. Flotte. 1919 bildete er in Szegéd eine Nationalregierung gegen die Räteregierung und wurde am 1. 3. 1920 nach der Einnahme von Budapest Reichsverweser. Im Okt. 1944 leitete er die Waffenstillstandsverhandlungen mit den Alliierten ein, wurde deshalb am 16. 10. 1944 von Hitler zur Abdankung gezwungen und in Oberbayern interniert; ging 1948 nach Portugal.

WERK. Ein Leben für Ungarn (1953; Autobiographie).

H'ortikultur [lat. Kw.], Gärtnerei, Gartenkunst.

Hortol'oge [lat.-griech.], Gartenkundiger.

Hörtraining, Übungen, um bei Schwerhörigen durch Ausnützen des Restgehörs das Verstehen des gesprochenen Wortes zu verbessern. Anfangs muß die Unterscheidung grobcharakteristischer Laute (Trommel, Pfeife, Glocke usw.) geübt werden, später unter Verwendung eines ausgesuchten Wortmaterials das Verstehen von Ein- und Mehrsilben mit verschiedener Anordnung der Vokale oder verschiedener Silbenbetonung, gegebenenfalls nach Anpassen eines Hörgerätes oder nach einer →gehörverbessernden Operation. Zu gleicher Zeit sollte das Absehen von den Lippen erlernt werden.

Hortung, ursprüngl. Besitzanhäufung, hauptsächlich von Metallgeld, ohne daß der »Hort« einer nützlichen Verwendung zugeführt oder wieder ausgegeben wird. Heute ist H. jeder nicht nur vorübergehende Entzug von Zahlungsmitteln aus dem Verkehr ohne nutzbringende Anlage, sofern er über die notwendige Kassenhaltung hinausgeht. H. großen Stils, hervorgerufen durch erhöhte Liquiditätsvorliebe infolge Mißtrauens in die künftige wirtschaftl. Entwicklung, vermindert die wirksame Geldmenge und kann Deflation und Unterbeschäftigung hervorrufen (→Keynes).

H'ortus delici'arum [lat. ›Lustgarten‹], ein Werk der Herrad von Landsperg aus der 2. Hälfte des 12. Jhs., gibt im Rahmen der bibl. Geschichte eine kurze Darstellung alles Wissenswerten. Die Handschrift verbrannte mit der Straßburger Bibliothek (1870). Ihre vielen Miniaturen im roman. Stil der Blüteperiode sind eine wichtige Quelle für Tracht, Bewaffnung und Lebensweise der Zeit.

H'ortus sanit'atis [lat. ›Garten der Gesundheit‹], eins der ältesten Kräuterbücher, das 1485, bei Peter Schöffer in Mainz gedruckt, in deutscher Ausgabe mit 379 Holzschnitten erschien. Verfasser ist der Frankfurter Stadtarzt Joh. Wonnecke von Cube (Caub). 1924 Neudruck in München.

H'oruk, auch **Barbarossa** genannt, erster türk. Herrscher in Algier, * Lesbos um 1473, † Tlemsen 1518, Seeräuber. Der Scheich von Algier rief ihn gegen die Spanier zu Hilfe; H. beseitigte ihn jedoch und eroberte zusammen mit seinem Bruder →Cheireddin Algier. Als ihn die Bewohner von Tlemsen gegen ihren mit Spanien verbündeten Sultan zu Hilfe riefen, überließ er Algier dem Bruder und bemächtigte sich Tlemsens, wo er von den Spaniern angegriffen wurde und fiel.

H'orunger, wilde, alpin geformte Gebirgsgruppe in Jotunheim, südnorweg. Hochgebirge, bis 2404 m.

H'orus, Hor [ägypt.], ägypt. Sonnengott, von den Griechen dem Apollo gleichgesetzt, daher auch *Horap'ollon* genannt. Die spätere ägypt. Göttersage scheidet mehrere Horusgötter: den jungen H., *Harp'okrates,* den Sohn des Osiris und der Isis, den älteren, *Haro'eris,* und den *H. von Edfu,* den man sich als geflügelte Sonnenscheibe dachte. Sonst wurde H. gewöhnlich mit Falkenkopf dargestellt.

LIT. H. Kees: H. und Seth als Götterehepaar, 2 Bde. (1923/24).

Horváth, 1) János (Johann), ungar. Literarhistoriker, * Margitta 24. 6. 1878, † Budapest 9. 3. 1961, Prof. in Budapest.

2) Ödön von, Schriftsteller, * Fiume 9. 12. 1901, † Paris 1. 6. 1938, schrieb gesellschafts- und moralkritische Dramen (Geschichten aus dem Wienerwald, 1931) und satirische Romane.

WERKE. Ges. Werke, 4 Bde. ([2]1972).

Horwitz, Kurt Thomas, Schauspieler und Regisseur, * Neu-Ruppin 21. 12. 1897, † München 14. 2. 1974, war 1919–33 an den Münchener Kammerspielen, dann in Zürich und Basel, 1953–58 Staatsintendant in München, inszenierte die ersten

Stücke von M. Frisch und F. Dürrenmatt.

Horyuji [ho:rju:dʒi, japan.], der älteste buddhist. Tempel Japans, südwestl. von Nara, gegr. 586 von Prinz Shotoku Taishi, vollendet mutmaßlich 607. Das Mitteltor, die fünfstöckige Pagode, die »Goldene Halle« und die Umfriedung stammen wohl aus der Gründungszeit und sind die ältesten Holzbauten der Welt. Das Kloster enthält Holzskulpturen und Wandgemälde, z. T. aus dem 7. und 8. Jh. Die Goldene Halle wurde 1949 durch Brand beschädigt, die Wandgemälde wurden vernichtet.

Hoesch AG, Dortmund, westdt. Stahlkonzern; gegr. 1871, neu gegr. 1952, seit 1959 jetziger Name. 1966 wurde die Dortmund-Hörder Hüttenunion AG übernommen. 1972 schloß sich die H. AG mit der Koninklijke Nederlandsche Hoogovens en Staalfabrieken N. V. Ijmuiden, in der gemeins. Holdingges. ESTEL N. V. Hoesch-Hoogovens, Arnheim, zusammen.

H'ös|chen, Blütenstaubpäckchen an den Hinterbeinen der Bienen.

Horus (Tempel von Edfu)

H'ose [german. ›Hülle‹], **1)** Beinkleid. Die H. ist bereits im 1. Jahrtausend v. Chr. bei den Skythen nachweisbar, ebenso bei Kelten, Galliern, Germanen. In Rom wurde sie während der Kaiserzeit eingeführt.

2) starke Schenkelfedern bei Vögeln. **3)** Muskeln an Ober- und Unterschenkel beim Pferd.

Hos'ea [hebr. ›Rettung‹, ›Hilfe‹], **1)** alttestamentl. Prophet des 8. Jhs. v. Chr. Sein Buch steht an der Spitze der zwölf kleinen Propheten.

2) der letzte König des Reiches Israel (732 bis 724 v. Chr.).

H'osemann, Theodor, Maler und Illustrator, * Brandenburg 24. 9. 1807, † Berlin 15. 10. 1875, schilderte in lithographierten Federzeichnungen und Genrebildern das Berliner Kleinbürgertum.

H'osenbandorden, Orden des blauen Hosenbandes, *hochedler Orden des heiligen Georg,* engl. *The Most Noble Order of the Garter,* der höchste engl. Orden, gestiftet 1348 von Eduard III. Über seine Entstehung erzählen zwei Sagen (vom Strumpfband der Gräfin Salisbury; Zeichen zum Beginn der Schlacht bei Crecy). Zahl der Mitglieder: 25, dazu der König, die Prinzen des Hauses und Sonderritter. Wahlspruch: →Honi soit qui mal y pense. FARBTAFEL Orden I, 12.

H'osenboje, Rettungsgerät für Schiffbrüchige.

Hosenrock, Modeschöpfung von P. Poiret (Paris, 1912).

H'osenrolle, *Theater:* die von einer Frau gespielte Männerrolle.

Hosi'anna, lat. **Hos'anna** [hebr. hoschana ›gib doch Heil‹], der aus Ps. 118, 25 entnommene Willkommgruß beim Einzug Jesu in Jerusalem (Mark. 11, 9ff.). Das H. ist in den christl. Gottesdienst übernommen worden.

H'osios Lukas [grch. ›ehrwürdiger L.‹], griech. Kloster in Stiris (Phokis), an den Ausläufern des Helikon, gegr. im 10. Jh., mit zwei Kreuzkuppelkirchen aus dem 11. Jh., die zu den hervorragendsten Zeugen der mittelbyzantin. Baukunst gehören.

H'osius, Stanislaus, Kardinal (seit 1561), * Krakau 5. 5. 1504, † Capranica bei Rom 5. 8. 1579, Großpönitentiar in Rom, ein bedeutender Vertreter der kath. Reform.

Hospit'al [von lat. hospitalis ›gastfreundlich‹], die mittelalterl. Vorform der Krankenhäuser, Pflegehäuser, Altersheime. Das H. ist aus dem altkirchl. **Xenodochium** entstanden, einem Heim für Fremde, das als selbständiges kirchl. Institut organisiert war. Das mittelalterl. H. war hingegen zunächst mit einem Kloster oder Stift verbunden oder wurde von einer der vielen Genossenschaften von →Hospitalitern betrieben. Mit dem Wachstum der Städte trat daneben immer stärker das zwar im kirchl. Sinn geleitete, aber vermögensrechtlich und verwaltungsmäßig weltliche **Bürgerspital.** Das mittelalterl. H. hat sich bis ins 19. Jh. gehalten.

Hospital'ismus, die unbeabsichtigten Nebenwirkungen des Krankenhausaufenthalts; bes. Infektionen *(Hospitalkrankheiten),* deren Erreger durch Luft, Staub, Gebrauchsgegenstände im Krankenhaus und durch das Krankenhauspersonal als Träger resistenter Keime (→Resistenz) übertragen werden. Als H. waren früher z. B. *Hospitalbrand* (→Noma), eine durch Bakterien verursachte Geschwürkrankheit, und *Kindbettfieber* (→Wochenbettfieber) verbreitet. Gegenwärtig treten als Erreger von H. u. a. bestimmte, gegen Antibiotica widerstandsfähige Eiterbakterien (Staphylokokken) auf. H. nennt man auch die seelischen Folgen längeren Krankenhausaufenthalts und die psych. Verfassung von Kindern, die in Heimen aufgezogen werden. Bei ihnen machen sich häufig Entwicklungsstörungen und -rückstände bemerkbar (verspätete Ausbildung der körperl. und geist. Fähigkeiten, Kontaktarmut). Diese Schäden werden auf eine unzureichende emotionale Zuwendung seitens der Pflegepersonen zurückgeführt (Deprivations- und Frustrationserscheinungen). Eine Untersuchung von 1400 Anstaltskindern im Elsaß durch Mathis (1950) ergab, daß 75% seelisch und intellektuell gestört waren. Spitz beobachtete bei Heimkindern, die infolge der Überbelastung des Pflegepersonals außer der körperl. Pflege keinen Kontakt hatten, am Ende des vierten Lebensjahres einen Entwicklungsrückstand von 2–3 Jahren. Bei einer Kontrollgruppe in einem anderen Heim, wo die Kinder von ihren Müttern versorgt werden konnten, war die Entwicklung völlig normal. Zu ähnlichen Ergebnissen kam auch Gindl: die altersangemessenen Kindertests (Bühler-Hetzer) wurden von nur 47% der Anstaltskinder gelöst, aber von 94% der Pflegekinder in fremden Familien.

Den Erscheinungen des H. sucht man neuerdings durch Unterbringung einer begrenzten Kinderzahl verschiedenen Alters und beiderlei Geschlechts in Hausgemeinschaften (Kinderdörfer) zu begegnen.

Hospital'iter, Klostergenossenschaften, die sich vor allem dem Dienst in Hospitälern widmen. Bekannt waren der Ritterorden der Johanniter, die bürgerl. Orden der Antoniusbrüder, der H. (Hospitalorden) vom hl. Johannes von Gott (→Barmherzige Brüder) und der H. vom Heiligen Geist. Zahlreich waren auch die weibl. *Hospitaliterinnen* (z.B. die Zellitinnen).

Hospit'ant [lat.], Gast, Zuhörer, z. B. beim Unterricht.

Hosp'iz [lat. von hospes ›Gast‹] *das,* **1)** von Mönchen in unwegsamen Gegenden oder an vielbesuchten Wallfahrtskirchen errichtete Übernachtungsstätte. **2)** gemeinnütziger evangel. Gasthof (Hotel), meist von der Inneren Mission errichtet *(Christliches H.).*

Hospod'ar, Gospod'ar [slaw. ›Herr‹, griech. despotes], Titel der ehemaligen Fürsten der Moldau und Walachei.

H'osta, Pflanzengattung, →Funkie.

Hostess [h'oustis, engl.], Angestellte einer Verkehrsgesellschaft oder Kurverwaltung zur Betreuung von Gästen.

H'ostie [lat. hostia ›Opfer‹] *die,* das bei der kath. Meßfeier und Kommunion sowie beim Abendmahl in der luth. Kirche gebrauchte ungesäuerte Brot, eine scheibenförmige Oblate.

host'il [lat.], feindselig.

H'öswurz *die,* mitteleurop. Orchideen mit hosenähnl. Doppelknolle, z. B. Gattung *Gymnadenia.*

Hot [engl. ›heiß‹], besonderer Rhythmus der Jazzmusik; seit dem New-Orleans-Stil gebraucht.

Hotei [-te, japan. ›Leinwand-Sack‹], chines. **Pu-tai,** einer der japan. Sieben Glücksgötter (Shichi-Fukujin); soll Anfang des 6. Jhs. in China als buddhist. Wandermönch gelebt haben. H. gilt als Kinderfreund. Dargestellt wird er mit nacktem Bauch und einem Leinwandsack auf dem Rücken.

Hotei (Tuschzeichnung von Kano Masanobu)

Hot'el [franz.], **1)** Gaststätte für Unterkunft und Verpflegung, vor allem eine größere Gaststätte gehobener Art, die neuzeitlichen Ansprüchen genügt. *Vollhotels* geben Verpflegung auch an Passanten ab, *Hotelpensionen* verpflegen nur Hotelgäste; das *H. garni* gibt nur Frühstück. Es gibt Jahresbetriebe und Saisonbetriebe. In *Passantenbetrieben* wechseln die Gäste häufig. In neuerer Zeit haben sich Sonderarten entwickelt: *Sport-H., Motel* (für Autofahrer), *Ferien-H.* (einzelne Häuschen und ein Zentralbau in parkartigem Gelände). Den H. ähnlich sind die ständig bewirtschafteten *Hütten* im Gebirge. Spitzenorganisation des H.-Gewerbes in Dtl. ist der *Dt. H.- und Gaststättenverband,* Bad Godesberg (gegr. 1949). **2)** † Adelshaus in der Stadt, besonders im 17. Jh. in Frankreich.

Hoetger, Bernhard, Bildhauer und Baumeister, * Hörde (Westf.) 4. 5. 1874, † Interlaken (Schweiz) 18. 7. 1949, schuf Aktfiguren und Porträts; 1911 in die Darmstädter Künstlerkolonie berufen; seit 1919 in Worpswede.

Hot'in, Chotin, Stadt in der Ukraine, Sowjetunion, auf einer Hochfläche über dem Dnjestr, 107 m ü. M., mit (1963) 15000 Ew.; Lederindustrie. H. war eine bes. in den Türkenkriegen viel umkämpfte Festung, kam 1812 an Rußland, gehörte 1918 bis 1945 zu Rumänien.

hot money [hɔt m'ʌni, engl. ›heißes Geld‹], die sehr umfangreichen internationalen kurzfristigen Kredite (schätzungsweise etwa 100 Mrd. sfrs.), die Anfang der dreißiger Jahre schon auf Gerüchte hin von einem Lande nach dem anderen transferiert wurden, um sie vor Abwertungen zu bewahren. Durch diese Kapitalflucht wurden gleichzeitig sämtliche europäischen Devisenmärkte desorganisiert und allein schon dadurch neue Abwertungen verursacht.

Ho Tschi Min, Ho Chi Minh [vietnam. ›der Erleuchtete‹], eigentl. *Nguyen That Thanh*, vietnames. Politiker (Kommunist), * Kim-Lien in der Prov. Nghe An 19. 5. 1890, † Hanoi 3. 9. 1969, seit 1923 in Moskau, danach Agitator in China, gründete 1930 die indochines. KP, 1941 den →Vietmin, wurde nach Ausbruch des Kriegs in Indochina (1946) Chef der Kommunist. Gegenregierung, 1954 Präs. von Nord-Vietnam. H. war wegen der von ihm praktizierten »dialekt. Freiheit« in der Anwendung der revolutionären Theorie einer der konsequentesten Vertreter marxistisch-leninist. Politik.

Hot Springs [engl. ›heiße Quellen‹], **1)** Thermalbad in Arkansas, USA, mit (1970) 35600 Ew. In der Umgebung *Hot Springs National Park*. **2)** Badeort in den Alleghenies von Virginia, USA. Auf der **Konferenz von H. S.** (3. 5.–3. 6. 1943) berieten die Verein. Nationen über die Organisation der Ernährung nach dem Kriege.

Hottent'otten [holländ. hotentots ›die Stotterer‹], eigener Name **Khoi-Khoin** [›Menschen‹], in Stämme gegliederte, rassisch gemischte Völkerfamilie in SW- und S-Afrika. Von den 4 großen, aus Buschmann- und Hamitenelementen bestehenden Sprachgruppen sind rein nur die *Nama* (etwa 40000) übriggeblieben; die übrigen *(Kap-H., Ost-H., Korana)* sind aufgerieben oder bastardiert. In den Rassenmerkmalen ähneln die H. in vielem den →Buschmännern. Hauptsächlich sind sie Viehzüchter.

Hottent'ottenbrot, eine Yamswurzel.

Hottent'ottenfeige, Frucht einer Mittagsblume.

Hottent'ottenschürze, eine bei Hottentotten- und Buschmannfrauen häufig zu beobachtende Verlängerung der kleinen Schamlippen.

Hotter, Hans, Opern- und Konzertsänger, * Offenbach 19. 1. 1909, kam 1937 nach Engagements in Breslau, Prag und Hamburg als Heldenbariton an die Staatsoper München; Gastspiele u. a. in Bayreuth und Salzburg; auch Opernregisseur.

H'ottinger, Johann Heinrich, * Zürich 10. 3. 1620, † das. 5. 6. 1667, Orientalist, protestant. Kirchenhistoriker und Theologe.

Hott'onia, Pflanzengattung, →Wasserfeder.

Hötzendorf, →Conrad von Hötzendorf.

H'otzenwald, Granithochfläche des Südschwarzwaldes. Das **Hotzenhaus** ist eine Abart des Schwarzwälder Bauernhauses.

Hoetzsch, Otto, Historiker und Politiker, * Leipzig 14. 2. 1876, † Berlin 27. 8. 1946, wurde 1906 Prof. in Posen, 1920 in Berlin (1935 zwangsweise emeritiert). 1920–30 MdR (Deutschnationale Volkspartei). Als Gegner Hugenbergs trat er 1930 aus der Partei aus. Er war 1913 Mitgründer der »Deutschen Gesellschaft zum Studium Rußlands« (später »Osteuropas«).

Houbraken [h'ɔu-], Arnold, niederländ. Kunstschriftsteller, Maler, Radierer, * Dordrecht 28. 3. 1660, † Amsterdam 14. 10. 1719, ist bes. durch sein Quellenwerk über die niederländ. Maler bekannt. Sein Sohn *Jakob H.* (* 1698, † 1780) war Kupferstecher.

Houckgeest [h'ɔukɣe:st], Gerard, holländ. Maler, * Haag um 1600, † Bergen op Zoom Aug. 1661, meist in Delft tätig, malte Innenansichten holländ., bes. Delfter Kirchen.

Houdar(t) de La Motte [uda:r də la mɔt], →La Motte-Houdar(t).

Houdon [udɔ̃], Jean-Antoine, französ. Bildhauer, * Versailles 20. 3. 1741, † Paris 15. 7. 1828, schuf Bildwerke im Stil des ausgehenden Barock und des Klassizismus, doch von realistischer Durchführung (BILD Voltaire).

Houel [uɛl], Jean Pierre, franz. Maler, Graphiker und Schriftsteller, * Rouen Juni 1735, † Paris 14. 11. 1813, malte Landschaften von Paris, Rom und den Loire-Ufern.

Houghton [h'ɔ:tn, h'autn], William Stanley, engl. Dramatiker, * Ashton-upon-Mersey 22. 2. 1881, † Manchester 11. 12. 1913, schrieb realist. Problemdramen um den Konflikt der Generationen u. Geschlechter.

Houghton-le-Spring [h'outn lə spriŋ], Stadt in der Grafschaft Tyne and Wear, England, mit (1971) 32 700 Ew.; Kohlengruben, Kalksteinbrüche.

Hougue [u:g], **la H.,** Bucht im NW der französ. Halbinsel Cotentin. 29. 5. 1692 Seesieg der Engländer und Holländer unter Lord Russell über die Franzosen unter Tourville.

Hounslow [h'aunzlou], 1965 nach London eingemeindete Stadt (vorher Gfsch. Middlesex), war 1784 der Ausgangspunkt der trigonometrischen Vermessung Englands.

Houphouet-Boigny [ufue bw'aɲi], Félix, afrikan. Politiker, * Elfenbeinküste 18. 10. 1905, Arzt, 1957–59 französ. Minister; seit 1960 Staatspräs. der Republik Elfenbeinküste, leitete 1962 die Annäherung zwischen den Casablanca-Staaten und der Monrovia-Gruppe ein.

Houppelande [uplɑ̃d, frz. nach dem südschott. Bergland ›Uplands‹] *die*, **1)** langer, gegürteter Überrock mit Schleppe, vorn, hinten und seitlich hoch geschlitzt, mit langen, weiten Ärmeln. Erstmals 1365 bei engl. Truppen im Elsaß beobachtet, war die H. bis um 1450 Staatskleid in Burgund, Frankreich, den Niederlanden; TAFEL Mode I, 10. **2)** Bauernkittel der Franz. Revolution. **3)** weiter Übermantel.

Hourdissteine [urdi-, franz.], **Hourdisziegel, Hourdisplatten,** Ziegelhohlplatten für Massivdecken von 6, 7 und 10 cm Höhe, 20 bis 25 cm Breite, 50 bis 100 cm Länge, an den

Enden gerade oder unter 60° schräg geschnitten.

house [haus, engl.], Haus. **H. of Commons** [-k'ɔmənz], das Unterhaus, **H. of Lords** [lɔ:dz], das Oberhaus, **H. of Representatives** [rəpriz'entətivz], die 2. Kammer des Kongresses in den USA.

House [haus], Edward Mandell, amerikan. Politiker, * Houston (Texas) 26. 7. 1856, † New York 28. 3. 1938, als »Oberst H.« enger Mitarbeiter Wilsons, war Unterhändler für den Waffenstillstand und führte die Vorarbeiten für den Völkerbund durch. Auf der Pariser Konferenz brach er mit Wilson, da er die enge Bindung der USA an den Völkerbund nicht billigte.

Housman [h'ausmən], **1)** Alfred Edward, engl. Dichter, * Bromsgrove (Worcestershire) 26. 3. 1859, † Cambridge 30. 4. 1936, Prof. der klass. Philologie.

2) Laurence, engl. Dichter, Bruder von 1), * Bromsgrove (Worcestershire) 18. 7. 1865, † Bath 20. 2. 1959, schrieb Lyrik unter dem Einfluß von Blake und der Präraffaeliten, Märchen, Chronikendramen, an das mittelalterliche Drama anknüpfende Franziskus-Spiele.

Houssay [us'ai], Bernardo Alberto, argentin. Physiologe, * Buenos Aires 10. 4. 1887, † das. 21. 9. 1971; arbeitete bes. über innere Sekretion; erkannte die Bedeutung des Hypophysenvorderlappens für den Zuckerstoffwechsel; Nobelpreis 1947.

Houston [hu:stən], Stadt in Texas, USA, mit Vororten (1975) 2,3 Mill. Ew., die bedeutendste Hafenstadt an der amerikan. Golfküste, Mittelpunkt des reichsten Baumwollgebiets der USA, hat chem. Großindustrie (Grundlage: Erdöl, Erdgas), Hochöfen, Walzwerke, Raffinerien. H. ist auch Ausbildungszentrum für Astronauten.

Houtin [utɛ̃], Albert, ein Führer des franz. →Modernismus, * La Flèche 4. 10. 1867, † Paris 30. 7. 1926, war bis 1912 kath. Geistlicher.

Houtman [h'aut-], Cornelis de, holländ. Seefahrer, * Gouda um 1540, † (ermordet) Atjeh (Sumatra) 1. 9. 1599, führte 1595/96 die erste holländ. Handelsexpedition nach Ostindien.

Houwald [hu:-], Christoph Ernst, Freiherr von, Schriftsteller, * Straupitz (Niederlausitz) 29. 11. 1778, † Neuhaus bei Lübben 28. 1. 1845, ein Hauptvertr. der romant. Schicksalstragödie. – Sämtl. Werke (5 Bde., 1851).

Hove [houv], Stadt in der engl. Gfsch. East Sussex, (1971) 72 700 Ew.; Seebad.

Hoveida, Amit Abbas, iran. Politiker, * Teheran 1919, war 1942–58 Außen-, 1964/1965 Finanz-Min.; 1965–77 MinPräs.

H'owa, H'ova, →Madegassen.

Hövelhof, Gem. im Kr. Paderborn, Nordrhein-Westf., mit (1977) 11 600 Ew.

Howald, Ernst, Altphilologe, * Bern 20. 4. 1887, † Ermatingen (Bodensee) 8. 1. 1967, war 1918–52 Prof. in Zürich.

Howaldtswerke – Dt. Werft AG, Hamburg und Kiel, Schiffswerft und Maschinenfabrik, 1968 entstanden aus dem Zusammenschluß der *Dt. Werft AG* (als Betriebsführungsgesellschaft), der *Howaldtswerke Hamburg AG* und der *Kieler Howaldtswerke AG* (1973 geschlossen). Die Howaldtswerke, gegr. 1838 in Kiel, wurden, da die Kieler Werft 1939 Kriegsmarinewerft wurde, nach Hamburg verlegt; seit 1937 im Reichs-, nach 1945 Bundesbesitz, 1953 Trennung der Betriebe.

Howard [h'auəd], engl. Adelsgeschlecht, aus dem die Herzöge von →Norfolk stammen, ferner →Katharina H., die fünfte Gemahlin Heinrichs VIII.

Howard [h'auəd], John, engl. Philantrop, * Hackney (England) 2. 9. 1726, † Cherson (Krim) 20. 1. 1790 auf einer Reise zur Erforschung und Bekämpfung der Pest. H. leitete mit seinen Schriften u. a. die moderne Gefängnisfürsorge ein.

Howard University [h'auəd juniv'ə:siti], Universität in Washington, gegr. 1867, soll »Negern und überhaupt allen ohne Berücksichtigung der Rasse und Konfession höhere allgem. Bildung und die Möglichkeit des Fachstudiums geben«.

Howe [hau], Elias, amerikan. Mechaniker, * Spencer (Mass.) 9. 7. 1819, † Brooklyn (N.Y.) 3. 10. 1867, baute 1845 die erste brauchbare Nähmaschine (Doppelsteppstich-Nähmaschine).

H'owea, Fiederpalmengatt., →Kentie.

Howells [h'auəlz], William Dean, amerikan. Schriftsteller, * Martin's Ferry (Ohio) 1. 3. 1837, † New York 11. 5. 1920, war 1861 bis 1865 Konsul in Venedig, 1871–81 Herausgeber des Atlantic Monthly und 1900–20 Kritiker für Harper's Magazine.

Howesche Träger, Fachwerkbinder mit Druckschrägen und Zugvertikalen. Bei Ausführung des Trägers aus Holz bestehen die Vertikalen aus Rundstahl mit beiderseitigen Muttern, die zum Ausgleich des Schwindens nachgezogen werden können.

Hoxha [h'odʒa], Enver, alban. Politiker (Komm.), * Kortscha 16. 10. 1908, Lehrer, gründete die »Arbeiterpartei« und 1942 die »Befreiungsarmee«, mit der er 1943–45 das Land besetzte; 1946–54 MinPräs., 1954 Erster Sekr. des ZK der »Partei der Arbeit«.

Höxter, Kreisstadt im RegBez. Detmold, Nordrh.-Westf., (1977) 32 900 Ew., an der Weser; hat Gymnasien, staatl. Ing.-Schule für Hoch- und Tiefbau, Heimatmuseum; Klinik f. biophysikal. Therapie; Gummifäden-, Papier-, Nagel-, Polstermöbelfabrik, Holzind. – H. gehörte bis 1803 zum Kloster →Corvey; im MA. Mitglied der Hanse.

Hoy [hɔi], zweitgrößte der Orkney-Inseln Schottlands, 21 km lang, 11 km breit, im Ward-Hill 477 m hoch, hat im N und NW Kliffküste mit isolierten Sandsteinfelsen *(Old Man of H.)*.

Hoya, Pflanzengattung, →Wachsblume.

Hoya, Grafschaft H., ehem. (bis 1977) Landkreis in Niedersachsen. – Die Gfsch. fiel 1582 an die welf. Herzöge von Lüneburg.

Höyanger [h'øi-], junger Industrieort am

Sogne-Fjord, S-Norwegen, mit (1970) 5300 Ew. H. hat Aluminiumherstellung; Wasserkraftwerk.

Hoyersw'erda, Kreisstadt im Bez. Cottbus, an der Schwarzen Elster, mit (1974) 62800 Ew., hat als Wohngebiet der Arbeiter des Braunkohle-Kombinats →Schwarze Pumpe eine städtebauliche Umgestaltung von der kleinen Kreisstadt zu einer »sozialistischen Wohnstadt« erfahren. H. gilt als Muster des Städtebaus in der DDR. Die Einwohnerzahl ist seit 1946 (7300 Ew.) stark gestiegen.

Hoylake [h'ɔileik], Seebad in Mittelengland, mit (1971) 32 200 Ew., an der Mündung des Dee in die Irische See.

h. p., früher HP, Abkürzung für englisch horse-power, Pferdestärke, 1 h. p. = 1,014 PS = 745,7 Watt.

Hrab'anus Maurus, Benediktiner, * Mainz um 780, † das. 4. 2. 856, war 822–842 Abt von Fulda und seit 847 Erzbischof von Mainz; verdient um die Verbreitung der gelehrten Bildung auf dt. Boden und um die Hebung des Kloster- und Schulwesens (›De institutione clericorum‹). Seliggesprochen; Tag: 4. 2. – Monumenta Germaniae, Poetae latini, Bd. 2 (1884) und Epistolae, Bd. 5 (1899).

Hr'adec Králové [-dɛts kr'a:lɔve], tschech. Name von Königgrätz.

Hr'adschin *der,* Burg und Stadtteil in →Prag.

H. R. H., Abk. für His (Her) Royal →Highness.

Hrolf Krake, ein vielleicht geschichtl. Dänenkönig zu Anfang des 6. Jhs., dessen Name und Taten durch die nordgerman.-engl. Heldendichtung, vor allem durch Saxo Grammaticus bekannt geworden sind.

Hr'omadka, Josef, tschech. ref. Theologe, * Hodslavice (Mähren) 8. 6. 1889, † Prag 26. 12. 1969, 1920–39 Prof. in Prag, 1939–47 im Princeton Theological Seminary, seit 1947 wieder Prof. in Prag, seit 1948 Mitgl. des Zentral-, seit 1954 auch des Exekutivausschusses des Ökumenischen Rates, seit 1961 Vors. der »Christl. Friedenskonferenz«. Er gehörte zu den 6 Vizepräsidenten des Reformierten Weltbundes und zu den leitenden Persönlichkeiten des Weltfriedensrates. Seine Forderungen an die Christen, die Solidarität mit den Kommunisten zu verwirklichen, hat bei vielen Widerspruch hervorgerufen.

Hron, slowak. Name des Flusses →Gran.

Hrosw'itha, Hrothsvitha, Dichterin, →Roswitha.

Hrozny [hr'ɔzni:], Friedrich (Bedřich), tschech. Keilschriftforscher, * Lissa an der Elbe 6. 5. 1879, † Prag 12. 12. 1952, Prof. in Wien und Prag, erkannte den indogerman. Charakter des Hethitischen, war 1924/25 an den Ausgrabungen am Kültepe beteiligt.

Hrubín, František, tschech. Lyriker, * Prag 17. 9. 1910, † Ceske Budejovice (Budweis) 1. 3. 1971, verbindet den Mythos von Dädalos und Ikaros mit Visionen des atomaren Zeitalters in der Dichtung ›Die Verwandlung‹ (1958), schrieb Kinderbücher und das Drama ›Ein Sonntag im August‹ (1958).

H'rvatska, Hravatsko, serbokroat. Name von →Kroatien.

Hsia-Dynastie, sagenhafte chines. Dynastie, etwa 1800–1500 v. Chr.

Hsia Kuei, →Hia Kuei.

Hsi-Hsia, Reich der →Tanguten, 1032 bis 1227 n. Chr.

Hu, oberägypt. Dorf, in dessen Nähe ein bedeutender vorgeschichtl. Friedhof und die Ruinen von Diospolis parva, der Hauptstadt des 7. oberägypt. Gaues, aus ptolemäisch-röm. Zeit liegen.

Huachipato, das größte Stahlwerk an der südamerikan. Westküste, in der Nähe von Concepción, Chile.

Huaiho, Fluß im S der Nordchines. Tiefebene, mündet in das äußere Gelbe Meer, 1000 km lang. Bei seinem Austritt aus dem Huaigebirge wird der Piho, südl. Nebenfluß des Huaiho, im *Futselin-Stauwerk* (73 m hoch, 500 m lang) zu einem See von 23 qkm mit 508 Mill. cbm Fassungsvermögen gestaut.

Huai-nan-tse, literar. Name des Liu An, 164–122 v. Chr. König von Huai-nan. Unter seiner Fürsorge wurde eine größere, noch erhaltene Sammlung taoistischer Texte zusammengestellt.

Huaka, Huaca [u'aka], bei den Peruanern jeder heilige oder außergewöhnliche Gegenstand (Tempel, Gräber, Mumien, hohe Berge usw.).

Huallaga [uaλ'aga], Nebenfluß des Marañon in den Anden NO-Perus, etwa 1200 km lang.

Huallat'iri [uaλa-], tätiger Vulkan in der chilen.-bolivian. Grenzkordillere, 6060 m hoch.

Hu'ambo, →Nova Lisbôa.

Huan'ako, Kamel-Art, →Lama.

Huancavelica [uankavɛl'ika], Hauptstadt der Prov. H., Peru, 3798 m ü. M., (1972) 15 900 Ew.

Huancayo [uank-], Provinzhauptstadt in Peru, 3260 m ü. M., (1972) 115 700 Ew.

Huanghai, →Gelbes Meer.

Huangho, Hoangho, Hwangho [chines. ›Gelber Fluß‹] *der,* zweitgrößter Strom Chinas, 4875 km lang. Er entspringt im Kunlungebirge, 4500 m ü. M., fließt durch das nordöstl. Tibet, später durch die chines. Prov. Kansu, im Mittellauf in einem engen Nord-Süd-Cañon durch das nordchines. Bergland, im Unterlauf durch die chines. Tiefebene und mündet in den Golf von Tschili. Seine gefährlichen Überschwemmungen und mehrfachen großen Laufverlegungen (seit 602 v. Chr. mehr als sieben; die letzte um 1852) brachten ihm den Namen »Chinas Kummer seit den ältesten Zeiten« ein. Durch den Löß erhält er seine gelbe Farbe.

Huang-ti, einer der chines. »Urkaiser«, nach späteren Geschichtskonstruktionen Ahnherr fast aller altchines. Sippen und Erfinder staatlicher Einrichtungen.

Huánuco [u'a-], Hauptstadt der Prov. H. in Peru, 1812 m ü. M., (1972) 41 100 Ew.; Bergwerke, Obstbau.

Huaráz [uar'as], Provinzhauptstadt in Peru, mit (1972) 29 700 Ew.; Bergbau.

Hu'ari|takelung, eine Jachttakelung, bei der das dreieckige Großsegel an einer Rahe bis zum Topp gehißt wird.

Huascarán [uaskar'an], **Nevado de H., Huascán,** vergletscherter Doppelgipfel in der peruan. Westkordillere, 6768 und 6655 m hoch.

Huaxt'eken [uaʃ-], mittelamerik. Indianerstamm der Maya-Gruppe, rund 50000, mit altertüml. Maya-Mundart; Ackerbauer, Weber, Töpfer.

Huay'ule, Pflanze →Guayule.

Hub, 1) Strecke oder Möglichkeit einer Hebebewegung. 2) bei Kolbenmaschinen der Weg, den der Kolben während eines Hin- oder Herganges zurücklegt. **Hubraum,** der vom Kolben einer Verbrennungskraftmaschine bei einem Hub verdrängte Raum.

Hubalek, Claus, Schriftsteller, Dramaturg, * Berlin 18. 3. 1926; Dramen (Der Hauptmann und sein Held, 1956; Stalingrad, 1962), Hörspiele.

Hubay [h'ubɔj], Jenö, **H. von Szalatna,** ungar. Violinvirtuose, * Budapest 15. 9 1858, † das. 12. 3. 1937. H.s Streichquartett genoß Weltruf.

Hubble [h'ʌbl], Edwin Powell, amerikan. Astronom, * Marshfield (Mo.) 20. 11. 1889, † San Marino (Cal.) 28. 9. 1953, seit 1919 am Mt.-Wilson-Observatorium, arbeitete über kosmische Nebel und Sternsysteme.

Hubble-Effekt, die von E. Hubble entdeckte Rotverschiebung der Spektrallinien von weit entfernten Spiralnebeln, deren Betrag der Entfernung des Nebels proportional ist. Der Proportionalitätsfaktor, die *Hubble-Konstante* α, ist 75 km/sec pro 10^6 Parsec. Der H. wird als Doppler-Effekt gedeutet, und somit als Ausdruck einer radial gerichteten *Fluchtbewegung der Spiralnebel.*

H'uber, 1) Ernst Rudolf, Staatsrechtslehrer, * Idar-Oberstein 8. 6. 1903, Prof. in Kiel, Leipzig, Straßburg, Freiburg, Wilhelmshaven, seit 1962 Göttingen.

WERKE. Wirtschaftsverwaltungsrecht, 2 Bde. (²1953/54), Deutsche Verfassungsgeschichte seit 1789, 3 Bde. (1957ff.).

2) Eugen, schweizer. Rechtslehrer, * Stammheim (Kanton Zürich) 13. 7. 1849, † Bern 23. 4. 1923, Prof. in Basel, Halle und Bern. Das Schweizerische Zivilgesetzbuch ist im wesentlichen seine Schöpfung.

WERK. System und Geschichte des schweizer. Privatrechtes, 4 Bde. (1886–93).

3) Hans, schweizer. Komponist, * Eppenberg 28. 6. 1852, † Locarno 25. 12. 1921, knüpfte an Schumann und Brahms an. – Opern, Oratorien, 8 Sinfonien, 4 Klavierkonzerte, zahlreiche Kammermusikwerke, Messen, Chorwerke, Klavierstücke, Lieder.

4) Kurt, Musikwissenschaftler und Philosoph, * Chur 24. 10. 1893, † (hingerichtet) München 13. 7. 1943, verdient um die Erforschung des deutschen Volkslieds, seit 1942 geistiger Mittelpunkt einer student. Widerstandsgruppe in München, vom Volksgerichtshof zusammen mit den Geschwistern Scholl zum Tode verurteilt.

WERKE. Leibniz (1951); Ästhetik (1954); Musikästhetik (1954).

LIT. K. H. zum Gedächtnis (1947; mit Schriftenverzeichnis).

5) Ludwig Ferdinand, Schriftsteller, * Paris 14. 12. 1764, † Ulm 24. 12. 1804; veröffentlichte ›Erzählungen‹ (3 Bde., 1801/02) und bearbeitete franz. Stücke.

6) Max, schweizer. Völkerrechtler, * Zürich 28. 12. 1874, † das. 1. 1. 1960, war 1925 bis 1927 Präsident des Ständigen Internat. Gerichtshofs im Haag, 1928–44 Präs. des Internat. Komitees vom Roten Kreuz.

WERKE. Die soziologischen Grundlagen des Völkerrechts (1910; ²1928), Staatenpolitik und Evangelium (1923; auch franz. und holländ.). Vermischte Schriften, 4 Bde. (1947–57).

7) Therese, Erzählerin, * Göttingen 7. 5. 1764, † Augsburg 15. 6. 1829, Tochter von Ch. G. Heyne, in erster Ehe (1784) mit Georg Forster vermählt, nach dessen Tod verheiratet mit 5), schrieb Romane und Erzählungen.

8) Victor Aimé, Literarhistoriker und Sozialpolitiker, * Stuttgart 10. 3. 1800, † Nöschenrode 19. 7. 1869, Sohn von 5), Prof. in Rostock, Marburg, Berlin; trat zur Lösung der Arbeiterfrage für die Einführung der Genossenschaften nach engl. Vorbild ein.

9) Wolf, Maler, * Feldkirch (?) um 1485, † Passau 3. 6. 1553, dort bischöfl. Hofmaler, neben Altdorfer der bedeutendste Meister der →Donauschule, schuf Altartafeln, Porträts und Landschaftszeichnungen.

WERKE. St. Annenaltar in der Pfarrkirche zu Feldkirch, 1515–21 (Beweinung Christi, ebd.; 8 Flügelbilder, Sammlung Bührle, als Leihgabe in Wien, Kunsthistor. Museum); Flucht nach Ägypten, 1525–30 (Berlin, Staatl. Museen).

Huber, Hans H. Verlag (1927), Bern, Stuttgart; Medizin, Psychologie.

Hubert [ahd. Hugbert ›Geistesglänzender‹], männl. Vorname.

Hub'ertus, Bischof von Lüttich (seit etwa 705), † Tervueren 30. 5. 727, Schutzpatron der Jäger (seit dem 11. Jh.), ist nach der Legende während einer Jagd am Feiertag durch das Erscheinen eines Hirsches mit goldenem Kreuz zwischen dem Geweih zur Buße geführt worden. Heiliger; Tag: 3. 11. *(Hubertustag)*, an dem noch heute *Hubertusjagden* abgehalten werden.

Hub'ertusburg, ehemaliges kurfürstl. Jagdschloß bei Oschatz in Sachsen. Der **Friede von H.** vom 15. 2. 1763 zwischen Preußen, Österreich und Sachsen beendete den →Siebenjährigen Krieg.

Hub'ertuskraut, ein →Barbarakraut.

Hub'ertusorden, Sankt-Hubertus-Orden, 1444–1919 ältester und höchster bayer. Orden.

H'ubkarren, Hand- oder Elektrokarren mit heb- und senkbarem Lastträger zum Unterfahren und Aufnehmen von Lasten.

H'ubkolbenpumpe, Hubpumpe, eine einfachwirkende stehende Kolbenpumpe, hat ein Druckventil im Kolben und ein Saugventil im Gehäuse. H. werden verwendet als *Schwengelpumpen* und als *Bohrlochpumpen*.

H'ubli-Dh'arwar, Stadt im Staat Maisur, Indien, auf dem Hochplateau des Dekkan, mit (1971) 379 600 Ew.; Textil- und chem. Industrie.

Hubmaier, Balthasar, ein Hauptführer der Wiedertäufer in Süddtl. und Mähren, * Friedberg b. Augsburg um 1485, † (als Ketzer verbrannt) Wien 10. 3. 1528.

Hübner, 1) Bruno, Schauspieler und Regisseur, * Langenbruck 26. 8. 1899, seit 1946 vor allem an Münchener Bühnen.

2) Julius, Maler, * Öls in Schlesien 27. 1. 1806, † Loschwitz 7. 11. 1882, ging mit seinem Lehrer Schadow 1826 nach Düsseldorf; er gehört zu den Begründern der dortigen Historienmalerei; Porträts.

3) Ulrich, Maler, Enkel von 2), * Berlin 17. 6. 1872, † Neubabelsberg 30. 4. 1932, malte bes. impressionist. Hafen- und Küstenbilder.

Hubraum, →Hub.

Hübscher, Arthur, Philosoph, * Köln 3. 1. 1897, seit 1936 Präs. der Schopenhauer-Ges.

WERKE. Der junge Schopenhauer (1938), Hölderlins späte Hymnen (1942), Philosophen der Gegenwart (1949), Schopenhauer – Ein Lebensbild (²1949), Die große Weissagung (1952), Denker unserer Zeit, 2 Bde. (Bd. 1: ²1957, Bd. 2: ²1961), Von Hegel zu Heidegger (1961), Leben mit Schopenhauer (1966). – Krit. Ausgaben der Werke (²1946 bis 1951), Briefe (1933, 1942), Gespräche (1933) u. d. Nachlaß (1966ff.) Schopenhauers.

H'ubschrauber, Helik'opter, ein Drehflügelflugzeug, das seinen Auf- und Vortrieb durch eine oder mehrere Hubschrauben erhält und zum Vorwärtsflug keine Treibschraube benötigt im Gegensatz zum *Tragschrauber (Autogiro)*. Eine *Hubschraube (Rotor)* hat 2 bis 6 schmale Flügelblätter, die gelenkig in einer Nabe gelagert sind. Sie läuft um eine senkrechte (oder nahezu senkrechte) Achse mit mäßiger Drehzahl um. Je nach Anstellwinkel der Flügelblätter und Änderung der Achsstellung können H. auf der Stelle schweben, senkrecht steigen oder sinken, schräg oder waagerecht fliegen. Die Hubschrauben sind über dem Rumpf angeordnet. Zum Hubschraubenantrieb dienen ein Motor, eine Gasturbine, ein Staustrahltriebwerk, Raketen oder Druckluftdüsen an den Flügelblattenden. Beim *mehrrotorigen H.* lassen sich Bewegungen um die Quer- oder Längsachse durch Änderung des Auftriebes einer der Hubschrauben hervorbringen (TAFEL Flugzeug V).

H'ucbald, Hugbaldus, * um 840, † wahrscheinlich 20. 6. 931; Mönch von Elnon sur la Scarpe, dem späteren St-Amand (Nordfrankreich), später Lehrer zu Reims, seit 900 wieder in Elnon. Er schrieb Heiligenleben, Heiligenoffizien und über Musik.

Huch, 1) Felix, Bruder von 2), Vetter von 3), Schriftsteller, * Braunschweig 6. 9. 1880, † Tutzing 6. 7. 1952, schrieb biograph. Romane.

2) Friedrich, Schriftsteller, Bruder von 1), * Braunschweig 19. 6. 1873, † München 12. 5. 1913.

WERKE. Romane: Peter Michel (1901), Geschwister (1903), Wandlungen (1905), Mao (1907), Pitt und Fox (1909), Enzio (1911). Sonstiges: Träume (1904), Drei groteske Komödien (Tristan-, Lohengrin-, Holländer-Travestien, 1914), Neue Träume (1912). – Ges. Werke, 4 Bde., m. Einl. v. Thomas Mann (1925).

3) Ricarda, Schriftstellerin, * Braunschweig 18. 7. 1864, † Schönberg im Taunus 17. 11. 1947, promovierte in Zürich, war dann dort kurze Zeit an der Stadtbibliothek tätig, danach Lehrerin in Bremen, heiratete 1898 in Wien den ital. Zahnarzt Ceconi, 1906, nach Scheidung, ihren Vetter, den Rechtsanwalt *Richard H.*, lebte in München, Berlin und Jena. 1933 trat sie aus der Preuß. Akademie der Künste aus. Ricarda H. ist Hauptvertreterin der neuromant. Literatur in Lyrik und Prosa. Ihre Gedichte spiegeln die Schwermut um Tod und Vergänglichkeit. Von ihren frühen Romanen voller Phantasie und lyrischem Subjektivismus führt der Weg sie in die objektive Welt der Geschichte. Höhepunkt bildet die großartige Darstellung des Dreißigjähr. Krieges in einzelnen Szenen und Bildern (Der große Krieg in Deutschland, 1912–14), die R. H. auch als Historikerin von Rang ausweist. Wichtig für die Wiederentdeckung der Romantik und Überwindung des Naturalismus wurde ihre geschichtl. Darstellung der romant. Bewegung (Die Romantik, 1899).

WERKE. Lyrik: Gedichte (1891–94), Neue Gedichte (1907), Ges. Gedichte (1929), Herbstfeuer (1944). Romane u. Erzählungen: Erinnerungen von Ludolf Ursleu dem Jüngeren (1893), Fra Celeste (1899), Aus der Triumphgasse (1901), Vita somnium breve (1902, 1946 u. d. T.: Michael Unger), Von den Königen und der Krone (1903), Seifenblasen (1905), Die Geschichten von Garibaldi, 2 Bde. (unvoll., 1906/07), Der letzte Sommer (1910), Das Leben des Grafen Federigo Confalonieri (1910), Der große Krieg in Deutschland, 3 Bde. (1912–14, 1937 u. d. T.: Der Dreißigjähr. Krieg), Der Fall Deruga (1917), Der wiederkehrende Christus (1926), Weiße Nächte (1943), Der falsche Großvater (1947). Geschichtliches u. Abhandlungen: Die Romantik, 2 Bde. (1899, 1902), Das Risorgimento (1908), Natur und Geist (1914), Luthers Glaube (1916), Der Sinn der Hl. Schrift (1919), Entpersönlichung (1921), Michael Bakunin (1923), Frh. v. Stein (1925), Im alten Reich, Lebensbilder dt. Städte, 3 Bde. (1927–34), Alte und neue Götter (1930, 1944 u. d. T.:

1848. Die Revolution des 19. Jhs. in Deutschland), Dt. Geschichte, 3 Bde. (1934–49), Quellen des Lebens (1935), Urphänomene (1946), Gesamtausg., 10 Bde. (1966 ff.).

LIT. L. L. Alsen: Die geistl. Werke R. H.s (1964); H. Baumgarten: R. H. (1964); I. Seidel: R. H. (1964).

4) Rudolf, Schriftsteller, Bruder von 3), * Porto Alegre (Brasilien) 28. 2. 1862, † Bad Harzburg 13. 1. 1943, Rechtsanwalt, bekämpfte den Naturalismus (Mehr Goethe, 1899); satirisch-humorist. Darsteller des Kleinstadtbürgertums.

WERKE. Die beiden Ritterhelm (1908), Die Familie Hellmann (1909), Wilhelm Brinkmeyers Abenteuer (1911).

Huchel, Peter, Lyriker, * Lichterfelde 3. 4. 1903, war 1948–62 Chefredakteur der in Ost-Berlin ersch. Zeitschrift ›Sinn und Form‹. Seit 1971 lebt H. in der BRD.

WERKE. Gedichte (1948, 1950), Chausseen, Chausseen (1963), Die Sternenreuse. Gedichte 1925–1947 (1967).

H'uchen [südd.], **Donaulachs, Rotfisch,** ein bis 1,20 m langer, bis 50 kg schwerer Lachsfisch der Donau und ihrer Nebenflüsse.

Huchow, chines. Stadt, →Hutschou.

Huckbindung, →Gerstenkornbindung.

Hückel, Erich, dt. Physiker, * Berlin 9. 8. 1896, Prof. für theoret. Physik in Marburg; erhielt für seine Arbeiten zur Theorie der organ.-chem. Bindung, bes. der ungesättigten und aromat., den Otto-Hahn-Preis für Chemie und Physik 1965.

H'ückelhoven, Stadt im Kreis Heinsberg, Nordrhein-Westfalen, mit (1977) 35 000 Ew.; Steinkohlenbergbau, Schuh-, Textil-, Betonwaren- u. a. Industrie.

Huckepackverkehr, die Beförderung von beladenen Fahrzeugen auf anderen Fahrzeugen (z. B. Auto auf Eisenbahn).

H'ückeswagen, Stadt im Oberbergischen Kreis, Nordrhein-Westf., mit (1977) 14 000 Ew., westl. von der Bevertalsperre, 250 bis 360 m ü. M. Werkzeugind.; ehemal. Schloß (13.–17. Jh.).

Huddersfield [h'ʌdəzfi: ld], Stadt in West Yorkshire, England, (1971) 131 000 Ew.

H'ude, Gem. im Kreis Oldenburg, Niedersachsen, (1977) 11 700 Ew.; Kirchenruine eines 1538 zerstörten Zisterzienserklosters.

Hudson [h'ʌdsn], **1)** Henry, engl. Seefahrer, * in England um 1550, † 1611, unternahm 1607 und 1608 Reisen zur Entdeckung einer nordwestl. Durchfahrt; fand 1609 am amerikan. Festland die Mündung des nach ihm benannten Flusses H. Seine letzte Reise trat er 1610 an; hierbei erreichte er die nach ihm benannte Hudsonstraße und die Hudsonbai. 1611 wurde er von meuternden Matrosen in einem Boot ausgesetzt und blieb verschollen.

2) Thomas, engl. Maler, * Devonshire 1701, † Twickenham 26. 1. 1779, lernte bei seinem Schwiegervater Jonathan Richardson d. Ä. und wurde ein beliebter Porträtist.

3) William Henry, engl. Schriftsteller, * Buenos Aires 4. 8. 1841, † London 18. 8. 1922, schilderte bes. die Welt der südamerikan. Pampas.

Hudson [h'ʌdsn; nach Henry Hudson], Fluß in den USA, 492 km lang, entsteht aus Binnenseen in den Adirondacks und mündet bei New York in den Atlantik. Er ist durch den Eriekanal mit dem Eriesee und durch den Oswegokanal mit dem Ontariosee verbunden.

Hudsonbai [h'ʌdsnbei], neuerdings auch **Hudsonmeer,** Kanada, ist mit der Jamesbai im S, dem Foxe-Becken im N und der zum Atlantik führenden Hudsonstraße im NO ein Teil des Arkt. Mittelmeers; mittlere Tiefe um 130 m; Einzugsgebiet: fast alle kanad. Provinzen; Hauptzufluß Nelson. Vereisung: November bis Mai.

Hudson Bay Company [h'ʌdsnbei-], engl. Handelsgesellschaft, die 1670 vom engl. König Karl II. Handels- und Hoheitsrechte in den Gebieten um die Hudsonbai erhielt. Sie dehnte ihren Machtbereich über das westl. Hinterland Kanadas aus. 1870 kaufte ihr Kanada die Hoheitsrechte ab.

Hudsonland [h'ʌdsn-], ein mittlerer Teil Ostgrönlands, 1608 von H. Hudson erreicht.

Hudsonstraße [h'ʌdsn-], etwa 820 km lange, bis 120 km breite Meeresstraße im nordöstl. Nordamerika, zwischen Baffinland und Labrador, verbindet die Hudsonbai mit dem Atlant. Ozean. Die H. wurde 1517 von S. Cabot entdeckt.

H'ué, Stadt in Süd-Vietnam, mit (1971) 209 200 Ew., 12 km vom Meer entfernt; mauerumschlossene Altstadt mit Palästen der ehem. Kaiser von Annam; Erzbischofssitz; Reishandel.

Hueber, Max H. Verlag, München: Fremdsprachen.

Hueck [hu:k], Karl Alfred, Jurist, * Lüdenscheid (Westf.) 7. 7. 1889, † München 11. 8. 1975, Prof. in Jena und München.

WERKE. Recht der Wertpapiere ([10]1967), Lb. des Arbeitsrechts (m. H. C. Nipperdey, 2 Bde., [7]1963/66), Das Recht der offenen Handelsgesellschaft ([4]1971), Gesellschaftsrecht ([16]1972).

Huehueten'ango [uɛuɛ-], Hauptstadt des Dep. H. in Guatemala, 1890 m ü. M., mit (1972) 12 600 Ew.; Mittelpunkt eines Bergbaugebietes (Silber, Blei, Kupfer).

Huelva [u'ɛlva], Hauptstadt und Hafen der Prov. H., Spanien, an der Mündung des Odiel, (1971) 96 700 Ew.; Ausfuhr von Kupfer, Mangan, Eisenerzen, Wein, Öl, Südfrüchten.

Huemul [u'ɛmul, chilen.], ein →Gabelhirsch.

Huerta [u'ɛr-, ›Garten‹], in Spanien eine gut bewässerte Landschaft mit Gärten in der Umgegend großer Städte, z. B. die H. von Valencia.

Huerta [u'ɛrta], **1)** Vicente Antonio **García de la,** span. Dichter und Kritiker, * Zafra (Badajoz) 9. 3. 1734, † Madrid 12. 3. 1787, war als Übersetzer wie mit seiner Tragödie ›Raquel‹ (1778, Stoff der ›Jüdin von Toledo‹) ein Vorkämpfer des Klassizismus.

2) Victoriano, mexikan. General indian. Herkunft, * Colotlán (Jalisco) 23. 12. 1854, † El Paso 13. 1. 1916, vertrieb Febr. 1913 den Präs. Madero und regierte diktatorisch; wurde Juli 1914 von Carranza und Obregon gestürzt.

Huesca [u'ɛska], Hauptstadt der Prov. H. in Aragonien, Spanien, (1970) 33 200 Ew., hat Museum, Theater, Kathedrale (15. Jh.). Im Spanischen Bürgerkrieg 1936–38 wurde H. stark beschädigt. – H., das röm. *Osca*, wurde im 8. Jh. von den Mauren erobert, war dann vorübergehend die Hauptstadt des Königreichs Aragonien.

Huet [ye:], **1)** Paul, franz. Landschaftsmaler, * Paris 3. 10. 1803, † das. 9. 1. 1869, Schüler von Gros und Guérin.

2) Pierre Daniel, lat. **Huetius,** franz. Philosoph, * Caën 8. 2. 1630, † Paris 26. 1. 1721, konvertierte und wurde 1676 Priester; Lehrer des Dauphin; gab mit Bossuet Klassikerausgaben ad usum Delphini heraus (→Dauphin). Literaturgeschichtlich bemerkenswert ist sein ›Essai sur l'origine des romans‹ (1670; Neudr. dt.-franz. 1966).

Huf [german. Stw.], **1)** das von der *Hornkapsel* (*Hornschuh*, bestehend aus Hornwand, Hornsohle und Hornstrahl) überzogene Gliedmaßenende der Huftiere, das sich aus der Kralle (Nagel) entwickelt hat.

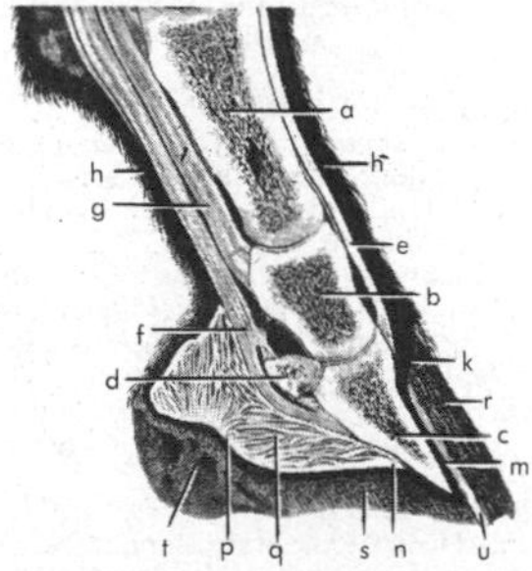

Huf I: Längsschnitt durch die Zehe des Pferdes; a *Fesselbein*, b *Kronbein*, c *Hufbein*, d *Strahlbein*, e *Strecksehne*, f *Hufbeinbeugesehne*, g *Kronbeinbeugesehne*, h *äußere Haut*, k *Kronenlederhaut*, m *Wandlederhaut*, n *Sohlenlederhaut*, p *Strahllederhaut*, q *Strahlkissen*, r *Hornwand*, s *Hornsohle*, t *Hornstrahl*, u *weiße Linie*

Die knöcherne Grundlage ist das *Hufbein*, nach hinten durch die elastischen *Hufknorpel* verlängert, zwischen denen das keilförmige *Strahlpolster (Strahlkissen)* liegt; ihre gelenkige Verbindung ist das *Hufgelenk*. Die *Huflederhaut* (mit Fleischsohle und -wand), die Hufknorpel, Strahlpolster und Hufbein überzieht, ist die Bildungsstätte des *Hufhornes*. Sie dient der Befestigung der Hornkapsel am Hufbein. Der vordere Teil der Hornwand heißt *Zehe*, der seitliche *Seitenwand* und der hintere *Tracht*.

2) *Geometrie:* von einem Kegel oder Zylinder und je einer zur Achse senkrechten und einer zur Achse schiefen Ebene umschlossener Raumteil oder Körper.

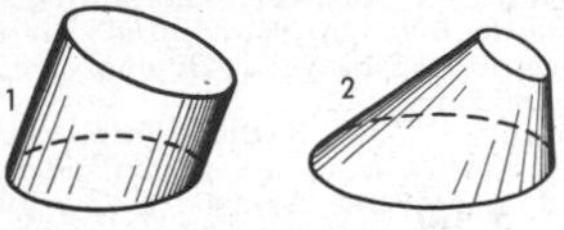

Huf II: 1 *eines Zylinders*, 2 *eines Kegels*

H'ufbeschlag, beim Rind **Klauenbeschlag,** das Versehen der Hufe mit Hufeisen (Klaueneisen), um die übermäßige Abnutzung auf hartem Boden zu verhüten, kranke Hufe zu heilen und fehlerhafte Hufstellungen auszugleichen.

H'ufblatt, Pflanze, →Huflattich.

H'ufe [ahd. huoba], in der frühmittelalterl. Grundbesitzverfassung der Anteil der einzelnen Bauernfamilie an der Gemeindeflur, meist 30–60 Morgen. Durch spätere Teilungen der H. entstanden neben den *Vollbauern (Hüfnern)* die *Halbbauern (Halbhüfner)*. Auf die H. wurde vielfach eine Steuer erhoben, der *Hufenschoß*.

Hufe, früheres deutsches Feldmaß (rd. 1702 a).

H'uf|eisen, ein Eisenring, der hinten offen und dem Tragrand des Hufes angepaßt ist. Je nach Gebrauchsart des Pferdes ist er verschieden dick und breit; er wird mit 5–8 *Hufnägeln* am Huf befestigt. Die Form des H. ist für Vorder- und Hinterhufe etwas verschieden. Durch Anbringen von *Stollen* (Erhöhungen an den Schenkelenden) und *Griff* (Vorsprung an der Zehe) oder *Hufeinlagen* aus Tau, Gummi, Kork soll bei schwerem Zug ein Ausgleiten des Pferdes verhindert werden. – Im Volksglauben gilt das H. als glückbringendes Zaubermittel.

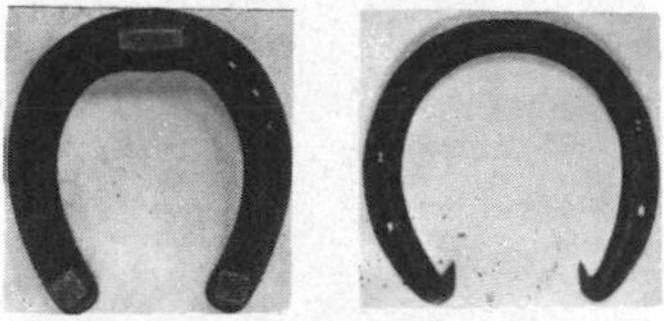

Hufeisen: links *Vorderhufeisen mit stumpfem Griff und Stollen;* rechts *Vorder-Rennhufeisen*

H'ufeland, Christoph Wilhelm, Arzt, * Langensalza (Thür.) 12. 8. 1762, † Berlin 25. 8. 1836, ein weithin bekannter Arzt, der auch Wieland, Herder, Goethe und Schiller behandelt hat; Verfasser volkstüml. Schriften: ›Makrobiotik, oder die Kunst, sein Leben zu verlängern‹ (1796).

Hufeland-Stiftungen, Preise, Ehrungen und Stiftungen, die sich an den Namen des Arztes C. W. Hufeland knüpfen. Hufeland selbst begründete bereits eine Stiftung zugunsten notleidender Ärzte und Arztwitwen. 1954 wurde vom Zentralverband der Ärzte für Naturheilverfahren die *Hufeland-Medaille* geschaffen, mit der jährl. Ärzte und Forscher für hervorragende Leistungen in der biolog. Medizin ausgezeichnet werden. 1960 stifteten große Versicherungsträger den *Hufeland-Preis*, mit dem jährlich die beste Arbeit über vorbeugende Gesundheitspflege ausgezeichnet wird.

H'ufendorf, dörfl. Siedlungsform, verbreitet als *Marsch-H.* in den Küstenländern der Nord- und Ostsee, Talauen großer Flüsse, oder als *Wald-H.* (bes. Mittel- und Ostdeutschland). Die Bauernhöfe liegen in einfachen oder einander gegenüberliegenden Reihen (→Dorf).

H'ufkrebs, Pferdekrankheit, bei der es bei fehlender Verhornung zu Wucherungen der Huflederhaut kommt; beginnt meist im Bereich des Strahls *(Strahlkrebs)*.

H'uflattich, 1) *Tussilago farfara* (Brand-, Brust-, Esels-, Feldlattich, Neunkraft, Hufblatt, Hunds-, Kuh-, Märzblume, Märzbecher, Zeitlose, Heil-, Lungenkraut), eine Korbblüterstaude mit kriechendem Wurzelstock; treibt im Vorfrühling Stengel mit goldgelben Blütenkörbchen, später die hufsohlenförmigen, unten weißfilzigen Blätter. Der H. wächst in Europa, Nordafrika und im gemäßigten Asien auf Boden mit feuchtem Ton, Tonmergel, Lehm oder kalkarmem Löß als gefürchtetes Ackerunkraut. Die Blätter dienen als Tee gegen Katarrh der Atmungsorgane und als Volksmittel gegen Nieren- und Blasenleiden. **2) großer H.,** eine →Pestwurz.

Huflattich

Hufnagel, Georg, →Hoefnagel.

H'ufner, Huber, Hübner [deutsches Stw.], Bauer, der eine Hufe Land besitzt.

H'ufschmied, auch **Hufbeschlagschmied,** Schmiedehandwerker, der auf Grund staatl. Prüfung und Zulassung den Hufbeschlag betreibt; nach dreijähriger handwerkl. Lehrzeit als Schmied (mit Gesellenprüfung) Weiterausbildung bei einem *Hufbeschlaglehrmeister* sowie ein viermonatiger Kurs an einer *Hufbeschlaglehranstalt (Beschlagschmiedeschule, Lehrschmiede)*. In der Bundeswehr heißen die H. *Beschlagschmiede.*

H'ufspalten, Hornspalten am Huf.

H'üfte [german. Stw.], lat. *Coxa,* Körperteil, der sich von dem oberen Rand des Hüftbeins (→Becken) bis zur Trennungsstelle zwischen Oberschenkel und Rumpf erstreckt.

H'üftgelenk, das Gelenk zwischen Hüftbein (→Becken) und Oberschenkelknochen.

H'üftgelenkentzündung, lat. *Coxitis,* kann u. a. auftreten als *eitrige H.* im Anschluß an Infektionskrankheiten bei Kindern. Wichtig für die Behandlungsaussichten ist frühzeitiges Erkennen.

H'üftgelenkverrenkung, angeborene oder durch äußere Gewalteinwirkung entstandene (traumatische) fehlerhafte Stellung des Oberschenkelkopfes außerhalb der Gelenkpfanne. Bei der *traumatischen H.* ist der Oberschenkelkopf aus der Pfanne meist nach hinten herausgehebelt. Einrenken in Narkose. Bei der *angeborenen H.* steht der Oberschenkelkopf oberhalb der schlecht ausgebildeten Gelenkpfanne. Das Leiden ist häufiger bei Mädchen als bei Knaben; es kann einseitig und doppelseitig sein. Bei einseitiger H. erscheint das erkrankte Bein kürzer.

H'üftgürtel, Hüfthalter, →Mieder.

H'uftiere, *Ungulaten,* große Gruppe der Säugetiere, deren Zehenglieder schuhförmig von einem Huf umhüllt werden, so Unpaarhufer, Paarhufer u. a.

H'üftkrankheit der Greise, *Coxarthrose,* eine auf *Arthrosis deformans* (→Gelenkkrankheiten) beruhende Alterserkrankung des Hüftgelenks.

H'üftkrause, *weibliche Tracht:* eine um 1600 über dem Tonnenrock getragene breite Rüsche.

H'üftnerv, griech.-lat. *Nervus ischiaticus,* aus dem Hüftgelenk stammender Nerv, der beiderseits der Hinterseite der Hüfte über die hintere Fläche des Oberschenkels und durch die Kniekehle hindurch zum Unterschenkel und Fuß verläuft.

H'üftweh, griech. *Ischias,* Schmerzen im Gebiet des Hüftnerven. Beim H. treten meist ruckweise heftige, vom Gesäß bis in die Ferse ausstrahlende Schmerzen auf. Beim Gehen wird das erkrankte Bein geschont; dadurch kommt es zu Schiefstand des Beckens und Verkrümmung der Wirbelsäule. Ursachen: Druck auf die Nervenwurzeln (→Bandscheibe) oder rheumat. Nervenentzündung.

Hugdietrich, mhd. novellist. Dichtung des 13. Jhs., behandelt die internationale Fabel vom Freier in Weiberkleidern.

H'ügelgrab, vorgeschichtl. Grabform, eine Erd- oder Steinaufschüttung, unter oder in der die Toten bestattet wurden. H. finden sich von der Jungsteinzeit über die Bronze-

bis zur Latènezeit. Im N hielten sie sich bis in die Wikingerzeit.

H'ugenberg, Alfred, Industrieller und Politiker (Deutschnat. Volksp.), * Hannover 19. 6. 1865, † Kükenbruch (bei Rinteln) 12. 3. 1951, war 1909–18 Vorsitzender des Direktoriums der Firma Krupp; seit 1916 baute er den *Hugenberg-Konzern* auf (Scherl-Verlag, Telegraphen-Union, Ala-Anzeigenunternehmen, Ufa u. a.), wodurch die polit. Rechte großen Einfluß auf die öffentl. Meinung gewann. Als MdR (DNVP, seit 1920; seit 1928 Parteivors.) bekämpfte er die Reichsregierungen, bes. ihre Außenpolitik. Mit Hitler u. a. bildete er 1931 die →Harzburger Front. Nach der Machtübernahme Hitlers war er bis 26. 6. 1933 Wirtschafts- und Ernährungsminister.

Hugen'otten, franz. *Huguenots* [ygəno, wohl aus Eidgenosse], ursprünglich ein Spottname, seit etwa 1560 allgemein die französ. Protestanten. Trotz der Verfolgungen durch die Könige Franz I. und Heinrich II. gewann von Genf her der Calvinismus immer mehr Anhänger; 1559 hielt die reformierte Kirche Frankreichs ihre erste Generalsynode in Paris ab; etwa ein Sechstel des französ. Volkes soll damals für die Reformation gewonnen gewesen sein. Das Januaredikt von 1562 gab den H. erstmals Gewissens- und beschränkte Kultusfreiheit. An ihre Spitze traten der Admiral →Coligny und der Bourbone Prinz Ludwig von Condé. Das gewaltsame Vorgehen der kathol. Gegenpartei unter den Herzögen von Guise im Bunde mit Spanien führte zu den *Hugenottenkriegen.* In den ersten Kriegen (1562/63, 1567/68, 1568–70) wurden die H. besiegt, behaupteten aber eine durch Einräumung von Sicherheitsplätzen gestützte polit. Sonderstellung. Dann gelang es Coligny, maßgebenden Einfluß auf den jungen König Karl IX. zu gewinnen, bis er dem Blutbad der Pariser →Bartholomäusnacht von 1572 zum Opfer fiel. Als Führer der H. folgte ihm der Bourbone Heinrich von Navarra. Die weiteren Kriege (1572/73, 1574–76, 1576/77, 1579/80) brachten keine Entscheidung. Unter dem Einfluß der kath. ›Liga‹ begann König Heinrich III. 1585 den 8. Hugenottenkrieg; doch 1588 verbündete er sich mit den H. gegen die Liga. Nach seiner Ermordung (1589) erbte Heinrich von Navarra (Heinrich IV.) den Thron. Zwar trat er 1593 aus polit. Gründen zum Katholizismus über, bestätigte aber seinen früheren Glaubensgenossen im *Edikt von Nantes* (13. 4. 1598) die freie Religionsübung und ihre polit. Sonderstellung. Als die H. in den Kriegen von 1621/22 und 1625–29 sich von neuem wegen der Erhaltung ihrer politischen Privilegien der Krone entgegenstellten, verloren sie durch Richelieu, der 1628 La Rochelle eroberte, ihre Sicherheitsplätze. Dann brach unter Ludwig XIV. über sie die schwerste Verfolgung herein, die in der Aufhebung des Ediktes von Nantes (23. 10. 1685) gipfelte. Etwa 200000 H. flohen ins Ausland, bes. nach Holland und Deutschland. Der letzte Hugenottenkrieg war der blutige Cevennenkrieg von 1702–10, die Erhebung der »Kamisarden«. Eine Anzahl französ. Reformierter behauptete sich aber trotz härtestem Druck als »Kirche der Wüste«, bis ihnen 1787 die staatl. Duldung gewährt wurde. Durch die Französ. Revolution erhielten sie die volle Gleichberechtigung. In Dtl. entstanden H.-Siedlungen vorwiegend in reformierten Gebieten (Niederrhein, Pfalz, Brandenburg-Preußen).

LIT. J. Chambon: Der franz. Protestantismus (1948); O. Zoff: Die H. (1948).

Hugen'ottenstil, barock-klassizist. Baustil in Holland und im prot. Deutschland.

H'uggenberger, Alfred, schweizer. Schriftsteller, * Bewangen b. Frauenfeld 26. 12. 1867, † Dießenhofen 14. 2. 1960, schrieb Gedichte, Erzählungen und an Gotthelf erinnernde Romane (Die Bauern vom Steig, 1912; Die Frauen von Siebenacker, 1925).

Huggins [h'ʌginz], **1)** Charles B., amerikan. Krebsforscher, * Halifax (Conn.) 22. 10. 1901, Leiter des Ben May Lab. f. Krebsforschung in Chicago, erhielt zus. mit F. P. Rous den Nobelpreis f. Physiologie u. Medizin 1966.

2) Sir William, engl. Astrophysiker, * London 7. 2. 1824, † das. 12. 5. 1910, einer der Begründer der Sternspektroskopie, wandte als erster das Dopplersche Prinzip zur Messung der Radialgeschwindigkeit der Sterne an.

Hughes [hju:z], **1)** Charles Evans, amerikan. Politiker (Republikaner), * Glen Falls (N. Y.) 11. 4. 1862, † Osterville (Mass.) 27. 8. 1948, Anwalt, 1921–26 Außenmin., 1928 bis 1930 Richter am Ständigen Internat. Gerichtshof im Haag, danach bis 1940 am Obersten Bundesgericht in Washington.

2) David Edward, engl. Ingenieur, * London 16. 5. 1831, † das. 22. 1. 1900, erfand 1855 einen Telegraphenapparat (*Hughes-Apparat,* ein Drucktelegraph) und das Kohlekörnermikrophon (1878).

3) James Langston, amerikan. Negerschriftsteller, * Joplin (Mo.) 1. 2. 1902, † New York 22. 5. 1967, erlangte Weltruf mit seiner auf den Spirituals fußenden Lyrik (Gedichte, dt. 1960), schrieb Novellen und Romane über die Probleme zwischen Weißen und Farbigen, ferner ›Das Buch vom Jazz‹ (dt. 1956).

4) Richard, engl. Erzähler und Dramatiker, * Weybridge (Surrey) 19. 4. 1900, † Bangor (Nordwales 29. 4. 1976, schrieb u. a. ›High wind in Jamaica‹ (1929; dt. 1931).

5) William Morris, austral. Politiker, * Llandudno (Wales) 25. 9. 1864, † Sydney 28. 10. 1952, organisierte in Australien (seit 1884) die Arbeiterpartei, 1915 MinPräs., 1916 Ausschluß aus der Arbeiterpartei. 1917 bildete er als Unabhängiger eine Koalition mit der Nationalpartei. 1934–41 war er mehrmals Minister.

H'ugin [›Gedanke‹], in der nordischen Sage einer der beiden Raben Wotans.

H ugli, engl. **Hooghly,** auch **Hoogly,** der westl. Mündungsarm des Ganges.

Hugo, Abt von Cluny (seit 1049), * Sémur 1024, † Cluny 28. 4. 1109. Unter H. erreichte Cluny den Gipfel seiner Bedeutung. Heiliger (1120); Tag: 29. 4.

Hugo, mit dem Beinamen **Capet** [kapɛ, franz. von mlat. cappatus ›Besitzer der cappa‹, d. h. des Mantels des heil. Martin von Tours], König von Frankreich (987 bis 996), * um 940, † Melun 24. 10. 996, seit 956 Herzog der Franken, warf die Aufstände der letzten Karolinger nieder, die das dt. Hzgt. Niederlothringen innehatten, begründete das kapeting. Königshaus.

Hugo, König von Italien, Graf von **Vienne,** Markgraf in **Arles,** † Arles 948, verdrängte 925 Rudolf II. von Burgund aus der Lombardei und wurde 927 in Pavia zum König von Italien gekrönt. Durch Vermählung mit →Marozia suchte er Rom und die Kaiserkrone zu gewinnen (932), wurde aber von Marozias Sohn, Alberich II., verjagt und 947 von Berengar II. auch aus der Lombardei vertrieben.

Hugo, 1) Gustav, Jurist, * Lörrach 23. 11. 1764, † Göttingen 15. 9. 1844, war als selbständiger, kritischer Denker auf dem Gebiet der Zivilrechtslehre, der röm. Rechtsgeschichte und eines durch Kant beeinflußten Naturrechts bekannt; als Wegbereiter Savignys ist er ein Vorläufer der historischen Rechtsschule.

WERK. Lehrbuch des Naturrechts als einer Philosophie des positiven Rechts (1789, ^{4}1819).

2) [ygo], Victor Marie, franz. Dichter, * Besançon 26. 2. 1802, † Paris 22. 5. 1885, empfing schon in seiner Kindheit auf Reisen die für sein Dichten entscheidenden Eindrücke aus der südl. und maurischen Welt, verbrachte kurze Zeit auf dem Pariser Polytechnikum, wandte sich dann aber ausschließlich der literar. Tätigkeit zu, die ihm einen von keinem Zeitgenossen erreichten lebenslängl. Ruhm brachte. Durch die Teilnahme an dem literar. Kreis um Ch. Nodier (»Erster Cénacle«, 1823, dem 1829 der »Zweite Cénacle« folgte), durch die Gedichtsammlungen ›Odes et Ballades‹ (1826) und ›Les Orientales‹ (1829), durch die programmat. Vorrede zu seinem Cromwelldrama (La Préface de Cromwell, 1827; krit. Ausgabe von M. Souriau, 1927) und durch das bewußt gegen den Klassizismus gerichtete Drama ›Hernani‹ (1830) wurde er zum Führer der franz. Hochromantik. Sein histor. Roman ›Notre-Dame de Paris‹ (1831), in dessen Mittelpunkt die Pariser Kathedrale und ihre neuentdeckte got. Schönheit steht, vermittelt bezwingende Bilder des spätmittelalterl. Paris. Nach dem Tod seiner Tochter Léopoldine (1843) wandte sich H. polit. Problemen zu. Als Deputierter in der Pariser Kammer (seit 1848) verfocht er linksgerichtete Ideen. Nach der Errichtung des Zweiten Kaiserreichs mußte H. fliehen; die in der Verbannung verbrachten Jahre (1851–70, meist auf Guernesey) wurden die dichterisch fruchtbarsten. Hier entstanden, neben ›Les Châtiments‹ (Haßgedichte auf Napoleon III., 1853; krit. Ausg. von P. Berret, 1932), die reifsten lyrischen Schöpfungen, gesammelt in ›Les Contemplations‹ (1856; krit. Ausg. von J. Vianey, 1922), sowie ›Les Misérables‹ (1862), ein mit den Spannungsmitteln der Kriminalliteratur geschriebener Roman, der sich um humanitäre Rettung der Geächteten bemüht. Nach Paris zurückgekehrt, beendete er ›La Légende des siècles‹ (1859–83; krit. Ausg. von P. Berret, ^{2}1932), eines Riesenzyklus, in dem er Sagen- und Geschichtsstoffe Europas und des Orients verarbeitet hat. H. wurde zur legendären Gestalt, sein Tod zum Trauertag der Nation; er ruht im Pantheon.

H. hat fast alle literar. Bewegungen des 19. Jhs. in Frankreich angeregt. Von großer Wendigkeit, paßte er sich selbst denjenigen Strömungen an, die, aus ihm entstanden, stärker wurden als er. Für den eingeborenen Humanismus Frankreichs ist bezeichnend, daß H.s Versuch, die franz. Bildung von der Antike zu lösen, ohne nachhaltigen Erfolg blieb. Dagegen ist er durch seine Lehre vom Sehertum des Dichters ebenso einflußreich geworden wie durch seine Entdeckung der ästhet. Reizwerte des Häßlichen und Grotesken, wobei ihn seine eigene Robustheit vor dem Morbiden bewahrte. Unbestreitbar groß ist er als Lyriker, ein Zauberer der Sprache, der er sich wie einer inspirierenden Kraft überläßt.

WERKE. Œuvres complètes, 48 Bde. (1906ff.). Poésies complètes (1961). Sämtl. Werke (dt. ^{3}1858–62).

LIT. H. v. Hofmannsthal: Versuch über V. H. (^{2}1925); J.-B. Barrère: V. H., l'homme et l'œuvre (1952).

H'ugolin, Ugolino von Segni, Kardinal, →Gregor IX.

H'ugo von Montfort, mittelhochd. Dichter, * 1357, † 4. 4. 1423, aus dem Geschlecht der Grafen von Montfort-Bregenz. Seine Lieder und dichterischen Briefe wurzeln ebenso wie seine Reden in der höfischen Ritterdichtung. Ausgaben 1881, 1906.

Hugo von St. Viktor, Scholastiker und Mystiker, * gegen 1100, † Paris 11. 2. 1141, hervorragender Lehrer an der Klosterschule von St. Viktor in Paris, war einer der einflußreichsten Theologen des 12. Jahrhunderts.

WERKE. Migne: Patrol. lat., Bd. 175 bis 177; dt. Auswahl in P. Wolff: Mystische Schriften (1961).

LIT. H. R. Schlette: Die Nichtigkeit der Welt (1961).

H'ugo von Trimberg, mittelhochd. lehrhafter Dichter, * Werna um 1230, † nach 1313, 1260–1309 Magister und Rektor der Stiftsschule in Theuerstadt, einer Bamberger Vorstadt, Verfasser des ›Renner‹, eines in vielen Handschriften erhaltenen Lehrgedichts. – Ausgaben von G. Ehrismann (1908–11).

LIT. F. Götting: Der Renner H.s (1932); F. Vomhof: Der Renner (Diss. Köln 1959).

Hug Schapler, Ritterroman, durch Elisabeth von Nassau-Saarbrücken aus dem Franz. übersetzt, erzählt, wie sich der Metzgersohn H. (Hugo Capet) die Krone erwirbt. Druck: Straßburg 1500; hg. v. Urtel (1905).

Huhehot, →Kueisui.

Huhn [german. Stw.], **1)** →Haushühner. **2)** →Hühnervögel.

H'ühnchen, Leberecht, Held mehrerer Erzählungen von Heinrich Seidel (Gesamtausg. 1901), Verkörperung des mit seinem bescheidenen Glück zufriedenen Menschen.

Hühnerauge, Leichdorn, lat. *Clavus,* Verdickung der Hornhaut, die sich zapfenförmig in tiefe Hautschichten erstreckt; bildet sich an Druckstellen, meist durch unzweckmäßiges Schuhwerk.

H'ühnerbiß, Pflanzen, z. B. Vogelmiere, Ehrenpreis.

H'ühnerbrust, Brustkorbverformung bei →Rachitis.

H'ühnerdarm, dünnstenglige Pflanzen, wie Vogelmiere, Ehrenpreis, Hornkraut, Gilbweiderich, Gauchheil.

H'ühnerhund, ein hauptsächlich zur Rebhühnerjagd benutzter Jagdhund.

H'ühnerkrankheiten, →Geflügelkrankheiten.

Hü'hnermilbe, eine der →Krätzmilben.

H'ühnermyrte, Pflanzen: Vogelmiere, Akkergauchheil.

H'ühnervögel, *Galli,* gestaltenreiche, nahezu über die ganze Erde verbreitete Ordnung der Vögel; umfaßt die Großfußhühner, die Hokkohühner und die Fasanen, zu denen auch die *echten Hühner* mit dem *Bankivahuhn,* der Stammform des →Haushuhns, gehören.

Hühnerzucht, →Geflügel, →Haushuhn.

Huid'obro, Vicente, chilen. Lyriker, * Santiago de Chile 10. 1. 1893, † das. 2. 1. 1948, begründete den »Creacionismo«, nach dem die Aufgabe des Dichters nicht ist, die Natur zu beschreiben und nachzuahmen, sondern eine neue Wirklichkeit zu schaffen.

Huirac'ocha [uira-], **Virakotscha,** in der Religion der Inkas der Weltschöpfer.

Huisne [yi:n], linker Nebenfluß der Sarthe in NW-Frankreich, 130 km lang, nicht schiffbar.

Huitain [yitɛ̃], achtzeilige Gedichtform der älteren franz. Lyrik.

Huitzilop'ochtli, Tetzauhte'otl, Haupt- und Kriegsgott der Azteken, mit gewaltigem Tempelbezirk bei Mexiko City.

h'uius anni [lat.], dieses Jahres; **huius mensis,** dieses Monats; **huius loci,** dieses Ortes.

Huizinga [h'œjziŋɣa], Johan, niederländ. Historiker, * Groningen 7. 12. 1872, † De Steeg 1. 2. 1945, seit 1905 Prof. in Groningen, seit 1915 in Leiden; Kultur- und Geistesgeschichtler.

WERKE. Herbst des Mittelalters (dt. 1924, [9]1965), Erasmus (dt. 1928, [4]1951), Wege der Kulturgeschichte (dt. 1930, neu: Im Bann der Geschichte, 1942), Holländ. Kultur im 17. Jh. (1933; dt. neu 1961), Im Schatten von morgen (dt. 1935, 1948), Homo ludens (dt. 1939, [6]1963), Parerga (dt. 1945), Wenn die Waffen schweigen (dt. 1946), Mein Weg zur Geschichte (dt. 1947). Geschichte und Kultur, Ges. Aufsätze, hg. v. K. Köster (1954).

H'uka [arab.-hindostan.], indische Wasserpfeife mit tönernem Pfeifenkopf, aus dem der Rauch durch eine halb mit Wasser gefüllte Kokosnußschale geführt wird.

H'uker [niederländ.], † Hochseefischereifahrzeug mit umlegbarem Großmast.

Hu kin, chines. →Röhrengeige.

H'ula, fälschlich *Hula-Hula,* die Tänze der polynes. Bewohner der Hawaii-Inseln.

Hul'agu, Hülägü, mongol. Herrscher (1258 bis 1265), Enkel des Tschingis Chan von dessen viertem Sohn Tului, gründete das Reich der →Ilchane im eroberten Persien.

H'uldigung [zu Huld; 16. Jh.], **1)** *Lehnsrecht:* das Gelübde des Lehnsmannes, seinem Herrn »treu, hold und gewärtig« zu sein *(Hulde schwören),* worauf er die Belehnung erhielt. Die H. wurde von sinnbildl. Handlungen begleitet (Handreichung, Kommendation). **2)** *Staatsrecht:* der Treueid der Untertanen. Im Verfassungsstaat des 19. Jhs. trat an Stelle der H. der Stände die Vereidigung der Volksvertretung, der Beamten und des Heeres.

Hule-Tal, nördl. Abschnitt des Jordangrabens in Israel. Der Hule-See und seine Sümpfe wurden 1959 trockengelegt.

Hulk [mlat. hulca, griech. holkas ›Lastkahn‹], **1)** ein niedersächs. Hochsee-Frachtschiff des Mittelalters, mit Segelantrieb. **2)** abgetakeltes Kriegsschiff als Wohn- oder Vorratsschiff im Hafen.

Hull [hʌl], eigentlich **Kingston upon Hull,** Stadt in Humberside, England, (1971) 285 500 Ew., einer der bedeutendsten Seehäfen des Landes, an der Mündung des H. in den Mündungstrichter des Humbers. H. hat die umfangreichsten Ölpressen der Welt und bedeutende chem. und Papierindustrie, Eisengießereien, Schiff- und Maschinenbau; Schiffsverkehr mit skandinav. Häfen.

Hull [hʌl], **1)** Clark Leonhard, amerikan. Psychologe, * Akron (N. Y.) 24. 5. 1884, † New Haven 10. 5. 1952, führender Vertreter der Lern- und Motivationsforschung.

2) Cordell, amerikan. Politiker (Demokrat), * Overton County (Tenn.) 2. 10. 1871, † Washington 23. 7. 1955, Rechtsanwalt, 1933–44 Außenminister, enger Berater Roosevelts auf den Konferenzen von Moskau, Teheran und San Francisco; erhielt 1945 den Friedensnobelpreis. – ›Memoirs‹, 2 Bde. (New York 1948).

H'ulman [indisch], ein →Stummelaffe.

Hulme [hju:m], Thomas Ernest, engl. Philosoph, * Endon (North Staffordshire) 16. 9. 1883, † Nieuport 28. 9. 1917, schuf die theoret. Grundlegung für die Dichtung der Imagisten.

WERKE. Speculations (1924), Notes on language and style (1929).

H'ulock, Affe, →Gibbon.

Hüls, ehem. Gemeinde im RegBez. Düsseldorf, Nordrhein-Westfalen, mit (1967) 12900 Ew.; Textilindustrie u. a.; seit 1. 1. 1970 mit Kempen zusammengeschlossen.

Hülscheid, ehem. Gem. in Nordrhein-Westfalen, mit (1967) 5200 Ew.; seit 1. 1. 1969 mit Schalksmühle Zusammenschluß.

H'ülse [ahd.; verwandt mit hehlen], lederige Schale um Samen oder Beerenfleisch sowie die Frucht der Hülsenfrüchte.

Hülse [zu ahd. hulis], die →Stechpalme.

Hülsen, 1) Botho von, * Berlin 10. 12. 1815, † das. 30. 9. 1886, wurde 1851 Generalintendant des Berliner Hoftheaters, 1866 auch der Hoftheater Hannover, Kassel, Wiesbaden. H. machte sich verdient um die Schauspielerfürsorge.

2) Hans von, Schriftsteller, * Warlubien (Westpreußen) 5. 4. 1890, † Rom 14. 4. 1968, Freund von Gerhart Hauptmann, Erzähler historischer und biograph. Stoffe.

WERKE. Freundschaft mit einem Genius (G. Hauptmann, 1947), Zwillingsseele, 2 Bde. (Autobiogr., 1948), Funde in der Magna Graecia (1962), Röm. Funde (^{2}1966).

H'uelsenbeck, Richard, Schriftsteller, * Frankenau (Hessen) 23. 4. 1892, † Locarno-Minusio 20. 4. 1974, Arzt und Psychoanalytiker in New York, Mitgründer des →Dadaismus (En avant Dada, Essays 1918); Romane (China frißt Menschen, 1930), Gedichte (Die Antwort der Tiefe, 1954); Erinnerungen: Mit Witz, Licht und Grütze (1956); Dada (1964).

Hülsen-Haeseler, Georg, Graf von (1909), Sohn von →Hülsen 1), * Berlin 15. 7. 1858, † das. 21. 6. 1922, 1894 Intendant des Hoftheaters in Wiesbaden, 1903–18 Generalintendant der preuß. Hoftheater.

H'ülsenfrüchte, die Früchte der Hülsenfrüchter, bes. Schmetterlingsblüter, so Erbsen, Peluschken, Wicken, Linsen, Kichererbsen, Platterbsen, Bohnen, Lupinen, Erdnuß, Sojabohne. Ein Teil wird als Grünfutter oder zur Gründüngung angebaut. Ihr Wert für die Bodenfruchtbarkeit liegt in der Fähigkeit, den freien Stickstoff der Luft mit Hilfe der in ihren Wurzelknöllchen lebenden Knöllchenbakterien zu binden. – *Mehrjährig* angebaute Arten, nur als Grünfutter verwandt (Futterpflanzen), sind: Luzerne, Kleearten, Esparsette. Zur Korn- und Stroh- oder Grünfuttergewinnung werden *einjährig* angebaut: Erbsen, Platterbse, Ackerbohne, Speisebohne, Lupine, Soja, Erdnuß. Wicke und Serradella sind reine Grünfutterpflanzen.

Die Körner enthalten vor allem Eiweiß (20–50%), bes. reich daran sind die Lupinen. Einige Arten enthalten daneben Fett (Erdnuß 45%, Soja 18%, Lupine 10–12%).

H'ülsenfrüchter, *Leguminosen*, Pflanzenfamilie mit der Hülse (lat. legumen) als kennzeichnender Frucht; über 12000 Arten, über die ganze Erde verbreitet, meist mit gefiederten oder handförmigen Blättern und mit Nebenblättern; Blüten fünfgliedrig. Die Blüten der Unterfamilie *Schmetterlingsblüter (Papilionazeen)* sind einem fliegenden Vogel ähnlich; sie haben 10 Staubblätter, die alle oder bis auf eins scheidig verwachsen sind. Man nennt das hintere, meist größte Kronblatt *Fahne*, die beiden seitlichen, schmäleren *Flügel*, die beiden vorderen, zu einer rinnen- oder kahnförmigen Hülle für die Geschlechtsorgane verwachsenen das *Schiffchen* oder den *Kiel*. Bei den Unterfamilien *Zäsalpiniengewächse* (*Zäsalpinioideen*, mit Judasbaum, Johannisbrotbaum, Tamarinde) und *Mimosengewächse* (*Mimosoideen*, mit Mimose, echter Akazie) weicht der Blütenbau von der Schmetterlingsblüte ab. Viele H. sind wichtige Nutzpflanzen (→Hülsenfrüchte). Die meisten tragen Wurzelknöllchen mit →Knöllchenbakterien.

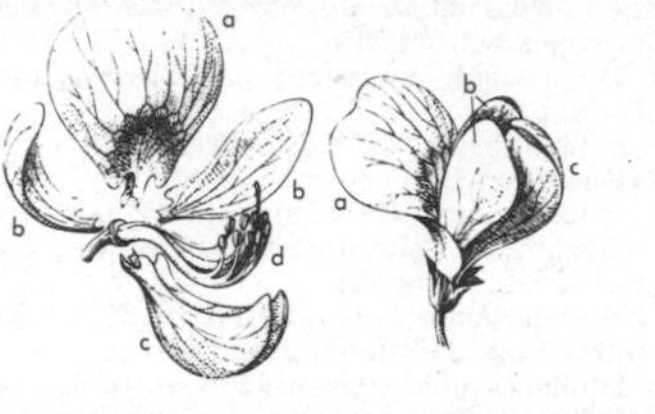

Hülsenfrüchter: Einzelteile einer Schmetterlingsblüte; a *Fahne,* b *Flügel,* c *Schiffchen,* d *Staubblätter und Griffel*

H'ülsenwurm, 1) *Blasenwurm*, *Echinokokkus*, die Finne des Hundebandwurms (→Bandwürmer). Sie kommt meist in Haustieren, aber auch im Menschen vor und verursacht die *Echinokokken-* oder *Blasenwurmkrankheit*. **2)** Larve der Köcherfliegen.

Hülsmeyer, Christian, Hochfrequenztechniker, * Eydelstadt (Bremen) 25. 12. 1881, † Düsseldorf 31. 1. 1957, entwickelte 1904 Pläne für ein »Telemobiloskop«, einen Vorläufer der Radargeräte.

Hultsch'in, tschech. **Hlučin,** Stadt in Mähren, Tschechoslowakei, mit rd. 11000 Ew., Hauptort des **Hultschiner Ländchens,** Teil des schles. Kr. Ratibor, das 1919 an die Tschechoslowakei abgetreten werden mußte.

Hültz, Johannes, Baumeister, † Straßburg 1449, errichtete 1419–39 den durchbrochenen Helm des Straßburger Münsterturms über dem von Ulrich von Ensingen gebauten Oktogon.

Humaj'un, ind. Großmogul, * 1507, † Delhi 26. 1. 1556, folgte 1530 seinem Vater Babur, wurde 1539/40 von Scher Schah, dem König von Bengalen, besiegt und vertrieben. Nach dessen Tod eroberte H. 1555 Delhi und Agra zurück. Sein Sohn war →Akbar.

hum'an [lat.], menschlich, menschenfreundlich; eines Menschen würdig.

Humanae vitae [lat. ›des menschlichen Lebens‹], vieldiskutierte Enzyklika Pauls VI. vom 29. 7. 1968, in der die Anwendung empfängnisverhütender Mittel zur Geburtenregelung verboten wird.

Hum'ani g'eneris [lat. ›des Menschengeschlechtes‹], 1) Enzyklika Benedikts XV. vom 15. 6. 1917 über die Ausübung des Predigtamtes. 2) Enzyklika Pius' XII. vom 12. 8. 1950 über »falsche Anschauungen, die die Grundlagen der kathol. Lehre zu untergraben drohen«, mit erneuter Verurteilung des Modernismus und Verpflichtung auf die Scholastik.

Humani'ora [lat.], grch.-lat. Studien.

Humanismus [nlat.], Bildung zur Menschlichkeit. In der *Geistesgeschichte* ist der H. neben Renaissance und Reformation die dritte der großen Geistesbewegungen, die die Geisteshaltung des MA.s abgelöst und die abendländ. Neuzeit eingeleitet haben. Der H. griff zunächst auf die latein. Schriftsteller, bes. Cicero zurück, der als Muster der klassischen Sprache, der hohen Rede (eloquentia) gefeiert wurde (Petrarca), seit Boccaccio auch auf die Griechen, bes. Homer. Durch Suche nach Handschriften und eifriges Sammeln (Bibliotheken) wurde der Kreis der bekannten antiken Schriftsteller erweitert. Zugleich wetteiferten die Humanisten mit den latein. Vorbildern in Vers und Prosa. Bei einigen Humanisten (Erasmus, Erfurter Humanistenkreis) entstand der Gedanke einer neuen, freien Religiosität, die den Gehalt der Evangelien mit Gedanken Platons und der Stoa verbinden sollte.

In Italien entfaltete der H. seit dem 13. Jh. seine erste Hochblüte. In Dtl. faßte er im 14. Jh. am Hofe Karls IV. und an einigen Universitäten Fuß, im 15. Jh. war er voll entwickelt (Agricola, Celtis, Mutianus Rufus); er wirkte vor allem auf das Schulwesen ein (J. Wimpheling u. a.); bes. im 16. Jh. trug er nationale Züge (Hutten). In Luthers Reformation erblickte er zunächst die Fortsetzung seiner eigenen Bestrebungen, doch entwickelten sie sich unabhängig voneinander. Auch in den Niederlanden hat sich der H. bedeutsam entfaltet (außer Erasmus: Lipsius, Vossius, Heinsius, Grotius u. a.), ebenso in England und in Frankreich. →Neuhumanismus. 1843 übernahm K. Marx das Wort, um damit das letzte Ziel des Kommunismus zu umschreiben. Nach 1933 wurde H. ein kulturpolit. Schlagwort, das sich, wie überhaupt das Wort H. im heutigen Sprachgebrauch, weithin mit →Humanität deckt.

LIT. K. Marx: Nationalökonomie und Philosophie (1932; a. d. Nachlaß hg.); J. P. Sartre: Ist der Existenzialismus ein H.? (1947); M. Heidegger: Brief über den H. (1947); K. Barth: H. (1950); F. Paulsen: Geschichte des gelehrten Unterrichts, 2 Bde. (⁴1960); L. S. Senghor: Négritude und H. (1962); Der evolutionäre H. (1964); H. Ritter von Srbik: Geist und Geschichte vom dt. H. bis zur Gegenwart, 2 Bde. (³1964); M. Merleau-Ponty: H. und Terror, 2 Bde. (1965).

Humanist, 1) Anhänger des Humanismus. **2)** Kenner der alten Sprachen. **3)** Absolvent eines altsprachl. Gymnasiums.

Humanistisches Gymnasium, altsprachliches Gymnasium.

Humanistische Union e. V., überparteiliche Vereinigung zur Wahrung der freiheitl.-demokrat. Ordnung und zum Schutz der Grundrechte; gegr. 1961; Sitz: München. Die H. U. hat Ortsgruppen und Hochschulgruppen *(Humanist. Studenten-Union)*.

Humanit'ät [lat.], die volle Entfaltung der sittl. Anlagen des Menschentums, wie sie die Menschheit durch Ausbildung der persönl. Kräfte des einzelnen und durch sinnvolle Gestaltung des Gemeinschaftslebens zu erzielen vermag. Seine Prägung empfing das Wort humanitas in dem von der Stoa bestimmten Kreis griech. gebildeter Römer des 2. und 1. Jhs. v. Chr. (Cicero, Seneca). Die neuzeitl. Idee der H. gewann ihren Vollgehalt in der Aufklärung (Shaftesbury, Lessing) und im Neuhumanismus. Herder vertrat die Ansicht, daß alle Gesittung und Werke, die je in der Geschichte hervorgetreten sind, eigenwertige Auswirkungen der H. seien.

Rücken die ethischen Forderungen in den Mittelpunkt, so wird H. gleichbedeutend mit Menschenliebe, sozialem Verständnis, Hilfsbereitschaft. Diese »humanitären« Forderungen, die mit dem christlichen Gebot der Nächstenliebe (Caritas) gleichlaufen, werden aus der Tatsache des allen gemeinsamen Menschentums begründet.

Humanit'ätsverbrechen, Verbrechen gegen die Menschlichkeit, im Unterschied zu den →Kriegsverbrechen die Verbrechen gegen Menschen aus politischem, religiösem oder rassischem Haß (Mord, Ausrottung, Versklavung, Zwangsverschleppung, Freiheitsberaubung, Folterung, Vergewaltigung u.a.). Die schon nach allgem. Strafrecht verfolgbaren Tatbestände wurden erstmals durch das Statut des Internat. Militärtribunals (Londoner Statut v. 8. 8. 1945) und durch Kontrollrat-Ges. Nr. 10 v. 20. 12. 1945 in Deutschland vorübergehend unter eine besondere Strafrechtsnorm gestellt (→Völkermord).

Humanité, L'H. [ymanite, franz. ›Die Menschheit‹], Pariser Tageszeitung, 1904 als sozialist. Blatt von J. Jaurès gegr., seit 1921 kommunist. Organ.

H'umann, Carl, Altertumsforscher, * Steele 4. 1. 1839, † Smyrna 12. 4. 1896, entdeckte die Altarbildwerke in Pergamon, leitete dort seit 1884 die Ausgrabungen.

Human relations [engl. ju:mən ril'eiʃənz], die Pflege der »menschlichen Beziehungen«, wodurch die Achtung vor der Persönlichkeit in Betrieb und Wirtschaftsleben gefördert und gewährleistet werden soll. Die Lehre von den H. r. wurde in den USA entwickelt und stellt eine Gegenbewegung gegen die Mechanisierung und Rationalisierung im Arbeitsleben dar.

Humber [h'ʌmbə], Mündungstrichter der Flüsse Ouse und Trent an der mittleren Ostküste Englands, 60 km lang. Am H. liegen die wichtigen Häfen Hull und Grimsby.

Humberside [h'ʌmbəsaid], Grafschaft im Osten Englands, 1974 gebildet aus Teilen von Yorkshire (East Riding) und Lincolnshire, 3510 qkm mit rd. 535 000 Ew.

Humbert, italien. **Umberto,** Könige von Italien:

1) H. I. (1878–1900), * Turin 14. 3. 1844, † (von einem Anarchisten erschossen) Monza 29. 7. 1900, fügte sich ganz der Parteienherrschaft; trat 1882 dem Dreibund bei.

2) H. II., Enkel von 1), * Racconigi (Prov. Cuneo) 15. 9. 1904, im 2. Weltkrieg Marschall, 1944 Generalstatthalter, nach Abdankung seines Vaters Viktor Emanuel III. König (9. 5.–12. 6. 1946); mußte nach dem Volksentscheid für die Republik Italien verlassen, lebt in Portugal.

H'umboldt, 1) Alexander, Freiherr von, Naturforscher, * Berlin 14. 9. 1769, † das. 6. 5. 1859, mit Goethe und Schiller befreundet. 1790 begleitete H. Georg Forster auf einer Reise durch Westeuropa, 1799–1804 unternahm er mit Aimé Bonpland die berühmt gewordene Reise nach Amerika, die ihn über Teneriffa nach Venezuela (Orinoco-Casiquiare-Gebiet), Kolumbien, Ekuador (Besteigung des Chimborasso bis 5760 m) und Mexiko führte; 1829 bereiste er den Ural und Altai, die chines. Dsungarei und das Kasp. Meer.

WERKE. Voyage aux régions équinoxiales du Nouveau Continent, fait en 1799–1804, 30 Bde. (1811–26; teilweise dt., 4 Bde., 1859; gek. Neuausg.: Vom Orinoko zum Amazonas, 1958); Mineralog.-geognost. Reise nach dem Ural, Altai und dem Kaspischen Meere, mit Ehrenberg und Rose, 2 Bde. (1837–42), Fragments de géologie et de climatologie asiatique, 2 Bde. (1831; dt. 1832), Asie centrale, 3 Bde. (1843; dt. 2 Bde., 1843/44), Examen critique de l'histoire de la géographie du Nouveau Continent, 5 Bde. (1836–39; dt. 3 Bde., 1836 bis 1851), Ansichten der Natur, 2 Bde. (1808; neuere Ausg.), Kosmos, 5 Bde. (1845–62), Kleinere Schriften (1853). Gesammelte Werke, 2 Bde. (1889).

LIT. K. Bruhns: A. v. H., 3 Bde. (1872, mit vollständigem Schriftennachweis); H. de Terra: A. v. H. (1956); H. Beck: A. v. H., 2 Bde. (1959/61).

Alexander von Humboldt (Gemälde von F. G. Weitsch, 1806; Berlin, Nat.-Gal.)

2) Wilhelm, Freiherr von, Gelehrter und Staatsmann, Bruder von 1), * Potsdam 22. 6. 1767, † Tegel 8. 4. 1835, befreundet mit Schiller, Goethe und Dalberg, verheiratet mit Karoline v. Dacheröden (* 1766, † 1829), war 1809/10 Leiter des preuß. Unterrichtswesens, schuf das humanist. Gymnasium Preußens und gründete die Universität Berlin. Seine Kulturpolitik war vom Geist des Klassizismus getragen, doch ist dieser Versuch, Geist und Politik zu verbinden, ebenso unvollendet geblieben wie die Reformen Steins. 1814/15 war H. mit Hardenberg preuß. Vertreter auf dem Wiener Kongreß, wo er vergebens versuchte, die deutsche Einheit zu stärken. 1819 verließ er den preuß. Staatsdienst. H. vertrat liberale Gedanken und besonders die Humanitätsidee; er war ein Führer des Neuhumanismus; Bildung ist ihm »Erzeugung eines Universums in der Individualität«. Wissenschaftlich gilt er als einer der Begründer der vergleichenden Sprachwissenschaft und der neueren Sprachphilosophie.

Wilhelm von Humboldt (Lithographie nach einem Gemälde von F. Krüger)

WERKE. Über die Kawisprache auf der Insel Java, 3 Bde. (1836–40; Einl. ›Über die Verschiedenheit des menschlichen Sprachbaus‹, Neudruck 1949), Ideen zu einem Versuch, die Grenzen der Wirksamkeit des Staates zu bestimmen (ganz erschienen erst 1851). Ges. Werke, hg. v. d. Preuß. Akad. der Wissensch., 17 Bde. (1903–36). Briefwechsel: mit Karoline H. (7 Bde., 1906 bis 1916), mit Goethe (1909), mit Schiller (1900), mit Charlotte Diede (Briefe an eine Freundin, 2 Bde., 1847; neu hg. 1925).

Lit. E. Spranger: W. v. H. und die Humanitätsidee (1909); F. Schaffstein: W. v. H. (1952); E. Spranger: W. v. H. und die Reform des Bildungswesens (1960); S. Kaehler: W. v. H. und der Staat ([2]1963).

H'umboldtbai, Haff an der Küste des Stillen Ozeans in Kalifornien, USA, 3–4 km breit.

H'umboldtgebirge, der westliche Teil des →Nanschan.

H'umboldtgletscher, vom Inlandeis NW-Grönlands herabkommender großer Gletscher, mündet in das Kanebecken.

Humboldtkette, engl. **Humboldt Range** [r'eindʒ], von N nach S laufender Bergzug in Nevada, USA, bis 2998 m hoch.

Humboldt-River, Fluß des Großen Beckens in Nevada, USA, 560 km lang, entspringt im Osten der Humboldtkette, mündet in den Salzseesumpf *Humboldt Sink.*

Humboldt-Stiftung, 1925 vom Auswärt. Amt in Berlin gegründet zur Förderung ausländ. Akademiker an dt. Hochschulen; 1953 in Bonn wiedererrichtet.

H'umboldtstrom, Perustrom, kalter Meeresstrom an der W-Küste Südamerikas, die er nach NW hin verläßt.

Humboldt-Universität, Ost-Berlin; nach dem Bildungskonzept W. v. Humboldts 1810 als *Friedrich-Wilhelm-Universität* gegr.; 1945 geschlossen, wurde sie 1946 als H.-U. wieder eröffnet.

H'umbug [engl.; um 1750; Herkunft dunkel], Schwindel, Unsinn.

Hume [hju:m], David, engl. Philosoph und Historiker, * Edinburgh 26. 4. 1711, † das. 25. 8. 1776, lebte in Frankreich und Schottland. Seine Philosophie ist vor allem psychologisch-erkenntnistheoretische Analyse des Bewußtseins. An Locke und Berkeley anknüpfend, führt er alle Bewußtseinsinhalte auf Eindrücke und Assoziationen zurück, auch die Kategorien der Substanz und der Kausalität. Alle Metaphysik entfällt damit. Seine Ethik erkennt altruistische Gefühle als ursprünglich an (moral sense), erklärt aber die einzelnen moral. Forderungen entwicklungsgeschichtlich. H. hat auf die französ. Aufklärung und auf den Positivismus und Psychologismus des 19. Jhs. stark gewirkt; Kants Wendung zum Kritizismus ist mit durch ihn ausgelöst worden.

Werke. Traktat über die menschl. Natur, 3 Bde. (1739/40; dt. 3 Bde., 1: [4]1923, 2–3: [2]1923), Eine Untersuchung über den menschl. Verstand (1758; dt. [8]1920, neu 1964), Untersuchung über die Prinzipien der Moral (1751; dt. 1929, neu 1955), Dialoge über natürliche Religion (1779; [3]1905). Gesch. von Großbritannien, 8 Bde. (1754–63; dt. 6 Bde., 1767–71). Gesamtausg., 4 Bde. (1875). Philosophical works, 4 Bde. 1882–86; Nachdr. 1964).

Lit. R. Metz: D. H. (1929); A. Schäfer: D. H. – Philosophie und Politik (1964).

Humer'ale [lat.], das Schultertuch der kath. Priester, →Amikt.

Humery, Konrad, Stadtkanzler von Mainz, Geldgeber →Gutenbergs, aus dessen Nachlaß H. 1468 »etliche formen, buchstaben, instrument« und sonstiges Druckgerät übernahm.

Hume-Stausee [hju:m-], der durch den *Hume-Damm* östl. von Albury aufgestaute Abschnitt des Murray in Australien.

hum'id [lat.], feucht; **humide Gebiete,** Gegenden, in denen mehr Niederschlag fällt als verdunsten kann.

Humili'aten [von lat. humilis ›demütig‹], italien. Orden. Die H. entstanden 1201 durch Reform einer ähnlich wie die Pataria entarteten lombard. Bußbruderschaft des 12. Jhs.; sie wurden 1571 aufgehoben. Die **Humiliatinnen** haben noch einige Klöster.

Huminsäuren, Humussäuren, durch Humifizierung entstandene amorphe Verbindungen pflanzl. u. tier. Rückstände im Boden.

Humle, schwed. **Hummel,** niederländ. **Hommel,** volkstümliche dän. Zither mit schlankem Korpus, Melodie- und Bordun-Saiten und Bünden.

H'ummel [german. Stw.], *Bombus,* Gattung plumper, gesellig lebender Bienen mit pelzartigem, buntem Haarkleid und langem Saugrüssel; sie leben in der ganzen nördl. gemäßigten Zone. Ihre Kolonien werden im Frühjahr durch je ein überwintertes befruchtetes Weibchen (Königin) gegründet, das aus Wachs und Pflanzenteilen, meist unterirdisch, eine Nesthülle und darin die ersten wächsernen Brutzellen herstellt. Die darin aufgezogenen Arbeiterinnen widmen sich der Brutpflege, sammeln, speichern und verfüttern Honig. Später im Jahr erscheinen dann fortpflanzungsfähige Weibchen und Männchen; zuletzt stirbt die Kolonie bis auf einige überwinternde Weibchen aus. Die wichtigsten deutschen Arten sind *Erdhummel* (Bombus terrestis), *Gartenhummel* (Bombus hortorum), *Ackerhummel* (Bombus agrorum) und *Steinhummel* (Bombus lapidarius). Die unter dem Namen *Schmarotzerhummeln* zusammengefaßten, äußerlich vollkommen hummelähnl. Bienenarten bilden keine eigenen Kolonien, sondern schleichen sich in H.-Nester ein und lassen dort ihre Brut großziehen; sie haben keine Arbeiter und keine Sammelapparate.

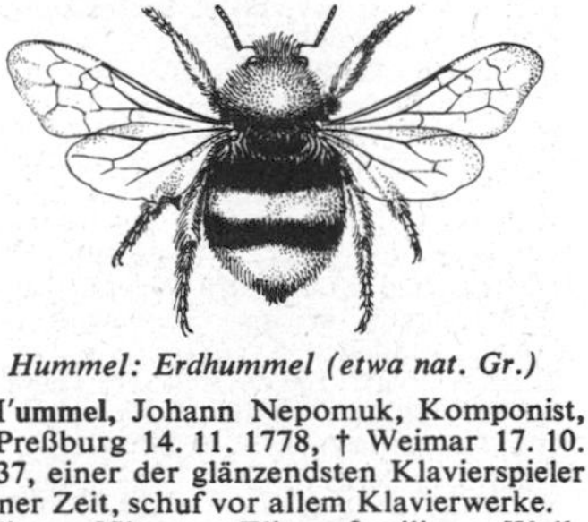

Hummel: Erdhummel (etwa nat. Gr.)

H'ummel, Johann Nepomuk, Komponist, * Preßburg 14. 11. 1778, † Weimar 17. 10. 1837, einer der glänzendsten Klavierspieler seiner Zeit, schuf vor allem Klavierwerke.

H'ummelfliegen, Fliegenfamilie, →Wollschweber.

Hummelgau, Landschaft in Oberfranken, südwestl. von Bayreuth.

H'ummel, H'ummel!, Erkennungsruf der Hamburger, Antwort: *Moors, Moors!*, geht zurück auf einen stadtbekannten Sonderling der ersten Hälfte des 19. Jahrhunderts.

Hummelschwärmer, *Macroglossa bombyliformis*, bei Tage fliegender Schwärmerschmetterling; als grüne Raupe an Heckenkirsche, Labkraut.

Hummer [german. Stw.], *Homarus vulgaris*, bis 0,5 m langer zehnfüßiger Krebs, in allen europ. Meeren (mit Ausnahme der Ostsee), mit sehr großen, meist ungleich starken Scheren zum Greifen und Zerbrechen der Beute, gelbbraun bis blau, oft marmoriert, nach dem Kochen rot. Das Weibchen trägt meist nur alle zwei Jahre Eierhaufen unter dem Hinterleib. Der H. ist ein sehr beliebter Speisekrebs, dessen Häufigkeit infolge der starken Nachstellungen in der Nordsee trotz gesetzl. Schutzbestimmungen stark gesunken ist. Der *amerikan. H.* wird gelegentlich 17 kg schwer. Kleiner als der H. und von feinerem Geschmack ist der *schlanke H. (Kaisergranat)* in der nördl. Nordsee.

H'ümmling, sandiger Höhenzug in Niedersachsen, zwischen Hase und Leda, bis 73 m hoch.

Hum'or [lat. ›Feuchtigkeit‹, ›Saft‹], früher allgemein Gemütsbeschaffenheit, Stimmung, Laune (vorwiegend heitere); heute die menschl. Haltung, die in aller Wirklichkeit, auch wo sie unbedeutend und widrig ist, das Liebenswerte erkennt. Im Unterschied zu Ironie, Satire, Witz sind im H. besonders die Seelenkräfte des Gemüts wirksam. Er kann sich vom Fröhlichen und Gütigen bis zum Grimmigen abwandeln.

humor'al [von lat. humor ›Saft‹], die Körpersäfte betreffend. **Humoralpathologie** ist die auf Hippokrates zurückgehende Lehre, daß Veränderungen der Körpersäfte (Blut, Lymphe, Galle, Schleim, Gewebswasser u. a.) die Grundlage der Krankheiten seien. Gegensatz: Solidarpathologie.

Humor'eske, 1) kurze humoristische Erzählung. **2)** kleines Tonstück eigenwillig heiterer Art; zuerst von R. Schumann (op. 20) angewandte Bezeichnung.

Humpback [h'ʌmpbæk, engl.], der Buckelwal, →Finnwale.

H'umpen [16. Jh.; ostmitteld. wohl aus der Studentensprache; mittelniederd. ›Höcker‹], ein größeres Trinkgefäß, meist mit Deckel.

H'umperdinck, Engelbert, Komponist, * Siegburg 1. 9. 1854, † Neustrelitz 27. 9. 1921, geschult an Richard Wagner, dessen Musikdramatik er ins Gemütvoll-Volkstümliche wandelte.

WERKE. Opern: Hänsel und Gretel (1893), Die Königskinder (1910); Schauspielmusiken; Orchesterstücke, 1 Streichquartett, Lieder.

Humphrey, Hubert H., amerikan. Politiker (Demokrat), * Wallace (Süd-Dakota) 27. 5. 1911, † Waverly (Minn.) 14. 1. 1978, war 1948–64 und seit 1970 Senator von Minnesota, 1965–69 Vizepräsident der USA; unterlag 1968 als Präsidentschaftskandidat dem Republikaner R. M. Nixon.

H'umulus, Pflanzengattung, →Hopfen.

H'umus [lat. ›Boden‹], durch Verwesung pflanzl. oder tier. Stoffe entstandene braune oder schwarze Masse (Moder) in der obersten, Pflanzen tragenden Schicht des Erdbodens; kohlenstoffreich, meist sauer, mit Alkalien zu Salzen der Huminsäuren löslich. Der Gehalt der Böden an H. ist sehr verschieden. Durch H. wird die wasserfassende Kraft gesteigert und mineralienlösende Kohlensäure erzeugt. Die Humuslehre von A. Thaer betrachtete den H. selbst irrigerweise als den wichtigsten Nährstoff für die Pflanze.

Humuspflanzen, humusausnützende →Saprophyten.

Hunan, Prov. im südl. Mittelchina, umfaßt 210 500 qkm, (1970) 41 Mill. Ew. Hauptstadt Tschangscha.

Hund [german. Stw.], **1)** →Hunde. **2) fliegender H.,** →Flughunde. **3) laufender H.,** in der Ornamentik eine Sonderform des →Mäanders. **4)** zwei Sternbilder: der **Große H.,** etwas südl. vom Äquator, mit dem hellsten aller Fixsterne, dem Hundsstern oder →Sirius; der **Kleine H.** steht etwas nördlich vom Äquator.

H'unde, *Caniden*, eine überall (außer auf Madagaskar) verbreitete Raubtierfamilie, Zehengänger mit 4–5 vorderen und 4 hinteren stumpfbekrallten Zehen (TAFELN Seite 86–88).

Große Gewandtheit, Sinnesschärfe und Angriffslust zeichnen die meisten H. aus; sie leben sehr oft gesellig. Die Jungen werden blind geboren. Die Augenlidränder öffnen sich erst nach Tagen. Die heute lebenden Wildhunde werden in 3 Unterfamilien gegliedert. Zur Unterfamilie *Caninen* zählen die Gattungen: *Canis* mit →Wolf und →Schakal; der Wolf wird als Stammvater des Haushundes angesehen. In Nordamerika lebt als selbständige Art der *Präriewolf (Heulwolf, Coyote)*. Zur Gattung *Alopex*, den arktischen Eisfüchsen der Alten und Neuen Welt mit kurzen, abgerundeten Ohren und behaarten Sohlen gehört der asiat. *Steppenfuchs (Korsak)*. Gattung *Vulpes* umfaßt die *Rotfüchse*, Gattung *Fennecus* die *Wüstenfüchse*, Gattung *Urocyon* die *Graufüchse* (→Füchse). Andere Gattungen sind die *Marderhunde*, kurzbeinige und kurzschwänzige H. Ostasiens; die südamerikan. *Schakalfüchse*, zu denen u. a. *Azarafuchs* und *Maikong* gehören; die südamerikan. *Guara (Mähnenwölfe)*, große, aber zarte Tiere mit kurzem Rumpf, hohen Läufen, großen Ohren und aufrichtbarer Mähne, vorwiegend pflanzenfressende Steppenbewohner. Zur Unterfamilie *Simocyoninen* gehören die südamerikan. kleinen *Waldhunde*, der malaiische *Adjag* und der *Rotwolf* der Gebirgsländer Mittel- und Ostasiens, und die südafrikan. bunten *Hyänenhunde*. Zur Unterfamilie

Octocyoninen zählt der südostafrikan. *Löffelhund*, ein großohriges, hochbeiniges, fuchsähnliches Tier.

Der *Haushund* gehört als domestizierte Form des Wolfes zur Familie *Canidae* und ist mit Wolf und Schakal leicht kreuzbar; schon früh erwiesene Kreuzungen mit Wolfsrassen ergaben die große Mannigfaltigkeit der Formen. Heute untergliedert man die etwa 200 Haushunderassen nach praktischen Gesichtspunkten und unterscheidet folgende 4 Gruppen:

1) Jagdhunde, seit der Jungsteinzeit bekannte Haus-H. mit Hängeohren. Schweißhunde lassen sich auf die Bracke zurückführen, die in den letzten Jahrhunderten der wichtigste Jagdhund war. In Großbritannien spielt der Fuchshund für die Fuchsjagd eine bedeutende Rolle. Der Engl. Bluthund trägt seinen Namen wegen der reinblütigen Abstammung von der alten keltischen Bracke. Setter und Pointer wurden vor allem für die Jagd auf Federwild gezüchtet. Bekanntere Rassen der Vorstehhunde sind der Deutsche Kurzhaar- und der Münsterländer Vorstehhund. Die kurzbeinigen Dachshunde (Teckel, Dackel) vermögen in die engen Dachs- und Fuchsbaue einzudringen. Eine engl. Züchtung sind die Terrier (mit Foxterriern, Schottisch-, Skye-, Yorkshire- und Sealyham-Terriern). Deutscher Wachtelhund und Cocker Spaniel sind Stöberhunde. Zu den Hetzhunden gehören die Windhunde (Russischer Windhund oder Barsoi, Persischer Windhund oder Saluki, Afghanischer Windhund, Greyhound u. a.).

2) Diensthunde, mittelgroße Rassen, die sich gut als Wach-, Begleit- und Haus-H. eignen; hierzu gehören der Deutsche Schäferhund, der Airedale-Terrier, der Dobermann, als größter Pinscher der Riesenschnauzer und der kurzschnauzige Boxer.

3) Nutz- und Wachhunde, mittelgroße bis sehr große Rassen. Die Deutsche Dogge stammt aus Großbritannien. Der schwere Bernhardiner gehört zu den Sennenhunden. Gebrauchshund der Fischer ist der schwarzhaarige Neufundländer. Weitere Rassen sind der Schott. Schäferhund oder Collie, der Pudel, der in China gezüchtete Chow-Chow u. a.

4) Haus- und Zwerghunde. In dieser Gruppe werden der Zwergspitz, der Bologneser, der Malteser oder Bichon, der Pekin(g)ese, der Bullterrier, der Chihuahua-Hund, der Klein- und Zwergpudel u. a. Rassen zusammengefaßt.

Als *Hundekrankheiten* sind wichtig Staupe und Räude, ferner *Hundswut* (→Tollwut) und Befall durch den *Hundebandwurm* (→Bandwürmer).

Kulturgeschichtliches. Es wird angenommen, daß H. die ältesten Haustiere sind. Hundereste an mittelsteinzeitl. Fundstellen konnten nicht eindeutig als Haushunde bestimmt werden. Im alten Mesopotamien dienten in sumerischer Zeit doggenähnliche H. zur Löwenjagd. Die ältesten H. Ägyptens sind auf Felsbildern (um 3000 v. Chr.) zu sehen. Ebenso waren H. in den alten Kulturen Chinas, Indiens, Mittelamerikas, Palästinas, auch in Griechenland und Rom bekannt.

Hundefloh, *Ctenocephalides (Ctenocephalus) canis*, 2–3 mm lang, schmarotzt auf Hunden und Katzen; Zwischenwirt des Hundebandwurms *(Dipylidium caninum)*.

Hundehaarling, *Trichodectes canis (latus)*, aus der Insektenordn. der Pelzfresser, 1,5 mm lang, breit und flach; ernährt sich von Hautschuppen und Haaren und ist Zwischenwirt des Hundebandwurms *(Dipylidium caninum)*.

Hundelaus, *Linognathus setosus (Haematopinus piliferus)*, aus der Insektenordn. der Läuse, 2 mm lang, schmutzigweiß, blutsaugend auf Hunden.

hundert, lat. **centum (C),** als Zahl **100,** die aus 10 Zehnern gebildete Einheit zweiter Ordnung.

Hundertg'uldenblatt, Radierung von Rembrandt, die Christus Kranke heilend darstellt; genannt nach dem hohen Preis, der für das Blatt gezahlt wurde.

H'undertjähriger Kalender, ein Volksbuch, das 1701 zum erstenmal herausgegeben wurde und auf dem ›Calendarium oeconomicum practicum perpetuum‹ des Abtes M. Knauer (1612–64) aufbaut. Es enthält mit astrologischen Vorstellungen durchsetzte Wetterbeobachtungen.

H'undertjähriger Krieg, der Kampf zwischen England und Frankreich, der 1337/38 begann und, nach längeren Unterbrechungen, 1453 endete. →englische Geschichte, →französische Geschichte.

H'undertschaft, 1) lat. **centena,** nach Tacitus eine ausgewählte Schar junger germanischer Krieger oder eine Gruppe von etwa 100 Männern, die den Fürsten zu den Gerichtsversammlungen begleitete. **2)** im Frankenreich bei Franken und Alemannen ein Unterbezirk der Grafschaft, die aus 3–4 H. bestand; der vom Volk gewählte H.-Vorsteher (ahd. hunno; mlat. centenarius) war zugleich Vorsitzender des Gerichts. Aus dem Centenar hat sich der Schultheiß entwickelt.

H'undert Tage, die Herrschaft Napoleons I. von der Rückkehr von Elba (1. 3.) bis zur Schlacht von Belle-Alliance (18. 6. 1815).

Hundertwasser, Friedensreich, eigentl. Fritz *Stowasser*, österreich. Maler, * Wien 15. 12. 1928; malt stark farbige ornamental verschlungene Bilder.

H'undesteuer, von den Gemeinden erhobene Aufwandsteuer auf das Halten von Hunden. Schutzhunde (z. B. Blindenhunde) werden nicht besteuert, für Wachhunde gelten Ermäßigungen. Das Aufkommen aus der H. betrug in der Bundesrepublik Dtl. (1972) 69 Mill. DM.

H'undewache, *Seemannssprache:* die Wache zwischen 0 und 4 Uhr morgens.

H'undhammer, Alois, Politiker (CSU), * Moos bei Forstinning (Obb.) 25. 2. 1900, † München 1. 8. 1974, Volkswirt, war

1

3

4

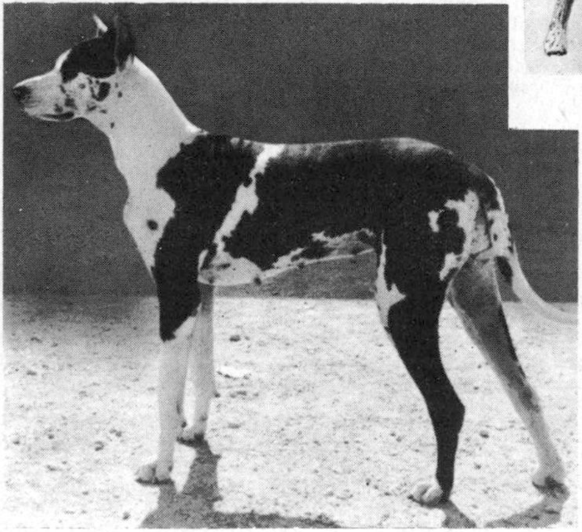

2

5

1 *Deutscher Schäferhund (Schulterhöhe 55–65 cm).* **2** *Gefleckte Dogge (Schulterhöhe bis zu 90 cm).* **3** *Zwergspitz (Schulterhöhe 28 cm).* **4** *Zwergschnauzer (Schulterhöhe bis 35 cm).* **5** *Zwergpinscher (Schulterhöhe bis 26 cm)*

6 *Italien. Windspiel (Schulterhöhe bis 35 cm).* **7** *Afghane (Schulterhöhe 65 cm beim Rüden).* **8** *Stichelhaariger Vorstehhund (Schulterhöhe 62–65 cm beim Rüden).* **9** *Collie (Schulterhöhe 50–60 cm).* **10** *Boxer (Schulterhöhe 56–60 cm).* **11** *Pointer (Schulterhöhe 53–58 cm beim Rüden)*

12 *Foxterrier (Schulterhöhe 35–40 cm).* **13** *Whippet (Schulterhöhe 47 cm).* **14** *Zwergpudel (Schulterhöhe 28–35 cm).* **15** *Scotchterrier (Schulterhöhe 23–30 cm).* **16** *Pekinese (Schulterhöhe 15–25 cm).* **17** *Kurzhaariger Dackel (Schulterhöhe 20–25 cm)* **18** *Spaniel (Schulterhöhe höchstens 42 cm).*

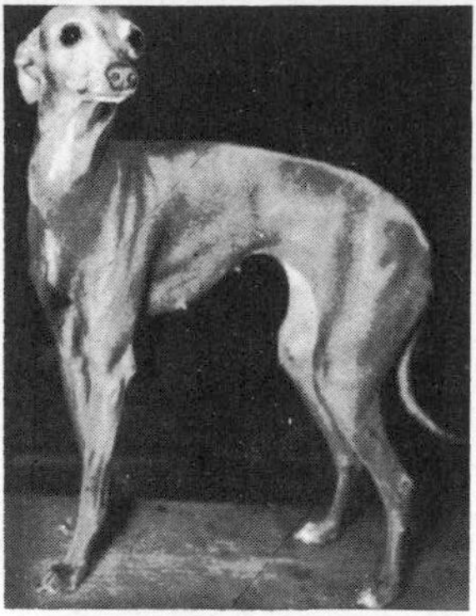

6

7

8

9

10

11

12

15

16

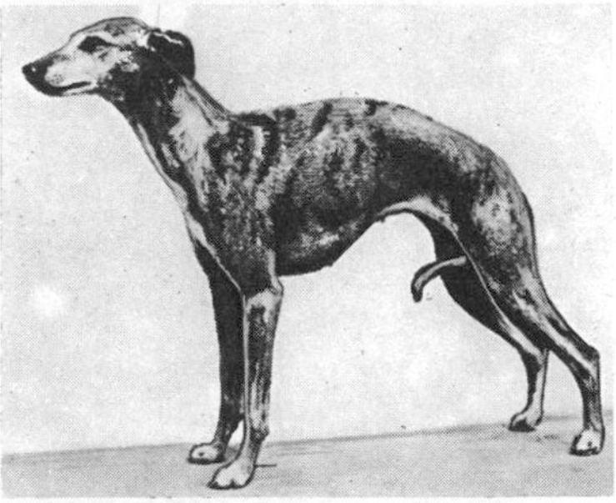
13

17

14

18

Text Seite 86

1932/33 Mitgl. des Bayer. Landtags (Bayer. Volkspartei), 1945 Mitgründer der CSU, 1946–50 Kultusminister, 1951–54 Präs. des Landtags; 1957–69 bayer. Landwirtschaftsmin., 1964–69 stellvertr. bayer. MinPräs.

H'unding, nordischer Sagenkönig, wird von Helgi erschlagen.

hundredweight [h'ʌndrədweit], abgek. **cwt** (centweight), brit. (50,802 kg) und nordamerikan. (45,359 kg) Handelsgewicht.

Hunds..., vor Pflanzennamen: unecht, unbeliebt, auch gefährlich, z. B. Hundsbeeren.

H'undsdill, Pflanze, →Schierling.

H'undsflechte, *Peltigera canina,* eine früher gegen Tollwut verwendete, zu den *Peltigeraceae* gehörende, sehr weit verbreitete Flechtenart (BILD Flechten, 4).

H'undsfott, 1) Schimpfwort seit dem 16. Jh.: Schurke. **2)** *Seemannssprache:* kurzes Tau.

H'undsgras, Grasarten: Quecke, Knaulgras, Straußgras.

H'undsgugel, ein Helm des späten Mittelalters (TAFEL Helm, 4).

H'undskirsche, Beerenpflanzen wie Schneeball, Geißblatt, Christophskraut.

H'undsköpfe, Affengatt., →Paviane.

H'undskraut, Pflanzen wie Bingelkraut und Natterkopf.

H'undsnelke, →Seifenkraut.

H'undspetersilie, Pflanze, →Schierling.

H'undsstern, der →Sirius.

H'undstage, die Tage von Ende Juli bis Ende August. Die Sonne befindet sich dann in der Nähe des Hundssterns (Sirius).

H'undstagsfliege, kleine →Stubenfliege.

H'undsveilchen, duftlose Veilchenarten.

H'undswürger, Pflanze, →Schwalbenwurz.

H'undswut, die →Tollwut.

H'undszahn, 1) Grasgattung *Cynodon;* das in warmen Ländern verbreitete *Bermudagras* ist als Futtergras geschätzt. **2)** Hundszahnlilie *(Erythronium).* **3)** Löwenzahn.

H'undszähne, *Dentes canini,* die Eckzähne.

H'undszecke, der →Holzbock.

H'undszunge, 1) *Cynoglossum,* Gattung der Borretschgewächse; die staudenartige *gemeine H.* (C. officinale), mit braunen Blüten und hakigen Nußfrüchten, ist auf sonnigem Grasland Europas, Asiens und Nordamerikas häufig. **2)** Wegerich, Ochsenzunge, Lungenkraut, Löwenzahn. **3)** Schollenfisch der nördl. atlant. Küste.

H'üne [mhd. eins mit: Hunne], Riese. **Hünenbett, -grab,** vorgeschichtl. Megalithgrab oder Hügelgrab. **Hünenburg, -ring, Hunnenschanze,** vor- und frühgeschichtl. Befestigung.

Hünefeld, Ehrenfried Günther, Freiherr von, * Königsberg 1. 5. 1892, † Berlin 5. 2. 1929, flog im April 1928 mit Köhl und Fitzmaurice über den Atlant. Ozean (→Luftfahrt).

Hünenstein, →Menhir.

Hünfeld, Stadt im Kreis Fulda, Hessen, 281 m ü. M., mit (1977) 13800 Ew., hat AGer., Missionshochschule, Landwirtschafts- und höhere Schule, verschiedene Industrie. H. ist seit 1310 Stadt.

Hung'aria, lat. Name für Ungarn.

Hungen, Stadt im Lahn-Dill-Kr., Hessen, in der Wetterau, (1977) 12000 Ew. H., 782 erwähnt, erhielt 1361 Stadtrecht. Schloß der Fürsten zu Solms-Braunfels (15.–18. Jh.).

Hunger [german. Stw.], Bedürfnis, Verlangen nach Aufnahme von Nahrung. Das *Hungergefühl* wird hervorgerufen durch Nahrungsmangel in den Geweben; Leerbewegungen des Magens sind Begleiterscheinungen. Im *Hungerzustand,* also bei völliger Nahrungsentziehung (so bei →Fasten), gehen alle wesentlichen Verrichtungen des Körpers regelmäßig weiter, nur bestreitet der Körper seinen Kräftebedarf aus eigenen Stoffen, vor allem dem Körperfett. Die mögliche Dauer des H.-Zustandes hängt von dem Ernährungszustand ab; sie ist bei Kaltblütern sehr viel länger (Frosch 1 Jahr) als bei Warmblütern (Vögel nur einige Tage; Hund 90–100 Tage). *Hungerkünstler* hungerten bis zu 83 Tagen. Über H.-Schäden →Hungerkrankheit.

H'ungerblume, 1) *Draba,* große Kreuzblütergattung auf kargem Boden und im Hochgebirge, meist Pflänzchen mit grundständigen Blättern und schaftständ. Rispe weißer oder gelber Blüten, mit kurzen Schoten, z. B. das schmalblättrige, gelbblütige immergrüne *Hungerblümchen* (Felsenblümchen, D. aizoides) und das weißblütige, formenreiche *Frühlings-Hungerblümchen* (D. verna, Erophila verna). **2)** Wucherblume (Chrysanthemum), Kornblume, scharfer Hahnenfuß.

H'ungerbrunnen, Quell, der nicht immer Wasser gibt.

H'ungerharke, Hungerrechen, Rechen zum Nachharken auf dem Feld (zum Schaden der Ährenleser).

H'ungerkorn, →Mutterkorn.

H'ungerkrankheit. H. im weiteren Sinn sind Krankheiten, die in Hunger- und Notzeiten gehäuft oder als Seuchen auftreten, z. B. *Hungertyphus* (→Fleckfieber). Eine H. im engeren Sinn ist das *Hungerödem (Dystrophie),* in beiden Weltkriegen beobachtet, eine Ansammlung von eiweißarmem Gewebswasser unter der Haut und in den Körperhöhlen, vorwiegend in der Bauchhöhle. Es entsteht durch teilweise Unterernährung bei einer falsch zusammengesetzten (Vitaminmangel) und zu knappen (Kalorienmangel) Kost, die vorwiegend Kohlenhydrate, reichlich Kochsalz, zu wenig Eiweiß und wenig Fett enthält.

H'ungerkur, Fastenkur (→Ernährungsbehandlung).

H'ungerstein, 1) beim Salzsieden in Sudpfannen bleibender Rückstand. **2)** in trockenen Jahren in Flüssen zutage tretender Felsen.

H'ungersteppe, kirgisisch **Bedpak Dala,** russ. **Golodnaja Step,** langgestreckte Wüstensteppe in Kasachstan, Sowjetunion, westl. vom Balchaschsee.

H'ungertuch, *Fastentuch,* Tuch, das in den Kirchen des Mittelalters zu Beginn der Fastenzeit vor dem Altar aufgehängt wurde, um diesen dem Anblick der Gläubigen zu entziehen; in neuerer Zeit nur noch vereinzelt gebraucht.

Hüningen, franz. **Huningue** [yn'ɛ̃ : g], Stadt im franz. Dep. Haut-Rhin (Oberelsaß), an der Schweizer Grenze (Basel), mit rd. 6000 Ew., chem. und Textilindustrie. Die Festung H., 1679 von Vauban erbaut, wurde 1815 geschleift.

H'unnen, chines. **Hiung-nu,** ostasiat. Nomadenvolk, das um 200 v. Chr. ein Reich mit dem Mittelpunkt am oberen Orchon in der Mongolei gründete. Ein Teil der H., die *östl.* und *nördl. H.*, gingen im Lauf der Jahrhunderte in den Chinesen auf. Ein anderer Teil, die *westl. H.*, drang nach W vor und schlug 375 n. Chr. die Alanen, zerstörte das Ostgotenreich Ermanarichs und nahm zunächst die Ebenen zwischen Wolga und Don ein. Unter König →Attila standen die H. auf der Höhe ihrer Macht. Nach Attilas Tod begann der rasche Zerfall. Zum Teil wurden die H. Bundesgenossen des Byzantin. Reichs, z. T. gingen sie in den Awaren, Chasaren und Wolga-Bulgaren auf.

LIT. F. Altheim: Attila und die H. (1951); ders.: Gesch. d. H., 5 Bde. (1959–62); H. Schreiber: Die H. (1976).

Hunnenschlacht, die Schlacht auf den →Katalaunischen Feldern.

Hunnius, Monika von, balt. Schriftstellerin, * Narwa 2. 7. 1858, † Riga 31. 12. 1934.

H'unsa, Volk im nördl. Vorderindien von starker Abgeschlossenheit, →Hunza.

H'unsrück, der SW-Flügel des Rhein. Schiefergebirges zwischen Mosel und Nahe, die linksrhein. Fortsetzung des Taunus bis zur Saar, aus devonischen Grauwacken und Schiefern aufgebaut, über deren Rumpffläche sich Quarzitrücken erheben: *Hochwald* (im Erbeskopf 816 m), *Idarwald* (bis 745 und 765 m) und *Soonwald* (658 m) nebst *Binger Wald.* Auf den Höhen rauhes Klima, in den geschützten Randtälern Wein- und Obstbau.

Hunt [h'ʌnt], **1)** William Holman, engl. Maler, * London 2. 4. 1827, † das. 7. 9. 1910, gründete 1848 mit Rossetti und Millais die Schule der →Präraffaeliten.

2) James Henry Leigh, engl. Schriftsteller, * Southgate b. London 19. 10. 1784, † Putney 28. 8. 1859, setzte sich als bedeutender Essayist für religiöse und polit. Erneuerung ein.

H'unte, der größte linke Nebenfluß der Weser, entspringt im Wiehengebirge, mündet oberhalb von Elsfleth, 186 km lang; sie ist von Oldenburg ab schiffbar, durch den *Küstenkanal* mit der Ems verbunden.

Hunter [h'ʌntə, engl.], kräftiges engl. Jagdpferd, Kreuzung aus Vollblut und Yorkshire.

Hunter [h'ʌntə], **1)** John, engl. Anatom, Physiologe und Chirurg, * Long-Calderwood b. Kilbride (Schottland) 13. 2. 1728, † London 16. 10. 1793, Praktiker in London, schuf die Basis der modernen Lehre von der Entzündung und gab der Chirurgie und Zahnheilkunde eine wissenschaftl. Grundlage.

2) William, engl. Anatom, Chirurg und Geburtshelfer, Bruder von 1), * Long-Calderwood 23. 5. 1718, † London 30. 3. 1783 als Leibarzt der Königin und Prof., bekannt durch seine anatom. Darstellung der schwangeren Gebärmutter und seine Bemühung, die Gefahren des Kaiserschnittes durch Einleiten der künstl. Frühgeburt zu umgehen.

Huntingdonshire [h'ʌntiŋdənʃiə], kurz **Hunts,** ehem. Grafschaft in Mittelengland, 947 qkm mit (1969) 196 700 Ew.; Hauptstadt Huntingdon; gehört seit 1974 zu Cambridgeshire.

Huntington [h'vntiŋtən], Handelsstadt am Ohio in West Virginia, USA, (1970) 74 300 Ew.; Textil- und Möbelindustrie.

Huntington, 1) Ellsworth, amerikan. Geograph und Forschungsreisender. * Galesbury (Ill.) 16. 9. 1876, † New Haven (Conn.), 17. 10. 1947, hat grundlegende Untersuchungen über Klimaänderungen, bes. in Asien, angestellt.

2) George, amerikan. Nervenarzt, * Easthampton (Long Island, USA) 9. 4. 1851, † Cairo (N. J.) 3. 3. 1916; beschrieb 1872 als erster die nach ihm genannte **Huntingtonsche Chorea** (→Veitstanz).

Hunts [h ʌnts], ehem. engl. Gfsch., →Huntingdonshire.

Huntsman [h'ʌntsmən], Benjamin, engl. Technologe, * Lincolnshire 4. 6. 1704, † Attercliffe 1776, erfand 1742 den Gußstahl.

Hunyadi [h'unjədi], Johann, ungar. Heerführer, * Siebenbürgen um 1385, † Semlin 11. 8. 1456, kämpfte als Woiwode Siebenbürgens (seit 1439) und als Reichsverweser für den minderjährigen Ladislaus Postumus (1444–53) mit wechselndem Glück gegen die Türken. Bei Warna wurde er 1444, auf dem Amselfeld 1448 besiegt; er verteidigte 1456 die Festung Belgrad.

Hunza, Hunsa, Fluß in Asien, entspringt im Hindukusch, durchbricht die Karakorumketten, mündet in den Gilgit. Im H.-Tal findet man von Gletscherbächen gespeiste Bewässerungsoasen mit Terrassenbau. Durch das Tal führt die 1971 fertiggestellte Straße zwischen China und Pakistan. Die Bewohner, die H. (etwa 30 000), von europidem Typus, mit eigener Sprache, treiben Anbau von Getreide, Hülsenfrüchten, Obst, Rinder-, Schaf-, Ziegenzucht.

Huon von Bordeaux [yɔ̃, bɔrdo:], Held des gleichnam. altfranz. Heldenepos (um 1220).

H'upe [Rheinpfalz 18. Jh. ›Weidenpfeife‹], Warnhorn der Kraftfahrzeuge. Bei der früher üblichen *Ballhupe* wird durch Zusammendrücken eines Gummiballs eine Zunge in Schwingungen versetzt. Bei der *elektrischen H. (Horn, Bosch-Horn)* befindet sich vor den Polen eines Elektromagneten eine fest eingespannte Membran, die bei eingeschaltetem Strom in Schwingungen versetzt wird.

Hup'eh, Prov. in China, 188000 qkm mit (1970) 35 Mill. Ew.; Hauptstadt Wuhan.

H'üpfmäuse, →Springnager.

H'üpfspinnen, →Springspinnen.

Hupp, Otto, Schriftkünstler, Maler, Heraldiker, * Düsseldorf 21. 5. 1859, † Schleißheim 31. 1. 1949, gab 1885 bis 1934 den ›Münchner Kalender‹ heraus, entwarf Druckschriften (H.-Antiqua, H.-Fraktur).

H'urde [verwandt mit Hürde], aus Pfählen und Strauchwerk geflochtene Tafel zur Böschungsbekleidung.

H'ürde [german. Stw. ›Flechtwerk‹], **1)** länglich-viereckiges Gestell, z. B. als Obstständer, Darre. **2)** Hindernis beim Hürdenlauf oder Hürdenrennen. **3)** tragbarer Viehzaun aus Flecht- oder Gitterwerk.

Hürdenlauf, leichtathlet. Disziplin, bei der zehn in gleichmäßigen Abständen aufgestellte Hürden überlaufen werden. Männer tragen H. über 110 m (Hürdenhöhe ca. 107 cm), 200 m (76 cm) und 400 m (91 cm) aus, Frauen über 100 m (84 cm) und 200 m (76 cm).

H'ürdenrennen, →Hindernisrennen.

Hurdes, Felix, österr. Politiker (ÖVP), * Bruneck (Südtirol) 9. 3. 1901, † Wien 13. 10. 1974, Rechtsanwalt, 1945–52 Unterrichtsmin.; 1953–59 Präs. des Nationalrats.

Hurenkind, *Buchdruck:* einzelne Ausgangszeile, die noch auf die neue Seite oder Spalte kommt.

Hurenweibel, ein älterer, erfahrener Krieger, der die jedes Landsknechtsheer begleitenden Weiber, Kinder und Troßbuben beaufsichtigt.

H'uri [arab.], nach dem Glauben der Mohammedaner im Paradies weilende Jungfrauen von unvergänglichen Reizen.

Hur'onen, Wyandot, vormals mächtiger Indianerstamm am Huronsee, N-Amerika, in Kämpfen mit den West-Irokesen (Mitte des 17. Jhs.) fast aufgerieben, heute fast ausgestorben.

hur'onische Formationen, Huron, mittlerer Teil der proterozoischen Formationsgruppe, aufgebaut von Konglomeraten, Quarziten, Grauwacken, Tonschiefern, Dolomiten und Eisenerzen, verbreitet im Gebiet der großen nordamerikan. Seen.

H'uronsee, Hur'onensee, engl. **Lake Huron** [leik hj'uərən], der mittlere der 5 Großen Seen Nordamerikas, 177 m ü. M., 59586 qkm groß, bis 229 m tief.

H'urrikan, engl. **Hurricane** [h'ʌrikən], →Orkan.

Hürth, Gem. im Erftkr., Nordrhein-Westfalen, mit (1977) 51300 Ew., am Nordostabhang der Ville; Industrie: Bergbau, Elektrizitäts-, Steinzeugwerke, Malzfabrikation, Ziegeleien, chem. Industrie.

Hur'ufis [von arab. huruf ›Buchstaben‹], schiitische Sekte, gegründet von dem Perser Fadlallah von Astarabad (hingerichtet 1393 oder 1394), war bes. in der Türkei verbreitet. Der Name der H. geht auf ihre an die Kabbala erinnernden Spekulationen mit Buchstaben zurück, denen sie symbol. Bedeutung zuschrieben.

Hus (Huß), Jan (Johannes), tschech. Reformator, * Husinec (Südböhmen) um 1370, † Konstanz 6. 7. 1415, der Sohn eines Bauern, war Lehrer, seit 1402 zugleich Prediger an der Bethlehemskapelle in Prag, 1409/10 Rektor der Universität. H. bekämpfte die Verweltlichung der Kirche, ohne zunächst ihre Lehre anzugreifen. Er gewann weite Kreise des Volkes, auch die Gunst des Königs Wenzel und des Erzbischofs. Infolge einer Beschwerde der Geistlichkeit untersagte der Erzbischof H. alle priesterlichen Amtsverrichtungen. 1410 wurde H. exkommuniziert. In seiner Schrift ›De ecclesia‹ (1413) berief sich H. auf die Bibel. 1414 begab er sich mit freiem Geleit des Kaisers Sigismund nach Konstanz zum Konzil, wurde dort verhaftet und, da er sich nicht unterwerfen wollte, 1415 als Ketzer verbrannt. In seiner Lehre ist er von Wiclif beeinflußt, hielt aber im Unterschied zu ihm an der Transsubstantiation fest. H. hat auch die tschechische Sprache und die tschechische Literatur außerordentlich gefördert (Predigten, Briefe, Lieder). Er wurde zum Nationalhelden und Märtyrer. →Hussiten.

WERKE. Opera omnia, hg. v. V. Flajshans, mit dt. Anmerkungen (1903–08).

LIT. M. Vischer: Johannes H. ([2]1955).

Husak, Gustav, tschechoslowak. Politiker, * Dúbravka (Slowakei) 10. 1. 1913, Jurist, 1951 aus der KP ausgeschlossen, bis 1960 in Haft, 1968 stellvertr. MinPräs., 1969 Erster Sekretär der KPČ, seit 29. 5. 1975 Präs. der CSSR.

Hus'ar [ungar.], urspr. das ungar. Aufgebot zu Pferde; in Dtl. im 16. Jh. ein schwerbewaffneter Reiter, seit dem 17. Jh. ein leichter Reiter in ungar. Tracht.

Preußische Husaren:
links 1763, rechts 1870–1914

Hus'arenaffe, meerkatzenartiger Affe Nordafrikas.

Hus'ein, 1) zweiter Sohn des vierten Kalifen

Ali und der Fatima, Enkel Mohammeds, vertrat die Ansprüche der Familie des Ali auf das Kalifat, fiel aber 680 bei Kerbela. Die Schiiten feiern ihn als Märtyrer.

2) H. I. Ibn Ali, König des Hedschas, * Mekka 1853, † Amman 4. 6. 1931, 1908 Emir von Mekka, seit Juni 1916 unabhängig, erklärte sich nach Eroberung des Hedschas zum König (1917). Nach dem vergebl. Versuch, den Kalifentitel zu erwerben (1924), mußte er abdanken und ging ins Exil.

3) H. II., Hussein II., König von Jordanien, * Amman 2. 5. 1935, folgte am 11. 8. 1952 seinem abgesetzten Vater Talal.

Hus'eini, Mohammed Emin **el-H.,** arab. Politiker, * Jerusalem 1895, † Beirut 4. 7. 1974, seit 1920 Mufti von Jerusalem, übernahm nach 1918 die Führung der Palästina-Araber im Kampf gegen die brit. Mandatsherrschaft und die jüdische Einwanderung. 1926 wurde er Groß-Mufti und Vors. des Obersten Islam. Rats, 1937 von England abgesetzt.

H'üsing, Hüsen, Hüsung [niederd. von Hus ›Haus‹] *die,* **1)** Heim, Behausung. **2)** *Seemannssprache:* geteerte Leine zum Umwickeln dickerer Taue oder Ketten.

Husle *die,* altertüml. geformte Geige der Wenden und Südslawen.

Huß, Johannes, →Hus.

Husse *die,* ärmelloses, an den Seiten aufgeschnittenes, halblanges Obergewand der männl. Kleidung im 14. Jahrhundert.

H'usseke [von ungar. hosszaska] *die,* **1)** slaw. Form der →Schaube, mit silbernen Nesteln vorn zusammengehalten; wurde im 15. Jh. in Ost- und Mitteldeutschland getragen. **2)** im 16. Jh. ein weiter Frauenmantel mit Pelzbesatz.

H'usserl, Edmund, Philosoph, * Proßnitz (Mähren) 8. 4. 1859, † Freiburg i. Br. 26. 4. 1938, Prof. in Göttingen und Freiburg, Schüler von Weierstraß und F. Brentano, entwickelte an einer Kritik des Psychologismus eine Lehre von den im Bewußtsein aufweisbaren Strukturen (→Phänomenologie), die er später im Sinne einer idealistischen Ontologie begründete. Mit seiner Lehre hat H. einen bedeutenden Einfluß auf die Philosophie in Deutschland (M. Scheler, M. Heidegger) und Frankreich (M. Merleau-Ponty) ausgeübt.

Das **Husserl-Archiv** in Löwen (franz. Louvain) bewahrt, verwaltet und bearbeitet H.s Nachlaß, seine philosoph. Bibliothek, große Teile seines Briefwechsels sowie Dokumente über sein Leben und seine Laufbahn. An der Univ. Köln gibt es seit 1951 ein H.-Archiv, das in engster Zusammenarbeit mit Löwen an der Editionsarbeit aktiv beteiligt ist. Weitere Zweigstellen bestehen in Freiburg i. Br., Straßburg und Buffalo.

WERKE. Husserliana. Ges. Werke (1950ff.), Logische Untersuchungen, 3 Bde. (1900–01, $^{3-4}$1928), Ideen zu einer reinen Phänomenologie, 3 Bde. (1913–52).

LIT. T. W. Adorno: Zur Metakritik der Erkenntnistheorie (1956); W. Szilasi: Einf. in die Phänomenologie E. H.s (1959); A. Diemer: E. H. (^{2}1965).

Huss'iten, die Anhänger des Johannes →Hus in Böhmen, anfänglich *Wiclifiten* genannt. Die gemäßigtere Gruppe der *Kalixt'iner* [von lat. calix ›Kelch‹] oder *Utraqu'isten* [von lat. sub utraque specie ›Abendmahl unter beiderlei Gestalt‹] forderte vor allem den Kelch beim Abendmahl; die strengere Gruppe der *Tabor'iten* [nach der Feste Tabor] verwarf jede Lehre, die sich nicht aus der Bibel beweisen lasse. Nach dem Tode König Wenzels einigten sich beide und verlangten Freiheit der Predigt, Spendung des Laienkelches, Armut der Geistlichen und Bestrafung der Todsünden durch weltl. Gericht; mit diesen religiösen verbanden sich polit. und soziale Forderungen, in denen sich die H. als deutschfeindlich erwiesen. Als Kaiser Sigismund ihre Forderungen ablehnte, begannen 1420 die *Hussitenkriege,* in denen die H. unter militärisch überlegenen Führern wie Žižka, Prokop dem Großen und Prokop dem Kleinen nicht nur Böhmen, sondern auch alle Nachbarländer: Österreich, Ungarn, Bayern, Sachsen, Schlesien, Brandenburg verheerten und die von Kaiser und Papst gegen sie aufgebotenen Kreuzheere vernichtend schlugen. Nach Verhandlungen auf dem Konzil zu Basel wurde ihnen in den *Prager Kompaktaten* (30. 11. 1433) der Laienkelch zugestanden. Die weiterkämpfenden Taboriten wurden 1434 von den vereinigten Katholiken und Utraquisten besiegt. Auf dem Landtag in Iglau wurden die Kompaktaten bestätigt (5. 7. 1436), daraufhin wurde Sigismund als König von Böhmen anerkannt. Die Reste der Taboriten wurden erst 1453 von Georg von Podiebrad zersprengt. Im Laufe des 16. Jhs. wurde die Mehrheit der Utraquisten lutherisch; die Minderheit wurde 1594 wieder katholisch; Reste der Taboriten lebten in den →Böhmischen Brüdern fort.

h'usten [german. Stw.], die Luft aus den Lungen durch die krampfhaft verengte Stimmritze ausstoßen, so daß ein tönendes Geräusch entsteht. Ursachen des *Hustenreizes* sind Entzündungen der Luftwege oder – bei gesunden Atmungsorganen – Fremdkörper, die in den Kehlkopf oder in die Luftröhre gelangt sind. Den Hustenreiz mildernde *Hustenmittel* sind beruhigende, schleim- und krampflösende und den Auswurf befördernde Mittel, ferner Inhalieren und Wärmebehandlung.

Huston [h'ʌstən], John, amerikan. Filmregisseur, * Nevada (Mo.) 5. 8. 1906. Filme: The African Queen (1951), Moulin Rouge (1952), Moby Dick (1954–56), Nicht gesellschaftsfähig (The Misfits, 1960).

H'usum, Kreisstadt (Kr. Nordfriesland) in Schleswig-Holstein, mit (1977) 24900 Ew., am Rande der Geest, hat AGer., Marschenbauamt, Forschungsstelle Westküste, Grünlandinstitut, Museum, ein altsächs. Ostenfelder Bauernhaus (Freilichtmuseum); Viehmärkte; Fisch- und Textilindustrie, Brauerei; Garnison. Mit der Insel Nordstrand ist H. seit 1935 durch einen Damm verbunden. H. erhielt 1603 Stadtrecht. Es ist Geburtsort des Dichters Theodor Storm.

Hut [german. Stw.], 1) Kopfbedeckung mit ringsumlaufender Krempe. *Filz-H.* werden als *Haar-H.* aus Hasen-, Kaninchen-, Biberhaaren, als *Woll-H.* aus feinen Schafwollen unter Zusatz von Kämmlingen hergestellt. Aus der gereinigten Haarmischung und aus den aufgelösten Faserflocken entsteht zunächst eine glockenförmige *Fache.* Diese wird von Hand vorgefilzt und dann auf Spezialmaschinen unter heißem Wasserdampf durch Stoßen, Schlagen und Recken zu einem *Stumpen* verdichtet. Nach dem Färben und Appretieren werden die Stumpen heiß auf Form gezogen *(Capeline).* Nunmehr folgt die Oberflächenbearbeitung (Rauhhaar-, glatter oder Veloursh ut). *Steif-H.* werden mit Schellack appretiert und mit Glaspapier abgeschliffen. – *Stroh-H.* bestehen aus geflochtenen Borten oder Stumpen oder aus gewebten Stoffen von Strohhalmen, Weiden- und Raffiabast, Sisalhanf, Palmblattfasern (Panama), Viskosebändchen, zelluloidiertem Papier, Zellglas-Verbundstoffen.

GESCHICHTE. Der H. ist seit dem Altertum bekannt. Auch für die europ. Frühzeit um 2000 v. Chr. sind wollene Kopfbedeckungen aus Moorfunden bekannt geworden. Bei den Griechen und nach ihrem Beispiel bei den Römern war der H. hauptsächlich Witterungsschutz. In Rom gehörte der H. als Symbol des freien Mannes zur Festtracht, daher erhielt auch der freigelassene Sklave einen H. Bei den german. Stämmen kennzeichnete der H. den vornehmen Mann. Bei den Sachsen war bereits vor dem 10. Jh. ein *Stroh-H.* in Gebrauch, der seitdem Teil der bäuerl. Arbeitstracht geblieben ist. In der Mitte des 12. Jhs. wurde der oft mit Pelzwerk oder Pfauenfedern geschmückte H. ein wichtiger Teil der Männer- und Frauenkleidung. Seit 1200 mußten die Juden den zuckerhutförmigen *Juden-H.* tragen. Mitte des 14. Jhs. trat der H. hinter anderen Kopfbedeckungen zurück. Um 1400 wurde der H. am burgund. Hof wieder getragen; zur Herstellung wurde Filz, Marder- und Wolfspelz benutzt. Das Wiederaufkommen des H. brachte auch die alte Etikette des Hutabnehmens vor dem Höheren wieder. Die Herren des burgund. Hofes umgingen diese Vorschrift jedoch dadurch, daß sie unter dem H. eine fezartige Mütze trugen und den H. in Gegenwart des Herzogs in der

1

2

3

4

5

Hut: 1 *H. mit Federschmuck, um 1530 (Zeichnung von H. Holbein d. J., Ausschnitt).* 2 *Spanischer H., um 1580 (König Philipp II. v. Spanien, zeitgenöss. Stich).* 3 *Niederländ. H. einer Patrizierin, 1619 (Gemälde v. S. Mesbach, Ausschnitt).* 4 *Zylinderhut, 1843.* 5 *Werdegang eines Hutes vom Stumpen bis zum Fertigfabrikat*

Hand oder an einem Band auf dem Rücken hielten. Ende des 15. Jhs. bis Mitte des 16. Jhs. machte der H. dem →Barett Platz. Nur in Spanien hatte er sich nicht verdrängen lassen und kam um 1550 mit der Spanischen Tracht als gesteifter *Spanischer H.* nach Mitteleuropa zurück. Ihm folgten der niederländ. *Rubens-H.* und zu Beginn des 17. Jhs. der breitkrempige schwed. *Schlapp-H. (Schweden-H., Respondent).* Um 1700 brachten Jäger und Soldaten die Mode auf, die breiten Krempen hochzuschlagen, um das Anbrennen durch das Zündfeuer zu verhindern. Daraus entwickelte sich im 18. Jh. der →Dreispitz. Der Schlapp-H. kehrte in der 2. Hälfte des 18. Jhs. als gesteifter →Quäkerhut von Nordamerika nach England zurück und wurde 1775 durch Goethe als Teil der Werthertracht in Dtl. heimisch. Der Londoner H.-Macher John Hetherington schuf 1797 aus ihm den *Zylinder-H.*, der zunächst als revolutionäres Symbol verfolgt wurde, sich aber seit 1813 als Herren- und Damen-H. durchsetzte. Der weiche, breitkrempige H. wurde 1848 sein revolutionäres Gegenstück *(Demokraten-H., Hecker-H., Karbonari-H.)* und ist seit Ende des 19. Jhs. in den verschiedensten Formen zum festen Bestandteil der männl. und weibl. Tageskleidung geworden *(Camber, Homburg, Stroh-H., Topf-H.).* Der niedrige, flachköpfige Herren-H. *(Torero)* entspricht dem H. des Südspaniers, der bekanntere span. H. ist der *Sombrero.* – Mit der Franz. Revolution begann die eigentl. Ära des Damen-H. Im Biedermeier kamen *Schute* und →Florentiner Hut auf, nach 1850 der *Kapott-H.*, nach 1900 die *Wagenräder.* In den Nachkriegsjahren waren Topfformen üblich, dann aber wechselte die Mode fast jährlich.

Auch im Brauchtum spielte der H. eine Rolle. Vom Papst in der Christnacht gesegnete H. *(geweihte H.)* aus violetter Seide, die mit Hermelin gefüttert und mit goldener Schnur und Juwelen geschmückt waren, verschenkte er an Feldherren und Fürsten, die sich um den kath. Glauben verdient gemacht hatten (letztmalig an Marschall Daun für Hochkirch 1758). Der H. war Standesabzeichen für Herrscher und Priester *(Kardinals-H.)* und wurde als Hoheitszeichen verwandt *(Geßler-H.)*; ferner wurden als Tributgabe häufig H. gefordert. Öffentlich zur Schau gestellte Bankrotteure erhielten in Frankreich einen grünen und mancherorts in Dtl. einen gelben H. aufgesetzt.

LIT. Timidior: Der H. u. s. Gesch. (1941).

H'ut|affe, →Makak.

Hutcheson [h'ʌtʃisn], Francis, engl. Philosoph, * im nördl. Irland 8. 8. 1694, † Glasgow 1746, Prof. in Glasgow, engl. Moralist, beeinflußte A. Smith und die Schottische Schule (→englische Philosophie), prägte die Formel vom »größten Glück der größten Zahl« (→Utilitarismus).

H'uter, Carl, Arzt, * Heinde b. Hildesheim 9. 10. 1861, † Dresden 4. 12. 1912, schuf ein Deutungssystem des Körper-, Kopf-, Gesichts- und Augenausdrucks.

WERK. Menschenkenntnis durch Körper-, Lebens-, Seelen- und Gesichtsausdruckskunde, 5 Bde. (1904–06).

H'ut|haus, Zechenhaus, Gebäude, in dem sich die Bergleute vor der Einfahrt versammeln und umziehen, und in dem die Werkzeuge aufbewahrt werden; oft mit einer Kapelle.

H'utpilze, die gestielten, hutförmigen Fruchtkörper der Hautpilze und einiger Schlauchpilze (Morcheln).

H'ut|recht, Hutungsrecht, eine →Weidegerechtigkeit.

H'utschenreuther, Porzellan-Fabrik Lorenz H. AG, Selb/Bayern, gegr. 1856, AG seit 1902. Werke in Weiden, Tirschenreuth, Selb.

H'ut|schlangen, Schildottern, Giftnattern der südasiat. und nordafrikan. Gatt. *Naja.* Die H. richten sich in der Erregung auf und spreizen die Halsrippen, wodurch sich der Hals scheibenförmig abflacht. Bei der ind. *Kobra* oder *Brillenschlange* (FARBTAFEL Schlangen I) tritt dann eine dunkle brillenartige Nackenzeichnung hervor. Durch ihr Verhalten reizen flötenblasende »Schlangenbeschwörer« die Tiere zu wiegenden Bewegungen ihrer aufgerichteten Vorderleiber; auf die Töne reagieren sie infolge der allen Schlangen eigenen Taubheit nicht. Die unscheinbarer gefärbte *Uräusschlange* wird in Ägypten zu ähnl. Schaustellungen verwendet. Die *Speischlange* spritzt einem Angreifer ihr ätzendes Gift in die Augen. Am größten wird die bis 4,5 m lange *Riesen-* oder *Königshutschlange* SO-Asiens.

Hutschou, postamtl. **Huchow,** auch **Wuhsing,** Stadt in der Prov. Tschekiang, China, mit rd. 120000 Ew., Mittelpunkt der Seidengewinnung.

H'ütte, 1) in der hausgeschichtl. Fachsprache das ohne senkrechte Wände auf den Erdboden gesetzte Dachhaus, im Unterschied zum »Haus« mit Wänden und deutlich abgesetztem Dach.

2) *Hüttenwerk,* industrielle Anlage zur Gewinnung nutzbarer Metalle, die sie teilweise auch weiterverarbeitet, und zur Herstellung keramischer Produkte (z. B. *Eisen-, Blei-, Kupfer-, Glas-, Ziegel-H.*).

H'ütteldorf, Teil des XIV. Bez. von Wien.

H'utten, 1) Philipp von, dt. Konquistador, Neffe von 2), ging 1535 im Dienste der Welser nach Venezuela und nahm am Entdeckungszug von →Hohermut (1535–38) teil. Bei der Rückkehr von einem neuen Zug wurde er 1546 von einem span. Abenteurer ermordet.

2) Ulrich von, Reichsritter und Humanist, * Burg Steckelberg b. Fulda 21. 4. 1488, † Insel Ufenau im Zürichsee 29. 8. 1523, verteidigte Reuchlin gegen die Kölner Dominikaner (→Dunkelmännerbriefe), trat 1519 dem Schwäbischen Bund gegen Herzog Ulrich von Württemberg bei, verband sich mit Franz von Sickingen und Luther und griff die römische Geistlichkeit in zahlreichen Schriften an. Schließlich mußte er in die Schweiz fliehen, wo er, von Zwingli aufgenommen, starb. – Dichtung: ›H.s letzte Tage‹ von C. F. Meyer (1871).

WERKE. Gesamtausg. seiner Schr. von E. Böcking (7 Bde., 1859–70), Ausg. der dt. Schriften von S. Szamatólski (1891).

LIT. D. F. Strauss: U. v. H. ([3]1938); J. Benzing: U. v. H. und seine Drucker (1956).

Ulrich von Hutten (Holzschnitt v. Erhard Schön)

H'üttenberg, Markt in Kärnten, Österreich, am NW-Fuß der Saualpe, 770 m ü. M., mit (1973) 3400 Ew.; Gewinnung von Spateisenstein und Limonit am *Hüttenberger Erzberg*, seit kelt. Zeit in Betrieb.

H'üttenbims, Thermosit, durch Dampf geschäumte Hochofenschlacke als Leichtzuschlag für Beton und Wärmeisolation.

H'üttenjagd, Jagd mit dem Uhu aus der →Krähenhütte auf Raubvögel und Krähen, auch aus der Luderhütte, vor der →Luder ausgelegt wird, auf Haarraubwild.

H'üttenrauch, flüchtige Metalloxyde aus den Abgasen metallurgischer Öfen, kondensieren in feuchter Luft zu Nebel, meist vermischt mit feinen Teilchen *(Gichtstaub, Flugstaub)*.

H'üttenschulen, bilden Fachkräfte für Hüttenwerke aus (z. B. in Duisburg), meist mit Bergschulen oder Ingenieurschulen.

H'üttensteine, früher **Hochofenschlackensteine,** werden aus gekörnter Hochofenschlacke, mit Kalk, Schlackenmehl oder Zement gemischt, als Vollsteine hergestellt.

Hüttental, ehem. Stadt in Nordrhein-Westf., Kr. Siegen, mit (1973) 39200 Ew., wurde 1966 aus mehreren Gem. und der Stadt Weidenau gebildet. H. gehört seit 1. 1. 1975 zu Siegen.

Hütten- und Bergwerke Rheinhausen AG, Rheinhausen, →Krupp.

Hüttenward'ein, →Wardein.

Hüttenwerke Siegerland AG, Siegen (Westf.), gegr. 1933 als Betriebsges. der Vereinigten Stahlwerke AG; 1952 wieder neu gegründet.

Hüttenwerk Oberhausen AG, HOAG, Oberhausen, 1947 durch Ausgliederung aus der Gutehoffnungshütte Oberhausen AG entstanden, 1968 in die August Thyssen-Hütte eingegliedert.

Hüttenwerk Salzgitter AG, Salzgitter, gegr. 1937 als Abteilung der Reichswerke AG für Erzbergbau und Eisenhütten, 1950 ausgegliedert, seit 1953 H. S. AG, jetzt *Salzgitter AG für Berg- und Hüttenbetriebe.*

H'utter, Jakob, Wiedertäufer, →Habaner.

H'utung, Hutweide, minderes Weideland (Schafweide), in der Regel Gemeindebesitz.

H'utzenstube, Spinnstube; im Erzgebirge gesellige Zusammenkunft ähnlich der Rokkenstube; gemütliche Stube mit Ofenbank.

Huxley [h'ʌksli], **1)** Aldous, engl. Schriftsteller, Enkel von 4), * Godalming 26. 7. 1894, † Hollywood 22. 11. 1963, war in der Jugend vorübergehend erblindet, lebte seit 1938 in Kalifornien. Aus seinen frühen Werken spricht ein zynischer Pessimismus, Ausdruck der Nachkriegsenttäuschung der jungen Generation. Anfang der dreißiger Jahre war er vom Buddhismus beeinflußt. H. ist ein glänzender Stilist, ein geistreicher und scharfsinniger Kritiker, der die Romanform durch endlose Gespräche sprengt. Bes. bekannt wurden seine beiden Utopien, deren eine eine mathemat.-naturwissenschaftl. organisierte Welt schildert, in der die Menschen die Maschine anbeten (Brave new world), die andere eine vom Atomkrieg zerstörte Welt, in der die kümmerlichen Reste der Menschheit, vertiert und verroht, den Teufel als ihren Herrn verehren (Ape and essence).

WERKE. Romane: Parallelen der Liebe (1925; dt. 1929), Kontrapunkt des Lebens (1928; dt. 1930), Schöne neue Welt (1932; dt. 1953), Geblendet in Gaza (1936; dt. 1953), Die graue Eminenz (1941; dt. 1962), Zeit muß enden (1945; dt. 1950), Affe und Wesen (1949; dt. 1951), Die Teufel von Loudun (1952; dt. 1955), Das Genie und die Göttin (1955; dt. 1956). Essays: Die Pforten der Wahrnehmung (1954; dt. 1954), Himmel und Hölle (1956; dt. 1957), Literatur und Wissenschaft (1959; dt. 1964).

2) Andrew F., engl. Physiologe, Bruder von 1) und 3), * London 22. 11. 1917, Prof. an der Univ. London; erhielt 1963 den Nobelpreis für Medizin zus. mit Eccles und Hodgkin.

3) Julian, seit 1958 Sir, engl. Biologe, Bruder von 1) und 2), * London 22. 6. 1887, † das. 15. 2. 1975; 1946 Generaldirektor der UNESCO (bis 1948).

WERKE. Entfaltung des Lebens (1953; dt. 1954), Die Wüste und die alten Götter (1954; dt. 1956), Der Krebs in biolog. Sicht (1958; dt. 1960).

4) Thomas, engl. Zoologe und Anatom, * Ealing 4. 5. 1825, † London 29. 6. 1895, vertrat als einer der ersten Naturforscher die Abstammungslehre Darwins.

Huy [hy] *der,* **Huywald,** niedriger, dem Harz im N vorgelagerter Höhenzug aus Muschelkalk und Buntsandstein, bis 314 m hoch.

Huygens [h'œjɣəns], Christiaan, niederländischer Physiker und Mathematiker, * Haag 14. 4. 1629, † das. 8. 6. 1695, begründete die Wellenlehre des Lichtes und stellte den grundlegenden Satz der Wellenlehre auf, nach dem jeder Punkt einer Wellenfläche als Erregungspunkt einer Kugelwelle aufgefaßt werden kann *(Huygenssches Prinzip).* Außerdem berechnete er die Gesetze des elastischen Stoßes, des physikal. Pendels, erfand die Pendeluhr sowie die Federuhr mit Unruh, gab die Erklärung der Doppelbrechung von Kalkspat, entdeckte die Abplattung des Mars, den Orionnebel, einen Saturnmond u. a. m. – Gesammelte Werke, hg. von der holländ. Akademie der Wissenschaften (22 Bde., 1888–1950).

Huysman [h'oejs-], Roelof, Humanist, →Agricola, Rudolf.

Huysmans [h'œjsmanz], **1)** Camille, belg. Politiker (Sozialist), * Bilsen 26. 5. 1871, † Antwerpen 25. 2. 1968, 1905–22 Sekr. der II. Internationale, 1925–27 und 1947–49 Unterrichtsmin., 1946/47 Ministerpräsident.

2) Cornelius, fläm. Landschaftsmaler, * Antwerpen März 1648, † Mecheln 1. 6. 1727.

3) Joris-Karl, franz. Erzähler, * Paris 5. 2. 1848, † das. 12. 5. 1907, Vertreter des literar. Impressionismus. Der Roman ›A rebours‹ (1884; dt. Gegen den Strich, 1929, 1965), ist mit seinem überfeinerten Schönheitskult kennzeichnend für die Literatur des Fin de siècle; in ›En route‹ (1895; dt. Unterwegs, 1926) beschrieb er seine Rückkehr zum Katholizismus.

Huysum [h'œjsøm], Jan van, niederländ. Maler, * Amsterdam 15. 4. 1682, † das. 8. 2. 1749, schuf wie sein Vater und Lehrer *Justus van H.* (*1659, † 1716) Frucht- und Blumenstücke.

Huywald [hy-], Höhenzug der →Huy.

Huz'ulen [ursprüngl. Schimpfwort rumän. Herkunft], eigene Namen *Chrystyjani* [›Christen‹], *Hirski* [›Gebirgler‹] oder *Russki ljudi* [›Russen‹], ein Stamm von Hirten und Flößern in den östl. Waldkarpaten, spricht eine ukrain. Mundart mit rumän. Elementen. →Karpaten-Ukraine.

HV, Abk. für →Hauptversammlung.

Hvar [xvar], ital. **Lesina,** Insel in Mitteldalmatien (Jugoslawien), 68 km lang, 325 qkm groß; Ölbäume, Wein, Südfrüchte; Steinbruchbetrieb. Hauptstadt ist das Seebad H. (rd. 2000 Ew.).

Hv'enische Chronik, eine ursprüngl. lat. geschriebene, aber nur in dän. Übersetzung erhaltene Chronik, die eine späte Fassung der Nibelungensage enthält und diese auf die Insel Hven (→Ven) verlegt. Sie fußt auf altdän. Volksliedern.

Hvid [dän. vi:ð], **Korshvid,** dänische, zuerst 1380 in Holstein geprägte Silbermünze, nach den lübischen →Witten benannt; eine Hauptmünze Dänemarks bis ins 17. Jh., zuletzt aus Kupfer.

Hviezdoslav [hv'ɛudɔslav], Pseudonym des slowak. Dichters *Pavol Országh,* * Ober-Kubin 2. 2. 1849, † Unter-Kubin 8. 11. 1921, schrieb Gedichte und Erzählungen aus dem slowak. Volksleben.

H. W., Meister H. W., Bildhauer, →Witten, Hans.

Hwangho, chines. Fluß, →Huangho.

Hy'aden [griech.], **1)** in der griech. Sage Nymphen, die unter die Sterne versetzt wurden. **2)** Sternhaufen am Kopf des Sternbildes Stier mit Aldebaran als hellstem Stern.

Hy'akinthos, lat. **Hyac'inthus,** in der griech. Sage ein schöner Jüngling aus Sparta, den Apollo liebte und durch einen unglücklichen Diskuswurf tötete. Aus seinem Blut entsproß eine Blume, die »Hyazinthe«. **Hyakinthien,** Fest zu Ehren des Apoll in Amyklai bei Sparta.

hyal'in [griech.], glasartig, durchsichtig.

Hyal'it [griech.] *der,* Glasopal.

Hyalur'onsäure, eine aus Glukuronsäure und Azetylglukosamin, einem Aminozukker, aufgebaute hochmolekulare Verbindung, die im Tierkörper weitverbreitet ist. Die H. wird durch das Enzym *Hyaluronidase* abgebaut, wodurch sich die Durchlässigkeit der Gewebe vergrößert. Man setzt bei Injektionen daher vielfach Hyaluronidase zu, um die Verteilungsgeschwindigkeit des Arzneistoffs zu vergrößern.

Hy'äne [griech. ›Sau‹], Raubtierfamilie; wolfsgroße Tiere mit stark abfallendem Rücken; nächtliche Aasfresser mit eigenartig kreischender Stimme. Arten sind die afrikan.-südasiat. *Streifenhyäne,* die süd- und ostafrikanische gefleckte *Tüpfelhyäne,* die einfarbig braune *Schabrackenhyäne (Strandwolf)* Südafrikas, mit starker Rükkenmähne; ferner die früher zu den Schleichkatzen gerechnete südafrikan. *Zibethyäne (Erdwolf).*

LIT. Lawick-Goodall: Unschuldige Mörder (1972).

Streifenhyäne (etwa 110 cm lang, 70 cm hoch)

Hy'änenhund, ein afrikan. Wildhund.

Hyaz'inth [nach Hyakinthos], Edelstein, hyazinthrote Spielart des Zirkons.

Hyaz'inthe [nach Hyakinthos], **1)** *Hyacinthus,* Liliengewächsgattung, schönblütige Zwiebelgewächse aus dem Mittelmeergebiet und dem Orient. Die *Orientalische H.* aus dem östl. Mittelmeergebiet, die grasschmale, saftige Blätter und traubig stehende röhrig-glockenförmige, ursprünglich dunkelblaue Blüten hat, ist Stammpflanze der *Gartenhyazinthe,* die man in vielen einfachen und gefüllten blauen, roten, gelben, weißen Formen als Topf-, Freiland- und Treibpflanzen zieht. Zum Treiben auf Wassergläsern mit Regen- oder Flußwasser *(Hyazinthengläser)* eignen sich nur Zwiebeln leicht zu treibender Sorten. Die Kultur der H. wird seit Mitte des 17. Jhs. bes. in Holland betrieben.

2) andere Pflanzen: *Wasserhyazinthe* (Eichhornia), *Waldhyazinthe* (Platanthera), *Sternhyazinthe* und *wilde H.* (Scilla), *Muskat-, Moschus-, Bisam-, Perl-, Trauben-, Federhyazinthe* (Muscari) und die *Sommer-, Riesen-* oder *Kaphyazinthe* (Galtonia).

Hyazinthe

hybr'id, 1) [grch.] hochmütig, überheblich. **2)** [lat.] von zweierlei Herkunft, zwittrig. **Hybrid,** Mischling, →Bastard. **Hybridenwein,** Kreuzung europ. und amerikan. Reben.

H'ybris [griech.], Selbstüberhebung, frevelhafter Hochmut, bes. gegenüber den Göttern. Die Grenze zwischen Mensch und Gott einzuhalten ist ein Hauptgebot altgriech. Religion. Daher ist die H. ein häufiges Motiv in der griech. Dichtung (Prometheus, Bellerophon).

Hydanto'in [Kw.], Glykolylharnstoff, ringförmige, stickstoffhaltige Verbindung, deren Abkömmlinge zur Behandlung der Epilepsie verwendet werden.

Hyd'aspes [grch.], antiker Name des →Dschihlam.

Hyde [haid], Stadt in England, im Industriegebiet von Manchester, (1971) 37 100 Ew., Kohlengruben und Textilindustrie.

Hyde [haid], Douglas, irisch *Dubhglas de h'Ide,* irischer Politiker, * Frenchpark 17. 1. 1860, † Dublin 12. 7. 1949, Sprachforscher, Professor in Dublin, Mitgründer der »Gaelic League« (1893–1915), war 1938–45 erster Präsident der Republik Irland.

Hyde Park [h'aidpɑ:k], Park im W Londons, 125 ha groß.

Hyderabad [h'ai-], engl. für →Haiderabad.

hydr . . ., hydro . . . [griech.], *in Kunstwörtern:* wasser . . ., flüssigkeits . . .

H'ydra [griech.], **1)** in der griech. Mythologie eine riesige Wasserschlange, bes. das neunköpfige Ungeheuer im Sumpf von Lerna bei Argos *(Lernäische Schlange),* dem für jeden abgeschlagenen Kopf zwei neue nachwuchsen, bis Herakles es durch Ausbrennen der Kopfstümpfe tötete. **2)** das Sternbild →Wasserschlange. **3)** Tiergattung, →Süßwasserpolypen.

H'ydra [neugriech. 'iðra], Insel Griechenlands vor der Ostküste von Argolis, 49,6 qkm groß, Hafenstadt H.

Hydrag'oga [grch.], wassertreibende Mittel, z. B. Abführmittel, harn- und schweißtreibende Mittel.

Hydrang'ea, Pflanzengattung →Hortensie.

Hydr'ant [griech.], Anschluß für Schläuche der Feuerwehr an die in den Straßen liegen-

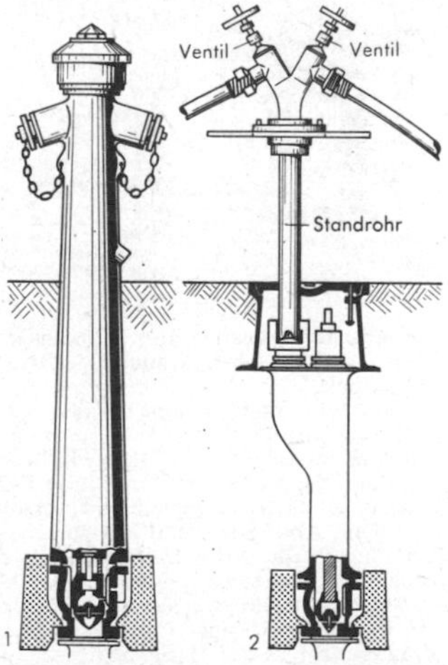

Hydrant: 1 *Überflur-,* 2 *Unterflurhydrant*

den Wasserleitungen, als *Oberflur-H.* in Form einer stehenden Anschlußsäule, als *Unterflur-H.* mit Deckel in Straßenhöhe.

Hydrargill'it [griech.-lat.], **Gibbs'it,** farbloses bis rötlichweißes Mineral in monoklinen, sechsseitigen Täfelchen und Säulchen, chemisch Aluminiumhydroxyd.

Hydr'argyrum [griech.], Quecksilber. *H. bichlor'atum*, Sublimat. *H. chlor'atum*, Kalomel. *H. praecipit'atum album*, weißes Quecksilberpräzipitat.

Hydr'at [griech.], *Chemie:* durch Anlagerung oder Aufnahme von Wasser entstandene Verbindung, in der das Wasser chemisch gebunden ist. Zu den H. gehören viele Kristalle sowie manche durch Hydratation von Oxyden entstandene Verbindungen *(Oxyd-H.)*.

Hydr'aulik [griech.], Lehre von den Strömungen in Röhren, Kanälen und Flüssen, ferner vom Ausfluß von Flüssigkeiten aus Mündungen und Düsen.

hydr'aulisch [griech.], auf das Wasser, auch allgemein auf eine Flüssigkeit als Kraftquelle bezüglich.

hydr'aulische Presse, eine Kolbenpresse, die durch Druckwasser oder Drucköl betätigt wird. Mit einem Kolben wird in einem kleinen Zylinder die Flüssigkeit zusammengepreßt. Diese wirkt auf die größere Fläche eines Arbeitskolbens. H. P. werden in verschiedenen Bauarten für Drucke bis 20000 t zum Tiefziehen, Schmieden, als Richt- und Strangpressen gebaut. Die h. P. wurde 1795 von dem englischen Mechaniker Bramah (* 1748, † 1814) erfunden.

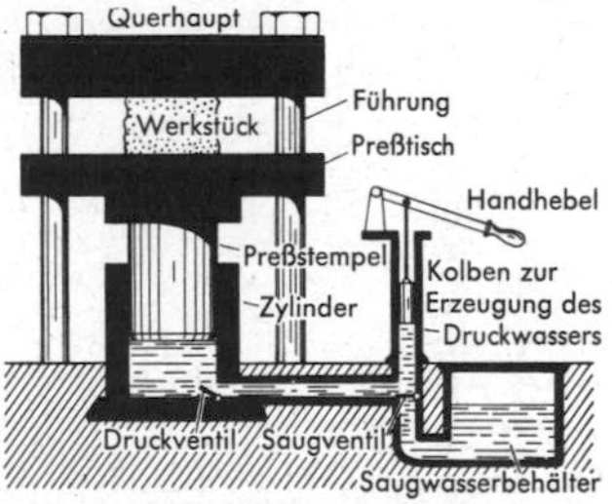

hydraulische Presse

hydr'aulischer Transformator, Flüssigkeitsgetriebe, hydraulischer Wandler, →Druckmittelgetriebe.

hydr'aulischer Widder, eine Wasserhebevorrichtung, →Stoßheber.

Hydraz'in [griech. Kw.], **Diam'id,** N_2H_4, farblose, an der Luft stark rauchende Flüssigkeit, u. a. als Raketentreibstoff verwendet, wird aus Ammoniak und Natriumhypochlorit dargestellt. Vom H. leiten sich die *Hydrazinverbindungen* ab, darunter das *Hydrazobenzol*, bei dem zwei Wasserstoffatome des H. durch die Gruppe $-C_6H_5$ ersetzt sind. Hydrazobenzol ist der Hauptvertreter einer ganzen Reihe von H. abgeleiteter organ. Verbindungen, der *Hydrazoverbindungen*. Mit Aldehyden und Ketonen bildet das H. unter Wasseraustritt die *Hydrazone*. Aus H.-Salzen entstehen beim Erhitzen durch Wasserabspaltung die *Hydrazide*.

Hydria: Argivische Bronze-Hydria, um 450 v. Chr. (New York, Metropol. Mus.)

Hydr'ia [grch.], griech. Wassergefäß mit einem senkrechten und zwei waagerechten Henkeln, aus Ton oder Metall.

Hydr'id [griech. Kw.], Verbindung von Metallen oder anderen Elementen mit Wasserstoff.

Hydr'ieren [griech. Kw.], Anlagern von Wasserstoff an chem. Elemente oder Verbindungen. Technisch wichtige Hydrierungsvorgänge sind z. B. Fetthärtung und Kohlehydrierung.

H'ydrobiologie, die Wissenschaft von den im Wasser lebenden Tieren und Pflanzen.

Hydr'ocharis [grch.], die Pflanzengatt. →Froschbiß.

Hydrochin'on [griech. Kw.], $C_6H_4(OH)_2$, Benzolabkömmling, wird in der Photographie als Entwickler verwendet.

Hydrocortis'on, das →Cortisol.

Hydrodyn'amik [griech. Kw.], die Mechanik der Flüssigkeiten und, solange die Zusammendrückbarkeit keine Rolle spielt, auch der Gase.

hydro|el'ektrisches Bad, →elektrisches Bad.

Hydroform-Verfahren, ein Ziehverfahren für die spanlose Kaltformung von Feinblech, bei dem eine unter Druck stehende Flüssigkeit das Blech in die Matrize preßt.

Hydro|g'en [griech. Kw.], Wasserstoff.

Hydrogeologie [grch. Kw.], die Lehre von den Erscheinungen des Wassers in der Erdkruste.

Hydro|graph'ie [grch. Kw.], die Gewässerkunde.

hydrogr'aphische Ämter, die meist den Marinebehörden unterstellten Ämter, deren Aufgaben u. a. darin bestehen, die Seevermessungen der Hoheits- und Interessengebiete durchzuführen, Seekarten, Seehandbücher, Leuchtfeuerverzeichnisse u. a. literar. Hilfsmittel für den Gebrauch der Schiffahrt herauszubringen, Gezeitenvoraussagen anzustellen, meereskundl. und geophysikal. Forschungen zu betreiben.

hydro|gr'aphische Karten, zeichnerische Darstellung der Wasserläufe und des Grundwassers.

Hydro'idpolyp, Ausbildungszustand der Hydrozoentiere.

Hydro|l'asen [griech. Kw.], Gruppe von Enzymen, die bestimmte Bindungen durch Wasseranlagerung zu spalten vermögen.

Hydro|log'ie [griech. Kw.], die Physik des Wassers auf und unter der Erde. Die prakt. Auswertung ist die Gewässerkunde.

Hydro|l'yse [griech. Kw.], Spaltung chemischer Verbindungen wie Salze, schwache Säuren, Kohlenhydrate, Glykoside, Eiweißkörper unter Aufnahme von Wasser, im weiteren Sinn auch andere Spaltungen unter Mitwirkung und Aufnahme von Wasser.

H'ydro|mechanik [griech. Kw.], die Lehre von den Gleichgewichtszuständen *(Hydrostatik)* und den Strömungsgesetzen *(Hydrodynamik)* der Flüssigkeiten.

Hydro|med'use, Ausbildungszustand der Hydrozoentiere.

Hydro|meteorologie [grch. Kw.], die Lehre von den Erscheinungen des Wassers der Lufthülle in ihren Wechselwirkungen mit der Erdkruste.

Hydro|m'eter *das,* Wassermesser.

Hydro|nephr'ose [griech. Kw.], →Sackniere.

Hydr'onfarbstoffe, Teerfarbstoffe, die vom Karbazol abzuleiten sind; Hauptvertreter: *Hydronblau.*

Hydr'onium [Kw.], **Hydronium-Ion,** durch Zusammenlagerung von Wasserstoff-Ion und Wassermolekül gebildetes Teilchen, das überall auch dort vorhanden ist, wo man sonst nur vom Wasserstoff-Ion spricht.

hydro|ph'il [griech.], im Wasser wachsend, wasserliebend.

Hydr'ophilus [grch.-lat.], Kolbenwasserkäfer, →Schwimmkäfer.

hydro|ph'ob [grch.], **1)** *Biologie:* wassermeidend. **2)** *Technik:* wasserabweisend, wasserdicht. **Hydrophobierung,** waschechte, wasserabweisende Ausrüstung von Textilien durch chem. Oberflächenveränderung der Fasern, z. B. durch Veresterung der Zellulose mit hochmolekularen Fettsäurehydriden.

Hydrophob'ie [grch.], Wasserscheu, →Tollwut.

Hydro|ph'yten [grch. Kw.], die Wasserpflanzen.

Hydro|p'onik [grch. Kw.], →Wasserkultur.

H'ydrops [griech.] *der,* die →Wassersucht.

Hydro|sph'äre [grch. Kw.], die Wasserhülle der Erde.

Hydro|st'atik [grch. Kw.], die Lehre vom Gleichgewicht der Kräfte bei ruhenden Flüssigkeiten. Grundgesetz der H.: Der Druck an einer Stelle im Innern einer Flüssigkeit ist in allen Richtungen gleich groß **(hydrostatischer Druck).**

hydrostatisches Par'adoxon, der Bodendruck in einem mit Flüssigkeit gefüllten Gefäß hängt allein von der Höhe der Flüssigkeit, nicht von der Form des Gefäßes ab.

hydrostatische Waage, Waage zum Bestimmen der Dichte fester Körper mit Hilfe des statischen Auftriebs.

Hydro|sulf'ite [griech.-lat. Kw.], die sauren Salze der schwefligen Säure, kräftige Reduktionsmittel.

Hydro|therap'ie [griech. Kw.], →Wasserheilverfahren.

hydro|therm'ale Lösungen, vom Magma abgespaltene leichtflüchtige Bestandteile. Aus ihnen scheiden sich bei sinkender Temperatur und sinkendem Druck gesetzmäßig Minerale ab *(hydrothermale Mineralbildung).*

Hydro|tim'eter [griech. Kw.], graduierte Glasröhre zum Bestimmen der Wasserhärte durch allmähl. Zusatz alkohol. Seifenlösung bis zu bleibender Schaumbildung.

Hydrotrop'ie [grch. Kw.], Eigenschaft von in reinem Wasser schwer- oder unlöslichen organischen Verbindungen (wie Anilin, Phenol, höhere Alkohole), sich in konzentrierten Lösungen von Alkalisalzen bestimmter organischer Säuren (aromatische Sulfo- oder Karbonsäuren, höhere Fettsäuren) gut zu lösen, ohne chem. Reaktion. Die Oberflächenspannung des Wassers wird herabgesetzt, so daß sich schwerlösliche Stoffe lösen, dispergieren oder emulgieren können (Waschmittel, Textilhilfsmittel).

Hydro|trop'ismus [griech.-lat. Kw.], →Tropismus.

Hydroxyd [griech. Kw.], Verbindung eines Elements, vorwiegend eines Metalls mit der einwertigen Atomgruppe –OH *(Hydroxylgruppe).* Die H. der Alkalien und Erdalkalien sind in Wasser löslich, sie zeigen alkalische Reaktion. H. von Metallen mittl. Wertigkeit (Eisen, Aluminium usw.) sind oft schwer löslich, teils amphoter. Metalle höchster Wertigkeit bilden keine H. im engeren Sinn, sondern reagieren sauer.

Hydroxyl|am'in [griech. Kw.], NH_2–OH, chem. Verbindung, geht aus Ammoniak hervor, indem ein Wasserstoffatom durch die Hydroxylgruppe –OH ersetzt wird; es entsteht durch elektrolytische Reduktion von Salpetersäure oder durch Umsetzen von Natriumnitrit und Natriumhydrosulfit, ist leicht zersetzlich, bildet mit Säuren leichtlösliche Salze und reduziert Salze der Edelmetalle.

Hydro|zellul'ose, durch Säuren veränderte, teilweise abgebaute Zellulose von niedrigem Polymerisationsgrad.

Hydro|z'oen [griech. Kw.], Klasse der Nesseltiere, mit zweierlei Ausbildungsformen im Generationswechsel: dem festsitzenden *Polyp (Hydroidpolyp)* als ungeschlechtlicher Generation und der frei schwimmenden *Qualle (Meduse, Hydromeduse)*, die die Geschlechtszellen hervorbringt, als geschlechtl. Generation. Knospung führt bei den meist sehr kleinen Hydroidpolypen gewöhnlich zur Bildung von strauch- oder baumförmigen Stöcken mit einem gemeinsamen, in die Einzeltiere fortgesetzten Hohlraum. Bei manchen H. fällt die Medusengeneration weg

(z. B. bei den Süßwasserpolypen), bei andern die Polypengeneration. Kolonieartige Stöcke von Hydroidpolypen mit Arbeitsteilung sind die →Staatsquallen. BILD Fortpflanzung.

H'ydrus [lat.], **Hyder,** das Sternbild Kleine →Wasserschlange.

Hyères [yɛ:r], Stadt in Südfrankreich, nahe der Mittelmeerküste, (1968) 38 000 Ew., Winterkurort und Badeort. Vor H. liegen die **Hyèrischen Inseln,** zwei kleine unbewohnte Felsen und drei größere Inseln: *Ile-du-Levant*, *Port-Cros* und *Porquerolles*.

Hygi'eia, griech. Göttin der Gesundheit, Tochter des Asklepios.

Hygi'ene [nach der griech. Göttin Hygieia], Gesundheitspflege und →Gesundheitslehre.

hygi'enisch, 1) einwandfrei in gesundheitlicher Beziehung. **2)** der Gesundheit dienend.

Hygi'ene-Museum, Deutsches H., Museum in Dresden zur anschaulichen Volksbelehrung über den menschl. Körper und die Gesundheitspflege, gegr. 1912. In Köln wurde 1951 das Dt. →Gesundheitsmuseum geschaffen.

hygro . . . [griech.], *in Kunstwörtern:* feuchtigkeits...

Hygro|chas'ie [griech. Kw.], Fähigkeit mancher Pflanzen, die Fruchtstände bei nassem Wetter zu öffnen, bei trocknem zu schließen.

Hygr'om [griech. Kw.], Schleimgeschwulst der Sehnenscheiden und der Schleimbeutel.

Hygro|m'eter [griech. Kw.], Instrument zum Messen der Luftfeuchtigkeit. Das *Haar-H.* (de Saussure 1783) beruht darauf, daß sich Haar bei sinkender Luftfeuchtigkeit verkürzt. Ein Haar ist an einem Ende befestigt, am andern um eine Achse gespannt, über die es einen Zeiger oder eine Schreibfeder *(Hydrograph)* bewegt. Sonderausführungen sind: *Bifilar-H.* (Doppel-H., Doppelfaden-H.), *Polymeter*, *Auflage-H.*, *Steck-H.* u. a. Besonderen Zwecken (z. B. Messung bei tiefen Temperaturen) dient das *Kondensations-* oder *Taupunkt-H.* Wird poliertes Metall unter den Taupunkt der umgebenden Luft abgekühlt, so schlägt sich an ihm Wasserdampf nieder. Die Abkühlung wird durch rasch verdunstende Flüssigkeiten (Äther) hervorgerufen und die Temperatur, bei der zuerst Beschlag eintritt, gemessen (Taupunkt).

Hygrophil'ie [grch. Kw.], die Vorliebe mancher Landorganismen für Feuchtigkeit; **hygrophiler Bau** bei *Tieren:* dünne oder schleimige Körperhaut, lange Körperanhänge; bei *Pflanzen:* große, dünne, oft zerschlitzte Blätter ohne Verdunstungsschutz. Gegensatz: Xerophilie.

Hygro|ph'yt [grch. Kw.], Landpflanze feuchter Standorte, →Feuchtpflanzen.

Hygro|sk'op [griech. Kw.], Gerät zur Anzeige der Luftfeuchtigkeit. Viele organische Stoffe, z. B. Haare und Darmsaiten, ändern in Abhängigkeit von der Luftfeuchtigkeit ihre Länge, was zur Bewegung von Anzeigevorrichtungen ausgenutzt werden kann; bestimmte Salze, z. B. Kieselgel, ändern ihre Farbe bei wechselnder Luftfeuchtigkeit.

hygrosk'opisch [griech. Kw.], Wasserdampf aus feuchten Gasen anziehend; eine Eigenschaft gewisser Stoffe, z. B. von Kalziumchlorid, Phosphorpentoxyd, Schwefelsäure, auch von Haaren, Darmsaiten, Trockenfrüchten.

H'yksos [ägypt. ›Herrscher der Fremdländer‹], asiatisches Eroberervolk, das nach der Blütezeit des Mittleren Reiches und dem kultur. Niedergang unter rasch wechselnden Herrschern der 13./14. Dynastie Ägypten eroberte und 1650–1550 v. Chr. beherrschte.

Hyl'äa [grch.; von A. v. Humboldt geprägt], das tropische, regenreiche Waldgebiet im Amazonasgebiet.

H'ylas, *griech. Mythologie:* Liebling des Herakles, wurde auf der Argonautenfahrt an der Propontis beim Wasserholen von den Quellnymphen wegen seiner Schönheit geraubt.

H'yle [griech.], Stoff, Materie, im Unterschied zu Eidos, Form.

H'yllos, *griech. Mythologie:* Sohn des Herakles und der Deïanira, fand vor der Verfolgung durch →Eurystheus in Athen bei Theseus Aufnahme (Euripides: ›Herakliden‹) und fiel bei einem Einfall in den Peloponnes. Seine Adoption durch den König Aigimios in Doris machte ihn zum Bindeglied zwischen dem vordorischen →Herakles und den →Herakliden.

Hylo|bat'iden, die →Gibbons.

Hylo(e)|morph'ismus [griech. Kw.], Lehre, die das Zusammenwirken der beiden aristotelischen Prinzipien, Materie (Hyle) und Form (Morphé), in jedem Körper annimmt.

Hylo|zo'ismus [griech. Kw.], Weltanschauung, die den Stoff an sich als belebt ansieht, so bei Paracelsus.

Hymans [h'ɛi-], Paul, belg. Politiker, * Brüssel 23. 3. 1865, † Nizza 8. 3. 1941, seit 1900 liberaler Abgeordneter, war 1918–20, 1924–25 und 1927–35 Außenmin.; 1919 Vertreter Belgiens in Versailles, 1920–25 Delegierter beim Völkerbund.

H'ymen [griech.] *das,* Jungfernhäutchen, →Geschlechtsorgane.

Hymen'äus, griech. **Hym'enaios, 1)** altgriech. Hochzeitsgesang beim Mahl oder beim Wegzug der Braut. **2)** auch **Hymen,** griech. Hochzeitsgott.

Hymeno|myz'eten, die →Hautpilze.

Hymeno|pt'eren, Insekten, →Hautflügler.

Hym'ettos, antiker Name des Bergzugs östlich von Athen (1026 m hoch), heute *Trevoluni* genannt. Der H. war bekannt durch seinen Honig und blaugrauen Marmor.

H'ymir, in der nord. Göttersage ein Riese, der am Himmelsrand wohnt.

H'ymne [griech. ›Lied‹], **1) Hymnos,** von Musik und Tanz begleiteter Opfer- und Festgesang zu Ehren der Götter (z. B. der

Dithyrambos für Dionysos, der Päan für Apoll). Die ursprüngl. epische Anlage der H. wurde später zugunsten der lyrischen aufgegeben (Pindar, Kallimachos). **2)** im *christl. Gottesdienst* ein außerbibl. Lobgesang, in liturgischen Sammlungen *(Hymnaren)* ohne Verfassernamen. Schöpfer des latein. H.-Gesangs waren Hilarius († 367) und Ambrosius († 397). **3)** *deutsche Literatur:* Gedicht, dessen Grundton relig. Begeisterung ist. Klopstock schrieb als erster wieder H. (in freien Rhythmen, im Unterschied zur versmäßig-strophischen →Ode). Auch im Werk des jungen Goethe finden sich H. (Wanderers Sturmlied, Prometheus). Später schrieben H. Novalis (Hymnen an die Nacht), Hölderlin (Germanien, Stuttgart, Friedensfeier) und Nietzsche (Dionysos-Dithyramben). **hymnisch,** begeistert, feierlich, →Nationalhymne.

LIT. O. Hellinghaus: Lat. H. des christl. Altertums und MA.s ([3]1934); J. Julian: Dictionary of Hymnology ([3]1957); J. Szövérffy: Die lat. Hymnendichtung (1964).

Hyosc'yamus, →Bilsenkraut.

Hyosz'in, →Skopolamin.

Hyoszyam'in, Alkaloid aus Nachtschattengewächsen, geht bei der techn. Aufarbeitung meist in Atropin über, mit dem es viele Eigenschaften gemeinsam hat. Seine Giftwirkung ist doppelt so groß wie die des Atropins.

Hyp'atia, neuplatonische Philosophin zu Alexandrien, Lehrerin des Bischofs Synesios, wurde 415 ermordet.

hyper . . . [griech.], *in Fremdwörtern:* über . . ., zuviel.

Hyperakus'ie [grch. Kw.], Überempfindlichkeit des Gehörs.

Hyper|äm'ie [grch. Kw.], Blutüberfüllung, →Blutandrang, →Blutstauung.

Hyperästhes'ie [grch. Kw.], krankhaft gesteigerte Empfindlichkeit für Berührungen, als Folge der verschiedensten Erkrankungen des Nervensystems.

Hyp'erbel [griech. hyperbole ›Überschuß‹] *die,* **1)** ein Kegelschnitt mit zwei ins Unendliche verlaufenden getrennten Zweigen (BILD Asymptote). Die beiden Zweige der H. liegen zwischen ihren Asymptoten, die einander im Mittelpunkt der H. schneiden. Für alle Punkte der H. gilt, daß die Differenz ihrer Entfernungen (Brennstrahlen) zu zwei gegebenen Punkten (Brennpunkten) den unveränderlichen Wert 2 a hat. Die Verbindungsgerade der Brennpunkte heißt *Hauptachse* (2 a), ihre Schnittpunkte mit der H. sind die Scheitel. Halbiert man die Entfernung der beiden Brennpunkte, so erhält man den Mittelpunkt der H. Die Senkrechte im Mittelpunkt auf die Hauptachse heißt *Nebenachse.* Die Entfernung eines Brennpunktes vom Mittelpunkt ist die *lineare Exzentrizität* e; teilt man e durch a, so erhält man die numerische Exzentrizität. Ferner gilt die Beziehung $e^2 = a^2 + b^2$, wobei a die halbe Hauptachse, b die halbe Nebenachse ist. Die Normalform der H.-Gleichung in rechtwinkligen Koordinaten lautet: $\frac{x^2}{a^2} - \frac{y^2}{b^2} = 1.$

2) *Rhetorik:* Übertreibung als Stilmittel (z. B. vor Neid platzen, eine Ewigkeit dauern).

Hyp'erbelfunktionen, Funktionen, die eng mit den Winkelfunktionen *(Kreisfunktionen)* zusammenhängen, jedoch nicht in so einfacher Weise geometrisch konstruiert werden können wie diese.

Hyp'erbelverfahren, ein Verfahren der →Funknavigation.

Hyper|bolo'id [griech. Kw.] *das,* Fläche zweiter Ordnung, die durch Ebenen in Hyperbeln, Ellipsen, Parabeln geschnitten werden kann. Man unterscheidet einschaliges und zweischaliges H.

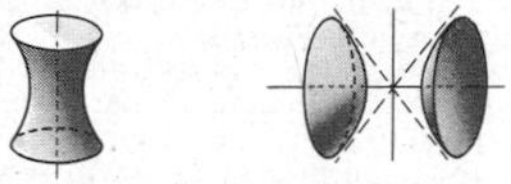

Hyperboloid: links einschaliges Hyperboloid, das durch Drehung einer Hyperbel um die Nebenachse entsteht; rechts zweischaliges Hyperboloid, das durch Drehung einer Hyperbel um die Hauptachse entsteht

Hyper|bor'eer [griech.], **1)** im Altertum sagenhaftes Volk im hohen Norden, jenseits des Boreas, des kalten Nordwindes; die *hyperboreischen Jungfrauen* begleiten Artemis und Leto nach →Delos. **2)** die nördlichen Polarvölker.

Hyper|dul'ie [griech. Kw.], die im kathol. Kult der Mutter Jesu erwiesene besondere Verehrung.

H'yper|feinstruktur, die sehr feinen Einflüsse des Atomkerns auf die Energiezustände eines Atoms, die in feinen Aufspaltungen (Vervielfachungen) der Spektrallinien zum Ausdruck kommen.

Hyperglykäm'ie [grch. Kw.], →Blutzucker.

Hyp'ericum, Pflanzengatt. →Hartheu.

Hyp'erides, griech. **Hypereides,** griech. Redner, Parteigänger des Demosthenes. Als 322 v. Chr. Antipater die Auslieferung der antimakedon. Redner zur Bedingung des Friedens für die Athener machte, floh H. nach Ägina, wurde aber ergriffen und auf Antipaters Befehl hingerichtet. Von seinen Reden sind sechs erhalten.

Hyper'ion, lat. **Hyp'erion, 1)** in der griech. Sage ein Titan, Vater des Helios; auch Beiname des Helios. Dichtungen von Keats (1819 u. 1820), Titel eines Briefromans von Hölderlin (1797–99). **2)** der 7. Mond des Saturn.

Hyperkerat'ose [grch. Kw.], hornige Verdickung der Haut durch vermehrte Bildung von Hornhautsubstanz.

h'yperkomplexes System, System von Zahlen, das nicht, wie die gewöhnlichen reellen Zahlen, nur eine Einheit (die Eins) aufweist, sondern mehrere, voneinander verschiedene

Einheiten, die durch bestimmte Beziehungen miteinander verknüpft sind *(hyperkomplexe Zahlen)*; Beispiele →komplexe Zahlen, →Quaternionen.

Hyper|metrop'ie [griech. Kw.], die Übersichtigkeit, →übersichtig.

Hyper|nephr'om [griech. Kw.], eine Nierengeschwulst aus großen, blasigen Zellen.

Hyper'onen [Kw.], instabile Elementarteilchen mit Massen zwischen denen des Protons und des Deuterons, die sich bei höchsten Energieumsetzungen bilden. ÜBERSICHT Elementarteilchen.

Hyperop'ie [grch. Kw.], die Übersichtigkeit, →übersichtig.

Hyper|ost'ose [griech. Kw.], Knochenwucherung, z. B. bei heilenden Knochenbrüchen.

Hyper|ox'yde, →Peroxyde.

H'yper|schall, mechan. Schwingungen mit Frequenzen über 1 Mrd. Hertz, zur Untersuchung von Festkörpern.

hyper|sensibilisieren [griech.-lat. Kw.], überempfindlich machen; in der *Photographie* ein Verfahren, die Empfindlichkeit photograph. Schichten zu erhöhen, →sensibilisieren.

Hyper|sth'en [griech. Kw.], rhombisches Mineral der Pyroxengruppe, braunschwarz, bisweilen metallartig kupferrot schillernd, besteht aus Magnesium- und Eisensilikat.

Hyper|ton'ie [griech. Kw.], **Hypertension,** vermehrte Spannung hinsichtlich: 1) der Leistungsausgangslage, z. B. des vegetativen Nervensystems; 2) des Spannungszustandes bestimmter Hohlorgane (z. B. Magen, Gallenblase, Harnblase); 3) des Gefäßsystems (→Blutdruck, →Hochdruckkrankheit).

LIT. G. Bilecki: H. (1958); K. D. Bock: ABC für Hochdruckkranke ([2]1971); Kardiologie. H., hg. v. D. U. Klaus (1974).

Hyper|trich'ose [griech. Kw.], Überbehaarung.

Hyper|troph'ie [griech. ›Überernährung‹], Größen- und Gewichtszunahme eines Gewebes oder Organs, wird verursacht durch gesteigerte Inanspruchnahme der Gewebe, z. B. *Arbeitshypertrophie* der Muskeln oder des Herzens (Sportherz), oder *kompensatorische H.*, z. B. der einen Niere bei Verlust der anderen. Gegensatz: Atrophie.

Hyph'aene [grch.], **Astpalme, Dumpalme,** Fächerpalmengatt., Charakterpflanze der afrikan. Steppengebiete.

H'yphe [griech. ›Gewebe‹], Zellschlauch der →Pilze.

Hypnerotomach'ia Pol'iphili [grch. ›Der Liebeskampftraum des Poliphilus‹], ein 1499 in Venedig bei Aldus Manutius anonym erschienenes Buch mit Holzschnitten. Als Verfasser wurde der Dominikanermönch Francesco Colonna (* 1433, † 1527) vermutet, neuerdings jedoch angezweifelt. Verschiedene Traditionen und Ideen, so die Idee der Wiedererweckung der humanist. Kultur, die höfische Idee der Minne und die alchemist. der Verwandlung der Stoffe durchdringen einander. Das Buch wurde in Italien, England und Deutschland viel gelesen und hat bes. in Frankreich auf Literatur und Kunst gewirkt.

H'ypnos [griech.], lat. **Somnus,** der griech. Gott des Schlafs, Sohn der Nacht, Zwillingsbruder des Thanatos, des Todes; dargestellt als Jüngling mit Flügeln an der Stirn, mit Mohnstengel und Horn in den Händen.

Hypn'ose [griech. ›Schlaf‹], seelischer Zustand, der als Sonderfall der Suggestion aufgefaßt wird. Der *Hypnotiseur* versetzt die Versuchsperson in einen Zustand der Müdigkeit und Schlafüberzeugung, der gradweise in den eigentlichen H.-Zustand übergeht: das Bewußtsein ist eingeengt, die Aufnahme der Außenweltreize teilweise abgeschaltet. Ausgenommen von dieser Absperrung ist der Kontakt mit dem Hypnotiseur, der *Rapport*, für dessen Suggestionen nun die Versuchsperson bes. empfänglich wird. Die Befehle können weit in den Wachzustand hineinreichen *(posthypnotische Suggestion)* und werden dann noch pünktlich ausgeführt. Die Aufträge des Hypnotiseurs werden jedoch nicht hemmungslos erfüllt, so ist z. B. die posthypnot. Ausführung eines Verbrechens niemals nachgewiesen worden. In der H. können Illusionen und Halluzinationen leicht hervorgerufen werden. Das Gedächtnis wird enthemmt und gibt vergessene Erinnerungen preis. Bei innerer Bereitschaft sind die meisten Menschen hypnotisierbar. Zu Heilzwecken wurde die H. bei nervösen Störungen angewendet.

Ein Grenzfall ist die *Autohypnose*, bei der Hypnotiseur und Hypnotisierter identisch sind (→autogenes Training). Sie spielt in den indischen Religionen eine große Rolle.

LIT. L. Mayer: Die Technik der H. ([6]o. J.); A. Brauchle: H. und Autosuggestion ([15]1971); B. Stokvis und D. Langen: Lehrbuch der H. ([2]1965); J. H. Schultz: H.-Technik ([5]1965).

Hypn'otica [griech.], die →Schlafmittel.

hypo . . . [griech.], *in Fremdwörtern:* unter . . .

Hypo|chlor'it [griech. Kw.], Salz der unterchlorigen Säure.

Hypo|chondr'ie [von griech.-lat. Hypochondrium ›Gegend unter den Rippenknorpeln‹, in die die an H. Leidenden ihre Beschwerden oft verlagern], übersteigertes Beschäftigen mit dem Gesundheitszustand des eigenen Körpers. H. ist nur dann als Krankheit anzusehen, wenn sie beherrschend hervortritt. Sie kann Ausdruck einer seel. Krise oder einer Gemütskrankheit sein.

Hypod'erm [grch. Kw.], **1)** *Botanik:* Unterhautgewebe, bei Pflanzen die unter der Epidermis liegende Zellschicht, die der Wasserspeicherung dient. **2)** *Zoologie:* die Chitinogenmembran der Gliederfüßler, die den Chitinpanzer abscheidet; auch die Lederhaut *(Corium)*.

Hypo|g'astrium [griech.], Unterbauchgegend.

hypog'yn [griech.], mit oberständigem Fruchtknoten (Blüten).

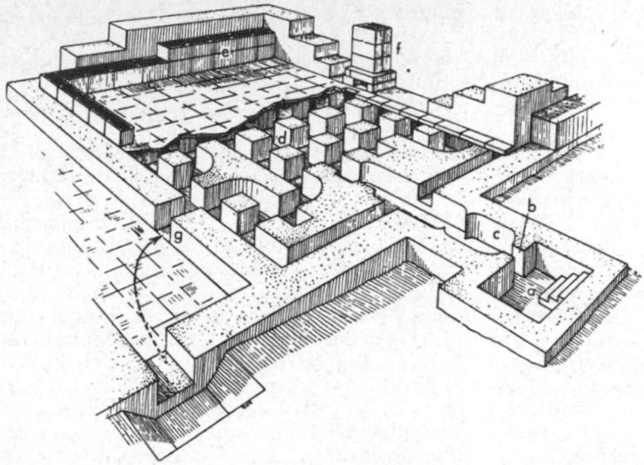

Hypokaustensystem eines röm. Wohnhauses auf der Saalburg: a *Heizraum,* b *Feuerloch,* c *Ofen,* d *Tragepfeiler des Fußbodens (suspensurae),* e *Wandheizung,* f *Ventilationskamin,* g *Hohlraum zur Zuführung von kalter Luft*

Hypo|k'austum [griech. ›von unten geheizt‹], **Hypokausten,** eine antike, schon um 800 v. Chr. in Olympia nachgewiesene Warmluftheizung, seit 80 v. Chr. von den Römern angewandt. In 50 bis 120 cm hohe Kanäle, die unter der ganzen Fläche des Fußbodens laufen, wurden die heißen Abgase eines starken Holzfeuers geleitet.

Hypo|kris'ie [griech.], Heuchelei. **hypokr'itisch,** heuchlerisch.

Hyponast'ie [grch. Kw.], Form des Dickenwachstums bei Pflanzen, →Epinastie.

Hypo|ph'yse [griech.], die →Hirnanhangdrüse.

Hypo|plas'ie [griech.], unvollkommene Ausbildung eines Organs.

Hypoploid'ie [grch. Kw.], *Genetik:* das Fehlen von Chromosomen.

Hypo|st'ase [griech. ›Grundlage‹], **1)** Substanz, Wesen. **2)** im Neuplatonismus (Plotin) die einzelnen Stufen der Emanation; in neuerer Zeit, besonders seit Kant, die unberechtigte Verdinglichung von Begriffen: man schließt z. B. aus der Übereinstimmung vieler Personen in einigen Punkten auf einen angeblich bestehenden Gemeingeist. **3)** die Entstehung beugungsfähiger Wörter aus nicht beugbaren Zusammensetzungen (z. B. übernachten aus über Nacht). **4)** die →Blutsenkung.

Hyp'o|stylos [griech.], ein Raum, dessen Decke von Säulen getragen wird.

Hypo|t'axe [griech.], *Sprachlehre:* »Unterordnung«; das Satzgefüge, gebildet aus Hauptsatz und Nebensätzen.

Hypotensi'on [grch.-lat. Kw.], erniedrigter →Blutdruck.

Hypo|ten'use [griech.], im rechtwinkligen Dreieck die dem rechten Winkel gegenüberliegende Seite.

Hypo|th'ek [griech. ›Unterpfand‹], die Belastung eines Grundstücks in der Weise, daß an den Berechtigten *(Hypothekengläubiger)* eine bestimmte Geldsumme aus dem Grundstück zu zahlen ist (§§ 1113–1190 BGB). **erste H.,** an erster, also sicherster Stelle eingetragene H.

Die H. ist eine Form des Pfandrechts, setzt also stets das Bestehen einer Forderung voraus, zu deren Sicherung sie dienen soll. Sie entsteht grundsätzlich durch Einigung der Parteien und Eintragung in das Grundbuch. Die gewöhnliche H., die *Verkehrshypothek,* kann als *Briefhypothek* oder als *Buchhypothek* bestellt werden. Der Regelfall nach dem Gesetz ist die Briefhypothek, bei der über die H. ein *Hypothekenbrief* ausgestellt wird. Bei den meisten H. sind Grundstückseigentümer und Hypothekengläubiger verschiedene Personen *(Fremdhypothek).* Ist dieses nicht der Fall, so spricht man von einer *Eigentümerhypothek.* Die *Sicherungs-* oder *Kautionshypothek* dient zum Unterschied von der Verkehrshypothek nicht zur Kapitalanlage, sondern lediglich zur Sicherstellung einer Forderung. Bei ihr ist das Bestehen einer Forderung stets nachzuweisen. Sie kann nur als Buchhypothek bestellt werden; die Erteilung eines Hypothekenbriefes ist ausgeschlossen. Bei der *Höchstbetragshypothek* wird nur der Betrag eingetragen, bis zu dem das Grundstück haften soll, z. B. zur Sicherung laufender Kredite. Der Käufer eines Grundstücks, der nicht die volle Kaufsumme zahlen kann, kann dem Verkäufer eine *Restkaufpreishypothek* bestellen. Die *Gesamthypothek* erstreckt sich auf mehrere Grundstücke. Jedes von ihnen haftet für die ganze Summe. Für *Tilgungs-* oder *Amortisationshypotheken,* bei denen die Hauptforderung allmählich durch Zinsaufschläge getilgt wird, hat das BGB keine Vorschriften, sie finden sich in Sondergesetzen.

Im *österreich.* Recht ist die H. die einzige Form des Grundpfandes, sie setzt ebenfalls das Bestehen einer gültigen Forderung voraus. Die Bestellung und Übertragung einer H. muß im Grundbuch eingetragen werden (§ 448 ff. ABGB). Dem *schweizer.* ZGB ist der Ausdruck H. unbekannt; in der Umgangssprache wird mit H. ein Grundpfandrecht, insbes. die Grundpfandverschreibung bezeichnet.

Hypothek'arlebensversicherung, Hypothekentilgungsversicherung, eine zur Tilgung einer Hypothekenschuld abgeschlossene Lebensversicherung, bei der Übereinkünfte über die Verwendung der Versicherungsleistung besonders getroffen werden.

Hypoth'ekenbank, Hypothekenanstalt, Boden- oder **Grundkreditbank, Bodenkreditinstitut,** Bankunternehmen in Form einer AG oder einer Kommanditgesellschaft auf Aktien, das nach dem Hypothekenbank-Ges. v. 13. 7. 1899 der staatl. Genehmigung und Aufsicht unterliegt. Es betreibt die hypothekarische Beleihung von Grundstücken *(Hypothekarkredit)* und gibt auf Grund der erworbenen Hypotheken *(Hypothekengeschäft)* Schuldverschreibungen *(Hypothekenpfandbriefe)* aus. Die Pfandbriefe müssen durch sichere, in der Regel erststellige, innerhalb von 60% des Grundstückswertes liegende Hypotheken gedeckt sein. Die Hypotheken sind in ein Register einzutragen. Mit der Eintragung erlangen die Gläubiger der Pfandbriefe besondere Vorrechte für den Fall des Konkurses. Außerdem können die H. an Körperschaften des öffentlichen Rechts nichthypothekar. Darlehen gewähren (Kommunaldarlehngeschäfte). Verboten sind Kontokorrent-Kreditgeschäfte, Emissions- und Versicherungsgeschäfte. H., die neben dem Hypothekengeschäft unbeschränkte Bankgeschäfte aller Art betreiben, sind *gemischte H.*; sie müssen als solche schon vor dem 1. 5. 1898 bestanden haben; Neuerrichtungen sind verboten. – Neben den H. befassen sich mit der Beschaffung von Hypothekarkredit die öffentlich-rechtlichen Grundkreditanstalten und die Landschaften. Die Staatsaufsicht liegt bei den Ländern.

Hypoth'ekengewinnabgabe, eine Abgabe des →Lastenausgleichs, die den Schuldnergewinn abschöpft, der durch Umstellung der durch Grundpfandrechte gesicherten RM-Verbindlichkeiten auf DM entstanden ist. Die Differenz zwischen dem Nennbetrag der RM-Verbindlichkeit und dem Umstellungsbetrag in DM ($^9/_{10}$ des RM-Nennbetrages) ist als H. bis zum 31. 3. 1979 zu tilgen; Kriegs- und Kriegsfolgeschäden können angerechnet werden. Die Abgabeschulden ruhen als öffentl. Last auf dem Grundstück.

LIT. R. Harmening u. H. Weber: H. ([2]1956).

Hypo|therm'ie [griech. Kw.], Auskühlung, →Unterkühlung.

Hypo|th'ese [griech. ›Unterstellung‹], seit Platon Voraussetzung des Erkennens; in den Wissenschaften, bes. in der Naturwissenschaft eine zur Erklärung bestimmter Tatsachen eingeführte Annahme, aus der sich dann auch andere neue Tatsachen ergeben *(heuristischer Wert)*. So erlaubte die Atom-H. durch das ganze 19. Jh. schon eine Ordnung der chemischen Erscheinungen, ehe es nach 1900 gelang, die Existenz der Atome nachzuweisen. Vielfach wird zunächst nur eine *Arbeits-H.* gemacht, um zu sinnvollen Versuchsreihen zu kommen.

Hypo|ton'ie [griech. Kw.], **Hypotensi'on,** →Blutdruck.

Hypo|trich'ose [grch. Kw.], mangelhafte Behaarung.

Hypo|xanth'in [griech. Kw.], **Sarkin,** ein Oxypurin, Bestandteil von Nukleinsäuren in Muskeln, Knochenmark, Milz u. a.

Hypox'ie [griech. Kw.], eine Verminderung des Sauerstoffdrucks in der Einatmungsluft, im Blut oder in den Zellen der Körpergewebe. Eine Verminderung der Zellatmung heißt *Hypoxydose*; sie kann verursacht sein: a) durch H., b) durch Mangel an Nährstoffen (z. B. Glukose) in den Zellen, c) durch Mangel an Enzymen (z. B. bei Fehlen von Vit. B) oder durch Vergiftung der Enzyme (Blausäurevergiftung, Narkoseüberdosierung). Die H. des Blutes *(Hypoxämie)* kann durch Erniedrigung des Sauerstoffdrucks in der Außenluft (z. B. durch Aufstieg in große Höhen), durch Verbrauch des Sauerstoffs in der Einatmungsluft (z. B. bei Explosionen in geschlossenen Räumen) oder durch Beimischung anderer Gase (z. B. Kohlendioxyd oder Kohlenmonoxyd) hervorgerufen werden.

Hypoz'entrum [grch. Kw.], →Erdbeben.

Hypo|zyklo'ide [griech. Kw.], eine →Zykloide.

hypso . . . [griech.], *in Fremdwörtern:* höhen...

Hypso|metr'ie [griech. Kw.], die Höhenmessung.

Hypso|thermom'eter, Siedethermometer, ein Thermometer, das die Temperatur von 80 bis 101° C anzeigt, mit einer Teilung in $^1/_{100}$ Grad, so daß tausendstel Grad geschätzt werden können. Mit dem H. wird der genaue Siedepunkt von Wasser und daraus der Luftdruck oder die Höhe über dem Meeresspiegel bestimmt.

Hyr'are, ein südamerikan. Marderraubtier.

Hyrk'anien [iranisch ›Wolfsland‹], im Altertum die Niederung am südöstl. Teil des Kaspischen Meeres, das auch *Hyrkanisches Meer* genannt wurde.

Hyrk'anus, Hyrkanos, zwei jüd. Hohepriester und Fürsten aus dem Geschlecht der Hasmonäer.

1) Johannes H. I., Sohn des Makkabäers Simon, regierte von 135–104 v. Chr.; ihm gelang eine beträchtl. Erweiterung des jüd. Gebietes.

2) Johannes H. II., Enkel von 1), Sohn von →Alexander Jannai, war 76–67 und mit röm. Hilfe 63–40 Hoherpriester und röm. Vasallenfürst. H. wurde 67 von seinem Bruder Aristobulos, 40 von seines Bruders Sohn Antigonos II. mit Hilfe der Parther gestürzt und schließlich durch Herodes hingerichtet.

Hyss'op [grch.], *Hyssopus*, Pflanzengatt. →Ysop.

Hyst'aspes, pers. **Wischtaspa,** Sohn des Arsames aus der jüngeren Linie der Achämeniden. Als sein Sohn Darius I. 522 v.Chr.

im altpers. Reich die Macht ergriff, war H. Statthalter von Parthien und Hyrkanien und warf (nach Darius-Inschrift von →Bisutun) einen Aufstand dieser Provinzen nieder (521 v. Chr.). H. gilt heute meist als mit dem Kawi (Fürsten) Wischtaspa identisch, den Zarathustra in seinen Verspredigten als seinen Gönner nennt.

Hyst'eresis, Hyster'ese [griech.], Nachwirken nach Aufhören der einwirkenden Kraft; im besonderen das Zurückbleiben der Magnetisierung ferromagnetischer Stoffe gegenüber der Feldstärke. Wird ein bis zur *Sättigung* magnet. Stück Eisen durch allmähliches Vermindern der Feldstärke wieder entmagnetisiert, so bleibt bei verschwindender Feldstärke eine Restmagnetisierung, die *Remanenz*. Um auch sie zum Verschwinden zu bringen, muß die Feldstärke in entgegengesetzter Richtung bis zur *Koerzitivkraft* gesteigert werden. Bei weiterer Steigerung wächst die Magnetisierung entgegengesetzt bis zur Sättigung, worauf der Gesamtvorgang in umgekehrter Richtung wiederholt werden kann.

Hysterie [von griech. hystera ›Gebärmutter‹], Bezeichnung für seelische, in verschiedenartigen psychischen und physischen Symptomen sich äußernde Krankheiten. Charakteristisch sind u. a. Dissoziationen (nicht koordinierte Denk-, Handlungs- oder Verhaltensabläufe: Gedächtnisstörungen, Wahrnehmungsstörungen u. a.), gesteigerte Suggestibilität (→Suggestion) und Empfänglichkeit für Selbstsuggestionen, Bereitschaft zur Konversion (Umsetzung von Affekten in physisch-organ. Handlungen). Die Psychoanalyse sieht in der H. eine durch verdrängte Konflikte entstandene Neurose. Neuere Psychologen (Eysenck) erklären die H. als neurotische Form der Extraversion.

Im Altertum betrachtete man die H. als eine reine Frauenkrankheit, ihre Ursache sah man in einer Wanderung der Gebärmutter durch den Körper. Der im 19. Jh. vorherrschenden Meinung, es handele sich bei der H. um eine Erkrankung im Zentralnervensystem, setzten S. Freud und J. Breuer nach ihren Forschungen die Lehre von der H. als Neurose entgegen. Die Auffassung setzte sich durch und mit ihr psychoanalytische Behandlungsmethoden.

LIT. S. Freud: Studien über H. (1893); H. J. Eysenck: Dynamics of anxiety and hysteria (1957); ders.: Handbook of Abnormal Psychology (1962); E. Kretschmer: H., Reflexe und Instinkt (1958); K. Jaspers: Allg. Psychopathologie (1965).

H'ysteron pr'oteron [grch. ›Späteres früher‹], Redefigur, bei der ein Satzteil einem anderen, dem er nach Zeitfolge oder Logik nachstehen sollte, vorangestellt wird; in der Logik die Vorwegnahme dessen, was erst später bewiesen werden soll. Diese Verkehrung der Reihenfolge gilt als logischer Beweisfehler.

H'ystrix, →Stachelschweine.

Hz, Zeichen für →Hertz.

I

i, I, der neunte Buchstabe im Alphabet, engerer vorderer Selbstlaut. Der Punkt über dem i ist erst etwa im 14. Jh. aus einem Verdeutlichungsakzent entstanden.

Entwicklung des Buchstaben I

i, *Mathematik:* Einheit der imaginären Zahlen, $i=\sqrt{-1}$; →komplexe Zahlen.

I, 1) röm. Zahlenzeichen = 1. **2)** auf Inschriften: Imperator = Kaiser.

i. a., im allgemeinen.

i. A., im Auftrag.

Ia., Abkürzung für den Staat Iowa, USA.

IAAF, Abk. für **I**nternational **A**mateur **A**thletic **F**ederation, Internationaler Leichtathletik-Verband; gegr. 1912; Sitz: London.

IAEO, IAEA, Abkürzung für die →Internationale Atomenergie-Organisation.

IAF, Abk. für engl. **I**nternational **A**stronautical **F**ederation, eine 1951 gegründete Vereinigung astronaut. Gesellschaften aus (1961) 33 Ländern zur Verwirklichung der Weltraumfahrt; Sitz: Baden/Schweiz; IAF-Akademie (seit 1960) in Paris.

I'akchos [grch.], Name des Gottes *Dionysos* in den Mysterien von Eleusis, entstanden aus dem Jubelruf **(Iakche),** der den eleusin. Göttinnen galt.

I'amblichos, 1) griech. Schriftsteller, schrieb um 165 n. Chr. einen Roman ›Babyloniaka‹.

2) Philosoph aus Chalkis in Syrien, † um 330 n. Chr., Schüler des Porphyrios, baute die neuplatonische Philosophie Plotins weiter aus. Wichtig ist seine method. und systemat. Interpretation der platon. Dialoge.

Iambus, →Jambus.

IAO, Abk. für →Internationale Arbeitsorganisation.

I'apetos, *griech. Mythologie:* ein Titan, Vater des Atlas, Prometheus, Epimetheus und Menoitios *(Iapetiden),* vielleicht mit *Japhet* urverwandt.

I'apetus, achter Mond des Planeten →Saturn.

Iap'oden, Iapyden, im Altertum ein kriegerisches illyrisches Volk im heutigen Kroatien, von Oktavian 35 v. Chr. nach Einnahme des Hauptorts Metulum unterworfen und der röm. Prov. Illyricum zugeteilt. Teile der I. wanderten in frühgeschichtl. Zeit (um 1200 v. Chr.) nach Italien aus, wo sie als *Iapuden* in Umbrien nachweisbar sind *(Iguvinische Tafeln).* Verwandt mit ihnen sind wohl auch die Iapyger (→Iapygia).

Iap'ygia, bei den alten Griechen Südostitalien, einschl. von Tarent und Brindisi; von den Römern Apulia genannt. Die Bewohner, die *Iapyger,* waren Illyrer, die durch die Griechen früh hellenisiert wurden.

Iaşi [jaʃ], rumän. Stadt, →Jassy.

I'ason, →Jason.

IATA, Abk. für **I**nternational **A**ir **T**ransport **A**ssociation, der Internationale Luftverkehrsverband. Die IATA bestimmt und überwacht die Flugpreise, berät in Verkehrsfragen u. a.

I'atrik [griech.], Heilkunst.

Iatrochem'ie, die ärztliche Chemie des 16./17. Jhs., erklärte die Zustände des gesunden und kranken menschlichen Körpers durch chem. Veränderung der Bestandteile des Körpers. Schöpfer der I. ist Paracelsus.

Iatromathematik, -mechanik, -physik, ärztl. Richtungen Ende des 16. Jhs., die die Gesetze der Physik im lebenden Körper als das hauptsächlich Wirksame nachzuweisen suchten.

ib., ibd. [lat.], Abk. für **ibidem,** ebenda.

'Ibach, älteste dt. Klavierfabrik, gegr. 1794 in Beyenburg-Barmen von *Joh. Adolph I.* (* 1766, † 1848). Heute in Schwelm (Westf.), einem ehem. Zweigwerk.

Ib'adan, Hauptstadt des Bundesstaates Oyo, Nigeria, mit (1971) 758300 Ew.; Universität; Kunsthandwerk, lebhafte Industrie; Bahn nach Lagos.

Ibaditen, Abaditen, nordafrikan. Sekte, Nachkommen der →Charidschiten, genannt nach einem Reorganisator des 8. Jhs.

Ibagué [-g'e], **San Bonifacio de I.,** Provinzhauptstadt in Kolumbien, mit (1972) 195 000 Ew.

Ibáñez [iv'aɲɛs], **1)** Carlos **I. del Campo,** chilen. General und Politiker, * Linares 3. 11. 1877, † Santiago de Chile 28. 4. 1960, wurde 1925 Kriegs- und 1927 Innenmin., 1927–31 und 1952–58 Staatspräs.

2) [iv'aɲɛθ], Vicente **Blasco,** →Blasco Ibáñez.

'Ibar *der,* 178 km langer rechter Nebenfluß der westl. Morawa in Jugoslawien, entspringt in den Nordalban. Alpen.

Ibara Saikaku, japan. Schriftsteller, * Osaka 1642, † das. 18. 10. 1693, beschrieb in Romanen und Erzählungen die Sitten des Kriegerstandes und den Kaufmannsstand.

Ibarbourou [ibarb'uru], Juana de, uruguayische Lyrikerin, * Melo 8. 3. 1895, Liebes- und Naturlyrik. Seit 1929 »Juana de América« genannt.

Ibas von Edessa, Theologe, →Dreikapitelstreit.

Ibbenb'üren, 1) Stadt im Kr. Steinfurt, Nordrhein-Westf., mit (1977) 42100 Ew., am Teutoburger Wald; höhere Schule, Steinkohlenbergbau, Maschinen-, Glas-, Textil-, Stärke-Ind. u. a.

2) I.-Land, ehem., zur Gem. zusammengeschlossenes Gebiet bei 1), mit (1973) 24600 Ew., seit 1975 zu Ibbenbüren gehörig.

Ib'erien, lat. **Ib'eria, 1)** im Altertum Landschaft am Flusse Kyros (jetzt Kura) in Kaukasien, das heutige Georgien. **2)** alter Name zunächst der Gegend um Huelva (Spanien), dann der ganzen Pyrenäenhalbinsel, nach dem Volk der **Ib'erer,** die sich später mit einwandernden Kelten vermischt haben. **Iberische Halbinsel,** Pyrenäenhalbinsel mit Spanien und Portugal.

Ib'eris, →Schleifenblume.

Iberisches Randgebirge, Keltiberische Ketten, span. **Cordillera Ibérica, Sistema (Orográfico) Ibérico,** Sammelname für die Randgebirge, die den Hochlandblock der Iber. Halbinsel gegen das Ebrobecken und das Küstentiefland von Valencia abschließen. Einzelne Erhebungen erreichen über 2000 m Höhe und zeigen z. T. Spuren eiszeitl. Vergletscherung: Sierra de la Demanda 2305 m, Picos de Urbión 2235 m, Peñarroya 2024 m, Javalambre 2020 m.

Ib'ero-Amerika, →Lateinamerika.

Ibert [ibɛr], Jacques, franz. Komponist, * Paris 19. 8. 1890, † das. 6. 2. 1962, Schüler von G. Fauré; Opern (Angélique, 1926), symphon. Werke, Kammermusik.

IBFG, Abk. für →Internationaler Bund Freier Gewerkschaften.

Iberus, antiker Name des Flusses →Ebro.

ib'idem [lat.], abgek. **ib., ibd.,** ebenda.

Ibij'ara, eine Ringelechse.

'Ibisch [griech.] *der,* →Eibisch.

'Ibisse [altägypt.], *Plegadidae,* Fam. der storchart. Vögel; ihr gehören an: 1) die **Ibisse,** mit langem, schlankem und leicht gebogenem Schnabel. Der über ganz Afrika verbreitete *heilige I.* Altägyptens ist im wesentl. weiß; der *rote I.* ist im trop. Südamerika heimisch; der *Sichler,* auf der Oberseite mit kupfrigem Grünschiller, lebt in Südeuropa und den Tropen, der *Waldrapp* bewohnt Syrien und Nordafrika (bis zum 16. Jh. auch die Alpen). 2) die **Löffler,** deren Schnabel vorn spachtelartig verbreitert ist.

Ibis (80 cm hoch)

Ibiza [iv'iθa], Hauptinsel der Pityusen (Spanien), 593 qkm groß, von niederem, bewaldetem Bergland erfüllt, (1971) 42500 Ew.; Hauptstadt I., mit rd. 12000 Ew.

IBM Deutschland, Internationale Büro-Maschinen Gesellschaft mbH, Sindelfingen, gegr. 1910 als Dt. Hollerith Maschinen GmbH, Berlin (DEHOMAG). Die IBM Deutschland ist Tochterges. der **International Business Machines Corp.,** Armonk (N.Y., USA), gegr. 1911.

I. B. M. V., →Englische Fräulein.

Ibn [arab.], Sohn.

Ibn al-'Arabi, span.-arab. Mystiker, * Murcia 1165, † Damaskus 1240, vertrat eine pantheist. Weltanschauung, nach der das Weltgeschehen eine stufenweise Selbstentäußerung Gottes ist, der eine stufenweise Erhebung des Geistes auf seiten des vollkommenen Menschen bis zur Selbstgleichsetzung mit Gott entspricht. I. bestimmte die ganze weitere Entwicklung der Mystik im Islam.

Ibn al-Ath'ir, Izz al-din Ali ibn Mohammed al-Dschasari, arab. Geschichtsschreiber, * Dschesiret Ibn Omar (Mesopotamien) 1160, † Mosul 1234.

Ibn al-B'aitar, Albeitar, arab. Botaniker und Arzt, * Malaga Ende des 12. Jhs., † Damaskus 1248, behandelte die Arzneimittellehre der antiken und arab. Pharmakologen, ergänzte und berichtigte sie.

Ibn al-Chat'ib, arab. Geschichtsschreiber, * 1313, † (ermordet) Fès 1374, Wesir am Hof der Nasriden in Granada, fiel 1371 in Ungnade und floh nach Fès. Er schrieb über die Geschichte des muslim. Spaniens, bes. Granadas.

Ibn al-F'arid, Omar, bedeutender myst. Dichter der Araber, * Kairo 1182, † das. 1235. Sein an rhetor. Figuren reiches Gedicht ›Ta'ija‹ (arab. und dt. v. H. v. Hammer-Purgstall, 1854) beschreibt den Zustand des Mystikers, der die höchste Stufe, das Einswerden mit der Gottheit, erreicht hat. Sein ›Diwan‹ wurde 1853 u. ö. gedruckt.

Ibn al-H'aitham, Abu Ali al-Hasan ibn al-Hasan ibn al-Haitham, lat. **Alhazen,** islam. Naturforscher, * Basra um 965, † Kairo Ende 1039 oder bald danach, schrieb ein bis zu Keplers Zeiten benutztes Lehrbuch der Optik.

Ibn B'addscha, arab. Name des →Avempace.

Ibn Batt'uta, arab. Forschungsreisender, * Tanger 1304, † Fès 1377, bereiste große Teile von Vorder- und Zentralasien, Indien, China, Sumatra, Ostafrika.

Ibn Chald'un, Abd al-Rahman, arabischer Geschichtsschreiber, * Tunis 27. 5. 1332, † Kairo 17. 3. 1406. Seine Weltgeschichte (franz. 3 Bde., 1862–68) mit berühmter geschichtsphilosoph. Einleitung und seine Geschichte der Berber (hg. franz. 1852–56,

Bd. 1 und 2, ²1925–27) sind die wichtigsten Quellen für die Geschichte des Islams in Nordafrika.

Ibn Chordadhb'eh, * um 820, † um 912 arab. Postmeister in Medien, verfaßte ein ›Buch der Wege und Länder‹, eine wichtige Quelle für die histor. Geographie Vorderasiens.

Ibn 'Esra, Aben Esra, Abraham **(ben Meir),** jüd.-span. Gelehrter, * Toledo 1092, † Rom (?) 1167. Seine Hauptbedeutung liegt auf dem Gebiet der hebr. Sprachforschung. Wichtig ist sein großer hebr. Kommentar zum Pentateuch (gedr. Venedig 1526).

Ibn Gan'ach, Dschanach, Abu 'l Walid Merwan, hebr. Rabbi **Jona ben Ganach,** der größte jüd. Sprachforscher des MA.s, * Córdoba um 990, † Saragossa um 1050, vollendete den Ausbau der hebr. Grammatik nach dem Vorbild der Araber.

Ibn Ij'as, Ibn Ajas, arab. Geschichtsschreiber, * 1448, † Kairo nach 1522, schrieb eine Chronik Ägyptens, die wichtigste Quelle für die Geschichte des untergehenden Mameluckenreiches.

Ibn Roschd, Ibn Ruschd, →Averroës.

Ibn Sa'ud, wahhabit. Dynastie im Nedschd (Mittelarabien), um 1740 von Mohammed ibn Sa'ud begründet (→Wahhabiten). Ihr entstammte *Abd el-Asis III. ibn Abd ar-Rahman* **I. S.,** König von Saudi-Arabien (1926), * Rijad 24. 11. 1880, † Taif 9. 11. 1953; er eroberte 1902 Rijad und festigte seine Herrschaft im Nedschd mit Hilfe der Wahhabiten. 1921/22 eroberte er Hail, 1924/25 das Hedschas, danach das Emirat Asir. Die Auseinandersetzung mit Jemen beendete er durch einen Freundschaftsvertrag (1934). Im 2. Weltkrieg wahrte er Neutralität, ebenso im arabisch-israel. Krieg (1948/49). Wirtschaftlich entwickelte I. S., der völlig autokratisch regierte, sein Land sprunghaft seit Vergebung der Ölkonzessionen an die →ARAMCO. Ihm folgte sein Sohn →Sa'ud auf den Thron.

Ibn S'ina, arab. Gelehrter, →Avicenna.

Ibn Tofail, arab. Philosoph, →Abubacer.

Ibn Yunis, der bedeutendste islam. Astronom, * etwa 950, † Kairo 31. 5. 1009. Er vollendete die nach dem Kalifen Al Hakim benannten *Hakimitischen Planetentafeln* und bestimmte genauer als seine Vorgänger die Schiefe der Ekliptik, die Präzession und die Sonnenparallaxe.

'Ibo, afrikan. Volk in Nigeria, östl. vom unteren Niger. Das I. wird als Verkehrssprache von rd. 8 Mill. Menschen gesprochen.

Ibrah'im Pascha, ägypt. Feldherr und Vizekönig, * Kawalla (Makedonien) 1789, † Kairo 10. 11. 1848, unterwarf 1816–19 die Wahhabiten in Arabien, kämpfte 1824–27 gegen die aufständischen Griechen in Morea und zwang 1833 den Sultan, Syrien seinem Vater Mehmed Ali abzutreten. 1840 mußte er auf Verlangen Frankreichs und Englands Syrien räumen.

IBRD, Abk. für **I**nternational **B**ank for **R**econstruction and **D**evelopment, die Internat. Bank für Wiederaufbau und Entwicklung (→Weltbank).

'Ibsen, Henrik, norweg. Dichter, * Skien 20. 3. 1828, † Oslo 23. 5. 1906, von 1844–50 Apotheker, wurde 1851 Bühnenleiter und Theaterdichter in Bergen, 1857 Leiter des »Nationalen Theaters« in Oslo. 1864–91 hielt er sich in Italien und Deutschland auf. I.s frühe Werke gestalten norwegische Stoffe. Er schrieb dann die Ideendramen ›Brand‹ (1866), ›Peer Gynt‹ (1867), ›Kaiser und Galiläer‹ (1873). Um 1869 wandte er sich dem Gesellschaftsdrama zu. Zugleich gewann I. in dieser Zeit die ihm eigene Dramaturgie: die dramat. Handlung ist das Ergebnis einer Vorgeschichte, die langsam enthüllt wird. I.s Schauspiele waren in Skandinavien und Deutschland bahnbrechend für den Naturalismus.

WERKE. Schauspiele: Das Fest auf Solhaug (1856), Nordische Heerfahrt (1858), Kronprätendenten (1864), Bund der Jugend (1869), Stützen der Gesellschaft (1877), Nora oder ein Puppenheim (1879), Gespenster (1881), Der Volksfeind (1882), Die Wildente (1884), Rosmersholm (1886), Die Frau vom Meere (1888), Hedda Gabler (1890), Baumeister Solneß (1892), Klein Eyolf (1894), John Gabriel Borkman (1896), Wenn wir Toten erwachen (1900). Samlede Verker, 20 Bde. (1928–52). Sämtl. Werke, dt. 10 Bde. (1898–1904). Dramat. Meisterwerke, 2 Bde. (1922).

LIT. Biogr. v. R. Woerner (2 Bde., ³1923), E. Reich (¹⁴1925); Clara Stuyver: I.s dramat. Gestalten (1952); G. W. Knight: H. I. (1962).

Iburg, Bad I., Stadt im Kr. Osnabrück, Niedersachsen, am S-Hang des Teutoburger Waldes, mit (1977) 8600 Ew.; Kneippkurort; Benediktinerkloster (11. Jh., jetzige Gestalt 1750–52), bildet den O-Teil des Schlosses, das Sitz der Fürstbischöfe von Osnabrück war. Die Klosterkirche ist ein got. Bau des 14. Jhs. mit spätroman. Chor.

'Ibykos, griech. Lyriker der zweiten Hälfte des 6. Jhs. v. Chr., aus Rhegion in Unteritalien, lebte am Hof des Polykrates zu Samos. Von I. gab es sieben Bücher lyr. Gedichte in dor. Dialekt, teils balladenhaft im Anschluß an Stesichoros, teils leidenschaftlicher Knabenliebe huldigend. Die Sage von seiner Ermordung und von der Entlarvung der Mörder durch Kraniche hat Schiller in der Ballade ›Die Kraniche des Ibykus‹ behandelt.

ICAO, Abk. für **I**nternational **C**ivil **A**viation **O**rganization, die Internat. Zivilluftfahrt-Organisation, →Luftrecht.

Ic'aza, Jorge, ekuadorian. Schriftsteller, * Quito 10. 7. 1902. Sein bekanntester Roman ›Huasipungo‹ (1934; dt. 1952) ist eine Anklage gegen die Ausbeutung und Unterdrückung der indian. Landbevölkerung.

ICC, Abk. für **I**nternational **C**hamber of **C**ommerce, die →Internationale Handelskammer.

ICEF, Abk. für International Children Emergency Fund, der →Internationale Kinderhilfsfonds.

ICEM, Abkürzung für International Committee for European Migration, das →Internationale Komitee für europ. Auswanderung.

ich [german. Stw.], persönl. Fürwort.

Ich, 1) *Psychologie:* mit dem allgem. Sprachgebrauch übereinstimmend der Inbegriff aller Eigenschaften, Verhaltensweisen und psychischen Akte, die ein Individuum sich zurechnet. Etwa bei Beginn des 3. Jahres bezeichnet sich das Kind mit dem Wort »ich«, gleichzeitig mit der Herausbildung des Wollens und Handelns aus der vorhergehenden spontan-unreflektierten Aktivität. Im engeren Sinne bezeichnet »Ich« diejenige Instanz, die auf Umweltereignisse und auf die eigene Spontaneität reagiert. Diese Instanz wird als etwas Rückbezügliches und in sich Abgeschlossenes erlebt, ist in eigentüml. Weise eigenschaftsarm, außer in dem Erlebnis der Initiative (des Impulsbewußtseins, der Freiheit). Dieses »eigentliche Ich« ist die nur z. T. bewußte Integrationsstelle zwischen den Ansprüchen der Außenwelt, der Gesellschaft (des Du) und der eigenen Impulsivität und Triebhaftigkeit.

LIT. S. Freud: Das Ich und das Es (1923); C. G. Jung: Die Beziehungen zwischen dem Ich und dem Unbewußten ([6]1950); K. Koffka: Principles of Gestalt Psychology (London 1935); W. Burkamp: Wirklichkeit und Sinn, Bd. 1 (1938); K. Jaspers: Allgem. Psychopathologie ([8]1965); E. Rothacker: Die Schichten der Persönlichkeit ([5]1952); P. Brunton: Entdecke dich selbst (dt. [2]1954); J. G. Leithäuser: Das unbekannte Ich (1955).

2) *Philosophie:* Das Ich als reflektiertes Selbstbewußtsein oder Subjekt ist der Bezugspunkt aller Objekte, d. h. alles möglicherweise Gewußten, so bei Descartes. Bei Kant und Husserl ist das »transzendentale Ich« das Bewußtsein in seiner allgemeinen begrifflichen Bedeutung, untersucht nach seiner Funktion im Erkenntnisvorgang. Bei Fichte und dem jungen Schelling wird die »Selbstsetzung des Ich« zum Ausgangspunkt der Philosophie als diejenige Stelle, in der Subjekt und Objekt zusammenfallen. In der Erkenntnistheorie des 19. Jhs. wird der Begriff des Subjekts oder des Selbstbewußtseins vorgezogen.

LIT. A. Drews: Das Ich als Grundproblem der Metaphysik (1897); T. K. Oesterreich: Phänomenologie des Ich (1910); M. Buber: Ich und Du (1923).

Ichang, postamtl. Schreibung der chinesischen Stadt →Itschang.

Ichikawa, Kon, japan. Filmregisseur, * 20. 11. 1915. Filme: Biruma no tatekoto (Freunde bis zum letzten, 1956), Nobi (1959), Kagi (1959).

Ichinomiya, Stadt in Japan, →Itschinomija.

Ichn'eumon [griech.] *das* oder *der*, Raubtier, →Schleichkatzen.

Ich'or [grch. ›Blutwasser‹] *der, Mythologie:* der Lebenssaft, der nach Homer statt des Blutes in den Adern der Götter fließt.

Ichthyo . . . [griech.], *in Fremdwörtern:* Fisch . . .

Ichthy'ol [griech. Kw.], Handelsname für Ammonsulfoichthyolat, schwarzbraune, teerig riechende Masse, wird aus bituminösem Schiefergestein mit Resten ausgestorbener Fische (Tirol) gewonnen. Es enthält Schwefel und Teerverbindungen, wirkt desinfizierend, entzündungswidrig und schmerzstillend und wird meist in Salbenform angewendet.

Ichthyol'ithen [grch. Kw.], † Fischreste aus der erdgeschichtl. Vergangenheit.

Ichthyolog'ie [griech. Kw.], Fischkunde.
Ichthyol'oge, Fischkenner.

Ichthyoph'agen [griech. ›Fischesser‹], im Altertum mehrere Küstenvölker; die bekanntesten wohnten an der nordöstl. Küste Arabiens und in Gedrosien, dem heutigen Belutschistan; sie wurden durch die Fahrt des Nearchos (325 v. Chr.) den Griechen näher bekannt.

Ichthyophth'alm [griech. ›Fischauge‹], das Mineral Apophyllit.

Ichthy'ornis [grch. Kw.], ausgestorbene Gatt. taubengroßer flugtüchtiger Vögel mit bezahnten Kiefern, aus der oberen Kreide von Kansas.

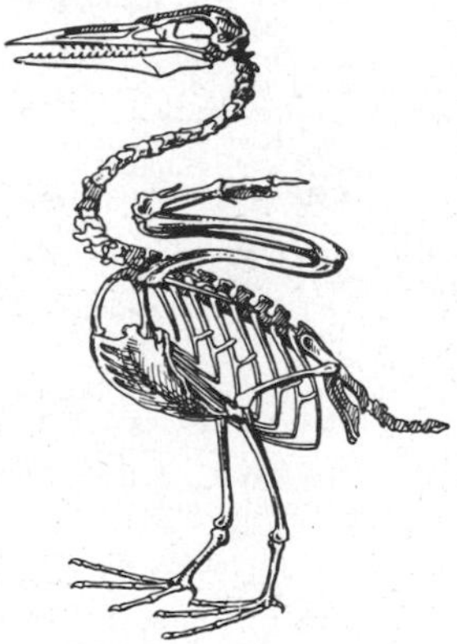

Ichthyornis (etwa 1/6 nat. Gr.)

Ichthyos'aurus [griech.-lat. Kw.], **Fischsaurier,** ausgestorbene, bis 15 m lange Echsen, die die Meere des Erdmittelalters bewohnten. Der nackthäutige Körper war fischförmig. BILD S. 110.

Ichthy'osis [griech. Kw.], die →Fischschuppenkrankheit.

Ichthyotox'in, Fischgift, →Aal.

Ichth'ys [griech. ›Fisch‹], aus den Anfangsbuchstaben der griech. Worte **Iesous Christos Theou** (h)**Yios Soter** [›Jesus Christus Gottes Sohn, Heiland‹] gebildete Formel

Ichthyosaurus: Skelett von Ichthyosaurus quadriscissus mit Abdruck der Haut, 2,10 m lang (Forschungsinstitut und Naturmuseum Senckenberg, Frankfurt a. Main)

zur Bezeichnung Christi und seiner Erlösertätigkeit.

Ich weiß, daß ich nichts weiß, Ausspruch des Sokrates.

ICJ, Abk. für **I**nternational **C**ourt of **J**ustice, der →Internationale Gerichtshof.

Ickes ['iks], Harold Le Claire, amerikan. Politiker, * Frankstown (Pa.) 15. 3. 1874, † Washington 3. 2. 1952, Journalist und Rechtsanwalt, ursprüngl. Republikaner, dann Demokrat, 1933–46 Innenminister.

'Icterus [griech.-lat. Kw.], →Gelbsucht.

'Ictus [lat. ›Schlag‹], *Metrik:* der zu einem metrischen Schema gehörige Akzent.

Id., Abk. für den Staat Idaho, USA.

id., Abk. für →idem.

'Ida [zu ahd. itis ›Weib‹], Vorname.

'Ida [griech.] *der,* eigentlich *die,* **1)** im Altertum Gebirge im südl. Teil der Landschaft Troas, Kleinasien; jetzt *Kaz dagi,* 1767 m hoch; war Hauptstätte der Verehrung der Kybele. **2)** höchster Gebirgsstock der griech. Insel Kreta, jetzt *Psiloritis,* 2456 m hoch; hier wurde nach der griech. Sage Zeus erzogen.

IDA, Abk. für **I**nternational **D**evelopment **A**ssociation, →Internationale Vereinigung für Entwicklungshilfe.

Ida von Herzfeld, Frau des Sachsenherzogs Egbert, † 4. 9. 825; Heilige; Tag: 4. 9. (in Werden 26. 11.).

Ida von Toggenburg, Selige; Tag: 3. 11. Ihre legendäre Biographie versetzt sie ins 13./14. Jahrhundert.

Idaho ['aidəhou], abgek. **Id.,** Bundesstaat der USA, 216 412 qkm mit (1975) 820000 Ew. Hauptstadt ist Boise. Bei künstl. Bewässerung werden Kartoffeln, Getreide, Obst angebaut; Bergbau auf Silber, Gold, Blei, Kupfer, Zink; große Beryllium-Lager. I., seit 1860 ständig besiedelt, wurde 1863 ein eigenes Territorium, 1890 der 43. Staat der Union.

Id'äische Mutter, lat. **Idaea Mater,** kleinasiat. Göttin, deren Kult 205/4 v. Chr. in Rom eingeführt wurde.

'Idar-Oberstein, Stadt im Kreis Birkenfeld, Rheinland-Pfalz, mit (1977) 36 800 Ew., an der Nahe. I.-O., Hauptsitz der Edelstein- und Achatschleiferei, hat AGer., höhere und Fachschulen, Heimatmuseum, Edelsteinforschungsinstitut, ständige Edelsteinausstellung, Schmuckwaren-, Metall-, Galanterieindustrie, Lederwaren.

'Idarwald, Höhenzug des →Hunsrück.

'Idavöllr, Idafeld, in der nord. Sage das Gefilde der Götter.

Ide'al, 1) Vollkommenes, Mustergültiges. **2)** Vorbild, Wunschbild.

Ideal'ismus [zu idea, →Idee], **1)** *allgemein:* eine durch →Ideen oder →Ideale bestimmte Weltanschauung und Lebensführung *(praktischer I.).*

2) *Philosophie:* verschiedene seit Platon im abendländ. Denken entwickelte Auffassungen. Der *metaphysische I.* nimmt an, daß ein ideelles Prinzip (z. B. die Welt der Ideen, der »absolute Geist« oder das »absolute Ich«) der letzte Seinsgrund sowohl der geistigen als auch der materiellen Wirklichkeit sei. Dieser Standpunkt unterscheidet sich von der scholast. Ontologie dadurch, daß er das letzte Prinzip nicht als *Gott* bestimmt; soweit er die Existenz von Gegenständen leugnet, die vom Denken unabhängig sind, widerspricht er außerdem dem erkenntnistheoret. Realismus der scholast. Ontologie. In diesem Fall kann die Ableitung der materiellen Welt nicht unter dem Begriff der Schöpfung geschehen. Die reale Welt steht dann z. B. zu jenem Seinsgrund in dem Verhältnis der »Teilhabe« (Platon), oder sie wird als die Idee »in ihrem Anderssein« (Hegel) bestimmt. Idealist. Systeme können daher, wie bei Fichte, Hegel und Schelling, dem Pantheismus nahekommen.

In der Form des *transzendentalen I.* ist er von Kant begründet und noch von Husserl vertreten worden. Die leitende Vorstellung ist die, daß die Gegenstände des Erkennens nur innerhalb der dem Bewußtsein eigengesetzlich verfügbaren Formen erkennbar werden können, wobei das Bewußtsein aber nicht das zufällige Subjekt, sondern ein Inbegriff aller Erkenntnismöglichkeiten und -leistungen ist. Dieser Standpunkt steht der Formulierbarkeit absolut gültiger *ontologischer* Aussagen zurückhaltend gegenüber, weil seine Evidenzen sich nur auf Erkenntnisprozesse und ihre gegenseitigen Verhältnisse beziehen können deren objektive Gesetzmäßigkeit als Fundament aller Sacheinsichten gilt. Wird dagegen der Inhalt des individuellen Bewußtseins als Ausgangspunkt gewählt, so entsteht der *subjektive I.* (seit Berkeley), dessen Hauptproblem dann darin besteht, aus dem naheliegenden →Solipsismus herauszukommen. Als Ausgangsthese, die im weiteren Verlauf wieder aufgehoben wird, ist dieser Standpunkt oft gewählt worden, so von Berkeley selber, von Schopenhauer, Driesch u. a. W. Dilthey hat je nach der in den Autoren vorherrschenden weltanschaulichen, vorphilos. Einstellung einen objektiven, mehr gefühlsmäßigen (pantheistischen) I. und einen ethisch bestimmten »I. der Freiheit« unterschieden. Unter der letzteren Bezeichnung rücken dann Platon, Kant und Fichte auf eine Seite, gegenüber dem objektiven I. Hegels oder Schellings (→Deutscher Idealismus).

Als *magischer I.* wird das Weltbild 1. der Romantik, 2. der Primitiven insofern bezeichnet, als ihm gemäß die Idee, die Vorstellung, als zauberkräftiges Agens gedacht wird.

LIT. E. v. Hartmann: Gesch. d. Metaphysik (1900); W. James: Das pluralist. Universum (a. d. Engl., 1914); N. Hartmann: Die Philosophie des dt. I., 2 Bde. (1923–29, ²1960); J. Dewey: The Quest for Certainty (London 1929); E. Hirsch: Die idealist. Philosophie und d. Christentum (1926); W. Dilthey: Die Typen der Weltanschauung, in: Ges. Schriften, Bd. 8 (1931); E. Spranger: Kampf gegen den I. (1931); A. Liebert: Die Krise des I. (1936); N. Hartmann: Grundzüge einer Metaphysik der Erkenntnis (⁴1949); W. Dilthey: Die Jugendgesch. Hegels u. a. Abhandlungen zur Gesch. des dt. I. (²1959); R. Kroner: Von Kant bis Hegel, 2 Bde. (²1961).

Idealit'ät, eine Seinsweise, die z. B. dem Mathematischen und, nach vielen Philosophen, den Werten zukommt.

Ide'alkonkurrenz, im Strafrecht die Verletzung mehrerer Strafnormen durch dieselbe Tat. I. zwischen Mord und Brandstiftung liegt z. B. vor, wenn A den B dadurch vorsätzlich tötet, daß er das Haus, in dem B schläft, in Brand steckt. Bei I. kommt nur das Gesetz zur Anwendung, das die schwerste Strafe, und bei ungleichen Strafarten dasjenige, das die schwerste Strafart androht (§ 52 StGB). Ähnlich in *Österreich* (§ 28 ff. StGB) und der *Schweiz* (Art. 68 StGB), jedoch ist die Strafe der schwersten Tat angemessen zu erhöhen, im schweizer. Recht nicht um mehr als die Hälfte.

Ide'alstaat, →Utopie.

Ide'altypus, vorgestelltes Einzelnes, das die Wesenszüge der entsprechenden Gattung in höchster Vollkommenheit aufweist, z. B. *die* Stadt, *das* Handwerk; von G. Jellinek geprägter Begriff, den M. Weber übernahm.

Ideati'on, Bildung von Begriffen, Wesenserkenntnis, bes. in der Phänomenologie E. Husserls *(ide'ierende Abstraktion)*.

Idee, griech. idea, 1) *allgemein:* Urgedanke, Urbild; reiner Begriff. **2)** *in strenger Bedeutung:* die in reiner Anschauung erfaßbare Gestalt der körperl. und geist. Dinge, ihr Wesen oder Sinn im Unterschied zu ihrer Erscheinung. Der Begriff wurde von Platon geprägt; für ihn sind die I. das Wesenhafte (Urbilder), die Gegenstände und die zwischen ihnen waltenden Beziehungen Nachbilder, die das, was sie sind, durch »Teilhabe« an den Urbildern sind. So wird für Platon die nach Wert und Rang geordnete »Ideenwelt« – die in der I. des Guten-Wahren-Schönen gipfelt – Ziel und Gegenstand der Erkenntnis, die die I. nicht schafft, sondern vorfindet und erfaßt. Aristoteles hat auf Grund des Erfahrungswissens und der Naturbeobachtung Platons I.-Lehre umgestaltet, indem er die I. aus ihrer vermeintl. Jenseitigkeit in das erfahrungsgegebene Diesseits herabführte; er sah in ihnen Begriffe, die als »Formsubstanzen« das Wesen der Dinge ausmachen, in ihnen selber liegen und als bewegendes Prinzip ihre Entwicklung bestimmen (Entelechie). – Die mittelalterl. Scholastik schloß sich zuerst der platon., dann der aristotel. Lehre an; im Nominalismus stellte sie beiden die Auffassung entgegen, daß die I. lediglich im menschl. Denkprozeß entstehen und nur die Namen unserer Allgemeinvorstellungen sind. Damit war aber die Frage aufgeworfen, wie aus »einfachen Ideen« – Sinnesempfindungen, Erinnerungsbildern, einfachen Gefühlen – »zusammengesetzte Ideen« (z. B. Denkvorgänge) werden und bes., wie sich die nur subjektiven Vorstellungen von den allgemeingültigen unterscheiden. Während die einen (Descartes, Leibniz) annahmen, daß die allgemeingült. I. und Prinzipien angeboren seien, ließen die anderen alle I. auf Erfahrung zurückgehen und suchten die Allgemeingültigkeit von I. als in logischer Konstruktion (Hobbes) begründet oder mehr psychologisch (Locke, Hume) zu erklären. In Kants krit. Philosophie sind die I. Vernunftbegriffe höchster Ordnung; sie entspringen aus dem Bedürfnis der Erkenntnis nach dem Abschließenden, Unbedingten; so hat die I. der Unendlichkeit für die theoret., die der Freiheit oder der Unsterblichkeit für die praktische Vernunft »regulative« (zielweisende) Bedeutung. Der dt. Idealismus lenkte stärker zu platon. I. zurück; Hegel faßte sie metaphysisch auf als Wesenheit, die sich dialektisch entfaltet. Auch sonst hat die Philosophie des 19. und 20. Jhs. vielfach, z. B. in der Phänomenologie, an den I.-Begriff Platons wieder angeknüpft, während für andere idealist. Richtungen I. die bloße Geltung oder eine denknotwendige Hypothese bedeutete.

LIT. C. Heyder: Die Lehre von den I. (1873); G. Falter: Beiträge z. Gesch. d. I. (1906); P. Natorp: Platons I.-Lehre (²1921); B. Bauch: Die I. (1926); K. Gronau: Platons I.-Lehre im Wandel der Zeit (1929); I. Stenzel: Zahl u. Gestalt bei Platon u. Aristo teles (²1933); C. Brinton: I. und Menschen (1955).

ide'ell, nicht materiell.

Id'een|assoziation [lat. Kw.], Gedankenverbindung.

Id'eenflucht, Ged'ankenflucht, krankhaft schneller Ablauf von unzusammenhängenden Gedanken, bes. bei manischer Erkrankung.

Id'een|geschichte, geschichtswissenschaftl. Betrachtungsweise, die hinter den geschichtl. Ereignissen und Zuständen Ideen, geistige Kräfte von eigener Gesetzmäßigkeit aufzuzeigen sucht, z. B. die Idee der Freiheit, der Erlösung. Vertreter: Ranke, Meinecke, Troeltsch, Dilthey, Spengler, Breysig.

'idem [lat.], derselbe, dasselbe.

'Iden *Mz.*, lat. **Idus,** im röm. Kalender der 13., im März, Mai, Juli, Oktober der 15. Tag des Monats.

identifiz'ieren [lat. Kw.], dieselbe Person oder Sache als die gleiche erkennen. **identisch,** gleichbedeutend.

Identit'ät, Nämlichkeit, Einerleiheit. *Mathematik:* Bestehen einer identischen →Gleichung. **Satz von der Identität,** Grundsatz der Logik, daß alles sich selbst gleich ist. **Identifizierung, Identifikation,** das unreflektierte Sichhineinversetzen in einen anderen Menschen; instinktives Ausdrucksverstehen.

Identit'ätsnachweis, *Zollrecht:* →Nämlichkeitssicherung.

Identit'ätsphilosophie, die Naturphilosophie →Schellings.

ideo . . . [grch.], Begriffs . . .

Ideo|graph'ie [griech. Kw.], Ideenschrift, →Bilderschrift.

Ideolog'ie, 1) die philos. Lehre von →Destutt de Tracy. **2)** reine Theorie, Unwirklichkeit. **3)** *Philosophie und Soziologie:* die einer Gesellschaftsschicht oder einer wirtschaftl.-polit. Interessenlage zugeordneten Denkweisen und Wertvorstellungen, insbes. dann, wenn sie zur Rechtfertigung oder zur Verhüllung der wirklichen Interessen dienen. Wenn die Gesellschaft aus mehreren sozialen Schichten besteht, deren Interessen wesentl. voneinander abweichen, kommt es zur Ausbildung von *Klassen-I.*, die, meist als polit. Programme formuliert, das Interesse der eigenen Klasse als das gemeinsame Interesse der ganzen Gesellschaft, als die gerechte Ordnung schlechthin oder als das Ziel der Geschichte hinstellen; die sozialen Kämpfe nehmen dann den Charakter des Ideologienkampfes an. Daher ist der Begriff I. mit dem Aufkommen der industriellen Klassengesellschaft seit Beginn des 19. Jhs. im öffentl. Bewußtsein und in den Sozialwissenschaften aufgetreten, zuerst bei den franz. Soziologen der nachnapoleon. Zeit und auf der Hegelschen Linken. K. Marx hat ihn in den dialekt. Materialismus eingebaut und zu einem Grundbegriff der Soziologie gemacht, indem er das »Bewußtsein« als Ausdruck der Klasseninteressen begriff. – Bei den späteren Soziologen wurde die Lehre von den I. vom Gedanken des Klassenkampfes abgetrennt; so untersuchte z.B. V. Pareto die gesellschaftl. Bedeutung der Ideen, die von unbewußten Triebkräften und Leidenschaften zwar abhängig sind, dabei aber eine verklärende, rechtfertigende oder kämpferische Eigenbedeutung entfalten. In diesem Sinn fand der I.-Begriff Eingang in die →Wissenssoziologie, die sich weitgehend als »Ideologiekritik« versteht.

LIT. K. Mannheim: I. und Utopie ([3]1952); H. Barth: Wahrheit u. I. ([3]1974); K. Lenk (Hg.): I., Ideologiekritik und Wissenssoziologie ([3]1967).

Ideo|motorik, die Lehre von der »Bewegungskraft der Vorstellungen«, die von dem engl. Physiologen W. H. Carpenter 1853 erstmals als *ideomotorisches Gesetz* formuliert wurde: Jede Wahrnehmung oder Vorstellung einer Bewegung ruft einen Antrieb zum Vollzug der betreffenden Bewegung hervor. Dieser *Carpenter-Effekt* erfaßt Erscheinungen der unbewußten Nachahmung (»ansteckendes« Gähnen), des Mitergriffenwerdens, z. B. bei der Panik u. a. m. Das »Gesetz« gilt aber keineswegs uneingeschränkt. So lösen etwa Bewegungen, die gegen uns gerichtet sind, in der Regel Gegenbewegungen aus, so etwa Schlag und Abwehr (Moede, Hellpach). Der Carpenter-Effekt wurde in der zweiten Hälfte des 19. Jhs. in Beziehung zu Suggestion und Hypnotismus viel diskutiert (Braid, James, Preyer).

LIT. H. Schmidkunz: Psychologie der Suggestion (1892); W. Moede: Experimentelle Massenpsychologie (1920); W. Hellpach: Sozialpsychologie ([3]1951).

id est [lat.], abgek. **i. e.,** das ist, das heißt.

Idfu, Stadt in Ägypten, →Edfu.

idio . . . [grch.], eigen . . .

idiobl'astisch [grch. Kw.], durch Metamorphose neu gewachsene Minerale mit Eigengestalt. Als Einsprenglinge in einer Grundmasse sind sie **porphyroblastisch. Granoblastisch** heißt das gleichmäßig-körnige Gefüge, bei dem die Ursprungsstruktur nicht mehr zu erkennen ist, **kristalloblastisch** das Gefüge bei mehr oder weniger gleichzeitigem Wachstum der Neubildungen.

idiochrom'atisch [griech. Kw.]. eigenfarbig. *Idiochromatische Mineralien* erscheinen farbig auf Grund der Lichtabsorption durch eigene Atome; *allochromatische Mineralien* sind durch Fremdbeimischungen gefärbt.

Idiolalie, die individuell geprägte bzw. erfundene Sprache bei Geisteskranken *(Dyslalie)* oder Kleinkindern.

Idio|latr'ie [griech.], Selbstvergötterung.

Idi'om [griech.], Spracheigentümlichkeit eines einzelnen, einer Mundart oder einer Landessprache. **idiom'atisch,** mundartlich; mit mundartlichen Eigenheiten.

idiom'orph [griech. Kw.], eigengestaltig. *Idiomorphe Mineralien* haben in Gesteinen ihre eigene Kristallform ausgebildet, *hypidiomorphe*, *allotriomorphe* und *xenomorphe Mineralien* dagegen nur teilweise oder gar nicht.

idiop'athisch [grch.] heißen Krankheiten mit unbekannter Ursache; früher auch im

Sinn von »unmittelbar«, »primär« gebraucht.

Idio|synkras'ie [griech.], **1)** heftige, bisweilen krankhafte Abneigung, starker Widerwille gegen bestimmte Personen oder Dinge. **2)** angeborene Überempfindlichkeit des Körpers gegen bestimmte Stoffe, ein Sonderfall der →Allergie.

Idiot'ie [griech.], angeborener Schwachsinn in schwerster Form: ihr können zugrunde liegen: Hirnschädigung durch vorgeburtliche Gehirnentzündung, Mißbildungen oder Hirnverletzung bei der Geburt.

Idi'otikon [griech.], Zusammenstellung der einer Sprache eigenen Wendungen, Wörter, Bilder, oft einfach: Mundartwörterbuch.

Idiot'ismus [griech. Kw.], *Sprachwissenschaft:* mundartliche Redeweise.

'Idiotypus [griech. Kw.], das Erbbild (→Gen).

'Idisen, *german. Mythologie:* den Nornen verwandte Schicksalswesen.

Idistav'iso, nach Tacitus Schauplatz einer Schlacht zw. Germanicus und Arminius 16 n. Chr. im Wesergebiet.

Idlewild ['aidlwaild], Flughafen von New York, 1963 umbenannt in J. F. Kennedy International Airport.

'Ido, eine →Welthilfssprache.

Id'ol [griech.], Götzenbild. **Idolatr'ie,** Bilderdienst, Götzendienst.

Idol'ino [ital. ›kleines Götzenbild‹], Knabenstatue aus Bronze, 1530 in Pesaro ausgegrabenes Werk der frühen röm. Kaiserzeit (Archäolog. Mus. Florenz).

Id'omeneus, in der griech. Sage König von Kreta, Enkel des Minos, tapferer Held vor Troja. Oper ›Idomeneo‹ von Mozart (1781).

'Idria, Bergwerksstadt in Jugoslawien, mit rd. 5000 Ew.; Zinnober- und Quecksilbergruben (seit 1490 bekannt).

Idris I., Mohammed **I. el-Senussi,** König von Libyen (seit 24. 12. 1951), * 1890, im 1. Weltkrieg Oberhaupt der →Senussi, unterstützte im 2. Weltkrieg die Alliierten und wurde 1949 als Emir der Cyrenaica eingesetzt, im Sept. 1969 gestürzt, im Nov. 1971 in Abwesenheit zum Tode verurteilt.

Idr'isi, Edrisi, arab. Geograph, * Ceuta 1100, † 1166, beschrieb für König Roger II. von Sizilien im ›Rogerbuch‹ eine große silberne Erdkarte.

'Idrosee, ital. **Lago d'Idro,** See westl. des Gardasees in Italien, 11 qkm groß, als Speichersee ausgebaut.

Idschm'a [arab. ›Übereinstimmung‹] *das,* in der mohammedan. Theologie die Übereinstimmung der gesamten mohammedan. Welt in bezug auf einen Gegenstand des Glaubens oder der religiösen Übung. Maßgebend ist die Übereinstimmung der Gelehrten einer Generation oder auch der Schulhäupter der vier rechtgläubigen Rechtsschulen. Das I. gilt als einer der vier Grundpfeiler der islam. Gesetzkunde.

Idstein, Stadt im Rheingau-Taunus-Kreis, Hessen, 266 m ü. M., mit (1977) 17300 Ew., hat Staatsbau-, Landwirtschafts- und höhere Schule, Heimatmuseum; Leder-, Armaturen- u. a. Industrie; Schloß der einstigen Grafen von Nassau-I. (17./18. Jh.). – I. wird 1101 erstm. erwähnt und erhielt 1287 Stadtrecht.

'Idun [nord.], **Id'una,** in der nordischen Sage eine Göttin, die Hüterin der goldenen Äpfel, die den Göttern ewige Jugend gaben.

'Idus [lat.], im röm. Kalender, →Iden.

Id'ylle *die,* **Idyll** *das* [griech. ›kleines Bild‹], kleines episches oder dialogisches Gedicht, das ländl. Einfachheit, einen idealen unschuldsvollen Zustand (goldenes Zeitalter) beispielhaft vorführt. Die I. wurde in der griech. bukolischen Dichtung (Theokrit) zur eigenen Literaturgattung; bei Bion und Moschos verflüchtigten sich die realistischen Züge. An Vergils ›Bucolica‹ knüpft die Renaissance- und Barockzeit in ihrer →Schäferdichtung an. Die I. von Geßner (1756–72) und E. v. Kleist hielten an der Vorstellung des goldenen Zeitalters fest. Doch gaben sehr bald J. H. Voß (Luise, 1795), Maler Müller (Die Schafschur) und J. P. Hebel der I. durch Darstellung des Volkslebens und Verwendung von Mundart ein neues Gepräge. I. schrieben auch Goethe (Alexis und Dora) und Mörike. In der Zeit des Realismus und Naturalismus gelangten die Stoffe der I. in die Dorfgeschichte.

LIT. R. Merker: Die dt. I.-Dichtung 1700 bis 1840 (1934); I. Feuerlicht: Vom Wesen der dt. I. (in: Germanic Review 22, 1947); R. Geißler: Versuch über die I. (in: Wirkendes Wort 11, 1961).

i. e., Abkürzung für →id est.

Iejasu, Iyeyasu [ijejas], Gründer der japan. Schogun-Dynastie Tokugawa, * Okazaki 1542, † Sumpu 1616, General unter →Hidejoschi, riß nach dessen Tod die Leitung des Reichs an sich und wurde 1603 Schogun; diese Würde blieb seinem Haus bis 1867.

Ieper, Ieperen ['i:pərən], fläm. Name der belg. Stadt Ypern.

Iesi, Stadt in der ital. Prov. Ancona, mit (1971) 40200 Ew.

If, eins der drei Felseninselchen vor dem Hafen von Marseille, 1524 befestigt, später Staatsgefängnis, bekannt durch A. Dumas' Roman ›Der Graf von Monte-Christo‹.

Ife, Stadt im Südwesten von Nigeria, mit (1971) 157200 Ew.; war Mittelpunkt des alten Yoruba-Reiches und der Benin-Kultur; Fundort ausdrucksvoller Terrakotta-Plastiken.

'Iferten, →Yverdon.

'Iffezheim, Gemeinde im Kreis Rastatt, Baden-Württemberg, mit (1977) 3800 Ew.; Rennbahn der internationalen Baden-Badener Pferderennen.

'Iffland, August Wilhelm, Schauspieler, Theaterleiter, Bühnendichter, * Hannover 19. 4. 1759, † Berlin 22. 9. 1814, führend im Theaterleben der Goethezeit, kam 1779 an das Mannheimer Nationaltheater (erster Franz Moor), wurde 1796 Direktor des Berliner Nationaltheaters, 1811 Generaldirektor. Er schrieb 65 geschickt aufgebaute Theaterstücke mit bürgerl.-moralischer Grundhaltung, die mit denen Kotzebues zu den damals meistgespielten Bühnenstücken gehörten, ferner eine ›Theorie der Schauspielkunst‹ (2 Bde., 1815).

'**Ifflandring,** ein angeblich von Iffland gestifteter Fingerring, der dem jeweils größten dt. Schauspieler vererbt werden soll; Träger u. a.: A. Bassermann, W. Krauss, J. Meinrad.

'**Ifni,** ehem. span. Exklave in S-Marokko, 1500 qkm mit (1965) 52500 Ew. – I. wurde 1934 spanisch und der Kolonie Span.-Sahara unterstellt. Im Dez. 1957 unternahm Marokko gewaltsame Angliederungsversuche. Durch Vertrag vom 4. 1. 1969 wurde I. an Marokko zurückgegeben.

IFO-Institut für Wirtschaftsforschung, München, betreibt Markt- und Konjunkturforschung.

I. G., Abk. für **1)** Interessengemeinschaft, **2) IG,** für Industrie-Gewerkschaft, →Gewerkschaften.

'**Igel** [ahd. igil], **1)** *Erinaceiden,* Familie der Insektenfresser; plumpe Tiere mit kurzen Beinen, kurzem Schwanz, Rüsselschnauze und einem oberseits stacheligen Fell; sie rollen sich mit Hilfe eines Hautmuskels zusammen. Der bis 30 cm lange *europäische I.* (Erinaceus europaeus) fängt nachts Insekten, Schnecken, Würmer und Mäuse, auch junge Vögel. In Ostasien lebt der rattenähnl. *Rattenigel.* Im Volksglauben gilt der I. als Wetterkünder; seine Eingeweide wurden als Volksheilmittel verwendet. **2)** Verteidigungsform der Landsknechte, bei der die Spieße im Kreis nach außen gestreckt wurden. Heute heißt die Rundumverteidigung *Einigeln.*

Igel

'**Igeler Säule,** röm. Grabmal aus Sandstein (etwa 250 n. Chr.) in Igel bei Trier.

'**Igelfisch, Kugelfisch,** *Diodon hystrix,* stachliger Fisch, hat schnabelförm. Kiefer, kann sich durch Aufnahme von Wasser oder Luft in den Magen kugelig aufblähen, z. B. der *Fahak* afrikan. Flüsse.

'**Igelkaktus,** *Echinocactus,* Kaktusgattung mit seeigel- bis säulenförmigem Stamm und Höckerreihen; mit wenigen Ausnahmen (so *Bischofsmütze*) stachelbesetzt.

'**Igelkolben, Igelkopf, 1)** *Lieschkolben, Sparganium,* Gattung schilfähnlicher, staudiger Uferpflanzen mit stachelkugeligen, getrenntgeschlechtigen Blütenständen. **2)** der Stechapfel (→Datura).

'**Igelsame, Klettenkraut,** vergißmeinnichtartige, klettenfrüchtige Pflanze.

'**Igelschwamm,** ein →Stachelpilz.

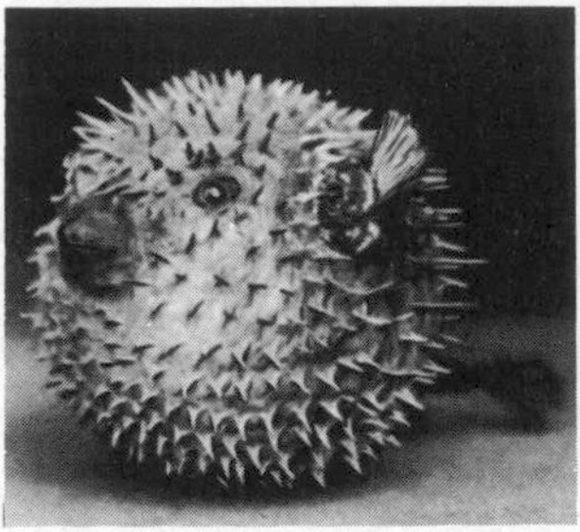

Igelfisch, aufgeblasen (Länge etwa 35 cm)

I. G. Farbenindustrie AG, ehemals der größte dt. Chemie-Konzern, gegr. 1925. Bereits 1904 war eine Interessengemeinschaft zwischen BASF, Bayer und Agfa entstanden. Diese wurde 1916 durch den Beitritt weiterer Firmen zur *Interessengemeinschaft der deutschen Teerfarbenfabriken* erweitert; aus gemeinsamen Mitteln wurden die →Leunawerke errichtet. Regional war die I. G. in 5 *Betriebsgemeinschaften* organisiert Der Kapitalbeschaffung diente die Gründung der Internationalen Gesellschaft für Chemische Unternehmungen AG (I. G. Chemie), Basel, und der American I. G. Chemical Corporation, New York (gegr. 1929). Der Absatzsicherung dienten vielfältige Syndikate (bes. das *Stickstoff-Syndikat*). Zwischen der französ., schweizer. Chemie und der I. G. kam es zu einem *Farbstoff-Kartell,* das ab 1932 durch Beitritt weiterer Gruppen ausgebaut wurde. Die Umsätze beliefen sich 1938 auf 1645 Mill. RM, davon 457 Mill. RM (27,7%) Ausfuhr. Die Belegschaft betrug 1938: 218000, 1943: 333000. Die Zahl der deutschen Fabrikationsstätten belief sich auf etwa 50.

1945 wurde das Vermögen der I. G. beschlagnahmt, das Auslandsvermögen (rd. 1 Mrd. RM, ohne Patente) enteignet. – Am 30. 11. 1945 wurde das Kontrollrat-Ges. Nr. 9 erlassen, wodurch jede Einheit verpflichtet wurde, ihre Geschäfte selbständig und unabhängig zu führen. Ab 1947 kam es in der amerikan. und brit. Zone zu einer gemeinsamen Dienststelle: *Bi-Partite Farben Control Office (BICO),* später erweitert zum *Tri-Partite Farben Control Office (TRICO).* 1952 wurde der *I. G.-Farben-Liquidationsausschuß (IGLC)* geschaffen.

Das Ergebnis waren die Nachfolgegesellschaften: Agfa Camerawerk AG, München, Badische Anilin- und Soda-Fabrik, Farbwerke Hoechst, Farbenfabriken Bayer, Cassella Farbwerke; die übrigen Unternehmungen wurden z. T. verselbständigt, z. T. als Tochter- oder Beteiligungsgesellschaften einer Hauptgesellschaft eingegliedert, mitteldt. Betriebe enteignet.

I. G. J., Abkürzung für →Internationales Geophysikalisches Jahr.

'Iglau, tschech. **Jihlava,** Stadt im Kreis Südmähren, Tschechoslowakei, (1970) 40 500 Ew., 520 m ü. M. I. war der Mittelpunkt der deutschen *Iglauer Sprachinsel*; im MA. galt das *Iglauer Bergrecht* in den Sudeten- und Karpatenländern, Oberungarn.

Iglawa, Igla, Igel, linker Nebenfluß der Thaya in SW-Mähren, Tschechoslowakei, 175 km lang.

Igl'esias, Stadt in Sardinien, mit (1971) 28000 Ew. Die gebirgige Umgebung, *Iglesi'ente*, hat Blei-, Zink- und Silbererze.

'Iglu, kreisrunde Schneehütte der Eskimo.

Ign'atius, 1) Bischof von Antiochia, Märtyrer unter Trajan vermutlich um 110–115 n. Chr. in Rom. Echt sind wahrscheinlich sieben griech. Briefe an christl. Gemeinden. Heiliger; Tag: 1. 2., Ostkirche: 20. 12.

2) I. von Loyola, →Loyola.

Ign'atow, Nikolai Grigorjewitsch, russ. Funktionär, * Station Tischinskaja (Wolgograd) 1901, † Moskau 1966, war 1960–62 stellvertr. Präs. des Ministerrats der UdSSR, seit 1962 Vors. des Präsidiums des Obersten Sowjet der RSFSR.

'Ignitron, ein steuerbarer Quecksilbergleichrichter kleiner Abmessungen für große Ströme (einige 100 A, kurzzeitig 1000 A).

Ignaj'atović [-vitʃ], Jakov, serb. Schriftsteller, * Szentendre 12. 12. 1824, † Neusatz 4. 8. 1888, schrieb Romane.

ignor'amus et ignor'abimus [lat. ›wir wissen es nicht und werden es nicht wissen‹], Ausspruch des Naturforschers Du Bois-Reymond.

Ignor'ant [lat.], Unwissender.

'Igor, 1) Großfürst von Kiew (912–945), * 877, † (erschlagen) 945, fiel zweimal ins Byzantin. Reich ein.

2) Fürst von Nowgorod, * 1150, † 1202, wurde 1185 von den Polowzern geschlagen und gefangen.

'Igorlied, die einzige erhaltene, ursprüngl. wahrscheinlich in Versen verfaßte weltl. Dichtung der altruss. Literatur, entstanden Ende des 12. Jhs. Das I. berichtet in halb epischer, halb lyrischer Form von dem unglücklichen Zug des Fürsten Igor Swjatoslawljewitsch von Nowgorod-Sewersk und Tschernigow (* 1150, † 1202) gegen die Polowzer (1185). Neben volksliedhaften Elementen sind viele Anregungen aus der christl. Literatur und vermutl. auch aus der nord. Dichtung verarbeitet. Die aus dem 15. oder 16. Jh. stammende Handschrift wurde 1795 aufgefunden (1800 hg.) und ging 1812 beim Brand Moskaus zugrunde. Neuere dt. Übertrag. v. R. M. Rilke.

Igor'oten, altmalaiische Stammesgruppe im nördl. Luzon (Philippinen), ehemals Kopfjäger.

Igu'anodon [griech. Kw.], Gatt. der Dinosaurier; bis zu 10 m hohe pflanzenfressende, nach Art der Känguruhs sich bewegende Reptilien der Kreidezeit (vollständ. Skelette und die dreizehigen Fährten der Tiere).

Iguanodon (etwa ¹/₁₀₀ nat. Gr.)

Iguassú [-s'u], argentin. **Iguazú,** linker Nebenfluß des Paraná, 1320 km lang, 23 km oberhalb der Mündung stürzen die Wassermassen über zwei Stufen von 23 und 34 m Höhe in einen engen Cañon und bilden die bekannten **Iguassú-Fälle.** BILD S. 116.

Iguv'inische Tafeln, fälschl. erst **Eugubinische Tafeln** gen., 9 Bronzetafeln (2 verschollen), die 1444 in der umbrischen Stadt Gubbio, dem antiken *Iguvium*, gefunden wurden und etwa aus dem 1. Jh. v. Chr. stammen. Hauptdenkmal der umbrischen Sprache. BILD S. 116.

I. H., † Abk. für Ihrer Hochwohlgeboren.

Ihering [j'eriŋ], →Jhering.

'Ihle [niederd.], der magere Hering nach dem Laichen.

'Ihlenfeld, Kurt, Schriftsteller, * Colmar (Elsaß) 26. 5. 1901, † Berlin 25. 8. 1972, war Hg. der Zeitschrift ›Eckart‹, schrieb Gedichte, Erzählungen, Essays.

WERKE. Wintergewitter (1951, ⁸1962), Poeten und Propheten (1951), Der Kandidat (³1959), Zeitgesicht (1960), Noch spricht das Land (1966).

'Ihna *die*, Ausfluß des Enzigsees nördl. Nörenberg (Pommern), 129 km lang.

Ihne, Ernst von (1906), Baumeister, * Elberfeld 23. 5. 1848, † Berlin 21. 4. 1917; Hofarchitekt.

WERKE. In Berlin: Marstall (1900), Kaiser-Friedrich-Mus. (1904), Staatsbibliothek (1914).

Ihr'am [arab.], **1)** der Weihezustand, den die islam. Pflichtenlehre für das rituelle Gebet und bes. für die Pilgerfahrt nach Mekka fordert. **2)** das Kleid der mohammedan. Pilger aus zwei weißen Baumwoll-

Iguassú: Wasserfall San Martin

tüchern *Izar* und *Vida*, jedes 4 m lang und 2½ m breit. Der Izar wird um die Lenden gebunden und hängt auf die Knie herab, die Vida wird, den rechten Arm freilassend, über die linke Schulter geschlagen.

IHS, →Christusmonogramm.

Ij, Het Ij [hɛt ɛj] *das*, einstige SW-Bucht der Zuidersee, von dieser durch einen Damm abgeschlossen, bildet den Hafen von Amsterdam.

'Ijar *der*, bei den Juden der 8. Monat im bürgerl., der 2. im Festjahr; er hat 29 Tage und entspricht ungefähr der Zeit von Mitte April bis Mitte Mai.

Ij'asu, Lidsch [›Prinz‹], * 16. 12. 1895, † Nov. 1935, Enkel Meneliks II., war 1913 bis 1916 Kaiser von Abessinien und wurde im 1. Weltkrieg nach einem Aufstand mohammedan. Volksteile, mit denen er sympathisierte, auf Betreiben konservativ-christl. Kreise gestürzt, 1921 gefangengesetzt und beim Einmarsch der Italiener 1935 getötet.

Ijsel ['ɛjsəl], **Ijssel, Yssel,** Flüsse in den Niederlanden. **1) Geldersche I.**, schiffbarer Mündungsarm des Rheins, führt $^1/_9$ des Rheinwassers in das Ijselmeer. **2)** rechter Nebenfluß des Lek, mündet in die Nieuwe Maas.

Ijselmeer ['ɛjsəl-], **Ijsselmeer,** →Zuidersee.

Ijselm'onde ['ɛjsəl-], östliche Vorstadt von Rotterdam.

Ik'akopflaume, →Goldpflaume.

Ik'aria oder **Nikaria,** auch **Kariot,** griech. Insel der Sporaden, 255 qkm groß.

Ik'arier, Artisten, die **ikarische Spiele,** d. h. akrobat. Vorführungen mit Luftsprüngen zeigen. Der Name wurde zuerst von den engl. Akrobaten Gebr. Cotrelly um 1850 gebraucht.

Ik'arios, Ikaros, attischer Heros, nahm den Gott Dionysos in Attika auf und verbreitete dessen Kult und den Weinbau. Hirten und Bauern, von Wein berauscht, töteten I. in der Meinung, er habe sie vergiftet. Zur Sühnung wurde jährl. eine Feier begangen.

'Ikarus, griech. **Ikaros,** *griech. Mythologie:* Sohn des →Dädalus. Auf der Flucht aus dem kret. Labyrinth kam er mit seinen durch Wachs zusammengehaltenen Flügeln der Sonne zu nahe und fiel bei Samos ins Meer. Die Insel *Ikaria,* auf der sein Vater ihn begrub, und das **Ikarische Meer** sollen nach ihm benannt sein.

'Ikat [malaiisch ›Binde‹], ein bei süd- und ostasiat., altamerikan. und alteurop. Völkern bekanntes Färbeverfahren, auch heute wieder üblich. Vor dem Färben werden die Stellen, die von Farbe frei bleiben sollen, mit Bast, Blattstreifen oder Wachsfäden umwickelt.

Ikebana, in Japan die Kunst, Blumen zu ordnen.

LIT. T. Ishimoto: Japanische Blumenkunst ([8]1969).

Ikeda, Hayato, japan. Politiker (Liberaldemokrat) * im VerwBez. Hiroschima 3. 12. 1899, † Tokio 13. 8. 1965, Jurist und Volkswirt, 1949–52 und 1956/57 Finanzmin., 1949/50, 1952, 1959 Min. für Außen-

Iguvinische Tafeln: Schriftprobe (von rechts nach links zu lesen)

handel und Industrie, 1960–64 MinPräs. und Führer der Liberaldemokraten.

Ik'one [griech. eikon ›Bild‹], das Kultbild der Ostkirche mit der Darstellung Christi, Mariä, Heiliger oder hl. Ereignisse. Die Anfänge der I. hängen wohl mit der spätantiken Bildnismalerei, bes. Ägyptens, zusammen (koptische und Sinai-I., 6.–7. Jh.; Technik: Enkaustik und Tempera). Der kultische Sondercharakter der I. bildete sich im Anschluß an den Bilderstreit heraus: als geoffenbarte Abbilder göttl. Gestalten und Ereignisse wurden sie der Verehrung der Gläubigen empfohlen. Daraus ergab sich ihre abstrakte, flächengebundene Formsprache und das jahrhundertelange Festhalten an den überlieferten Vorbildern, von denen mehrere als →Acheropita galten. I. wurden meist auf Holz, das mit einem Malgrund bedeckt war, gemalt und mit einem Schutzfirnis aus gekochtem Leinöl überzogen. Daneben sind I. aus Metall, Mosaik-I. (bes. in Griechenland) und gestickte I. bekannt. I. aus Edelmetall und Email kennt bes. die frühmittelalterl. Kunst Georgiens. Häufig sind sie als Triptychon gebildet und enthalten Reliquien.

Die I.-Malerei entfaltete sich bes. im Rußland des 14. und 15. Jhs. (→Russ. Kunst, →Ikonostase). Das strenge Kultbild näherte sich dort allmählich dem Andachtsbild und nahm naturnähere Elemente auf (Tierdarstellungen u. ä.). Die Gestalten der Heiligen wurden von Nebenbildern mit Szenen aus ihrem Leben eingerahmt. In Nowgorod wurden auch wunderbare Ereignisse der Stadtgesch. dargestellt. Im Schaffen von →Rublew erreichte die russ. I.-Malerei ihren Höhepunkt. Eine Nachblüte ist die →Chrysographie der Stroganow-Schule (Hauptzeit um 1580–1620).

Lit. W. Felicetti-Liebenfels: Gesch. der byzantin. Ikonenmalerei (Olten/Lausanne 1956); H. P. Gerhard: Welt der I. ([2]1962); I., hg. v. M. Winkler (1957 ff.); I. Graber, V. N. Lazareff u. O. Demus: Frühe russ. I. (UNESCO-Samml. der Weltkunst, 1958); K. Onasch: I. (1961); H. Skrobucha: Meisterwerke der I.-Malerei (1960); ders.: Von Geist u. Gestalt der I. (1961).

I'konion, lat. **Iconium,** Hauptstadt des antiken Lykaonien, das heutige →Konya in Anatolien.

Ik'onische Dynastie, →Seldschuken.

Ikonodulie, Ikonolatrie [grch. Kw.], →Bilderverehrung.

Ikonograph'ie [griech. ›Bildbeschreibung‹], ursprüngl. die Wissenschaft der Bestimmung von Bildnissen des Altertums; als ihr Begründer gilt F. Ursinus. Seit dem 19. Jh. nennt man I. auch die Betrachtung der Kunst nach ihren Darstellungsgegenständen. Die Begriffserweiterung erfolgte zuerst auf dem Gebiet der christl. Kunst (Didron), wobei die ikonograph. Anweisungen des fälschl. für sehr alt gehaltenen Malerbuchs vom Berge Athos eine beispielgebende Rolle spielten. I. bedeutete danach soviel wie theolog. Archäologie; die Kunst galt als angewandte Theologie (F. Piper). Noch K. Künstle steht auf dem Standpunkt, daß es die I. ausschließlich mit den Gegenständen der Kunst zu tun, hingegen von den jeweiligen Formen ganz abzusehen habe. Diesen Dualismus sucht man neuerdings aus der Einsicht heraus zu überwinden, daß die rein gegenständl. Betrachtung gegenüber dem Kunstwerk abstrakt bleibt, das Gegen-

Ikone: links *Christus (Typ »Acheropita«), griech. Mosaik-Ikone, 11.–12. Jh. (Berlin, Staatl. Mus.);* rechts *Prophet Elias (Ilja), Nowgorod um 1400 (Moskau, Tretjakow-Gal.)*

ständliche also immer nur in und mit der künstlerischen Form gesehen und gewertet werden darf, in der es erscheint (H. Schrade). Zur Abgrenzung von der rein stoffl. I. spricht man heute von **Ikonologie** [griech. ›Bildkunde‹; E. Panofsky und H. Sedlmayr].

LIT. H. Schrade: I. der christl. Kunst (1931); H. Aurenhammer: Lex. der christl. I. (1959 ff.).

Ikonosk'op, ein elektronischer →Bildzerleger für die Aufnahme von Fernsehbildern (V. K. Zworykin 1925). Eine Weiterbildung ist das *Superikonoskop,* die Vereinigung eines I. mit einem →Bildwandler.

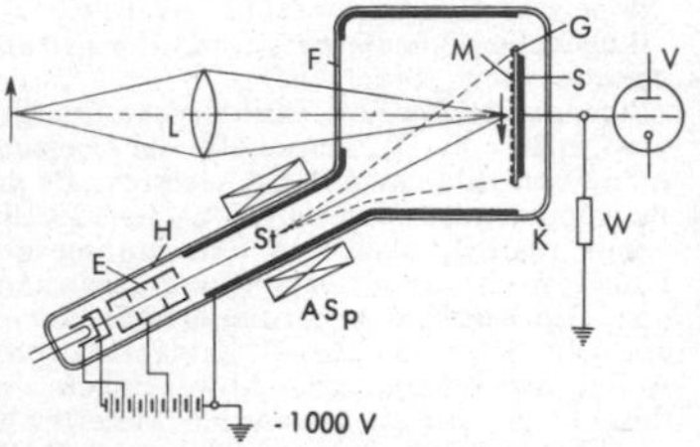

Ikonoskop: K *Glaskolben,* G *Glimmerplatte,* S *Signalplatte,* M *Mosaikschicht,* L *Linse,* F *Fenster,* H *Hals,* E *Elektronenkanone,* St *Elektronenstrahl,* ASp *Ablenkspulen,* W *Widerstand,* V *Verstärker*

Ikonost'ase [griech. ›Bilderstand‹], in der griech.-orthodoxen Kirche eine mit →Ikonen geschmückte Wand mit drei Türen, die den Altarraum vom übrigen Kirchenraum trennt. – Die Ausgangsform der I. sind die Chorschranken der frühchristl. und frühbyzantin. Kirchen, die aus Säulen mit einem Architrav darüber bestanden und unten häufig durch eine Brüstung abgeschlossen waren; letztere war oft kostbar verkleidet (Silber-I. der Hagia Sophia, nur aus dem Preisgedicht des Paulus Silentiarius bekannt). Während sich im Abendland daraus der →Lettner als architekton.-plast. Gebilde entwickelte, beschränkte sich die Ostkirche seit dem Bilderstreit fast ganz auf den flächigen Schmuck durch Ikonen. Ihre reichste Ausgestaltung fand die I. im Rußland des 15. Jhs., wo sie den Kirchenraum ähnlich beherrschte wie der Flügelaltar im Abendland. Nachdem im 14. Jh. die →Deesis in den Mittelpunkt des ikonograph. Programms gerückt war, scheint sich die Ausbildung der großen I. um 1400 in Moskau im Kreis um →Rublew vollzogen zu haben. Die Deesis erweiterte sich zur fürbittenden Versammlung der Kirche (Erzengel, Apostel, Kirchenväter und Märtyrer). Darüber folgten die Reihen der Feste, der Propheten und der Vorväter. Die Mitteltür [russ. zarskie vorota ›Königstor‹] zeigte die Bilder der Evangelisten und im Bogenfeld die Verkündigung, darüber die Eucharistie. Rechts von der Mitteltür hing die Ikone Christi oder des Kirchenheiligen (»örtl.

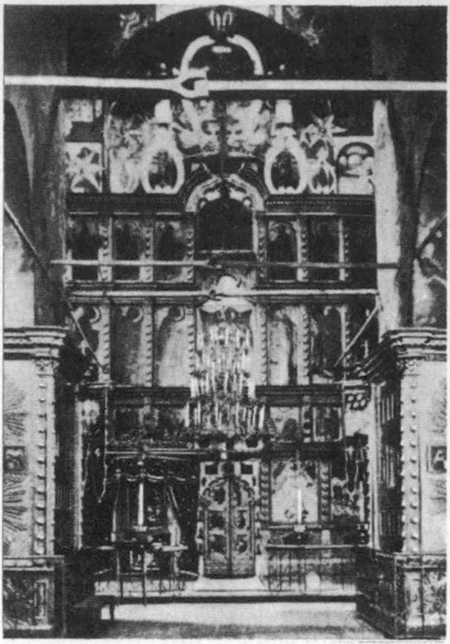

Ikonostase (Kirillo-Beloserskij-Kloster, Uspenskij-Kathedrale; um 1500)

Ikone«), links die der Gottesgebärerin. Neben den großen I. gab es kleine tragbare für Andachtszwecke. – Seit dem 17. Jh. trat unter abendländ. Einfluß das architektonisch-plast. Element der I. wieder stärker hervor. Auf z. T. riesige Barock-I. (z. B. Smolensk, Kathedrale, 1730–39) folgten I. im Geist des Rokoko und Klassizismus. Eine ähnl. Entwicklung vollzog sich auf dem Balkan und im Raum des östl. Mittelmeers, wo das plast. Element (Holzschnitzerei) sich stets neben der Malerei behauptet hatte.

Ikosa'eder [griech. ›Zwanzigflächner‹], von 20 deckungsgleichen gleichseitigen Dreiecken begrenzter regelmäßiger Körper.

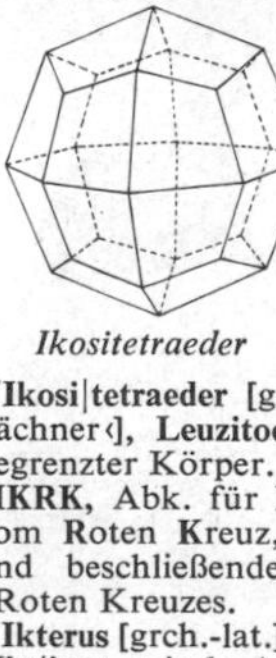

Ikositetraeder

Ikosaeder

'Ikosi|tetraeder [griech. ›Vierundzwanzigflächner‹], **Leuzitoeder,** von 24 Deltoiden begrenzter Körper.

IKRK, Abk. für Internationales Komitee vom Roten Kreuz, das oberste beratende und beschließende Organ des internat. →Roten Kreuzes.

'Ikterus [grch.-lat.], →Gelbsucht.

Ikt'inos, griech. Architekt um 450 v. Chr.,

erbaute mit Kallikrates 448–432 den →Parthenon und entwarf das Telesterion, den Mysterientempel in Eleusis.

'**Iktus** [lat.], **1)** Stoß, Schlag. **2)** Starkton (im Vers).

'**Ilang-'Ilang,** →Ylang-Ylang-Öl.

Il'anz, roman. **Glión,** Kreisstadt im Kanton Graubünden, Schweiz, mit (1970) 1800 Ew.; Holzind., Fremdenverkehr.

Ilar'ion [russ.], **Hilarion,** christl. Asket und Schriftsteller; war 1051–54 als erster Russe Metropolit von Kiew.

Ilbenstadt, ehem. Gem. im Kr. Friedberg, Hessen, in der südl. Wetterau, (1967) 2200 Ew.; gehört jetzt zu Niddatal, Wetteraukr.; die zweitürmige, 1159 geweihte roman. Kirche gehörte zum 1123 gegr. und 1803 aufgehobenen Prämonstratenserkloster.

Ilch'ane [türk., von Chan], die mongol. Beherrscher Irans 1256–1336 (→Hulagu). Sie waren ursprüngl. Buddhisten, wurden seit dem Reformer Ghazan (1295–1304) Mohammedaner und brachten die von ihnen beherrschten Länder Iran, Mesopotamien und Teile Kleinasiens wieder zu wirtschaftl. Wohlstand. 1336 löste sich das Reich der I. in Teildynastien auf.

'**Ildefons,** Erzbischof von Toledo (seit 657), † Toledo 23. 1. 667, schrieb eine Forts. zu Hieronymus' Katalog christl. Schriftsteller. Heiliger; Tag: 23. 1.

Ile-de-France [i:l də frɑ̃s], geschichtl. Kernlandschaft Frankreichs, im Innern des Pariser Beckens. Das Gouvernement I. wurde 1789 in 5 Departements aufgeteilt.

Ile-de-la-Cité [i:l də la site], Seine-Insel im Herzen von Paris, der histor. Kern der Stadt mit der Kathedrale Notre-Dame und dem Palais-de-Justice.

Il'erda, antiker Name von →Lérida.

Iles-d'Hyères [i:l diɛ:r], franz. Inselgruppe, Hyèrische Inseln, →Hyères.

'**Ile|um** [grch.], *Intestinum ileum,* der **Krummdarm,** →Darm.

'**Ile|us** [griech.] *der,* Darmverschluß.

'**Ilex** [lat. ›Steineiche‹] *die* oder *der,* →Stechpalme.

Ilford ['ilfərd], ehem. Stadt nordöstl. von London, mit rd. 180000 Ew., seit 1965 nach London eingemeindet.

Ilg, 1) Alfred, schweizer. Ingenieur, * Frauenfeld 30. 3. 1854, † Zürich 7. 1. 1916, war 1897–1907 abessin. Außenmin.

2) Paul, schweizer. Schriftsteller, * Salenstein 14. 3. 1875, † Uttwil (Bodensee) 15. 6. 1957, schrieb gesellschaftskrit. Entwicklungs- und Zeitromane.

Ilgner-Umformer [nach K. Ilgner], ein Umformer für Gleichstrom-Antriebsmotoren mit regelbarer Drehzahl, bes. von Walzwerken oder Fördermaschinen, bei denen starke Belastungsstöße auftreten. Mit dem Umformermotor (meist Drehstrom-Asynchronmotor) und dem direkt gekoppelten Gleichstromgenerator sitzt ein Schwungrad auf gleicher Welle, das bei Laststößen Leistung abgibt.

Ilhéus [iλ'ɛu:s], alte Schreibung **Ilhéos, São Jorge dos I.,** Stadt im Staat Bahia, Brasilien, mit (1970) 59 000 Ew.; Mittelpunkt und Ausfuhrhafen des Kakaogebietes.

Il'i, Hauptfluß des Siebenstromlandes in Zentralasien, etwa 1300 km lang, kommt aus dem Tienschan, mündet in den Balchaschsee.

'**Ilias** *die,* Heldendichtung des →Homer in Hexametern. Sie behandelt in 24 Gesängen einen Ausschnitt aus den zehnjährigen Kämpfen der Griechen vor Troja *(Ilion).*

'**Ilion, Ilios,** lat. **Ilium,** antiker Name von →Troja.

Ilithyia, die griech. Geburtsgöttin →Eileithyia.

Iliup'ersis [grch. ›Ilions Zerstörung‹] *die,* zum epischen Zyklus (→Zyklische Dichter) gehörendes Gedicht vom Untergang Trojas.

Ilj'a M'uromez, Ilja (Elias) **von Murom,** ein Hauptheld der russ. →Bylinen, Bauernsohn, der an den Hof des Fürsten Wladimir nach Kiew zieht, Heldentaten verrichtet und zum Beschützer aller Bedrängten wird; meistens als bejahrter Recke geschildert. – Auf unbekanntem Weg wanderte die Gestalt als **Iljas** in das mhd. Epos von *Ortnit* (um 1230), der, eine Berserkernatur, bei einem Zug in den Orient unter den Heiden wütet.

Ilkeston ['ilkistən], Stadt in Derbyshire, England, mit (1971) 34 100 Ew.; Textil-, Steingutind., Schmiedeeisen.

Ill *die,* **1)** rechter Nebenfluß des Rheins, Hauptfluß Vorarlbergs, 75 km lang, entspringt in der Silvrettagruppe, mündet unterhalb von Feldkirch. Die I. und ihre Zuflüsse werden energiewirtschaftl. durch die *Vorarlberger Illwerke AG* mit den Speicherkraftwerken Obervermunt, Vermunt, Latschau, Lünersee, Rodund genutzt; meist Stromausfuhr in die Bundesrep. Dtl. **2)** linker Nebenfluß des Rheins im Elsaß, 205 km lang, entspringt im Jura, mündet unterhalb von Straßburg.

Ill., Abk. für den Staat Illinois, USA.

Ill'ampu [iλ-], Hauptgipfel der nördl. Cordillera Real in Bolivien, 6550 m hoch, wurde 1928 von der Andenexpedition des Dt. und Österr. Alpenvereins zuerst erstiegen.

Ill'aenus, Gatt. der Trilobiten, im unteren Silur. TAFEL Geologische Formationen II, 42.

Ille-et-Vilaine [il e vilɛ:n], Dep. in Westfrankreich, 6758 qkm mit (1970) 665 400 Ew.; Hauptstadt ist Rennes.

'**illegal** [lat.], ungesetzlich.

'**illegitim** [lat.], **1)** unrechtmäßig. **2)** unehelich.

'**Iller** *die,* rechter Nebenfluß der Donau in Oberschwaben, entsteht bei Oberstdorf aus 3 Quellflüssen, mündet oberhalb von Ulm; 147 km lang; Kraftwerke am Unterlauf.

'**Illertissen,** Stadt im Kreis Neu-Ulm, Reg.-Bez. Schwaben, Bayern, an der Iller, mit (1977) 7900 Ew., verschiedene Industrie; Renaissanceschloß.

Illía, Arturo, argentin. Politiker (Volksradikale Union), * Pergamino 4. 8. 1900, Arzt, Gegner der Peronisten, war 1940–43 Vize-Gouverneur von Córdoba, 1948–52 Kongreßmitglied, danach Vizepräs. der Volksradikalen Union. 1963–66 Staatspräsident.

Ill'icum [lat.], Pflanzengatt., Sternanisbaum, →Anis.

Illiez, Val d'Illiez [val diλe], linkes Seitental der Rhone, im schweiz. Kanton Wallis, mit den Kurorten Champéry und Troistorrents.

Illim'ani [iλi-], 6882 m hoher Gletscherberg der Cordillera Real in Bolivien.

Ill'inium [nach Illinois] *das,* † Name des Elements →Promethium.

Illinois [ilin'ɔi], **1)** linker Nebenfluß des Mississippi, durch den Illinois Waterway mit dem Michigansee verbunden; 440 km lang. **2)** abgek. **Ill.,** nordöstl. Mittelstaat der USA, umfaßt 146 076 qkm mit (1975) 11,145 Mill. Ew.; Getreide-, Kartoffelanbau, Viehzucht, Milchwirtschaft; Bergbau auf Kohlen, Erdöl, Eisen-, Zink- und Bleierze; bedeutende Industrie. Hauptstadt ist Springfield, die größte Stadt Chicago. – I. wurde 1673 von den Franzosen entdeckt, 1763 an England und 1783 an die USA abgetreten. 1818 wurde es als 21. Staat in die Union aufgenommen.

'il|liquid [lat.], nicht flüssig, ohne bares Geld.

Illiter'at [lat.], ein Ungebildeter, im Ausland auch Analphabet.

Illo, →Ilow.

illoyal [ilwaj'a:l, franz.], gesetz-, pflichtwidrig; verräterisch, übelgesinnt.

Illumin'aten [lat. ›Erleuchtete‹], **1)** Vereinigungen, die sich besonderer Erleuchtung und Verbindung mit der Geisterwelt rühmten, so die Alombrados in Spanien. **2) Illuminatenorden,** ein von A. Weishaupt in Ingolstadt 1776 gegründeter Geheimbund, der die menschl. Gesellschaft zu »einem Meisterstück der Vernunft« gestalten wollte. Er war freimaurerisch geordnet, besaß angesehene Anhänger bes. am Weimarer Hof; wurde 1784/85 aufgelöst, 1896 erneuert.

Illumination [lat. ›Erleuchtung‹], *kath. Philosophie* und *Theologie:* die von Augustinus und der franziskan. Scholastik vertretene Zurückführung der Erkenntnis, bes. der Gotteserkenntnis, auf ein »inneres Licht«, eine Erleuchtung, die über die natürl. Vernunft hinausreiche. Als allgem. **I.-Theorie** ist diese Auffassung kirchl. nicht anerkannt; wohl aber gilt auch kirchl. die I. im Sinne einer übernatürl. Erleuchtung als myst. Weg zu Gott.

illumin'ieren [lat.], **1)** festlich erleuchten (**Illumination**). **2)** *Kunst:* das Ausmalen von Zeichnungen, Drucken, Holzschnitten und Landkarten mit Lasurfarben.

Illusi'on [lat.], **1)** Vorspiegelung, Schein, Selbsttäuschung; auch falsche Deutung von Sinneseindrücken. **illus'orisch,** trügerisch, vergeblich. **2)** durch künstlerische Gestaltung entstandene Scheinwirklichkeit im Kunstwerk. **illusionistisch,** eingebildet, scheinbar. **Illusion'ismus,** Lehre, daß die Außenwelt nur Schein sei.

Illusion'ist, 1) Schwärmer, Träumer. **2)** Maler, der durch gesteigerte Perspektive in seinen Gemälden Tiefenwirkungen erzielt, die wie tatsächl. Räume erscheinen. **3)** Zauberkünstler.

ill'uster [lat.], *gebeugt:* der illustre..., strahlend, berühmt, erlaucht.

Illustrati'on [lat.] *die,* Abbildung, die einen Text veranschaulicht, erläutert oder schmückt; über I. mittelalterl. Handschriften →Miniatur. **Illustrator,** Künstler, der I. zeichnet. **Illustrierte,** bebilderte Zeitschrift.

Illustrirte Zeitung, lange Zeit führende älteste dt. illustrierte Wochenschrift, in Leipzig, von J. J. Weber 1843 gegr., im Herbst 1944 eingestellt.

Illyés ['iλe:ʃ], Gyula, ungar. Dichter, * Rácegres 2. 11. 1902, Lyriker (Poesie, dt. 1966) und Literarhistoriker (Petöfi-Biographie).

Ill'yrien, ursprünglich das östliche Küstenland am Adriatischen Meer. Seine Bewohner waren die →Illyrier. I. kam seit 229 v. Chr. unter röm. Einfluß, seit 167 gab es eine Prov. I.; im 7. Jh. besiedelten es südslawische Stämme. 1809–14 bildeten die von Österreich abgetrennten Gebiete Krain, Görz, Triest, Istrien, Fiume, Dalmatien mit Teilen Kärntens und Kroatiens die **Illyrischen Provinzen** des napoleon. Reichs. Sie fielen 1814 an Österr. zurück, das aus ihnen (ohne Dalmatien, Fiume und Kroatien, aber mit Ost-Kärnten) 1816 ein **Königreich I.** bildete, das 1849 in die Kronländer Kärnten, Krain und Küstenland aufgelöst wurde.

Ill'yrier, Illyrer, indogerman. Völkergruppe des Altertums im NW der Balkanhalbinsel und an der Adriaküste. Die I. waren aus dem Bereich der Aunjetitzer und der Lausitzer Kultur in frühgeschichtlicher Zeit ausgewandert; einzelne Stämme kamen um 1200 v. Chr. auch nach Italien. Die I. galten als kriegerisch; ihre Stämme, so die Ardiaier, Dalmater, Dardaner, Liburner, Paioner, Taulantier, lebten in patriarchal. Stammesverfassung, ohne polit. Einheit. Von ihren befestigten Höhensiedlungen aus trieben sie Landwirtschaft, Jagd, Bergbau, im Küstengebiet Seeraub. Die südl. Grenzstämme standen seit dem 5. Jh. v. Chr. in meist feindl. Berührung mit den westgriech. Städten Epidamnos und Apollonia, später mit den makedon. Königen. Um 230 v. Chr. gingen die Römer gegen das Seeräuberwesen vor, schlugen die illyr. Fürsten Teuta von Skodra (Skutari) und zwangen sie zu Tributzahlungen. Durch weitere Kriege (168 gegen Genthios, 156/55, 135, 129, 119–17) verstärkte sich der röm. Einfluß über die I., die nach einer letzten Erhebung gegen das röm. Steuer- und Rekrutierungswesen unter Augustus völlig unterworfen (9 n. Chr.) wurden. Die Romanisierung der I. machte von da an rasche Fortschritte; die illyr. Truppen gehörten zu den besten des röm.

Heeres, die großen Kaiser des 3. Jhs. n. Chr. waren häufig I., so Aurelian, Probus, Diokletian, Konstantin. Als im 5. und 6. Jh. die Goten und im 7. Jh. die Slawen das Land besetzten, zog sich die einheimische Bevölkerung großenteils ins Gebirge zurück, um dort ihre Unabhängigkeit zu wahren; Romanen hielten sich nur noch an der Küste. Wieweit zu den Nachkommen der I. die Albaner gehören, ist strittig. Im 19. Jh. wurden die Südslawen in Österr.-Ungarn oft zusammenfassend als Illyrier bezeichnet (→Illyrismus).

Die *Sprache* der I. wurde nach dem Zeugnis der geograph. Namen außer im W-Teil der Balkanhalbinsel zu Zeiten auch in den Ostalpenländern, dem Gebiet der mittleren Donau, Böhmen, Mähren, Schlesien und der Lausitz gesprochen. Nahe verwandt mit der illyr. Sprache war auch das im südöstl. Italien gesprochene *Messapische*, durch viele, aber nur kurze Inschriften aus dem 2. und 1. Jh. v. Chr. überliefert. Dagegen betrachtet man das *Venetische* in NO-Italien jetzt als eine vom Illyr. beeinflußte ital. Sprache.

Das Illyr. gehört zu den indogerman. Sprachen des Westens. Die jetzt auf einem Teil ihres ehemal. Gebiets gesprochene alban. Sprache kann kaum eine ihrer Fortentwicklungen darstellen. Die illyr. Sprache hatte Beziehungen zu den german., kelt. und italischen Sprachen, zum Thrakischen und zum Griechischen. Am Ausgang des Altertums war sie fast überall vom Lateinischen, Keltischen und Slawischen verdrängt.

Illyr'ismus, die nationale und kulturelle Wiedergeburtsbewegung der Kroaten (1830 bis 1850), die den südslaw. (»illyrischen«) Einheitsgedanken verfocht. Wortführer war L. Gaj, ihre Anhänger nannten sich *Illyrier* Sie schuf die einheitliche serbokroat. Schrift sprache, die Grundlagen der kroat. modernen Literatur und wirkte sich trotz des Verbotes (1843) in der polit. Entwicklung des Kroatentums aus.

Ilm *die,* linker Nebenfluß der Saale, kommt vom Thüringer Wald, mündet bei Großheringen; 120 km lang.

'Ilme, →Ulme.

'Ilmenau *die,* linker Nebenfluß der Elbe, entspringt südl. Uelzen in der Lüneburger Heide und mündet, 120 km lang, bei Hoopte.

'Ilmenau, Kreisstadt im Bez. Suhl, Sommerfrische und Wintersportplatz am NO-Hang des Thüringer Waldes, 540–860 m ü. M., mit (1974) 21 000 Ew.; glasverarbeitende Industrie (Thermometer, medizin. Glasbedarf u. a.), Porzellan-, Maschinen-, Strickwaren-, Handschuhfabriken; Hochschule für Elektrotechnik. Oberhalb I. der Berg *Kickelhahn* mit Jagdschloß Gabelbach und dem Goethe-Häuschen.

Ilmen'it [nach dem Erstfund im Ilmengebirge, Süd-Ural] *der,* trigonal-rhomboedr. Mineral $FeTiO_3$, ähnl. dem Eisenglanz, schwarz, matt bis metallisch glänzend, kommt in basischen Gesteinen und Pegmatiten vor, in größeren Massen bes. in Skandinavien und Kanada. I. ist das wirtschaftlich wichtigste Titanmaterial. Mit I. isomorph sind der dunkelrote **Pyrophanit** $MnTiO_3$ und der schwarze **Geikielith** $(Mg, Fe)\ TiO_3$.

'Ilmensee, fischreicher See im Gebiet von Leningrad, Sowjetunion, von schwankender Größe zwischen 610 und 2100 qkm; der I. hat ca. 50 Zuflüsse, darunter Msta, Zowatj, Schelon; Abfluß: der Wolchow zum Ladogasee. Am I., als dem »Slawischen Meer« lag im MA. der wichtigste Verkehrsknoten Nordwestrußlands.

ILO, Abk. für International Labour Organization, die →Internationale Arbeitsorganisation.

'Ilo|'ilo, Provinzhauptstadt der Philippinen, auf der Insel Panay, (1970) 209 700 Ew., Handels- und Kulturmittelpunkt.

Ilomba, graubraunes, leichtes, weiches Holz von *Pycnanthus angolensis* aus Äquatorialafrika; Schäl-, Blind- und Kistenholz.

Ilorin [i:lər'i:n], seit 1967 Hauptstadt des Staates Kwara, Nigeria, mit (1971) 252 100 Ew., Baumwollweberei, Töpferei.

Ilow ['ilo:], **Illo,** Christian, Freiherr von, Feldmarschall (1633), * um 1585 in der Neumark, wurde am 25. 2. 1634 zusammen mit →Terzka in Eger ermordet. →Wallenstein.

ILS, Abk. für Instrument Landing System, ein internat. Landefunksystem für Blindlandung, besteht aus 3 Einflugsendern und einem Sender zur Anflugführung und Bezeichnung des Gleitweges.

Ilsan, Elsan, Gestalt der dt. Dietrichsage, bes. der mhd. Dichtungen vom Rosengarten: ein alter Mönch, der auf Dietrichs Ruf sich seinem alten Herrn wieder anschließt und sich durch mächtige Hiebe und grobe Späße hervortut. Er kehrt schließlich ins Kloster zurück. – I. ist vielleicht identisch mit dem *Elsan* der mhd. Rabenschlacht, einer trag. Gestalt, Hüter der jungen Hunnenprinzen, die ihm in der Schlacht verlorengehen; er selbst wird von Dietrich getötet.

'Ilse *die,* Nebenfluß der Oker, 40 km lang, entspringt am Brocken.

'Ilsenburg, Gemeinde und Sommerfrische im Bez. Magdeburg, am N-Rand des Harzes, mit (1964) 7200 Ew.; Benediktinerkloster, 1003 gegr., 1862 als Schloß umgebaut, jetzt Erholungsheim; Kupfer- und Blechwalzwerk, Radsatzwerk.

'Iltis [ahd.], Raubtier, →Marder.

Iltsch'i, chines. Stadt, →Chotan.

Ilvesheim, Gem. im Rhein-Neckar-Kreis, Baden-Württ., am Neckar, mit (1977) 8000 Ew.; Industrie. – I., schon in vorrömischer Zeit besiedelt, um 768 als *Ulvinisheim* erwähnt, kam 1165 an Kurpfalz, 1803 an Baden.

Ilz *die,* linker Nebenfluß der Donau, 54 km lang, entspringt aus zwei Quellbächen im Bayerischen Wald, mündet bei Passau. An der I. und ihren Quellflüssen bestehen zahlreiche Kraftwerke.

Image ['imidʒ, engl. ›Bild‹], *Werbepsychologie:* der bes. durch Werbemittel erzeugte Eindruck, der sich als feste Vorstellung mit einer Person, Gruppe, Sache oder Tätigkeit verbindet oder verbinden soll.

imagin'är [franz.], eingebildet, nur in der Vorstellung bestehend, nicht wirklich. **imaginäre Zahlen,** Quadratwurzeln aus negativen Zahlen, →komplexe Zahlen.

Imaginati'on [lat.], Einbildungskraft, Vorstellungsgabe.

Imaginisten [lat.], Moskauer Dichterkreis 1919–24 in der Nachfolge des Futurismus. Vertreter: S. A. Jessenin und V. G. Šeršenevič. Die I. stellen Bild und Metapher in den Mittelpunkt ihrer Darstellungen.

Imag'isten, engl. *Imagists,* amerikan.-engl. Lyrikerkreis, der präzise Bildhaftigkeit und schmucklosen, disziplinierten Sprachausdruck erstrebte. Sie traten 1914 in der von Ezra Pound herausgegebenen Anthologie ›Des Imagistes‹ an die Öffentlichkeit. Die Gruppe zerfiel bald, ihr Programm beeinflußte die moderne angelsächs. Lyrik entscheidend, bes. T. S. Eliot. Hauptvertreter waren die Amerikaner E. Pound, A. Lowell, H. Doolittle, der Engländer R. Aldington u. a.

Im'ago [lat. ›Bild‹] *die,* **1)** das geschlechtsreife Vollinsekt (→Insekten). **Imaginalscheibe,** scheibenförm. Anlage im Körper der Insektenlarven, die sich während der Verwandlung zu einem endgült. Organ des ausgewachsenen Tieres heranbildet. **2)** *Psychoanalyse:* gelegentlich verwendeter Begriff zur Bezeichnung des in den Tiefenschichten der Seele enthaltenen, zum Leitbild gewordenen Bildes einer anderen Person, meist eines Elternteils, das durch →Identifizierung in früher Jugend angeeignet wurde und von großer, die späteren Affektbesetzungen bestimmender Bedeutung werden kann, z. B. bei der Gattenwahl. **3)** *Mz.* **Imagines,** bei den alten Römern Gesichtsmasken aus Wachs, die adlige Familien von verstorbenen Inhabern hoher Staatsämter für die Ahnengalerie herstellen ließen; später jedes Porträt. Die I. wurden im Atrium des Hauses aufbewahrt und bei Leichenbegängnissen mitgeführt.

Im'ago D'ei [lat.], Abbild Gottes; die biblische Gottebenbildlichkeit des Menschen (Gen. 1,26f.; Röm. 8,29; 2. Kor. 3, 18 u. ö.).

Im'am [arab. ›Führer‹, ›Vorbild‹], **1)** Vorbeter in der mohammedan. Moschee. **2)** die geistl. Würde der Kalifen. **3)** Titel der Herrscher von Jemen.

Imam'iten, arab. **Imamija,** →Schiiten.

Im'am-sad'e [arab.-pers.], die Abkömmlinge der schiitischen Imame; ihre Gräber (abgek. auch I.-s. genannt) sind im Iran beliebte Wallfahrtsorte.

'Imandra, reichgegliederter glazialer Binnensee auf der Halbinsel Kola, Sowjetunion, 880 qkm groß, 110 km lang, 30–67 m tief. Am Ausfluß zum Kandalakscha-Golf, der Niwa, große Kraftwerke.

Imari-Porzellan, nach dem japan. Seehafen Imari genanntes japan. Export-Porzellan mit reicher Musterung (blau, rot, gold).

'Imatra, Stromschnelle mit Wasserfällen des Flusses Vuoksi im SO Finnlands, 1300 m lang; Großkraftwerk, angeschlossen: Eisen-, Kupferhütte.

Imbezillit'ät [lat.], mittelschwerer Grad des angeborenen Schwachsinns.

Imbibition [lat.], Anschwellen von Kolloiden durch Wasseraufnahme.

Imbroglio [imbr'ɔλo, ital. ›Verwirrung‹] *das, Musik:* gleichzeitige Verwendung verschiedener Taktarten.

Imbr'os, türk. **Imroz,** türk. Insel im Ägäischen Meer, westl. des Eingangs zu den Dardanellen, umfaßt 289 qkm mit rd. 6000 Ew.

IMCO, Abk. für **I**ntergovernmental **M**aritime **C**onsultative **O**rganization, die zur Regelung von Fragen der Schiffahrt errichtete Sonderorganisation der Vereinten Nationen.

Im'elda, Dominikanerin, * Bologna um 1321, † Kloster Valdipietra bei Bologna 12. 5. 1333. Selige; Patronin der Erstkommunikanten; Tag: 13. 5.

Im'erier, Imereter, ein Stamm der →Georgier.

IMF, Abk. für **I**nternational **M**onetary **F**und, der →Internationale Währungsfonds.

Imhoff, Karl, Ingenieur, * Mannheim 7. 4. 1876, † Essen 28. 9. 1965, gab 1906 die Konstruktion des →Emscherbrunnens an.

Imhoof-Blumer, Friedrich, * Winterthur 11. 5. 1838, † das. 26. 4. 1920, schweizer. Münzforscher (bes. altgriech. Münzen).

Imh'otep, griech. **Imuthes,** altägypt. Baumeister, Arzt und Schriftsteller, um 2600 v. Chr., Erbauer der Stufenpyramide von Sakkara; in griech. Zeit als Gott der Heilkunst (Sohn des →Ptah) in Memphis verehrt.

Im'id, organisch-chem. Verbindung, die sich vom Ammoniak durch Ersatz von zwei Wasserstoffatomen durch zweiwertige Säureradikale ableitet.

Im'in, organ. Base, die sich vom Ammoniak durch Ersatz zweier Wasserstoffatome durch einen zweiwertigen Kohlenwasserstoffrest ableitet.

Imit'atio Chr'isti [lat.], die →Nachfolge Christi.

Imitati'on [lat.], **1)** Nachahmung. **2)** *Musik:* die Nachahmung von Themen oder Thementeilen im mehrstimmigen Satz. **imitiert,** unecht, nachgemacht.

Imker, älter auch **Imber, Immer,** der Bienenzüchter; **Imkerei,** die Bienenzucht.

Immacul'ata conc'eptio [lat.], die →unbefleckte Empfängnis Mariä.

imman'ent [lat.], **1)** innewohnend, angehörend. **2)** *bei Kant:* innerhalb der Grenzen der Erfahrung verbleibend; Gegensatz: transzendent. **Immanenz, 1)** Eingeschlossensein (in einem bestimmten Bereich). **2)** Auffassung Gottes als im Weltdasein wirkend oder aufgegangen (Pantheismus). Die *Immanenzphilosophie* behauptet, daß alles Seiende Bewußtseinsinhalt sei (Berkeley, Schuppe).

Imm'anuel [hebr. ›Gott mit uns‹], nach der messian. Deutung von Jes. 7, 14 Name für den Messias (Matth. 1, 23 f.).

Immateri'algüterrecht, das Recht an einem Geistesgut, umfaßt Patent-, Warenzeichen-, Muster-, Wettbewerbs- und Urheberrecht.

'Immaterialismus [lat. Kw.], in der Philosophie die Lehre, daß die Materie keine selbständige Wirklichkeit besitze; bes. von Berkeley vertreten (→Spiritualismus).

immateriell, unkörperlich, unstofflich.

Immatrikulat'ion [lat.], Einschreibung in das Verzeichnis der Studierenden einer Hochschule *(Matrikel)*.

'Imme [dt. Stw. ›Schwarm‹], →Biene.

immedi'at [lat.], unmittelbar. **Immediateingabe, Immediatsachen** und **Immediatvorstellungen,** im staatl. Bereich Angelegenheiten, die gleich bei der obersten Instanz vorgebracht oder unmittelbar vom Staatsoberhaupt erledigt werden. **Immediatvortragsrecht** ist das Recht eines Ministers, ohne Beteiligung des Regierungschefs, oder das Recht eines anderen Amtsinhabers, ohne Beteiligung des Ressortministers Vortrag beim Staatsoberhaupt zu halten. **Immediatbehörden,** oberste Staatsbehörden, die unmittelbar dem Staatsoberhaupt unterstellt sind. **Immediatstände,** im Deutschen Reich bis 1806 die reichsunmittelbaren Stände. Gegensatz: →mediat.

'Immelmann, Max, Jagdflieger, * Dresden 1890, † (Absturz) bei Sallaumines (Nordfrankreich) 1916 nach 15 Luftsiegen, begründete mit Boelcke die deutsche Luftkampftechnik.

imm'ens [lat.], unermeßlich.

Immenstadt, Stadt im Kreis Oberallgäu, RegBez. Schwaben, Bayern, mit (1977) 13 800 Ew., Sommerfrische und Wintersportplatz im Allgäu, 731 m ü. M., hat Fachschulen, Heimatmuseum, Industrie. In der Nähe der *Alpsee.*

immensur'abel [lat.], unmeßbar.

'immergrün sind Pflanzen, deren Blätter während der ungünstigen Jahreszeit nicht absterben. Die Nadelhölzer sind i., außer Lärche, Sumpfzypresse und wenigen anderen. Von europ. i. Laubhölzern sind am bekanntesten Efeu, Buchsbaum, Ilex, Mistel, von Zwergsträuchern die Preiselbeere. In den halbtrop. Gebieten sind die meisten Kulturgehölze i., z. B. Lorbeer, Ölbaum, Orange, Zitrone, Johannisbrotbaum.

'Immergrün, 1) Winter-, Sin-, Sinngrün, *Vinca,* Gattung der Familie Hundstodgewächse (Apozynazeen). In Süd- und Mitteleuropa heimisch ist das *kleine I. (Judenmyrte, Franzosenkraut),* halbliegend, mit dunkelgrünen, ledrigen, immergrünen Blättern und meist blauen Blüten, in Wäldern, an Felsen; auch Zierpflanze. **2)** andere Pflanzen mit dunkelgrünen, ledrigen Blättern, z. B. Efeu, Wintergrün (Pirola), Mistel.

'Immermann, Karl, Dichter, * Magdeburg 24. 4. 1796, † Düsseldorf 25. 8. 1840, das. seit 1827 Landgerichtsrat, leitete 1834–38 das Düsseldorfer Theater. Als Dramatiker blieb er von klass. Vorbildern abhängig (Cardenio und Celinde, 1826; Trauerspiel in Tirol, 1827; Kaiser Friedrich II., 1828). Sein Roman ›Die Epigonen‹ (3 Bde., 1836) zeigt die Auflösung alter Gesellschafts- und Kulturformen. In dem satir. Zeitroman ›Münchhausen‹ (1838/39) stellt er in der eingeschobenen Dorfgeschichte ›Der Oberhof‹ die Lügenwelt westfälischem Bauerntum gegenüber. Auch das komische Heldenepos ›Tulifäntchen‹ (1830) wurde zur allgem. Zeitsatire.

WERKE. Sämtl. Werke, 20 Bde. (1883), Auswahl, 5 Bde. (1906), 6 Bde. (^{2}1923).

Immersi'on [lat.], **1)** Eintauchen. **2)** Eintritt eines Mondes in den Schatten seines Planeten oder der scheinbare Eintritt eines Mondes in die Planetenscheibe. **3)** beim Mikroskop Schicht zwischen Deckglas und Gegenstandslinse, z. B. Wasser, Zedernholzöl, zur Erhöhung der Apertur.

'Immi, Emine, Hermine, früheres süddt. und schweizer. Trockenmaß (1 I. = 1,5 Liter; 100 I. = 1 Malter).

Immigrati'on [lat.], Einwanderung, →Wanderung.

immin'ent [lat.], nahe bevorstehend, drohend.

Immissi'on [lat.], Einführung, Einsetzung. **1)** Einweisung in ein Amt, in den Besitz. **2)** Zuführung von Dämpfen, Gerüchen, Geräusch, Erschütterungen und ähnlichen Einwirkungen auf ein Nachbargrundstück (§ 906 BGB). Ist die Beeinträchtigung wesentlich und bei Grundstücken dieser Lage nicht üblich, so kann der Eigentümer des belästigten Grundstücks Beseitigung (Unterlassung) verlangen (§ 1004 BGB), bei genehmigten gewerbl. Anlagen die Herstellung von Schutzeinrichtungen oder Schadenersatz. – Ähnlich in *Österreich* (§§ 364, 364a ABGB) und der *Schweiz* (Art. 684, 679 ZGB).

immob'il [lat.], unbeweglich.

Immergrün

Immob'ilien [lat.], unbewegliche Sachen, Liegenschaften. Sie werden im Recht oft abweichend behandelt von den bewegl. Sachen (Mobilien), bes. hinsichtlich der Eigentumsübertragung und der Belastung, die Eintragung in das Grundbuch erfordern. Zu den I. gehören Grundstücke und grundstücksgleiche Rechte, z. B. das Erbbaurecht. *Immobili'arkredit,* Kredit, der durch ein

Recht an einem Grundstück (z. B. Hypothek) gesichert ist.

Immobilienfonds, Form des Investmentsparens, die durch die gemeinschaftliche, risikogemischte Anlage von Geldmitteln in Immobilien gekennzeichnet ist (offene I.).

'immoralisch [lat.], sittenlos. **Immoral'ismus,** Ablehnung der Verbindlichkeit moralischer Grundsätze und Vorschriften.

Immortalit'ät [lat.], Unsterblichkeit.

Immort'ellen [franz. ›Unsterbliche‹], Blumen, die sich wegen strohiger Beschaffenheit *(Strohblumen)* für Dauersträuße und -kränze eignen; meist Korbblüter, so das australische bis 0,50 m hohe Ammobium alatum *(Papierknöpfchen, Strohblume)*, das in Europa in vielen Abarten gezogen wird, ferner Antennaria *(Katzenpfötchen)*, Anaphalis *(virginische I., Perlimmortelle)*, Gnaphalium *(Ruhrkraut)*, Xeranthemum *(Papierblume)*, Helichrysum *(Immerschön, Sandimmortelle, Fuhrmannsröschen)* und die *rote I. (Kugelamarant)* →Gomphrena.

Immortellen: Strohblumen (Helichrysum bracteatum, etwa 1/3 nat. Gr.)

imm'un [lat.], gefeit, unempfänglich für Ansteckung.

Immunit'ät [lat.], **1)** Unempfänglichkeit gegen Erreger ansteckender Krankheiten und gegen bestimmte Gifte. Die *erworbene I.* kommt auf natürlichem Wege zustande durch Überstehen einer Infektionskrankheit oder durch ›stille Feiung‹, bei der die Infektion nicht zum Krankheitsausbruch führt; auf künstlichem durch Schutzimpfung (→Impfung). Bei der *aktiven* Immunisierung regen die als →Antigene durch Impfung übertragenen abgeschwächten Krankheitserreger oder deren Giftstoffe (Toxine) die Bildung von →Antikörpern (Antitoxine) an; bei der *passiven* Immunisierung werden fertige Schutzstoffe übertragen, z. B. bei der Einspritzung eines Heilserums.

2) die meist verfassungsmäßig festgelegte Befreiung der Mitgl. der Volksvertretung von Strafe oder Strafverfolgung; völkerrechtl. die Befreiung fremder Staatsorgane von der Festnahme. →Exterritorialität.

LIT. P. Bockelmann: Die Unverfolgbarkeit des Abgeordneten nach dt. Immunitätsrecht (1951).

3) die Befreiung kirchl. Personen, Orte, Güter von öffentl. Abgaben, Diensten, Lasten; wird kirchlich nur noch für das Asylrecht und die Befreiung der Kleriker vom Militärdienst und von öffentl. Ämtern beansprucht.

Imm'untoleranz, die Erscheinung, daß ein Individuum, dem kurz vor oder nach der Geburt ein Antigen einverleibt wird, gegen dieses noch keine Antikörper bildet, dadurch aber auch für sein ganzes Leben verlernt, auf dieses Antigen zu reagieren, es also toleriert, d. h. dagegen immun, unempfänglich, geworden ist. Das Phänomen wurde von P. B. Medawar und F. M. Burnet entdeckt und experimentell erforscht. Es ist sowohl für die Gewebstransplantation als auch für die Infektionskrankheiten von großer Bedeutung.

Imogen [im'oudʒən], engl. weibl. Name ungeklärter Herkunft; nach Shakespeares ›Cymbeline‹ für eine vorbildlich treue Gattin gebraucht.

'Imola, das röm. *Forum Cornelii*, Stadt in Mittelitalien, mit (1974) 58 500 Ew., Kathedrale (1187–1271 erbaut).

Imp., Abkürzung für lat. *Imperium, Imperator; impressit*, hat es gedruckt; auch für (engl.) *imperial.*

impair [ɛ̃pɛ:r, franz.], ungerade (Roulett).

Imp'ala, Antilopenart, →Pala.

Impaß [franz.], Sackgasse; **impassieren,** schneiden (Kartenspiel).

impass'ibel [franz.], unempfindlich; kaltblütig; unparteiisch.

Imp'atiens, →Balsamine.

Impeachment [imp'i:tʃment, engl.], in den USA die öffentl. Anklage vor dem Senat gegen Minister, hohe Beamte und den Präsidenten wegen schwerer Verfehlungen. – In Großbritannien spielte das I. im Verfassungskampf des 17. Jhs. eine Rolle.

Imped'anz, Scheinwiderstand, der Wechselstromwiderstand eines Stromkreises, hängt ab von Kapazität, Induktivität und Ohmschem Widerstand des Stromkreises.

'Imperativ [lat.], Befehlsform. **Kategorischer I.,** das von Kant aufgestellte allgemeinste Sittengesetz: »Handle so, daß die Maxime (Richtlinie) deines Willens jederzeit zugleich als Prinzip einer allgemeinen Gesetzgebung gelten könne.«

Imper'ator [lat.], im alten Rom: **1)** Ehrentitel für den vom Heer begrüßten siegreichen Feldherrn. **2)** seit Augustus der Kaiser.

'Imperfekt [lat.], Zeitform, die eine nicht abgeschlossene Handlung in der Vergangenheit ausdrückt; im Deutschen einfache Vergangenheit.

Imp'eria, 1) Prov. Italiens, in Ligurien, umfaßt 1155 qkm mit (1974) 230 400 Ew. **2)** Hauptstadt von 1), (1974) 41 100 Ew.

Imperi'al [lat.], **1)** *Münzkunde:* ehem. russ. Goldmünze (seit 1755) zu 10 Rubel, 1886 bis 1896 dem 20-Frank-Stück entsprechend; mit der Einführung des Goldrubels (1897) stieg der I. auf den Wert von 15 Rubel. **2)** altes Papierformat von 570×780 mm; wird nur noch für bestimmte Geschäftsbücher benutzt (auch 485×630 mm).

Imperial Chemical Industries, Ltd. [imp'iəriəl k'emikəl 'indəstriz], **I. C. I.,** London, einer der größten Chemiekonzerne der Welt, gegr. 1926.

Impériale [ɛ̃perjal], Kartenspiel zwischen zwei Teilnehmern mit einer Pikettkarte von 32 Blättern.

Imperial'ismus [von →Imperium], **1)** *allgemein* jedes Herrschaftsstreben, das den Machtbereich eines Staates auf benachbarte oder fernliegende Gebiete erstrecken will. Das Machtstreben ist vielfach mit einem Sendungsbewußtsein verbunden, das sich aus religiösen, kulturellen, zivilisatorischen oder nationalen Ideen nähren kann.

Der Begriff I. wurde zu verschiedenen Zeiten verschieden gebraucht. Imperiale Züge weisen schon im Altertum das Perser-, das Alexander- und bes. das Röm. Reich im Streben nach einem »Großreich« auf, ebenso im hohen MA. das römisch-dt. Reich, später das span. und das brit. Weltreich. Seit dem 19. Jh. verbindet sich der I. in der Regel mit dem →Nationalismus, indem der Wille zur nationalen Selbstverwirklichung und Selbstentfaltung sich zu ungehemmtem Ausdehnungsdrang eines mit Führungsansprüchen auftretenden Volkes steigert, so der Ausdehnungsdrang der Franz. Revolution und des aus ihr hervorgegangenen napoleon. Kaiserreichs. Eine Sonderstellung nimmt der Panslawismus ein. Die Bismarcksche Reichsgründung ist zu Unrecht des I. verdächtigt worden.

2) *im besonderen* die überseeische Macht- und Wirtschaftspolitik der Großmächte seit etwa 1880 als konsequente Fortentwicklung der Kolonialpolitik der Seemächte, die im 16.–18. Jh. von Spaniern, Portugiesen, Niederländern und Franzosen eingeleitet und von Großbrit. weitergeführt worden ist. Großbrit. war zwischen 1880 und 1914 der stärkste Träger des *Wirtschafts-I.*, dessen Ziel darin bestand, dem Mutterland durch ein großes Kolonialreich die Rohstoffeinfuhr zu sichern, neue Absatzgebiete zu erschließen und Siedlungsraum für eigenen Bevölkerungsüberschuß zu gewinnen (Kolonie). Literarische Vorkämpfer des engl. I. waren Dilke (Greater Britain, 1868), dann J. R. Seeley (The Expansion of England, 1883), imperialist. Politiker Disraeli, Cecil Rhodes und Joseph Chamberlain; erstmalig verwendet wurde das Wort I. von den Gegnern Disraelis 1880. Frankreich trat durch seine Afrika-Politik, Rußland durch die Eroberungen in Kaukasien, Mittelasien und dem Fernen Osten (russ. Binnenimperialismus) sowie seine Balkaninteressen, die USA seit 1898, Japan seit 1895 in die Reihe der imperialist. Großmächte ein, als letzte Deutschland mit seinem Anspruch auf Welt- und Seegeltung (Wilhelm II.). Ab 1922 vertraten das faschist. Italien (»Mare Nostro«) und das nationalsozialist. Dtl. (»Lebensraum«) imperialist. Interessen. Nach der marxistischen Deutung gilt der I. als letzte Entwicklungsstufe des Kapitalismus. Dennoch zeigen russ. Politik und Geschichte bes. seit 1939 starke imperialist. Züge.

LIT. E. Marcks: Die imperialist. Idee d. Gegenwart (1903); E. Seillière: La philosophie de l'impérialisme, 4 Bde. (1903–08; dt. 3 Bde. ²1911); G. v. Schulze-Gaevernitz: Brit. und engl. Freihandel zu Beginn des 20. Jhs. (1906); G. F. Steffen: Weltkrieg und I. (1915); W. I. Lenin: Der I. als höchstes Stadium des Kapitalismus (1915; dt. ³1930); N. Bucharin: I. und Weltwirtschaft (1918; dt. 1929); J. Schumpeter: Zur Soziologie der Imperialismen (1919); H. Friedjung: Das Zeitalter d. I. 1884–1914, 3 Bde. (1919 bis 1922); N. Bucharin: Der I. u. die Akkumulation des Kapitals (1925; dt. ²1929); C. Brinkmann: I. als Wirtschaftspolitik (Festg. f. L. Brentano, 1925); F. Sternberg: Der I. (1926); S. Nearing und J. Freeman: Dollar-I. (1927); L. Gross: Pazifismus und I. (Wien, 1931); A. Salz: Das Wesen des I. (1931); C. Schmitt: Die Verein. Staaten von Amerika u. d. völkerrechtl. Formen des modernen I. (1933); J. A. Hobson: I. (1938); C. Schmitt: Völkerrechtl. Großraumordnung (⁴1942); P. E. Schramm: Dtl. in Übersee (1950); W. Sulzbach: I. und Nationalbewußtsein (1959); G. W. F. Hallgarten: I. vor 1914, 2 Bde. (²1962/63); Das Zeitalter des I. (Fischer Weltgeschichte 1967); G. Lichtheim: I. (1972).

Imperial standard [imp'iəriəl st'ændəd], seit 1826 engl. Reichsnorm (in Verbindung mit Maßbezeichnung). Die Umstellung auf das Dezimalsystem in England und Irland ist im Gange.

Imp'erium [lat. ›Befehl‹, ›Macht‹], **1)** im alten Rom: die oberste Befehlsgewalt, seit Cicero das röm. Reich. **2) I. Romanum** [›Römisches Reich‹], erscheint seit 1034 urkundlich im Titel des Deutschen Reiches bis 1806 (→Heiliges Römisches Reich Deutscher Nation). **3)** das Britische Weltreich (Empire).

imperme'abel [lat.], undurchdringlich, wasserdicht.

impertin'ent [franz.; Gottschedzeit], frech, ungezogen. **Impertinenz,** Ungehörigkeit, Frechheit.

Impet'igo [lat.] *die*, Eitergrind.

impetu'oso [ital.], *Musik:* stürmisch.

'Impetus [lat.], Anstoß, Trieb, Schwung.

'impfen [ahd. aus mittellat. imputare ›einschneiden‹], →Impfung.

'Impf|erde, Erde mit Knöllchenbakterien zur Bakterienübertragung, für Hülsenfruchtanbau (→Impfung 2).

'Impfpaß, →Impfung, Rechtliches.

'Impfschäden. Durch das Bundesseuchengesetz vom 18. 7. 1961 (mit Änd. v. 23. 1.

1963) ist die Entschädigung für I. geregelt worden. Sie ist bei allen Gesundheitsschäden zu leisten, die durch eine gesetzl. vorgeschriebene oder durch das Bundesseuchengesetz angeordnete oder von einer Gesundheitsbehörde öffentl. empfohlene (z. B. bei Diphtherie) Schutzimpfung hervorgerufen werden. Bei Impfungen gegen Kinderlähmung sind auch andere Personen entschädigungsberechtigt, wenn sie durch von Geimpften ausgeschiedene Erreger Gesundheitsschäden erleiden. Entschädigungsleistungen umfassen u. a.: Kosten der Heilbehandlung, Rente (auch für Hinterbliebene), Erziehungsbeihilfe.

'Impfung, 1) die Einverleibung von Impfstoffen, um eine →Immunität herzustellen. Die vorbeugende *Schutzimpfung* ist zu unterscheiden von der zur Krankheitsbehandlung dienenden *Heilimpfung*. – Die älteste I. ist die *Pockenschutzimpfung*; als Impfstoff dient die in den *Impfanstalten* gewonnene Lymphe aus Kuhpockenblasen. Die I. wird ausgeführt durch Anlegen von meist nur 2 oberflächlichen Schnitten mit der mit Lymphe bedeckten Impflanzette. Beim Erstimpfling schwellen nach 3 Tagen die Impfschnitte knötchenförmig an und bilden um den 5. Tag die »Papeln«, aus denen um den 8. Tag Bläschen werden, die »Vakzinepusteln«. Vom 11. Tag an bilden sie sich zurück; nach 3–4 Wochen ist die Reaktion beendet. Beim Wiederimpfling ist sie um so schwächer, je stärker noch seine Immunität von der Erstimpfung her ist. Die durch Erstimpfung verliehene Immunität hält einige Jahre vor, eine Zweit- oder Dritt-I. meist lebenslänglich.

Impfschäden können z. B. durch unsachgemäße Behandlung der Impfstelle oder durch hinzutretende Gehirnentzündung entstehen.

Impfzwang für Pocken bestand in fast allen Kulturländern, in Deutschland für jedes Kind vor Ablauf des auf sein Geburtsjahr folgenden Kalenderjahres (Erst-I.) und jeden Schüler einer öffentl. Lehranstalt oder Privatschule in dem Jahr, in dem er 12 Jahre alt wird (Wieder-I.).

In der BRD besteht nach dem neuen Gesetz über die Pockenschutzimpfung vom 18. 5. 1976 nur noch ein sehr eingeschränkter Impfzwang, u. a. für Kinder in dem Jahr, in dem sie das 12. Lebensjahr vollenden, wenn sie schon früher einmal mit Erfolg gegen Pocken geimpft worden sind, sowie für Krankenhauspersonal.

Durch den internat. Flugtourismus besteht auch heute noch die Gefahr des Einschleppens von Pocken in sonst pockenfreie Länder, zumal die Erkrankten schon mehrere Tage vor Sichtbarwerden des kennzeichnenden Hautausschlags die Krankheit verbreiten. Für jeden Menschen besteht in der Bundesrep. Dtl. die gesetzl. Verpflichtung, Pokkenverdacht sofort beim zuständigen Gesundheitsamt zu melden, das die notwendigen Absonderungsmaßnahmen und Nachimpfungen gefährdeter Personen anordnet. Verschied. Staaten verlangen heute bei der Einreise den Nachweis einer nicht länger als drei Jahre zurückliegenden Pocken-I. Die Weltgesundheitsorganisation gibt einen internat. **Impfpaß** für Bescheinigungen über I. heraus.

Für →Impfschäden besteht in der Bundesrep. Dtl. ein Entschädigungsanspruch gegenüber dem Staat.

Andere I. sind z. B. die I. gegen →Diphtherie, die I. gegen Tuberkulose mit →BCG, die →Salk-Impfung und die als Schluck-I. durchgeführte →Sabin-Impfung gegen Kinderlähmung, die I. gegen Starrkrampf und Tollwut.

2) Versetzen bakterienarmer Böden mit Impfstoffpräparaten, die meist stickstoffsammelnde Bakterien enthalten, z. B. *Azotogen* (Azotobacter-Kultur).

'Imphal, Hauptstadt von Manipur, Indien, (1971) 100 600 Ew., 793 m ü. M.

Implantati'on [lat. Kw.], **1)** Einpflanzung. **2)** Einheilen von Fremdteilen in den Körper.

impliz'it, *Mathematik:* →explizit.

impl'izite [lat.], inbegriffen. Gegensatz: explizite.

impliz'ieren, einbeziehen, mit einschließen.

Implikation, Einbegriffensein. Grundbeziehung zwischen Aussagen. A impliziert B, wenn B eine logische Folge von A ist; *mathematische Logik:* In der zweiwertigen Logik gilt »A impliziert B« für alle Wahrheitswerte von A und B außer für den Fall, daß A wahr und B falsch ist.

Impl'uvium [lat.], im →Atrium des altröm. Hauses das Becken zur Aufnahme des Regenwassers, das durch die rechteckige Dachöffnung, das *Compluvium*, herabfloß.

Imponderab'ilien [lat. Kw. ›Unwägbares‹], **1)** in der älteren Physik die unwägbaren Stoffe, die die Grundlagen für die Erscheinungen des Lichtes, der Wärme, der Elektrizität und des Magnetismus sein sollten. **2)** Tatsachen von unbekannter Wirkung.

Impon'iergehabe, *Verhaltensforschung:* drohendes oder werbendes Verhalten, das als sozialer Auslöser für Artgenossen Mitteilungswert hat; Gegenstück zum I. ist die Demutstellung.

Imp'ort [lat.], Einfuhr.

'Impotenz [lat.], **1)** *Mannesschwäche*, Unvermögen, den Beischlaf auszuüben; entweder angeboren oder erworben, kann vorübergehend oder dauernd bestehen und körperlich oder seelisch bedingt sein. **2)** *Unfruchtbarkeit* (Sterilität) des Mannes, beruht auf Ausfall der Hodentätigkeit und damit der Samenbildung. **3)** *übertr.:* Unvermögen.

impr., Abkürzung für Imprimatur.

imprägn'ieren [lat. impraegnare ›schwängern‹], **1)** feste Stoffe (Holz, Gewebe, Papier) mit flüssigen Stoffen tränken, um sie gegen Fäulnis zu schützen, feuersicher oder wasserdicht zu machen. **2)** Kohlendioxyd in Wein einpressen; ein erlaubtes Verfahren zur Herstellung von Schaumwein, Perlwein.

impraktik'abel [lat.], unausführbar.

Impressionismus: L. Corinth, Blick aus dem Atelier in München (1891; Karlsruhe, Kunsthalle)

Impres'ario [ital.], Unternehmer, bes. künstler. Veranstaltungen.

Impressi'on [lat.], Eindruck, Empfindung.

Impression'ismus, 1) eine Richtung der *Malerei*, die in den Jahren 1860–70 in Frankreich aufkam und sich in ganz Europa verbreitete. Ihr Name geht auf die Bezeichnung »Impression« eines Bildes von Monet in der 1. Ausstellung der Impressionisten zurück (1874). Der I. brachte eine neue, revolutionär wirkende Malweise, bei der die Farbe, der Farbreiz, am wichtigsten ist. Im Gegensatz zur Ateliermalerei des 19. Jhs. werden im I. Inhalt, Aufbau, Komposition des Bildes aufgegeben zugunsten der Wiedergabe subjektiv empfundener Wirklichkeit, einer Atmosphäre, ausgedrückt in Farben. In diesem Zusammenhang kam auch die Freilichtmalerei auf. Im *Neoimpressionismus* wurde die Malweise des I. *(Pointillismus)* weiterentwickelt, indem ungemischte Grundfarben mosaikartig nebeneinander gesetzt wurden.

Führende Vertreter des franz. I. sind Manet, Monet, Pissaro, Sisley, Degas und Renoir. Der Neoimpressionismus wurde von Seurat und Signac begründet. Rodin übertrug Formprinzipien des I. auf die Plastik. Zu den Malern des I. gehörte auch Cézanne, der diesen später durch eine neue Bildordnung überwand und entscheidenden Anteil an der neuen, um 1890 einsetzenden Stilwende hatte. In Deutschland, wo der I. bei Blechen und bes. beim jungen Menzel vorbereitet erscheint, malten Liebermann, Uhde, Slevogt und Corinth auf impressionistische Art. In Italien entwickelte Segantini eine dem Neoimpressionismus verwandte Malweise.

Lit. F. Novotny: Die großen franz. Impressionisten (Wien 1952); J. Cassou: Die Impressionisten (Luzern 1953); J. Leymarie: I., 2 Bde. (Genf 1955); G. F. Hartlaub (Hg.): Die Impressionisten in Frankreich (1955, 1961); J. Cassou: Die Impressionisten u. ihre Zeit (1957); L. Zahn: Franz. Impressionisten (1957); R. Cogniat: Das Jahrhundert der Impressionisten (1959); R. Hamann und J. Hermand: I. (1960); H. Platte: Zauber der Farbe (1962); J. Rewald: Die Gesch. des I. ([5]1965).

2) eine der impressionist. Malerei verwandte *Musikrichtung*, die die strengen Formen auflöst zugunsten vielfältiger fremder Klänge, die Ganztonleiter bevorzugt und verschleierte Akkordbildungen, spannungslose Dissonanzen, verschwimmende Linien und Klangfarben erstrebt, die dazu dienen, einen allgemeinen stimmungshaften Eindruck wiederzugeben. Vorläufer ist der Russe Mussorgskij; auch Liszt nahm impressionistische Züge voraus. Unabhängig davon entstand der franz. I., hauptsächlich vertreten durch Debussy, ferner durch Dukas, Ravel, Roussel, Ibert, außerhalb Frankreichs durch Delius, Cyrill Scott, de Falla.

3) Der Begriff I. wurde auch auf die *Literatur* übertragen zur Kennzeichnung von Stileigentümlichkeiten in der Zeit um 1890 bis 1910: nicht eine gegenständliche Welt wird geschildert, alles Gegenständliche ist lediglich Anreiz für sinnliche Empfindungen und seelische Regungen. Der literar. I. ging von Frankreich aus (Brüder Goncourt). In Deutschland zeigen Dichter wie Liliencron, Dauthendey, Dehmel, der frühe Rilke Züge des I., in Dänemark die Erzähler H. Bang, J. P. Jacobsen. Meister der impressionist. Skizze waren P. Altenberg und P. Hille.

Impr'essum [lat.], **Pflichteindruck,** bei Zeitungen und Zeitschriften die gesetzlich vorgeschriebene Nennung von Verleger, Herausgeber, Schriftleiter und Firma des Druckers. Bei Büchern enthält das I. auf der Rückseite des Titelblatts bibliographische Angaben.

Imprim'atur [lat. ›es werde gedruckt‹], abgek. **impr.,** 1) Vermerk auf dem Korrekturbogen, mit dem die endgültige Erlaubnis für den Auflagendruck erteilt wird. 2) die kirchl. Druckerlaubnis, →Bücherzensur. *Zeitw.* **imprimieren.**

Impromptu [ɛ̃prɔ̃ty, franz., von lat. in promptu ›in Bereitschaft‹, ›zur Hand‹], 1) kürzere Stegreifdichtung, Stegreifwitz (bon mot). 2) *Musik:* aus Augenblicksstimmung entstandenes freies Phantasiestück.

Improp'erien [lat. ›Vorwürfe‹], Klagen des Heilands über die Untreue seines Volkes, im kath. Karfreitagsgottesdienst gesungen; vertont von Palestrina (1560). Die I. gehen textlich bis ins 4. Jh. zurück, die gregorian. Melodien bis ins 9./10. Jahrhundert.

Improvisation [franz.], das ohne Vorbereitung Geschaffene oder Dargebotene; 1) *improvisierte Dichtung,* bes. seit der Renaissance in Italien. Auf der Kunst der I. beruhte großenteils die →Commedia dell'arte. Unter Papst Leo X. wirkten B. Accolti (Unico Aretino) und der lat. dichtende A. Marone. Ende des 17. Jhs. wurde aus der freien gesellschaftl. Unterhaltung ein Beruf; öffentl. auftretende **Improvisatoren** ließen sich Aufgaben stellen, deren Lösungen sie meist unter Musikbegleitung sofort in Reime brachten. 2) *Musik:* das Musizieren aus dem Stegreif, bes. am Instrument, entweder unter Verwendung eines Themas oder als freies Phantasieren.

LIT. H. Schultze: Theater aus der I. (1955); C. Bresgen: Die I. (1960).

Imp'uls [lat.], 1) Anstoß, Anregung. 2) *Physik:* früher *Bewegungsgröße,* das Produkt aus Masse und Geschwindigkeit eines Körpers oder Massenpunktes. Bei abgeschlossenen Systemen, auf die keine äußeren Kräfte wirken, bleibt der Gesamtimpuls zeitlich unverändert *(Impulssatz).* Ebenso wie die Materie besitzt jede Form bewegter Energie I. – Bei kurzzeitig wirkenden Kräften bezeichnet man auch die Änderung der Bewegungsgröße als Impuls *(Kraftstoß).* Diesen Begriff überträgt man auch auf andere kurzzeitige Zustandsänderungen (*Spannungs-* und *Stromimpulse* u. dgl.).

Imp'ulsgenerator, elektr. Gerät zur Erzeugung von Stromstößen (z. B. beim Telegraphieren und Fernschreiben). Mechanische Relais, die einfachsten I., liefern bis zu 400 Impulse je Sekunde. Für höhere Impulsfrequenzen benutzt man Schaltungen mit Röhren oder mit Transistoren.

impuls'iv [zu Impuls], schnell handelnd, lebhaft.

Imp'ulsmoment, bei der Kreisbewegung eines Massenpunktes das Produkt aus Abstand vom Drehpunkt und Impuls. Wenn das Kraftmoment Null ist, wie z. B. bei Zentralkräften, die in Richtung auf den Drehpunkt wirken, bleibt das I. zeitlich unverändert *(Flächensatz).*

Impulstechnik, *Elektrotechnik:* die Erzeugung und Anwendung elektr. Impulse. Ursprüngl. nur in der Nachrichtentechnik, z. B. für das Fernsehen und in der Funkmeßtechnik verwendet, findet die I. heute weite Anwendung auch bei elektron. Rechenmaschinen, in der elektr. Meß- und Steuertechnik sowie in der Kerntechnik.

Imputati'on [lat.], Beschuldigung.

Imrédy ['imre:di], Béla von, ungar. Politiker, * Budapest 29. 12. 1891, † (hingerichtet) Budapest 28. 2. 1946, war 1938/39 MinPräs., wurde wegen seiner Anlehnung an die »Achse Berlin–Rom« 1945 zum Tode verurteilt.

Imr'oz, türk. Insel, →Imbros.

Im'uthes [griech.], →Imhotep.

In, chem. Zeichen für Indium.

in ab|s'entia [lat.], in Abwesenheit.

in abstr'acto [lat.], im allgemeinen, an und für sich, ohne Rücksicht auf die tatsächlichen Verhältnisse.

'inadäquat [lat. Kw.], nicht entsprechend.

'inaktiv [lat.], 1) untätig. 2) im Ruhestand.

in|appell'abel [lat. Kw.], nicht mit Berufung anfechtbar; endgültig.

'Inari, schwed. **Enare,** flacher Binnensee im finn. Lappland, 1100 qkm groß, mit vielen Inseln.

Inari, die Reisgottheit in Japan, dargestellt als bärtiger Mann, auf einem weißen Fuchs reitend.

in|artikul'iert [lat. Kw.], undeutlich ausgesprochen.

in aet'ernum [lat.], auf ewig.

Inaugur'al|dissertation [lat. Kw.], Doktorarbeit, →Dissertation.

In|augurati'on [lat.], feierliche Amtseinsetzung; im alten Rom durch die Auguren.

inc. [engl.], Abk. für **incorporated** [ink'ɔ:pəreitid], inkorporiert, mit den Rechten einer jurist. Person versehen, Hinweis auf die Rechtsform bei amerikan. Aktiengesellschaften.

inch [inʃ, engl.], engl. und nordamerik. Längenmaß, entsprechend dem Zoll (ÜBERSICHT Maße und Gewichte).

'incipit [lat.], hier beginnt, Formel am Beginn des Textes in alten Handschriften und Drucken.

incl., Abk. für lat. **inclusive,** einschließlich.

In c'oena D'omini [lat. ›beim Mahle des Herrn‹], Anfangsworte der *Abendmahlsbulle,* einer Sammlung kirchl. Strafen; seit dem 13. Jh. nachweisbar, bis 1770 alljährlich am Gründonnerstag feierlich verkündet.

in concr'eto [lat.], in einem bestimmten Fall, in Wirklichkeit. Gegensatz: in abstracto.

in contum'aciam [lat. ›wegen Unbotmäßigkeit‹], *i. c. verurteilen:* gegen jemanden wegen Nichterscheinens vor Gericht (trotz ergangener Vorladung) ein Versäumnisurteil fällen (im Zivilprozeß).

incorporated, →inc.

in c'orpore [lat.], geschlossen, alle zusammen.

Incoterms, Kurzwort für **I**nternational **Co**mmercial **Terms,** internat. Regeln, um Auslegungsstreitigkeiten bei Anwendung der im internat. Handel üblichen Formeln wie cif, fob, for u. a. zu vermeiden.

Incroyable [ɛ̃krwajɑ:bl, franz. ›unglaublich‹], Pariser Stutzer um 1800, bes. dessen zweispitziger Hut. →Directoire.

Incroyable (zeitgenössischer Kupferstich)

'Incubus [lat.], röm. Dämon, →Inkubus.

'Incus [lat.], **Amboß,** das mittlere der drei Gehörknöchelchen, →Ohr.

Inc'usi [lat., ergänze *nummi*, ›eingeschlagene Münzen‹], die Silbermünzen der griech. Städte Süditaliens aus dem 6. und 5. Jh. v. Chr., die auf der Rückseite das Bild der Vorderseite vertieft zeigen oder ein anderes, mit erhabenem Stempel geprägt.

Ind., Abk. für →Indiana.

I. N. D., Abk. für lat. **I**n **n**omine **D**ei (**D**omini), im Namen Gottes (des Herrn).

'Indals|älv, Fluß in Schweden, 420 km lang, bildet großartige Fälle (z. T. in Großkraftwerken genutzt), mündet in den Bottnischen Meerbusen.

Indanthr'enfarbstoffe [Kw., 20. Jh.], sehr echte Küpenfarbstoffe der Anthrachinonreihe (Lichtechtheit, Farbbeständigkeit, Wetterfestigkeit); auch bes. echte Farbstoffe (→Indigo). Zu den I. der Anthrachinonreihe gehören die *Flavanthren-*, *Benzanthron-*, *Anthrachinonimid-*, *Anthrachinonakridon-* und *Azylaminoanthrachinonfarbstoffe*. Ein Indanthrenblau ist zugelassener Lebensmittelfarbstoff. Als *indanthrenfarbig* werden auch solche Stoffe bezeichnet, die mit ebenso echten Farbstoffen anderer Gruppen gefärbt sind.

Indefinitum, unbestimmtes Fürwort.

in|deklin'abel [lat. ›unbeugbar‹], nicht beugungsfähig (bei Wörtern).

In|demnit'ät [lat.-engl.; Bismarckzeit], Straflosigkeit; parlamentarisch: die Entlastung, die von der Volksvertretung nachträglich der Regierung für verfassungs- oder gesetzwidrige Akte erteilt wird.

Ind'en [Kw.] *das*, C_9H_8, ein Kohlenwasserstoff aus dem Steinkohlenteer.

In|depend'enten [lat. Kw. ›Unabhängige‹], eine im 17. Jh. entstandene calvinisch-puritan. Kirchenpartei in England, die die volle Selbständigkeit der Einzelgemeinde forderte; daher auch *Kongregationalisten* [von engl. congregation ›Gemeinde‹]. Die I. sind seit 1689 neben der anglikan. Kirche staatlich anerkannt.

Independ'enz [franz.], Unabhängigkeit.

'Inder, die Bewohner →Vorderindiens.

in|determin'abel [lat. Kw.], unbestimmbar.

indetermin'iert, unbestimmt.

Indetermin'ismus, 1) die Lehre, daß das menschl. Wollen und Handeln nicht restlos durch Ursachen bestimmt ist, sondern daß es freie Willensentscheidung oder wenigstens einen gewissen Spielraum dafür gibt. Gegensatz: Determinismus.

2) *Physik:* die Einschränkung der Vorausbestimmbarkeit des mikrophysikalischen Geschehens durch die statistischen Gesetze der Quantentheorie. Danach ist das Verhalten eines einzelnen Elementarteilchens innerhalb eines genau bestimmten Spielraums von Verhaltensmöglichkeiten grundsätzlich an kein Naturgesetz gebunden, und erst der statist. Durchschnitt des Verhaltens großer Teilchenzahlen oder zahlreicher Wiederholungen eines Einzelereignisses ergibt für Voraussagen verwendbare Regeln. →Kausalität.

'Index [lat.], *Mz.* **'Indizes, 1)** alphabetisches Namen-, Titel- oder Schlagwortregister am Schluß eines Buches oder als eigener Band. **2) Index libr'orum prohibit'orum** [lat.], Verzeichnis der von der kath. Kirche erlassenen Einzelverbote von Büchern (→Bücherverbot); sie durften nur mit kirchl. Erlaubnis gelesen werden. Der erste päpstl. I. erschien 1559, der zweite 1564 unter Pius IV., die letzte amtl. Neuausgabe 1948. Während des 2. Vatikanischen Konzils 1965 wurde der I. aufgehoben.

LIT. A. Sleumer: Index Romanus ([11]1956).

3) *Anthropologie, Konstitutionslehre:* Verhältnis zweier Maße (Längen, Umfänge, Gewichte), von denen meist das eine in Prozenten des anderen ausgedrückt wird; so der Längen-Breiten-I. des Kopfes. **4)** *Mathematik:* unten oder oben an einen Buchstaben angehängtes Unterscheidungszeichen, z. B. a_1, a_{12}, A^{a}_{xy}. **5) Indexzahl, Indexziffer,** die statist. Zusammenfassung mehrerer gleichartiger Zeitreihen zu einer einzigen Reihe, wobei die jeweiligen Werte in ein prozentuales Verhältnis zu den Werten des Basisjahrs (= 100) gesetzt werden (→Meßzahl). Hauptanwendungsgebiete sind die Produktions- und die Preisstatistik, z. B. I. der industriellen Produktion, der Großhandelspreise, der →Lebenshaltungskosten.

'Indexlohn, →gleitender Lohn.

'Indexröhre, eine Kathodenstrahlröhre für die Wiedergabe farbiger Fernsehbilder mit nur einem Elektronenstrahl.

'**Indexversicherung,** eine Versicherung, deren Leistungen von der Entwicklung bestimmter Indizes abhängig sind, z. B. die vom Baukostenindex abhängige gleitende Neuwertversicherung von Gebäuden, die von der Produktivitätsentwicklung abhängige →dynam. Rente in der Sozialversicherung.

'**Indexwährung,** eine Währung, die unabhängig von der Deckung durch Gold oder Devisen in Abhängigkeit von der Entwicklung bestimmter Preisindizes reguliert werden soll, um so die Kaufkraft des Geldes stabil zu halten; wurde bes. von I. Fisher gefordert.

'**in|dezent** [lat.], unschicklich, unpassend.

Indiana [indi'ænə], abgekürzt **Ind.**, nordöstl. Mittelstaat der USA, umfaßt 93994 qkm mit (1975) 5,311 Mill. Ew.; Anbau von Kartoffeln, Tabak, Gemüse; Viehzucht. Reiche Bodenschätze an Kohle, Erdöl, Eisenerzen; Eisen-, Stahl-, Maschinen- und Kraftwagenindustrie, Großschlächtereien. Hauptstadt ist Indianapolis. – I. wurde seit 1702 von Franzosen besiedelt, 1763 an England und 1783 an die USA abgetreten, 1800 eigenes Territorium und 1816 als 19. Staat in die Union aufgenommen.

Indianapolis [indiən'æpolis], Hauptstadt von Indiana, USA, mit (1975) 1,147 Mill. Ew. (mit Vororten), katholischer Erzbischofssitz, bedeutende Industrie, Getreidehandel. I. wurde 1820 gegründet.

Indi'aner, lat. **Indus,** kleines Sternbild am Südhimmel.

Indi'aner [von Kolumbus, der sich in Indien glaubte, so genannt], Sammelname für die Eingeborenen der Neuen Welt, die Eskimos ausgenommen. Die I. sind nach der letzten nordamerikan. Eiszeit (vor etwa 10000–12000 Jahren) über die damalige Landbrücke nördl. der Beringstraße aus Sibirien eingewandert. Rassisch sind sie als *Indianide* ein Nebenzweig der Mongoliden, mit straffem, dunklem Haar, zuweilen vorhandener Mongolenfalte, Mongolenfleck sowie der häufig gelblichbräunlichen Hautfarbe. Auf die vielfach übliche rote Körperbemalung geht der Name *Rothäute* zurück. Durch die Gebirge und Wüstensteppen der amerikan. Landschaften getrennt, bildete sich eine Fülle von Gau- und Stammestypen aus. Bei den 370 größeren Stämmen und Völkerschaften unterscheidet man etwa 150 →Amerikanische Sprachen. Neben Wildbeuterstämmen (z. B. manche kaliforn. und brasilian. Wald-I.; Feuerländer) finden sich hochorganisierte Stämme, z. T. solche mit eigenartigen Hochkulturen, die von den span. Konquistadoren vernichtet worden sind. Selbständig entdeckt oder erfunden haben sie Feldbau (Maisbau), Vergärung von Rauschmitteln, Bereitung des Maniok als Nahrungsmittel durch Entgiftung, Kautschuk, Strychnin, Wasserpumpe, Waage, Metallguß, Bronze, Baststoffe, Bienenzucht, Blasrohr, Signaltrommel und Papier. Die Hochkulturen zeigen eine eindrucksvolle Baukunst, Bilderschrift und Astronomie. Von den weißen Kolonisatoren (Spanier, Portugiesen, Niederländer, Franzosen, Engländer) sind viele Stämme ausgerottet worden, andere gingen in der Mischung mit Weißen auf. Für die Gesamtzahl der I. in der Zeit vor Kolumbus schwanken die Schätzungen zwischen 15 und 40 Mill., für die heutigen reinblütigen rechnet man etwa 16 Mill., davon 97% in Lateinamerika; in Mittel- und S-Amerika spielen sie als Mischbestandteil (Kreolen, Ladinos, Mestizen) eine erhebliche Rolle. Über die I. in den USA und Kanada →Reservation. Stämme: *(Nordamerika)* Algonkin, Apachen, Assiniboin, Athapasken, Creek, Crow, Dakota Delawaren, Huronen, Irokesen, Kaiowä, Komantschen, Maskoki, Mohikaner, Navaho, Pueblo, Schoschonen, Schwarzfuß, Sioux, Sonoren, Tschippewäer, Winnebago; *(Mittelamerika)* Azteken, Chorotega, Huaxteken, Maya, Misquito, Otomi, Talamanca, Tarasken; *(Südamerika)* Abipon, Araukaner, Aruak, Chibcha, Chimu, Chiquito,

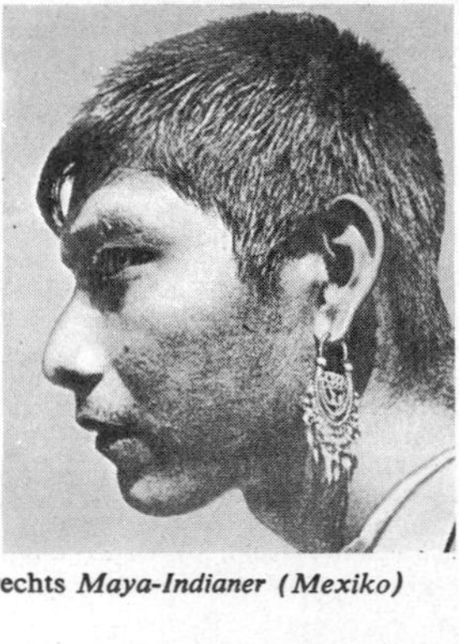

Indianer: links *Prärie-Indianer (USA)*, rechts *Maya-Indianer (Mexiko)*

Inka, Karaiben, Ona, Puelche, Tehueltsche, Tupí.

Indi'anersommer, der Altweibersommer.

Indi'anersprachen, →Amerikanische Sprachen.

Indi'anerterrit'orium, engl. **Indian Territory,** ein Gebiet der USA, das 1837 den aus dem O verdrängten Indianern »für immer« als Wohnstatt zugesichert wurde; es umfaßte die später aus ihm gebildeten Staaten Oklahoma, Kansas, Nebraska, North und South Dakota und unterstand dem Kriegsministerium (kein Territorium im staatsrechtl. Sinne). Die Verträge wurden unter dem Druck der Westbewegung der Siedler hinfällig, das Gebiet wiederholt verkleinert, bis 1889 der Rest (80000 qkm) den Weißen geöffnet und 1907 dem Staat Oklahoma angeschlossen wurde.

indi'anische Musik. Über die Musik der vorkolumbischen Hochkulturen Amerikas ist außer einigen Instrumentenfunden fast nichts bekannt. In der Musik der heutigen Indianer haben sich trotz früher, bes. in Mittel- und Südamerika wirksamer europ. Einflüsse wesentliche Merkmale erhalten. Am ausgeprägtesten sind sie in Nordamerika: die sehr pathetische, oft emphatische und im rauhen Stimmklang unverkennbare Singweise; der durch große Tonräume abwärtsgerichtete und Sprünge, bes. die Quarte, bevorzugende, oft auch fanfarenartige Melodieverlauf, mit dem meist eine Abnahme der Lautstärke parallel geht; die gleichförmige, vom Melodierhythmus vielfach unabhängige Schlagbegleitung, die auch die einzige Mehrstimmigkeitsform, den Orgelpunkt, hervorrufen kann, und Synkopenbildungen. Das ursprüngliche, heute noch vorherrschende Instrumentarium besteht aus Flöten und Trommeln, Rhythmus- und Geräuschinstrumenten verschiedenster Art. Saiteninstrumente wurden eingeführt. Kultisches Zeremoniell, z. B. der Medizinmänner, und weltlicher Tanz, Arbeit und Jagd sind Anlässe zum Musizieren. Landschaftl. Unterschiede in der Musikübung zeichnen sich am stärksten ab im Süden bei den primitiven Patagoniern und im Norden bei den – von der Schamanentrommel abgesehen – instrumentenlosen Stämmen in Eskimonähe.

Ind'ide, eine den Europiden nahestehende Menschenrasse Indiens, Hauptbestandteil der Hindus. *Merkmale:* zierlicher Wuchs; langer Kopf, hohes Gesicht, hohe, gerade Nase; braune Haut, flachwelliges dunkles Haar, dunkelbraune Augen.

'Indien, 1) im weitesten Sinn die Gesamtheit der Länder Süd- und Südostasiens: →Vorderindien, →Hinterindien, →Malaiischer Archipel.

2) amtl. indisch **Bharat,** Republik in Vorderindien, (einschließl. Dschammu und Kaschmir) 3 288 000 qkm mit (1976) 620 Mill. Ew.; Hauptstadt ist Neu-Delhi.

Landesnatur. I. nimmt den größten Teil →Vorderindiens ein mit dem Himalaya und seinen Vorbergen, der Ganges- und Brahmaputra-Ebene und der Halbinsel I. mit dem Hochland von Dekkan.

Bevölkerung. Starker Bevölkerungszuwachs: 1961–71 z. B. nahm die Einwohnerzahl um 108 Mill. zu. Um den Bevölkerungsdruck abzuschwächen, begünstigt I. die Familienplanung. Die stärkste Bevölkerungskonzentration (außer den städt. Ballungsräumen)weist die Gangesebene (über 500 Ew. je qkm), die geringste die Wüste Thar auf. Amtssprache: Hindi und Englisch, daneben Regionalsprachen.

Religion: rd. 83 % Hindus, 10 % Muslime, 2,4 % Christen, ferner Sikhs (1,8 %), Buddhisten, Dschaina, Parsen u. a.

Wirtschaft. Überwiegend Agrarland. Rund 50% der Gesamtfläche sind Ackerland (davon 7% mit mehrfachen Ernten), 70% der Bevölkerung leben von der Landwirtschaft, in der Klein- und Zwergbesitz überwiegen. Veraltete Wirtschaftsmethoden und die Abhängigkeit vom rechtzeitigen Eintreffen des Monsunregens beeinträchtigen die Produktivität. Durch künstliche Bewässerung (Pandschab, Wüste Thar) oder durch Entwässerung soll im Rahmen der Fünfjahrespläne (seit 1951) die landwirtschaftl. Nutzung (durch mehrfache Ernten) auch mit ausländischer Hilfe gesteigert werden.

Besonders ertragreich sind die Schwemmlandböden (Gangesebene, Koromandel-, Malabar-, Konkanküste). In den trockenen Gebieten (Pandschab, Mittel-I.) werden Hirse, Weizen und Hülsenfrüchte angebaut; in feuchten Landstrichen (z. B. Assam, Gangesebene, Küstenebenen, längs der Dekkanflüsse) Reis. Außerdem werden Jute entlang der Grenze zu Bangla Desh, Erdnüsse im SO, Zuckerrohr in der Gangesebene, Gewürze im SW, Mohn (Opium) und Tabak angebaut. Der Tee hat seine Hauptverbreitungsgebiete in Assam, S-Indien und am Himalayarand (größter Tee-Erzeuger der Welt), die Baumwolle auf dem Dekkanplateau. Der Viehbestand ist in I. sehr hoch (größter Rinderbestand aller Länder), jedoch von geringer wirtschaftl. Bedeutung (Tötungsverbot). Der Milchertrag je Kuh ist sehr gering. Weit verbreitet ist die Schaf- und Ziegenzucht. Die Aufforstung des Waldbestandes (20% der Gesamtfläche) wird staatlich gefördert.

Die reichen *Bodenschätze* werden zunehmend abgebaut: bes. Eisenerze (Orissa, Bihar, Madhja Pradesch, Maharaschthra, Maisur, Goa), Steinkohle (Bihar, Westbengalen, Orissa, Madhja Pradesch), außerdem Mangan, Kupfer, Chrom, Blei, Bauxit, Asbest, Gold, Erdöl, Erdgas.

Die *Industrialisierung* wurde mit ausländ. Unterstützung gesteigert. Neben der dörfl. Heimindustrie, die bes. durch Errichten von Dorfgemeinschaften (→Pantschajat) gefördert wird, und neben der traditionellen Textilindustrie (Baumwolle, Wolle, Jute, Seide, Teppiche) entstanden eine moderne Eisen- und Stahl- (Roheisengewinnung

1972: 7,2 Mill. t; Rohstahl 6,6 Mill. t) sowie chem. Industrie. Die größeren Werke sind in Staatsbesitz. Vier große staatl. Stahlwerke wurden nach der Unabhängigkeit errichtet: Bhilai, Durgapur, Rourkela, Bokaro. Bedeutend ist ferner die Erzeugung von Hochofenkoks, Benzin, Schwer- und Leichtölen sowie die Zucker-, Papier-, Zement- und Maschinenbauindustrie; außerdem hat I. u. a. Zigaretten-, Kunstdünger-, Schwefelsäure-Ind. Trotzdem lebt noch ein großer Teil aller Inder am Rande des Existenzminimums. Die Energieversorgung beruht hauptsächlich auf Wasser- und Wärmekraft.

Die *Ausfuhr* umfaßt bes. Jute-Erzeugnisse, Tee-, Baumwolle und Baumwoll-Erzeugnisse, Eisenerze, Leder, Gewürze, Tabak. Haupthandelspartner sind die Verein. Staaten, die Sowjetunion, Großbritannien, die Bundesrep. Dtl., Japan.

Verkehr. Das Eisenbahnnetz ist verstaatlicht (1970: rd. 60000 km); von den rd. 1,3 Mill. km Straßen hat rd. ein Drittel eine feste Decke. Für die Binnenschiffahrt sind Ganges und Brahmaputra von Bedeutung. Die Handelsflotte umfaßt (1974) 3,485 Mill. BRT; Haupthäfen sind Kalkutta, Bombay, Madras; internat. Flughäfen bei Kalkutta, Bombay und Delhi.

Staat. Nach der Verfassung v. 26. 1. 1950 (mit mehreren Änderungen) ist I. ein Bundesstaat im Rahmen des Commonwealth, ohne rechtl. Bindung an dieses. Staatsoberhaupt ist der vom Parlament und den Parlamenten der Staaten auf 5 Jahre gewählte Präsident; er ernennt und entläßt den Min.-Präs. und die dem Parlament verantwortl. Minister, von denen nur ein engerer Kreis Kabinettsmitglieder sind. Das Parlament besteht aus dem Staatenrat (Oberhaus, Radscha Sabha) mit höchstens 250 von den Staatenparlamenten gewählten und 12 ernannten Mitgl., und dem Haus des Volkes (Unterhaus, Lok Sabha) mit höchstens 520 vom Volk auf 5 Jahre gewählten Abg. Die Trennung der Kasten und die Rechtlosigkeit der ›Unberührbaren‹ sind offiziell aufgehoben, in der Praxis lebt jedoch das hinduist. Kastensystem weiterhin fort und erschwert die Gesundung der Wirtschaft und Sozialstruktur. Die Einzelstaaten haben eigene Parlamente und Regierungen. Die Territorien werden von der Zentralregierung verwaltet.

Wappen: TAFEL Wappen III. Flagge: TAFEL Flaggen III. Maße u. Gewichte sind (seit 1962) metrisch. Währungseinheit ist die ind. Rupie zu 100 Naye Paise.

Recht: Neben vom engl. Rechtsdenken beeinflußten Gesetzen bestehen neuere indische Gesetze und Gewohnheitsrecht. Das Sozialrecht wird bes. seit 1951 ständig erweitert. Oberster Gerichtshof in Neu-Delhi.

Bildung: Das Schulwesen, das den Einzelstaaten untersteht, ist in Entwicklung begriffen; etwa 50% der Kinder besuchen Schulen. Die Bildungsgegensätze sind groß (1971: 70% Analphabeten). In den Grundschulen wird in der Muttersprache unterrichtet, in den höheren noch meist in Englisch. 1971 gab es 70 Universitäten.

STAATEN UND TERRITORIEN

Staaten	*Territorien*
Andhra Pradesch	Andamanen und Nikobaren
Assam	Arunatschal Pradesch
Bihar	Dadra und Nagar Haveli
(Dschammu und Kaschmir)	Delhi
Gudscherat	Lakkadiven, Minikoi und Amindivi-Inseln (Lakshadweep)
Haryana	Mizoram
Himatschal Pradesch	Panjim (früher Gôa, Daman und Diu)
Karnataka	Ponditscherri
Kerala	Tschandigarh
Madhja Pradesch	
Maharaschthra	
Manipur	
Meghalaya	
Naga Pradesch	
Orissa	
Pandschab	
Radschasthan	
Sikkim	
Tamil Nadu	
Tripura	
Uttar Pradesch	
West-Bengalen	

Heer: Keine Wehrpflicht; 1970 betrug die Gesamtstärke 930000 Mann.

GESCHICHTE. Über die Geschichte bis 1947 →Vorderindien. 1947 wurde Britisch-Indien auf Grund des brit. Unabhängigkeitsges. so geteilt, daß im W die Provinzen Sind, Belutschistan und die NW-Grenz-Provinz gänzlich, von der Prov. Pandschab der größere westl. Teil an →Pakistan fielen sowie im O die östl. Hälfte der Prov. Bengalen mit den südl. Gebieten von Assam. Der neue Staat I. wurde am 15. 8. 1947 in Delhi ausgerufen; erster MinPräs. wurde Nehru. Infolge von Grenzstreitigkeiten mit Pakistan brachen sofort Unruhen aus, die über 1 Million Tote forderten und die Umsiedlung von rd. 8,4 Mill. Menschen nötig machten. Mit Errichtung der Republik (26. 11. 1949) endete das Amt des letzten engl. Generalgouverneurs (Vizekönig; Lord Mountbatten), Staatspräsident wurde Radschendra Prasad. Die bisherigen 9 Provinzen und 566 Fürstenstaaten wurden in Staaten und Unionsgebiete zusammengefaßt, nachdem im Sept. 1948 auch der Nisam von Haiderabad unterworfen worden war.

Okt. 1951/Febr. 1952 fanden die ersten Wahlen in der ind. Geschichte statt, die die Kongreßpartei unter Führung Nehrus zur herrschenden Partei machten (→Indischer Nationalkongreß). Sie stellte die Staatspräsidenten (1947–62 Prasad; 1962–67 Radhakrischnan; 1967–69 Husain; 1969–74 Giri; 1974–77 Ahmed) und MinPräs. (Nehru 1947–64; Schastri 1964–66; Indira Gandhi 1966–77).

Während es der ind. Reg. in Verhandlungen mit Frankreich gelang, Französisch-Indien mit I. zu vereinigen, ließ I. 1961 mit Waffengewalt die portugies. Gebiete in I. (Goa, Daman und Diu) besetzen.

Bei der Teilung Britisch-Indiens entstand der indisch-pakistan. Konflikt um Kaschmir, der die Beziehungen beider Länder schwer belastete. In der internat. Politik gründete Nehru die ind. Politik auf den Grundsatz der Bündnislosigkeit. I. wußte sich eine Stellung als Mittler zwischen Ost und West zu bewahren. Es spielte auf der Konferenz von Bandung (1955, →Bandung-Staaten) eine maßgebliche Rolle. Die für I. mit einer Niederlage endende chines. Invasion (1962) im östl. und westl. Abschnitt der indisch-chines. Grenze bewog die ind. Reg., die Schlagkraft der ind. Streitkräfte zu verbessern. Im Kaschmir-Konflikt (1965, →Kaschmir) zeigte sich I. dem pakistan. Angriff gewachsen. Im Vertrag von Taschkent (Jan. 1966) verzichteten unter Vermittlung der Sowjetunion I. und Pakistan auf Gewaltanwendung bei der Lösung des strittigen Kaschmirproblems. 1971 schloß I. mit der Sowjetunion einen Freundschaftsvertrag. Im selben Jahr unterstützte I. die Unabhängigkeitsbestrebungen Ostpakistans und erzwang dort im Dezember 1971 mit Waffengewalt die Errichtung des unabhängigen Staates Bangla Desh. Mit einem unterirdischen Kernwaffenversuch im Mai 1974 wurde I. Atommacht. Nach Aberkennung ihres Mandats durch Gerichtsurteil regierte MinPräs. I. Gandhi seit 1975 mit Notstand (Pressezensur, Verhaftung der Oppositionsführer u. a.). Neuwahlen im März 1977 brachten den Sieg der Janata-Partei unter M. Desai (MinPräs. bis Juli 1979); Staatspräs.: S. Reddy (Janata; Juli 1977).

I. gehört den Vereinten Nationen, den Colombo-Plan- und den Bandung-Staaten an.

'indifferent [lat.], **1)** gleichgültig. **2)** *Chemie:* keine Verbindungen eingehend.

Indigen'at [nlat.], früher Untertanschaft, Staats-, auch Ortsangehörigkeit, Heimatrecht, Gemeinderecht. Art. 3 der Reichsverfassung von 1871 führte das **gemeinsame Indigenat** ein, d. h. das Recht jedes Staatsangehörigen eines deutschen Einzelstaats, in allen anderen deutschen Einzelstaaten den Staatsangehörigen gleich behandelt zu werden. – Im *schweiz.* Recht ist I. gleichbedeutend mit Heimatrecht oder Bürgerrecht.

In|dignit'ät [lat.], Erbunwürdigkeit, →Erbe.

'Indigo [span., mhd. Endit, Indig ›indisch‹], der älteste bekannte organische Farbstoff, Hauptbestandteil des natürlichen I., der aus trop. Indigofera-Arten, aus Waid und aus Färberknöterich gewonnen werden kann. Nach seiner Synthese durch A. v. Baeyer (1880) verschwand der natürliche I. vom Markt. Azo- und Schwefelfarbstoffe haben auch den synthet. I. verdrängt.

Indigo|l'ith [Kw.], blauer Turmalin.

Indikati'on [lat. Kw.], **1)** Anzeichen, Merkmal. **2)** die →Heilanzeige.

'Indikativ [lat. Kw.], Wirklichkeitsform des Zeitworts.

Indik'ator, 1) Gerät zum Aufzeichnen des Druckverlaufs in den Zylindern von Kolbenmaschinen. Das erhaltene *I.-Diagramm (Druck-Weg-Diagramm)* ist eine geschlossene Linie; die von ihr eingeschlossene Fläche entspricht der Arbeit während eines vollen Kolbenwegs. – Zur Aufnahme rasch wechselnder Drucke, z. B. in Verbrennungsmotoren, verwendet man *piezoelektrische I.* Die Spannung wird einer Kathodenstrahlröhre zugeführt und auf ihrem Schirm sichtbar gemacht oder auf einem lichtempfindlichen Papierstreifen aufgezeichnet. **2)** Farbstoff, der den Verlauf einer chem. Reaktion durch einen kennzeichnenden Farbumschlag anzeigt. Es gibt Neutralisationsindikatoren (Methylorange, Methylrot, Phenolphthalein u. a.), Redoxindikatoren (Diphenylamin, o-Phenanthrolin-Eisen-Komplex u. a.), Adsorptionsindikatoren (Eosin, Fluoreszein u. a.), Fluoreszenzindikatoren (Eosin, α-Naphthylamin u. a.), Tüpfelindikatoren. **3)** →Isotopenindikatoren.

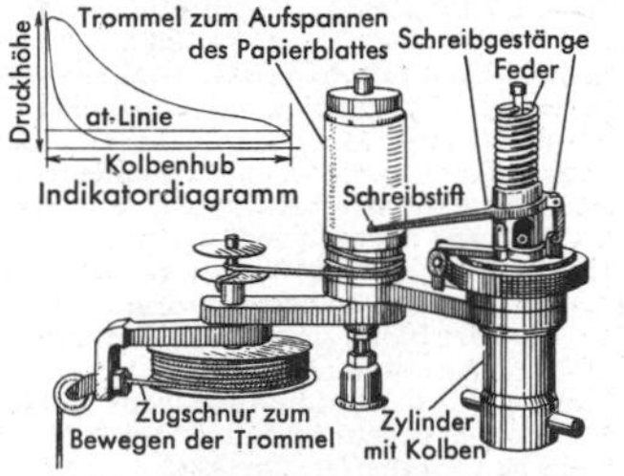

Indikator (in der Technik)

Indikator-Aktivierungsmethode, ein chem. Analysenverfahren, bei dem ein Stoff mit einem Indikator in chemisch kaum nachweisbarer Menge versetzt wird (Mangan, Silber, seltene Erden), der durch Neutronenstrahlen leicht radioaktiv gemacht werden kann. Nachdem der Stoff sich wie gewünscht verteilt hat, entnimmt man Proben, die im Laboratorium einem Neutronenstrom ausgesetzt (aktiviert) und auf ihre Eigenstrahlung untersucht werden.

Indik'atrix [lat. Kw.], die Verzerrungsellipse (→Kartennetzentwurf).

Indikti'on [lat.], ein seit dem 4. Jh. n. Chr. zur Datierung verwendeter Zeitraum von 15 Jahren. Die einem Datum beigefügte *I.* (auch *Römerzinszahl*) zeigte das Jahr des Zyklus an.

'Indio [span.], →Indianer.

'in|direkt [lat.], mittelbar, Zwischenglieder erfordernd.

'indirekte Rede, →Rede.

'indirekte Steuern, Steuern, die den Steuerträger mittelbar, d. h. im Wege der Steuerüberwälzung treffen. So werden z. B. die meisten Verbrauchsteuern vom Erzeuger oder Händler erhoben, jedoch über den Verkaufspreis vom Verbraucher getragen.

Indische Kongreßpartei, →Indischer Nationalkongreß.

indische Kultur, hierzu ÜBERSICHT Seite 135–137.

indische Kunst, hierzu ÜBERSICHT Seite 137–141.

indische Lammfelle ähneln in ihrer Lokkung den →Persianern oder den →Salzfellen, haben jedoch stumpferes Haar. Die besten Qualitäten sind **Multan** (Pakistan) und **Nasutschka.** Braun, grau und schwarz gefärbt sind sie beliebtes Mantel- und Besatzmaterial.

indische Philosophie, hierzu ÜBERSICHT Seite 141.

indische Religionen, →Brahmanismus, →Hinduismus, →Dschaina, →Buddhismus, →Sikhs.

Indischer Nationalkongreß, engl. **Indian National Congress,** eine 1885 in Bombay gegründete Vereinigung ind. Intellektueller, die sich nach 1916, bes. unter Gandhi und seinem Schüler Nehru, zur stärksten und bestorganisierten polit. Partei Indiens entwickelte *(Kongreßpartei)*, getragen seit 1929 vom Willen zur Unabhängigkeit Indiens (»swaradsch«) durch Gewaltlosigkeit (»nonviolence«), Nichtbeteiligung an der behördl. Arbeit (»non-cooperation«) und durch bürgerl. Ungehorsam (»civil disobedience«) gegen Maßnahmen der brit. Verwaltung. Seit 1941 war die Mehrheit des I. N. zur Zusammenarbeit mit Großbritannien bereit bei Zubilligung der Selbstregierung, während der Vorwärtsblock unter S. T. Bose an der Seite der Achsenmächte stand. 1942 waren Gandhi, der die Räumung Indiens forderte, und alle maßgebenden Mitgl. des I. N. vorübergehend verhaftet. Die 1946 von der ind. Verfassunggebenden Versammlung gewählte Regierung Nehru bestand ausschließlich aus Mitgl. des I. N. Unter dem Druck der →Moslem Liga stimmte dieser 1947 der bisher scharf abgelehnten Teilung Indiens zu. 1951–67 hatte die Partei in beiden Häusern des Parlaments und in den meisten Länderparlamenten die große Mehrheit. Ende 1969 kam es zu einer Spaltung der Partei. Der linke Flügel um Indira Gandhi, die »Neue Kongreßpartei«, errang bei den Parlamentswahlen im März 1971 die Zweidrittelmehrheit. Nach der Wahlniederlage von 1977 wurde B. Reddy Führer der Partei, trat aber nach dem großen Wahlsieg des »Indira-Kongresses« (des unter der ehem. Ministerpräsidentin abgespaltenen Parteiflügels) in Karnataka im Febr. 1978 zurück.

Indischer Ozean, das kleinste der drei Weltmeere, zwischen Asien (N), Afrika (W), Australien (O) und der Antarktis (S) gelegen, ist 75 Mill. qkm groß einschließlich des Arabischen Meeres (mit den Golfen von Oman und Aden), des Pers. Golfs, Roten Meers, Bengal. Meerbusens, der Andamanen-, der Timorsee und der Gr. Austral. Bucht. Das Bodenrelief zeigt westlich der von N nach S verlaufenden *Zentralindischen Schwelle* eine Reihe von Erhebungen, auf denen Inselschwärme, z. T. als Korallenbauten, emporragen (Madagaskar und Komoren; Maskarenen, Amiranten und Seychellen; Tschagos-Inseln und Lakkadiven/Malediven; Crozet-Inseln und Kerguelen); die östliche Hälfte des I. O. hat zwei Mulden von 5000 m und größerer Tiefe: das Indisch-Austral. Becken (mit dem Sundagraben, 7500 m tief) und die Südaustral. Mulde; südwestl. von Java liegen die Weihnachts- und die Gruppe der Kokosinseln. – Der I. O. liegt innerhalb der Tropen und Subtropen, nur im S gehört er der gemäßigten und subpolaren Zone an. Im nördl. Teil beherrscht der Wechsel von NO-Monsun zu SW-Monsun sowohl das Klima wie die Meeresströmungen (Monsundrift und äquatorialer Gegenstrom). Der Monsunwechsel bewirkt eine jahreszeitl. Verlagerung des Wärmeäquators des Oberflächenwassers von 0–10° s. Br. (Februar) nach 10–12° n. Br. (Mai); trop. Wirbelstürme treten im Sommer häufiger im Gebiet der Maskarenen auf. Im S bleiben die Zone des SO-Passates sowie die des Westwindes einigermaßen beständig. Ein geschlossener Strömungskreis ist ausgebildet: der Südäquatorialstrom setzt sich vor der Küste SO-Afrikas im Mosambik- und Agulhasstrom fort; dann treibt die Westwinddrift den Westaustral. Strom nordwärts.

LIT. Th. Stocks: Zur Bodengestaltung des I. O. (1960).

Indisches Korn, *Sorghum*, eine →Hirse.

Indische Vogelnester, eßbare Nester von →Salanganen.

'indiskret [lat.], nicht verschwiegen, aufdringlich-laut. **Indiskreti'on,** Vertrauensbruch.

Indiskreti'onsdelikt, die öffentl. Behauptung oder Mitteilung herabsetzender Tatsachen aus dem Familien- oder Privatleben, die das öffentl. Interesse nicht berühren. Das dt. StGB kennt den Begriff des I. nicht. Seine Einführung wird in der strafrechtl. Reformbewegung seit langem gefordert. Das *österr.* StGB (§ 111) bestraft wegen Beleidigung mit Arrest bis zu 6 Monaten ohne Rücksicht auf die Wahrheit der Mitteilung denjenigen, der in Druckwerken, verbreiteten Schriften oder ohne Nötigung ehrenrührige Tatsachen des Privat- oder Familienlebens öffentlich bekanntmacht. Nach dem *schweizer.* StGB (Art. 173) ist bei der »Üblen Nachrede« der Wahrheitsbeweis nicht zugelassen, wenn die ehrenrührigen Äußerungen sich auf das Privat- oder Familienleben beziehen oder vorwiegend in der Absicht erfolgt sind, jemandem Übles vorzuwerfen und der Wahrheitsbeweis nicht im öffentl. Interesse liegt.

indiskut'abel [lat. Kw.], keiner Erörterung wert.

'indisponiert [lat. Kw.], unpäßlich, nicht in Form.

indisput'abel [lat. Kw.], unstreitig.

'Indium, chem. Element, Zeichen **In,** Ordnungszahl 49, Massenzahlen 115, 113,

Fortsetzung des Alphabets Seite 141

Die älteste Hochkultur Indiens war die →Induskultur, die mit Sumer in Verbindung stand. Ihren Untergang verursachten vielleicht die in der 2. Hälfte des 2. Jahrtausends v. Chr. eindringenden Arier, eine kriegerische bäuerliche Bevölkerung, bei der Viehzucht und Ackerbau hoch entwickelt waren. Neben dem Rind war das Pferd als Zugtier für den Streitwagen und als vornehmstes Opfertier von großer Wichtigkeit. Aus den religiösen Vorstellungen entstand die wedische Religion (→Weda). In den Rigweda-Hymnen zeigen sich die ersten Anfänge des Kastenwesens (→Kaste).

Im Laufe von Jahrhunderten breitete sich diese indisch-arische Kultur über ganz Indien aus, wobei im N fast die gesamte Bevölkerung indoarische Sprachen annahm, während im S die drawidischen Sprachen und auch Reste einer drawidischen Kultur sowie vereinzelt primitive Kulturen bis in die Gegenwart erhalten blieben. Um 500 v. Chr., zur Zeit der großen religiösen Erneuerer Mahawira (→Dschaina) und Buddha, war diese Entwicklung im wesentlichen abgeschlossen. Im Gangesgebiet führten im 5./4. Jh. v. Chr. kriegerische Auseinandersetzungen zur Bildung eines ersten indischen Großreichs (Maurja-Dynastie, bes. König →Aschoka), das aber Ende des 3. Jhs. v. Chr. schon wieder zerfiel. Eine eigenartige Mischkultur mit hellenistischem Einfluß entstand alsdann im nordwestl. Grenzland →Gandhara.

Im Laufe des 1. Jahrtausends verlor der →Buddhismus in Indien an Boden; zuletzt erlag er in Bengalen im 12. Jh. dem Islam. Die zweite Entwicklungsstufe der indischen Religion, der →Brahmanismus, hing nur noch durch die Überlieferung mit der wedischen Religion zusammen. Das Kastenwesen wurde sehr verwickelt. In den Städten, zumeist fürstlichen Residenzen, wuchs eine geldmächtige Kaufmannschaft, darunter waren viele Dschaina-Laien, denen die Religion die Ausübung anderer Berufe versagte.

Der Einbruch des Islam im 11./12. Jh. zerstörte in weiten Gebieten die einheimische Kultur. Im Gebiet der Radschput-Fürsten und in S-Indien ist die Entwicklung aber ziemlich ungestört geblieben, anderwärts, wie im Gangesgebiet und im westl. Bengalen, hat das Volk an seinen Überlieferungen festgehalten. Versuche einer Verschmelzung indischer und islam. Kultur scheiterten.

Bedeutend sind die Leistungen der Inder in der Grammatik (Lehrbuch von Panini, um 350 v. Chr.) und Mathematik. Sie haben die »arabischen« Zahlen, die Bestimmung des Zahlenwerts durch die Stellung und den Begriff Null erfunden. Sie besaßen eine beachtenswerte Chirurgie und Kenntnis der Heilpflanzen. Naturkunde, Geographie, Geschichte wurden nicht gepflegt. Dagegen besitzen die Inder im Arthaschastra des Kautilja ein umfangreiches Rechtswerk. Die bildungsmäßige Europäisierung der Oberschicht im 19. Jh. hat die Kluft zu den bildungslosen bäuerlichen Massen zunächst noch verbreitert. Erst die kulturelle Bildung der Massen mildert allmählich diesen Gegensatz. Das wirtschaftliche und soziale Gefüge der Kastenordnung verändert sich rasch. Die überlieferten religiös-rituellen Schablonen bieten keine Handhabe zur Lösung dringender sozial- und kulturpolit. Aufgaben.

Schrift

Die indischen Schriften umfassen die etwa 200 verschiedenen Alphabete der brahman. und buddhist. Völker Indiens, Mittel- und Südostasiens und der Sundainseln. Außer der *Kharoschthi-Schrift*, die sich zwischen 250 v. Chr. und 100 n. Chr. in NW-Indien findet und von der aramäischen Schrift abstammt, gehen sie alle auf ein Uralphabet zurück, dessen älteste Gestalt die *Brahmi-Schrift* ist. Ihre Erfindung schreiben die Inder dem Gott Brahman zu, ihr Ursprung ist strittig. Um 250 v. Chr. war sie schon über ganz Indien verbreitet. Aus der Brahmi-Schrift leiten sich zwei Gruppen von Schriften ab. Zur nördlichen zählen die *Nagari-Schrift*, die in der auch *Dewangari* genannten Form fast ausschließlich zum Schreiben und Drucken des Sanskrit benutzt wird, ferner die *Pali-Schriften*. Zur südlichen Gruppe gehören im wesentlichen die Schriften der nichtarischen Sprachen Südindiens.

Sprache

Die indischen Sprachen sind im weitesten Sinne alle auf ind. Boden gesprochene Sprachen: die Drawidasprachen (→Drawida), Mundasprachen (→Mundavölker) und die dem arischen Zweige des indogermanischen Sprachstammes angehörigen Sprachen Indiens; im engeren Sinne nur: Altindisch (→Sanskrit), Mittelindisch (→Pali, →Prakrit), Neuindisch.

Literatur

Indische Literaturen, Sammelname für die auf indischem Boden entstandenen Literaturen, →Weda, →Sanskrit, →Pali, →Prakrit, →Bengali, →Gudscherati, →Hindi, →Hindustani, →Marathi, →Kannada, Tamili-Literatur (→Tamilen).

Theater

Das indische Theater wurzelt in religiösen Tanzdramen. Aus Schattenspielen, die neben den Marionettenspielen für das indische Theater große Bedeutung haben, entwickelte sich das Kunstdrama, das unter Kalidasa um 500 n. Chr. seinen Höhepunkt erreichte. Besonderer Wert wurde auf

Mimik und Dekor der Schauspieler gelegt, von deren symbolischen Kostümen eine bestimmte Empfindung ausging. Unter der Vorherrschaft der Muslims verfiel das klassische Theater, aber das Volksdrama lebte weiter. In der zweiten Hälfte des 19. Jhs. begann das indische Theater auch zeitgenöss. Themen zu behandeln (soziale Zustände, Nationalbewegung).

Musik

Die indische Musik, in ihren Anfängen aus regionaler Volksmusik entwickelt, erlebte im 1. Jahrtausend n. Chr. eine Hochblüte an den Höfen aristokrat. Mäzene. Sie wurde bereits von vorchristl. Zeit auf ihre magisch-psychischen Wirkungen und ihre physikal. Gesetze untersucht und in einer Musiklehre *Sangitashastra* erfaßt. Unter der Fremdherrschaft ging die ind. Musikkultur zurück. Heute wird sie als Nationalkunst staatl. neu gefördert.

Unter ind. Kunstmusik versteht man bes. die nordindische, die rein modal und monophon ist. Entscheidend ist die Wiedergabe der exakten Höhe aller Töne, von der Tonika *(graha)* aus gemessen. Dieser Grundton wird daher dauernd auf dem Instrument selbst oder auf einem Begleitinstrument mitgespielt. Aus diesem Prinzip ergibt sich eine Klassifizierung der ind. Musikinstrumente in Melodie-Instrumente, wie *Vina*, *Sitar*, *Nagasara*, und in Summinstrumente, die lediglich die Tonika oder zusätzlich Oktave und feststehende Quinte wiedergeben, wie *Tanpura*, *Jektar*, *Dotar*, *Nosbug*; eine 3. Gruppe bilden die melodieunterstreichenden Instrumente für vokale Musik, wie *Sarangi*, *Esraj*, eine 4. die Schlaginstrumente, die gewöhnlich auf die Quinte abgestimmt sind und den Rhythmus bestimmen, wie *Mridanga*, *Tabla*, *Nagara*.

Schon vor 500 v. Chr. kannte die indische Musik die heptaton. Grundskala *(shuddha)*, deren Intervalle *(shrutis)* bestimmten Tierstimmen, Farben und Stimmungen entsprechen, so die Oktave dem Pfau, die Terz der Ziege, die Quart dem Reiher usw. Durch die Erhöhung und Erniedrigung wurde die diaton. Skala zur chromat. von 12, zur enharmonischen von 22 Tönen erweitert. Notiert werden die 7 Grundtöne *sa* (C), *ri* (D), *ga* (E), *ma* (F), *pa* (G), *dha* (A), *ni* (H) mit den entsprechenden Nagari-Buchstaben auf der mittleren von 3 Linien, erhöhte Intervalle auf der oberen, erniedrigte auf der unteren Linie. Ein Punkt über der Linie bedeutet höhere, unter ihr niedere Oktavsetzung. Die Zeiteinteilung beruht auf *Matras* (3 matras = 1 Pulsschlagdauer; es gibt Noten von 4, 2, 1, $^1/_2$, $^1/_4$, $^1/_8$ matras). Den Rhythmus *(tala)* prägt sich der Trommler durch mnemotechn. Silben *(bols)* ein, die den verschiedenartigen Trommelschlägen entsprechen.

Die chromatische Skala ist in 2 Tetrachorde eingeteilt; durch Kombination jeder der unteren 2×6 Vierernotengruppen mit jeder der oberen 6 Gruppen ergeben sich 72 vollständige Tonleitern *(melas)*, die die Grundlage der *Ragas* bilden. Im Gegensatz zur klass. nordind. Musik entwickelte Bengalen aus den Volksweisen einen melodiösen Stil, in dem die Lieder Rabindraanath Tagores gestaltet sind. Im drawidischen Süden entfaltete sich aus der balladesken Tradition unter Einfluß klass. Regeln aus dem Norden das Melo-Tanzdrama, das die Plastik und Architektur in die Musik einbezog (Musikpfeiler der Tempel von Madurai, Trivandrum u. a., tönende Stufen am Cholatempel von Darasuram).

Tanz

Der indische Tanz entwickelte sich als Kunstform aus örtlichen Volkstänzen. Nach der Überlieferung wurde er von Brahma aus dem Rigveda abstrahiert. Sein Patron ist Schiwa als *Nataraja*, der dem Tanz die männliche Ausdrucksform *(tandava)* gab; seine Gattin Parwati schuf die weibliche Stilform *lasya*. Von den vier Stilen hält sich **Bharat Natyam** eng an den Sanskrittext *Natya Shastra* (100 n. Chr.), in dem die 13 Bewegungen des Kopfes, 9 der Augen, 9 des Nackens, 10 der Füße, 5 Arten von Sprüngen, 8 Haltungsweisen und 24 *Mudras* beschrieben sind. Sie alle symbolisieren festgelegte Begriffe und erhalten im Zusammenspiel von Körper und Gliedern in Figurenfolgen *(adaus)* übertragene und abstrakte Bedeutung. Der Tanz, früher Privileg der Tempel-Vestalinnen *(dewadasis)*, wird heute bes. in der Tanzschule *Kalakschetra* in Adyar gepflegt. Die Begleitung bilden *Mridanga*, Saitenspiel und ein Sänger, der den Takt schlägt und die rhythmischen Silben *(bols)* rezitiert. Das Kostüm besteht aus Schmuck, Brokathosen, einem 9 m langen Sari und einer Schärpe. Der Tanz dauert über 4 Stunden und umfaßt *Alarippu*, Anrufung, *Jatisvaram*, Interpretation eines Musikstückes moderato, *Sabdam*, eine Hymne, deren Worte durch Mudras aufgezeigt werden, *Svarajati*, ein Thema mit Kadenzen, *Varnam*, Variationen einer Melodie in verschiedenen Tempi und Mudras, *Javali*, Ehrung einer Person, *Padam*, Verherrlichung der Liebe Schiwas und Parwatis, und *Tillana*, Finale in Presto. – **Kathakali**, das südindische Masken-Tanzdrama, wird von Männern vor dem Tempel aufgeführt; es dauert eine Nacht lang. Mudras und Gestentechnik weichen vom Bharat Natyam ab. Die Begleitung bilden Trommel, Saiteninstrument und 2 Sänger, die den Dialog ausführen. – Der nordindische **Kathak**, Eigentum der gleichnamigen Musikerkaste, war von jeher rein unterhaltend (Aufführung bei Hochzeiten usw.). Der Rhythmus der Musikinstrumente *Dhol* und *Majira* wird durch das Auftreten mit den Füßen, die mit Glocken *(ghunghuru)* geschmückt sind, betont. – Der ostindische **Manipuristil** schließlich verherrlicht Szenen aus dem Leben des Schäfergottes Krischna. Die Tänzer tragen prunkvolle Kostüme mit Brokat und Spiegelarbeit.

LIT. R. C. Majumdar (Hg.): The History and Culture of the Indian People, 2 Bde. (1951); Chr. v. Fürer-Haimendorf u. E. Waldschmidt in: Historia Mundi, 2 (1953). – C. Sachs: Die Musikinstrumente Indiens und Indonesiens ([2]1923); S. Bandopadhyaya: The Music of India (Bombay 1951); Das indische Musiksystem, in: Bull. d. Ind. Botschaft Bonn, 8 (Sept. 1953). – Schallplatte: Alain Daniélou (Hg.): Anthologie de la Musique Classique de l'Inde.

INDISCHE SCHRIFT

I	II	III	IV
Vokale	a		अ
	ā		आ
	i		इ
	ī		ई
	u		उ
	ū		ऊ
	ṛ	ri	ऋ
	ṝ	ri	ॠ
	ḷ	li	ऌ
	ḹ	li	ॡ
Diphthonge	e		ए
	ai		ऐ
	o		ओ
	au		औ
Gutturale	ka		क
	kha		ख
	ga		ग
	gha		घ
	ṅa	nga	ङ

I	II	III	IV
Palatale	ca	tscha	च
	cha	tschha	छ
	ja	dscha	ज
	jha	dschha	झ
	ña	nja	ञ
Zerebrale	ṭa	ta	ट
	ṭha	tha	ठ
	ḍa	dha	ड
	ḍha	dha	ढ
	ṇa	na	ण
Halbvokale	ya	ja	य
	ra		र
	la		ल
	va	wa	व

I	II	III	IV
Dentale	ta		त
	tha		थ
	da		द
	dha		ध
	na		न
Labiale	pa		प
	pha		फ
	ba		ब
	bha		भ
	ma		म
Zisch- u. Hauchlaute	śa	scha	श
	ṣa	scha	ष
	sa		स
	ha		ह
	ḷa	la	ळ

Vokalbezeichnung der Dewanagari-Schrift: का kā, कि ki, की kī, कु ku, कू kū, कृ kṛ, कॄ kṝ, कॢ kḷ, के ke, कै kai, को ko, कौ kau. Vokallosigkeit am Wortende wird durch einen schrägen Strich (Wirama) ausgedrückt, z. B. जगत् jagat „Welt".

Treten Konsonanten ohne Vokal unmittelbar nebeneinander, so werden sie in der Schrift verbunden (Ligaturen).

I *Lautarten*, II *wissenschaftl. Umschrift*, III *volkstüml. Umschrift (sofern sie von der wissenschaftlichen abweicht)*, IV *Dewanagari-Schrift*

INDISCHE KUNST

TAFELN Seite 138/139

Die Kunst stand im Dienst der drei großen Religionen (Buddhismus, Brahmanismus, Dschainismus). Aus ihren Werken spricht glühende Sinnlichkeit und höchste Durchgeistigung. Ihre Mittel sind von monumentaler Gebundenheit und zugleich von üppigem Reichtum, der die Kräfte des Lebens als Ausdruck göttlichen Wirkens verkörpert. Wenn die Entwicklung der i. K. auch zeitweilig durch fremde Einflüsse bestimmt wurde, iranische, hellenistische (→Gandhara) und persisch-islamische, hat sie doch bis in die jüngste Zeit ihre Eigenart bewahrt. Koloniale Sonderstile entwickelten sich in

1

2

3

4

1 *Löwenkapitell der Aschoka-Säule in Sarnath; 3. Jh. v. Chr.* **2** *Fromme Arhats und Mönche auf einer frühen Wandmalerei in Adschanta.* **3** *Nordtor vom großen Stupa in Santschi; 2. Jh. v. Chr.* **4** *Fisch-Inkarnation des Wischnu; Steinplastik, 10. Jh., vom Daschavatar-Tempel (Garhwa bei Allahabad)*

1

2

3

4

1 *Teilansicht des Lingaraja-Tempels in Bhuwaneschwar; 11. Jh.* **2** *›Schöne, einen Liebesbrief schreibend‹, Plastik im Tempelbez. von Bhuwaneschwar in Orissa; 11. Jh.* **3** *Tanzender Schiwa, Bronze; 10.–13. Jh. (Zürich, Mus. Rietberg).* **4** *Torturm eines Tempels in Madura (Madras); 17. Jh.*

Birma, Siam, Indochina und Java. Indische Einflüsse wirkten in der Kunst Ostturkestans fort und erreichten mittelbar oder unmittelbar China, Korea und Japan.

Die Geschichte der i. K. kann in folgende Epochen gegliedert werden:

Induskultur, etwa 3000–2000 v. Chr., durch die Ausgrabungen von John Marshall in →Mohendscho-Daro (unteres Industal) und Harappa (Pandschab) bekannt, eine hochentwickelte Stadtkultur, die Beziehungen nach Mesopotamien und dem dravid. Indien erkennen läßt.

Indo-arische Epoche vom Beginn der arischen Einwanderung bis etwa 300 v. Chr., Kunstwerke sind nur in Spuren erhalten, aber durch Beschreibungen bekannt.

Frühzeit, 4.–1. Jh. v. Chr. Neben Formen einheim. Tradition zeigen sich westasiat., bes. pers.-achämenidische Einflüsse. Es entwickelte sich eine lebensfrohe Kunst buddhist. Inhalts; urwüchsige Erscheinungen autochthon. Glaubens wie Naturgeister (Jakschas), Baumgeister, Fruchtbarkeitssymbole belebten die Kunst mit frischem Naturalismus und elementarer Erotik. Buddha wurde noch nicht in menschl. Gestalt, sondern durch Sinnbilder dargestellt.

Klassische Zeit, 1.–9. Jh. n. Chr. Sie läßt sich einteilen in eine frühklass. Periode (1.–2. Jh.), die klass. Periode (3.–6. Jh.) und eine spät- und nachklass. Periode (7.–9. Jh.). In dieser Zeit entstanden die ersten erhaltenen Freibauten, das Buddhabild und die typ. Formen brahman. Götterbilder. In der Plastik der spätklass. Zeit (Mamallapuram und Elephanta) wurden kosmische Gedanken dramatisch gestaltet.

Mittelalterliche Zeit, 10.–19. Jh. In ihr entwickelten sich die nord- und südind. Stile des Tempelbaus. Im Norden brach die reinind. Tradition zur Zeit der mohammedan. Eroberungen ab; im Süden, wo zu Anfang der Epoche großartige Bronzewerke entstanden, bestand sie bis ins frühe 19. Jh. Angeregt durch die Mogulmalerei und wiederauflebende Wischnu- und Krischna-Kulte, erblühte in Nordindien die Radschput-Malerei, die in Bergtälern des Himalaja bis zur Mitte des 19. Jhs. fortlebte.

19. und 20. Jahrhundert. Die Zeit wird durch fremde Einflüsse und die ihnen entgegenwirkenden Erneuerungsbestrebungen bestimmt. In der Gegenwart gibt es wieder eine eigentlich i. K., die an die nationale Tradition anknüpft.

Baukunst

Von den Städten der Induskultur sind Ziegel-, doch keine Monumentalbauten bekannt. Die ältesten in Stein errichteten Werke sind, abgesehen von vorgeschichtl. Dolmen, die Gesetzessäulen der Aschoka-Zeit mit Glockenkapitellen und Tierfiguren. Die ersten Bauwerke des Buddhismus sind Stupas, große Kultmale, die sich meist halbkugelförmig über einem Sockel erheben und von einem steinernen Zaun mit vier Toren umgeben sind. Aus dem 3. Jh. v. Chr. sind die Stupaanlagen in Santschi und Sarnath erhalten. Buddhist. Tempel (Tschaitja) und Klöster (Wihara) wurden als Höhlenbauten in Fels gehauen wie die Tschaitja-Halle zu Karli (bei Bombay), ein dreischiffiger, tonnengewölbter Raum mit Apsis (1. Jahrtausend v. Chr.). In den folgenden Jahrhunderten entstanden die großen Höhlentempel in Adschanta, Ellora und Elephanta. Frei aus dem Fels gemeißelt ist der Kailasa-Tempel in Ellora (um 700 bis 1000). Die ältesten aufgemauerten Tempel, die aus der frühen Gupta-Zeit stammen (4.–7. Jh.), sind rechteckige, flachgedeckte Zellen mit Säulenvorhalle (so in Santschi). Durch die Vervielfältigung der horizontalen, zu immer größeren Höhen übereinandergeschichteten Bauteile entstanden mächtige Tempeltürme, im N von meist ausgebogenem Umriß und von Bildwerken überwuchert (Brahmanentempel zu Bhuwaneschwar in Orissa, 8. bis 13. Jh., zu Khadschuraho in Bundelkhand, 11. Jh.; Dschainatempel zu Palitana u. a. im westl. Indien), im S mit geradem Umriß und pyramidenartig in Stockwerken aufsteigenden Wänden (Ufertempel zu Mamallapuram, Tempel zu Kantschi, 7./8. Jh., Tandschur, um 1000, Madura, 17./18. Jh.). Sonderstile bildeten sich in den einzelnen Landschaften aus, z. B. im Dekkan, wo turmlose Tempel auf sternenförmigem Grundriß gebaut wurden.

Plastik

Von der Plastik der Induskultur wurden außer Tonsiegeln, deren Menschen- und Tierdarstellungen auf mesopotamische Vorbilder zurückgehen, Terrakotta- und Bronzefiguren gefunden, die bereits indisch wirken. In der Aschoka-Zeit entstanden unter persischem Einfluß Steinskulpturen von Tieren, so bes. das Löwenkapitell im Museum zu Sarnath (heute das Staatswappen Indiens). Der Frühzeit der rein indischen Bildhauerkunst gehören die Reliefs an den Toren und Zäunen der Stupas an (bes. in Santschi und Barhut), die in Szenen aus der Buddhalegende Gelegenheit zu Darstellungen aus dem indischen Leben boten. Buddha selbst, den man anfänglich durch Symbole versinnbildlichte, wurde erst seit dem 1. Jh. n. Chr. von der hellenistisch-indischen →Gandhara-Kunst und in Mathura dargestellt, wo jahrhundertelang die größte Bildhauerwerkstatt Indiens bestand. Am reichsten entfaltete sich die Plastik in den Höhlenskulpturen von Ellora, Badami und Mamallapuram. Der riesige dreigesichtige Kopf des Schiwa in Elephanta (um 700) gehört zu den erhabensten Werken der i. K. In der Überfülle der die äußeren und inneren Tempelwände bedeckenden Skulpturen, die in der Spätzeit immer formelhafter wurden, verlor sich schließlich das einzelne Kunstwerk. Die Bronzeplastik entwickelte sich zu hoher Blüte im südl. Indien (10.–13. Jh.), wo vor allem Darstellungen des tanzenden Schiwa entstanden.

MALEREI

Die Hauptwerke der Frühzeit sind die seit dem 1. Jh. n. Chr. entstandenen Fresken der Felsentempel in Adschanta, die Wände und Pfeiler der Höhlen mit Darstellungen aus der Buddhalegende bedecken. Adschanta war bis ins 7. Jh. der Mittelpunkt der klass. Malerei. Aus der gleichen Zeit stammen die Bilder an den Felswänden in Sigirija (Ceylon). Unter den Mogulkaisern blühte seit dem 16. Jh. die auf persische Quellen zurückgehende Miniaturmalerei, in der sich bald heimische Züge durchsetzten. Die Miniaturen der Radschasthani-Schule stellen vor allem Szenen aus der Krischna-Legende dar, die zugleich musikalische Weisen verbildlichen. Nachdem die Malerei unter europ. Einfluß ihre Bedeutung verloren hatte, setzte im 19. Jh. eine Erneuerungsbewegung ein, die an die heimische Überlieferung anknüpfte.

Das *Kunsthandwerk* ist von unerschöpflicher Vielfalt. Eigenartige Verfahren wurden bes. in der Kunst der Metallbearbeitung (Gold- und Silbereinlagen in Schwarzmetall und Stahl; Goldemailarbeiten) und des Webens und Färbens von Stoffen entwickelt.

LIT. E. Diez: Die Kunst Indiens (1926); L. Bachhofer: Die frühind. Plastik, 2 Bde. (1929); Indien, Bilder aus den Ajanta-Felsentempeln (Unesco Sammlung der Weltkunst 1954), Ceylon, Tempelbilder u. Felsmalereien (ebd. 1957); Stella Kramrisch: Ind. Kunst (London 1955); H. Rau: Die Kunst Indiens (1959); H. Goetz: Indien (Kunst der Welt, ²1960); L. Frédéric: Indische Tempel und Skulpturen (dt. 1962).

INDISCHE PHILOSOPHIE

Die Philosophie entwickelte sich in enger Verbindung mit der Religion des Buddhismus. Ihre Anfänge sind bis zu den Hymnendichtungen der Weden zurückzuverfolgen (→Weda). Als philosophische Schriften können jedoch erst die seit 800 v. Chr. entstandenen →Upanischaden gelten, in denen die Wesensgleichheit der Einzelseele (Atman) mit dem ewigen Weltgeist (Brahman) gelehrt wird. In der klass. Zeit von 500 vor bis 1000 n. Chr. kam es im Kampf mit den Materialisten (Tscharkawa) und Skeptikern sowie den neu entstandenen Religionen des Buddhismus und Dschainismus zur Ausbildung der sechs Systeme der i. Ph.: Der *Wedanta* gab den Gedanken der Upanischaden systematische Form in den Brahmasutras (1. Jh. n. Chr.), nach denen die Einzelseelen aus dem Brahman hervorgehen und sich mit ihm wieder vereinen, ohne ihre Individualität aufzugeben, wenn sie durch die Erkenntnis und Gottesliebe die Erlösung erlangt haben. Schankara (9. Jh.), der als größter Philosoph der Brahmanen gilt, gab dieser Lehre eine Umdeutung. Hiernach kann das Brahman, da es ewig ist, keine Teile haben und keiner Entfaltung unterliegen. Jede Einzelseele ist somit das unteilbare Brahman selbst und alle Vielheit nur Schein (Maja). Die Erkenntnis des Einsseins mit dem Allgeist hebt die Voraussetzungen für eine individuelle Wiederverkörperung auf und gibt die Erlösung. Das *Sankhja* entwickelte im 1. Jh. n. Chr. ein atheistisches, streng dualistisches System, das einen unüberbrückbaren Gegensatz zwischen der Urmaterie, aus der alles Stoffliche hervorgeht, und den Einzelseelen annimmt. Erlösung wird durch die Erkenntnis möglich, daß die Verbindung zwischen den Einzelseelen und der Materie eine nur scheinbare ist. Die *Mimamsa* beschäftigt sich vor allem mit Erklärungen des Opferwesens. Der *Joga* lehrt praktische Methoden geistiger Konzentration, um durch völlige Herrschaft über den Körper den Geist zu befreien. Er schloß sich Theorien des Sankhja an, nahm aber die Vorstellung von einem persönlichen Gott auf. Das *Waischeschika* und der *Njaja*, die sich durch scharfsinnige logische Unterscheidungen auszeichnenden jüngsten Systeme, die später zu einem Ganzen verschmolzen, lehren einen persönlichen, von der Welt verschiedenen Gott, der die Seelen und Atome lenkt.

LIT. S. N. Dasgupta: A History of Indian Philosophy, 2 Bde. (Cambridge ²1932); P. Masson-Oursel: Esquisse d'une histoire de la philosophie indienne (1923); S. Radhakrishnan: Indian Philosophy, 2 Bde. (London ²1931; dt. 1955/56); O. Strauss: I. Ph. (1925); H. v. Glasenapp: Entwicklungsstufen des ind. Denkens (1940); ders.: Die Philosophie der Inder (²1958); H. Zimmer: Philosophie und Religion Indiens (1961).

Atomgewicht 114, 82, seltenes, silberweißes Metall; Schmelzpunkt 156,4° C, Siedepunkt 1450° C. I. ist wachsweich und sehr dehnbar. Es wird vorwiegend zum Oberflächenschutz verwendet, wobei das erhitzte I. in das Grundmetall eindringt *(Indiumplattierung)*, ferner für niedrigschmelzende Legierungen, zum Glasfärben, für Hochtemperaturthermometer. Halbmetallische I.-Verbindungen sind wichtige Halbleiter.

Individu'algesetz, ein für einen Einzelfall erlassenes Gesetz. Es gilt in Staaten mit rechtsstaatl. Verfassung als unzulässig. In Art. 19 GG sind grundrechtsbeschränkende I. ausdrücklich untersagt.

Individual'ismus [lat. Kw.], jede Auffassung, die der Individualität gegenüber Ordnung und Gemeinschaft den Vorrang gibt, im Gegensatz zum Universalismus; als *Wertungsweise* insbes. die Betonung der

Interessen und Werte des einzelnen Menschen, z. B. in Politik, Wirtschaft, Erziehung, als *Erklärungsweise* die Annahme, daß nur das einzelne real oder normativ sei, in der Metaphysik bes. von Leibniz und vom Nominalismus, in der Sozialphilosophie im Gegensatz zu Kollektivismus und Sozialismus vertreten (z. B. im Liberalismus).

individualis'ieren, dem Einzelwesen gedanklich gerecht werden, Personen nach ihrer Eigenart verschieden behandeln.

Individualit'ät [lat. Kw.], Besonderheit des einzelnen; die Tatsache, daß kein Lebewesen, bes. kein Mensch, dem andern völlig gleich ist.

Individu'alpsychologie, 1) die Psychologie des Menschen als Einzelwesen, im Unterschied zur Sozialpsychologie. **2)** eine 1911 von A. Adler begründete Richtung der Tiefenpsychologie. Sie lehrt, daß das Seelenleben ein zielstrebiger Zusammenhang sei. Organminderwertigkeiten oder sonstige Mängel können zu »Minderwertigkeitskomplexen« führen, diese kompensiert oder überkompensiert werden (Geltungsstreben).

LIT. A. Adler: Menschenkenntnis ([6]1954); J. Rattner: I. (1963); H. Remplein: Psychologie der Persönlichkeit ([6]1967).

Individu'alversicherung, Versicherung, bei der der Versicherungsnehmer für ein bestimmtes persönl. oder sachl. Risiko Versicherungsschutz sucht. Sie scheidet sich in private u. öffentl. rechtl. Versicherung und ist nur ausnahmsweise Pflicht- (Zwangs-) Versicherung. Gegensatz: Sozialversicherung.

Individuati'on [lat.], **1)** die Heraussonderung des Einzelnen aus dem Allgemeinen. Die Frage nach dem Seinsgrund des Individuellen *(principium individuationis)* taucht in jeder Metaphysik auf, bes. wichtig ist sie in der Scholastik. **2)** in der Psychologie C. G. Jungs das seelische Geschehen, durch das die reife Persönlichkeit, das Selbst, aufgebaut wird.

LIT. C. G. Jung: Die Beziehungen zwischen dem Ich und dem Unbewußten ([8]1971); J. Goldbrunner: I. Die Tiefenpsychologie von C. G. Jung (Neuaufl. 1967).

individu'ell [lat. Kw.], nur dem Individuum zugehörig.

Individuum [lat. ›Unteilbares‹], **1)** *allgemein:* das Einzelwesen; eine Einheit, die ohne zerstörenden Eingriff nicht weiter zerlegt werden kann (z. B. die Einzelperson). **2)** *Biologie:* Bei niederen Tieren und Pflanzen ist die Abgrenzung des I. oft schwierig. Bei Pflanzen mit echter Verzweigung können einzelne Sprosse Fortpflanzungsorgane hervorbringen, die sich nach Abtrennung von der Mutterzelle weiterentwickeln (z. B. Steckling); der einzelne Sproß wird daher häufig als I. und die ganze Pflanze als Stock aufgefaßt, ein solcher Pflanzenstock verhält sich jedoch der Außenwelt gegenüber als ein physiolog. und ökolog. I. Bei durch Knospungsvorgang entstandenen Tierstöcken kann man entweder die Einzelteile oder den ganzen Stock als I. auffassen. E. Haekkel unterschied *physiologische I.*, die selbständig zu existieren vermögen, und *morphologische I.*, die ein selbständiges Ganzes bilden.

indivis'ibel [lat. Kw.], unteilbar, einfach.

Ind'iz [lat. indicium ›Anzeichen‹], eine Tatsache, aus deren Vorhandensein der Beweis für eine andere Tatsache entnommen wird. Der *Indizienbeweis* ist im Prozeßrecht ein Beweis auf Grund von Tatsachen, die nicht unmittelbar den zu beweisenden Vorgang ergeben, aber einen Schluß auf diesen zulassen. Nach dem Grundsatz freier Beweiswürdigung ist eine Verurteilung auf Grund eines Indizienbeweises zugelassen. Ähnlich in Österreich und den kantonalen Prozeßordnungen der Schweiz.

'Indizes [lat.], *Mz.* von →Index. **indiz'iert,** angezeigt, empfehlenswert. *Kathol. Kirchenrecht:* **Indizierung**, die Aufnahme eines verbotenen Buches in den Index *(indiziertes Buch)*.

Indo'arier, die im 2. Jahrtausend v. Chr. vom N her nach Indien eingedrungenen Völker der indogerman. Sprachgruppe.

Indoch'ina, der Ostteil Hinterindiens, ehemals franz. Besitzung, 705400 qkm, hatte (1951) rd. 30 Mill. Ew.

GESCHICHTE. In den ersten nachchristl. Jahrhunderten stand der N, Tongking und das nördl. Annam, unter chines. Oberhoheit; im S bestanden, in loser Verbindung mit China, die Reiche der Tscham im südl. Annam und der Khmer in Kotschinchina und Kambodscha. Seit dem 14. Jh. griff wiederholt Siam auf Kambodscha über, das zeitweise die siamesische Oberhoheit anerkennen mußte, seit dem 18. Jh. suchte auch Annam Einfluß zu gewinnen. 1862 brachte Frankreich Kotschinchina in seine Macht, 1863–84 Kambodscha, 1883 Annam, 1884/85 Tongking. Siam mußte 1893 Laos und 1907 W-Kambodscha abtreten. 1911 wurde das Generalgouvernement I. errichtet. Im 2. Weltkrieg besetzte 1940 Japan das Land. Frankreich, das im Sept. 1945 die Herrschaft zurückgewann, führte 1946 eine Neuordnung im Rahmen der Französischen Union durch, die Teilgebiete Vietnam (Tongking, Annam, Kotschinchina), Kambodscha und Laos wurden zu »assoziierten Staaten«. Über weitere Entwicklung →Kambodscha, →Laos, →Vietnam.

indochinesische Sprachen, →sinotibetische Sprachen.

Indoeurop'äer, die Indogermanen.

Indogerm'anen, 1) Völkergruppe, die als Träger der erschlossenen urindogerman. Sprache angesetzt wird. Geschichte, Vorgeschichte und Anthropologie haben sich mit Urheimat, Urkultur und Rasse der I. beschäftigt und das Gebiet zwischen Aralsee und Hindukusch, später Nord- und Mitteleuropa als Kernbereich angesehen. Neuerdings mehren sich wieder die Stimmen für eine asiatische Urheimat. Trotz großer methodischer Schwierigkeiten ist die *Indogermanische Altertumskunde* zum Bilde einer Kultur der ausgehenden Jungsteinzeit (Ende 3. Jahrtausend v. Chr.) gelangt. Danach kannten die I. schon Erz, Gold und Silber. Von den europ. Kulturkreisen dieser Epoche gilt die Schnurkeramik als indogermanisch; sie war aber sicher nicht der einzige. Ob die Träger der nordeurop. Megalithkultur I. waren, ist umstritten. Wirtschaftsgrundlage bildeten neben dem Ackerbau bes. Rinder- und Schafzucht. In hoher Blüte stand die Aufzucht des Pferdes. Die Gesellschaftsordnung beruhte auf der vaterrechtlich organisierten Großfamilie und gipfelte im Stamm. Es gab kein individuelles Eigentum an Grund und Boden. Religiöse Verehrung genossen ›Vater Lichthimmel‹ und seine Tochter, die Morgenröte. Auch Spuren religiöser Dichtung und Heldendichtung sind erkannt. Nach den ältesten Bildwerken herrschte die nordische Rasse vor, was auch Skelettfunde bestätigen. **2)** Völker, die eine indogerman. Sprache sprechen.

LIT. Schrader-Krahe: Die I. (1935); E. Wahle: Dt. Vorzeit ([2]1952); A. Nehring: Die Problematik der I.-Forschung (1954).

indogerm'anische Sprachen, Gruppe von Sprachen, deren Wortschatz und Formenbildung stark übereinstimmen. Der Name i. S. verbindet die Namen des östlichsten (Inder) und des westlichsten (Germanen) der damals (1823) bekannten Mitglieder der Gruppe. Der außerhalb Dtl.s übliche Name *Indoeuropäische Sprachen* versucht die Unstimmigkeit, die sich bei besserer Kenntnis herausstellte, teilweise zu beseitigen. Zu den i. S. gehören die großen Kultursprachen Indiens, der Antike und des Abendlandes.

Gliederung (von W nach O geordnet). 1) →keltische Sprachen. 2) →italische Sprachen, vor allem Lateinisch, dessen Fortentwicklung die romanischen Sprachen darstellen. 3) →germanische Sprachen. 4) →baltische Sprachen. 5) →slawische Sprachen. 6) Illyrisch (→Illyrier). 7) Thrakisch. 8) Albanisch. 9) Griechisch. 10) Phrygisch. 11) Hethitisch. 12) Armenisch. 13) →iranische Sprachen. 14) indisch-arische Sprachen. 15) Tocharisch.

Die Gesamtheit der erschlossenen indogerman. Wortformen gewährt einen Einblick in den Bau der verlorenen indogerman. Sprache. Ihre Ausbildung setzt eine längere Zeit der Abgeschlossenheit voraus. Dabei würde die Sprachgemeinschaft zum Volk geworden sein. So kommt man zur Annahme eines sonst nicht geschichtlich bezeugten Volkes, der Indogermanen.

Das Zahlwort für 100 heißt altind. sata, altiran. satem, aber lat. centum, altir. cet (c = k), got. hund (mit Lautverschiebung). Da der Unterschied sehr auffällig ist, hat man ihn lange als die älteste und wichtigste Dialektgrenze des indogerman. Gebiets betrachtet. Er ist aber erst in der Mitte des 2. Jahrtausends v. Chr. aufgekommen und betrifft nur die indisch-iranischen, slawischen, baltischen Sprachen, das Armenische, Albanische und Thrakische. Man nennt diese Gruppe (nach dem iranischen Wort für »100«) *Satemsprachen*, alle übrigen *Kentumsprachen*.

Die Erforschung der i. S. nach ihren Ähnlichkeiten und Unterschieden ist Aufgabe der *Indogermanistik*. Nachdem die Verwandtschaft der wichtigsten i. S. 1786 von W. Jones, Oberrichter in Kalkutta, erkannt worden war, wurde die neue Wissenschaft von R. Rask (1814), F. Bopp (1816) und J. Grimm (1822) begründet.

LIT. H. Hirt: Indogerman. Grammatik, 7 Bde. (1921–37); J. Pokorny: Indogerman. etymolog. Wörterb. (1948 ff.); H. Krahe: Indogerman. Sprachwiss. ([5]1966/69); W. Porzig: Die Gliederung des indogerman. Sprachgebiets (1954); R. Hauschild: Die indogerman. Völker und Sprachen Kleinasiens (1964).

Indoktrination [lat.], Beeinflussung im Sinne einer bestimmten Lehre.

Ind'ol [Kw.], organische Verbindung aus einem Benzol- und einem Pyrrolkern, die im Steinkohlenteer, in ätherischen Ölen und im Darm als Produkt der Eiweißzersetzung vorkommt. Verwendung in künstl. Blütenölen.

indolent [lat.], gleichgültig, träge, die Dinge laufen lassend. **Indolenz,** Unempfindlichkeit, Gleichgültigkeit.

Indologie, Wissenschaft von Indien: Archäologie, Geschichte, Kultur, Kunst, Literatur, Philosophie, Religionen und Sprachen; Ende des 18. Jh. von brit. Beamten in Indien begründet. In Dtl. stellte als erster F. von Schlegel ein Programm für die I. auf. F. Bopp rückte das Sanskrit ins Zentrum der vergleichenden indogerman. Sprachforschung.

Indon'esien, amtl. *Republik Indonesia,* Inselreich in SO-Asien, 1 920 000 qkm, mit (1976) 135,2 Mill. Ew., besteht aus Java, Sumatra, Borneo, Celebes, West-Neuguinea (West-Irian = Irian Djaya), Timor und vielen kleinen Inseln; Hauptstadt: Djakarta.

Natur. I. umfaßt den →Malaiischen Archipel mit Ausnahme von Teilen Borneos und Timors; es ist überwiegend feuchtheißes Tropengebiet mit Urwäldern, das nur auf Java und den kleinen Sunda-Inseln stärker mit offenen Landschaften durchsetzt ist.

Die *Bevölkerung* besteht überwiegend aus Indonesiern, ferner aus Papua und Chinesen. Religion: vorwiegend mohammedanisch (86%); es gibt rd. 4 Mill. Protestanten, rd. 1,5 Mill. Katholiken, rd. 1 Mill. Buddhisten, rd. 1 Mill. Hindus, ferner bis zu 10 Mill. Anhänger von Naturreligionen. 66% der stark zunehmenden Bevölkerung leben auf den übervölkerten Inseln Java und Madura; große Teile des Innern von Borneo und Celebes sind fast menschenleer.

Wirtschaft. Grundlage der Wirtschaft ist die Landwirtschaft: Reis, Mais, Kautschuk, Sojabohnen, Erdnüsse, Tabak, Tee, Palmkerne, Zuckerrohr. Viehzucht: Rinder, Büffel, Ziegen, Schweine. Bedeutsam ist der Fischfang (1974: 1,30 Mill. t). Die großen Urwälder (rd. zwei Drittel der Landfläche sind Wald) liefern Brenn- und Nutzholz, Gerbrinden, Rohr und Harze.

An Bodenschätzen werden bes. Erdöl (Förderung 1974: 68 Mill. t) sowie Erdgas, Zinn (1974: 15100 t), Steinkohle, Mangan, Bauxit gefördert; ferner Eisenerze (geschätzte Vorkommen noch kaum erschlossen), Asphalt, Silber, Gold, Uran, Kobalt, Nikkel.

Industrie: Erdölraffinerien, Papierfabriken, Reifenindustrie, Schiffswerften, Textil- und chem. Werke, Glasfabriken, Auto- und Fahrradmontage, Zuckerfabriken u. a.

Hauptausfuhrgüter: Kautschuk, Erdöl, Zinnerz, Kopra, Tabak, Tee, Gewürze, Palmkerne, Kaffee. Haupthandelspartner sind die USA, Japan, Australien, Bundesrep. Dtl., Großbritannien, Niederlande, VR China, Singapur.

Verkehr. Das Eisenbahnnetz umfaßt (1972) 8600 km (Java, Madura, Sumatra), das Straßennetz 89400 km (Kraftfahrzeugbestand 1972: 434000). Für die Verbindung der weit verstreuten Inseln ist die Küstenschiffahrt von großer Bedeutung. Hauptseehäfen sind Surabaja, Tandjung Priok (Djakarta), Belawan, Samarang, Padang (Sumatra). Internationaler Flughafen bei Djakarta.

Staat. Die Republik ging aus dem Kolonialreich Niederländisch-Indien hervor (vgl. Geschichte). Nach der Verf. v. 1945 (suspendiert von 1950–59, erneuert 1959) ist Staatsoberhaupt, Regierungschef und Oberbefehlshaber der Streitkräfte der vom Volkskongreß (»Oberste Beratende Volksversammlung«) auf 5 Jahre gewählte Staatspräs. Zusammen mit dem Parlament (Repräsentantenhaus, 460 Abg.) hat er auch die gesetzgebende Gewalt inne. – Verwaltungseinteilung in 26 Provinzen.

Staatssprache ist Indonesisch (Bahasa Indonesia). Wappen: TAFEL Wappen III. Flagge: FARBTAFEL Flaggen I.

Maße und Gewichte metrisch (seit 1938). Währungseinheit ist die indones. Rupie (Rupiah) zu 100 Sen.

Im Recht gelten verschiedene Rechtssysteme und Gewohnheitsrecht; Oberster Gerichtshof in Djakarta. Zwischen Staat und Religionsgesellschaften herrscht seit 1955 Trennung. Es besteht allgemeine Schulpflicht; Englisch wird als erste Fremdsprache gelehrt. I. hat rd. 50 Hochschulen. 1961 waren noch 57% der Bevölkerung über 10 Jahre Analphabeten, 1971 nur noch rund 40%.

Das Heer hat (1972) 317000 Mann. Die Luftwaffe wurde mit modernen russ. Flugzeugen ausgerüstet.

GESCHICHTE. Das heutige I. wurde von Hinterindien aus besiedelt. Eine von dort stammende Megalithkultur reicht bis etwa 1500 v. Chr. zurück. Noch vor Christi Geburt führten Kaufleute und Priester aus Vorderindien den Kult indischer Gottheiten und den Buddhismus ein. Unter ihrem Einfluß entstanden mehrere Reiche in Java und Sumatra, u. a. das ältere Reich von Mataram in Mittel-Java. Das bedeutendste war das Reich Madjapahit (1222–1525), das sich über den größten Teil des heutigen I. ausdehnte. Der Islam kam zuerst nach N-Sumatra und verbreitete sich von dort über weite Gebiete. 1586 gründeten Mohammedaner das zweite Reich von Mataram, das im 17. Jh. seine höchste Blüte erreichte. Die alte indisch-indones. Kultur hielt sich nur auf Bali und W-Lombok. Nachdem die Portugiesen auf N-Sumatra, Timor und den Molukken Handelsniederlassungen gegründet hatten, erschienen 1596 die ersten Niederländer (C. de Houtman). 1602 wurde die Niederländisch-Ostindische Compagnie gegründet. Nun entstanden auch niederländ. Handelsplätze, 1619 die Stadt Batavia (→Djakarta). Die Compagnie erwarb weitere Gebiete, vorübergehend auch Formosa (1624–62). 1798 wurde sie aufgelöst. 1802 ging Ceylon an die Engländer verloren. 1828 erwarben die Niederländer W-Neuguinea. Sie dehnten ihre Herrschaft über das Innere von Borneo aus. 1873–1913 unterwarfen sie das Reich →Atjeh auf Sumatra.

Jan. bis März 1942 wurde ganz Niederländisch-Indien, das am 8. 12. 1941 Japan den Krieg erklärt hatte, von den Japanern besetzt. Mit deren Duldung rief die zwischen beiden Weltkriegen entstandene Nationalbewegung unter Hatta und Sukarno am 17. 8. 1945 in Djokjakarta die Unabhängigkeit der *Indones. Republik* aus; Präsident wurde A. Sukarno. 1945/46 stellten die Niederländer die alte Ordnung in Teilen des Landes wieder her. Im Waffenstillstand vom 31. 1. 1948 wurden die Feindseligkeiten beigelegt; am 9. 3. 1948 wurde Hatta MinPräs. Nach einer überfallartigen »Polizeiaktion« der Niederländer (Dez. 1948) erhielt am 27. 12. 1949 (Konferenz im Haag) die zu den *Verein. Staaten von I.* umgebildete Republik die volle Souveränität (mit Ausnahme von Niederländisch-Neuguinea). Durch die vorläufige Verfassung v. 15. 8. 1950 wurde der Einheitsstaat geschaffen. Die Zentralregierung konnte sich nur allmählich gegen rechtsradikale, kommunist. und föderalist. Bewegungen durchsetzen. Im März 1956 bildete MinPräs. Sastroamidjojo die erste Regierung auf Grund von Wahlen. Gegen den zunehmenden kommunist. Einfluß und den als kommunistenfreundlich bezeichneten Kurs Sukarnos, gegen den verstärkten Zentralismus und die Korruption erhoben sich Dez. 1956 die Militärbefehlshaber in Sumatra und N-Celebes; ein im Febr. 1958 ausgebrochener Aufstand wurde Mai 1958 unterdrückt. Am 9. 7. 1959 ersetzte Sukarno die Verfassung von 1950 durch eine andere. Nach wiederholtem Verbot polit. Parteien ließ er schließlich 8 Parteien zu, die er einschließlich der KP in einer »Nationalen Front« zusammenfaßte (1961). Die wiederholten Forderungen auf W-Neuguinea wurden von den Niederlanden abgelehnt; dies führte seit Dez. 1957 zur Ausweisung von noch in I. verbliebenen Niederländern und seit Ende 1958 zur Verstaatlichung aller niederländ. Betriebe. Von Jan. 1962 an landeten indones. Truppen in West-Neuguinea, das am 1. 5. 1963 als West-Irian an I. abgetreten und nach einer durch Wahlmänner vollzogenen Volksabstimmung 1969 voll eingegliedert wurde. Der am 16. 9. 1963 gegründeten Föderation Malaysia stand I. feindlich gegenüber. Am 11. 8. 1966 wurde der kriegsähnliche Zustand zwischen I. und Malaysia formell beendet. Kommunist. Putschversuche (August 1965) führten zum Militärputsch und zur endgültigen Entmachtung Sukarnos. Die KPI wurde zerschlagen. 1967 trat Sukarno alle Machtbefugnisse an General Suharto ab, der dann am 27. 3. 1968 zum Staatspräs. gewählt wurde. 1971 fanden erstmals wieder allgemeine Wahlen statt, bei denen die von Suharto unterstützte Golkar-Partei die absolute Mehrheit gewann. Am 22. 3. 1973 wurde Suharto durch die 1972 neu zusammengesetzte »Beratende Volksversammlung« erneut auf 5 Jahre zum Präs. gewählt. Die bisherige portugies. Kolonie Ost-Timor wurde im Dez. 1975 von indones. Truppen besetzt und ist seit 31. 5. 1976 Teil Indonesiens.

I. ist (mit Unterbrechung 1965/66) Mitglied der Vereinten Nationen; seit 1952 am Colombo-Plan beteiligt, in den Bandung-Staaten spielt es eine maßgebl. Rolle.

Indon'esier, die Bevölkerung Indonesiens, der Philippinen, der Halbinsel Malakka und ihrer Nachbargebiete. Die eigentl. I. sind →Malaien, die z. T. mit Negritos, Weddiden, auf den östl. Inseln auch mit melanesisch-papuan. Elementen gemischt sind. Kennzeichen: untermittelgroß, grazil gebaut, hellbraune Haut, glattes schwarzes Haar. Drei Kulturschichten: *Primitivmalaien* (Wildbeuter oder Seenomaden), *Altmalaien* (Hackbauern, z. T. Pflugbauern), *Jungmalaien* (Reisbauern, Seefahrer; Kulturvölker der südostasiat. Inseln und Staaten, bes. die Javanen).

indon'esische Sprachen, der westl. Zweig der austronesischen Sprachgruppe, gesprochen in Indonesien, auf Malakka, den Philippinen, O-Formosa, den Marianen und Palauinseln, an einigen Küstenstrichen von NW-Neuguinea, bei einigen Stämmen S-Annams und auf Madagaskar.

'Indor, Indore, Stadt in Madhja Pradesch, Indien, mit (1971) 543800 Ew.; Universität (seit 1963), Baumwollindustrie.

Indosk'ythisches Reich, Kuschan-Reich, ein seit etwa 50 v. Chr. von den echten →Tocharern gebildetes Reich, rund um den Hindukusch und in NW-Indien. Der Höhepunkt des I. R. lag im 2. Jh. n. Chr.

indoss'able Papiere, Orderpapiere, die durch →Indossament übertragbaren Wertpapiere.

Indossam'ent [von ital. indosso], →Giro.

'Indra, altind. Heldengott, Kriegsgott, der König der Götter in wedischer Zeit.

Indrag'iri, Fluß auf der Ostseite von Sumatra, im Unterlauf schiffbar; mündet in einem Delta.

Indre [ɛ̃dr], **1)** linker Nebenfluß der Loire in Westfrankreich, 265 km lang.

2) Departement in Mittelfrankreich, 6777 qkm, (1972) 242500 Ew. Hauptstadt ist Châteauroux.

Indre-et-Loire [ɛ̃drelwa:r], Departement in Mittelfrankreich, 6124 qkm, (1972) 465900 Ew. Hauptstadt: Tours.

'Indri, Halbaffe Madagaskars, mit kräftigen Daumenzehen; größte Lemurenart.

in d'ubio [lat.], im Zweifelsfall; **in dubio pro r'eo,** im Zweifelsfall für den Angeklagten, ein Grundsatz im dt. Strafprozeß.

Indukt'anz [lat. Kw.], der induktive Widerstand eines Stromkreises.

Indukti'on [lat. ›Hinführung‹], **1)** *Wissenschaftslehre:* der Schluß aus einer begrenzten Zahl von Fällen einer Gattung auf alle Fälle; das Erschließen von allgemeingültigen Sätzen aus Einzeltatsachen; Erkenntnis aus der Erfahrung. Die *vollständige I.* ist ein wichtiges Definitions- und Beweismittel der Mathematik, im Bereich des Unendlichen *transfinite I.* genannt. In den Erfahrungswissenschaften ist dagegen nur *unvollständige I.* möglich. Gegensatz: Deduktion. **2)** *Elektrizitätslehre:* Erzeugung elektrischer Spannungen durch Änderung des magnetischen Flusses, der eine Leiterschleife oder Spule durchsetzt; bei geschlossenem Stromkreis fließt ein *Induktionsstrom.* Der magnet. Fluß ändert sich bei Änderung der magnetischen Induktion (vgl. unter 3), bei Bewegung des Leiters im Magnetfeld oder eines Magneten relativ zum Leiter und durch Formänderung des Magnetfeldes selbst. Ändert sich der in einer Spule fließende Strom, z. B. periodisch als Wechselstrom, so ändert sich auch sein Magnetfeld, und dessen Änderung

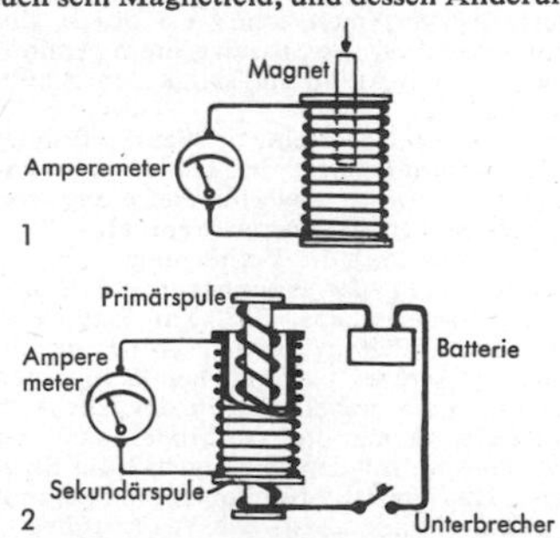

Induktion: Erzeugung eines Induktionsstromes, 1 *durch Bewegen eines Magnetstabes in einer Spule;* 2 *durch Öffnen und Schließen eines Gleichstromkreises mit einem Unterbrecher; in der Sekundärspule entsteht ein Wechselstrom*

wirkt durch I. auf den Strom zurück *(Selbstinduktion):* bei Verstärkung des urspr. Stroms entsteht ein Induktionsstrom von entgegengesetzter, bei Schwächung dagegen von gleicher Richtung wie der urspr. Strom *(Lenzsche Regel)*. Induktionserscheinungen beherrschen die gesamte Elektrotechnik; Hauptanwendungen sind Generator und Transformator. **3)** *Magnetismus: magnetische Induktion, magnetische Kraftflußdichte,* die der Feldstärke des elektr. Feldes entsprechende Größe des Magnetfeldes, bestimmt durch die Kraftwirkung auf Magnetpole. Ihre Einheit ist das →Gauß. *Induktionskonstante, absolute Permeabilität des leeren Raumes, magnetische Feldkonstante,* das Verhältnis μ_0 der magnetischen I. zur magnetischen Feldstärke im leeren Raum, hat im prakt. elektromagnet. Maßsystem den Wert $\mu_0 = 4\pi \cdot 10^{-7}$ Vsec/Am.

Indukti'onsapparat, der →Funkeninduktor.

Indukti'onsmotor, ein Drehstrommotor (→Elektromotor).

Indukti'onsofen, ein elektr. Ofen, der im Prinzip wie ein →Transformator gebaut ist.

Indukti'onswaage, Prüfgerät zum Vergleich von Metallstücken hinsichtlich ihrer Zusammensetzung. Wird in den Hohlraum einer von zwei Induktionsspulen, deren Sekundärspulen über einen Telephonhörer verbunden sind, ein Metall eingelegt, oder wird in beide Spulen je ein in Masse und Zusammensetzung verschiedenes Metall eingelegt, so erklingt im Hörer ein Ton. Wichtig ist die I. für die Entdeckung falscher Münzen.

Induktivit'ät, die Selbstinduktion einer Spule (→Induktion).

Ind'uktor [lat.], der →Funkeninduktor.

in d'ulci i'ubilo [lat. ›in süßem Jubel‹], Anfang eines lateinisch-deutschen Weihnachtsliedes aus dem 14. Jahrhundert.

Indulg'enz [lat.], Straferlaß; Ablaß.

Indul'ine, Gruppe ziemlich echter blauer Teerfarbstoffe; man erhält sie durch Zusammenschmelzen von salzsaurem Aminoazobenzol mit Anilin und salzsaurem Anilin o. ä. Basen.

Ind'ult [lat.], Nachsicht, Frist zur Erfüllung einer Verbindlichkeit; im *kathol. Kirchenrecht* ein Privileg, das eine Befreiung von einer gesetzlichen Vorschrift enthält.

Indurati'on [lat.], die Verhärtung.

'Indus, Sindh, der Hauptstrom des nordwestl. Vorderindiens, 3180 km lang, entspringt in Tibet in 5000 m Höhe, durchbricht in schwer zugänglichen Schluchten den Himalaja, gabelt sich in der Ebene in zahlreiche Arme und verbindet sich bei Radschanpur mit den vereinigten »fünf Strömen«. Das eigentl. Mündungsgebiet beginnt unterhalb Haiderabad. Die Wasserführung schwankt; die zahlreichen Mündungsarme sind durch mitgeführte Sinkstoffe verschlammt. Groß ist seine Bedeutung für die Landwirtschaft durch Kanalsysteme und Stauwerke (Sukkur, Kotri).

'Induskult'ur, frühgeschichtliche, hochentwickelte Stadtkultur in NW-Indien (etwa 3000–2000 v. Chr.), die Beziehungen zu Mesopotamien und dem drawidischen Indien erkennen läßt. Hauptzentren waren →Harappa (Pandschab) und →Mohendscho Daro.

LIT. H. Mode: Das frühe Indien (1959).

Industrialis'ierung, das Aufkommen und Wachsen der Industrie in einem Lande; sie ist abhängig von Rohstoffen, Arbeitskräften und von der gleichzeitigen Förderung des Verkehrs. Über den Beginn und die Folgen der I. →industrielle Revolution.

industrial design [indastriəl di:sain], Entwurfskizze eines Industrieprodukts, wobei Formschönheit und Zweckmäßigkeit verbunden werden.

Industr'ie [von lat. industria ›Fleiß‹], die gewerbliche Verarbeitung von Rohstoffen und Halbfabrikaten in Fabriken *(Fabrikindustrie)* oder im Verlagssystem *(Hausindustrie)*.

Die Grenzen zwischen I. und Handwerk sind fließend. *Grundstoff-I.* sind: Bergbau, Eisen- und Metall-I., chem. I., Kraftstoff-I. einschl. Erdölgewinnung, Holzbearbeitung, Zellstoff-, Papier-I.; *Investitionsgüter-I.:* Stahl-, Maschinen-, Fahrzeug-, Schiffbau, Metallwaren-, elektrotechn., feinmechan., opt. u. a. I.; *Konsumgüter-I.:* Textil- und Bekleidungs-I., Glas- und keramische I., Druck-, Musikinstrumenten- und Spielwaren-I., Leder-, Schuh-I. u. a.; *Nahrungs- und Genußmittel-I.:* Molkereien, Zucker-I., Brauereien, Spiritus-I., Tabak-I. u. ä.

ENTWICKLUNG DER INDUSTRIEPRODUKTION[1]
Produktionsindexzahlen 1953 = 100

Land	1938	1948	1958	1960	1965
Bundesr. Dtl.	77	39	151	182	241
Frankreich	72	77	142	161	205
Italien	61	62	142	180	252
Großbrit.[2] .	76	84	112	126	146
Sowjetunion	30	47	171	206	...
USA	34	75	102	119	150
Japan	96	36	168	261	454
Welt	51	73	118	139	...

Produktionsindexzahlen 1962 = 100

Land	1967	1970	1971	1972
Bundesrep. Dtl. .	118	158	161	167
Frankreich	128	158	168	179
Italien	139	163	159	163
Großbrit.	118	131	131	135
USA	139	148	148	158
Japan	180	274	281	302

[1] Verarbeitende Industrie, Bergbau und Energiewirtschaft. [2] mit Baugewerbe.

Industr'ie|anthropologie, Teil der Anthropologie, befaßt sich mit der Anpassung von Gebrauchsgegenständen an die menschl. Körperform. Erste größere industrieanthropolog. Untersuchungen wurden nach 1920 in der Sowjetunion durchgeführt. Im zweiten Weltkrieg gewann die I. in England und den USA besondere Bedeutung bei der Entwicklung militär. Ausrüstungen.

Industriebau, Sammelbezeichnung für die unterschiedlichen Bauten und Baugruppen, die jeweils eine Fabrik, eine Hütte, ein Werk bilden. Der Architekt Peter Behrens baute 1909 die Turbinenhalle der AEG in der Huttenstraße in Berlin als ersten dt. I. von künstler. Bedeutung; ihm folgten bald I. von H. Poelzig in Schlesien und Posen, von W. Gropius (BILD) in Alfeld/Leine und von T. Garnier in Lyon.

Industr'ieform, Industrie-Design, für Serienherstellung entworfene, material- und zweckentsprechend gestaltete Form von industriellen Erzeugnissen technischer Art (Auto, Kühlschrank, Telephon, Schreibmaschine u. a.) sowie von Gebrauchsgegenständen, für die auch früher künstlerische Gesichtspunkte maßgebend waren (Glas und Porzellan, Bestecke, Textildrucke, Leuchten u. a.). Die zu Anfang des 20. Jhs. einsetzenden, bes. vom Deutschen →Werkbund geförderten Bestrebungen, Industrieerzeugnissen eine gute Form zu geben, fanden in den 20er Jahren ihren Mittelpunkt im →Bauhaus. Heute gehört Industrieformung zum Lehrplan der Werkkunstschulen. 1952 wurde in der Bundesrepublik der *Rat für Formgebung* (Sitz Darmstadt) gegründet.

Industr'ieforschung, die von der Industrie selbst oder in ihrem Auftrag (→Vertragsforschung, →Battelle Memorial Institute) durchgeführte Forschung.

Industr'iegebiete entstehen aus der regionalen Häufung von Industriestandorten in Rohstoffgebieten oder günstigen Verkehrsknoten, sie sind durch große Bevölkerungsdichte gekennzeichnet. I. in Mitteleuropa sind z. B. Ruhrgebiet, Rhein-Main-Gebiet, mitteldeutsches I., Oberschlesien.

Industr'iegewerkschaft, abgek. **IG,** die gewerkschaftl. Organisationsform des →Deutschen Gewerkschaftsbundes.

Industr'ie|institut, *Deutsches Industrie-Institut*, gegr. 1951 in Köln, vom Bundesverband der Dt. Industrie und von Arbeitgeberverbänden, will wissenschaftl. Erkenntnisse über die Bedeutung des Unternehmertums und der Marktwirtschaft gewinnen.

Industr'iekreditbank AG, Düsseldorf, 1949 gegründetes Bankinstitut, gewährt Kredite zur Förderung des Wiederaufbaus und der Ertragsfähigkeit der gewerbl. Wirtschaft. Vorläuferin war die 1924 gegr. *Bank für deutsche Industrieobligationen* (Bafio), Berlin (seit 1931 *Deutsche Industriebank*).

industri'elle Revolution, die Umgestaltung der Wirtschafts- und Gesellschaftsordnung, die seit etwa 1785 zuerst in England, bald auch in anderen westeuropäischen Ländern und in den USA einsetzte, vor allem infolge des Übergangs zur maschinellen Erzeugung in Großbetrieben. Der Ausdruck i. R., in England geprägt, setzt den Vorgang mit der Französ. Revolution in Parallele und unterstreicht seine weltgeschichtliche Bedeutung.

Die i. R. begann in der Textilindustrie, dehnte sich auf die Eisenbearbeitung und den Bergbau aus und war seit der Mitte des 19. Jhs. mit der Revolutionierung des Verkehrswesens (Eisenbahn, Dampfschiff) verbunden. Industriereviere entstanden in Schottland, Mittelengland, Nordostfrankreich, Norditalien, Rheinland-Westfalen, Oberschlesien, Südwestdeutschland, Nordamerika usw. Die Siedlungsordnung (Großstädte) und die gesellschaftl. Struktur der europ. Völker ist durch die Herausbildung der von starken Spannungen erfüllten industriellen Gesellschaft grundlegend verändert worden. In Wechselwirkung mit den USA wurden neue Wege der Massenfertigung, neue Formen des Nah- und Fernverkehrs (Kraftwagen, Flugzeug), der Verwaltung (Bürokratie), der Massenbeeinflussung (Druck, Bild, dann Film, Funk, Fernsehen), der sozialen Kontaktnahme und Meinungsbildung, der Markterschließung und Verkaufswerbung u. v. a. geschaffen.

Seit dem 1. und bes. seit dem 2. Weltkrieg hat nach den USA auch die Sowjetunion die ursprüngl. Industrieländer (Großbritannien, Deutschland, Frankreich) z. T. wesentlich überholt. Japan, Australien, Kanada und die Südafrikan. Rep. sind zu bedeutenden Industriestaaten geworden. Auch auf China, Indien, Südamerika u. a. hat die Industrialisierung übergegriffen.

Seit Mitte des 20. Jhs. haben die →Automatisierung und die Anwendung der →Atomenergie neue Ausblicke auf weitere Entwicklungsmöglichkeiten gegeben, so daß man vielfach von einer Zweiten i. R. spricht.

LIT. T. S. Ashton: The industrial revolution 1760–1830 (²1952); H. Freyer: Theorie des gegenwärtigen Zeitalters (⁶1967); L. Brandt: Die 2. i. R. (1957); M. Pietsch: Die i. R. (1961).

Industr'iemeister, neuere Berufsbezeichnung für Werkmeister in der Industrie.

Industr'ieöfen, die in der Industrie zur Wärmebehandlung verwendeten Öfen. Sie gehören in der Werkstoffe erzeugenden und verarbeitenden Industrie zu den wichtigsten Einrichtungen, da fast jeder Stoff (Metall, Glas, Keramik, Gummi oder Kunststoff) irgendeine Form der Wärmebehandlung (Trocknen, Glühen, Sintern, Schmelzen) durchläuft. Die Vielzahl der Heizeinrichtungen läßt sich auf wenige Grundformen zurückführen: In *Reaktionsöfen ohne Fremdbeheizung* liefern die sich abspielenden Reaktionen selber genügend Wärme (Röstöfen, Gefäße für aluminothermische Reaktionen, Konvertoren). Zu den mit *Brennstoff geheizten Öfen* gehören u. a. Hochöfen (Eisen), Schachtöfen (Kupfer), Flammöfen, Siemens-Martin-Öfen, Trommel- und Drehrohröfen. Bei *Elektroöfen* werden unterschieden: Lichtbogenöfen, Widerstandsöfen, kombinierte Lichtbogen-Widerstandsöfen. BILD S. 148.

Industrieplan, →Demontage, →Potsdamer Abkommen.

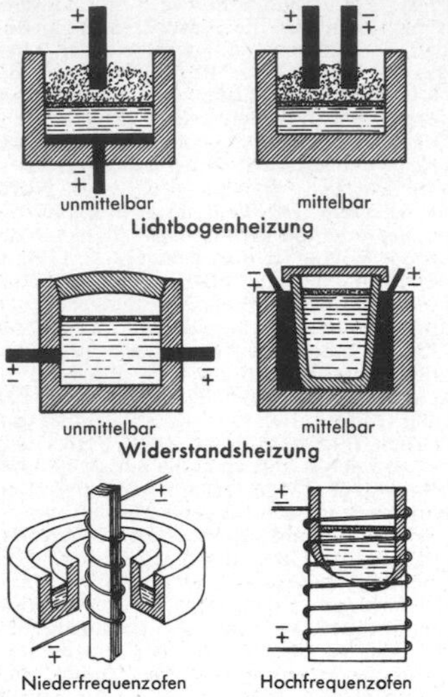

Industrieöfen

Industr'iereiniger, Reinigungsmittel für die Industrie (Flaschen-, Milchkannenreinigung, Ablösen fettig-öliger Ablagerungen), sind Gemische aus Alkalien, Silikaten, Phosphaten u. a. Zusätzlich enthalten sie häufig kleine Anteile von Fettalkoholsulfaten, Alkylbenzolsulfonaten, Äthylenoxyd-Addukten u. a. I. für die Nahrungsmittel- und Getränkeindustrie enthalten außerdem desinfizierend wirkende organ. und anorgan. Chlorverbindungen oder Ammoniumsalze.

Industr'ie- und Handelskammern, in Hamburg und Bremen **Handelskammern,** früher auch *Handels- und Gewerbekammern, Handelsdeputationen, Kaufmännische Ältestenkollegien, Handelskollegien, Handelsgremien,* sollen das Gesamtinteresse der Gewerbetreibenden ihres Bezirks wahrnehmen und die gewerbl. Wirtschaft fördern; insbes. obliegt ihnen, durch Vorschläge, Gutachten und Berichte die Behörden zu unterstützen und zu beraten. Außerdem gehören zu ihrem Aufgabenbereich die Ausstellung von Ursprungszeugnissen und die Förderung der kaufmänn. und gewerbl. Berufsausbildung, nicht jedoch die Wahrnehmung sozialpolit. und arbeitsrechtlicher Interessen.

In der Bundesrep. Dtl. wurden die I. u. H. durch Ges. vom 18. 12. 1956 i. d. F. v. 14. 8. 1969 wieder einheitlich zu Körperschaften des öffentl. Rechts mit Pflichtmitgliedschaft aller im Kammerbezirk tätigen Gewerbetreibenden. Es bestehen (1973) 81 I. u. H., die auf Landesebene meist zu Arbeitsgemeinschaften oder Vereinigungen zusammengeschlossen sind. Der Zusammenschluß für das Bundesgebiet und West-Berlin ist (seit 1949) der *Deutsche Industrie- und Handelstag.* – In der *DDR* sind die I. u. H. seit 1946/47 nur noch staatl. Kontrollorgane für die private Wirtschaft.

Im Ausland ansässige dt. Kaufleute errichteten Ende des 19. Jhs. Auslandshandelskammern. Auch ausländ. Handelskammern wurden in Dtl. gegründet, sie sind jetzt wieder in der Bundesrep. vertreten. – In Österreich besteht seit 1947 die Bundeskammer der gewerbl. Wirtschaft als öffentlich-rechtl. Körperschaft. – Für die überstaatl. Zusammenarbeit besteht die →Internationale Handelskammer.

Industr'ieverband, 1) Unternehmer-(Wirtschafts-)Verband eines Industriezweigs. **2)** die Industrie-Gewerkschaft.

Industr'ieverwaltungsgesellschaft mbH, Bad Godesberg, Unternehmen in Bundesbesitz, gegr. 1916, erwirbt, verwaltet, verwertet Industrieunternehmungen.

Industr'ie-Werke Karlsruhe AG, IWKA, Karlsruhe, Unternehmen der Maschinenbauindustrie; 1970 entstanden durch Fusion der Industrie-Werke Karlsruhe AG mit der Keller & Knappich GmbH, Augsburg.

Industr'iezeitalter, das Zeitalter der →industriellen Revolution.

Indy [ɛ̃di], Vincent d', franz. Komponist, * Paris 27. 3. 1851, † das. 2. 12. 1931, Orgelspieler und Chordirigent, als Komponist (symphon. Dichtungen, 3 Symphonien, Chor- und Kammermusik) stark von der Gregorianik angeregt.

In'editum [lat.], *Mz.* **Inedita,** ungedruckte, unveröffentlichte Schrift.

in eff'igie [lat.], im Bild; *i. e. henken* oder *verbrennen*: früher übliche Strafvollstreckung am Bild des entflohenen oder gestorbenen Verurteilten.

in'ert [lat.], untätig, schlaff.

Inerti'al-Navigati'on, →Trägheitsnavigation.

Inerti'alsystem [von lat. inertia ›Trägheit‹], ein Bezugssystem, in dem keine Trägheitskräfte auftreten, in dem also ein kräftefreier Massenpunkt in Ruhe oder gleichförmiger Bewegung bleibt. In allen I. haben die Gleichungen der Mechanik dieselbe Form *(Relativitätsprinzip der klassischen Mechanik).*

'Ines [span. ›Agnes‹], weibl. Vorname.

in ext'enso [lat.], ausführlich.

infall'ibel [lat. Kw.], unfehlbar. **Infallibilität,** die →Unfehlbarkeit des Papstes.

inf'am [lat.; Lutherzeit], ehrlos, niederträchtig.

Inf'ant [span., von lat. infans ›kleines Kind‹], **Inf'antin,** Titel der königl. span. und portugies. Prinzen und Prinzessinnen.

Infanter'ie [franz.-span. ›Knechtstroß‹; 30jähr. Krieg], Fußtruppe, auch Fußvolk genannt, die Hauptkampftruppe aller Heere, die in Angriff und Verteidigung die Entscheidung nötigenfalls durch den Kampf Mann gegen Mann herbeiführen muß. **Marineinfanterie** hat gleiche Aufgaben bei

Landungsunternehmungen der Flotten. Neuzeitl. I. ist motorisiert oder mechanisiert. Die Ausrüstung des einzelnen **Infanteristen** besteht aus Handfeuer- und blanker Waffe, ABC-Schutzmaske, Patronen, Sturmgepäck. Die kleinste Teileinheit ist die Gruppe, meist zugleich die Besatzung eines Schützenpanzers. 3–4 Gruppen bilden den Zug, 3–4 Züge die Kompanie, 3–4 Panzergrenadier- oder Schützenkompanien zusammen mit einer schweren Kompanie (Mörser-, Panzerjäger-, gelegentlich auch Pionierzug) bilden das Bataillon. Zusammen mit Bataillonen anderer Waffengattungen sind die Infanteriebataillone in Brigaden zusammengefaßt.

Ursprünglich war die I. allgemein mit dem Spieß (Pike; daher Pikeniere genannt) bewaffnet, nach Einführung der Feuerwaffen erhielten die Musketiere und Füsiliere, die sich in der Gefechtsverwendung unterschieden, Gewehre, die Grenadiere Wurfgranaten.

LIT. F. M. v. Senger u. Etterlin: Die Panzergrenadiere, Geschichte und Gestalt der mechanisierten I. 1930–60 (1961).

Infanteriegeschütz, bis 1945 leichte (7,5 cm) und schwere (15 cm) Geschütze, die die Infanterie im Kampf insbes. gegen Widerstandsnester (MG) unmittelbar unterstützten; jetzt durch →Mörser ersetzt.

infant'il [lat. ›kindlich‹], kindisch; zurückgeblieben, unentwickelt.

Infantil'ismus [lat. Kw.], das Stehenbleiben der *körperlichen* Entwicklung auf kindlicher Stufe infolge ungenügender Tätigkeit bestimmter innersekretorischer Drüsen; auch der *seelischen* und *geistigen* Entwicklung.

Inf'arkt [von lat. infarcire ›hineinstopfen‹], eine Verstopfung von Hohlräumen, Kanälen oder Spalten eines Organs mit nicht hingehörigen Stoffen, z. B. der Harnkanälchen der Niere mit harnsauren Salzen *(Harninfarkt)*, insbesondere die auf Embolie folgenden herdförmigen Organveränderungen, die bei Lunge *(Lungeninfarkt)* und Herz *(Herzinfarkt)* besondere Bedeutung haben.

Infekt|arthritis, eine Gelenkentzündung durch Verschleppung von Erregerkeimen in die Gelenke, meist wird nur ein Gelenk befallen. I. kann z. B. verursacht werden durch Tuberkelbakterien (tuberkulöse Gelenkentzündung).

Infekti'on [lat.; Gottschedzeit], **Ansteckung,** das Eindringen von krankheitserregenden lebenden Keimen in den Körper, in dem sie sich vermehren und so zur Erkrankung, einem *Infekt*, führen können. Lebewesen (oder Gegenstände), die solche Keime mit sich führen, nennt man *infektiös*; durch Übertragen dieser Keime können sie andere Lebewesen *infizieren* (anstecken). Die Verbreitung einer bestimmten I. innerhalb einer Bevölkerung *(Durchseuchung)* hängt von Erregerart, Empfänglichkeit der Menschen, hygien. Verhältnissen u. a. ab. – Wege der I. sind: *direkte I.* von Mensch zu Mensch durch Berührung *(Kontaktinfektion)* einschl. der bes. häufigen *Tröpfchen-I.*, bei der Keime ausgehustet oder durch Sprechen versprüht werden; *indirekte I.* durch infektiöse Gegenstände, z. B. Ausscheidungen des Kranken, Wasser, Nahrungsmittel, Erde, Gebrauchsgegenstände, Schmutz; *I. durch Überträger* (z. B. Fiebermücken) und *I. durch Zwischenwirte* (z. B. bei der Tollwut, meist Hunde). Die *angeborene (kongenitale) I.* tritt entweder während der Geburt oder während der Schwangerschaft ein. Nicht jede I. führt zu Erkrankung (→Immunität). – Die I.-Erreger sind Viren, Bakterien oder Protozoen. Höher organisierte I. *(Invasions-)* Erreger sind Würmer und Insekten. – Ein Sonderfall ist die *Herdinfektion* (→Herd).

LIT. M. Alexander / H. Raettig: I.-Fibel (1968); H. H. Studt: Allg. I.-lehre (1976).

Infekti'onskrankheiten, allgemein: Krankheiten, die durch →Infektion hervorgerufen werden, außer eitrigen Wundinfektionen oder durch örtl. Infektion des Organs entstandenen Entzündungen (so Gallenblasenentzündung) u. ä. Die I. im engeren Sinne sind dadurch gekennzeichnet, daß ihr Erreger immer wieder einen ähnlichen Krankheitsverlauf hervorruft; auch hiervon gibt es Ausnahmen, so die Sepsis. Neben die I. treten die *Invasionskrankheiten*, die durch höher organisierte Erreger, bes. Würmer und Insekten, hervorgerufen werden. Nach dem Verlauf sind akute von chronischen I. zu trennen. Die Zeit zwischen der Infektion und dem Beginn der Krankheitserscheinungen heißt die *Inkubation* (auch *Inkubationszeit*). Im Krankheitsverlauf treten Allgemeinerscheinungen (z. B. Fieber, Schwäche, Appetitlosigkeit, Blutveränderung) und örtliche Anzeichen (so Hautausschläge, Halsschmerzen, Husten, Durchfall, Gelbsucht) auf. Der Vorbeugung gegen I. dienen: →Impfung, Absonderung der an I. leidenden Kranken, Vernichtung ihrer ansteckenden Körperausscheidungen, Hebung der persönl. Gesundheitspflege und der öffentl. Gesundheitsfürsorge, Sorge für gutes Trinkwasser, Beseitigung der Abwässer, Überwachung der Lebensmittel u. a. – Zur Behandlung werden Heilserum, Impfstoffe, Mittel der Chemotherapie, Antibiotica u. a. neuzeitl. Arzneimittel gebraucht.

Infeld, Leopold, poln. Physiker, * Krakau 20. 8. 1898, † Warschau 15. 1. 1968; ging 1936 nach Princeton, wo er mit Einstein zusammenarbeitete; 1938 Prof. in Toronto; I. kehrte 1950 nach Warschau zurück und gründete ein Institut und eine Schule der theoret. Physik.

inferi'or [lat.], minderwertig, untergeordnet.

infern'al [lat.], **infern'alisch,** teuflisch, höllisch.

Inf'erno [ital.], Hölle, Unterwelt. Titel des ersten Teils von Dantes ›Göttlicher Komödie‹.

'inferum m'are [lat.], das untere (Tyrrhenische) Meer, im Gegensatz zum *mare* *superum*, dem oberen (Adriatischen) Meer. Auf den antiken Karten war Italien so dargestellt, daß die Adria oben, das Tyrrhenische Meer unten war.

Infibulati'on [lat.], bei Völkern der Antike und bei Naturvölkern die Verschließung der Geschlechtsteile zur Verhinderung des Geschlechtsverkehrs.

Infighting ['infaitiŋ, engl.], Nahkampf beim Boxen.

Infiltrati'on [lat. Kw.], **1)** Einseihung, Einflößung. **2)** Einlagerung anderer Gewebsbestandteile (des *Infiltrats*) wie Eiter, Blut, in die Zwischenräume der Körpergewebe, wodurch diese schwellen, z. B. bei Entzündung *(entzündliche I.)*. **3)** *Gesteinskunde:* das Eindringen aufsteigender heißer Lösungen in ein Gestein, verbunden mit Mineralumwandlungen und Neuabsatz von Mineralien. **4)** *Politik:* das getarnte Eindringen feindlicher Agenten in einen Staat oder in eine Organisation.

Infinitesim'alrechnung [lat. Kw.], zusammenfassende Bezeichnung für Differential- und Integralrechnung.

'Infinitiv [lat.], Nennform des Zeitworts.

Infin'itum [lat.], das Unbegrenzte, das Unendliche.

infiz'ieren [lat.], anstecken.

in flagr'anti [lat.], auf frischer Tat.

Inflamm'atio [lat.], →Entzündung.

Inflati'on [lat. ›Aufblähung‹], jede durch Vermehrung der Zahlungsmittel verursachte Geldentwertung. Eine Geld- oder Kreditschöpfung gilt als *inflatorisch (inflationistisch)*, wenn ihr keine entsprechende Vermehrung der Warenerzeugung gegenübersteht. Ursache der I. ist häufig der Geldbedarf des Staates in Kriegszeiten, wenn das benötigte Geld nicht durch Besteuerung aufgebracht wird. Die Folgen sind steigende Preise; die einseitige Entwertung des Geldes führt zu einer Flucht in die Sachwerte und zur Benachteiligung der Bezieher fester Einkommen und der Gläubiger, dadurch zu sozialen Umschichtungen. Auf anfängl. Scheinbelebung der Wirtschaft folgt völlige Zerrüttung. Mäßige inflator. Kreditausweitung wird gelegentlich zur Erreichung oder Erhaltung der Vollbeschäftigung gefordert. Doch kann das zu einer *schleichenden I.* beitragen, d. h. einer langsamen fortschreitenden Geldentwertung.

Die Silber-I. des 16. Jhs. in Spanien hatte ihre Ursachen in dem großen Zufluß von Silber aus dem neuentdeckten Amerika. Die erste Papiergeldinflation erlebte Frankreich 1719/20 durch die von John Law verursachte Notenausgabe und dann während der Französ. Revolution (→Assignaten). Die USA erlebten I. im Unabhängigkeitskrieg und im Sezessionskrieg 1861/65. Im und nach dem 1. Weltkrieg kam es in fast allen kriegführenden Staaten zu gewaltigen I., in Dtl. war bei der Stabilisierung der Währung (Nov. 1923) 1 Billion Papiermark auf den Wert von 1 Goldmark gesunken. Im 2. Weltkrieg trat durch den allgemeinen Preis- und Lohnstopp und die Bewirtschaftung an die Stelle der offenen die »zurückgestaute« I. Die Geldentwertung zeigte sich auf dem »schwarzen Markt«, die Geldfunktion ging z. T. auf begehrte Waren über.

Wie alle anderen Industrieländer erlebt die Bundesrep. Dtl. seit der Währungsreform von 1948 eine schleichende I. Nachdem das Preisniveau zwischen 1955 und 1970 mit jährl. Raten von 1–4% gestiegen war, hat sich seit 1971 der Inflationsprozeß beschleunigt. Mitte 1973 betrug die Inflationsrate, gemessen am Preisindex für die Lebenshaltung aller privaten Haushalte, fast 8%.

Infloresz'enz [lat.], **1)** der Blütenstand. **2)** Samenpflanze, die Blüten bildet, ohne sich vegetativ weiterzuentwickeln.

Influ'enz [lat. ›Einfluß‹], das Trennen von Ladungen auf einem nichtgeladenen Leiter, der in ein elektrisches Feld gebracht wird. Wird ein Metallstück einem elektrisch geladenen Körper genähert, so wird die dem elektrisch geladenen Körper zugewandte Seite des Metallstückes im entgegengesetzten Sinn, die abgewandte im gleichen Sinn elektrisch geladen.

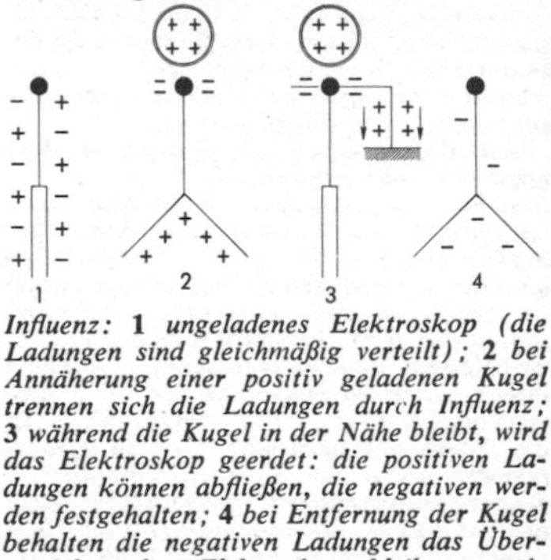

Influenz: **1** *ungeladenes Elektroskop (die Ladungen sind gleichmäßig verteilt);* **2** *bei Annäherung einer positiv geladenen Kugel trennen sich die Ladungen durch Influenz;* **3** *während die Kugel in der Nähe bleibt, wird das Elektroskop geerdet: die positiven Ladungen können abfließen, die negativen werden festgehalten;* **4** *bei Entfernung der Kugel behalten die negativen Ladungen das Übergewicht: das Elektroskop bleibt negativ geladen*

Influ'enza [ital.; Goethezeit], **1)** die →Grippe. **2)** die →Pferdestaupe.

Influ'enzmaschine, eine →Elektrisiermaschine.

Informati'on [lat.], Auskunft, Belehrung.

Informati'onsrecht, das Recht auf Auskünfte, besteht z. B. beim Betriebsrat gegenüber dem Arbeitgeber. Verwandt ist das Recht der Parteien und Verteidiger im Zivil- und Strafprozeß auf Akteneinsicht.

Informationstheorie, Nachrichtentheorie, eine von N. Wiener, C. E. Shannon und D. Gabor geschaffene mathemat. Theorie, die z. B. die Frage behandelt, mit welchem minimalen techn. Aufwand man eine Nachricht gerade noch verständlich übertragen kann. Grundlegend ist die quantitative Definition der *Information* oder *Nachrichtenmenge* durch Zurückführung jeder Nachricht auf duale Zahlen oder Zweierschritte (Dualsystem), meist durch einen Code. Shannon hat nachgewiesen, daß jeder techn. Übertragungskanal nicht mehr als eine ganz bestimmte höchste Nachrichtenmenge je Zeiteinheit, die *Kanalkapazität*, übertragen kann. Diese ist begrenzt durch unvermeidliche Störungen *(Rauschen)* und durch die Natur der übertragenen Zeichen selbst.

Mathematisch ist die I. ein Zweig der Wahrscheinlichkeitstheorie, der zuerst zur Lösung statistischer Fragen und von Problemen der Codierung von Nachrichten und Entstörung von Nachrichtenkanälen entwickelt wurde. Seitdem haben sich umfangreiche Anwendungen ergeben. Der Ausdruck *Information* wird dabei teils mehr in umgangssprachl. Sinne, teils mehr abstrakt mathematisch gefaßt. Zentral für die I. ist die Beschäftigung mit der menschl. Kommunikationskette und dem in ihr stattfindenden Zeichenverkehr, der von den menschl. Sinnesorganen zugängl. Signalen getragen wird (W. Meyer-Eppler). Formal werden etwa in der Genetik die Erbanlagen als »Informationen« für den werdenden Organismus aufgefaßt. Wichtige Begriffe der I. sind der des mittleren Informationsgehaltes je Symbol *(Informationsentropie*, auch *Negentropie* genannt) und der *Redundanz* (gelegentl. auch »Weitschweifigkeit«).

Da sich die Sinnesorgane als Informationsempfänger betrachten lassen, hat die I. für die Wahrnehmungspsychologie und -physiologie (Analyse des Wahrnehmungsraumes) Bedeutung gewonnen. Des weiteren erwies sie sich für die Analyse der natürlichen Sprachen als brauchbar, insbes. nach der phonetischen Seite hin Auch für die Analyse von Texten gibt die I. ein Hilfsmittel ab, nachdem die Sprachstatistik, zuletzt etwa nach W. Fucks, dieser Anwendung vorgearbeitet hatte. Zusammenhänge bestehen außer mit der Kybernetik, als deren Teil die I. aufgefaßt werden kann, mit der Lerntheorie und der mathemat. Spieltheorie.

LIT. W. Meyer-Eppler: Grundlagen und Anwendungen der I. ([2]1969); G. Raisbeck: I. (1970).

Informationsverarbeitung, Nachrichtenverarbeitung, ein meist rechnerischer, kombinatorischer oder organisatorischer Prozeß, bei dem aus einer Menge von Ausgangsinformationen neue Informationen gewonnen werden, die einen zu ermittelnden Sachverhalt konzentriert oder übersichtlich darstellen oder die eine für weitere I. bes. geeignete Form haben.

Bei der *Datenverarbeitung* sind die Informationen in Ziffern- oder Buchstabenform codierte Daten. Beispiele: Große Berechnungen mit →Rechenautomaten, Bestandsfortschreibung bei Lagerhaltung in Fabrikationen und Handel, zentrale Buchung im Flug- und Bahnverkehr, Bankkontenabrechnung.

LIT. K. Steinbuch, W. Weber, T. Heinemann (Hg.): Taschenb. d. Nachrichtenverarbeitung (1962); neu bearbeitet unter d. Titel ›Taschenbuch der Informatik‹, Bd. 1 ([3]1974), Bd. 2 ([3]1974); P. Mertens (Hg.); Angewandte Informatik (1972); E.-G. Woschni: Informationstechnik (1974).

Informat'ivprozeß, *kath. Kirchenrecht:* ein Verfahren außerrömischer Behörden (Ortsbischof, Nuntius, Delegat), das eine Entscheidung der röm. Kurie **(Definitivprozeß)** vorbereiten soll, z. B. bei Weiheklagen oder Kanonisationen.

informelle Kunst [von der auf M. Tapié zurückgehenden franz. Wortprägung *signifiance de l'informel,* ›Bedeutsamkeit des Formlosen‹], Benennung einiger Gruppen der neuen gegenstandsfreien Malerei und Plastik, die seit etwa 1945 im Gegensatz zur geometr. Abstraktion abgegrenzte Formen und feste Kompositionsregeln ablehnen, um durch frei erfundene Zeichen oder durch Rhythmus und Struktur ineinandergreifender Flecken und Linien Geistiges unmittelbar auszudrücken.

Infraktion [lat.], Knocheneinbruch.

'Infrarot, →Ultrarot.

'Infrarotauge, die in Satelliten eingebauten Ultrarotbeobachtungsgeräte.

'Infrarot-Heizung, eine Strahlungsheizung, bei der in Reflektoren angebrachte Glühkörper (400–900° C Temperatur) Wärmestrahlung abgeben.

'Infraschall, elastische Schwingungen, deren Schwingungszahl kleiner als 16–20 Hz ist, die also unterhalb der unteren Hörgrenze liegen.

'Infrastruktur [lat. Kw.], engl. **infrastructure,** bei der NATO zusammenfassende Bezeichnung für militär. Anlagen wie Kasernen, Flughäfen, Tankstellen, Radarstationen; im weiteren Sinn auch Straßen, Brücken, Eisenbahnen, Fernmeldeeinrichtungen u. a. *In der Wirtschaft:* die Gesamtheit der staatl. Investitionen, die der Schaffung und Verbesserung der allgem. Produktionsbedingungen in einem Wirtschaftsgebiet dienen, insbes. Grundlageninvestitionen in Verkehrswesen und Energieversorgung.

'Inful [lat.], **1)** die weiße Stirnbinde der altrömischen Priester und Vestalinnen, später der kaiserl. Statthalter. **2)** die →Bischofsmütze.

Inf'us [lat.], der Aufguß.

Infusi'on [lat.], Einverleibung größerer Flüssigkeitsmengen in den Darm, unter die Haut oder in ein Blutgefäß.

Infus'orien [lat.], *Ez. das* **Infusorium,** die *Wimper-I.* (→Wimpertierchen) und die *Infusionstierchen* (→Aufgußtierchen).

'Ingalik, 1) Indianerstamm der Athapasken am unteren Yukon. **2)** Eskimobezeichnung für Indianer.

Ingarden, Roman, poln. Philosoph, * Krakau 5. 2. 1893, † das. 18. 6. 1970, befaßte sich mit methodologischen Problemen der Erkenntnistheorie, mit phänomenologischen Analysen, angewandt auf die Fragen der Ästhetik (wie Bergson und Husserl).

WERKE. Das literarische Kunstwerk (1931, [4]1972), Der Streit um die Existenz der Welt, 2 Bde. (1947/48; dt. 3 Bde., 1964), Studien zur Ästhetik, 2 Bde. (1957/58), Untersuchungen zur Ontologie der Kunst (1961; dt. 1962).

Ingäw'onen, die →Ingwäonen.

Inge [indʒ], William, amerikan. Dramatiker, * Independence (Kansas) 3. 5. 1913, † Hollywood 10. 6. 1973.

WERKE. Dramen: Komm wieder, kleine Sheba (1950; dt. 1955), Picknick (1953; dt. 1956), Das Dunkel am Ende der Treppe (1957; dt. 1958), A Loss of Roses (1959).

'Ingeborg, Inge [nord. zu Ingwio, altgerman. Stammgott, und borg ›Schutz‹], weibl. Vorname.

Ingegneri [indʒɛɲ'ɛ:ri], Marco Antonio, ital. Komponist, * Verona um 1545, † Cremona 1. 7. 1592 als Domkapellmeister (seit 1576), Lehrer von Monteverdi.

'Ingeld, Gestalt der nordgerman. Sagendichtung. Das **Ingeldlied** erscheint in der Dänengeschichte des Saxo als lat. Lied, das dän. ist verloren. Die Hauptszene ist schon dem *Beowulf*-Epos bekannt.

Ingelfingen, Stadt im Hohenlohekreis, Baden-Württ., im Kochertal, mit (1977) 5200 Ew., Ind.; 2 Heilquellen; Stadtkirche mit spätgot. Glasmalereien, 2 Schlösser der Fürsten zu Hohenlohe-I., deren Sitz I. 1701 bis 1805 war; Burgruine Lichteneck (13. Jh.).

Ingelheim (am Rhein), Stadt im Kreis Mainz-Bingen, Rheinland-Pfalz, mit (1977) 19100 Ew., hat pharmazeut., elektrotechn. Ind., Konservenfabriken; Wein- (bes. Rotwein), Obst- u. Spargelanbau. Die Saalkirche aus dem 12. Jh. in Nieder-I. wurde wahrscheinlich an der Stelle der Kapelle der kaiserl. Pfalz errichtet, die ein Lieblingsaufenthalt Karls d. Gr. und späterer Kaiser (bis Barbarossa) war. Die Franzosen zerstörten 1689 die Kaiserpfalz (Grundriß noch erkennbar).

'Ingemann, Bernhard Severin, dän. Dichter, * auf Falster 28. 5. 1789, † Sorö 24. 2. 1862, schrieb, von der dt. und engl. Romantik beeinflußt, Gedichte, Dramen, Romane aus dem Mittelalter (Waldemar der Sieger, 1826; dt. 1827).

'Ingenhousz [-hɔus], Jan, niederländ. Arzt und Naturforscher, * Breda (Holland) 8. 12. 1730, † Bowood (bei London) 7. 9. 1799, entdeckte die Kohlenstoffassimilation und die Atmung der Pflanzen.

Ingeni'eros, [inxɛ-], José, argentin. Psychologe und Soziologe, * 1877, † 31. 10. 1925, seit 1904 Prof. an der Univ. La Plata. I. baute seine Lehre auf rein biologischer Grundlage auf.

Ingeni'eur [inʒənjœ:r, franz.; 30jähr. Krieg], abgek. **Ing.**, wissenschaftlich gebildeter Fachmann der Technik, der techn. Gegenstände, Verfahren, Anlagen oder Systeme erforscht, plant, entwirft, konstruiert, fertigt, vertreibt, überwacht oder verwaltet. Es gibt aus den Arbeitsbereichen abgeleitete Berufsbezeichnungen (Konstruktions-, Betriebs-, Vertriebs-, Montage-, Patent-, Sicherheits-, Normen-I. u. ä.), andere beziehen sich auf die techn. Fachgebiete (z. B. Maschinenbau-, Elektro-, Bau-, Luftfahrt-, Verfahrens-, Bergbau-, Textil-I.).

Die Ausbildung der Dipl.-I. erfolgt an den ingenieurwissenschaftl. Fakultäten oder Abteilungen der Universitäten (früher Techn. Hochschulen). Die Mindeststudiendauer liegt bei acht bis zehn Semestern. Die bestandene Diplom-Hauptprüfung berechtigt zur Führung des akadem. Grades Diplom-I. **(Dipl.-Ing)**. Etwa 5% der Dipl.-I. werden zum Doktor-I. **(Dr.-Ing.)** promoviert. Graduierte I., **Ing. (grad.)**, wurden früher an Staatl. oder staatlich anerkannten I.-Schulen ausgebildet, die jetzt zu Abteilungen von Fachhochschulen oder Gesamthochschulen geworden sind. Ihr Studium dauert in der Regel sechs Semester. Alle ingenieurwissenschaftlichen Fachrichtungen verlangen zusätzliche praktische Tätigkeit. Nach dem Erlaß von Ingenieurgesetzen in allen Bundesländern gibt es keine Möglichkeit mehr, ohne entsprechenden Studienabschluß die Berufsbez. I. zu führen.

Ingeni'eurbauten, Bauten, deren Ausführung vorwiegend durch technisch-konstruktive und statische Gesichtspunkte bestimmt wird, wie Brücken, Hochhäuser, Türme, Industriebauten, Wasserkraftanlagen.

Ingeni'eurkorps [inʒənjœ:rkɔ:r], bis zum 1. Weltkrieg die Pionieroffiziere, die die Anlage der ständigen Befestigungen leiteten und überwachten.

ingeni'ös [franz.], sinnreich, erfinderisch.

Ing'enium [lat. ›Scharfsinn‹], angeborene Art, Fähigkeit; natürl. Verstand, Erfindungskraft; schöpferische Geistesanlage, Genie.

Ingenuit'ät [lat.], Aufrichtigkeit, Freimut.

'Inger, Schleimaal, Schleim- oder **Wurmfisch,** *Myxine glutinosa*, zu den Rundmäulern gehörig, lebt im nördl. Atlantik bis zu 500 m Tiefe, wird bis 50 cm lang und bohrt sich mit seiner Raspelzunge in den Körper großer Fische ein, die er ausfrißt.

'Ingermanland [schwed.], geschichtl. Landschaft zwischen dem Ladogasee, der Newa, dem Finn. Meerbusen und der Narwa; nach dem westfinn. Stamm der *Ingern* genannt, gehörte im Mittelalter zum Reich von Nowgorod, kam 1617 an Schweden und 1702/21 durch Peter d. Gr. an Rußland.

'Ingesinde [mhd.], Dienerschaft im Hause.

Inglefieldgolf ['iŋglfi:ld-], Bucht in NW-Grönland, an der Hayes-Halbinsel, benannt nach dem brit. Vizeadmiral Inglefield.

Inglewood ['iŋglwud], Industriegem. in der Metropolitan Area von Los Angeles, Kalifornien, zwischen Stadtkern und Hafen von Los Angeles, hat (1970) 90000 Ew.

'Inglin, Meinrad, schweizer. Erzähler, * Schwyz 28. 7. 1893, † das 4. 12. 1971, setzte sich kritisch mit der Enge schweizer. Volkslebens auseinander.

WERKE. Grand Hotel Excelsior (1927), Die graue March (1935), Schweizerspiegel (1938;

Neufass. 1955), Werner Amberg (1949), Urwang (1954).

'Ingo, 'Ingomar, 'Ingraban [zu Ingvo, dem Sohn des Mannus], altdt. Vornamen.

'Ingoda, 690 km langer Fluß in Transbaikalien, Sowjetunion, vereinigt sich mit dem Onon zur Schilka, dem linken Quellfluß des Amur; der Unterlauf ist schiffbar.

'Ingolstadt, Stadtkreis im RegBez. Oberbayern, Bayern, beiderseits der Donau, 371 m ü. M., mit (1977) 88100 Ew. (Wappen: TAFEL Wappenkunde II, 70), hat AGer., höhere Schulen, Landwirtschaftsschule, Missionsseminare, Stadttheater; Industrie: Deutsche Spinnereimaschinenfabrik, Auto-Union, Textilfabriken, elektrotechn. Industrie, Erdölraffinerien u. a. Die Altstadt hat z. T. noch mittelalterl. Gepräge: Herzogskasten (1255–1294), Stadtumwallung (14. Jh.), Tore, Moritz- (13./14. Jh.), Liebfrauen- (1425), Franziskaner-Kirche (1275, 1736); ferner die Asam-Kirche Maria de Victoria (1732–36) und Barockhäuser. Im O liegt das Schloß (15. Jh.; Gemäldegalerie, Sammlungen), rechts der Donau die Tilly-Feste (1827). – I., seit etwa 1250 Stadt, war 1392–1447 Residenz der Herzöge von Bayern-I. Im 16. Jh. wurde es Landesfestung. Die 1472 gegründete Universität I. wurde 1800 nach Landshut, 1826 nach München verlegt.

Ingots, in Kokillen abgegossene Blöcke aus Stahl oder Nichteisenmetall in vorbestimmten Gewichten und Abmessungen, für die Herstellung nahtloser Rohre.

Ingredi'enzien [lat.], *Ez.* **Ingr'ediens, Ingr'edienz,** Zutat, Bestandteil.

Ingres [ɛgr], Jean-Auguste-Dominique, französ. Maler, * Montauban 29. 8. 1780, † Paris 14. 1. 1867, lernte bei J.-L. David und arbeitete, an der Antike und Raffael geschult, bis 1841 meist in Rom, seit 1834

J.-A.-D. Ingres: Frau von Senonnes (1814; Nantes, Museum)

als Direktor der französ. Akademie. In der zeichnerisch klaren Form seiner weibl. Akte, mytholog. Bilder und Bildnisse vollendete sich die Überlieferung der franz. Klassik, die er im schärfsten Gegensatz zu der maler. Romantik von Delacroix vertrat.

WERKE. Im Louvre: Badende (1808, TAFEL Französische Kunst IV, 3), Ödipus und die Sphinx (1808), Odaliske (1814), Roger und Angelica (1819), Die Quelle (1856), Türk. Frauenbad (1859).

LIT. L. Fröhlich-Bum: I. (1924); J. Cassou: I. (1947); H. Naef: I. (1962); D. Ternois: Montauban-Musée I. (1965).

Ingr'eß [lat.], Eingang, Zutritt.

'Ingrün, Immergrün; Tiefgrün.

inguin'al [lat.], zur Leistengegend gehörig.

Inguiom'er [-guj-], Cheruskerfürst, Onkel des Arminius; ursprüngl. einer Erhebung abgeneigt, kämpfte er 15 n. Chr. mit seinem Neffen gegen die Römer, nahm aber i. J. 17 gegen Arminius und für Marbod Partei.

Ing'uschen, →Tschetschenen.

Ingwä'onen, Ingäwonen, nach Plinius und Tacitus eine der drei westgerman. Stammesgruppen.

'Ingwer, Ingber [urspr. indisch], **1)** der knollige, handförmige Wurzelstock der einkeimblättrigen, zu den *Ingwergewächsen* (Zingiberazeen) gehörigen, südostasiat. Staude *Zingiber officinale* (TAFEL Gewürzpflanzen), die in den Tropen angebaut wird. Der I. ist durch ätherisches Ingweröl würzigscharf und dient als Magenmittel und Würze für Süßigkeiten, Ingwerbier. **2)** andere Pflanzen und Pflanzenteile: Haselwurz, Gelbwurzel (Kurkumawurzel), Kalmus, Aronstab.

INH, Abkürzung für Isonikotinsäurehydrazid, →Neoteben.

'Inhaber [spätmhd.], **1)** jemand, der die Verfügungsgewalt über eine Sache hat (Besitzer). **2)** Besitzer von Orden, mit denen nicht die Bezeichnung »Ritter« verbunden ist, sowie von Ehrenzeichen und Medaillen.

'Inhaberpapier, Wertpapier, bei dem das im Papier verbriefte Recht von jedem Inhaber ohne Nachweis der Verfügungsberechtigung geltend gemacht werden kann (z. B. Pfandbriefe, Obligationen, Inhaberaktien). Das I. wird formlos übertragen und eignet sich dadurch bes. für den Börsenverkehr.

Inhabilit'ät [mlat. ›Untauglichkeit‹], *kirchliches Recht:* die Unfähigkeit, bestimmte Rechtsakte zu vollziehen oder kirchl. Ämter, Privilegien u. a. zu erhalten.

Inhalati'on [lat.], das Einatmen *(Inhalieren)* von atembaren Dämpfen und Gasen oder Aerosolen zu Heilzwecken. Die Heilmittel wirken örtlich auf die Schleimhaut ein und werden zum Teil rasch den Blutgefäßen zugeführt. Der einzuatmende Stoff wird meist mit einer Maske *(Einzelinhalat)* oder für mehrere Personen in einem Raum *(Inhalatorium, Rauminhalation)* zugeführt.

'Inhalt [spätes MA.], **1)** von einer Form Umschlossenes. **2)** der Gehalt. **3)** *Geome-*

trie: Größe einer Fläche in Flächeneinheiten, eines Körpers in Raumeinheiten. 4) *eines Begriffs*, die Summe der Merkmale.

inhär'ent [lat.], anhaftend, innewohnend. **Inhär'enz,** das Verbundensein mit etwas, das Innewohnen, in der Philosophie das Verhältnis der Eigenschaften (Akzidenzen) zum Ding (Substanz). Gegensatz: Subsistenz, das Bestehen aus sich selbst.

inhib'ieren [lat.], verbieten, verhindern.

Inhib'ine [aus lat. inhibere ›hindern‹], bakterienhemmende Stoffe (nach Dold und Weigmann, 1934) im Mundspeichel; ähnlich wirkende Stoffe in Tränenflüssigkeit, Nasenschleim, Auswurf, in Milch und Bienenhonig heißen *Lysozyme* (nach Fleming, 1922).

Inhibit'oren [lat. Kw.], Stoffe, die bestimmte chem. Vorgänge, vor allem die Polymerisation, hemmen oder unterbinden.

in hoc s'igno v'inces [lat. ›in diesem Zeichen wirst du siegen‹], lat. Fassung der Inschrift in der Kreuzerscheinung Kaiser Konstantins I.

inhomog'en [lat.-griech.], *Physik:* verschieden im physikal. Verhalten.

'inhuman [lat.], unmenschlich.

'Inia, Bufeo, Bonto, zu den Zahnwalen gehöriges Säugetier südamerikanischer Ströme und Seen.

in infin'itum [lat.], bis ins Unendliche fort.

in int'egrum [lat.], Restitutio in integrum, →Wiedereinsetzung in den vorigen Stand.

Iniquit'ät [lat.], Unbilligkeit, Härte.

Initi'ale [lat.], **Initi'al,** Anfangs- oder Zierbuchstabe; der durch Größe und Schmuck hervorgehobene Buchstabe am Anfang von Büchern oder Abschnitten bei Hand- und Druckschriften. Im MA. hatten die Bücher reich verzierte und kolorierte I.

Initi'alzündung, die Zündung eines schwerer entzündl. Brenn- oder Sprengstoffs durch einen leichter entzündl., der die erforderlichen Anfangsgrößen (Temperatur, Druck) liefert; übertragen die Ingangsetzung eines größeren Vorgangs durch einen kleineren.

Initiati'on, 1) im Altertum die Zulassung zu den Mysterien (z. B. beim Mithraskult), auch die Aufnahme in einen Geheimbund, insbes. die feierliche Aufnahme der Jugendlichen in die Welt der Erwachsenen. *Initiationsriten,* die religiösen oder symbolischen Bräuche bei der I. **2)** bei den Naturvölkern die →Reifefeier.

Initiat'ive [nlat.], **1)** Anregung, erster Schritt. **2)** Entschlußkraft, Unternehmungslust. **3)** →Gesetzesinitiative.

Initi'ator [nlat.], Urheber.

I. N. J., Abk. für lat. **In nomine Jesu,** im Namen Jesu.

Injekti'on [lat.], die →Einspritzung.

Inj'ektor [lat.], Strahlapparat zum Speisen von Dampfkesseln: Der Dampf tritt mit

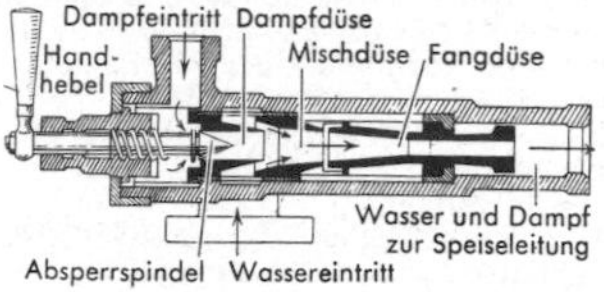

Injektor (Schema)

hoher Geschwindigkeit aus einer Dampfdüse in eine davorgeschaltete Mischdüse, saugt dabei Speisewasser an und fördert es in die Speiseleitung.

Inj'urie [lat ; Lutherzeit], **Beleidigung. Ver-**

Initiale: Q; aus dem St. Galler Folchard-Psalter, 9. Jh. (St. Gallen, Stiftsbibl.). L *mit Darstellung der Geburt Christi; aus einem Evangeliar aus Weingarten, Anf. 13. Jh. (Stuttgart, Landesbibl.)*

balinjurie, Beleidigung durch Worte, **Injuriant,** Beleidiger; **Injuriat,** Beleidigter. **injuri'ös,** beleidigend.

Inka, südamerikan. Indianerstamm der Ketschua-Sprachgruppe; urspr. nur der Titel des Herrschers, später die Bezeichnung für alle Angehörigen des Stammes. Das Reich der I. umfaßte im 16. Jh. das Gebiet der Anden von nördl. Quito bis südlich Valparaiso samt dem Küstenland. Den Kern bildete die Umgebung der Hauptstadt Cusco. Der Beginn der Inka-Kultur ist um 1200 anzusetzen, das Reich selbst wurde durch Pachacuti 1438 gegründet und durch dessen Nachfolger erweitert. Unter Huayna Capac erreichte es seine höchste Blüte. Die Aufteilung des Reiches an seine Söhne hatte Streitigkeiten zur Folge, die den Spaniern die Eroberung erleichterten. Atahualpa verlor 1533 Reich und Leben durch die Spanier unter Pizarro.

Durch feste Eingliederung der unterworfenen Reiche und Völker schufen die I. das einzige wirkliche Imperium der vorkolumb. Zeit. Die Söhne der unterworfenen Curacas (Häuptlinge) mußten zur Erziehung an den Hof des I. kommen, wo man sie mit der herrschenden Staatsverfassung vertraut machte. Die Bevölkerung gliederte sich in Adel, Freie und Sklaven; eine Sonderstellung nahmen die Priester ein, ferner auserlesene Mädchen, die als »Sonnenjungfrauen« dem Kulte dienten. Der Bodenbesitz der Dorfgemeinde war kollektiv, die Bewirtschaftung unterlag gemeinwirtschaftl. Regeln. Die I. förderten intensiven Ackerbau durch Wasserleitungen und Terrassierung. Lama und Alpaka wurden vor allem wegen der Wolle gezüchtet, Bergbau auf Silber, Kupfer und Zinn betrieben, die letzteren zur Bronze legiert. Neben einem Straßensystem mit Posteinrichtung und Speichern entwickelten die I. die Goldschmiedetechnik, feine Webarbeiten und eine hochstehende Töpferkunst.

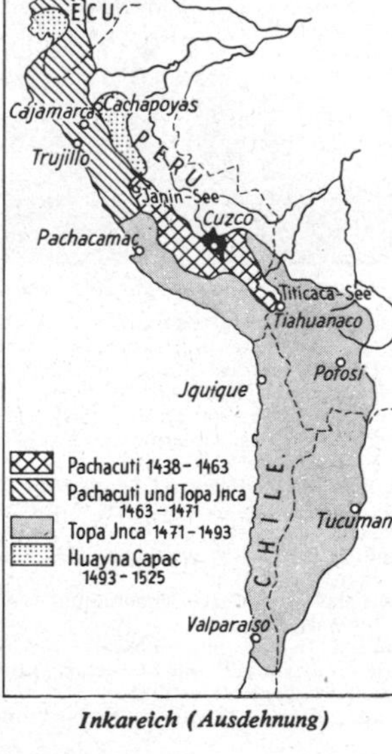

Inkareich (Ausdehnung)

In dem Sonnenkult des Inka-Reiches vertrat der regierende I. die menschgewordene, auf Erden weilende Gottheit, der höchste Verehrung gebührte. Er genoß unumschränkte Macht, und alles in seinem Reiche gehörte ihm allein. Viele Frauen bildeten seinen Harem, doch nur eine galt als Hauptgattin (Koya), die, nach späterer Sitte, die eigene Schwester des Herrschers sein mußte und den Thronfolger gebar. Meist bestieg der älteste Sohn den Thron seines verstorbenen Vaters.

Lit. V. W. v. Hagen: Das Reich der I. (1958); H. D. Disselhoff: Das Imperium der I. (1974); L. und Th. Engl: Glanz und Untergang des Inkareiches (1967); R. Müller: Sonne, Mond und Sterne über dem Reich der I. (1972); H. Ubbelohde-Doering (Hg.): Die Kunst im Reich der Inka (1967).

Inkardination [mlat.], *kath. Kirchenrecht:* die Aufnahme eines Klerikers in eine Diözese. Jeder Kleriker wird, sofern er nicht einer Klostergenossenschaft angehört, durch die erste →Tonsur der Diözese zugeschrieben (inkardiniert), für die er geweiht wird. Jede spätere I. in eine andere Diözese setzt die Exkardination aus der bisherigen voraus. Für beide Akte sind die betreffenden Ortsordinarien zuständig. Der säkularisierte Klostergeistliche wird durch vorbehaltlose Aufnahme oder Aufnahme von 6 Jahren in eine Diözese inkardiniert.

Inkarn'at [ital.] *das,* Fleischton.

Inkarnati'on [lat. ›Fleischwerdung‹], **1)** *Religionswissenschaft:* eine der Erscheinungsformen der Gottheit, indem diese sich in Menschengestalt auf Erden verkörpert. So gelten Kulturheroen, Heilbringer, Helden oder bestimmte Priester bei vielen Völkern als I. eines Gottes. **2)** *christl. Theologie:* Menschwerdung Jesu Christi.

inkarzer'iert [lat. Kw.], *Medizin:* eingeklemmt.

Ink'asso [ital.] *das,* Einziehung von Außenständen, bes. von fälligen Rechnungen, Wechseln und Schecks. Das *Inkassogeschäft* wird von selbständigen Unternehmen *(Inkassobüros)* und von den Banken betrieben, meist wird eine *Inkassoprovision* berechnet.

Inkerm'an [tatar. ›Höhlenfestung‹], Ort auf der Halbinsel Krim, nahe der Bucht von Sewastopol, bekannt durch etwa 300 Höhlenwohnungen in Stockwerken. Die Schlacht bei I. (5. 11. 1854) war im →Krimkrieg von Bedeutung.

inkl., Abk. für inklusive.

Inklinat'ion [lat.; Lutherzeit], **1)** † Neigung, Zuneigung. **2)** *Astronomie:* der Neigungswinkel, den die Ebene einer Planetenbahn mit der Ebene der Erdbahn einschließt. **3)** →Erdmagnetismus.

Inkl'usen, Reklusen [lat. ›Eingeschlossene‹], Einsiedler, die in Zellen eingeschlossen lebten.

Inklusi'onsverbindungen, die →Einschlußverbindungen.

inklusiv(e) [nlat.], abgek. **inkl.** oder **incl.**, einschließlich, inbegriffen.

ink'ognito [lat. ›unerkannt‹], unter einem Decknamen. **Inkognito,** Namensverheimlichung.

'inkohärent [lat.], unzusammenhängend. Inkohärente Lichtbündel ergeben keine Interferenz.

Inkohlung, natürliche Umwandlung von Pflanzenresten in Kohle (Torf, Braunkohle, Steinkohle).

inkommensur'abel [lat.], nicht zusammen meßbar; unvergleichbar. Inkommensurable Größen stehen zueinander in einem irrationalen Verhältnis, wie z. B. die Seite und die Diagonale eines Quadrats.

inkommod'ieren [lat.-franz.], belästigen; **sich inkommodieren,** sich (freundlich) bemühen.

inkompar'abel [lat. Kw.], nicht vergleichbar.

inkompat'ibel [franz.], unvereinbar, unverträglich.

Inkompatibilit'ät, 1) im *staatl. Recht* die Unvereinbarkeit der gleichzeitigen Bekleidung mehrerer öffentl. Ämter durch ein und dieselbe Person. Sie dient in parlamentar. Staaten zur Trennung der Exekutive und Legislative (→Gewaltenteilung), bei einem Zweikammersystem zur Sicherung der wechselseitigen Unabhängigkeit beider Kammern. *Wirtschaftl. I.* ist die Unvereinbarkeit bestimmter staatl. Ämter und wirtschaftl. Stellungen (Aufsichtsratsposten). – **2)** im *kathol. Kirchenrecht* liegt I. vor, wenn sich zwei Ämter nicht ohne Widerspruch der Pflichten versehen lassen.

'inkompetent [lat. Kw.], nicht zuständig, unbefugt.

inkompress'ibel [lat.], nicht zusammendrückbar. I. sind die festen und die flüssigen Körper im Gegensatz zu den Gasen.

'inkongruent [lat.], nicht übereinstimmend, sich nicht deckend.

'inkonsequent [lat.], schwankend, nicht folgerichtig, unstetig.

'inkonsistent [lat.], unhaltbar, unfest.

'inkonstant [lat.], unbeständig.

inkontest'abel [lat.], unbestreitbar.

'Inkontinenz [lat.], Unvermögen, Harn oder Stuhlgang willkürlich zurückzuhalten.

inkonven'abel, inkonveni'ent [neulat.], unpassend, ungelegen. **Inkonvenienz,** Ungelegenheit, Übelstand.

Inkorporati'on [lat. Kw.], die Einverleibung, z. B. eines polit. Gemeinwesens in ein anderes (Eingemeindung), die Angliederung eines Staates oder Staatsteiles in einen anderen Staat (Abtretung, Annexion).

'inkorrekt [lat.], ungenau, unrichtig; unangemessen.

'Inkreis, Kreis, der einem Vieleck so einbeschrieben ist, daß dessen Seiten Tangenten an den Kreis sind.

Inkrem'ent [lat.], kleiner Zuwachs einer Größe; Gegensatz: Dekrement.

Inkr'et [verkürzt aus ›inneres Sekret‹], Absonderung der Drüsen mit →innerer Sekretion, heute meist Hormon genannt; **inkret'orisch,** die innere Sekretion betreffend.

inkrimin'ieren [lat. Kw.], beschuldigen, zur Last legen.

Inkrustati'on [lat. Kw.], **1)** *Geologie:* Überzug von Ablagerungen (Sinter). **2)** *Baukunst:* die Verkleidung von Mauern, auch von Fußböden, mit verschiedenfarbigen Steinplatten, meist von Marmor, die, zu Mustern zusammengefügt, die Fläche gliedern und dekorativ beleben. Die schon in der antiken und byzantin. Kunst geübte Technik war vom frühen MA. bis zum Barock bes. in Italien verbreitet.

Inkrustation: San Miniato zu Florenz

Inkubati'on [lat.], **1)** Zeit zwischen Ansteckung und den ersten Krankheitserscheinungen. **2)** Bebrüten des Eies, Entwicklungszeit des Keimes im Ei. **3)** in der Antike der Tempelschlaf, der im Traum göttl. Offenbarungen und bes. Heilung von Krankheiten bringen sollte.

'Inkubus [lat. ›Aufliegerd‹], bei den Römern Dämon des Alpdrückens; im Mittelalter Buhlteufel der Hexe.

Inkulp'at [lat.], † Angeklagter. **Inkulpant,** Ankläger.

Inkun'abeln [von lat. incunabula ›Windeln‹], →Wiegendrucke.

inkur'abel [neulat.], unheilbar.

Inlaid [engl. inl'eid], ein Linoleum mit farbigem, durchgehendem Muster.

Inland, bei jedem Staat das Gebiet innerhalb seiner Grenzen. **Inländer,** im I. Ansässiger.

'Inlandeis, große geschlossene Eisdecken in den Polarländern, bes. in Grönland und der Antarktis, Hunderte bis Tausende von Metern dick, an den Rändern oft in Gletscher aufgelöst. (→Eiszeit, →Kalben).

'Inlaut, Laut im Wortinnern.

'Inlett [niederd. zu inlaten ›einlassen‹], daunendichter Bezugsstoff aus Baum- oder Zellwolle in Köper- oder Atlasbindung für Federbetten.

in l'oco [lat.], an Ort und Stelle.

in maj'orem D'ei gl'oriam, →ad majorem Dei gloriam.

in m'edias r'es [lat.], mitten in die Sache; ohne Umschweife zur Sache.

in mem'oriam [lat.], zum Gedächtnis.

Inn, der größte rechte Nebenfluß der oberen Donau, 510 km lang, entspringt in Graubünden im Bergsee des Piz Lunghino, 2484 m ü. M., durchströmt das Engadin, Nordtirol, das bayer. Alpenvorland und mündet bei Passau in die Donau. Von der Mündung der Salzach an bildet er die Grenze zwischen Bayern und Oberösterreich. Das eigentl. Inntal, ein alter Kultur- und Verkehrsstreifen, ist mit Landeck, Innsbruck, Hall, Schwaz und Kufstein die Kernlandschaft Nordtirols. Von Wasserburg bis Ering und Egglfing reichen die Staustufen der Innwerk AG.

in nat'ura [lat.], **1)** leibhaftig. **2)** nackt. **3)** in Waren, nicht in Geld.

'Innenarchitekt'ur, die Gestaltung von Innenräumen. Sie umfaßt die Materialwahl, die Gliederung von Wand-, Decken- und Fußbodenflächen, die Farbgebung, die natürliche und künstliche Beleuchtung, die Ausstattung mit Möbeln und den Einbau besonderer Einrichtungen. Oft übernimmt der Architekt auch diese Arbeiten. In neuerer Zeit hat sich dafür der Beruf des *Innenarchitekten* herausgebildet.

'Innendekoration, die künstlerische Ausstattung von Innenräumen.

'Innenhof, ein allseits umbauter Hof; als →Atrium im altröm. Haus der Hauptwohnraum, um den sich die Schlaf- und Nebenräume gruppierten.

'Innenpolitik, die politische Tätigkeit, die auf die Ordnung der inneren Verhältnisse des eigenen Staats gerichtet ist, im Unterschied zur Außenpolitik.

'Innenreim, →Inreim.

'Innentaster, Zirkel zum Messen von Lochdurchmessern.

Inner'asien, →Zentralasien.

innerbetriebliche Werbung, betriebl. Maßnahmen, die das Interesse der Beschäftigten am Betrieb wecken sollen, z. B. Förderung des Vorschlagwesens, Betriebsbesichtigungen für Beschäftigte, Tag der offenen Tür für die Angehörigen, Werkzeitung.

innere Form, *in der Dichtung:* Shaftesbury stellte um die Mitte des 18. Jhs., zurückgreifend auf Plotin, der äußeren Form die i. F. gegenüber. Demnach entsteht das Kunstwerk, ähnlich dem aus dem gestaltbildenden Keim sich entfaltenden Organismus, nicht durch Anwendung sich gleichbleibender Vorschriften, sondern dadurch, daß die dem poet. Gehalt selber innewohnende, ihm wesensgemäße Gestalt von der produktiven Einbildungskraft des Dichters ergriffen und verwirklicht wird. Die Lehre von der i. F. will die schematische äußere Gesetzlichkeit einer allgem., lehrbaren Poetik (in Dtl.: Opitz, Gottsched) durch die höhere und lebendigere innere Notwendigkeit ersetzen. Sie führte im Sturm und Drang, bei Herder und dem jungen Goethe, die sie in Dtl. zuerst vertraten, zu einer entscheidenden Entwertung der objektiven und normativen ästhet. Wertmaßstäbe, an deren Stelle das intuitive Gestaltungsverfahren des poet. Genies trat, das den jedem poesiefähigen Gehalt innewohnenden eigenen Formanspruch schöpferisch zu verwirklichen vermag.

Innere Führung, in der Bundeswehr allgemeine Bezeichnung für eine Reihe von Führungsaufgaben, die sich mit dem Soldaten als Menschen befassen, z. B. zeitgemäße Menschenführung und psychologische Rüstung.

Inner'ei *die,* die inneren Teile Leber, Herz, Magen.

innere Kolonisation, 1) *allgemein:* im Unterschied zur äußeren →Kolonisation der Ausbau vorhandener bäuerl. Siedlungen durch Rodung und Urbarmachung. Blütezeit: 8.–14. Jh.; Nachblüte in Ostdtl.: 17./18. Jh.

2) *im besonderen* die durch das preuß. Ansiedlungsges. v. 26. 4. 1886 in Gang gebrachte bäuerl. Siedlung in Posen und Westpreußen (→Posen).

innere Krankheiten, eine Gruppe von Erkrankungen, bei denen die wesentlichen Organveränderungen sich im Innern des Körpers, an den *inneren Organen* abspielen (Herz, Lunge, Magen u. a.); auch die Infektionskrankheiten gelten als i. K. Die Kliniken für i. K. heißen *Medizinische Kliniken.*

Innere Medizin, das Kernstück der Medizin, umschließt die Lehre vom Krankwerden und vom Heilen und umfaßt insoweit alle Erfahrungen und Forschungsergebnisse, auf denen die Sondergebiete aufbauen. Als Sonderfach beschränkt sich die I. M. auf die Behandlung von →inneren Krankheiten mit Arzneimitteln, ferner auf Ernährungs-, Strahlen-, Klima- und Bäderbehandlung. Da das Gebiet der I. M. durch die Fülle der neugewonnenen Erkenntnisse für den einzelnen immer unüberschaubarer wurde, kam es in den letzten Jahren zu einer raschen Entwicklung von Spezialrichtungen wie Kardiologie, Angiologie, Hämatologie, Gastroenterologie. Besonderen Krankheitsgruppen widmen sich z. B. Kanzerologie, Strahlenheilkunde, Rheumatologie und Geriatrie.

Innere Mission, Einrichtungen und Anstalten freier christlicher Liebestätigkeit innerhalb der evangelischen Kirche, 1848/49 von

J. H. Wichern gegründet *(Centralausschuß für die I. M. der Dt. Evangel. Kirche)*, Aufgabengebiete: christliche Fürsorgearbeit in Gemeinden und Anstalten, Volksmission. 1957 mit dem →Hilfswerk der Evangelischen Kirche in Deutschland vereinigt als Diakonisches Werk der Evangel. Kirchen: **Innere Mission und Hilfswerk der Evangelischen Kirche in Deutschland.** Das Werk wird geleitet von dem Diakonischen Rat, der Diakonischen Konferenz und der Hauptgeschäftsstelle in Stuttgart. Neue Aufgaben: Aktion »Brot für die Welt«, ökumenische Bruderhilfe, Evangel. Jugend- und Aufbaudienst für Flüchtlingsjugend. Zeitschr.: Die I. M. (seit 1906), Das Diakon. Werk (seit 1946), Jahrb. (seit 1957).

Innere Mongolei, →Mongolei.

innere Organe, →innere Krankheiten.

innerer Monolog, in Romanen und Erzählungen werden unausgesprochene Gedanken, Assoziationen, Ahnungen der Person in Form der indirekten Rede wiedergegeben. Der i. M. soll den Eindruck der Unmittelbarkeit und Genauigkeit vermitteln. Hauptvertreter ist James Joyce (Ulysses, 1922). Beispiele finden sich im Deutschen bei Schnitzler (Fräulein Else, 1924), Döblin (Berlin Alexanderplatz, 1930), H. Broch (Der Tod des Vergil, 1945) u. a. Auch im Hörspiel wird der i. M. verwendet (Dylan Thomas u. a.).

innere Sekretion, die Absonderung von Hormonen *(Inkreten)* ins Blut durch Drüsen ohne Ausführungsgang (*endokrine Drüsen*, Hormondrüsen): →Hirnanhangdrüse, →Schilddrüse, →Nebenschilddrüse, →Thymus, →Nebennieren, →Bauchspeicheldrüse. Über die →Zirbeldrüse als Hormondrüse ist nichts Sicheres bekannt. Die Keimdrüsen (→Eierstock, →Hoden) liefern die Geschlechtshormone. – Hormone erzeugen auch der Mutterkuchen und (als Gewebshormone) fast alle Gewebe.

'**Innerösterreich,** früher die österreich. Hzgt. Steiermark, Kärnten, Krain und die Gfsch. Görz; heute in Tirol und Vorarlberg für das übrige Österreich üblich.

Innerrhoden, schweizer. Halbkanton, →Appenzell.

'**Innerste,** Nebenfluß der Leine, entspringt im Harz, mündet unterhalb von Sarstedt, 75 km lang.

Innervati'on [lat. Kw.], **1)** Versorgung eines Körperteils mit Nerven. **2)** Zuleitung eines Reizes vom Zentralnervensystem durch die Nerven zu einem Organ.

'**Inness,** George, amerikan. Maler, * Newburgh (N. Y.) 1. 5. 1825, † Bridge of Allan (Schottland) 3. 8. 1894, bereiste mehrmals Europa, wo er von der Schule Barbizon beeinflußt wurde; malte schlichte Bilder der amerikan. Landschaft.

'**Innitzer,** Theodor, Kardinal (seit 1933), * Weipert (Böhmen) 25. 12. 1875, † Wien 9. 10. 1955, wurde 1910 Prof. in Wien, 1932 Erzbischof von Wien; war 1929/30 österr. Bundesminister für soziale Verwaltung.

LIT. V. Reimann: I., Kardinal zwischen Hitler und Rom (1967).

in n'omine [lat.], im Namen.

'**Innozenz** [lat. ›der Unschuldige‹], männl. Vorname.

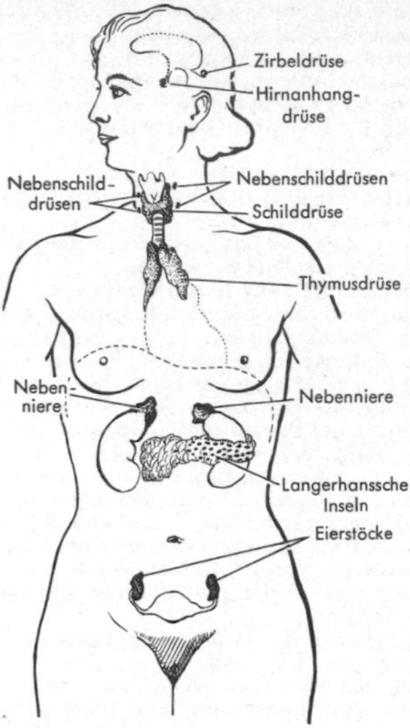

innere Sekretion: Lage der Drüsen mit innerer Sekretion im weibl. Körper (nach Benninghoff)

'**Innozenz,** Päpste: **1) I. I.** (402–17), † Rom 12. 3. 417, trat für den Vorrang des röm. Bischofs ein. Sein Versuch, im Streit um Chrysostomos auch im Osten einzugreifen, führte jedoch zum Bruch mit Alexandrien und Konstantinopel. Heiliger; Tag: 28. 7.

2) I. II. (1130–43), **Gregor Papareschi,** † Rom 24. 9. 1143, vermochte sich trotz Unterstützung durch Bernhard v. Clairvaux und Kaiser Lothar III. erst nach dem Tode des Gegenpapstes Anaklet II. durchzusetzen.

3) I. III. (1198–1216), **Lothar,** Sohn eines **Grafen von Segni,** * Anagni 1160/61, † Perugia 16. 7. 1216, führte das mittelalterliche Papsttum auf den Gipfel seiner Macht. Er krönte 1209 Otto IV. zum Kaiser, tat ihn aber 1210 in den Bann, als er das Kgr. Sizilien zu erobern begann, und sandte Friedrich II. als Gegenkönig nach Dtl. Er förderte die Gründung des Franziskanerordens. I. war sittenstreng, ein glänzender Redner und ein Herrscher von großer staatsmännischer Begabung.

4) I. IV. (1243–54), Sinibaldo **Fieschi** aus Genua, aus dem Haus der Grafen von Lavagna, † Neapel 7. 12. 1254, ließ nach seiner Flucht nach Frankreich 1245 auf einem Konzil in Lyon Kaiser Friedrich II. als Kirchenfeind absetzen. In Deutschland bewirkte er die Erhebung von Gegenkönigen (Heinrich Raspe 1246, Wilhelm von Holland 1247), in Italien unterstützte er die lombardischen Städte gegen den Kaiser.

5) I. V. (1276), **Pierre de Tarantaise,** Dominikaner, * Champigny (Savoyen) 1225, † Rom 22. 6. 1276, war ein bedeutender Exeget und scholastischer Theologe. Seliger; Tag: 22. 6.

6) I. VIII. (1484–92), Giambattista **Cibò,** * Genua 1432, † Rom 25. 7. 1492, hat durch die Hexenbulle (1484) die Hexenverfolgung verhängnisvoll gefördert.

7) I. X. (1644–55), Giambattista **Pamfili,** * Rom 6. 5. 1574, † das. 7. 1. 1655, orientierte sich politisch nach Spanien und verwarf den für die kathol. Kirche ungünstigen Westfälischen Frieden.

8) I. XI. (1676–89), Benedetto **Odescalchi,** * Como 19. 5. 1611, † Rom 12. 8. 1689, war durch seine Charakterstärke und tiefe Religiosität der bedeutendste Papst des 17. Jhs.; sanierte die Finanzen des Kirchenstaates durch Sparsamkeit, förderte das Bündnis zwischen Polen und Österreich. Seliger (1956); Tag: 13. 8.

'Innsbruck, Hauptstadt von Tirol, Österreich, mit (1973) 115 200 Ew. (Wappen: TAFEL Städtewappen II), 574 m ü. M., im Tal des Inn, der hier die Sill aufnimmt; im N ragen die Kalkwände des Karwendels auf, Solstein (2641 m) und Hafelekar (2334 m), im S Patscherkofel (2248 m); Zugang zum Stubai- und zum Wipptal. I. ist Sitz der Landesregierung, hat Oberlandes- und Landes-Ger., Handels- und Gewerbekammer, Post- und Bundesbahndirektion, Universität (seit 1670), 10 höhere und 7 Fachschulen, Landesmuseum *(Ferdinandeum)*, Volkskunstmuseum, Landesarchiv, -theater, Botan. Garten, Musikschule mit Konservatorium; Alpenflughafen (Kranebitten); große Wintersportanlagen (Olymp. Winterspiele 1964). Bei größerer Industrie ist I. Verkehrsmittelpunkt und Fremdenverkehrsort. Es erwuchs nördl. der röm. Gründung Veldidena (jetzt Vorort Wilten), wurde 1239 Stadt, war 1564–1665 Residenz der tirol. Nebenlinie der Habsburger. In der Altstadt (mit Laubengassen und hohen Erkerhäusern) die alte Ottoburg, der Stadtturm und die St.-Jakobs-Kirche (got., um 1720 barock erneuert). Den Erker der Fürstenburg (um 1420) ließ Maximilian I. 1500 mit einem vergoldeten Kupferdach versehen *(Goldenes Dachl)*. Im NO der Altstadt die 1766–70 erneuerte Hofburg mit der Hofkirche (1553 bis 1563; 28 Bronzestandbilder am *Maximiliansgrabmal*, Grabgruft A. Hofers u. a.) und das alte Universitätsgebäude mit der barocken Jesuitenkirche. In die Neustadt führt die Maria-Theresien-Str. (Annasäule 1706, Triumphpforte 1765). In Wilten, am Fuße der 1809 umkämpften Anhöhe Bergisel, liegen die Prämonstratenserstiftskirche (1651–65) und die Pfarrkirche (1751–55); südöstlich Schloß →Ambras. Olymp. Winterspiele 1964 und 1976.

Die *Apostol. Administratur I.-Feldkirch* umfaßt den 1920 bei Österreich verbliebenen Teil des Bistums Brixen; der Administrator (mit den Rechten eines regierenden Bischofs) residiert in I.

Innsbrucker, in Tirol seit 1482 geprägte Sechskreuzerstücke.

in n'uce [lat. ›in der Nuß(schale)‹], im Kern, kurz und bündig, in knapper Fassung.

'Innungen [mhd. ›Verbindung‹, zu ahd. innon ›aufnehmen‹], die nach der Handwerksordnung (Fass. v. 1965) als öffentlichrechtl. Körperschaften bestehenden freiwill. Vereinigungen selbständiger Handwerker gleichen oder ähnlichen Handwerks. Sie fördern die gemeinsamen Interessen ihrer Mitglieder, die Lehrlingsausbildung und das Fachschulwesen und nehmen die Gesellenprüfungen ab.

Für jedes Handwerk kann im gleichen Bezirk nur eine I. gebildet werden. Die Satzung unterliegt der Genehmigung der Handwerkskammer, die die Aufsicht führt. Organe sind: *Innungsversammlung*, *Vorstand* (an der Spitze der Obermeister), *Ausschüsse* (Innungsausschüsse), z. B. *Lehrlingsausschuß*. Fachlich sind die I. zu *Innungsverbänden* (Landes-, Bundesinnungsverbände) zusammengeschlossen, gebietsweise zur *Kreishandwerkerschaft*.

In der *DDR* wurden 1946 die I. aufgelöst. – In *Österreich* werden die Gewerbegenossenschaften mitunter I. genannt. – In der *Schweiz* bestehen I. und Zünfte als Vereinigungen mit Vorrechten oder Monopolen seit 1798 nicht mehr. Ihre Aufgaben wurden in neuer Zeit z. T. vom Staat übernommen.

GESCHICHTE. Die I. sind die Fortsetzung der alten *Zünfte*, deren alte Vorrechte mit dem Übergang zur →Gewerbefreiheit im 19. Jh. aufgehoben worden waren. Allmählich gewannen sie eine Reihe öffentl. Funktionen zurück. Die Novelle zur GewO von 1897 sah neben den *freien Innungen* mit freiwill. Mitgliedschaft auch *fakultative Zwangsinnungen* vor. 1933 wurden an ihrer Stelle die *Pflichtinnungen* eingeführt. Nach 1945 bestand starke Zersplitterung bis zum Erlaß der Handwerksordnung 1953.

'Innungsfachschulen, von Innungen und Innungsverbänden eingerichtete →Fachschulen.

'Innungskrankenkasse, zur Durchführung der gesetzl. Krankenversicherung von Innungen für die der Innung angehörenden Betriebe errichtet; in der Bundesrep. Dtl. (1973): 173 I. mit rd. 1,6 Mill. Mitgl.

'Innviertel, ein ursprünglich bayer. Gebiet zwischen Donau, Inn und Salzach, kam 1779 durch den Frieden von Teschen an Österreich, war 1809–14 wieder bayerisch und gehört seitdem zu Oberösterreich.

'Innwerk AG, München (Verwaltung Töging am Inn), Kraftwerke, gegr. 1917.

'Ino, *griech. Mythologie:* Tochter des Kadmos, Gemahlin des Athamas, die sich mit ihrem Sohn Melikertes ins Meer stürzte; sie wurde der Meeresgöttin Leukothea [›Weiße Göttin‹], Melikertes dem Meeresgott Palaimon [›Ringer‹] gleichgesetzt. Darstellungen finden sich bes. auf Vasen.

Inoc'eramus [grch. kéramos, Ton, ›Ziegel‹], ausgestorbene Muschelgatt. der Jura- und Kreidezeit; ihre Reste sind bes. in den Schichten der mittleren und oberen Kreide verbreitet (Leitfossilien).

'in|offiziell [franz.], nicht amtlich.

Inönü, Ismet, türk. Politiker, * Izmir 25. 9. 1884, † Ankara 25. 12. 1973, nahm 1908 an der jungtürk. Revolution teil, war 1920/21 Generalstabschef (Siege über die Griechen), 1922 Außenminister, 1923–38 MinPräs., 1938–50 Staatspräsident. I., Führer der Republikan. Volkspartei, war ein scharfer Gegner der 1960 gestürzten Regierung Menderes. Nov. 1961 bis Febr. 1965 war I. erneut Ministerpräsident.

'in|operabel [lat.], nicht operierbar.

'in|opportun [lat.], ungelegen.

Inos'insäure, eine Nukleinsäure aus dem Muskelfleisch.

Inos'it, kristallisierte, süß schmeckende hydroaromatische Verbindung in tierischen Muskeln sowie in Leber und Niere, auch in Pflanzen.

Inoue [inowe], Kaoru, Marquis, japan. Staatsmann, * 28. 9. 1835, † Tokio 1. 9. 1915, entwich mit →Ito ins Ausland und erwarb sich nach 1868 große Verdienste als Vorkämpfer für die Erneuerung Japans. Er war seit 1878 mehrfach Min. und gehörte seit 1894 dem →Genro und dem Geheimen Staatsrat (Sonmitsuin) an.

Inowr'azlaw, Inowracław [jin vr'ɔtsuaf], poln. Name von Hohensalza.

'in|oxydieren, rostsichere Überzüge erzeugen, auf guß- oder schmiedeeisernen Gegenständen durch Glühen in einer oxydierenden Atmosphäre (Generatorgas) bei Rotglut (800–900° C).

in perp'etuum [lat.], abgekürzt **i. p.,** auf immer, dauernd.

in pers'ona [lat.], selbst, in Person.

in p'etto [ital. ›in der Brust‹], bereit, aufgespart.

in pl'eno [lat.], in voller Versammlung, vollzählig.

in pr'axi [lat.], im wirklichen Leben, als Gegensatz zur Theorie.

in p'uncto [lat.], betreffs.

Input-output-Analyse [-'autput-, engl.], eine Methode zur Erforschung der Verflechtung der Wirtschaftszweige eines Landes. In einer Tabelle wird für jeden Wirtschaftsbereich gezeigt, aus welchen anderen Bereichen die verarbeiteten Produktionsmittel *(input)* stammen und auf welche Bereiche das Produkt *(output)* verteilt wird. Dadurch können die Auswirkungen von Produktionsänderungen untersucht und Fehlinvestitionen verhindert werden.

LIT. H. Platt: Die I. (1957).

inquir'ieren [lat.], gerichtlich untersuchen, amtlich befragen.

Inquisiti'on [lat. ›Untersuchung‹], ehemals in der kath. Kirche das geistliche Gericht zum Aufsuchen und Bestrafen der Ketzer; entstanden im 12. Jh. aus den Kämpfen der kath. Kirche gegen Katharer und Waldenser. Papst Gregor IX. machte 1231/32 die I. zu einer päpstl. Einrichtung und bestellte insbes. die Franziskaner und Dominikaner zu päpstl. *Inquisitoren.* Die I. wandte gegen Leugner vielfach die Folter an; außer rein kirchlichen Strafen wie Auferlegung von guten Werken gab es zahlreiche leibliche Strafen, die von der weltlich-staatl. Obrigkeit vollstreckt wurden: körperl. Züchtigungen, Kerker, Feuertod. Über ketzerische Gegenden wurde das Interdikt verhängt. – In Deutschland wurde die I. 1484 auch auf das Hexenwesen ausgedehnt. Seit der Reformation verschwand die I. aus Deutschland. In Frankreich verlor sie seit dem 14. Jh. an Macht, bestand aber noch bis 1772. Länger hielt sie sich in Spanien, wo sie bes. gegen die seit 1391 gewaltsam zum Christentum bekehrten Juden und Mauren eingesetzt wurde und seit Ferdinand dem Katholischen eine königliche, von der Krone auch zur Beugung des Lehnsadels und der Geistlichkeit mißbrauchte Einrichtung war, an deren Spitze der *Groß-* oder *Generalinquisitor* stand (z. B. Thomas de Torquemada); 1834 wurde sie hier endgültig aufgehoben. In Italien erhielt sie von Papst Paul III. 1542 eine neue strengere Form (Heil. Offizium); Napoleon I. hob sie 1808 auf, aber erst 1859 wurde sie endgültig beseitigt.

LIT. W. Nigg: Das Buch der Ketzer (1949); H. Kamen: Die spanische I. (1966); O. Loretz: Galilei und der Irrtum der I. (1966).

Inquisitionsprozeß, im Unterschied zum Anklageprozeß die Form des Strafverfahrens, bei der der Richter ohne öffentl. oder private Klage von Amts wegen die Spuren und Beweise eines Verbrechens ermittelt *(Inquisitionsmaxime).* Für den in Dtl. seit dem späten MA. allmählich an die Stelle des alten Anklageprozesses tretenden I. waren außerdem die Heimlichkeit des Verfahrens und die Bindung des Richters an feste Beweisregeln *(Geständnis, Folter, Indiz)* kennzeichnend. Unter dem Einfluß der liberalrechtsstaatl. Forderungen ersetzte die dt. Partikulargesetzgebung des 19. Jhs. den I. durch den modernen Anklageprozeß, der jedoch einzelne inquisitorische Bestandteile beibehalten hat.

Inquisit'ori di St'ato [ital. ›Staatsinquisitoren‹], seit 1539 die drei obersten Richter der Rep. Venedig, die mit einjähr. Amtsdauer eingesetzt wurden. Zwei von ihnen gehörten dem Rat der Zehn, einer dem engeren Rat an.

'Inreim, Innenreim, im weiteren Sinne gleichbedeutend mit →Binnenreim, entsteht durch den Gleichlaut eines Wortes im Versinneren mit dem Endwort der Zeile.

I. N. R. I., 1) nach Joh. 19, 19 von Pilatus am Kreuz Christi angebrachte lat. Inschrift: *Iesus Nazarenus Rex Iudaeorum,* Jesus von Nazareth, König der Juden. 2) Erkennungszeichen der ital. →Karbonari nach ihrem Losungswort *Iustum necare reges Italiae* [lat. ›Es ist recht, die Könige Italiens zu töten‹].

Inro [japan.], in Japan eine flache, meist aus gelacktem Holz gearbeitete Büchse für Stempel, Medizin u. a. Sie besteht aus mehreren, seitlich durchbohrten Teilen, die von einer Schnur zusammengehalten werden, und wird von den Männern mit einem verzierten Knopf (→Netsuke) am Gürtel getragen.

INS, I. N. S., Abk. für International News Service, Internat. Nachrichtendienst, ein zum Hearst-Konzern gehörendes Nachrichtenbüro in New York, seit Mai 1958 mit der United Press Association (UP) zur *United Press International (UPI)* vereinigt.

insch'allah [arab.], wenn Allah will!

Inschriften, lat. *Inscriptiones* oder *tituli,* schriftl. Aufzeichnungen auf Stein, Metall oder anderem dauerhaftem Stoff, teils auf besonderen Tafeln, teils an Gebäuden, Denkmälern, auf Grab- und Wegsteinen, Waffen, Gefäßen und sonstigen Geräten. Die Lehre von den I., ein Teil der Altertumswissenschaft und Hilfswissenschaft der Geschichte, heißt *Inschriftenkunde* oder *Epigraphik.* Die I. sind ergiebige, vielfach einzige Quellen für die Kenntnis des gesamten öffentl. und privaten Lebens der alten Völker, wichtig auch für die Sprachforschung.

Die ägyptischen und babylonisch-assyrischen I. sind wegen der Fülle des Materials erst für Teilgebiete zusammenfassend veröffentlicht. Die ältesten erhaltenen griechischen I. (Grabsteine aus Thera und Melos) entstanden im 7. Jh. v. Chr.; Vasen-I. reichen bis ins 8. Jh. zurück. Da Verträge, Volksbeschlüsse, Abrechnungen, in Stein gemeißelt, öffentl. aufgestellt wurden, entstanden seit dem 5. Jh. v. Chr. zahlreiche I. Die ältesten römischen I. sind die I. auf der goldenen Spange von Präneste und die I. auf dem »Lapis Romuli« des Forum Romanum (6. Jh.). Aus dem reichen Material der späteren Zeit ragt die I. des *monumentum Ancyranum* (aus Ankara) hervor, die einen Tatenbericht des Augustus enthält. Die ältesten Sammlungen röm. I. stammen von dem Anonymus von Einsiedeln (9. Jh.). I.-Sammler gibt es vor allem seit der Renaissance. Die vollständige Sammlung der lat. I. war das Ziel Th. Mommsens, der 1852 seine epochemachenden ›Inscriptiones Regni Neapolitani Latinae‹ herausgab, im Auftrag der Berliner Akademie 1863 das große ›Corpus Inscriptionum Latinarum‹ begründete und bis zu seinem Tode leitete. Seitdem sind auch die christl., griech. und lat. I. gesammelt worden sowie die I. der übrigen alten Völker des Mittelmeers und Vorderen Orients. Die german. I. werden seit dem 16. Jh. erforscht und gesammelt, die dt. I. des MA.s planmäßig erst seit 1935 durch das Kartell der dt. Akademien.

Insekt'arium [spätlat.], Zuchtraum oder Behälter für Insekten.

Ins'ekten [lat. ›Eingekerbte‹], **Kerbtiere, Kerfe, Sechsfüßer,** *Hexapoden* (FARBTAFEL Bd. 6, neben S. 161, TAFELN S. 162/163), artenreichste Klasse der Tiere mit über 800000 Arten; durch Tracheen atmende Gliederfüßer mit deutlich in Kopf, Bruststück und Hinterleib abgeteiltem Körper; am Kopf mit einem Fühlerpaar und 3 Paar Mundwerkzeugen, einem Paar ungegliederter Oberkiefer, einem ersten und einem zweiten Taster tragenden Unterkieferpaar, das je nach der Ernährungsweise kauend, saugend oder leckend wirkt; am Brustteil mit drei Bein- und meist zwei Flügelpaaren; am Hinterleib ohne eigentl. Gliedmaßen bis auf die als Tast- (seltener als Klammer-) organe dienenden Afterraifen. Augen entweder einfach oder zusammengesetzt (Facettenaugen), beides auch nebeneinander vorhanden. Geruchs- und Tastorgan die Fühler, Geschmacksorgane in der Mundgegend. Die für die I. kennzeichnenden Saitenorgane können durch schallauffangende Organe (z. B. Trommelfell) zu echten Gehörorganen werden. Das Nervensystem ist strickleiterförmig. Die Haut bildet einen Hautpanzer; er wird in →Häutungen während der Wachstumszeit der I. wiederholt abgeworfen und erneuert. Die I. sind getrenntgeschlechtig, haben Begattung und innere Befruchtung und legen meist Eier. Die dem Ei entschlüpfte Brut entwickelt sich z. T. mit *Verwandlung (Metamorphose),* mit einem Larvenzustand, der vom ausgebildeten I. *(Vollkerf, Imago)* verschieden ist (Raupe, Engerling, Made), und einem Ruhezustand *(Puppe)* zwischen Larve und Vollkerf. I. mit vollkommener Metamorphose nennt man *holometabol* (Schmetterlinge, Käfer, Bienen), solche ohne Puppenzustand *hemimetabol* (Wasserjungfern, Zikaden). Die I. sind in den heißen Ländern am größten, häufigsten und farbenprächtigsten; sie sind größtenteils Luft- und Landtiere. Viele I. schädigen den Menschen wirtschaftlich. Überträger von Krankheitskeimen sind vor allem Stechmücken, Fliegen, Läuse. – Die ältesten I. gehörten der Steinkohlenzeit an; es waren schabenartige Tiere und Libellen von erstaunlicher Größe (bis 80 cm Spannweite). Die Klasse der I. wird eingeteilt in Ur-Insekten (Springschwänze, Beintastler, Doppelschwänze, Zottenschwänze) und Flug-Insekten (Eintagsfliegen, Libellen, Steinfliegen, Embien oder Spinnfüßer, Springschrecken, Gespenstheuschrecken, Ohrwürmer, Fangschrecken, Schaben, Termiten, Flechtlinge, Tierläuse, Blasenfüße, Wanzen, Pflanzensauger, Hautflügler, Käfer, Fächerflügler, Schlammfliegen, Kamelhalsfliegen, Netzflügler, Skorpionsfliegen, Köcherfliegen, Schmetterlinge, Zweiflügler, Flöhe).

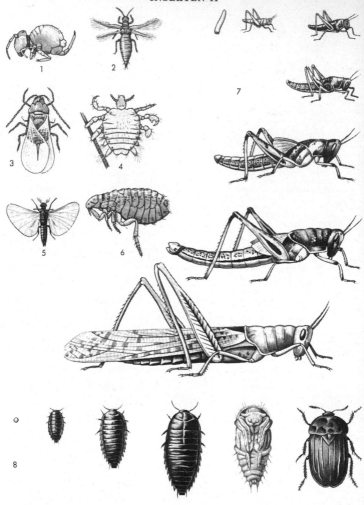

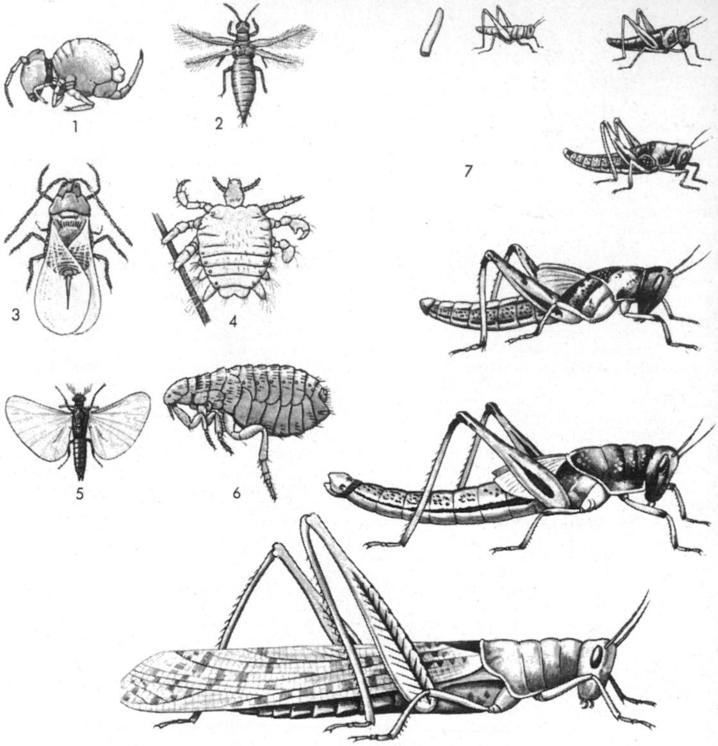

1–6 *Formenübersicht:* **1** *Springschwanz (Kollembole, Sminthurides aquaticus, 1 mm lang).* **2** *Blattfuß (Heliothrips haemorrhoidalis, 1,5 mm lang).* **3** *Schildlausmännchen (Aspidiotus, 1,2 mm lang).* **4** *Laus (Phthirus pubis, Filzlaus, 1,5 mm lang).* **5** *Fächerflüglermännchen (Strepsiptere, Eoxenos, 4 mm lang).* **6** *Hundefloh (Ctenocephalus canis, 3 mm lang).* **7** *und* **8** *Formen der Verwandlung (Metamorphose):* **7** *Wanderheuschrecke als Beispiel für ein Insekt mit unvollkommener Verwandlung (Hemimetabolie).* **8** *Aaskäfer als Beispiel für ein Insekt mit vollkommener Verwandlung (Holometabolie mit Puppenstadium)*

INSEKTEN III

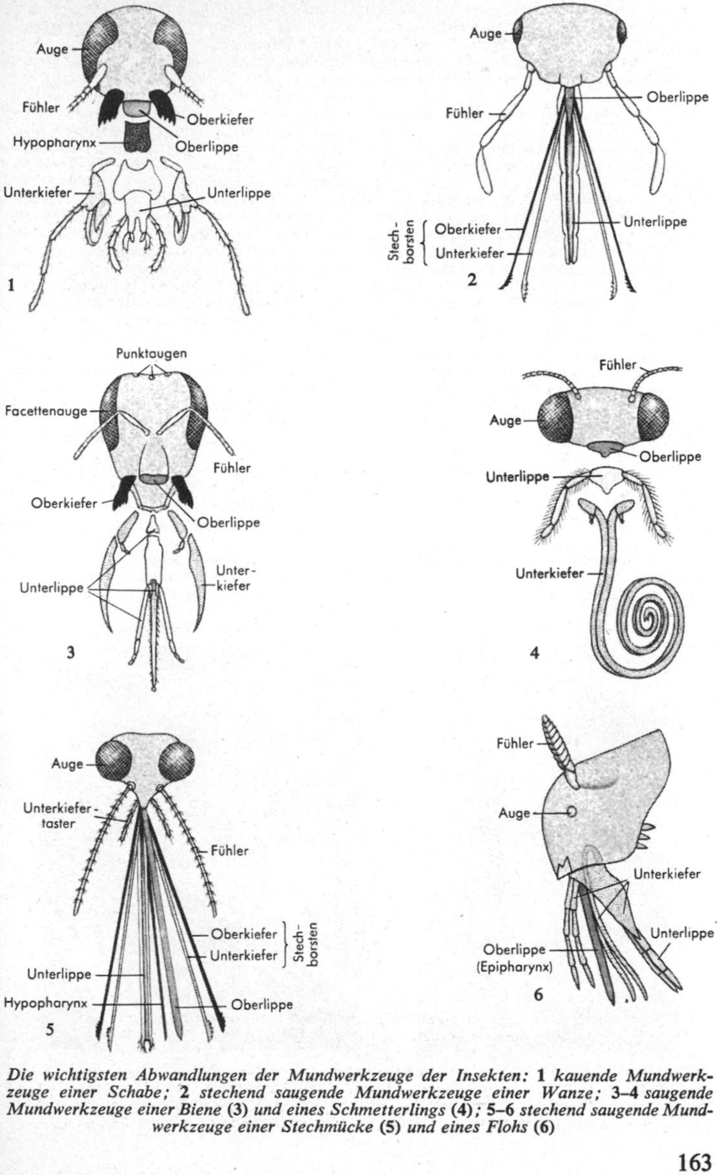

Die wichtigsten Abwandlungen der Mundwerkzeuge der Insekten: **1** *kauende Mundwerkzeuge einer Schabe;* **2** *stechend saugende Mundwerkzeuge einer Wanze;* **3–4** *saugende Mundwerkzeuge einer Biene* **(3)** *und eines Schmetterlings* **(4)***;* **5–6** *stechend saugende Mundwerkzeuge einer Stechmücke* **(5)** *und eines Flohs* **(6)**

Brutpflege ist bes. ausgebildet bei den *staatenbildenden I.* (Termiten, Ameisen, Wespen, Bienen, Hummeln); bei diesen erreichen auch die sozialen Fähigkeiten ihre höchste Stufe; ferner besitzen sie Zeitsinn, Mitteilungsvermögen, Orientierung (bei Bienen z. B. nach dem polarisierten Himmelslicht).

Die Lehre von den I. ist die *Insektenkunde (Entomologie).*

Ins'ektenblütler, entomophile Pflanzen, werden durch nahrungssuchende Insekten bestäubt.

ins'ektenfressende Pflanzen, fleischfressende Pflanzen, *Insektivoren, Karnivoren,* Pflanzen, die neben gewöhnlicher →Ernährung Insekten und andere Kleintiere festhalten und aus deren Leichen organische Stoffe aufnehmen. Als Fangmittel dienen: zäher Schleim bei →Fettkraut, Fallen und Fanggruben bei →Wasserschlauch, →Kannenpflanze, längs der Mittelrippe einfaltbare Blätter als Klappfallen bei →Venusfliegenfalle, einkrümmbare Tentakeln, die Schleim absondern, bei →Sonnentau. Die Fangvorgänge werden durch Berührung ausgelöst. Da alle i. P. Blattgrün haben, also Kohlenhydrate selbständig bilden können, dürfte die Tiernahrung bes. stickstoffhaltige Stoffe liefern. Sie wird meist durch Ausscheidungen aus Drüsen der i. P. (verdauende Enzyme) zersetzt. I. P. Mitteleuropas sind: Sonnentau, Fettkraut, Wasserschlauch, Wasserfalle.

Ins'ektenfresser, *Insektivoren,* Ordnung der Säugetiere, kleine Sohlengänger, im sägeähnlichen Gebiß der Kerbtiernahrung angepaßt; zu den I. gehören Schlitzrüßler (Solenodontidae), Borstenigel oder Tanreks (Tenrecidae), Otterspitzmäuse (Potamogalidae), Goldmulle (Chrysochloridae), Igel (Erinaceidae), Rüsselspringer (Macroscelididae), Spitzmäuse (Soricidae) und Maulwürfe (Talpidae).

Ins'ektengifte, Insektizide, chem. Mittel zum Vernichten schädl. Insekten und ihrer Brut. I. müssen auf den Schädling tödlich wirken, jedoch für andere Lebewesen möglichst ungefährlich sein, ebenso für Vorräte, Möbel, Stoffe u. a. Nach der Wirkungsweise unterscheidet man *Atem-, Berührungs- (Kontakt-)* u. *Fraßgifte.* Nach der chem. Zusammensetzung lassen sich z. B. unterscheiden: anorganische I. wie Arsen- u. Fluorverbindungen (Fraßgifte) oder Blausäure (Atemgift); Mineral- u. Teeröle (meist Winterspritzmittel); organische Verbindungen aus pflanzl. Rohstoffen wie Nikotin, Derris; synthet. organische I. wie Nitrophenole und chlorierte Kohlenwasserstoffe, z. B. →DDT, sowie Phosphorsäureester (z. B. →E 605). Die Präparate werden oft mit besonderen Geräten ausgebracht durch: Verdampfen, Verräuchern, Vernebeln, Sprühen, Spritzen, Verstäuben. Die *innertherapeut. Pflanzenschutzmittel* werden von der Pflanze aufgenommen; die Insekten vergiften sich beim Saugen.

Ins'ektenstiche, Stiche von Mücken, Stechfliegen, Zecken, Läusen, Flöhen, Wanzen und Ameisen sind im allgemeinen harmlos, können aber für den Menschen gefährlich werden, wenn mit dem Stich Erreger einer Infektionskrankheit übertragen werden. Durch ihr beim Stich einverleibtes Gift gefährlich sind bes. Bienen, Hornissen, Wespen und Hummeln.

'Insel [mhd. aus lat. insula], **1)** rings von

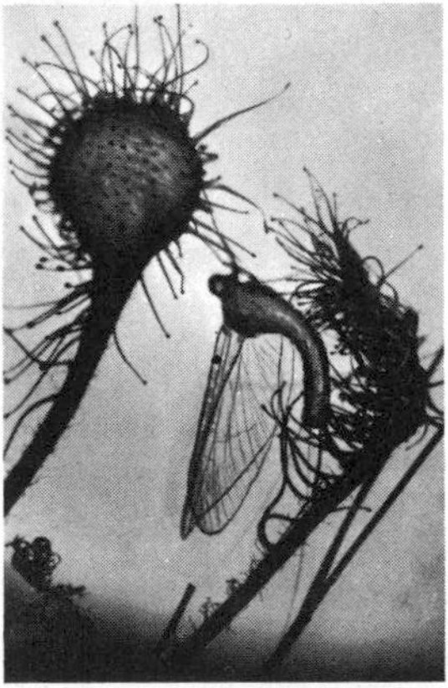

1

2

insektenfressende Pflanzen: 1 *Sonnentau; die Tentakeln des rechten Blattes legen sich gerade um eine Eintagsfliege.* 2 *Blätter des Fettkrauts mit den Überresten verendeter Insekten*

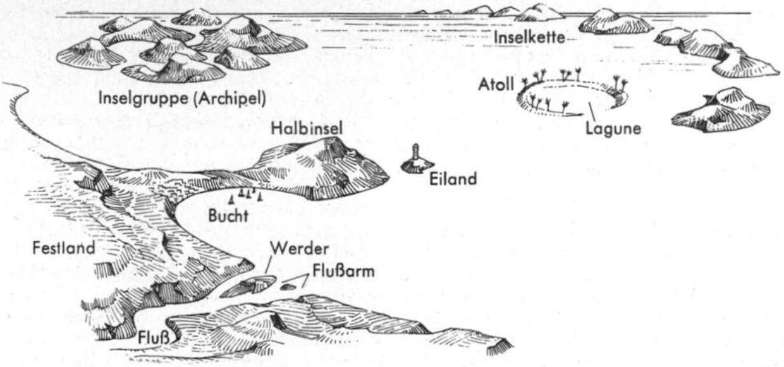

Insel

Salz- oder Süßwasser umgebenes Landstück, jedoch nicht einer der →Erdteile. Man unterscheidet *kontinentale (Schelf-) I.*, die meist durch tekton. Bewegung abgetrennte Festlandsteile oder durch Anschwemmung gebildete Aufschüttungen sind, und *ozeanische (Tiefsee-) I.*, die Korallenbauten (→Atoll) oder vulkanischen Ursprungs sind. **2) Langerhanssche I.**, →Bauchspeicheldrüse.

Insel, Die I., seit 1899 von A. W. Heymel, R. A. Schröder, J. Bierbaum hg. Zeitschrift. Daraus ging hervor der *Insel-Verlag Anton Kippenberg* (1902, Leipzig), Frankfurt: Dt. und Weltlit., Insel-Bücherei.

Inselberg, inselartig aus Flachlandschaften unvermittelt aufragender Berg, bes. als Restberg einer höheren Landstufe oder in den wechselfeuchten trop. und subtrop. Savannen und Steppen *(I.-Landschaften)*.

Inselfiguren, Inselidole, kleine, meist weibl. Figuren der frühen Metallzeit aus Marmor in der Ägäis und bes. auf den Kykladen.

Inseln der Seligen, →Elysium.

Inseln über dem Winde und **Inseln unter dem Winde**, zwei Inselgruppen der Kleinen →Antillen.

'Inselsberg, Gipfel des Thüringer Waldes, 916 m hoch.

Inseminati'on [lat.], künstl. Besamung (künstliche →Befruchtung).

Inséparables [ɛ̃separabl, franz.], Papageiengattung, →Unzertrennliche.

Inser'at [lat.], die zur →Werbung in Zeitungen, Zeitschriften, Kalendern, Büchern usw. eingedruckte →Anzeige.

Inserti'on [lat.], **1)** Aufgabe einer Anzeige. **2)** *Anatomie:* Ansatz, z. B. eines Muskels, am Knochen.

In-sich-Geschäft, ein bankmäßiges Geschäft, das sich innerhalb eines Bankbetriebes erledigen läßt.

'Insiegel [german.] *das*, **1)** Siegel. **2)** Abdrücke der Schalen (Hufe) von Elch-, Rot-, Reh-, Schwarzwild.

Ins'ignien [lat.], Kennzeichen der Macht, der Würde, des Standes, der Amtsgewalt und Auszeichnung. Die I. der Herrscher des

DIE GRÖSSTEN INSELN DER ERDE

	qkm		qkm
Grönland	2175600[1]	Haiti	77200
Neuguinea	771900	Sachalin	76800
Borneo	737000	Tasmanien	67900[1]
Madagaskar	587000	Banks Island	67000
Baffinland	476000	Ceylon	65600
Sumatra	425000	Devon (Kanada)	56000
Hondo	230800[1]	Nowaja Semlja, Nordinsel	48200
Brit. Hauptinsel	219800	Feuerland, Hauptinsel	48000
Victoria-Insel	208100	Southampton-Insel (Kanada)	43300
Ellesmereland	200400	Alexander-I.-Land	43200
Celebes	179400	Melville-Insel	42700
Neuseeland, Südinsel	150500	Spitzbergen, Westinsel	39000
Java	126700	Neubritannien (Bismarck-Archipel)	36500
Kuba	114450	Formosa mit Pescadores	36000
Neuseeland, Nordinsel	114300	Kiuschu (Japan)	35700
Neufundland	110700[1]	Hainan (China)	35550
Luzón (Philippinen)	108200	Timor (Sunda-Inseln)	33600
Island	103000[1]	Nowaja Semlja, Südinsel	33200
Mindanao (Philippinen)	94600	Vancouver	32100
Irland	84400[1]	Sizilien	25500
Hokkaido	78500	Sardinien	23800

[1] mit Nebeninseln.

Altertums (Orient und Rom) waren Krone, Thron und Stab, auch mehrere Stäbe (→Fasces); im MA. erbten sich bestimmte I. fort; erst ihr tatsächl. Besitz sicherte die Herrschaft (→Reichskleinodien). Die I. des ritterl. Standes waren Sporen, Helm und Schild, die I. der Heere sind →Fahnen (oder Adler) und Standarten. Als I. ihrer Würde tragen Ketten: Handwerksmeister, Universitäts- und Akademie-Rektoren, städtische Oberhäupter; Stäbe und Szepter trugen im MA. die Richter, jetzt noch Herolde, Rektoren und Dekane der Universitäten, mehrere Oberhäupter brit. Korporationen. Über I. der hohen kath. Geistlichkeit →Pontifikalien.

Insinuati'on [lat.], **1)** Einschmeichelei. **2)** Zuträgerei. **3)** Unterstellung.

insip'id [lat.], albern, fade.

insist'ieren [lat.], auf etwas bestehen.

in s'itu [lat.], in der (ursprünglichen) Lage.

inskrib'ieren [lat. ›einschreiben‹], sich an einer Hochschule einschreiben lassen. Die **Inskription** geht der →Immatrikulation voraus.

Insolati'on [neulat.], Einstrahlung der Sonne.

insol'ent [lat.], unverschämt. **Insol'enz,** Unverschämtheit.

insolv'ent [lat.; Goethezeit], zahlungsunfähig.

in sp'e [lat. ›in der Hoffnung‹], zukünftig.

Inspekt'eur [-œr], bei der Bundeswehr Dienststellung der Leiter der Führungsstäbe des Heeres, der Luftwaffe, der Marine sowie des Leiters des Sanitäts- und Gesundheitswesens. →Generalinspekteur.

Inspekti'on [zu inspizieren], **1)** prüfende Besichtigung. **2)** leitende und aufsichtsführende Behörde.

Insp'ektor [zu inspizieren], **1)** Beamter im gehobenen Dienst. **2)** Aufsichtsbeamter in landwirtschaftlichen Großbetrieben.

Inspirati'on [lat.], **1)** Einatmung, →Atmung. Das Sprechen bei I. **(Inspiratorische Rede)** ist ein anomaler oder patholog. Gebrauch der Stimme.

2) *christl. Theologie:* die von Gott ausgehende Anregung der Verfasser der bibl. Schriften zu ihren Werken. Die Überzeugung von einer göttl. I. der Hl. Schrift findet sich für das A. T. schon 2. Tim. 3, 16, 2. Petr. 1, 21; sie wurde naturgemäß auch auf das N. T. übertragen und ist stets kirchl. Lehre geblieben. Als inspiriert gelten die kanonischen Bücher der Bibel. Die *kath.* Kirche betrachtet in Anwendung scholast. Unterscheidungen Gott als den Urheber der Schrift, den bibl. Autor als sein Werkzeug, und dehnt die I. ausdrücklich nicht nur auf den religiösen, sondern auch auf den profanen Inhalt der Hl. Schrift aus (Hieronymus-Enzyklika Benedikts XV. vom 15. 9. 1920). Die *evang.*-kirchl. Auffassung hat die bes. von der Orthodoxie des 17. Jhs. behauptete I. des Wortlauts **(Verbal-I.)** ebenso wie die spätere Beschränkung auf den Inhalt **(Real-I.)** oder auf die Anregung des Autors **(Personal-I.)** zugunsten der Auffassung aufgegeben, daß Gott in der Hl. Schrift durch das Menschenwort hindurch mit dem Menschen handele und daß darin ihre Autorität begründet sei.

3) *Kunst:* die dem Schaffensprozeß vorausgehende, ihn aber auch dauernd leitende Eingebung, durch die ein Werk entsteht. Ihrem Wesen nach unableitbar (irrational), wurde sie von der späten Antike, bes. aber seit dem späten MA. oft mit der relig. I. verglichen oder ihr sogar gleichgesetzt. Gemeinhin sind aber I. und →Invention identisch.

Inspirierte, eine von den →Kamisarden angeregte Sekte, die einzelnen Mitgliedern eine unmittelbare göttl. Inspiration zuschrieb. Sie wirkte seit 1713 von Halle, seit 1714 von der Wetterau aus, wo sich auch **Inspirationsgemeinden** bildeten. Nachläufer wanderten seit 1843 in die USA aus.

Inspizi'ent [zu inspizieren], **1)** Aufsichtsführender (bei Behörden). **2)** beim *Theater* ist der I. mit der techn. Durchführung der Regieanordnungen betraut.

inspiz'ieren [lat.; Lutherzeit], besichtigen, mustern.

Installateur [-tœ:r, franz.], Bauhandwerker für die Wasser- und Gasanlagen. Außerdem gibt es *Elektro-I.*, *Schwachstrom-* und *Fernmelde-I.*, *Zentralheizungsbauer*, *Lüftungs-* und *Kühlanlagenhersteller*. Die Verbindung mit dem (im übrigen klar getrennten) Klempnerberuf ist häufig.

Installati'on, 1) die Einrichtung von Leitungen und Zubehör für Wasser, Gas, Elektrizität, Heizung, Abwasser, Ab- und Rauchgase, Lüftung. **2)** Einweisung in ein Amt.

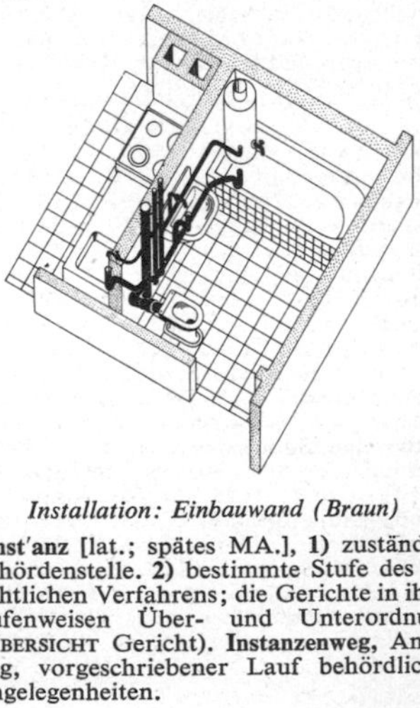

Installation: Einbauwand (Braun)

Inst'anz [lat.; spätes MA.], **1)** zuständige Behördenstelle. **2)** bestimmte Stufe des gerichtlichen Verfahrens; die Gerichte in ihrer stufenweisen Über- und Unterordnung (ÜBERSICHT Gericht). **Instanzenweg,** Amtsweg, vorgeschriebener Lauf behördlicher Angelegenheiten.

in st'atu nasc'endi [lat.], im Zustand des Entstehens.

'Inste [nd. v. Insasse] *der*, Häusler, →Instleute.

'Inster *die*, Fluß in Ostpreußen, 75 km lang, entspringt bei Pillkallen, vereinigt sich mit der Angerapp (mit Pissa) zum Pregel.

'Insterburg, ehem. Kreisstadt in Ostpreußen, an der Angerapp, vor ihrem Zusammenfluß mit der Inster, hatte (1939) 48700 Ew., mit großer Garnison, Holz-, Getreidehandel, landwirtschaftl. Verarbeitungsind., Landesgestüt. Das Deutschordensschloß wurde 1337 gegr., der Ort 1583 Stadt. I. steht seit 1945 unter sowjet. Verwaltung (*Tschernjachowsk*, 1970: 33000 Ew.).

Instillati'on [nlat.], Einträufelung von flüssigen Arzneimitteln auf kranke Körperstellen, bes. unter das Augenlid, in Nase und Ohr.

Inst'inkt [lat. Anreiz], ererbte und arteigentüml. Verhaltens- u. Bewegungsweisen *(I.-Bewegungen)* bei Mensch und Tier. Es ist jedoch irreführend, die I. nach ihrer Funktion zu benennen, – z. B. Paarungs-, Brut-, Beute-I., Tierwanderungen, Nestbau – da an einer solchen Leistung mehrere voneinander unabhängige I. beteiligt sein können. Der Ablauf des I.-Verhaltens beginnt mit triebhaftem Suchen (→Appetenzverhalten) nach der Reizsituation, auf die der angeborene auslösende Mechanismus (→angeboren) anspricht. Beim Menschen ist das Instinktleben durch die Bewußtseinstätigkeit stark überdeckt und nur in Ausdrucksbewegungen, Übersprunghandlungen u. a. rein erkennbar.

LIT. N. Tinbergen: Instinktlehre (dt. [4]1966); K. Lorenz: Über tierisches und menschliches Verhalten, 2 Bde. ([14]1971).

instinkt'iv, triebhaft, unwillkürlich.

institu'ieren [lat.], einrichten.

Instit'ut [lat.], Einrichtung oder Anstalt, die der Wissenschaft (z. B. Max-Planck-I.), der Kunst (z. B. Städelsches I.) oder dem Gewerbe dient, auch Seminare, Laboratorien, Arbeitsstätten an Hochschulen; priv. Lehranstalten, bes. mit Internat.

Institut de France [ɛ̃stity də frɑ̃s], seit 1795 die höchste amtliche Körperschaft für Wissenschaft und Kunst in Frankreich, Sitz Paris, umfaßt fünf Akademien: **1) Académie Française,** gegr. 1635 unter Richelieu, hat die Aufgabe, Sprache und Literatur zu beobachten und zu erläutern. Sie gibt ein maßgebendes Wörterbuch der franz. Sprache (Dictionnaire de l'Académie) heraus. Ihre 40 Mitglieder heißen »Die Unsterblichen«. **2) Académie des Inscriptions et Belles-Lettres,** 1663 mit der Aufgabe gegründet, die Inschriften und Leitworte für monumentale Bauten und Ehrenmünzen festzulegen; seit 1803 Klasse für Geschichte und Literatur des I. d. F. **3) Académie des Sciences,** gegr. 1666 von Colbert, fördert die Naturwissenschaften. **4) Académie des Beaux-Arts,** gegr. 1816, fördert die bildenden Künste. **5) Académie des Sciences Morales et Politiques,** gegr. 1832, pflegt Philosophie, polit. Wissenschaften, Rechts- und Wirtschaftswissenschaften, Geschichte, Geographie.

Institut der seligen Jungfrau Maria, →Englische Fräulein.

Institute of British Geographers ['institju:t ɔv br'itiʃ dʒi'ɔgrəfəs], ein Verband, gegr. 1933, mit dem Ziel der Förderung der wissenschaftl. geograph. Forschung und Verbreitung ihrer Ergebnisse, umfaßt als Mitglieder fast alle an den Universitäten und an anderen Stellen wissenschaftl. arbeitenden Geographen der brit. Inseln. Veröffentlichung: Publications (seit 1935). Jahrestagung Anfang Jan., jeweils in einer anderen Universitätsstadt.

Instit'ut für Auslandsbeziehungen, Stuttgart, gemeinnützige Anstalt zur Förderung des internationalen Kulturaustauschs auf allen Gebieten, gegr. 1917 als *Deutsches Ausland-Institut*, Neugründung 1950.

Instit'ut für Österreichische Geschichtsforschung, das österreich. Zentralinstitut für Geschichtswissenschaft, gegr. 1854, Sitz Wien.

Instit'ut für Wasser-, Boden- und Lufthygiene, Berlin-Dahlem, gegr. 1901, seit 1952 Teil des Bundesgesundheitsamtes.

Instit'ut für Weltwirtschaft an der Univ. Kiel, gegr. 1911 von B. Harms. – Ztschr.: Weltwirtschaftl. Archiv (seit 1913).

Instit'ut für Zeitgeschichte (seit 1952), München, 1950 vom Bund und einigen Ländern als *Dt. Institut zur Erforschung der nationalsozialist. Zeit* gegr.; gibt ›Vierteljahreshefte für Zeitgesch.‹ heraus (seit 1953; mit Bibl.).

Institut Pasteur [ɛ̃stity pastœ:r, frz.], ein der Mikrobiologie und Hygiene gewidmetes Institut in Paris, das von Louis →Pasteur 1888 gegründet wurde. Das I. enthielt die erste Tollwutstation und gründete 1887 die ›Annales de l'Institut Pasteur‹.

Instituti'on [lat.], **1)** Anordnung, Einrichtung, auch Einsetzung in ein Amt. **2)** *Institutionen*, ein Teil des Corpus iuris civilis; danach Lehrbücher zur Einführung in das röm. Recht. **3)** *Soziologie:* die durch Sitte oder Recht gebundene Dauerform einer sozialen Gruppe. Viele zunächst spontan entstandene Gruppenbeziehungen werden im Laufe der Zeit *institutionell.* In weiterem Sinne wird heute die Art und Weise, in der bestimmte Dinge getan werden müssen, als Institution bezeichnet. Im engeren Sinne wird der Begriff für Komplexe sozialer Regelungen gebraucht, denen im Gesamtsystem der Gesellschaft eine vitale Bedeutung zukommt, wie z. B. die Ehe, das Eigentum, der Beruf. Durch die I. werden den Gesellschaftsmitgliedern soziale Funktionen und spezifische soziale Positionen (z. B. Funktion und Position des Familienvaters, der Ehefrau, des Meisters) zugewiesen, die nicht durch Normen mit unspezifischer Geltung, wie Brauch, Sitte oder Konvention, sondern durch Rechte und Pflichten bestimmt sind.

Institutional'ismus [neulat.], eine Richtung der Volkswirtschaftslehre in den USA, die auf der Grundlage der Erkenntnis der tatsächlichen gesellschaftl. Einrichtungen (Institutionen) praktische Wirtschaftspolitik zu treiben sucht (Hauptvertreter: Veblen, W. C. Mitchell).

'Instleute [niederd. zu Insasse], in Norddtl. im Unterschied zum Tagelöhner die ständig beschäftigten Landarbeiter auf einem Gut. Sie erhalten neben Barlohn Deputatwohnung, -land und -naturalien *(Instverhältnis)*.

instru'ieren [lat.; Lutherzeit], **1)** Anweisung geben. **2)** unterrichten.

Instrukteurwesen, eine Einrichtung im Partei- oder Staatsapparat der Sowjetunion, die 1954 in die Justiz der DDR übernommen wurde. Die Instrukteure sollen den zentralen Willen in den nachgeordneten Dienststellen, Betrieben und Gemeinden durchsetzen und durch Anleitung und Kontrolle auf diese einwirken.

Instrum'ent [lat.], **1)** Gerät, Werkzeug. **2)** →Musikinstrument. **3)** † Urkunde.

Instrument'al [lat.], ein Beugungsfall, der das Mittel oder Werkzeug bezeichnet; in slaw. Sprachen noch erhalten.

Instrumental'ismus [lat.], der von J. Dewey vertretene →Pragmatismus.

Instrument'almusik, die nur mit Instrumenten ausgeführte Musik im Unterschied zur →Vokalmusik, der sie bis zum 16. Jh. untergeordnet war.

Instrumentati'on [lat. Kw.], **Instrument'ierung,** die Kunst, in Werken der Instrumentalmusik, bes. der Orchestermusik, die verschiedenen Instrumente sinnvoll zu verwenden, um dadurch bestimmte innere Klangvorstellungen zu verwirklichen. Die *Instrumentationslehre* vermittelt die Kenntnisse von Tonumfang, Spielart, Klangfarbe, Ausdrucksmöglichkeiten, Notierungsweise der einzelnen Instrumente und lehrt die Wirkungen ihrer Zusammenstellung und Mischung.

Insubordinati'on [lat. Kw.], Ungehorsam gegen Vorgesetzte.

'Insubrer, keltischer Volksstamm in Oberitalien, deren Hauptstadt Mailand (Mediolanum) war.

Insuffizi'enz [lat.], **1)** Unzulänglichkeit. **2)** Unzulänglichkeit des Vermögens einer Person zur Befriedigung ihrer Gläubiger. **3)** Schwäche, z. B. des Herzens, der Muskeln, bes. Schlußunfähigkeit der Herzklappen.

Insufflation [lat. Kw.], das Einblasen flüssiger und pulverförmiger Heilmittel in Körperhöhlen.

Insul'aner [lat. Kw.], **1)** Inselbewohner. **2)** Trümmerberg im S von Schöneberg (West-Berlin).

Insul'in [lat. Kw.], Hormon der Langerhansschen Inseln der Bauchspeicheldrüse, regelt den Kohlenhydratstoffwechsel, vermindert den Blutzuckergehalt (normal 70 bis 120 mg%) und dient deshalb, aus der tierischen Bauchspeicheldrüse gewonnen, als Heilmittel gegen Zuckerkrankheit. Es wird in vorgeschriebenen Mengen unter die Haut eingespritzt. Bei Lebererkrankungen und Mastkuren kann I. günstig wirken. Spritzt man größere Mengen I. ein, so sinkt der Zuckergehalt des Blutes stark ab, und es kommt zu allgemeiner Schockwirkung. (*Insulinschock,* →Schockbehandlung). 1 mg reines, kristallisiertes I. entspricht 22 I. E. (Internationale Einheiten). Chemisch ist I. ein Eiweißkörper vom Molekulargewicht 5750, dessen Aufbau aus Aminosäuren seit den 40er Jahren vollständig aufgeklärt ist (F. Sanger). Um 1965 gelang die Totalsynthese (H. Zahn u. a.) des I.

Insul'inde [von lat. insula und India], von →Multatuli 1860 eingeführter Name für Malaiischer Archipel, Malaiische Inselwelt.

Ins'ult [lat.; Goethezeit], **1)** Beleidigung. **2)** *Medizin:* Anfall; äußere Verletzung.

in s'umma [lat.], im ganzen, mit einem Wort.

Insurg'ent [lat.], Aufständischer.

Insurrekti'on [nlat.], **1)** Aufstand, eine Volkserhebung gegen Regierung oder Verfassung. **2)** in Ungarn bis 1848 das allgem. Aufgebot des Reichsadels durch den König zur Verteidigung der Grenzen.

in susp'enso [lat.], im Zweifel, unentschieden.

Inszen'ierung [nach franz. mise en scène], die Gesamtheit der Maßnahmen zur Aufführung eines Theaterstücks.

Intaglio [int'aλo, ital.], eine →Gemme mit vertieftem Bild.

int'akt [lat.], unberührt, fehlerfrei.

Int'arsia [ital.], **Marketerie, Einlegearbeit,** ornamentale und bildliche Verzierung der Holzflächen von Möbeln, Vertäfelungen und

Intarsia aus gefärbten Hölzern an einem Schreibschrank von D. Roentgen (1770–75)

Gerät durch Einlagen andersfarbiger Hölzer. Diese werden in das Holz eingepaßt, nachdem man die Vertiefungen mit dem Schnitzmesser ausgehoben hat. Nach einem anderen, im 17. Jh. aufgekommenen Verfahren wird die Grundfläche mit einer Schicht von Furnierplättchen belegt. Die schon im Altertum und Mittelalter bekannte I. gelangte seit der Frührenaissance zu hoher Blüte in Italien, wo sie zum Schmuck von Chorgestühl und Sakristeischränken, Truhen und andern Möbeln sowie ganzer Raumvertäfelungen verwendet wurde. Nördlich der Alpen waren im späten 16. und frühen 17. Jh. Elfenbein und Ebenholz beliebt, bes. in Holland. In Frankreich kamen um die Zeit Ludwigs XIV. Schildpatt, Zinn, Messing und Perlmutt dazu, bes. in den Arbeiten des Kunstschreiners →Boulle. Sehr verbreitet war die I. auch im islamischen und ostasiat. Kunsthandwerk.

LIT. A. Weinsheimer: Die I. (1925); G. Kossatz: Die Kunst der I. (1954); F. Krauss: I. ([4]1960).

int'eger [lat.], **1)** unverletzt, unversehrt, ganz. **2)** makellos.

Integr'al [von integer], Grenzwert einer Summe, →Integralrechnung.

Integral'ismus [lat. Kw.], **1)** in der innerkatholischen Diskussion eine vor dem ersten Weltkrieg entstandene Bezeichnung für einen religiösen Totalitarismus; durch Papst Benedikt XV. 1914 und 1915 abgelehnt.

2) nationalistisch-faschist. Bewegung Brasiliens *(Accão Integralista Brasileira)*, 1932 in São Paulo von Plinio Salgado gegründet; sie löste sich nach dem erfolglosen Putsch gegen Vargas am 2. 12. 1937 auf.

Integr'alrechnung, Teilgebiet der Mathematik, in gewissem Sinne die Umkehrung der →Differentialrechnung. Die I. hat grundlegende Bedeutung in Physik, Chemie und Technik. Mit ihrer Hilfe berechnet man Inhalte und Oberflächen von Körpern, Trägheitsmomente, Schwerpunkte, Bewegungsverläufe u. v. a.

Die I. ist entstanden aus dem Problem, Flächen zu berechnen, die von beliebigen Kurven begrenzt werden. Ist eine der Kurven durch die Gleichung $y = f(x)$ darstellbar, so nennt man die Funktion $f(x)$ *integrierbar* (BILD): ihr *Integral* gibt dann den Inhalt des schraffierten Flächenstücks. Diesen Inhalt kann man sich angenähert denken als Summe der punktierten Rechtecke. Diese Summe bezeichnet man mit $\Sigma f(x)\,\Delta x$. Durch immer stärkere Verkleinerungen der Δx vollzieht man den Grenzübergang zu einer unbegrenzt feinen Einteilung und damit zum Integral:

$$\Sigma f(x)\,\Delta x \rightarrow \int_0^{x_1} f(x)dx.$$

Das Zeichen ∫ ist ein stilisiertes S und deutet die »unendliche Summierung« an, und zwar von der unteren Grenze 0 bis zur oberen Grenze x_1; durch diese beiden Grenzen wird das Integral zum *bestimmten Integral.* Läßt man die obere Grenze unbestimmt und veränderlich, so ist

$$\int_0^{\xi} f(x)\,dx = F(\xi)$$

eine Funktion der Veränderlichen ξ, deren Ableitung an der Stelle $\xi = x_1$ gerade der Integrand $f(x)$ an dieser Stelle, also $f(x_1)$, ist.

LIT. →Differentialrechnung.

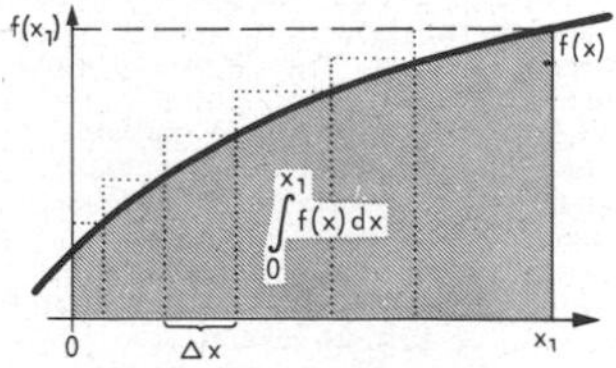

Integralrechnung

Integr'aph, ein →Integriergerät.

Integrati'on [zu integer], **1)** Zusammenschluß, Bildung übergeordneter Ganzheiten. **2)** Berechnen eines Integrals, →Integralrechnung. **3)** nach Janet, Jaensch u. a. der Grad des Zusammenschlusses von seelischen und physischen Einzelfunktionen. Jaensch unterschied verschiedene Integrationstypen. **4)** →Europäische Integration.

Integr'ator, das →Integriergerät.

Integr'ieranlage, Differential-Analysator, Differentialgleichungsmaschine, mechanisches oder elektronisches Gerät zum Lösen (Integrieren) von Differentialgleichungen. Eine I. besteht aus *Addier-* und *Multipliziergeräten*, *Integriergeräten* und *Funktionstischen*. Eine oder mehrere Ergebniskurven zugleich werden auf *Ergebnistischen* mit Schreibfedern oder mit den Elektronenstrahlen von Kathodenstrahlröhren aufgezeichnet.

Einfache mechanische I. werden als Kommandogeräte bei der Geschützsteuerung, als Fahrdiagraphen bei der Eisenbahn-Fahrplanberechnung u. a. verwendet. I. hoher Genauigkeit dienen wissenschaftl. Forschungsstellen.

integr'ieren [zu integer], **1)** zum Ganzen bilden, ergänzen. **2)** ein Integral berechnen, →Integralrechnung. **integr'ierend,** zu einem Ganzen notwendig gehörend, wesentlich.

Integrit'ät, 1) Vollständigkeit, Unverletztheit. **2)** Unbescholtenheit.

Integr'iergerät, Integrator, mathemat. Gerät, das aus einer gegebenen Funktion (Kurve) deren Integral (Integralkurve) erzeugt. Der *Integraph* zeichnet die Integralkurve, wenn man mit seinem Fahrstift einer zu integrierenden Kurve nachfährt. Eine Sonderform des →Planimeters, das *Integrimeter*, liefert das Integral der nachgefahrenen Kurve als Meßrollenablesung. *Elektronische I.* führen die ursprüngl. Funktion als veränderl. Ladestrom eines Kondensators zu und greifen das Integral als Spannung ab.

integrierte Schaltung, eine Bauweise zur Verkleinerung (Miniaturisierung) der Abmessungen einer elektr. Schaltung; die aktiven und passiven Elemente einer Baugruppe, z. B. einer Verstärkerstufe, werden auf eine Trägerplatte aus Isoliermaterial aufgebracht, wobei die passiven Elemente (Widerstände, Kondensatoren, Spulen) und die Verbindungsleitungen durch Aufdampfen oder Aufstäuben von leitendem Material hergestellt und die aktiven Elemente (Transistoren, Dioden) in fertiger Form angebracht werden. Die Weiterentwicklung führt zur →Festkörperschaltung.

Integum'ent [lat.], **1)** die äußere Haut. **2)** die Hülle der pflanzl. Samenablage.

Intell'ekt [lat.], Verstand, Fähigkeit zum Denken, der Inbegriff derjenigen geistigen Funktionen, die aus Wahrnehmungen Erkenntnisse machen, bzw. schon vorhandene Erkenntnisse kritisch sichten und analysieren. **intellektu'ell,** geistig, verstandesmäßig.

Intellektual'ismus, betont das Denk- und Verstandesmäßige gegenüber den Willenskräften, dem tatkräftigen Handeln und allen Gemüts- und Charakterwerten. Gegensatz: Intuitionismus, Emotionalismus, Voluntarismus.

intellig'ent [lat.], klug, gescheit.

Intellig'enz, 1) Klugheit, Fähigkeit der Auffassungsgabe, des Begreifens, Urteilens; geistige Anpassungsfähigkeit an neue Aufgaben. Bei Aufnahme- und Eignungsprüfungen u. ä. sind Verfahren zur Abschätzung des Intelligenzgrades mit Hilfe normierter Aufgaben *(I.-Tests)* wichtig geworden. Die Ergebnisse lassen sich durch *I.-Quotienten*, d. h. durch das Verhältnis des Intelligenzalters zum Lebensalter ausdrükken. **2)** die geistig führende Schicht, die Gebildeten aller Stände und Berufe, im engeren Sinn die akademischen Berufe.

Intellig'enzblätter, ursprünglich wöchentliche Zusammenstellungen von Anzeigen (›Wöchentliche Frag- und Anzeige-Nachrichten‹), im 18. Jh. von Fürsten und Verwaltungen als amtl. Organe für Bekanntmachungen benutzt, später (nach 1848) durch Amtsblätter ersetzt.

intellig'ibel [lat. Kw.], einsichtig; in der *Philosophie* das durch die Vernunft oder den Verstand allein Erkennbare gegenüber dem →Sensiblen. Unter **intelligibler Welt** versteht man seit Philon von Alexandria die nur geistig erschaubare Welt der Ideen. Kant versteht darunter die Welt des Seienden an sich, die unerkennbar, da unerfahrbar sei, auf die aber das Sittliche im Menschen bezogen ist. Nach N. Hartmann ist das Intelligible das durch den Verstand (Intellekt) Einsehbare, dem der unerkennbare Bereich des Transintelligiblen gegenübersteht.

Intend'ant [lat. Kw.], **1)** oberster Leiter einer staatl. oder städt. Bühne, eines Rundfunksenders, einer Fernsehanstalt. **2)** † höherer Heeresverwaltungsbeamter, der die Leitung der Verpflegungs-, Besoldungs-, Bekleidungs- und Unterkunftsangelegenheiten hatte. **3)** im Frankreich des ancien régime seit Richelieu hohe Verwaltungsbeamte in den Provinzen, meist bürgerl. Herkunft.

intend'ieren [lat.], beabsichtigen, hinneigen (→Intention).

Intensit'ät, 1) Eindringlichkeit, gespannte und gesteigerte Kraft. **2)** *Physik:* Stärke einer Strahlung, bei Wellenvorgängen gleich dem Quadrat der Wellenamplitude.

intens'iv [lat.], gespannt, eindringlich, gesteigert, kräftig wirksam, rege. **intensive Wirtschaft,** eine landwirtschaftliche Wirtschaftsweise mit hoher Bodennutzung, bes. in hochindustriellen Ländern, im Unterschied zur *extensiven Wirtschaft*. In der Industrie ist *arbeitsintensiv* und *kapitalintensiv* jeweils die stärkere Verwendung von Arbeit oder Kapital. **Intensivrasse,** eine auf höchste Leistungen gezüchtete Haustierrasse.

Intenti'on [lat.], Absicht, Zielrichtung, aufmerksame Hinwendung. **Intentionalit'ät, 1)** Absichtlichkeit. **2)** Zielgerichtetheit, Bezogenheit; in der scholastischen Philosophie die Bezogenheit des materiell Seienden auf das erkennende Subjekt; nach F. Brentanos, von E. Husserl weitergeführter Lehre das Wesen aller seelischen Akte.

LIT. J.-P. Sartre: L'Intentionnalité, in: ›Situations‹, Bd. 1 (1947); F. Brentano: Die Lehre vom richtigen Urteil (1956).

Intenti'onsbewegung, die angedeutete, kaum merkliche Instinktbewegung, z. T. als arttypisches Signal (»Auslöser«) aufzufassen.

inter . . . [lat.], zwischen . . . , unter . . .

Inter-City-Züge, Abk. **IC**, schnelle Eisenbahnzüge (Spitze 200 km/h) mit besonderem Komfort, die mehrmals am Tag Großstädte in der Bundesrep. Dtl. miteinander verbinden.

Interdepend'enz [lat.], gegenseitige Abhängigkeit. **1)** politisch der Übergangszustand abhängiger Länder zu voller Souveränität. **2)** wirtschaftlich besteht ein allgemeiner Zusammenhang zwischen den Preisen in der Form, daß bei Preissteigerungen eines Gutes die Nachfrage nach anderen Gütern steigt oder zurückgeht *(I. der Preise)*.

Interd'ikt [lat. ›Einspruch‹, ›Verbot‹], **1)** im röm. Recht eine der heutigen einstweiligen Verfügung ähnliche Anordnung des Prätors zur Aufrechterhaltung des Rechtsfriedens. **2)** als kathol. Kirchenstrafe das Verbot, den Gottesdienst zu besuchen *(Personal-I.)* oder an einem best. Ort den Gottesdienst abzuhalten *(Lokal-I.)*.

Interdikti'on [lat.], Untersagung, Verbot.

Inter'esse [lat.; Modewort erst seit der Goethezeit], **1)** Anteilnahme, Wunsch nach weiterer Kenntnis. **2)** Wert eines Rechtsguts für den Berechtigten (→Schaden). **3)** *die Interessen,* † Zinsen.

Inter'essengemeinschaft, abgek. **I. G., 1)** vertraglicher Zusammenschluß mehrerer Personen oder Unternehmen zur Wahrung gleichartiger, meist wirtschaftl. Interessen. **2)** die Verbindung von Unternehmen, die rechtlich selbständig bleiben, deren wirtschaftl. Selbständigkeit aber vertraglich gemindert ist; häufig Vorstufe der Verschmelzung (Fusion). Die I. G. ist regelmäßig eine Gesellschaft bürgerl. Rechts (ohne Rechtspersönlichkeit).

Inter'essenjurisprudenz, Richtung der Privatrechtswissenschaft, die im Rechtsleben eine freie Gesetzesauslegung zugunsten einer stärkeren Berücksichtigung menschlich berechtigter Interessen fordert. Hauptvertreter: Ph. v. Heck.

Inter'essensphäre, →Einflußgebiet.

Interfer'enz [lat. Kw.], **1)** *Physik:* die Überlagerung von mehreren Wellen im gleichen Raumbereich. Zwei *interferierende* Wellen gleicher Wellenlänge, gleicher Amplitude und gleicher Phase verstärken sich *(Interferenzmaximum)*; sind sie dagegen um eine halbe Wellenlänge gegeneinander verschoben, so löschen sie einander aus *(Interferenzminimum)*: bei Lichtwellen aus derselben Lichtquelle (Kohärenz) tritt Dunkelheit, bei Schallwellen Stille, bei Wasserwellen Ruhe ein. Beim *Fresnelschen Spiegelversuch* wird

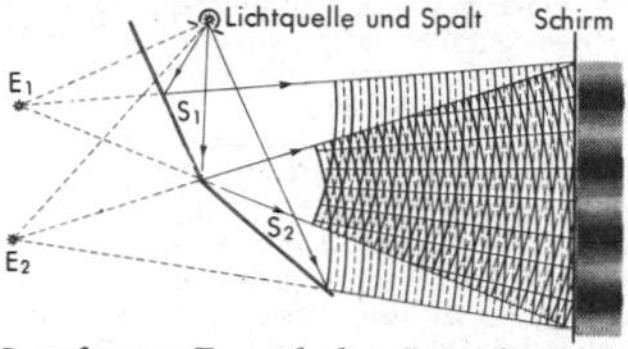

Interferenz: Fresnelscher Spiegelversuch

ein Lichtbündel durch zwei schwach gegeneinander geneigte Spiegel S_1 und S_2 in zwei von E_1 und E_2 ausgehende Bündel aufgespalten. Sie rufen auf einem Schirm ein System von hellen und dunklen *Interferenzstreifen* hervor. Aus dem Abstand des Spiegels vom Schirm und der gegenseitigen Entfernung der Interferenzstreifen kann die Wellenlänge des Lichtes berechnet werden. Bei weißem Licht haben die I.-Streifen farbige Ränder; diese *Interferenzfarben* beobachtet man an dünnen Schichten (z. B. Seifenblasen, Ölschicht), bei denen das auffallende Licht durch Reflexion an der Vorder- und Hinterseite der Schicht interferiert. Auf I. der langen elektromagnetischen Wellen beruht ferner das Fading (Schwund) beim Rundfunkempfang. Röntgenstrahlen erfahren I. und Beugung an räumlichen Kristallgittern. I.-Erscheinungen werden z. B. in →Interferometern für Messungen ausgenutzt.

2) *Medizin:* die Erscheinung, daß eine nach Stunden (bis höchstens 2–3 Tagen) zu einer ersten hinzutretende zweite Infektion *(Superinfektion)* die Erkrankung an einer der beiden verhindert und nur eine Krankheit zum Durchbruch kommen läßt. I. wurde hauptsächlich experimentell bei Virusinfektionen festgestellt; dabei konnte ein unspezif. Eiweißschutzstoff, das *Interferon,* gewonnen werden, das sehr rasch von der befallenen Zelle gebildet wird. Das Interferon wurde 1957 von A. Isaacs und I. Lindemann entdeckt.

Interfer'enz-Filter, →Farbfilter.

Interfer'enz-Kompar'ator, →Komparator.

Interfer'enzrohr, eine Rohranordnung zur Messung von Schallwellenlängen nach Quincke (1866).

Interferom'eter, Interferenzmesser, Gerät zur Bestimmung der Ebenheit von Flächen, der Gleichmäßigkeit planparalleler Platten u. dgl. durch Interferenz, im weiteren Sinne auch für Messungen anderer Art unter Ausnutzung von Interferenzerscheinungen. In der Astronomie werden I. als Zusatzgeräte zum Fernrohr verwendet, um die scheinbaren Durchmesser von Fixsternen zu messen.

Interflug, staatl. Fluggesellschaft der DDR, gegr. 1958; Berlin-Schönefeld.

Interfood AG, Lausanne, europäischer Konzern der Schokoladenindustrie; 1970 als Holdingges. zur Übernahme der *Chocolat Suchard S. A.*, Neuchâtel-Serrière (gegr. 1862), und der *AG Chocolat Tobler*, Bern (gegr. 1868).

interfraktion'ell [lat. Kw.], zwischen mehreren Fraktionen stattfindend.

intergal'aktische Materie, staub- oder gasförmige Materie im Raum zwischen den Sternsystemen, von äußerst geringer Dichte.

interglazi'al [lat. Kw.], zwischeneiszeitlich.

Interieur [ɛ̃teriœ:r, franz.], Innenraum; bildliche Darstellung eines Innenraums.

'Interim [lat.], einstweilige Regelung; vor allem in der Reformationszeit eine einstweilige Regelung des Religionsstreites bis zur Entscheidung durch ein allgem. Konzil, so das *Augsburger I.* von 1548, das vorläufige Duldung der Priesterehe und des Laienkelchs gewährte bis zur Regelung im Augsburger Religionsfrieden von 1555.

Interimskabinett, eine Übergangsregierung.

Interimsgesetz, eine vorläufige gesetzl. Regelung. **Interimstaler,** in Magdeburg 1549 gemünzt, verspotteten das Augsburger I. durch die Umschrift: *Packe di Satan, du Intrim.*

'Interimskonto, Zwischenkonto, ein Konto für vorläufige Buchung.

'Interimsschein, Zwischenschein, vorläufige Urkunde über gezeichnete Aktien.

Interjekti'on [lat.], Ausruf, Rufwort.

Interkonfessional'ismus [lat. Kw.], die auf Angleichung der Anschauungen beruhende Zusammenarbeit verschiedener Konfessionen.

interkonfession'ell [lat. Kw.], auf das Verhältnis mehrerer Glaubensbekenntnisse zueinander bezüglich.

interkost'al [lat. Kw.], zwischen den Rippen.

'Interlaken, Bezirkshauptort und Kurort im Kanton Bern, Schweiz, mit (1970) 4700 Ew., auf dem Bödeli zwischen dem Thuner und Brienzer See, am linken Ufer der Aare, 567 m ü. M., im Zentrum des Berner Oberlandes.

interline'ar [lat.], zwischen den Zeilen.

'Interlockmaschine, eine Rundstrickmaschine zum Herstellen doppelflächiger, feinmaschiger Strickware für Unterwäsche *(Interlockware)*.

Interl'udium [lat.], Zwischenspiel.

interlun'ar [lat. Kw.], im Raum zwischen Erde und Mond.

Intermaxill'arknochen, →Zwischenkiefer.

intermedi'är [lat.], dazwischenliegend, vermittelnd.

Interm'ezzo [ital., Goethezeit], Zwischenspiel; musikal. Einlage, Zwischenaktmusik; auch Charakterstück für Klavier von Schumann, Brahms.

Intermissi'on [lat.], Unterbrechung, das Aussetzen. **intermitt'ierend,** aussetzend, unterbrechend.

int'ern [lat.], inwendig, innerlich.

Intern'at, Anstalt, in der Schüler wohnen, erzogen und verpflegt werden; auch Alumnat.

internation'al [lat.; 1789 von Bentham geprägt], zwischenstaatlich.

Internation'ale [lat. Kw.], **1)** zwischenstaatl. Vereinigung, bes. die der sozialist. Parteien. 1864 wurde in London die *Internat. Arbeiterassoziation* gegründet (**Erste I.**, unter Leitung von K. Marx); sie wurde 1872 durch den Gegensatz zwischen Marx und Bakunin gesprengt. 1889 entstand auf Anregung der dt. Sozialdemokratie in Paris die **Zweite I.**, die im 1. Weltkrieg auseinanderbrach, 1923 wiederhergestellt wurde (Sitz Brüssel); sie bestand bis 1940. 1919 spalteten die Kommunisten die polit. Arbeiterbewegung durch Gründung der **Dritten I.** (Kommunistische I., →Komintern), die alle kommunist. Parteien umfaßte und von Moskau aus in engster Verbindung mit der Machtpolitik der Sowjetunion geleitet wurde; 1943 als Konzession an die mit der Sowjetunion verbündeten Westmächte aufgelöst. Sie wurde 1947 als →Kominform in Belgrad neugegründet, nach dem Bruch mit Tito wurde 1948 die Geschäftsstelle nach Bukarest verlegt; 1956 aufgelöst. Trotzki gründete in Mexiko 1938 die **Vierte I.**, die ohne Bedeutung blieb. 1947/48 entstand in London ein *Internat. Sozialist. Büro* (→Comisco) als Vorläufer einer neuen sozialist. I. Auf dem Kongreß in Frankfurt (Juli 1951) wurde sie von 34 Ländern als **Sozialistische I.** wiedergegründet; auch die deutsche Sozialdemokratie ist Mitglied. – Die →Gewerkschaften haben ebenfalls internat. Zusammenschlüsse.

LIT. Th. Ruyssen: Les sources doctrinales de l'internationalisme, 3 Bde. (1954–61); G. Nollau: Die I. (1959); J. Braunthal: Geschichte der I., 2 Bde. (1962/63).

2) Kampflied der marxist. Arbeiterbewegung, französ. Text von E. Pottier (1871), dt. von E. Luckhardt, Melodie von P. Ch. Degeyter aus Lille († 1915).

Internationale Arbeitsorganisation, IAO, engl. *International Labour Organization*, abgek. **ILO**, Sitz Genf, Sonderorganisation der Vereinten Nationen zur Förderung der sozialen Gerechtigkeit, zur Verbesserung der Arbeitsbedingungen und der wirtschaftl. und sozialen Sicherheit. Organe sind: 1) *Internationale Arbeitskonferenz (IAK)*; sie besteht aus 2 Regierungsvertretern und je einem Vertreter der Arbeitgeber und Arbeitnehmer jedes Mitgliedstaats. 2) der Verwaltungsrat (40 Mitgl.). 3) das *Internationale Arbeitsamt (IAA)* als Sekretariat.

Die IAO wurde 1919 im Rahmen des Völkerbund mit Sitz in Genf gegr., 1946 wurde die Verbindung zu den Vereinten Nationen hergestellt. Ihr gehören 123 Staaten an (1967), die Bundesrep. Dtl. ist Mitgl. seit 1972. Die IAO erhielt den Friedens-Nobelpreis 1969.

Internationale Atomenergie-Organisation, abgek. **IAEO**, die in New York am 26. 10. 1956 von 81 Staaten beschlossene Einrichtung zur Förderung der friedl. Nutzung der Atomenergie und zum Austausch wissenschaftlich-techn. Erfahrungen; Sitz ist seit 1. 10. 1957 Wien. Organe: die Generalkonferenz der Mitgliedstaaten (Herbst 1972: 103, darunter die Bundesrep. Dtl.), der Gouverneursrat als ausführendes Organ (25 Mitgl., mit der Bundesrep. Dtl.) und der Generaldirektor.

Internationale Bank für Wiederaufbau und Entwicklung, abgek. **IBRD,** →Weltbank.

Internationale Brigaden, militär. Freiwilligenverbände im Spanischen Bürgerkrieg (1936–39), die sich aus Ausländern rekrutierten und auf republikanischer Seite gegen Franco kämpften.

Internationale Einheiten, Abk. **I. E.**, konventionelle Maßeinheiten zur empirischen Festlegung der Wirkstoffgehalte, bes. in noch chemisch unreinen biolog. Präparaten. Die Festlegung geschieht meist durch Tierversuche; wichtig für die Standardisierung von Vitamin- und Hormonpräparaten.

Internationale Fernmelde-Union, abgek. **IFU**, früher *Internationaler Fernmeldeverein*, →Weltnachrichtenverein.

Internationale Finanzkorporation, engl. *International Finance Corporation*, abgek. **IFC**, die internat. Finanzierungs-Gesellschaft zur Förderung privater Investitionen in Entwicklungsländern, Sitz Washington; tätig seit 1957.

Internationale Flüchtlingsorganisation, engl. *International Refugee Organization*, abgek. **IRO**, die 1947 gegr. Organisation der Vereinten Nationen zum Schutz der Flüchtlinge und Displaced Persons (DP.s); Sitz Genf. Ihre Aufgaben übernahm am 31. 12. 1951 der →Hochkommissar für Flüchtlinge.

Internationale Frauenliga für Frieden und Freiheit, abgek. **IFFF**, im Haag 1915 gegr. polit. Frauenorganisation, Sekretariat: Genf.

internationale Gerichte, 1) die durch zwischenstaatl. Verträge für ständig oder für eine bestimmte Zeit oder Aufgabe errichteten Gerichtshöfe. Sie entscheiden über Streitigkeiten zwischen Staaten (→Internationaler Gerichtshof); der →Gerichtshof der Europäischen Gemeinschaften entscheidet zusätzlich auch über Streitigkeiten zwischen der Gemeinschaft und ihren Organen sowie dieser Organe untereinander und sichert den Einzelnen gegen Übergriffe der Gemeinschaft; vor dem →Europäischen Gerichtshof für Menschenrechte kann neben den Staaten auch die Europ. Kommission für Menschenrechte auftreten; im weiteren Sinne sind i. G. auch zwischenstaatl. →Schiedsgerichte und der →Ständige Schiedshof. **2)** →Internationaler Militärgerichtshof.

Internationale Handelskammer, IHK, engl. *International Chamber of Commerce*, abgek. **ICC,** Paris, 1919 in Atlantic City gegr. Vereinigung von Unternehmern, Wirtschafts-, Handels- und Kreditverbänden zur Förderung des zwischenstaatl. Handels und zur Verbesserung der Wirtschaftsbeziehungen.

Internationale Konventionen, →Pariser Übereinkunft, →Weltpostverein, →Haager Abkommen.

Internationaler Bund Freier Gewerkschaften, IBFG, aus dem Internat. Gewerkschaftsbund entstanden, gegr. 1949 in London, arbeitet u. a. im Wirtschafts- und Sozialrat der Vereinten Nationen, der UNESCO und der Internationalen Arbeitsorganisation mit (→Gewerkschaften).

Internationaler Fernmeldeverein, →Weltnachrichtenverein.

Internationaler Frauenbund, engl. *International Alliance of Women (IAW)*, 1904 in Berlin als »International Women Suffrage Alliance« gegr. Frauenorganisation; Sitz Washington; heutiger Name seit 1926.

Internationaler Gerichtshof, franz. *Cour Internationale de Justice*, abgek. **CIJ,** das durch die Satzung der Vereinten Nationen als Nachfolger des Ständigen Internationalen Gerichtshofs 1946 errichtete Gericht im Haag (Statut v. 26. 6. 1945), mit 15 von der Generalversammlung und dem Sicherheitsrat auf 9 Jahre gewählten Richtern. Alle Mitgliedstaaten der Vereinten Nationen sind Mitgl. des I. G., andere können sich ihm allgemein oder im Einzelfall unterstellen. Die Organe der Vereinten Nationen und die Sonderorganisationen haben das Recht, über rechtl. Fragen Gutachten einzuholen.

Internationaler Kinderhilfsfonds, engl. Abkürzung **UNICEF,** Sitz New York (Dt. Nationalkomitee in Köln), das am 11. 12. 1946 gegründete Hilfswerk der Vereinten Nationen zur Versorgung bedürftiger Kinder mit Nahrungsmitteln, Kleidung, Medikamenten.

Internationaler Luftverkehrsverband (seit 1945), engl. Abk. **IATA.** Dachorganisation fast aller zivilen konzessionierten Luftverkehrsges., Sitz Montreal.

Internationaler Militärgerichtshof, *Internat. Militärtribunal*, **1)** das am 8. 8. 1945 (Londoner Abkommen zwischen Frankreich, Großbritannien, der Sowjetunion und den USA) geschaffene Gericht in Nürnberg zur Aburteilung von →Kriegsverbrechen. **2)** das entsprechende Gericht für Japan in Tokio (Erlaß vom 19. 1. 1946).

Internationaler Schiedsgerichtshof, →Ständiger Schiedshof im Haag.

Internationaler Währungsfonds, →Weltwährungsfonds.

Internationaler Zivildienst, nach dem 1. Weltkrieg von dem schweizer. Obersten Pierre Ceresole gegr. pazifist. Bewegung, befürwortete zivilen Arbeitsdienst.

Internationales Afrika-Institut, London, 1926 gegründet, fördert die völkerkundl., sprachwissenschaftl. und soziolog. Erforschung Afrikas.

Internationales Arbeitsamt, →Internationale Arbeitsorganisation.

Internationale Schlafwagen- und Touristik-Gesellschaft, Abk. I. S. T. G., betreibt internationale Speisewagen- und Schlafwagenzüge; Sitz Brüssel, Generaldirektion Paris; gegr. in Brüssel 1876.

Internationales Geophysikalisches Jahr, I. G. J., gemeinsames Forschungsunternehmen von 67 Nationen auf dem Gebiet der Geophysik, 1. 7. 1957 bis 31. 12. 1958; verlängert bis 31. 12. 1959 durch die *Internat. Geophysikal. Kooperation* und weiter fortgesetzt als →Internationales Jahr der ruhigen Sonne. Die Forschungsaufgaben umfaßten Meteorologie mit Wetterkunde und Strahlungsforschung, kosmische Ultrastrahlung, Aeronomie, Ionosphärenforschung, Erdmagnetismus, Ozeanographie, Glaziologie insbes. der Polargebiete. An den Beobachtungen in der Antarktis beteiligten sich 12 Länder mit 57 Stationen. Für ozeanographische Arbeiten wurden 22 Forschungsschiffe eingesetzt. Der Erforschung der obersten Atmosphäre dienten Raketenaufstiege und künstliche Erdsatelliten.

Internationales Jahr der ruhigen Sonne, engl. *International Quiet Sun Year*, abgek. **IQSY.** Zahlreiche geophysikalische Erscheinungen, wie z. B. Erdmagnetismus, Polarlicht, Ionosphäre und kosmische Strahlung, die wesentlich von der Aktivität der Sonne beeinflußt werden, wurden in der Periode minimaler Sonnenaktivität 1964/65, unter Berücksichtigung der gesammelten Erkenntnisse während des Internationalen Geophysikalischen Jahres, beobachtet. Als Termin wurde die Zeit vom 1. 1. 1964 bis 31. 12. 1965 international festgelegt.

Internationales Komitee für europäische Auswanderung, engl. Abkürzung **ICEM,** 1951 gegr. Einrichtung zur Vermittlung von europ. Auswanderern nach Übersee, Sitz Genf.

Internationales Olympisches Komitee, abgek. **IOK,** die höchste Instanz für die Olympischen Spiele, gegr. 1894. Sitz: Lausanne, geleitet bis 1925 von Coubertin; Präsident 1952–72: Avery Brundage; seit 1972: Lord Michael Killanin.

Internationales Presseinstitut, IPI, 1951 von führenden Journalisten aus 15 westl. Ländern mit Unterstützung amerikan. Stiftungen gegr. Vereinigung zur Förderung des freien Nachrichtenaustauschs und zum Schutz der Pressefreiheit; Sitz Zürich.

internationales Recht, zwischenstaatliches Recht, 1) in den angelsächs. (international law) und roman. Ländern (droit international) das →Völkerrecht. **2)** im weiteren Sinn das Völkerrecht und alle Rechtssätze zur Lösung des Widerstreits zwischen nationalem und ausländ. Recht, so das internat. Privatrecht, internat. Strafrecht und internat. Verwaltungsrecht. – Der Förderung des i. R. widmen sich *internat. Vereinigungen und Institute,* z. B. das Institut für i. R. (Institut de droit international) in Paris, die International Law Commission als Unterorgan des Wirtschafts- und Sozialrats der Vereinten Nationen, die International Law Association in London und die Akademie für i. R. im Haag. In der Bundesrep. Dtl. bestehen u. a. die Institute der Max-Planck-Gesellschaft.

Internationales Übereinkommen über den Eisenbahnfrachtverkehr und **Internationales Übereinkommen über den Eisenbahn-Personen- und Gepäckverkehr** regeln die Beförderungsbedingungen im internat. Eisenbahnverkehr. Beide Übereinkommen gelten jetzt i. d. F. v. 25. 1. 1961, in Kraft seit 1. 1. 1965. Die Übereinkommen gelten in den meisten europ. Staaten. – Für die Ostblockstaaten einschl. der *DDR* gilt ein sowjet. Abkommen für den Fracht- und den Personenverkehr.

Internationales Zoll- und Handelsabkommen, →GATT.

Internationale Vereinigung für Entwicklungshilfe, engl. **International Development Association,** Abk. **IDA,** Tochterorganisation der Internationalen Bank für Wiederaufbau und Entwicklung (Weltbank), seit dem 8. 11. 1960 tätig, Sitz: Washington; gibt an Entwicklungsländer Darlehen zu günstigeren Bedingungen als die Weltbank.

Intern'ierung, Freiheitsentziehung zur Sicherung gegen Gefahren. Im Krieg ist völkerrechtlich die I. von Zivilpersonen, die einem Feindstaat angehören, erlaubt, die I. von Angehörigen der Streitmacht eines kriegführenden Staates, die auf neutrales Gebiet übertreten, vorgeschrieben. In autoritären Staaten werden »Staatsfeinde« in →Konzentrationslagern »interniert«. In Rechtsstaaten ist jede willkürl. I. verboten. Entsprechende Bestimmungen enthält die Europäische Konvention der Menschenrechte.

Intern'ist [lat. Kw.], Facharzt für innere Krankheiten.

Intern'odium [lat.], **Stengelglied, Achsenglied,** Abschnitt der →Achse (z. B. eines Halms) zwischen zwei übereinanderstehenden Blättern oder diese tragenden Knoten.

Intern'untius [lat.], päpstlicher Gesandter niederen Ranges (→Nuntius).

Interparlament'arische Union, IPU, 1888 in Paris gegründete Vereinigung von Parlamentariern verschiedener Staaten zur friedl. Beilegung zwischenstaatl. Streitigkeiten durch persönl. Fühlungnahme; Sitz Genf. Alljährlich findet eine Konferenz statt.

Interpellati'on [lat. ›Unterbrechung‹, ›Einrede‹], Anfrage im Parlament an die Regierung über eine bestimmte polit. Angelegenheit.

interplanet'arisch [lat. Kw.], im Raum zwischen den Planeten.

Interpol, Abk. für die 1923 gegr. *Internat. kriminalpolizeil. Kommission* zur Verfolgung aller Verbrechen, die den nationalen Rahmen übersteigen, z. B. Rauschgifthandel, Münzfälschung, Schmuggel; Sitz seit 1946 Paris. Als dt. Büro der I. arbeitet das Bundeskriminalamt in Wiesbaden.

Interpolati'on [lat. ›Einschaltung‹], **1)** Einschaltung von Wörtern oder Sätzen in den ursprünglichen Wortlaut einer Schrift; oft Fälschung. **2)** *Mathematik:* Einschaltung von Zahlenwerten zwischen die Zahlen einer gegebenen Folge, damit sie so glatt wie möglich verläuft.

Interpr'et [lat.], Ausleger, Erklärer; Darsteller. **Interpretati'on,** Auslegung, Erklärung.

Interpunkti'on [lat.], Satzzeichen; Zeichensetzung.

Interr'egnum [lat. ›Zwischenherrschaft‹], in Wahlmonarchien die Zeit von dem Tod, der Absetzung oder Abdankung eines Herrschers bis zur Wahl eines neuen; in Deutschland besonders die Zeit vom Tod Konrads IV. bis zur Wahl Rudolfs I. (1254–73).

'interrogativ [lat.], fragend. **'Interrogativum,** Fragefürwort.

'Intersexualit'ät [lat. Kw.], →Zwittertum, andersgeschlechtl. Einschlag.

Interstate Highway System ['intəsteit h'aiwei s'istim], ein in den USA seit 1956 in einem 13-Jahres-Programm auf 66000 km Netzlänge ausgebautes Fernstraßennetz. Es umfaßt 2,1% des klassifizierten Straßennetzes, erreicht aber 50% der Gesamtbevölkerung.

interstell'ar [lat. Kw.], im Raum zwischen den Sternen, im Raum des Milchstraßensystems.

interstell'are Materie, staub- und gasförmige Materie, die, diffus verteilt, in der Milchstraße, auch in anderen Sternsystemen vorkommt.

Intertype ['intətaip], amerikan. Zeilenguß-Setzmaschine, die nach dem System der Linotype arbeitet. Nach demselben Prinzip arbeitet der **Intertype-Fotosetter.** Statt der Gießvorrichtung ist eine Kamera eingebaut, von der die Buchstaben (Matrizen) auf lichtempfindliches Material projiziert werden.

Inter|us'urium [lat.], Zwischenzins.

Interv'all [lat.], **1)** Zwischenraum. **2)** der Abstand zweier Töne, wird nach den auf den Grundton bezogenen Stufen der diatonischen Tonleiter durch die lat. Ordnungszahlen bezeichnet. Der Grundton ist die Prim, der nächstfolgende Ton die Sekunde, der 3. die Terz, der 4. die Quarte, der 5. die Quinte, der 6. die Sexte, der 7. die Septime, der 8. die Oktave, der 9. die None, der 10. die Dezime usw. Bei der Sekunde, Terz, Sexte und Septime werden je 2 um einen

Intervalle: I *Intervalle,* II *kleine (*a*) und große (*b*) Intervalle,* III *verminderte (*c*) und übermäßige (*d*) Intervalle,* IV *konsonante Intervalle*

Halbton verschiedene Formen unterschieden: kleine und große Sekunde usw. Oktave (Prim), Quinte und Quarte haben nur eine Grundform, die »rein« genannt wird. Alle I. können chromatisch erhöht (erweitert) und erniedrigt (verengt) werden; erweiterte I. (reine und große) heißen übermäßig, verengte (reine und kleine) vermindert. Außer der Prim kann jedes I. umgekehrt werden durch Versetzung des unteren Tons um eine Oktave über den oberen Ton oder des oberen Tons um eine Oktave unter den unteren Ton.

intervalut'arisch [lat. Kw.], im Verhältnis zu anderen Währungen.

interven'ieren [lat.], vermitteln, Einspruch erheben, sich einmischen.

Interventi'on [lat.], Dazwischentreten, Einspringen, Vermitteln. **1)** im Prozeßrecht das Eintreten in einen anhängigen Prozeß als Haupt- oder Nebenpartei. **2)** im Wechselrecht →Ehreneintritt. **3)** *Börsenkursintervention,* das Eingreifen interessierter Kreise durch Erteilen von Aufträgen. **4)** das diplomat. oder gewaltsame Eingreifen eines oder mehrerer Staaten in die Verhältnisse eines anderen; als Beeinträchtigung der staatl. Unabhängigkeit nach der Satzung der Vereinten Nationen unzulässig. Statthaft ist die I. auf Ersuchen eines Staates *(Interzession),* oder wenn sie vertraglich eingeräumt wird. – *Bundesintervention,* das Eingreifen des Gesamtstaats zur Unterstützung eines Gliedstaats.

Interventi'onsklage, die →Widerspruchsklage.

Interview ['intəvju; engl.], die Befragung von Personen zur publizist. Verwertung ihrer Ansichten. I.s werden auch bei statistischen Erhebungen, meist nach einem bestimmten Fragebogen durchgeführt.

Intervisi'on, Zusammenschluß der Rundfunkgesellschaften des Ostblocks zum Austausch von Fernsehprogrammen; gegr. 1960 in Budapest. Die I. steht seit 1961 im Programmaustausch mit der →Eurovision.

interzed'ieren [lat.], dazwischentreten.

Interzellul'arräume, Interzellul'aren [lat.], **Zwischenzellräume,** Lücken zwischen den Zellen der pflanzl. Dauergewebe (Durchlüftungsgewebe).

Interzellul'arsubstanz [lat.], die in den meisten tier. Geweben (Knochen, Knorpel) zwischen den Zellen liegenden, von ihnen abgesonderten Stoffe.

Interzessi'on [lat.], das Dazwischentreten (→Intervention).

Interz'onengrenze, →Zonengrenze.

Interz'onenhandel, der Warenaustausch zwischen der Bundesrep. Dtl. (mit West-Berlin) und der DDR (mit Ost-Berlin). Die Lieferungen werden miteinander verrechnet. Der I. gilt nicht als Außenhandel, so daß der Außenzolltarif der Europäischen Gemeinschaften keine Anwendung findet. Die Lieferungen der DDR (1972: 2381 Mill. DM) umfassen bes. Braunkohle, Benzin und Dieselöl, Textilien, chem. Erzeugnisse; die

Bundesrep. Dtl. lieferte 1972 Waren im Wert von 2927 Mill. DM, bes. Eisen und Stahl, Eisen- und Metallwaren, Maschinen, Fahrzeuge, chem. Erzeugnisse.

Interzonenverkehr, der Personen- und Güterverkehr auf Schiene, Straße und Wasser über die →Zonengrenze.

intest'abel [lat.], unfähig, als Zeuge aufzutreten oder einen letzten Willen aufzusetzen.

Intest'at|erbfolge [lat.], →Erbfolge.

Intestin'alsonde, →Endoradiosonde.

Intest'inum [lat. ›innen liegend‹], Darm.

Intestina, →Eingeweide.

Inthronisation [lat.], Einsetzung; feierliche Amtseinführung eines Papstes, Bischofs oder Abtes.

Intichi'uma-Zeremonien [austral.-grch.], kult. Feier der austral. Urbevölkerung; das Abbild eines Totem-Tieres wird mit Blut auf den Boden gezeichnet und ist Mittelpunkt religiöser Zeremonien.

int'im [lat.], vertraut, eng befreundet.

'Intimus [lat.], enger Freund, Vertrauter.

'intolerant [lat.], unduldsam. **Intoleranz,** Unduldsamkeit.

Intonati'on [lat.], Anstimmen. **1)** *katholischer Gottesdienst:* die vom Priester am Altar vorzusingenden Anfangsworte eines Chormeßgesangs. **2)** beim Gesang und Instrumentenspiel die Art der Tongebung (laute und leise, harte und weiche, reine und unreine I.); im Instrumentenbau der Ausgleich der Töne und ihrer Klangfarben. **3)** *Phonetik:* die Stufe und Bewegung des Stimmtons bei der Aussprache eines stimmbildenden Lautes.

in toto [lat.], im großen und ganzen.

Intourist ['inturist], das staatl. Reisebüro der Sowjetunion, Sitz Moskau.

Intoxikati'on [griech.-lat.], Vergiftung.

Intr'ade [ital.], feierlich-glänzendes Musikstück zur Eröffnung einer Festlichkeit, bes. im 16./17. Jh.; Eröffnungssatz der frühen Suite.

intrakut'an [lat. Kw.], in der Haut gelegen oder in die Haut gegeben (Injektion).

intramuskulär [lat. Kw.], innerhalb des Muskels, oder in den Muskel gegeben (Injektion).

'intra m'uros [lat. ›innerhalb der Mauern‹], nicht öffentlich.

intransig'ent [franz.], unzugänglich, unversöhnlich.

'intransitiv [lat.], Zeitwort, das kein Akkusativobjekt haben kann.

intratrache'al [lat.-grch. Kw.], innerhalb der Luftröhre.

intra|uter'in [lat. Kw.], innerhalb der Gebärmutter gelegen.

intraven'ös [lat. Kw.], innerhalb der Vene, oder in die Vene gegeben (Injektion).

intrazellul'är [lat. Kw.], im Zellinnern befindlich.

Intr'ige, Intrigue [franz., von lat. intricare ›Schwierigkeiten machen‹; Gottschedzeit], eine durch List oder Ränke absichtlich zu einem bestimmten Zweck herbeigeführte Verwicklung von Handlungen und Personenbeziehungen. Das *Drama* bedient sich oft der I. als Kunstmittel, bes. das Lustspiel. In **Intrigenstücken** ist im Unterschied zu Charakterstücken die I. die Hauptsache. Muster der I.-Stücke sind die span. Mantel- und Degenstücke *(comedias de capa y espada),* z. B. Calderón: ›Dame Kobold‹, sowie viele franz. Komödien, z. B. Beaumarchais: ›Mariage de Figaro‹. In der Theatersprache ist der **Intrig'ant** ein Charakter, der durch Ränke oder Hinterlist in die Handlung eingreift.

intrik'at [lat.], heikel, kniffIig.

intro . . . [lat.], ein. . ., hinein. . .

Introdukti'on [lat.], Einleitung; *Instrumentalmusik:* eine dem Hauptsatz einer Sonate, Sinfonie, eines Konzerts vorangehende Einleitung in langsamem Zeitmaß; *Oper:* die der Ouvertüre folgende Gesangnummer.

Intr'oitus [lat. ›Eingang‹], in der *kathol. Kirche* der die Messe einleitende Gesang, in der *evangel.* das erste Stück des sonntägl. Gottesdienstes.

Introjekti'on [lat. ›Hineinwerfung‹], **1)** *Erkenntnistheorie:* die Hineinverlegung subjektiver Empfindungen als Sinngehalte in die Außenwelt. **2)** *Psychologie:* die Identifizierung mit einem anderen Menschen.

Introspekti'on [lat. Kw.], Selbstbeobachtung.

Introversi'on [lat.], Wendung nach innen.

introvert'ierter Typus, nach C. G. Jung eine typische, mehr nach innen gewandte Einstellung. Gegensatz: extravertierter Typus.

Intschön, auch *Tschemulpo, Chemulpo,* japan. *Jinsen,* Hafen der korean. Hauptstadt Söul, am S-Rand des Han-Deltas, mit (1970) 646000 Ew.

Intubati'on [lat. Kw.], das Einlegen einer Röhre *(Intubator)* in den Kehlkopf vom Munde aus, um bei krankhaften Veränderungen des Kehlkopfes die Erstickungsgefahr abzuwenden, und zur *Intubationsnarkose* oder *Intratrachealnarkose* (→Narkose).

Intuiti'on [von lat. intueri ›anschauen‹], *allgemein:* das unmittelbare Gewahrwerden eines Sachverhaltes als wesentlich oder in seinem Wesen, ohne daß die bewußte Reflexion lückenlos zu dieser Evidenz hingeführt hat.

In der *Kunst* versteht man unter I. das über das techn. Können hinausgehende Vermögen künstlerischer Formkraft.

In der *Philosophie* gilt die I. vielfach als Zugang zu Erkenntnissen, die dem diskursiven Verstand nicht erreichbar sind, z. B. zu den obersten, alle andere Erkenntnis begründenden Begriffen und Einsichten.

LIT. E. Rothacker u. J. Thyssen: I. und Begriff (1963).

Intuition'ismus [lat. Kw.], **1)** in der *Philosophie* die Lehre, daß die Gegebenheiten des Bewußtseins unmittelbar und anschaulich erfaßt sind, insbes. auch, daß die Verstandeserkenntnis das Wesen der unmittelbaren Gegebenheiten verfälscht (→Bergson). Gegensatz: Intellektualismus. **2)** als *Grund-*

lagentheorie der Mathematik die von Kronecker, Poincaré, Lebesgue u. a. vertretene Lehre, daß die Gesamtheit der natürl. Zahlen intuitiv und unableitbar gegeben sei und daß sich die Gesamtheit der reellen Zahlen arithmetisch nicht bilden lasse. Einen intuitionistischen Neuaufbau der Mathematik versuchten seit 1907 Brouwer, Weyl, Heyting, Belinfante u. a. unter Einschränkung des →tertium non datur auf endl. Mengen. →Formalismus.

'Inuit, Innuit, einheimischer Name der →Eskimo.

'Inula, die Pflanzengatt. →Alant.

Inul'in [lat. Kw.], **Dahlin,** eine in Dahlienknollen vorkommende Stärkeart, die sich zur Herstellung von Diabetikergebäck eignet, da sie im menschlichen Körper nicht gespalten wird und daher keinen Zucker liefert.

Inundati'onsgebiet, das den Überschwemmungen ausgesetzte Gebiet längs der Gewässer.

in 'usum Delph'ini [lat. ›für den Dauphin‹, den Thronerben Frankreichs], für Kinder bearbeitet.

inv., Abk. für →invenit.

Invaginati'on [lat. Kw.], Einstülpung, so die I. der Keimhaut bei der Gastrulation (→Entwicklung).

Inval'ide [lat.], ein arbeitsunfähig gewordener Mensch; Kriegsbeschädigter. **Invalidenversicherung,** →Rentenversicherung der Arbeiter.

Invalidit'ät [lat. Kw.], dauernde →Erwerbsunfähigkeit.

'Invar [lat. Kw.], Mischmetall aus 35,5% Nickel, bis 0,5% Kohlenstoff, Rest Eisen, hat sehr geringe Ausdehnung bei Erwärmung, hohen elektr. Widerstand und hohe spezif. Wärme, wird in Meßinstrumenten verwendet.

invari'abel [lat.], unveränderlich, gleichbleibend.

Invari'ante [lat. ›unveränderlich‹], unveränderliche Größe.

Invasi'on [lat.], Einfall, feindliches Einrücken in fremdes Gebiet; z. B. die alliierte I. 1944 (2. →Weltkrieg).

Invekt'ive [lat.], Schmähung, persönl. oder polit. Schmährede oder -schrift, war bes. in der antiken Literatur verbreitet (Archilochos, Bion, Sallust, Cicero).

inv'enit [lat. ›hat erfunden‹], abgekürzt **inv.,** auf graph. Blättern dem Namen des Künstlers beigefügt; wenn dieser auch die Wiedergabe geschaffen hat, ist *invenit et fecit* [›hat erfunden und gemacht‹], abgekürzt *inv. et fec.*, üblich.

Invent'ar [lat.], Bestand; Bestandsverzeichnis. **1)** *Handelsrecht:* das am Schluß eines Geschäftsjahres aufgestellte wertmäßige Verzeichnis der Vermögensgegenstände und Schulden eines Unternehmens; im engeren Sinne die Einrichtungsgegenstände. **2)** im *bürgerl. Recht* a) Sachen, die zum Wirtschaftsbetrieb eines gewerbl. Unternehmens oder eines Landgutes bestimmt sind. Tiere und Geräte *(lebendes* und *totes I.)* gelten als Zubehör des Grundstücks (§ 98 BGB). b) Verzeichnis von Gegenständen eines Sondervermögens, z. B. des Nachlasses.

Inventarisati'on [lat. Kw.], Bestandsaufnahme. *I. der Kunstdenkmäler*, die wissenschaftlich beschreibende Aufnahme.

Inventi'on [lat.], Einfall; bei Joh. Seb. Bach Bezeichnung für kleine zwei- und dreistimmige Klavierstücke in kontrapunktisch imitierender Satzweise.

Invent'ur [lat. Kw.], die Aufnahme des Inventars; Bestandsaufnahme. *Permanente I.*, die Ermittlung der Bestände durch laufende Fortschreibung der Zu- und Abgänge, wobei einmal im Jahr (ohne festen Stichtag) eine körperliche I. zur Kontrolle erfolgt (steuerlich zugelassen).

in v'erba mag'istri [lat.], auf des Meisters Worte (schwören).

Inverness [invə:n'es], **1)** größte Grafschaft Schottlands, 10907 qkm, (1971) 89500 Ew. **2)** Hauptstadt von 1), (1971) 34900 Ew., an der Mündung des Ness in den Moray Firth; I. hat Museen; Industrie: Schiffbau, Eisenbahnwerkstätten, Eisen, Tuche.

inv'erse Funktion, umgekehrte Funktion. Ist die Funktion z. B. $y = \sqrt[3]{x}$, so ist die i. F. $x = y^3$.

Inversi'on [lat.], Umkehrung, Umstellung; **1)** *Chemie:* Umwandlung, bei der die Drehung einer optisch-aktiven Verbindung umgekehrt wird. **2)** *Analysis:* Spiegelung am Kreis. **3)** *Kombinatorik:* die Umstellung zweier Elemente einer Kombination, z. B. *ab* und *ba*. **4)** *Wetterkunde:* Zunahme der Wärme mit der Höhe, eine *Temperaturumkehr* statt der normalen Abnahme, bes. im Winter im Gebirge. **5)** die Umstülpung eines Organs (z. B. der Gebärmutter). **6)** Homosexualität. **7)** *Sprachlehre:* Änderung der gewöhnlichen Wortfolge, z. B. *groß sind die Werke des Herrn* statt: *die Werke des Herrn sind groß.*

Invert'ase [lat. Kw.], Enzym der Dünndarmwand, das bei der Inversion des Rohrzuckers mitwirkt.

Invertebr'aten [lat.], die wirbellosen Tiere.

Inv'ertzucker, ein Gemisch von gleichen Anteilen Trauben- und Fruchtzucker; im Honig enthalten.

invest'ieren [lat. ›einkleiden‹], **1)** ins Amt einsetzen (→Investitur). **2)** Geld anlegen (→Investition).

Investigati'on [lat.], Nachspüren, Erforschung.

Investiti'on, die Verwendung von Kapital zum Ankauf von Produktionsmitteln. Man unterscheidet: *Netto-I.*, den Kapitaleinsatz zur Erweiterung und Verbesserung des Produktionsmittelbestandes, *Re-I.*, die I. zum Ersatz verbrauchter Produktionsmittel; beide zusammen bilden die *Brutto-I.* – Gesamtwirtschaftlich sind I. der Teil des Sozialprodukts, der nicht für den laufenden Verbrauch ausgegeben oder gehortet wird. Die *Investitionsquote* (Anteil der Brutto-I.

am Bruttosozialprodukt) betrug 1965 in der Bundesrep. Dtl. 27,7%.

Investitionshilfe, Unterstützung bestimmter Wirtschaftszweige oder -bezirke durch staatl. Förderung von Investitionen, für die die Mittel über den freien Kapitalmarkt nicht aufgebracht werden konnten. Direkte I. wird durch Kredite, Bürgschaften u. a. gegeben, indirekte I. z. B. durch Tarifvergünstigungen, Sonderaufträge. – Auf Grund des I.-Gesetzes vom 7. 1. 1952 wurden in der BRD 1 Mrd. DM für den vordringl. Investitionsbedarf des Kohlenbergbaues, der Energiewirtschaft und der eisenschaffenden Industrie aufgebracht.

Investit'ur, Einführung in ein Amt, Belehnung, besonders durch Überreichen eines Sinnbildes. **Investiturstreit,** der zwischen den Päpsten und den deutschen, französ. und engl. Herrschern geführte Streit um die seit dem 9. Jh. von den weltl. Herrschern mit Ring und Stab vorgenommene I. der Bischöfe und Äbte. Papst Gregor VII. entfesselte 1075 den Investiturstreit, den die Kaiser Heinrich IV. und Heinrich V. durchkämpften. In Frankreich erreichte die Kirche 1104, in England 1107 den Verzicht der Krone auf die I. mit Ring und Stab; im Deutschen Reich wurde der Streit 1122 durch das →Wormser Konkordat beendet.

Invest'ivlohn, eine Form der Entlohnung, die zur Eigentumsbildung der Arbeitnehmer beitragen soll.

Inv'estment-Gesellschaft, →Kapitalanlagegesellschaft.

Inv'estmentsparen, eine Möglichkeit des Wertpapiersparens durch Erwerb von Investmentzertifikaten. Diese sind Wertpapiere, die einen Anteil an einem Wertpapierfonds verbriefen. Die Fonds enthalten entweder nur Aktien (z. B. FONDAK = Fonds für dt. Aktien) oder aber zusätzlich auch Schuldverschreibungen (z. B. FONDRA = Fonds für Renten und Aktien). Ursprünglich wurden nur Inlandswerte in die Fonds aufgenommen. Im Zuge der weiteren Entwicklung wurden von den Investmentgesellschaften auch ausländ. Wertpapiere erworben und Fonds gebildet, die in- und ausländ. oder aber nur ausländ. Papiere enthielten.

in v'ino v'eritas [lat.], im Wein ist Wahrheit, d. h. der Trunkene lügt nicht; bereits bei Alkäus zitiert.

invit'ieren [lat.], einladen.

in v'itro [lat.], im Reagenzglas, im Laborversuch.

in v'ivo [lat. ›im Lebenden‹], im lebenden Organismus.

Invoc'avit [lat. ›er hat (mich) angerufen‹], der erste Fastensonntag, der 6. Sonntag vor Ostern, nach dem Eingangsgesang der Messe aus Psalm 91, 15.

Invokati'on [lat.], Anrufung (Gottes, der Heiligen), bes. zu Beginn einer Urkunde.

Involuti'on [lat.], **1)** *Mathematik:* eine projektive Transformation, die gleich ihrer Umkehrung ist. **2)** *Medizin:* im engeren Sinn die Rückbildung der Gebärmutter nach der Geburt zur normalen Größe und Wandstärke; im weiteren Sinn die allmähliche Rückbildung aller Organe des Körpers und ihrer Leistungen im Laufe des Alterns **(Involutionsperiode).**

involv'ieren [lat.], einschließen, in sich begreifen.

'Inzell, Gemeinde im Kreis Traunstein, Oberbayern, mit (1977) 3400 Ew., bekannt durch seine Eisschnellaufbahn.

Inzensati'on [lat.], die beim kathol. Gottesdienst vorgeschriebene Beräucherung, →Weihrauch.

Inz'est [lat.], →Blutschande. **Inzestehe,** die eheliche Verbindung zwischen nächsten Verwandten (z. B. Geschwistern), Form der →Inzucht.

Inzid'enz|winkel, Einfallswinkel.

Inzinerati'on [lat.], die Einäscherung.

Inzisi'on [lat.], **1)** *Medizin:* Einschnitt. **2)** *Verskunst:* →Pentameter.

'Inzucht [Bismarckzeit], die Fortpflanzung unter nahe verwandten Lebewesen. Sie reicht von engster I. – *Selbstbefruchtung* bei Pflanzen (→Bestäubung), *Engzucht* bei Tieren, *Inzest* (Blutschande) beim Menschen – bis zu schwächeren Graden innerhalb größerer Gruppen (→Isolation). I. beschleunigt die Herauszüchtung verhältnismäßig einheitlicher Formen *(Art-* u. *Rassenbildung)* und stellt einen wichtigen Faktor der Stammesentwicklung dar. In der Tier- u. Pflanzenzucht hat sie von jeher eine große Rolle gespielt. Im Bereich des Kulturmenschen wirkt sich die I. vorwiegend nachteilig aus, weil sie das Auftreten bestimmter Erbkrankheiten begünstigt, ist jedoch gelegentlich Ursache für die Anhäufung besonderer Begabungen (Musiker-Familie Bach).

Io, chem. Zeichen für Ionium.

Io, in der griech. Sage eine Tochter des Inachos, die von Zeus geliebt wurde. In eine Kuh verwandelt, wurde sie von Hera aus Eifersucht dem Argos zur Bewachung übergeben.

Io'annina, I'anina, Bezirksstadt in Griechenland, mit (1971) 39800 Ew., in der Landschaft Epirus, orthodoxer Bischofssitz. I. war 1431–1913 türkisch.

Iok'aste, in der griech. Sage die Gemahlin des Königs Laios von Theben, Mutter des Ödipus.

'Ion, 1) der mythische Stammvater der Ionier, Sohn des Apollon und der Kreusa. Tragödie von Euripides.

2) I. von Chios, griech. Schriftsteller, * etwa 490, † 422 v. Chr., Zeitgenosse des Sophokles. Seine Reisegeschichten sind das erste Memoirenwerk der griech. Literatur.

'Ion [griech.] *das, Mz.* **I'onen,** elektrisch geladenes Teilchen von Atom- oder Molekülgröße. Ionen entstehen aus neutralen Atomen oder Molekülen durch Abspaltung oder Anlagerung von Elektronen *(Ionisation)* oder durch elektrolytische →Dissoziation von Molekülen in Lösungen infolge der Temperaturbewegung. Die Abspaltung von

Elektronen erfordert Energiezufuhr *(Ionisationsenergie)*, entweder durch Strahlung *(Photoionisation)* oder durch Stoß *(Stoßionisation)* oder durch hohe Temperatur *(Temperaturionisation)*. In verdünnten Gasen oder im Vakuum können Ionen durch elektrische oder magnetische Felder beschleunigt und in Bahnen gelenkt werden *(Ionenstrahlen)*. Nichtleitende Gase werden durch Ionisation elektrisch leitend *(Ionenleitung)*. – Die im Organismus vorhandenen Salze sind zum größten Teil in ihre Ionen zerlegt. Die Ionenkonzentration bestimmt überwiegend den in Zellen und Körperflüssigkeiten herrschenden osmotischen Druck. Die Ionenverteilung wird z. T. durch Hormone geregelt. Die Ionen beeinflussen den kolloidalen Zustand der Zellen, die Reaktionsfähigkeit des Zelleiweißes, der Lipoide, die Erregbarkeit der Nerven und Muskeln, die Durchlässigkeit der Zellwände sowie viele Enzymreaktionen.

Iona [ai'ounə], altgälisch **Hy**, kleine Insel der inneren Hebriden, Schottland, der großen Insel Mull westl. vorgelagert. Hier gründete 563 der hl. Columban ein Kloster, das ein Missionszentrum für Südschottland und Nordengland wurde und bis Ende des 7. Jhs. ein Mittelpunkt der Keltischen Kirche war.

I'onenantrieb, der geplante Antrieb von Raumfahrzeugen durch einen gerichteten Strahl hochbeschleunigter Ionen, der ähnlich einem Gasstrahl (→Strahltriebwerk) aus dem Fahrzeug austritt. In Entwicklung befinden sich I., bei denen die erforderliche elektr. Energie durch einen Kernreaktor gewonnen wird; erwogen wird auch die Verwertung von Sonnenenergie durch Halbleiter oder thermionische Wandler. Zur Erzeugung von Ionen wird Zäsiumdampf auf ein heißes Platin- oder Wolframgitter geleitet. Die Zäsiumionen werden durch ein elektrisches Feld von 6000–20000 V hoch beschleunigt und vereinigen sich hinter dem Fahrzeug mit geeignet gelenkten Elektronenströmen wieder zu neutralen Atomen. Eine andere Ionenquelle ist das *Plasmatron* nach v. Ardenne, bei dem durch eine elektr. Entladung ein neutrales Plasma erzeugt und durch ein starkes Magnetfeld komprimiert wird, wodurch der Ionisationsgrad stark anwächst.

I'onenaustauscher, anorganische oder organische Stoffe, die ihre eigenen Ionen gegen andere austauschen können, ohne dadurch ihre Beständigkeit zu ändern. Anorganische I. sind die Zeolithe, die Natrium- gegen Kalzium-Ionen austauschen können und umgekehrt. Künstl. Zeolithe, z. B. Permutite, werden zum Enthärten von Wasser verwendet. Organische I. sind hochpolymere Kunstharze; zu ihnen gehören die Wofatite, Lewatite, Amberlite, die zur Trennung, Gewinnung, Reinigung und Analyse von Aminosäuren, Vitaminen, Alkaloiden usw. verwendet werden. – Ärztlich werden I. z. B. bei krankhaften Wasseransammlungen im Gewebe verwendet: I. im Darm verhindern die Aufnahme von Natrium-Ionen, die für die Ödembildung verantwortlich zu machen sind.

Ionen-Getter-Pumpe, eine Hochvakuumpumpe, bei der die durch eine Entladung ionisierten Gase durch ein →Getter festgehalten werden. Erreichbares Vakuum weniger als 10^{-7} Torr.

Ion'esco, Eugène, franz. Dramatiker, * Slatina (Rumänien) 26. 11. 1912, verbrachte seine Kindheit (1914–25) in Paris; seit 1938 wieder in Paris. I.s Dramatik, anfangs meist Einakter, ist eine Persiflage der kleinbürgerl. Welt. Er steigert die Banalität bewußt bis zum Äußersten und läßt sie ins Schaurige, Groteske, Surreale münden. I. ist einer der Hauptvertreter des »Absurden Theaters«.

WERKE. La cantatrice chauve (1950; dt. Die kahle Sängerin, 1959), La leçon (1951; dt. Die Unterrichtsstunde, 1959), Les chaises (1951; dt. Die Stühle, 1959), Victimes du devoir (1952; dt. Opfer der Pflicht, 1959), Jacques ou La soumission (1953; dt. Jacques oder Sichfügen, 1958), Le nouveau locataire (1953; dt. Der neue Mieter, 1957), Amédée ou Comment s'en débarrasser (1953; dt. Amédée oder Wie wird man ihn los, 1959), Tueur sans gages (1958; dt. Mörder ohne Bezahlung, 1960), Les Rhinocéros (1959; dt. Die Nashörner, 1960), Le piéton de l'air (1962; dt. Fußgänger der Luft, 1963), Le roi se meurt (1963; dt. Der König stirbt, 1964), Theaterstücke I/II/III, dt. (1959/60/64). Argumente und Argumente (1964).

Ion'escu, Take, rumän. Politiker, * Ploeşti 13. 10. 1858, † Rom 21. 6. 1922, Advokat, war seit 1884 liberaler, seit 1891 konservativer Abg., seit 1891 vielfach Min., 1921/22 MinPräs., 1909 Gründer der konservativ-demokrat. Partei. I. wirkte für den Eintritt Rumäniens in den 1. Weltkrieg und war Initiator der Kleinen Entente sowie inoffizieller, aber einflußreicher Berater in Paris und London für den Versailler Friedensvertrag.

I'onier, einer der drei griechischen Hauptstämme. Die I. bewohnten im 2. Jahrtausend v. Chr. Attika, Euböa, Achaia, das Grenzgebiet zwischen Lakonien und der Argolis, später, durch die Dorische Wanderung (→Dorer) aus dem größten Teil ihrer Sitze verdrängt, die Inseln des Ägäischen Meeres und die mittlere Westküste von Kleinasien. *Ionien* hieß die Küste Kleinasiens zwischen Hermos und Mäander mit den Inseln Chios und Samos. Die von den I. gegründeten zwölf kleinasiat. Städte bildeten den *Ionischen Bund*, der um 540 v. Chr. von den Persern unterworfen wurde. Der *Ionische Aufstand* gegen die Perser um 500 v. Chr. war vergeblich. 479 wurden sie Bundesgenossen der Athener, nach dem Peloponnesischen Krieg zeitweilig von den Spartanern, 387 v. Chr. wieder von den Persern abhängig. Später gehörte der Ionische Bund zum Reich Alexanders d. Gr. und zu dessen Nachfolgestaaten und behielt auch unter den Römern eine gewisse Autonomie.

Ionisati'on [griech. Kw.], →Ion.

Ionisati'onskammer, Gerät zum Messen der Strahlungsintensität radioaktiver Stoffe oder der kosm. Ultrastrahlung, Weiterentwicklung des →Ionometers. In einen gasgefüllten Metalltopf, der die eine Elektrode bildet, ragt isoliert eine stab- oder plattenförmige zweite Elektrode; zwischen beiden liegt eine hohe Spannung. Durch Strahlung gebildete Ionen rufen einen Strom hervor, der durch empfindl. Meßgeräte (Elektrometer, Galvanometer) nachgewiesen wird. Anwendung als fingerhutgroße Taschengeräte für strahlengefährdete Personen oder als Mittel- oder Großgeräte für wissenschaftl. Messungen.

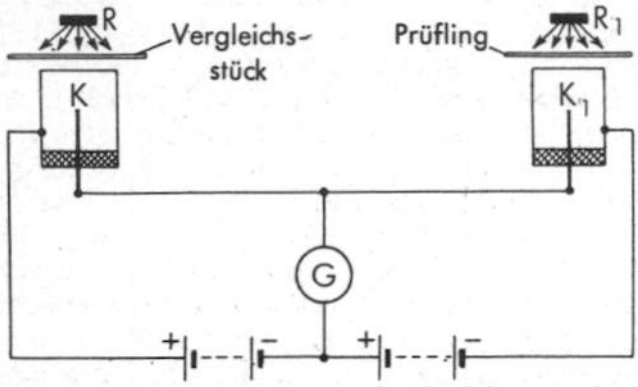

Ionisationskammern (K *und* K_1) *in einem Dickenmeßgerät: sind Prüfling und Vergleichsstück gleich dick, so gelangen von den Radiumpräparaten* R *und* R_1 *gleiche Strahlenmengen in* K *und* K_1 *und erzeugen gleiche Ionisationsströme, die sich im Leitungszweig mit dem Galvanometer* G *gegenseitig kompensieren. Bei abweichender Dicke des Prüflings zeigt* G *einen von der Größe der Abweichung abhängigen Ausschlag*

I'onische Inseln, 7 griech. Inseln im Ionischen Meer: Kerkyra (Korfu), Paxos, Leukas, Ithaka, Kephallenia, Zakynthos, Kythera. Sie sind gebirgig, im allgemeinen sehr ertragreich (Öl, Korinthen, Wein, Südfrüchte). Schon im frühesten Altertum waren sie von Griechen bewohnt. Ithaka ist bekannt durch Odysseus, Leukas durch Sappho. 395 n. Chr. fielen die Inseln an das Byzantin. Reich, 1186 an die sizil. Normannen, 1267 an das Haus Anjou von Neapel, im 15. Jh. an Venedig. 1797 wurden sie von den Franzosen, 1799 von den Russen und Türken erobert. Durch Vertrag (1800) mit dem Osmanischen Reich schuf Zar Paul I. aus den I. I. die **Republik der Sieben vereinigten Inseln.** 1807 wurden die I. I. von Frankreich, 1809 und 1810 von den Engländern besetzt und 1815 als **Vereinigter Staat der Sieben I. I.** in einen selbständigen Staat unter brit. Schutz verwandelt. Dem heftigen Verlangen nach Vereinigung mit Griechenland (u. a. Aufstand Aug. 1849) folgte 1864 die Abtretung der I. I. an Griechenland.

i'onische Naturphilosophie, →griechische Philosophie.

ionischer Stil, →griechische Kunst, →Säulenordnung.

i'onischer Vers, Ionicus, griech. Verslehre: ein viersilbiger Fuß von der Form ⏑⏑— — (Ionicus a minore) oder — —⏑⏑ (Ionicus a majore).

I'onisches Meer, der zwischen der W-Küste Griechenlands und der O-Küste Siziliens und Kalabriens gelegene Teil des Mittelmeers.

ionisierende Strahlen, ionenbildende Strahlen, *Biologie:* energiereiche Strahlen (radioaktive oder Röntgenstrahlen), die einen Teil der von ihnen getroffenen Atome oder Moleküle ionisieren. Hierauf beruht die Gefahr, daß sie menschl. und tier. Gewebe, insbes. Keimzellen und Embryonen, schädigen.

I'onium [griech. Kw.], ein radioaktives Isotop des Thoriums, Zeichen **Io,** Massenzahl 230, entsteht durch Zerfall des Urans II und geht allmählich in Radium über.

Ionom'eter [zu Ion] *das,* **1)** Gerät zum Messen der Wasserstoff-Ionenkonzentration (pH-Wert) einer Lösung mit Hilfe zweier Elektroden, die in die Lösung tauchen. Die entstehende Spannung wird durch eine Gegenspannung aufgehoben, aus der sich dann der pH-Wert berechnen läßt. **2)** Gerät zum Messen oder Vergleichen der Strahlungsstärke radioaktiver Stoffe mit Hilfe der Entladungsströme, die im gasförmigen Dielektrium eines Kondensators durch die Strahlung ausgelöst werden (BILD).

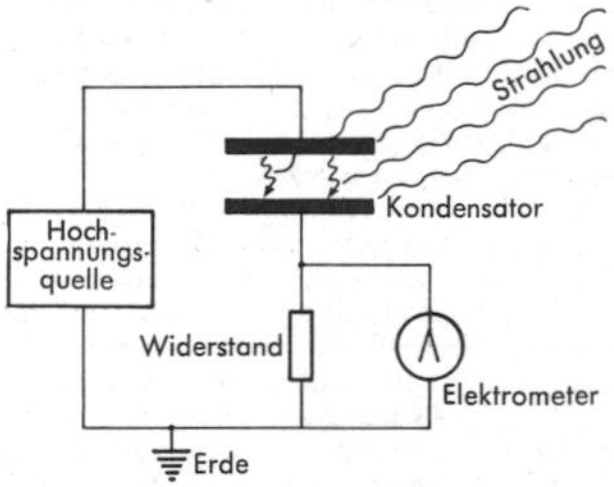

Ionometer

Ionosph'äre [griech. Kw.], eine Folge von hochgelegenen Schichten der Atmosphäre, in denen die Moleküle durch die Ultraviolettstrahlung der Sonne stark ionisiert sind. Man unterscheidet die *D-Schicht* in 50–90, die *E-Schicht* in 90–130, die E_S-*Schicht* in etwa 100, die F_1-*Schicht* in 180–250, die F_2-*Schicht* in etwa 300 km Höhe. Die Schichten unterscheiden sich durch verschiedenartige Ionisierungsvorgänge und mit der Höhe steigende Elektronendichten; die E_S-Schicht tritt nur unregelmäßig, vorwiegend nachts im Zusammenhang mit Polarlichtern, in Form wandernder Ionenwolken auf. Selten beobachtet man über der F-Schicht noch eine *G-Schicht* in 400–500 km Höhe. Die verschiedenen Schichten reflektieren verschiedene Bereiche der Radiowellen, bes. der Kurzwellen, jedoch nicht mehr der

Ultrakurzwellen, und ermöglichen dadurch den Kurzwellenempfang über große Entfernungen. Fast alle I.-Schichten bilden sich bei Tagesanbruch und lösen sich nachts wieder auf; nur die F_2-Schicht hält sich auch nachts unter Absinken. – Der *Mögel-Dellinger-Effekt* ist ein vorübergehender Anstieg der Ionisation durch erhöhte UV-Strahlung der Sonne, wodurch die Kurzwellen stark absorbiert werden und der Kurzwellenempfang über große Entfernungen zeitweilig ganz aussetzen kann. *Ionosphärenstürme* werden durch von der Sonne ausgeschleuderte Teilchenströme verursacht, durch die die F_2-Schicht ›ausgeblasen‹ werden kann und starke Polarlichter und →magnetische Stürme entstehen. I.-Stürme treten gelegentlich im Rhythmus der Umdrehungsdauer der Sonne (27 Tage) auf. – Die *Ionosphärenforschung* ist ein Teil der Geophysik. Sie erforscht die I. durch elektr. Echolotung mit der *Ionosonde*, deren Ergebnisse in einem photographisch aufgenommenen *Ionogramm* festgehalten werden. Dt. Forschungsstätten bestehen in Breisach/Rh. und in Lindau am Harz.

LIT. K. Rawer: Die I. (Groningen 1953); E. Burgess: Raketen in der I.-Forschung (1956).

Iontophor'ese [griech. Kw.], Einführung von Ionen auf elektrolyt. Wege in den Körper, z. B. zu Heilzwecken.

I'orga, Nicolae, rumän. Historiker und Politiker, * Botoşani 18. 6. 1871, † (ermordet von Mitgliedern der Eisernen Garde) Strejnic 28. 11. 1940, seit 1894 Prof. in Bukarest, seit 1907 Abgeordneter, später Führer der nationaldemokrat. Partei, 1931/32 MinPräs. und Unterrichtsminister.

I'ota [I, i], der Name des 9. Buchstabens des griech. Alphabets, der den Vokal i bezeichnet.

Iowa [ai'ouə], **1)** Indianerstamm der Sioux-Gruppe. **2)** abgek. **Ia.,** einer der nordwestl. Mittelstaaten der USA, 145791 qkm, mit (1975) 2,870 Mill. Ew., im oberen Mississippibecken, hat Anbau von Mais, Hafer, Kartoffeln und Obst; Viehzucht; Braunkohlenlager, Konservenindustrie. Hauptstadt: Des Moines. – I. kam 1763 an Spanien, 1803 an die USA, 1838 selbständiges Territorium, 1846 der 29. Staat der Union.

Ipekakuanha [-ku'aɲa], **Brechwurzel,** Wurzel des brasilianischen Halbstrauchs *Uragoga ipekakuanha* aus der Familie der Färberrötengewächse; als auswurfbeförderndes Mittel und zur Behandlung der trop. Amöbenruhr.

'Iper *die*, die Feldulme (→Ulme).

Iphig'enie, in der griech. Sage eine Tochter des Agamemnon und der Klytämnestra. Sie sollte zur Versöhnung der Artemis, die aus Zorn gegen Agamemnon die Abfahrt der griech. Flotte von Aulis nach Troja hinderte, geopfert werden, wurde aber von der Göttin nach Tauris entrückt und zu ihrer Priesterin gemacht. Dort rettete I. ihren Bruder →Orestes, der als Landesfremder geopfert werden sollte, und floh mit ihm nach Attika, wo sie als Priesterin starb. Dichtungen von Euripides (›I. bei den Taurern‹ und ›I. in Aulis‹, diese 1788 von Schiller übersetzt), von Racine (›Iphigénie‹, Trauerspiel, 1669), von Goethe (›I. auf Tauris‹, Schauspiel, 1779–87), von G. Hauptmann (Atriden-Tetralogie: ›I. in Aulis‹, 1943; ›I. in Delphi‹, 1941). Opern von Gluck (›I. in Aulis‹, Paris 1774; ›I. auf Tauris‹, Paris 1779). – I. Vollständige Dramentexte, hg. v. J. Schondorff (1966).

Iph'ikrates, athen. Feldherr und Condottiere in der 1. Hälfte des 4. Jhs. v. Chr., machte als erster die leichtbewaffneten Fußkämpfer (Peltasten) zu einer wichtigen Waffe. Biographie von Cornelius Nepos.

IPI, →Internationales Presseinstitut.

'Ipoh, Hauptstadt des Staates Perak, Malaysia, mit (1970) 248000 Ew., Mittelpunkt eines Zinnbergbaugebiets.

Ipom'oea, Pflanzengattung der Windengewächse; windende, meist trop. Kräuter und Sträucher. Gartenpflanze ist die einjährige *Prunk-* oder *Trichterwinde* (I. purpurea) mit großen blauroten und weißen Blüten. Über die *I. batatas*, die Süßkartoffel, →Batate.

'ipse f'ecit [lat.], er hat es selbst gemacht.

ips'issima v'erba, seine eigenen Worte.

'ipso i'ure, von Rechts wegen.

Ipswich ['ipswitʃ], Hauptstadt der engl. Grafschaft Suffolk, mit (1971) 123000 Ew.; Hafen, vielseitige Industrie.

IPU, →Interparlamentarische Union.

Ipekakuanha

Iqbal, Sir Muhammad, pakistan. Lyriker, * Sialkot (Pandschab) 22. 2. 1873, † Lahor 21. 4. 1938, promovierte in München 1907. Er schrieb Gedichte in Urdu und Persisch; in seiner ›Reconstruction of religious thought in Islam‹ (1930, [5]1958) strebt er nach Verbindung der koranischen Offenbarung mit europ. Wissenschaft. In seiner Rede als Präsident der Jahressitzung der Muslim League Allahabad 1930 sprach er erstmals den Gedanken einer getrennten muslimischen Zone in Indien aus, woraus sich später das Pakistan-Ideal entwickelte. Pakistan feiert ihn deshalb als geistigen Vater der Nation.

LIT. A. Schimmel: Buch der Ewigkeit (Übersetzung des Javidname, 1957); dies.: Botschaft des Ostens (Übers. der Antwort I.s auf den West-Östl. Divan, 1963).

IQSY, →Internationales Jahr der ruhigen Sonne.

Iquique [ik'ikɛ], Hauptstadt der chilen. Prov. Tarapacá, mit (1970) 64000 Ew.

Iquitos [ik'itəs], Hauptstadt des Dep. Loreto, Peru, mit (1971) 111 000 Ew., Handelsmittelpunkt am oberen Amazonas.

Ir, chem. Zeichen für Iridium.

IR, Abk. für Imperator Rex [lat.], Kaiser und König (in der Unterschrift Wilhelms II.)

i. R., Abk. für im Ruhestand.

IRA, →Irisch-Republikanische Armee.

Ir'ak [arab., ›Niederungsland‹], amtl. arabisch **al Dschamhurija al 'Iraqia**, Staat in Vorderasien, 434924 qkm, mit (1976) 11,5 Mill. Ew.; Hauptstadt ist Bagdad.

Drei *Landschaftstypen* geben dem I. das Gepräge: das im NO gelegene Gebirgsland mit seinen bebauten Tälern, das von Euphrat und Tigris durchflossene »Zweistromland«, das Hauptanbaugebiet des Landes, und die im W der Flußniederung des Euphrat gelegene Wüste. Das Klima ist kontinental mit heißen trockenen Sommern und kalten Wintern. Die Niederschläge nehmen von NO nach SW stark ab.

Die *Bevölkerung* besteht zu 80% aus Arabern; in den nördl. und östl. Grenzgebieten leben etwa 1,5 Mill. Kurden, ferner Türken, Perser, Armenier, Syrer u. a. Die meisten der 90000 Juden wanderten 1950/51 nach Israel ab. Die vorherrschende Religion ist der Islam; Schiiten gibt es etwas mehr als Sunniten. Die heiligen Stätten der Schiiten sind Kerbela und Nedschef. Großstädte sind Bagdad, Basra, Mosul, Kirkuk u. a.

Wirtschaft, Verkehr. Der I. ist ein ausgesprochenes Agrarland; Bewässerung ermöglicht die landwirtschaftl. Nutzung von rd. 25% der Gesamtfläche. Durch die Agrarreform v. September 1958 wird der Landbesitz begrenzt. Anbau von Weizen, Gerste, Reis, Hirse, im Schatt el-Arab vor allem Datteln (80% des Weltexports), ferner in zunehmendem Umfang Baumwolle, Leinsaat, Hülsenfrüchte, Zuckerrohr und Tabak; in den Steppengebieten Viehzucht (Schafe, Ziegen, Rinder, Pferde und Maulesel). Wichtigster Rohstoff ist das Erdöl (und Erdgas), das von den Ölfeldern bei Kirkuk in Rohrleitungen nach den Mittelmeerhäfen Tripolis und Banias, von den südostirakischen bei Basra an den Pers. Golf (Fao) befördert wird; Förderung 1972: 67,0 Mill. t. Seit 1952 erhielt der Staat 50% des Gewinns der ausländ. Konzessionsgesellschaften, die vorwiegend zum Bau von Staudämmen (bes. 1955–57), zur Bewässerung, Stromversorgung und Verhütung von Überschwemmungskatastrophen verwendet wurden; im Juni 1972 wurden die ausländ. Ölgesellschaften verstaatlicht. Die Industrie umfaßt vor allem Textil-, daneben Glas-, Tabak- und Zementindustrie; Ölraffinerien. Hauptausfuhrwaren sind Erdöl, Getreide, Datteln, Wolle, Häute, Vieh; Haupthandelsländer Großbritannien, USA, Bundesrep. Dtl., Libanon, Indien, Sowjetunion, VR China.

Das Eisenbahnnetz umfaßt rd. 2 500 km (Hauptlinie Basra–Bagdad–Mosul), das Straßennetz ist noch weitmaschig (insges. 8 600 km; Kraftfahrzeugbestand 1971: 116 000). Die Bedeutung der Flußschiffahrt auf Euphrat und Tigris geht zurück. Hauptseehafen ist Basra, Ölhäfen Fao (mit Khor-al-Amaja) und Umm Kasr. Hauptflughäfen Bagdad, Basra.

Staat. In der provisor. Verf. vom 16. 7. 1970 ist eine gesetzgebende Nationalversammlung vorgesehen. Der Revolutionsrat als oberstes Staatsorgan wählt den Staatspräsidenten, der zugleich Regierungschef und Oberbefehlshaber der Streitkräfte ist. Neben dem Revolutionsrat besteht ein »Erweiterter Nationalrat«, dem die Mitglieder des Revolutionsrates, der Regierung sowie höhere Militärs angehören. Staatspartei ist die Baath-Partei.

Verwaltungseinteilung in 16 Provinzen. Die Amtssprache ist Arabisch. Flagge: TAFEL Flaggen I. Wappen: TAFEL Wappen III. Die Maße und Gewichte sind metrisch. Währungseinheit ist der irakische Dinar zu 1 000 Fils.

Die Rechtsprechung ist nach ägypt. Vorbild mit Einfluß moderner westl. Regelungen modifiziert. Das Familienrecht richtet sich nach der Religionsangehörigkeit.

Die allgem. Schulpflicht (vom 6. bis 12. Lebensjahr) ist noch nicht überall eingeführt; 30% der Bevölkerung im Alter von 15–45 Jahren sind Analphabeten. I. hat drei staatl. Univ. in Bagdad (1963 gegr.), Basra und Mosul (1967 gegr.) sowie zwei private und Colleges.

Die Streitkräfte (rd. 95 000 Mann) sind nach brit. Vorbild organisiert und überwiegend mit Waffen und Flugzeugen sowjet. Herkunft ausgerüstet. Es besteht allgemeine Wehrpflicht mit zweijähriger Dienstzeit.

Die brit. Luftstützpunkte Habbanije und Scheiba wurden nach Aufhebung des Bündnisvertrags mit Großbritannien (1955) an den I. zurückgegeben.

GESCHICHTE. Das Gebiet des heutigen I. war das Kernland der Herrschaft der Sassaniden (226–651 n. Chr.) und Abbasiden (750–1258). 1258 wurde es von den Mongolen erobert, Anfang des 16. Jhs. kam es an Persien. 1639–1918 war es türkisch. Ende des 19. Jhs. wurde der I. für die Engländer als Durchgangsland nach Indien u. durch die Entdeckung von Erdöl wichtig.

1915–17 eroberten sie das Land und erhielten es 1921 als Mandatsgebiet; sie setzten 1921 Feisal I. als König ein. Durch den Bündnisvertrag mit Großbritannien (30. 6. 1930) wurde das Mandatsverhältnis neu geregelt; Nuri es-Said wurde der erste Min.-Präs. des unabhängigen Staats. Unter Ghasi I. (1933–39) und Feisal II. (1939–58, bis 1953 unter Vormundschaft seines Onkels Abd ul-Ilah) konsolidierte sich das Land politisch und wirtschaftlich. Nationalist. Aufstände scheiterten 1936 und 1941 (Raschid el Gailani). Am 17. 1. 1943 erklärte der I. unter engl. Druck dem Dt. Reich den Krieg. 1945 war er Gründermitglied der Vereinten Nationen. 1948/49 nahm der I. am Krieg der Länder der Arab. Liga (Mitgl. seit 1945) gegen Israel teil. Durch Militärputsch vom Nov. 1952 wurde die englandfreundl. Regierung Nuri es-Said gestürzt, 1955 der Vertrag mit Großbritannien aufgehoben; am 24. 2. 1955 schloß Nuri es-Said (1954–58 mit Unterbrechung wieder MinPräs.) einen Beistandspakt mit der Türkei, am 5. 4. mit Großbritannien ab (Bagdad-Pakt). 1958 schloß sich I. mit Jordanien zur Arab. Föderation zusammen. Durch eine nationalist. Revolution wurde am 14. 7. 1958 die Monarchie gestürzt, König Feisal II., Kronprinz Abd ul-Ilah, Nuri es-Said u. a. getötet, die Arab. Föderation für aufgelöst erklärt. Regierungschef wurde General Kassem. Die anfänglich guten Beziehungen zur Verein. Arab. Rep. kühlten sich rasch ab. Dem formellen Austritt aus dem Bagdadpakt (15. 3. 1959), der Kündigung des Abkommens mit den USA über Militärhilfe und dem Austritt aus dem Sterling-Block (beides 1959) folgten Abkommen mit der Sowjetunion. 1960 wurden die Beziehungen zu Jordanien wieder aufgenommen, 1961 zu Syrien. Ein Aufstand der Kurden (1961–66) belastete das Land schwer. Am 8. 2. 1963 wurde Kassem gestürzt und erschossen. Neuer Staatspräs. wurde Abdel S. M. Aref im April 1966, nach seinem Tod sein Bruder Abdul Rahman Aref. Er wurde durch einen unblutigen Militärputsch am 17. 7. 1968 gestürzt und des Landes verwiesen. Gen. Achmed Hassan el Bakr wurde Staatspräs. und am 30. 8. 1968 auch MinPräs. Die Auseinandersetzungen mit den Kurden dauerten an. Im März 1970 wurde die Einigung mit den Kurden bekanntgegeben, nach der provisor. Verfassung vom 16. 7. 1970 sind sie völlig gleichberechtigt, seit 10. 3. 1974 mit Recht auf innere Selbstverwaltung. Irakische Truppen nahmen am Nahost-Krieg vom Okt. 1973 teil. Gen. el Bakr trat im Juli 1979 von allen seinen Ämtern zurück; neuer Staats- und MinPräs. wurde Saddam Hussein.

Ir'an, islamische Republik in Vorderasien, 1 648 000 qkm mit (1978) 35,200 Mill. Ew.; Hauptstadt ist Teheran.

Landesnatur. I. erstreckt sich vom Ararat-Hochland und dem Ostrand Mesopotamiens zwischen dem Kaspischen Meer und dem Persischen Golf über den größten Teil des Iranischen Hochlands. Es ist vorherrschend gebirgig: im N erreicht das Elbursgebirge 5670 m, im S die vom Ararat-Hochland nach SO zum Persischen Golf ziehenden Randgebirge im Zagrosgebirge bis über 4500 m. Dazwischen erstrecken sich von Gebirgszügen gekammerte, rund 1000 m hohe abflußlose Hochländer, z. T. von Salzwüsten (Kewir, Lut) und Salzseen erfüllt. Nur die kurzen Flüsse der Randgebirge entwässern zum Meer. Tiefland besitzt I. nur als schmalen Saum am Kaspischen Meer und in seinem Anteil am Euphrat-Mündungsgebiet und der südl. Küste. Das Klima ist vorherrschend ein warmes, trockenes Binnenklima, nur im SW und am Kaspischen Meer feucht; das wüstenhafte innere Hochland hat starke Wärmeschwankungen. Die Pflanzenwelt ist meist dürftig. Die Gebirge sind meist kahl, nur am Kaspischen Meer reich an Laubwald, die Hochländer tragen Steppe und Wüstensteppe.

Die *Bevölkerung* besteht zu $^2/_3$ aus →Persern, im NW auch Kurden, zu rd. 20% aus Turktataren (Aserbeidschaner im N, Turkmenen im NO); ferner Armenier, Araber, Parsen und Juden. Die Bevölkerung konzentriert sich bes. im NW und in städt. Ballungsräumen, große Gebiete im Innern u. SO sind menschenleer oder nur dünn von Nomaden besiedelt.

Etwa 98 % der Bevölkerung sind Mohammedaner (davon 92 % Schiiten, 8 % Sunniten), der Rest chaldäische, armen., lat. Christen, ferner Juden, Parsen.

Wirtschaft, *Verkehr*. 11 % der Fläche sind landwirtschaftlich genutzt (einschl. Brachland), 20 % ungenutzt, aber kultivierbar, 12 % Wald und Gebirgsland, 53 % unkultivierbare Wüste. Anbau, vielfach mit künstl. Bewässerung, von Weizen, Mais, Reis, Gerste, Hirse, Zuckerrohr, Mohn, Oliven, Nüssen, Erdnüssen, Öl- und Südfrüchten, ferner Baumwolle, Tee, Tabak u. a.; Viehzucht (Schafe, Ziegen, Rinder, Pferde) und Seidenraupenzucht. Das alte Kunstgewerbe (Teppiche, Leder, Metall) ist zurückgegangen, die Entwicklung einer neuzeitl. Industrie wird gefördert (Siebenjahrespläne seit 1949): Textil-, Seiden-, Zement-, Konserven-, Zucker-, Tabak-, Stahl-Industrie. Die reichen Bodenschätze (Kohle im N, Eisen, Gold, Blei, Antimon, Nickel, Bauxit, Kobalt, Zinn, Kupfer, Mangan, Uran, Schwefel, Edelsteine) werden erst z. T. genutzt.

Die großen Erdölvorkommen (auf 12 % der Welt-Erdölreserven geschätzt) sind von großer Bedeutung. Die meisten Erdölfelder liegen am Persischen Golf. In der Welt-Erdölproduktion (mit 1978: 262 Mill. t) steht I. an der 4. Stelle. $^3/_4$ des Öls geht als Rohöl in den Export; den Rest erhalten die iran. Raffinerien. Die Erdölindustrie (seit 1951 verstaatlicht) stellt 80 % der Ausfuhrgüter. Ferner werden Teppiche, Rohbaumwolle, Früchte, Häute und Felle ausgeführt.

Haupthandelsländer sind die Bundesrep. Dtl., Sowjetunion, USA, Frankreich, Japan und Großbritannien.

Das Eisenbahn- und Straßennetz wird ausgebaut: 1973: (4510 km Bahnen; 45000 km Straßen, davon 12500 mit fester Decke; Kraftfahrzeuge 1972: 355000). Haupthäfen sind die Endpunkte der Transiran. Bahn (1938 eröffnet): Bender-Schahpur am Pers. Golf und Bender-Schah am Kasp. Meer, ferner Abadan und Bender-Maschur als Ölhäfen. Internat. Flughäfen sind Mehrabad (Teheran) und Abadan, für den Inlandverkehr gibt es weitere 15 Flughäfen.

Staat. Nach der Verf. vom 30. 12. 1906 (mehrfach geändert) war der I. eine erbliche konstitutionelle Monarchie, seit 1925 unter der Dynastie Pehlewi. Der Schah übte die vollziehende Gewalt aus und war der Oberbefehlshaber. Mit der nationalen Revolution Anfang 1979 wurde die Monarchie in eine »Islamische Republik« umgewandelt.

Wappen: TAFEL Wappen III. Flagge: TAFEL Flaggen I. Maße und Gewichte sind metrisch. Währungseinheit ist der Rial zu 100 Dinar.

Staatsreligion ist der Islam (Schiiten). Der Einfluß der islam. Geistlichkeit im öffentl. Leben war stark zurückgedrängt, ist aber seit der Revolution 1979 beherrschend.

Bildungswesen: Die allgem. Schulpflicht wird seit 1943 allmählich durchgeführt; die Zahl der Analphabeten wird noch auf 60% geschätzt. Das Schulsystem ist nach französ. Muster zentralisiert (kostenloser Unterricht). Es gibt acht Universitäten.

GESCHICHTE. →Persien. Die Enteignung der Anglo-Iranian Oil Company durch MinPräs. M. Mossadegh (1951–53) führte zu einem Konflikt mit Großbritannien und zu einem Verf.-Konflikt zwischen Mossadegh und dem Schah (Mohammed Risa Pehlewi, 1941–79). Nach dem Sturz Mossadeghs (1953) leitete der Schah unter Ausschaltung der Opposition, gestützt auf ihm ergebene Regierungen (u. a. MinPräs. Abbas Hoveida, 1965–77) Reformen ein (Weiße Revolution: Bekämpfung des Analphabetentums; Bodenreform). Mit den Einnahmen aus der Erdölförderung suchte er ein modernes Industriepotential und ein schlagkräftiges Heer aufzubauen.

1978 brachen blutige Unruhen aus. In Demonstrationen und Streiks forderten islam. Kräfte (Anhänger des Schiitenführers Khomeini), aber auch sozialrevolutionäre Gruppen den Sturz des Schahs. Dieser ernannte im Nov. 1978 eine Militärreg., nach ihrem Rücktritt im Jan. 1979 eine Zivilreg. unter S. Bachtiar. Kurz darauf verließ der Schah das Land. Nach der Rückkehr des seit 1964 im Exil lebenden Ayatollah Khomeini kam es zum Sturz der Monarchie und Verkündung der »Islamischen Republik«.

Ir'anier, Völkergruppe mit indogerman. Sprachen, bes. im Hochland von Iran. Zu den *Nordiraniern* zählten die Saken, Skythen und die sarmatischen Stämme (Roxolanen, Alanen, Iazygen u. a.). Ein Rest der Alanen sind die Osseten.

Ostiranier waren Parther, Baktrer, Sogdier, Arachosier. Die Galtscha-Dialekte des Pamir sind ostiranisch.

Westiranier sind die antiken Meder, die Perser, Afghanen, Tadschiken, Kurden, Belutschen.

ir'anische Sprachen, die in Iran gesprochenen indogerman. Sprachen, die mit den indisch-arischen nächstverwandt sind. Das *Altiranische* hat zwei nur mundartlich verschiedene Formen: die Amtssprache der Achämeniden-Könige (Altpersisch), erhalten auf Inschriften in vereinfachter Keilschrift (6.–4. Jh.), und die Sprache des →Awesta. Schon zur Zeit der späten Achämeniden war das Altiranische nur noch Schriftsprache, gesprochen wurde das *Mitteliranische.* Es erscheint in vier Formen: Mittelpersisch oder Parsi, die amtliche Sprache der Sassaniden, geschrieben in aramäischer Schrift; Parthisch, ebenfalls aramäisch geschrieben (diesem Dialekt kommt eigentlich die Bezeichnung *Pehlewi* zu, die man herkömmlicherweise auch für das Mittelpersische gebraucht); Soghdisch; Sakisch. Von den heutigen *neuiranischen Sprachen* ist nur das Neupersische und das Paschto (→Afghanen) aus älterer Zeit überliefert. Beide bedienen sich der arab. Schrift. Dem Persischen nahe steht das Kurmandschi, die Sprache der Kurden. Für sich steht im mittleren Kaukasus das Ossetische (→Osseten).

Iraser, Abk. für Infrared amplification by stimulates emission of radiation, ein →Lichtverstärker.

Iraw'adi *der,* **Irrawaddy,** der bedeutendste Strom in Birma, 2150 km lang. Das Delta bildet eines der fruchtbarsten Reisbaugebiete der Erde. Hauptzufluß ist der Tschindwin. Große Flußdampfer verkehren bis Bhamo, zur Regenzeit bis Mjitkjina, wichtig ist der Rohöltransport.

'Irbis, der Schneeleopard, →Katzen.

'Irdome, dem →Radome ähnliche Kunststoffkuppel für Infrarotortungsgeräte.

Ireland ['aiələnd], engl. →Irland.

Ireland ['aiələnd], **1)** John, engl. Komponist, * Inglewood 13. 8. 1879, † Washington (Südengland) 12. 6. 1962, vereint spätromant. und neuere Stilelemente zu gemäßigt modernen Klangformen; schrieb Orchesterwerke, Kammermusik, Lieder u. a.

2) William Henry, engl. Schriftsteller, * London 1777, † St. George-in-the-Fields 17. 4. 1835; berüchtigt durch seine von Malone aufgedeckten Shakespeare-Fälschungen (1796).

Iren, Irländer, irisch **Gaoidhil** [geil], daher **Gälen,** auf der Insel Irland beheimatetes keltisches Volk von (1971) rd. 4,5 Mill., davon 2,91 Mill. in der Rep. Irland, der kleinere Teil in Nordirland. Schätzungsweise 16 Mill. Menschen irischer Abstammung leben in den USA, Kanada, Großbritannien, Australien. Von der einst hochstehenden

Kultur, die eine eigene Schrift, die Oghamschrift, entwickelte, ist wenig erhalten. Auch sprechen nur verhältnismäßig wenige I. irisch. Die I. sind meist Ackerbauer und Viehzüchter. In der Wirtschaft, in Brauch und Glauben haben sich viele volkstüml. Züge erhalten (→Coracle). Die I. sind röm.-kathol., heidn. Bräuche sind oft erhalten.

Iren'äus, griech. Kirchenvater, Märtyrer, † um 202, seit 177/78 Bischof von Lyon, einflußreicher Bekämpfer des Gnostizismus, gilt als ›Vater der kathol. Dogmatik‹. Heiliger; Tag: 3. 7.

LIT. Bonwetsch: Die Theologie des I. (1925).

Ir'ene [griech. ›Friede‹], weibl. Vorname.

Ir'ene, kath. Märtyrerinnen: **1)** unter Diokletian in Saloniki; Tag: 5. 4.

2) unbekannter Zeit vor dem Ende des 4. Jhs. in Konstantinopel, wo sie eine bedeutende Kirche hatte. Tag: 5. 5.

3) in Portugal, † 653; Tag: 20. 10.

Ir'ene, Fürstinnen:

1) in Deutschland **Maria** genannt, Tochter des byzantin. Kaisers Isaak II. Angelos, Gemahlin König →Philipps von Schwaben, * um 1180, † Burg Hohenstaufen 27. 8. 1208, von Walther von der Vogelweide besungen als »Rose ohne Dorn, Taube sonder Gallen«.

2) byzantin. Kaiserin, * Athen um 752, † Lesbos 9. 8. 803, Regentin für ihren Sohn Konstantin VI. (seit 780), Anhängerin des Bilderkults. Konstantin VI., seit 790 Alleinherrscher, mußte seit 792 den Thron wieder mit I. teilen, die ihn 797 blenden ließ. Nach der Kaiserkrönung Karls d. Gr. (800) bestand auf fränkischer Seite der Plan einer Eheschließung Karls mit I.; kurz nach der Ankunft der fränk. Gesandten in Byzanz wurde I. 802 gestürzt.

ir'enisch [grch. eirene ›Frieden‹], friedliebend, dem Frieden dienend. Als **Irenik** wird bei den kirchl. Unionsbestrebungen eine Methode bezeichnet, die im Unterschied zur Polemik das Verbindende betont. **Irenismus,** im kath. Sprachgebrauch eine den exklusiven Wahrheitsanspruch der kath. Kirche nicht achtende Irenik.

Irg'is, zwei linke Nebenflüsse der unteren Wolga: **Großer I.,** 571 km lang, **Kleiner I.,** 160 km lang.

Irg'un Zwa'i Le'umi [hebr. ›Militär. Nationale Organisation‹], 1937 in Palästina geschaffene zionist. Militärorganisation, die als Untergrundbewegung vor Errichtung des Staates Israel (1948) und danach in den Kämpfen mit den arab. Staaten eine Rolle gespielt hat (→Haganah).

'Iri, neugriech. Name des Flusses →Eurotas.

Ir'ian, indones. Name für Neuguinea, →West-Irian (I. Djaya). →Indonesien.

Iriani, Abdul Rahman al, jemenit. Politiker; war am Sturze der Reg. Sallal beteiligt, 1967–74 Staatspräs. als Vorsitzender des Präsidentschaftsrates.

Iri'arte, Tomas de, span. Dichter, * Orotava (Teneriffa) 18. 9. 1750, † Madrid 17. 9. 1791; schrieb Tiermärchen in Versen.

Iridektom'ie [griech. Kw.], die Ausschneidung eines Stückchens der Regenbogenhaut des Auges; z. B. bei Hornhauttrübungen im Pupillengebiet.

Ir'idium [von griech. iris ›Regenbogen‹, der verschiedenen Farben seiner Salze wegen], chem. Element aus der Gruppe der Platinmetalle, grauweißes Metall, Zeichen **Ir,** Ordnungszahl 77, Massenzahlen 193, 191, Atomgewicht 192,2; Schmelzpunkt 2454° C, Siedepunkt über 4800° C. I. findet sich mit Platin oder Osmium in den Platinerzen. Es ist nächst dem Osmium das schwerste Metall (spez. Gew. 22,4). Wegen seiner Härte und Widerstandsfähigkeit gegen chem. Angriffe wird es, meist in Legierung mit anderen Platinmetallen, zur Herstellung von chem. Geräten, Schreibfedern, Elektroden u. a. verwendet.

Irigoyen [irig'ɔjɛn], Hipólito, argentin. Politiker, * Buenos Aires 13. 7. 1850, † das. 3. 7. 1933, bask. Herkunft, Rechtsanwalt, war Führer der Radikalen Partei, 1916–22 und 1928–30 Staatspräsident.

'Iris [griech. ›Regenbogen‹], **1)** in der griech. Mythologie die Verkörperung des Regenbogens, eine jungfräuliche geflügelte Göttin, Botin der Götter. **2)** die Regenbogenhaut des Auges. **3)** die Pflanzengattung →Schwertlilie.

irische Kunst: Kreuzigungsgruppe von einem Buchbeschlag aus Athlone (Dublin, Mus.)

'irische Kunst, die Kunst der kelt. Bevölkerung Irlands, von ihrer Christianisierung im 5. Jh. bis um 1100. In Irland fehlte die röm. Tradition; von einem Einschlag druidischer Frömmigkeit begünstigt, setzte sich das Fischblasen- und Spiralornament der →Latènezeit fort, während auf die *Klosterbaukunst* oberägypt. und syr. Anregungen einwirkten; in der Biographie des hl. Columban wird z. B. berichtet, Inismurray sei nach dem Plan eines syr. Klosters errichtet. Von den Klosterbauten, die von dicken Ringmauern umgeben waren, ist aus der Missionszeit wenig erhalten. Oratorien und Zellen waren fensterlose, von einem pyramidenförmigen Gehäuse aus Bruchsteinmauerwerk umschlossene Räume. Die Synode von Streanaeshalch (664) nahm der irischen Religiosität ihre Düsterkeit. Die Klöster wurden der Benediktinerregel unterworfen. Die *Buchmalerei*, die nur Initialornamentik in kelt. Formgebung gekannt hatte, nahm um 700, wohl in Rückwirkung angelsächsischer Klöster irischer Gründung, aus dem Süden übermittelte figürliche Darstellungen sowie german. Flechtband- und Fisch-Vogel-Ornamentik auf, so in den Evangeliaren von Durrow und Kells (beide Dublin, Trinity College), deren Prunkseiten mit Figuren und Zierwerk gefüllt sind (TAFEL Miniatur). Von gleichzeitigen angelsächs. Werken (Evangeliar aus Lindisfarne) unterscheiden sie sich nur durch stärkere Betonung kelt. Ornamentik. Diese Kunst hielt sich bis in das 10. Jh. In der *Metallkunst* (Handglocken, Buch-, Reliquienschreine) lebte sie lange weiter. Gegen 900 kamen die typischen →Steinkreuze mit den den Schaft umziehenden Figurenfriesen und dem von einem Ring umschlossenen Crucifixus oder Weltenrichter auf. Für die *Baukunst* dieser Zeit sind die schlanken, runden Glockentürme bezeichnend, die nun oft unabhängig von den Kirchen errichtet wurden. In der Folge paßte die i. K. sich der englischen an.

'**irische Literatur,** →irische Sprache und Literatur.

'**Irische Republik,** →Irland.

'**Irische See,** das Meer zwischen Irland und Großbritannien, 320 km lang, 230 km breit.

'**Irisches Moos,** →Karrageen.

'**irische Sprache und Literatur.** Das Irische bildet die Hauptabteilung des gälischen Zweiges des kelt. Sprachstammes (→keltische Sprachen). Man unterscheidet *Altirisch* (etwa 8. bis 10. Jh.), *Mittelirisch* (bis um 1400) und *Neuirisch.*

Die altirischen Sprachdenkmäler sind fast alle nur sprachlich, nicht literarisch von Bedeutung; sehr wertvoll ist dagegen die mittelirische Literatur: Texte der irischen Heldensage in Prosa; Annalen, Genealogien; Legenden, Predigten, Heiligenkalender; auch Lyrik.

Unter der engl. Herrschaft wurde die irische Sprache immer mehr auf die entlegenen Gebiete im N und NW zurückgedrängt. Lediglich G. Keating, mit seiner klass. Geschichte Irlands (Anfang des 17. Jhs.), E. O'Rahilly mit seiner elegischen Lyrik (Anfang des 18. Jhs.) und der blinde Volkssänger Raftery (Anfang des 19. Jhs.) sind zu nennen. Mit der Gründung der Gaelic League (1893) begann die Erneuerung der irischen Sprache und Literatur, vor allem durch Douglas Hyde, Padraic H. Pearse, Padraic O'Connor, P. O'Leary, An Seabhac. Nach der Gründung des Irischen Freistaats (1921) wurde das Irische wieder Nationalsprache (Gälisch, heute von etwa 700000 gesprochen) und neben dem Englischen Amtssprache. Bedeutend ist der Beitrag von Schriftstellern irischer Herkunft in der →englischen Literatur.

Irisch-Republikanische Armee, Abk. IRA, 1919 gegr., radikal-nationalist. Terrororganisation in der Rep. Irland und in Nordirland.

'**Irisch-römisches Bad,** eine Verbindung von Heißluft- und Dampfbad zu Schwitzkuren, →Heißluftbad. Es wurde bereits von den Römern angewendet, dann von den Türken übernommen *(türkisches Bad)* und Mitte des 17. Jhs. in Irland, etwas später in Mitteleuropa eingeführt.

'**Irisdruck,** das gleichzeitige Drucken verschiedener nebeneinander liegender Farben, die schon auf der Farbauftragwalze an der Berührungsstelle regenbogenartig ineinanderlaufen.

Irish stew ['airiʃ stju:], englisch-irisches Gericht aus Hammelfleisch, Zwiebeln, Kartoffeln und (in Dtl.) Weißkraut.

iris'ieren [zu Iris], in →Regenbogenfarben schillern, z. B. Glas, Ölflecke auf Wasser. I. kommt durch →Interferenz der auf der Vorder- und Rückseite einer dünnen Schicht zurückgeworfenen Strahlen zustande.

Ir'itis [griech. Kw.], Regenbogenhautentzündung.

Irk'ut, 325 km langer, linker Nebenfluß der Angara.

Irk'utsk, Gebietshauptstadt im südl. Sibirien, Sowjetunion, an der Angara und an der Transsibir. Bahn, (1972) 473 000 Ew., gegr. 1652, Kulturzentrum (Universität, Theater, Museen) und Industriestadt (Eisenwerk, Maschinen-, Panzer-, Flugzeugbau, Fleisch- und Mühlenkombinat); in der Nähe Kraftwerke.

'**Irland,** irisch **Eire** ['ɛərə], engl. **Ireland** ['aiələnd], **1)** die westliche der großen brit. Inseln, von Großbritannien durch die Irische See, den Nord- und St.-Georgs-Kanal getrennt, sonst vom Atlantischen Ozean umgeben, umfaßt ca. 84400 qkm. Polit. Einteilung: →Irland 2), →Nordirland.

Landesnatur. Die Oberflächengestalt I.s gleicht einer Schüssel: in der Mitte eine große, flache, nicht über 100 m hohe Ebene, an den Rändern meistens Gebirge. Nur an der Ostküste zwischen Dublin und Dundalk erreicht die Zentralebene die Küste. Abgesehen von der Galway Bay und der Shannon-Trichtermündung fehlen größere Buchten. Die größten Erhebungen I.s liegen im S (Carrantuohill 1041 m). Der Boden ist im allgemeinen fruchtbar, die Ertragsfähigkeit wird aber beeinträchtigt durch die ausgedehnten Hoch- und Niedermoore. Hauptfluß ist der Shannon. Unter den Seen ist der Lough Neagh (396 qkm) der größte der Brit. Inseln. Das *Klima* ist gemäßigt und sehr feucht (»grüne Insel«).

VORGESCHICHTE. →Westeuropa.

GESCHICHTE. Während des 1. Jahrtausends v. Chr. besiedelten die kelt. Gälen die Insel. Um 430 n. Chr. verbreitete Patrick das Christentum. Irische Mönche wirkten seit dem 7. Jh. in England und auf dem europ. Festland. Noch in karoling. Zeit spielten irische Gelehrte eine führende Rolle. Wikinger suchten im 9. bis 11. Jh. die Insel heim und setzten sich in Dublin und Cork fest. Die engl. Herrschaft über I. begann 1171/72 mit dem Eroberungszug Heinrichs II., war aber bis ins 16. Jh. meist auf die Ostküste beschränkt. Während England die Reformation einführte, blieben die Iren katholisch. Mehrere große Aufstände der Iren wurden blutig niedergeworfen, so 1597 bis 1603 durch Elisabeth I., 1649–51 durch Cromwell und 1690 durch Wilhelm III. von Oranien; die Engländer eigneten sich nach und nach drei Viertel des Grundbesitzes an und legten die irische Wirtschaft lahm. Die Ausdehnung der engl. Strafgesetze gegen die Katholiken auf die Iren bedeutete ihre polit. Entrechtung. Der jüngere Pitt führte 1801 die Vereinigung des irischen mit dem englischen Parlament herbei; I. ging damit verfassungsrechtlich ganz im *Vereinigten Königreich von Großbritannien und I.* auf. Aber schon Ende des 18. Jhs. war eine irische Nationalbewegung erwacht. O'Connell erreichte 1829, daß die polit. Entrechtung der Katholiken aufgehoben wurde. Seit 1845 setzte infolge von Hungersnot und massenhafter Auswanderung nach Nordamerika ein ungewöhnlicher Rückgang der Bevölkerung ein. Im Gegensatz zur revolutionären Richtung der irischen Nationalisten, so dem Geheimbund der Fenier (seit 1858), entstand 1877 die von Parnell geleitete Irische Nationalpartei im brit. Unterhaus, die eine parlamentar. Selbstregierung (→Homerule) erstrebte. Diese suchte der liberale engl. Staatsmann Gladstone 1886 und 1893 vergeblich durchzusetzen. Immerhin wurden durch mehrere Landgesetze, bes. von 1903, die irischen Kleinpächter größtenteils zu freien Bauern gemacht. Während des 1. Weltkriegs wurde die Irische Nationalpartei durch die radikalere Partei →Sinn Féin unter Führung De Valeras verdrängt, der auf die völlige Unabhängigkeit I.s hinarbeitete. Die Sinnfeiner bildeten im Jan. 1919 ein nationales Parlament mit einer revolutionären Regierung unter De Valera. Nach langem Bürgerkrieg wurde im Vertrag vom 6. 12. 1921 der *Irische Freistaat (Saorstát Eireann)* als selbständiges Dominion im Rahmen des Brit. Reiches errichtet; die überwiegend protestant. 6 nördlichen Grafschaften Ulsters wurden abgetrennt (→Nordirland). Die gemäßigten Sinnfeiner unter Griffith, dann unter Cosgrave übernahmen die Regierung. 1922/23 flammte der Bürgerkrieg noch einmal auf. De Valera (März 1932–Dez. 1948 wieder MinPräs.) löste allmählich die staatsrechtl. Bindungen an das Brit. Reich: 1933 Abschaffung des Treueids gegenüber der Krone; die Verfassung vom 29. 12. 1937 schuf den unabhängigen Staat *Eire* unter einem Präsidenten (1938–45 Douglas Hyde). 1938 räumte Großbritannien die militär. Stützpunkte in I., das im 2. Weltkrieg Neutralität wahrte. 1945–1959 war O'Kelly Präsident (wiedergewählt 1952). 1948 erklärte I. seinen Austritt aus dem Commonwealth, am 18. 4. 1949 rief der Führer der gemäßigten Fine Gael, Costello (1948–51 MinPräs.), die Republik aus. 1950 wurden die normalen diplomat. Beziehungen zu Großbritannien aufgenommen. Im Juni 1951 wurde wieder De Valera, im Juni 1954 nach der Wahlniederlage von Sinn Féin Costello MinPräs. Bei den Wahlen vom 6. 3. 1957 erlangte Fianna Fáil (→Sinn Féin) von neuem die absolute Mehrheit; seitdem war De Valera MinPräs. Er wurde Juni 1959 zum neuen Präsidenten der Republik I. gewählt. Lemass (Fianna Fáil) wurde MinPräs. Bei den Wahlen vom 4. 10. 1961 verlor Fianna Fáil die absolute Mehrheit; Lemass trat im Nov. 1966 zurück; sein Nachfolger wurde Jack Lynch (Fianna Fáil). Bei den Parlamentswahlen im März 1973 gewann die Koalition Fine Gael/Labour (73 Sitze, Fianna Fáil 69 Sitze). MinPräs. wurde L. Cosgrave (Fine Gael). Die Wahlen im Juni 1977 gewann Fianna Fáil; Min.-Präs.: Jack Lynch.

Staatspräs.: 1973/74 E. Childers, 1974–76 C. O'Dalaigh, seit Nov. 1976 P. Hillery.

2) amtl. irisch *Poblacht na h'Eireann*, engl. *Irish Republic*, Republik auf der Insel Irland, 70 280 qkm mit (1976) 3,160 Mill. Ew.; Hauptstadt ist Dublin.

Über die *Landesnatur* →Irland 1). Die *Bevölkerung* besteht zum größten Teil aus →Iren, sie ist zu 93 % röm.-katholisch, zu 5 % protestantisch. Großstädte sind Dublin und Cork.

Wirtschaft, Verkehr. Irland ist ein ausgesprochenes Agrarland. Grundlage der Landwirtschaft ist die Weidewirtschaft (75 % der landwirtschaftl. Nutzfläche) mit ausgedehnter Viehzucht (bes. Rinder, Schafe, ferner Schweine, Pferde) und Milchwirtschaft sowie Geflügelzucht; Anbau von Hafer, Gerste, Kartoffeln, Zucker- und Futterrüben, Mangold.

An Bodenschätzen gibt es etwas Steinkohle, Kupfer, Blei und Zink; reich dagegen sind die Torfvorkommen (für den Hausgebrauch und die Stromerzeugung). Großes Gewicht wird auf die Ausnutzung der Wasserkräfte gelegt (Shannon-Kraftwerk).

Neben der ansässigen Textil-(Leinen), Leder- und Nahrungsmittelind. hat durch verstärkte Ansiedlung ausländischer Betriebe auch die Metall-, Maschinen- und chem. Industrie an Bedeutung gewonnen. Dublin hat eine der größten Brauereien der Welt.

Die Ausfuhr umfaßt Mastvieh, Fleisch, Maschinen und Transportmittel, Milchprodukte und Eier, Textilien, Rohwolle, Metallerze, chem. Erzeugnisse. Haupthandelsländer sind Großbritannien, in weitem Abstand die USA, Bundesrep. Dtl., Belgien.

Das Verkehrsnetz ist gut ausgebaut: Eisenbahnen 3 100 km, Straßen 87 800 km, davon 20 % Hauptstraßen (Kraftfahrzeuge 1973: 531 800). Bedeutsam ist der Autobuslinienverkehr. Die Binnenschiffahrt auf den Kanälen ist größtenteils eingestellt. Die wichtigsten Überseehäfen sind Dublin (mit dem Vorhafen Dun Laoghaire) und Cork (mit Vorhafen Cobh). Die Handelsflotte verfügt 1972 über 182 000 BRT. Flughäfen sind Collinstown bei Dublin, Shannon und Cork; irische Luftverkehrsgesellschaften: Aer Lingus (Liniennetz auch nach Übersee) und Aerlinte Éireann.

Staat. Nach der Verfassung vom 29. 12. 1937, die sich bis auf die republikan. Staatsform stark an das brit. Vorbild anlehnt, wird der Präsident direkt vom Volk auf 7 Jahre gewählt. Das Parlament (Oireachtas) besteht aus dem Abgeordnetenhaus (Dáil Eireann) mit 144 vom Volk auf höchstens 5 Jahre gewählten Abg. und dem Senat (60 z. T. ernannten, z. T. gewählten Vertretern der Berufsstände). Der Ministerrat (7 bis höchstens 15 Mitgl.) ist dem Parlament verantwortlich.

Verwaltungseinteilung in 27 Grafschaften und 5 Stadtgrafschaften mit umfangreicher Selbstverwaltung; die alten Provinzen Leinster, Munster, Connaught und Ulster haben nur noch geschichtl. Bedeutung. Wappen: TAFEL Wappen III. Flagge: FARBTAFEL Flaggen I. Maße und Gewichte englisch (Umwandlung in metr. System seit 1971). Währungseinheit ist das irische Pfund.

Die Rechtsprechung erfolgt nach engl. Gesetzen, ergänzt durch neuere irische; Oberster Gerichtshof in Dublin (Chief Justice und 4 Richter). Ein umfassendes Sozialrecht besteht seit 1952, ähnlich wie in Großbritannien.

Kirche: Die röm.-kath. Kirche hat 4 Kirchenprovinzen, die protestant. »Kirche von Irland«, früher die privilegierte Staatskirche, 2 Erzbistümer.

Bildungswesen: Es besteht allgem. Schulpflicht vom 6. bis 14. Lebensjahr. Die höheren Schulen werden zum großen Teil von privaten Organisationen unterhalten, bes. von relig. Orden. An einer Anzahl Volksschulen und einigen höheren Schulen wird in gälischer Sprache unterrichtet. Universität von Dublin (1591 gegr., entspricht den englischen in Oxford und Cambridge) und National-Universität (1909 gegr., mit Teilhochschulen in Dublin, Cork, Galway).

Die Streitkräfte bestehen aus Freiwilligen mit mindestens dreijähriger Dienstzeit und 9 Jahren in der Reserve, bei der Kriegsmarine je 6 Jahre.

Irland ist Gründermitglied des Europarats und der OECD, Mitgl. der UN (Dez. 1955) und der EWG (Jan. 1972).

GESCHICHTE. →Irland 1).

'Irländisches Moos, →Karrageen.

Irmgard, 1) Irm(en)gard v. Chiemsee, Benediktinerin, * um 832, † 16. 7. 866. Selige; Tag: 17. 7.

2) I. von Köln oder von Süchteln, * Anfang des 11. Jhs., † zwischen 1082 und 1089 (?), legendäre Heilige; Tag: 14. 9.

Irmin, Irmino, Ermin, sagenhafter Ahnherr der →Herminonen; Sohn des Mannus.

Irminger Strom, Ausläufer des Golfstroms zwischen Island und dem Ostgrönlandstrom.

'Irminsul, Irmensäule, sächsisches Heiligtum in Form einer hölzernen Säule, von Karl d. Gr. 772 nach der Einnahme der Eresburg (Westfalen) zerstört.

Irn'erius, Wernerius, Jurist, * um 1055, † nach 1125, angeblich dt. Herkunft, gründete in Bologna die Schule der →Glossatoren.

IRO, Abk. für **International Refugee Organization,** die →Internationale Flüchtlingsorganisation.

Irok'esen, eine Gruppe von sprachverwandten Indianerstämmen (Erie, Huronen); ihre alten Wohnsitze erstreckten sich vom N-Ufer des St.-Lorenz-Stroms bis zum Hudson und weit westl. vom Eriesee.

Der **Irokesenbund** war ein im 16. Jh. von dem Häuptling Hiawatha gegr. Friedensbund der 5 »zivilisierten Nationen«: Mohawk, Oneida, Onondoga, Cayuga, Seneca, der sich seit 1722 um die Tuscarora vermehrte und zwei Oberhäuptlingen und einem Rat von etwa 50 Häuptlingen (Sachem) unterstand. Er vernichtete im 17. Jh. die Huronen und stand 1756–63 auf seiten der Engländer gegen Frankreich. Heute leben noch rd. 50 000 I. in Reservationen in den USA und Kanada.

Iron'ie [grch. ›Verstellung‹], in Spott wurzelnde Haltung oder Äußerung, die das Gegenteil von dem meint, was sie ausspricht, und das, worauf sie sich richtet, in Frage stellt. Im Gegensatz zum Humor wirkt sie nicht versöhnlich, sondern kritisch und angreifend, doch kann sie alle Grade vom Heiteren zum Bitteren durchlaufen. I. zeigt sich vor allem darin, daß sie unberechtigte Wertansprüche übertreibend bejaht.

Sokrates benutzte die I., um den Menschen ihr Nichtwissen bewußt zu machen und sie dadurch zum wahren Wissen zu führen *(sokratische I.)*. In der Romantik ist die I. *(romantische I.)* das immer wache Bewußtsein, daß zwischen dem Unendlichen und dem Endlichen sowie zwischen Freiheit und Form kein endgültiger, sondern nur ein spielender Ausgleich möglich ist. Fr. Schlegel, Solger, Novalis haben die I. philosophisch begründet, Tieck, Brentano, Jean Paul, E. T. A. Hoffmann sie dichterisch gestaltet; Heine dient sie als bewußter Effekt der Illusionsstörung. In der *Selbst-I.* drückt sich eine kritische, spielerisch-überlegene Haltung sich selbst gegenüber aus.

LIT. S. Kierkegaard: Über den Begriff der I. (1841; dt. neu 1961); R. Jancke: Das Wesen der I. (1929); H. E. Hass und G.-A. Mohrlüder (Hg.): I. als literarisches Phänomen (1973); A. Schäfer (Hg.): I. und Dichtung (1970).

Ironsides ['aiənsaidz, engl. ›Eisenseiten‹], die Reitertruppe Oliver Cromwells.

Irradiati'on [lat. Kw.], Strahlung, Ausstrahlung; I. des Schmerzes, Ausstrahlen über das ursprünglich betroffene Gebiet hinaus.

irration'al [lat.], **1)** nicht rational, mit den Mitteln des Verstandes oder der Vernunft nicht faßbar; gefühlsbedingt; unberechenbar.

2) *Mathematik:* eine reelle Zahl, die nicht durch einen Bruch mit ganzen Zahlen ausgedrückt werden kann, z. B. $\sqrt{2}$, die Kreiszahl π. Jede i. Zahl läßt sich als *nichtperiodischer* unendlicher Dezimalbruch ausdrükken, dagegen bezeichnen alle *periodischen* unendlichen Dezimalbrüche rationale Zahlen; z. B. ist 0,333 ... gleich $^1/_3$.

Irrational'ismus [lat. Kw.], **1)** Auffassungsweise, die sich nicht auf Verstandesgründe, sondern auf gefühlsmäßige Gewißheitserlebnisse stützt. **2)** die metaphysische Lehre, daß das Wesen der Welt irrational, der Verstandeserkenntnis unzugänglich sei; ähnlich dem Agnostizismus. In der Geistesgeschichte trat der I. meist als Gegenströmung gegen den →Rationalismus auf, so im »Sturm und Drang« gegen die Aufklärung. Da die moderne Kultur große Bereiche des Lebens rational gestaltet, ist sie ständig von Durchbrüchen des Irrationalismus begleitet, die sich auch auf Literatur, Kunst, Theologie, oft auch politisch auswirken.

LIT. R. Müller-Freienfels: Das Irrationale (1922); ders.: Metaphysik des I. (1927); W. Hellpach: Schöpferische Unvernunft? (1937); A. Konrad: I. und Subjektivismus (1939); G. Lukács: Die Zerstörung der Vernunft (1953); W. Shumaker: Literature and the irrational (1960).

Irraw'addy, →Irawadi.

irre'al [lat.], unwirklich.

Irred'enta [von ital. terra irredenta ›unerlöstes Gebiet‹], auch **Irredentismus,** polit. Bewegung zur Vereinigung eines von einer nationalen Minderheit bewohnten Gebietes mit dem benachbarten Nationalstaat gleicher Sprache. Der Begriff entstand aus dem nach der Einigung Italiens (1859/60, 1866) aufkommenden Verlangen nach Angliederung der Gebiete Österreichs, die von vorwiegend italienisch sprechender Bevölkerung bewohnt wurden (Trentino, Görz, Triest, Istrien, Fiume); der Name I. kam zuerst 1877 auf. Die I. trübte zunehmend die Beziehungen zwischen Österreich und Italien und war 1915 ein Grund mit zum Kriegseintritt Italiens. Sie schloß später auch Nizza, Korsika und Malta ein (Kriegseintritt Italiens 1940). Bei der Auflösung Österreich-Ungarns spielte auch die serb. und rumän. I. eine bedeutsame Rolle. Zwischen den beiden Weltkriegen griff die I. auf zahlreiche nationale Streitigkeiten in Ost- und Südosteuropa über; Umsiedlungen und Vertreibungen waren die Folge.

irreduz'ibel [lat.], nicht zurückführbar. *Mathematik:* unzerlegbar.

'irregulär [lat.], unregelmäßig, ungesetzmäßig. **irreguläre Truppen,** erst im Kriege, zumal in besonderen Notlagen sich bildende Freikorps, Franktireurs- oder Partisanen-Verbände, im Unterschied zu den auf Grund der Wehrverfassung eines Staates regulär aufgestellten Truppen.

Irregularit'ät, *kath. Kirchenrecht:* ein Hindernis, durch das jemand dauernd vom erlaubten Empfang oder Ausüben der Weihen ausgeschlossen, irregulär wird. Es gibt *I. ex defectu* und *I. ex delicto*; jene entstehen aus einem »Mangel« (z. B. Körperbehinderung oder Geisteskrankheit), diese aus einer kirchl. »Straftat« (z. B. Häresie, Selbstmordversuch). Die I. beruhen sämtl. auf kirchl. Recht; für die (nicht bei allen gewährte) Dispens ist fast immer nur der Hl. Stuhl zuständig.

'irrelevant [lat. Kw.], unbedeutend, unerheblich.

Irreligiosit'ät [lat.], Unglaube.

'Irrenanstalten, Irrenhäuser, früher für Heil- und Pflegeanstalten (→Heilanstalten).

'Irrenfürsorge, die Fürsorge für die Geisteskranken und -schwachen und der Schutz der Allgemeinheit vor ihnen. Sie obliegt in der Bundesrep. Dtl. den Ländern, die als *Landesfürsorgeverbände* für die Bewahrung, Kur und Pflege hilfsbedürftiger Geisteskranker und -schwacher in →Heilanstalten aufzukommen haben. Die I. ist z. T. Familienfürsorge bei harmlosen Fällen, z. T. Anstaltsfürsorge.

In *Österreich* werden öffentl. Irrenanstalten ebenfalls von den Ländern errichtet und unterhalten, in der *Schweiz* werden öffentl. Heilanstalten von den Kantonen errichtet.

irrepar'abel [lat.], nicht wiederherstellbar, unersetzlich.

'Irresein, früher: seelisch krank sein; heute nur in Verbindungen wie: manisch-depressives Irresein (→manisch), Jugendirresein (→Schizophrenie) gebraucht.

irrevers'ibel [lat.], nicht umkehrbar. *Physik:* irreversible Vorgänge, →Entropie. **Irreversibilit'ät,** die Unmöglichkeit eines umgekehrten Verlaufs, einer rückläufigen Entwicklung.

irrevis'ibel [lat. Kw.] ist eine rechtliche Entscheidung, die nicht durch Revision angefochten werden kann.

'Irrgarten, ein Garten, dessen vielfach sich kreuzende Wege zwischen dichten Hecken ein →Labyrinth bilden, so daß der Ausgang schwer zu finden ist.

'Irrglauben, Irrlehre, falsche Lehre (→Häresie).

Irrigati'on [lat.], Bewässerung.

Irrig'ator [von lat. irrigare ›bespülen‹], Gerät für Darmeinläufe und Spülungen, bes. der Scheide. Der I. besteht aus einem Behälter mit Aufhängeöse und Abflußrohr; an dieses wird ein Gummischlauch angefügt, der am unteren Ende das Spülrohr trägt.

Irritabilität [lat.], Reizbarkeit, Erregbarkeit; *Physiologie:* die Fähigkeit, auf einen Reiz anzusprechen (→sensibel).

Irrit'antia [lat. Kw.], die →Hautreizmittel.

irrit'ieren [lat.], **1)** ärgern. **2)** unsicher machen, stören.

'Irrlicht, Irrwisch, eine Leuchterscheinung in sumpfigen Gegenden, besteht aus schwach schimmernden Flämmchen, die in geringer Höhe über dem Boden schweben; möglicherweise entstanden durch Selbstentzündung von Sumpfgas (Methan). In Europa gelten im *Volksglauben* die I. als brennende Seelen (oft von ungetauft verstorbenen Kindern) oder als irreführende und verlockende Geister. Gutmütig gegenüber dem Freundlichen, führen sie den Unfreundlichen in den Sumpf oder bringen ihm Krankheit oder Tod. Der Glaube ist seit dem späten MA. nachweisbar.

'Irrsinn, volkstümlich für Wahnsinn.

Irrtum, ein Urteil, das sich als falsch erweist, z. B. bei Fehlschlüssen und Sinnestäuschungen; in der Wissenschaft bes. eine widerlegte Hypothese.

Im *bürgerl. Recht* sind rechtserheblich nur der Erklärungsirrtum (Versprechen, Verschreiben) und der I. über wesentl. Eigenschaften des Geschäftsgegenstandes oder der beteiligten Personen. Eine solche Erklärung kann durch Anfechtung nichtig gemacht werden, wenn anzunehmen ist, daß der Erklärende bei Kenntnis der Sachlage eine solche Erklärung nicht abgegeben haben würde (§ 119ff. BGB). – Unbeachtlich ist ein I. in den Erwägungen zu einem Rechtsgeschäft *(Motivirrtum)*. Irren beide Parteien über wesentl. Voraussetzungen des Geschäftes (»subjektive Geschäftsgrundlage«, z. B. bei Zahlung in fremder Währung über deren Kurs), so ist das Geschäft unwirksam. Dagegen macht eine von den Parteien bewußt falsch angegebene Begründung *(falsa causa)* ein Geschäft nicht unwirksam.

Im *Strafrecht* schließt die irrige Unkenntnis von Tatumständen, die zum gesetzl. Tatbestand gehören oder die Strafbarkeit erhöhen, den Vorsatz des Täters aus (§ 16 StGB). Wer z. B. eine fremde Sache wegnimmt in der Annahme, sie gehöre ihm, kann nicht wegen Diebstahls bestraft werden. – In Österreich und der Schweiz gelten ähnliche Grundsätze.

'Irrtum vorbehalten, Klausel, durch die sich die Bank im Rechnungsauszug die Irrtumsberichtigung vorbehält; Aufforderung zu sorgfältiger Prüfung.

'Irrwisch [von Wisch ›leuchtende Fackel‹], →Irrlicht.

Irt'ysch, größter linker Nebenfluß des Ob (Nordasien), 4248 km lang, entspringt im Mongol. Altai, fließt als *Schwarzer I.* (695 km lang) durch die Dsungarei, dann (durch den Saissan-See) in die weiten Landschaften Kasachstans und Sibiriens.

Irún, Stadt in Spanien, (1970) 45 000 Ew., im Baskenland, am Grenzfluß Bidassoa; durch eine Brücke mit dem französ. Ort Hendaye verbunden.

Irving ['əːviŋ], **1)** Edward, schott. Prediger, * Annan 4. 8. 1792, † Glasgow 7. 12. 1834, seit 1833 Vorsteher der ersten kath.-apostol. Gemeinde in London (fälschlich: *Irvingianer*).

2) Washington, amerikan. Schriftsteller, * New York 3. 4. 1783, † Sunnyside bei Tarrytown 28. 11. 1859, war 1842–45 Gesandter in Madrid. Mit den Erzählungen ›Rip van Winkle‹ und ›Legend of Sleepy Hollow‹ begründete er die amerikanische Kurzgeschichte. Er schrieb ferner Reisebücher: ›History of New York by Diedrich Knickerbocker‹ (1809), romantische Biographien (George Washington). Ein Freund Scotts, sah er Europa romantisch verklärt, vor allem Alt-England (Sketch book, 1819/20; dt. 1947) und das Spanien der Maurenzeit (Alhambra, 1832; dt. 1832; neu 1963). Für Europa war I. der erste vielgelesene Repräsentant der amerikan. Literatur.

LIT. S. T. Williams: Life of W. I., 2 Bde. (1935); V. W. Brooks: The world of W. I. (1944).

'Isa [arab.], die von den Mohammedanern gebrauchte Namensform für Jesus, den Mohammed als Propheten, nicht aber als Gottessohn anerkannte.

'Isaac, Yzaac, Heinrich, Komponist, * in den Niederlanden um 1450, † Florenz 1517, etwa 1480–92 in Florenz Organist und zugleich Musiklehrer am Hofe des Lorenzo I. de' Medici, 1497 Hofkomponist Kaiser Maximilians I., 1513–17 wieder in Florenz. I. ist neben Josquin des Prez der bedeutendste Komponist seiner Zeit. Messen, Motetten, Instrumentalsätze und Lieder (u. a. 2. Fassung des Liedes ›Innsbruck, ich muß dich lassen‹).

'Isaak [hebr. ›Lacher‹, ›Spötter‹], Sohn Abrahams und der Sara, Erzvater der Israeliten, Vater Jakobs und Esaus (1. Mos. 17; 18; 21; 22).

'Isaak, byzantin. Kaiser:

1) I. I. Komnenos (1057–59), † 1061, nach dem Aussterben der makedon. Dynastie zum Kaiser erhoben; scheiterte bei seinen Reformen an der Beamtenaristokratie.

2) I. II. Angelos (1185–95 und 1203/04), † 1204, wurde 1195 von seinem Bruder Alexios entthront, 1203 durch die Kreuzfahrer wiedereingesetzt.

Isabeau [-bo], Königin von Frankreich, * 1371, † Paris 29. 9. 1435, bayr. Prinzessin, wurde 1385 mit Karl VI. von Frankreich vermählt. Sie verband sich mit ihrem Schwager Herzog Ludwig von Orléans und nach dessen Tod (1407) mit dessen Mörder, Herzog Johann von Burgund, und dessen Nachfolger Philipp. Sie erkannte gegen ihren Sohn Karl (VII.) Heinrich V. von England als franz. Thronerben an, verlor aber nach dessen Tod (1422) allen Einfluß.

Isab'ella, Königinnen von Spanien:

1) I. I., die Katholische (1474–1504), * Madrigal de las Altas Torres (Avila) 22. 4. 1451, † Medina del Campo 26. 11. 1504, heiratete 1469 den Thronerben (seit

1479 König) von Aragonien, Ferdinand II., den Katholischen, und folgte 1474 ihrem Stiefbruder Heinrich IV. in Kastilien. Diese Doppelregierung wurde der Grundstein des span. Nationalstaats. I. unterstützte die Fahrten des Kolumbus. Ihre Erbtochter war →Johanna die Wahnsinnige.

2) I. II. (1833–70), Tochter Ferdinands VII. und seiner vierten Gemahlin Maria Christina, * Madrid 10. 10. 1830, † Paris 9. 4. 1904, bis 1843 unter der Regentschaft ihrer Mutter, schloß sich der klerikal-absolutist. Richtung an. Heftige Parteikämpfe und wiederholte Aufstände füllten ihre Regierung aus, bis sie im Sept. 1868 gestürzt und vertrieben wurde; sie verzichtete 1870 zugunsten ihres Sohnes Alfons XII. auf die Krone.

Isabellfarbe [aus franz.], ein lichtes Gelb bis Graugelb, angeblich nach der Farbe des Hemdes der Erzherzogin Isabelle, Tochter Philipps II. Sie soll geschworen haben, ihr Hemd erst nach der Eroberung Ostendes durch ihren Gemahl, Erzherzog Albrecht von Österreich, zu wechseln, und hat es angeblich von 1601–04 getragen. **Isabelle,** ein Pferd von hell- bis dunkelgelber Farbe.

Isabey [izabɛ], **1)** Eugène, franz. Maler und Lithograph, Sohn und Schüler von 2), * Paris 22. 7. 1803, † Lagny bei Paris 25. 4. 1886, malte Genre-, Architektur- und bes. Seestücke, die er oft mit histor. Darstellungen verband.

2) Jean-Baptiste, franz. Maler, * Nancy 11. 4. 1767, † Paris 18. 4. 1855, Schüler von J.-L. David; bekannt vor allem durch seine Miniaturbildnisse. War auch für die Porzellanmanufaktur in Sèvres tätig.

Isag'oge [griech.] *die,* Einleitung, Einführung in eine Wissenschaft.

'Isai, Vulgata **Jesse,** Vater des israel. Königs David.

Is'aias, in der Vulgata für →Jesaja.

Isak'usten [griech. Kw.], bei Erdbeben Linien gleicher Schallstärke.

Isallob'are [grch. Kw.], *Meteorologie:* Linie gleicher Änderung des Luftdruckes.

Isamplit'uden, Isoamplituden, →Iso-Linien.

Isanom'alen, Isoanomalen, →Iso-Linien.

'Isar *die,* Nebenfluß der Donau, 263 km lang, entspringt im Karwendel (Tirol), tritt durch den Scharnitzpaß nach Bayern, mündet unterhalb Deggendorf. Sie wird unterhalb Mittenwald zum Walchensee abgeleitet; nach Aufnahme der Nebenflüsse aus dem Karwendel bei Fall für das Sylvenstein-Kraftwerk gestaut. Viele weitere Kraftwerke.

Is'arco, ital. Name des Flusses →Eisack.

'Isaschar, Issachar [hebr. ›er gibt Lohn‹], im westlichen Galiläa ansässiger israelitischer Stamm (Richt. 5, 15; 1. Mos. 49, 14f.).

Isat'in [Kw.] *das,* Diketodihydroindol, $C_8H_5NO_2$, organ. Verbindung, deren Anilide und Chloride Ausgangsstoffe für indigoide Farbstoffe sind.

Is'aurien, im Altertum Landschaft in Kleinasien, nördlich des kilikischen Taurus; die Bewohner waren als Seeräuber berüchtigt. Der byzantin. Kaiser Zeno (474–91) war Isaurier.

Is'äus, griech. **Isaios,** attischer Redner aus Chalkis in Euböa, lebte in der ersten Hälfte des 4. Jhs. v. Chr. in Athen. Er war Schüler des Isokrates und Lehrer des Demosthenes. Von seinen 50 Reden sind 11 erhalten.

ISBN, Abk. für **Internationale Standard-Buchnummer,** seit 1969 in Westeuropa und USA übliche, seit 1973 vorgeschriebene Benummerung von Büchern und Zeitschriften.

Is|chäm'ie [grch. Kw.], die durch aufgehobene Blutzufuhr entstandene Blutleere.

Isch'arioth, →Judas Ischarioth.

'Ischewsk, Hauptstadt der Udmurtischen ASSR, am Isch (Seitenfluß der Kama), mit (1972) 456 000 Ew.; Stahlgießerei, -werk, Waffenfabrik u. a. Industrie.

Ischia ['iskia], Insel vulkan. Ursprungs am Eingang des Golfs von Neapel, 46 qkm groß, erreicht im Vulkan Epomeo 789 m Höhe, hat (1971) 38 300 Ew. I. ist durch seine landschaftliche Schönheit, Fruchtbarkeit, sein mildes Klima und seine Thermalwässer bekannt; lebhafter Fremdenverkehr; Obst- und Weinbau, Tonverarbeitung, Strohflechterei, Hauptort: I. (14 100 Ew.), mit Kastell. – I. wurde im 8. Jh. v. Chr. von Euböa, um 470 von Syrakus aus besiedelt.

'Ischias *die,* →Hüftweh.

Isch'im, **1)** *der,* linker Nebenfluß des Irtysch in Kasachstan und W-Sibirien, 1809 km lang. **2)** Bezirkshauptstadt im Gebiet Tjumen, Russische SFSR, am Ischim-Fluß, (1972) 57 000 Ew. I. hat Fabrik für feinmechan. Geräte; wirtschaftl. Technikum und Pädagog. Institut.

Ischl, Bad I., Stadt und Kurort in Oberösterreich, Mittelpunkt des Salzkammergutes, in der waldreichen Kalkalpenlandschaft an der Traun, 466 m ü. M., mit (1971) 12 700 Ew., hat Saline, Sol-, Kohlensäurebäder; ehemal. Sommerresidenz Kaiser Franz Josephs.

'Ischtar, Istar, weibl. babylon. Hauptgottheit, deren Name Bezeichnung für Göttin schlechthin geworden ist. In Babylonien wurde I., die ursprünglich männl. Gottheit des Venussterns, nach der Verschmelzung mit der sumerischen Göttin des Venussternes, *Inanna* von Uruk, zur Göttin. Im theolog. System war sie die Tochter des Mondgottes Sîn und Schwester des Sonnengottes *Schamasch*; ihr Gemahl wurde der oberste babylon. Gott, der Himmelsgott *Anu,* mit dem sie ihren Hauptsitz in Uruk, das Eannaheiligtum, teilte. I. war die Göttin des Kampfes und der Liebe, ihr Gestirn der Planet Venus. Sie hatte in allen größeren babylon. Städten Heiligtümer. In Assyrien wurde sie bes. in Assur, in Ninive, wo sie die Rolle der hurritischen Göttin *Schauschka* übernahm, und in Arbela verehrt. →Astarte.

Ischtartor, ein mit glasierten Ziegelreliefs verkleidetes Tor in Babylon (um 570 v. Chr., Berlin, Staatl. Museen).

Ischur'ie [isç-, griech.], die →Harnverhaltung.

Ise, 1) rechter Nebenfluß der Aller in Niedersachsen, mündet, 50 km lang, bei Gifhorn.

2) Pilgerstadt in Japan, bis 1955 **Udschijamada**, mit (1970) 103 600 Ew., die vom Pilgerverkehr leben, Ise beherbergt jährl. etwa 1 Mill. schintoistischer Pilger. In der Nähe ein viel besuchter Doppeltempel, Naiku [›Innenschrein‹] und Geku [›Außenschrein‹]. Der Naiku ist der Sonnengöttin →Amaterasu, der Geku der Göttin Ukemochi geweiht. Im Naiku befindet sich das höchste der Reichskleinodien, der hl. Spiegel der Sonnengöttin. Die schlichten Holzbauten der Tempel zeigen den ältesten japan. Baustil und werden alle 20 Jahre in genau derselben Weise neu errichtet.

Is'ebel, Vulgata **Iezabel,** Tochter des tyrischen Königs Ethbaal und Gemahlin des →Ahab. Als Verehrerin des Baal von Tyrus (Melkart) kam sie mit der an der Alleinverehrung des Jahwe und dem alten sozialen Recht Israels hängenden prophet. Partei in Widerstreit (1. Kön. 18, 1 ff., 21, 1 ff.) und wurde durch Jehu getötet (2. Kön. 9, 30 ff.). Ihr Name bezeichnet später symbolisch ein abgöttisches Weib (Offenb. 2, 20).

'Isegrim [german., ›Eisenhelm‹], altdt. Heldenname, der vor 1100, wahrscheinlich in Flandern, zum Eigennamen des Wolfs in der Tiersage gemacht wurde; Name für einen finsteren, bärbeißigen Menschen.

'Isel, 1) Berg südl. Innsbruck, 746 m ü. M., beherrscht den Ausgang der Sillschlucht, bekannt durch die Kämpfe 1809; Museum, Andreas-Hofer-Denkmal.

2) linker Nebenfluß der Drau in Osttirol, entspringt in der Venedigergruppe, durchfließt das Virgental und mündet bei Lienz.

Iselin, Isaak, * Basel 17. 3. 1728, † das. 15. 6. 1782, Basler Ratsschreiber, Philanthrop, Mitbegründer der →Helvetischen Gesellschaft (1760).

Iselsberg, 1204 m hoher Straßensattel zwischen der Schober- und Kreuzeckgruppe der Hohen Tauern, Österreich, verbindet das obere Drautal mit dem Glocknergebiet.

Isenbrant, Ysenbrant, Adriaen, niederländ. Maler, seit 1510 in Brügge nachweisbar, † das. Juli 1551, setzte die alten Überlieferungen der Schule von Brügge, bes. Gerard Davids, fort. Seine Werke zeichnen sich durch ruhigen, harmon. Charakter in Aufbau, Farbigkeit und Zeichnung aus.

'Isenburg, Ysenburg, rheinisch-hess. Fürsten- und Grafengeschlecht, benannt nach der Stammburg I. (Ruine) bei Neuwied, seit Mitte des 11. Jhs. bezeugt. Vorübergehend Grafen von Limburg a. d. L. und von Wied, erwarben die I. die Herrschaft Büdingen, für die sie 1442 Reichsgrafen wurden, die Burg Birstein und die Stadt Offenbach. Das Geschlecht teilte sich in die beiden Hauptlinien Birstein und Büdingen. Erstere, 1744 in den Reichsfürstenstand erhoben, war für das Fürstentum I. (Hauptstadt Offenbach) 1806–13 Mitglied des Rheinbunds.

LIT. Prinz W. K. v. I.: Meine Ahnen (1925).

'Isenheimer Altar, der aus dem Antoniterkloster in Isenheim bei Gebweiler stammende, im Museum Unterlinden zu Colmar befindliche Altar von →Grünewald.

Is'eosee, ital. **Lago d'Is'eo** oder **Seb'ino,** der viertgrößte der fünf großen lombard. Seen, 65 qkm groß, bis 251 m tief; an den dicht besiedelten Ufern Öl- und Weinbau, Seidenraupenzucht und Industrie.

'Iser *die,* tschech. **Jizera,** Nebenfluß der Elbe in Böhmen, entspringt mit der *Großen I.* im Isergebirge und der *Kleinen I.* im Riesengebirge, mündet bei Altbunzlau; 164 km lang.

Iseran, Mont I. [mɔ̃tizərɑ̃], **Col de l'I.,** Paß der Grajischen Alpen, Frankreich, 2769 m hoch, verbindet die Täler des Arc und der Isère; seit 1937 von einer Bergstraße überquert.

Isère [isɛ:r] *die,* **1)** linker Nebenfluß der Rhone in den franz. Alpen, 290 km lang. **2)** Departement in Südostfrankreich, 7 474 qkm, mit (1970) 782 400 Ew.; Hauptstadt: Grenoble.

'Isergebirge, der sich im NW an das Riesengebirge anschließende Teil der Sudeten, in gleichlaufende Kämme geteilt, deren höchster der *Hohe Iserkamm* mit der Tafelfichte (1123 m) ist.

Iserl'ohn, Stadt im Märkischen Kreis, RegBez. Arnsberg, Nordrhein-Westfalen, mit (1977) 95 700 Ew., Industriestadt im nördl. Sauerland, 260 m ü. M.; Kleineisenindustrie, Herstellung von Polstermaterial für Herrenoberbekleidung, Maschinen; Amtsgericht, höhere Schulen und staatl. Ingenieurschule. – I., vor 1243 als Stadt bezeugt, war bereits im MA. durch die Herstellung von Draht (Panzerdrahthemden) bekannt.

Isfah'an, früher **Ispahan,** Provinzhauptstadt in Iran, mit (1972) 520 000 Ew., auf einer fruchtbaren Hochebene; hat Universität, Kunstgewerbe, Textilindustrie. – In I., einem Mittelpunkt pers. Kultur, befinden sich u. a. die Freitagsmoschee (11. Jh.), die von Abbas d. Gr. erbaute Königsmoschee, sein Gartenpalast Tschehel Sotun (»Vierzigsäulen«), ferner die Moschee Scheich Lotfollah mit bedeutendem Keramikschmuck. 644 wurde I. von den Arabern erobert, 1387 von Timur zerstört, 1548 von den Türken eingenommen. Schah Abbas d. Gr. erhob I. zur Residenz. Die Verwüstung durch die Afghanen 1722 machte der Blüte der Stadt ein Ende.

Isherwood ['iʃəwud], Christopher William Bradshaw, * High Lane (Cheshire) 26. 8. 1904, bereiste als Journalist die Welt, wandte sich später der indischen Religionsphilosophie zu; seit 1946 amerikan. Staatsbürger. I. gab in seinen Romanen Ausschnitte aus dem Zeitgeschehen (Good-bye to Berlin, 1939; dt. Leb' wohl, Berlin, 1949) und schrieb mit Auden expressionistische Versdramen.

'Isidor [griech. ›Geschenk der Isis‹], männl. Vorname.

Isidor, griech. Theologe, * Peloponnes 1380/90, † Rom 23. 4. 1463, war Mönch in Konstantinopel, seit 1437 Metropolit von Kiew. Er nahm an den Konzilien von Basel (1434) und Ferrara-Florenz (1438/39) teil und wurde wegen seines Eintretens für die Union von oriental. und lat. Kirche zum Kardinal ernannt (1439), in Moskau aber, wo er ebenfalls für die Union warb, 1441 verhaftet und als Metropolit abgesetzt. Seit 1443 lebte er in Rom; als päpstl. Legat erlebte er Belagerung und Fall Konstantinopels mit (1453).

Isidor, Heilige: **1)** klassisch und theologisch gebildeter Mönch, * Alexandria um 360, † Pelusium (Ägypten) um 435. Von ihm sind etwa 2000 Briefe erhalten. Tag: 4. 2.

2) Erzbischof **von Sevilla** (um 600), * Cartagena um 560, † Sevilla 4. 4. 636, war »der letzte abendländ. Kirchenvater«, dessen zahlreiche theolog. und profanwissenschaftl. Schriften mit ihrem kompilator. Stoffreichtum eine Hauptgrundlage der Bildung im MA. waren. Am wichtigsten wurden die ›Etymologiae‹ (auch ›Origines‹ genannt), eine Enzyklopädie des gesamten damaligen Wissens. Heiliger (1598), lat. Kirchenlehrer (1722); Tag: 4. 4.

3) Landmann, * bei Madrid um 1070, † 15. 5. 1130, Heiliger (1622), Patron des Bauernstandes. Tag: 15. 5.

Isid'orus Mercator, →Pseudo-Isidorien.

'Isin, alte Stadt in Mittelbabylonien, 23 km südl. von Nippur, heute **Ischan el-Bahrijat.** I., erstmals in Urkunden um 2000 v. Chr. erwähnt, wurde um 1950 v. Chr. Mittelpunkt Babyloniens unter der ersten altbabylon. Dynastie, verlor aber nach dem Aufkommen von Larsa und Babylon an Bedeutung. Nach dem Sturz der Kassiten-Dynastie (1160 v. Chr.) wurde es nochmals Hauptstadt Babyloniens.

'Isis, altägypt. Göttin, Schwester und Gemahlin des Osiris, Mutter des Horus, Sinnbild der Naturkraft, eine der volkstümlichsten Gottheiten Ägyptens. Ihr Kult verbreitete sich nach Griechenland und Rom. Dargestellt wurde sie meist als Frau mit Kuhhörnern, zwischen denen sich die Sonne befindet, auch mit dem Thron auf dem Haupt und mit dem Horusknaben auf dem Schoß (BILD Bd. I, Seite 60).

Isjum, Stadt in der Ukrainischen SSR, mit (1972) 54 000 Ew., am Donez.

Iskander, 1) Fasil, sowj. Schriftsteller, * am Schwarzen Meer 1929; Erzähler und Lyriker.

2) I. Mirza, pakistan. Politiker, * Murschidabad 13. 11. 1899, wurde im Okt. 1954 Innenmin., im Aug. 1955 Generalgouv. von Pakistan, 1956–58 Staatspräsident.

Iskender'un, Alexandrette, Hafenstadt in der Prov. Hatay, Türkei, (1970) 81 600 Ew., in einer schmalen Küstenebene des östl. Mittelmeers.

'Isker *der,* **Iskra,** rechter Nebenfluß der Donau in Bulgarien; 300 km lang.

'Isla, José Francisco de, span. Satiriker, * Vidanes (Léon) 24. 3. 1703, † Bologna 2. 11. 1781, Jesuit, wurde mit dem Orden 1767 aus Spanien vertrieben; verspottete die Sitten seiner Zeit und den Schwulst span. Prediger (Historia del famoso predicador Fray Gerundio de Campazas, alias Zotes, 2 Tle., 1758 und 1770; dt. 1773).

Isl'am [arab. ›Ergebung in den Willen Gottes‹], die von dem Propheten →Mohammed zwischen 610 und 632 gestiftete Religion, der in den zwei Hauptkonfessionen der →Sunniten und →Schiiten etwa 13,5 % der Menschheit angehören (etwa 500 Millionen).

Mohammed wird von den Bekennern des I. (Muslim, Moslem) als Gesandter Allahs verehrt, außer dem es keinen anderen Gott gibt. Er betrachtete sich als Fortsetzer und Vollender der jüdischen und christl. Religion (»Siegel der Propheten«). Die Glaubensquellen des I. sind der Koran, als Wort Gottes, und die als fast gleichberechtigt geltende Überlieferung (Hadith) vom Reden und Tun des Propheten (→Sunna). Das Schicksal des Menschen ist von Allah bestimmt. Gute und schlechte Taten werden nach dem Jüngsten Gericht im Paradies oder der Hölle vergolten. Die 5 Grundpflichten sind: 1) das Bekenntnis zur Einheit Gottes und der Prophetenschaft Mohammeds, 2) das fünfmalige tägliche Gebet (Salat), 3) das Geben von Almosen (Sakat; später zur Grundlage der Besteuerung entwickelt), 4) das Fasten (Saum) untertags im Monat Ramadan. 5) die Wallfahrt (Haddsch) nach Mekka wenigstens einmal im Leben, wenn gesundheitlich und finanziell möglich. Der Heilige Krieg (Dschihad) hat sich als Pflicht aller Männer nicht durchsetzen können. Die Mehrehe wurde auf vier Frauen beschränkt, doch auch der Verkehr mit Sklavinnen gestattet. Die Stellung der Frau hat sich in neuerer Zeit unter europ. Einfluß gebessert. Verboten sind der Genuß von Schweinefleisch und Wein sowie das Glücksspiel. Die Aufnahme in die islamische Gemeinschaft wird durch die Beschneidung versinnbildlicht.

Die gemeinschaftsbildende Kraft des I. einigte das in Stämme und Kasten zerfallende Arabertum. Der Grundsatz der Brüderlichkeit ohne Rücksicht auf Herkunft und Hautfarbe vermochte sich stärker als in vielen anderen Religionen durchzusetzen. – Die in die Anfänge des I. zurückreichenden Meinungsverschiedenheiten über die Nachfolge des Propheten in der Leitung der Gemeinde führten zur Spaltung in *Sunniten* und *Schiiten* (heute etwa 92% und 8% der Muslim). Unter diesen entstanden wieder versch. Richtungen (→Wahhabiten). Auch dogmat. Streitfragen hatten voneinander abweichende Lehrmeinungen in den Theologenschulen zur Folge.

Der Siegeszug des I. in Asien u. Afrika hat in der Geschichte kaum seinesgleichen. Trotz der späteren Zerklüftung im Inneren des gewaltigen Weltreichs war sein Vordringen unaufhaltsam. 711 eroberten die Mauren Spanien, 1453 die Osmanen Konstantinopel, 1529 stießen sie bis Wien vor. Seitdem verlor der I. in Europa an Boden. In neuerer Zeit dringt er bes. in Afrika ständig vor.

LIT. R. Hartmann: Die Religion des I. (1944); Die Welt des I. u. die Gegenwart, hg. v. R. Paret (1961); I. Goldziher: Vorlesungen über den I. (Neudr. 1961); H. v. Glasenapp: Die 5 großen Religionen (neu 1963); Propyläen Weltgeschichte, Bd. 5 (1963); Fischer Weltgesch., Bd. 14 und 15 (1967 ff.).

Islamab'ad, im Ausbau befindliche Hauptstadt (seit 1965) Pakistans, auf einer Hochebene (1500 m) im NW-Pandschab, bei Rawalpindi, mit (1972) 250 000 Ew.

isl'amische Kultur, ist hervorgegangen aus: der einheitlichen, spätantiken hellenistisch-christlichen Kultur der Länder des östl. Mittelmeers, der zoroastrischen Kultur des Iran, die beide unter der Wirkung der arab. Eroberung im 7. Jh. und der durch sie getragenen Religion umgestaltet wurden; dazu kamen dann die kulturellen Neuschöpfungen der eroberten Länder unter der Herrschaft des Islams selbst. Die reife i. K. war übernational und trug kein besonderes landschaftl. Gepräge mehr; Verkehrssprache war Arabisch (→arabische Sprache).

Durch die i. K. wurden Leistungen des Altertums, bes. in der Wirtschaft, Technik, im Handelsverkehr, Völkerrecht, in den Naturwissenschaften, der Mathematik und Philosophie, in der Länder- und Völkerkunde der Nachwelt erhalten und weitergebildet (→arabisches Schrifttum und arabische Wissenschaft). Auch Baukunst und Ornamentik wurden gepflegt (→islamische Kunst). Dies geschah in einer Zeit, da die germanisch-romanische Staatenwelt noch immer im Aufbau begriffen war. Über Spanien, Unteritalien und Sizilien und durch die Kreuzzüge kam der Westen mit den überragenden Kulturgütern des Orients in Berührung. Die i. K. hat auch viele Völker Asiens und Afrikas in ihrer Entwicklung wesentlich gefördert.

Seit dem 13. Jh. hat die i. K. ihren Wirkungskreis noch erweitert, aber im religiösen, gesellschaftlichen und geistigen Leben keine bedeutenden Leistungen mehr hervorgebracht. Vor allem geriet die i. K. überall dort ins Hintertreffen, wo sie (seit dem Humanismus) mit dem Fortschritt des neuzeitlichen Europa in Berührung kam. Die islamischen Länder sahen sich gezwungen, dieser Entwicklung Rechnung zu tragen. Das führte im 20. Jh. zu einer Reformierung und Modernisierung des Lebens nach europ. Vorbild, vor allem unter Atatürk in der Türkei. Trotzdem ist die Mehrzahl der islam. Länder durch ein gemeinsames islam. Kulturbewußtsein verbunden, das durch einen wiedererstandenen Nationalismus unterstützt wird.

LIT. C. Pellat: Arabische Geisteswelt (1967).

isl'amische Kunst (TAFEL Seite 195), die Kunst der islam. Völker, die vorwiegend religiös gebunden ist. Ihre Werke gehören im wesentlichen der Baukunst und dem Kunsthandwerk an. Die dekorative Form herrscht vor. Maßgebend für die religiöse Kunst wurde die von der islam. Theologie geforderte Bildlosigkeit. Die weltliche Kunst war dagegen von ausgesprochener Bildfreudigkeit. Doch wurde auch die Figurendarstellung durch die Neigung zu dekorativer Gestaltung bestimmt.

Die Hauptaufgabe der *Baukunst* war die Errichtung religiöser Bauten, zu denen vor allem die →Moschee, ferner die Medrese (Theologenschule) und der Grabbau (Kubba, Türbe) gehören. Die Paläste pflegten in drei Teile gegliedert zu werden, einen öffentlichen für die Rechtsprechung (Meschuar), einen offiziellen mit dem Thronsaal für Audienzen (Diwan) und den Privatbezirk mit Wohnräumen, Bädern, Gärten. – Seit dem 9. Jh. wurden statt des Rundbogens auch Spitzbögen (in Persien kielbogenförmig) verwendet, im Westen Hufeisenbögen, gezackte Spitzbögen und gestelzte Rundbögen. Seit dem 11. Jh. entwickelte sich als bes. Eigenart der islam. Baukunst das Stalaktiten- und Zellenwerk, das Gewölbe, Kuppelzwickel, Nischen füllt. Reich entfaltete sich der Wandflächenschmuck mit farbig glasierten Ziegeln, Fayenceplatten und Kacheln, die zu Schrift- und Arabeskenmustern mosaikartig aneinandergefügt sind. Außer der Baukeramik dienten auch Stuck, Marmorinkrustationen und Holzschnitzereien dem Flächenschmuck.

Hervorragende Leistungen brachte die *Kleinkunst* hervor. An erster Stelle steht die Buchkunst. Weltl. Handschriften wurden auch mit Miniaturen geschmückt, vor allem in der Mongolenzeit und im 15.–17. Jh. in Persien. Zu hoher Vollendung entwickelten sich die zuerst von nomadischen Türkstämmen geübte Teppichknüpferei und die Webkunst. Unter den Werken der Keramik ragen, außer den für Bauten geschaffenen Arbeiten, die Fayencegefäße hervor; durch Lüstermalerei bereichert, boten sie einen Ersatz für das verbotene Edelmetallgeschirr. Die hochentwickelte Kunst der Metallbearbeitung entwickelte neue Techniken (mit Gold- und Silberplättchen tauschiertes Bronzegerät; damaszierte Klingen). Die Glaskunst übernahm die Verfahren der Spätantike und bildete neue aus (Emaillierung, Vergoldung von Moscheeampeln, Bechern, Flaschen).

Unabhängig von den einheitlichen Grundzügen der i. K. entwickelten sich verschiedene Stilrichtungen: Der *omaijadische Stil* (um 660–750; in Spanien bis um 1000) verarbeitete spätantikes, frühchristlich-byzantinisches und sassanidisches Formengut; es entstanden die ersten großen Moscheen (Damaskus, Córdoba) und die Kalifenschlösser im Ostjordanland (Mschatta u. a.).

1

2

3

4

1 *Zackenbögen in der großen Moschee in Córdoba, 10. Jh.* **2** *Tor der Gök Medrese, Sivas, 13. Jh.* **3** *Löwenhof der Alhambra bei Granada, 14. Jh.* **4** *Bucheinband aus Leder mit Goldpressung, Türkei, 16. Jahrhundert*

Der *abbasidische Stil* (um 750–1000) ging von der neuen Hauptstadt Bagdad aus; in ihm traten persische, auch türkische Formen auf (Stuckornamente von Samarra). Der *seldschukische Stil* (um 1050–1250 in Vorderasien), in dem sich türkisches Wesen durchsetzte, bildete den monumentalen Grabbau, die Medrese, die Iwan-Moschee und neue Zweige der Kleinkunst aus (Miniaturmalerei, Knüpfteppiche u. a.). Der etwa gleichzeitige *fatimidische Stil* (um 970–1170 in Ägypten und Syrien) bevorzugte Vieleckmuster und Tiere auf Rankengrund; ihm gehört auch die Kunst der Araber im normannischen Sizilien an. Der *mamlukische Stil* (um 1250–1520 in Ägypten und Syrien) brachte vor allem Mausoleen und Grabmoscheen hervor, deren zierliche Minarette und helmförmige Kuppeln das Stadtbild Kairos bestimmen. Der *maurische Stil* (seit etwa 1100 in Nordafrika und Spanien), der sich zunächst in strengen Formen hielt, verwendete seit dem 14. Jh. Stuckschmuck (→Alhambra). Im Osten entwickelte sich der *mongolische Stil* (um 1250–1500), der ostasiatische Formen aufnahm, Kuppelbauten (Samarkand; Täbris) und Buchmalereien (bes. zu persischen Epen) schuf. Das zur Weltmacht aufsteigende türk. Reich fand seinen künstlerischen Ausdruck im *osmanischen Stil* (um 1400–1750), dessen großartige Bauten geistlicher und weltlicher Art das Stadtbild Konstantinopels prägten. Der Baumeister →Sinan fand im 16. Jh. neue vielfältige Lösungen des Zentralkuppelbaus. Auch das Kunsthandwerk stand in hoher Blüte. Der *safawidische Stil* (etwa 1500–1720 in Persien) brachte Hauptwerke der Buchmalerei hervor (von Behzad, Riza Abbazi u. a.) und entwickelte die Kunst des Knüpfteppichs zu klass. Vollendung. Gleichzeitig erblühte in enger Berührung mit pers. Kunst im islam. Indien der *Mogulstil* (um 1520 bis 1800), der in Moscheen, Grab- und Palastbauten (bes. in Agra und Delhi) die Flächendekoration reich entwickelte (so bes. im →Tadsch Mahal) und einen neuen wirklichkeitsnahen Stil in Bildnis-, Tier- und Landschaftsdarstellungen seiner höfischen Miniaturen begründete.

LIT. E. Diez: Die Kunst der islam. Völker (²1922); H. Glück u. E. Diez: Die Kunst des I. (²1927); R. Ettinghausen: Arabische Malerei (1962); E. Kühnel: Die Kunst des I. (1962); ders.: Islam. Kleinkunst (²1963).

islamische Literatur, islamische Wissenschaft, →arabisches Schrifttum und arabische Wissenschaft.

isl'amische Reiche, 1) das Reich der Kalifen (632–1517), dann das Reich der Türkensultane (seit 1517) und die Gebiete, die zu diesen Ländern bis in die jüngste Vergangenheit in Beziehung gestanden haben, wie die Türkei, Syrien, Mesopotamien, Arabien und Ägypten. **2)** die Staaten, in denen der Islam die herrschende Religion ist, bes. in N-Afrika und Vorderasien.

Islamische Republik Mauretanien, amtlicher Name von →Mauretanien.

isl'amisches Recht, *Scheriatrecht*, das religiöse Gesetz des Islam (→Scheria), im Unterschied zum →Kanun.

'Island [nord. ›Eisland‹], Insel und unabhängige Republik im nördl. Atlantischen Ozean (amtl. isländisch *Lydveldid Island*) 103000 qkm mit (1976) 226000 Ew.; Hauptstadt ist Reykjavik.

Landesnatur. I. liegt auf einer untermeerischen Schwelle, 330 km von O-Grönland und 800 km von W-Skandinavien entfernt. Über basalt. Grund lagern jüngere Laven und Tuffe von vor- und (mehr als 130) nacheiszeitl. Vulkanen (Hekla, Askja) mit Tausenden von Kratern, ferner heiße Springquellen (→Geysir); die tiefliegende Küstenregion ist bes. im SW fruchtbar und dichtbesiedelt. Die Fjeldhochfläche (300–1200 m) ist unbewohntes spärliches Weidegebiet; in großen Wasserfällen stürzen die Flüsse über die Randstufen. Das obere Plateau (1200 bis über 2000 m) hat Bergkuppen und riesige Eiskappen als Reste des eiszeitl. Inlandeises (→Vatna-Jökull); höchste Erhebung: der Öræfa-Jökull (Hvannedalshnukr, 2119 m). Im SW bricht das Hochland mit Steilwänden (bis zu 500 m hoch) ab; die Küste, ausgenommen im S, zeigt Fjordbildung. I. hat durch die Wirkung des Golfstroms ein gemildertes ozean. Klima; Stürme, Nebel und Regen sind häufig.

Die *Bevölkerung* bilden die →Isländer, die zu ²/₅ in der Hauptstadt leben; das Innere ist fast menschenleer. 95% der Bevölkerung gehören der evang.-luther. Staatskirche an.

Wirtschaft, Verkehr. Haupterwerbszweige sind Großfischerei (Hering, Kabeljau, Schellfisch, Köhler und Plattfische; jährl. Fang im Durchschnitt 700000 t) und Viehzucht (Schafe, Pferde), 19,4% der Gesamtfläche sind Weiden, fast 80% Ödland; geringer Ackerbau auf Kartoffeln und Rüben. Es gibt Fischkonserven- und (seit 1954) chem. Industrie (Aluminium, Düngemittel). Die heißen Quellen werden neuerdings zum Gemüsebau in Treibhäusern genutzt, die reichen Wasserkräfte zur Energiegewinnung. – Ausgeführt werden Fische und Fischerzeugnisse (80%), Fleisch, Häute, Wolle, Käse, Daunen, Ponys. Haupthandelsländer sind die USA, Sowjetunion, Großbritannien, Bundesrep. Dtl. Es gibt keine Eisenbahn; das Straßennetz umfaßt 10790 km (1972: 57000 Kraftfahrzeuge); vielfach noch Beförderung mit Islandponys. Küstenschiffahrt nach allen Landesteilen. Handelsflotte (1972) 131000 BRT; wichtigster Hafen ist Reykjavik; internat. Flughäfen: Keflavik und Reykjavik.

Staat. Staatsoberhaupt ist der vom Volk auf 4 Jahre gewählte Präsident. Das Parlament (Althing) hat 60 auf 4 Jahre gewählte Abgeordnete, von denen ¹/₃ als Oberhaus ausgewählt werden. Die Regierung ist dem Parlament verantwortlich.

Verwaltungseinteilung in 16 Provinzen (z. T. unterteilt) und 14 Stadtgemeinden. Wappen: TAFEL Wappen III. Flagge: FARBTAFEL Flaggen I. Maße und Gewichte metrisch. Währungseinheit ist die isländ. Krone (Krona) zu 100 Aurar.

Rechtsprechung auf Grund altisländ. Rechtes, ergänzt durch neuere Gesetze; Oberster Gerichtshof in Reykjavik. Seit 1946 besteht allgem. Sozialversicherung.

Bildung: allgem. Schulpflicht vom 7.–15. Lebensjahr; Universität in Reykjavik.

I. hat keine eigenen Streitkräfte. Es untersteht dem Schutz der USA (Abkommen vom 5. 5. 1951); NATO-Stützpunkte.

GESCHICHTE. Kurz vor 800 kamen christl. Iren als Einsiedler nach I. Dann wurde die Insel seit 874 von meist norweg. Wikingern besiedelt; sie schufen einen aristokrat. Freistaat, dessen Mittelpunkt seit 930 das Althing war, und entdeckten auf weiteren Fahrten auch Grönland und Nordamerika (Vinland). I. hatte bereits um 960: 60000 Ew., 1096: 78000. Die nordisch-german. Kultur erlebte auf I. eine Hochblüte. Um 1000 nahm das Althing das Christentum an. Bürgerkriege veranlaßten 1262 die freiwillige Unterwerfung unter die norweg. Könige. Mit Norwegen kam I. 1380 an Dänemark. 1550 wurde die luther. Reformation eingeführt. Unter Sigurðsson erwachte eine Selbständigkeitsbewegung: 1854 wurde das dän. Handelsmonopol aufgehoben; Verfassung von 1874. Am 1. 12. 1918 wurde I. unabhängiges Königreich mit eigenem Ministerium (Verfassung vom 18. 5. 1920), Personalunion mit Dänemark. 1940 wurde I. von den Engländern, 1941 von den Amerikanern besetzt; gleichzeitig Selbständigkeit unter S. Björnsson als Regenten. Am 17. 6. 1944 wurde durch Volksabstimmung die Republik ausgerufen; Staatspräs. wurde Björnsson, 1952 A. Asgeirsson, 1968 K. Eldjarn. 1972 beschloß I. seine Fischereizone (1958 auf 12 Seemeilen beschränkt) auf 50 Seemeilen zu erweitern, was zu Konflikten mit Großbritannien und der Bundesrep. Dtl. führte.

Am 23. 1. 1973 wurde durch einen Vulkanausbruch Vestmannaeyjar (Fischmehlind., 5000 Ew.) auf der Insel Heimaey fast völlig zerstört.

Wahlen 1971: Linkskoalition unter Min.-Präs. Olafur Johanneson. Vorzeitige Neuwahlen im Juni 1974: Koalitionsregierung aus Konservativen und Fortschrittlichen unter MinPräs. Geir Hallgrimsson.

I. ist Mitgl. der UN (1946), der NATO (1949), der OECD und GATT (1967).

'Isländer, isländ. *Islendingar*, die german. Ew. Islands. Sie sprechen die →isländische Sprache.

'isländische Literatur. Über die älteste Zeit →altnordisches Schrifttum. Die höfische Dichtung (drápa, Preisgedichte) wandte sich religiösen Themen zu, so Eysteinn Asgrímsson († 1361; ›Lilja‹), Jón Arason († 1550), der letzte kathol. Bischof in Island. Ende des 14. Jhs. entstand eine neue Dichtungsart, die »rimur«, epische Gedichte, die Sagen oder Romanzenstoffe behandeln. 1540 erschien Oddr Gottskálkssons Übersetzung des N. T., 1584 die der ganzen Bibel von Gudbrandr Thorláksson. Im 17. Jh. schrieb Hallgrimur Pétursson († 1674) Passionspsalmen, Stéfan Olafsson († 1688) weltliche Dichtung. Im 18. Jh. ragt Eggert Olafsson († 1768) als Naturforscher und vaterländ. Dichter hervor; Bjarni Thorarensen († 1841) und Jónas Hallgrímsson († 1845) waren Vorläufer der romant. Dichtung des 19. Jhs. Jón Thorláksson († 1819), Steingrímur Thorsteinsson (* 1831, † 1913) und Matthías Jochumson (* 1835, † 1920) gaben der i. L. bes. durch Übersetzungen neue Anregungen. Weitere Lyriker sind: Hjálmar Jónsson († 1875), Benedikt Gröndal d. J. († 1907), Einar Benediktsson († 1940), Hannes Hafstein († 1922), David Stefánsson (* 1895) u. a. Hohen Rang erlangte im 19. und 20. Jh. die erzählende Prosaliteratur: Jón Thoroddsson († 1868), Gestur Pálsson († 1891), G. Kamban († 1945), Einar H. Kvaran († 1918; Deckname Jón Trausti), Jón Sveinsson († 1944; ›Nonni‹-Bücher), Gunnar Gunnarsson, Kristmann Gudmundsson (* 1902), Halldór Laxness (* 1902; Nobelpreisträger 1955). Das Drama entwickelte sich spät. Dramen schrieben bes. Jóh. Sigurjónsson († 1919), G. Kamban u. a. – Die Erforschung der isländ. Sprache und Literatur begann im 17. Jh. Im 19. Jh. betrieben histor. und philologische Forschungen Sveinbjörn Egilsson, Jón Sigurdsson u. a., im 20. Jh. Sigurdur Nordal, Steingrímur J. Thorsteinsson u. a.

LIT. A. Heusler: Anfänge der isländ. Saga (1914); S. Einarsson: History of Icelandic prose writers 1800–1940 (1948); ders.: A history of Icelandic literature (1957).

'Isländisch(es) Moos, Isländische Flechte, Tarts(ch)enflechte, *Cetraria islandica*, Flechtenpflanze, eine Strauchflechte, bis zu 10 cm hoch, auf Waldböden der nördl. Halbkugel, z. B. als *Brockenmoos*; Bitter- und früher Lungenmittel (*Lungenmoos*).

'isländische Sprache. Während in älterer Zeit die i. S. sich gleichlaufend mit der Norwegischen entwickelte (→Altnordisch), gehen beide seit etwa 1300 eigene Wege. In Island hat sich die Aussprache der Laute mehrmals geändert; die Formenlehre aber ist die alte geblieben. Die Schrift ist seit der Einführung des Christentums (um 1000) das lateinische Alphabet ohne die Zeichen c, q, w, z.

Islay ['ailei], zweitgrößte Insel der inn. Hebriden, schott. Gfsch. Argyll, 608 qkm.

Isle [i:l] *die*, rechter Nebenfluß der Dordogne in Südfrankreich, mündet bei Libourne, 235 km lang, 145 km schiffbar.

Isle Royale [i:l rwajal], langgestreckte, fast unbewohnte Insel im Oberen See, zum Staat Michigan, USA, gehörig, bildet seit 1940 mit über 100 benachbarten kleinen

Inseln den **Isle Royale National Park**; altindian. Kupferminen.

Isles des Saintes [i:l dɛ sɛ̃t], franz. Name der →Allerheiligen-Inseln.

Islington ['izliŋtən], nördl. Stadtteil von London.

'**Ismael** [hebr. ›Gott hört‹], Sohn Abrahams und der Hagar (1. Mos. 16, 11 ff., 21, 9 ff.), Stammvater nordarabischer Stämme, der *Ismaeliten.*

Isma'il, Stadt in Bessarabien, Ukrain. SSR, am Donaumündungsarm Kilia, mit (1972) 71000 (1939: 97000) Ew.; ehemals bedeutender Hafen und türk. Festung; Getreidehandel; Nahrungsmittel-, Leicht- und Metallindustrie.

Isma'ilia [nach Ismail Pascha], ägypt. Stadt am Suezkanal und am N-Ufer des Timsah-Sees, Bahnknoten mit (1971) 173 000 Ew.

Ismail'iden, Sekte der →Schiiten.

Isma'il Pascha, Vizekönig (Khedive; 1863 bis 1879) von Ägypten, * Kairo 31. 12. 1830, † Konstantinopel 2. 3. 1895, dehnte die ägypt. Herrschaft bis an die Grenzen Äthiopiens aus, eröffnete 1869 den Suezkanal. Seine Verschwendung zerrüttete die Finanzen; 1879 abgesetzt.

'**Ismaning,** Gem. im Kr. München, Reg.-Bez. Oberbayern, mit (1977) 11 400 Ew.; ehemal. Schloß der Fürstbischöfe von Freising (16.–18. Jh.).

Ismay ['izmei], Hastings Lionel, Lord (1947), brit. Offizier und Politiker, * Naini Tal (Uttar Pradesch, Indien) 21. 6. 1887, † Brodway (Worcestershire) 17. 12. 1965, war 1926–30 und 1936–38 Sekretär des brit. Reichsverteidigungsausschusses, 1940–46 Stabschef des Verteidigungsministeriums, 1951/52 Minister für Commonwealth-Beziehungen; 1952–57 Generalsekretär der NATO.

Ism'ene, in der griech. Sage eine Tochter des →Ödipus; bei Sophokles erscheint sie im ›Ödipus auf Kolonos‹ und in der ›Antigone‹ als die mildere, schwächere Schwester der Antigone.

'**Isna,** oberägypt. Stadt, →Esna.

Isnik, türk. Stadt, →Nizäa.

Isny, Stadt und Kurort im Kreis Ravensburg, Baden-Württemberg, mit (1977) 12400 Ew., im Allgäu, 750 m ü. M.; privates Technikum für Chemie und Physik, Bibliothek St. Nikolai; Textil-, Holz-, Metallindustrie, Wohnwagenwerk, Butter- und Käseerzeugung. Die Stadtmauern der an alten Bauten reichen Stadt sind noch z. T. erhalten. – I. erhielt um 1220 Lindauer Stadtrecht, war 1365–1803 Reichsstadt und kam 1806 an Württemberg.

iso ... [griech. Kw.], *an Fremdwörtern:* gleich ... (→Iso-Linien).

isobare Atomkerne haben gleiche Massenzahl, aber verschiedene Ordnungszahlen.

Isobaren, Linien gleicher Luftdruckwerte auf Wetterkarten.

isob'arer Spin, isot'oper Spin, Isotopenspin, eine Quantenzahl zur mathemat. Beschreibung von Elementarteilchen, die nur wenige halb- und ganzzahlige Werte annehmen kann, z. B. hat das Proton den i. S. $+\frac{1}{2}$, das Neutron $-\frac{1}{2}$.

Isobathen, Linien gleicher Wassertiefe.

Isobut'an [Kw.], Methylpropan, wird technisch durch Isomerisieren von Butan mit Aluminiumchlorid hergestellt und durch Zusammenlagern mit Alkylenen zu klopffesten Treibstoffen verarbeitet.

Isobutyl'en [Kw.], ungesättigter Kohlenwasserstoff, wird zu Kunststoffen polymerisiert und zur Herstellung von Fliegerbenzin verwendet.

Isoch'ore [griech. Kw.], Linie gleichen Rauminhalts (in Diagrammen).

Isochromas'ie [griech. Kw., ›Gleichfarbigkeit‹], die Eigenschaft bestimmter lichtempfindlicher Schichten, für alle Farben des Spektrums gleich empfindlich zu sein.

isodyn'am [griech. Kw., ›von gleicher Wirkung‹] heißen nach M. Rubner (* 1854, † 1932) verschiedene Nahrungsstoffe, die im Körper gleiche Mengen von Wärme liefern (1 g Fett entspricht z. B. 2,3 g Eiweiß oder 2,3 g Kohlenhydrat).

isoel'ektrisch [griech. Kw.], zugleich positiv und negativ geladen; bestimmte Moleküle, in denen basische und saure Gruppen einander abgesättigt haben.

Isog'on [griech. Kw.], regelmäßiges Vieleck. **isogon'al,** gleichwinklig.

Isohel'ie, ein Verfahren der bildmäßigen Photographie zur Erzielung graphischer, plakatartiger Bildwirkung, das ursprünglich als Tontrennungsverfahren zur Überwindung großer Kontraste angewandt wurde. Der stetige Übergang von den Lichtern zu den Schatten wird durch stufenförmige ersetzt, d. h. das Bild wird aus wenigen in sich einheitl. Tonstufen aufgebaut. Diese werden gewonnen durch sehr hartes Umkopieren des Originalnegativs auf verschiedene Zwischennegative, welche jeweils nur 2 Tonstufen aufweisen. Paßgenaues Übereinanderkopieren aller Zwischennegative (3–5) ergibt die endgültige Isohelie.

Isoh'ypsen [griech. Kw.], die →Höhenlinien.

Isoklin'alfalte [grch. Kw.], →Falte 2).

Is'okrates, athen. Redner, * Athen 436 v. Chr., † das. 338, Lehrer von Rednern und Staatsmännern; erhalten sind 21 Reden und 9 Briefe. Sämtl. Reden, dt. 8 Bde. ([3]1869).

'**Isola Bella,** '**Isola Madre,** Inseln im Lago Maggiore, →Borromeische Inseln.

'**Isola grossa** [ital. ›große Insel‹], **Isola lunga** [ital. ›lange Insel‹], →Dugi Otok.

Isol'ani, Johann Ludwig Hektor, kaiserl. General im Dreißigjährigen Krieg, * Görz 1586, † Wien März 1640, erhielt als Lohn für den Abfall von Wallenstein 1634 böhm. Herrschaften und den Grafentitel.

isolater'al [griech.-lat.], beiderseits gleichmäßig.

Isolati'on [frz.], Absonderung, Vereinzelung, Trennung. **1)** *Soziologie:* die Absonderung von Menschen innerhalb einer Gesellschaftsordnung durch Boykott, Verbannung, Ostrakismos, Diskriminierung, Ghettozwang u. ä., z. B. der Neger in den Südstaaten der USA und in Südafrika (→Apartheid), der Araber und Drusen in Israel, der Hugenotten in Frankreich. →Kaste.

2) *Biologie:* die räumliche oder physiolog. Trennung zweier Gruppen von Lebewesen, die eine Mischung ihrer Erbanlagen verhindert und so innerhalb jeder dieser Gruppen zur Inzucht führt.

3) *Politik:* **Isolationismus,** das Bestreben einer Großmacht, ihre außenpolit. Aktivität auf bestimmte Gebiete der Welt zu beschränken und Verwicklungen in anderen Gebieten fernzubleiben. Eine entscheidende Rolle spielte der Isolationismus seit der Monroe-Doktrin (1823) in der Politik der USA. →splendid isolation.

4) *Elektro-, Bautechnik:* →Isolierung.

Isolationsmesser, elektr. Gerät zum Messen des Isolationswiderstandes elektr. Anlagen, Maschinen usw.

Isol'ator [franz. Kw.], **1)** *Elektrotechnik:* ein Nichtleiter, →Isolierung. **2)** *Mikrowellentechnik:* ein Vierpol mit verschieden großer Dämpfung in beiden Übertragungsrichtungen; andere Bezeichnungen sind Richtungsoder Einwegleiter.

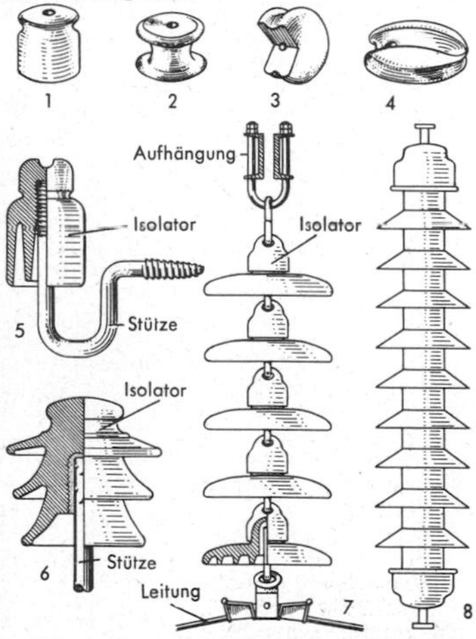

Isolator: **1, 2** *Isolierrollen.* **3** *Eckrolle.* **4** *Eierisolator.* **5** *Stützisolator für Niederspannung.* **6** *Stützisolator für Hochspannung.* **7** *Kappenisolatoren.* **8** *Langstabisolator*

Is'olde, Heldin der Tristansage, danach: weibl. Vorname.

Isol'ierrohr, mit Metallmantel versehenes Rohr aus Isoliermaterial zur Verlegung elektr. Leitungen.

Isol'ierschemel, Schemel, dessen Füße aus einem Nichtleiter (Glas, Porzellan) hergestellt sind.

Isol'ierung, 1) Schutz gegen unerwünschte Energieabwanderungen. Zum Wärme-, Kälte- und Schallschutz werden →Dämmstoffe, gegen Feuchtigkeit Sperrstoffe verwendet.

Isolierstoffe der Elektrotechnik sind Nichtleiter *(Isolatoren)* und bezwecken die Trennung von elektr. Leitern oder den Schutz gegen Berührung. Vollkommene Isolatoren gibt es nicht. Zu den guten Isolatoren (mit hohem *Isolationswiderstand*) gehören trokkene Luft, Paraffinöl, Bernstein, Glas, Hartgummi, keramische Stoffe wie Hartporzellan, Steatite, titan- und tonhaltige Massen. Andere Isolierstoffe sind z. B. Marmor, Schiefer, Glimmer, Fiber, Holz. Zur Massenfertigung von Schaltern, Steckdosen u. a. dienen kunstharzhaltige Formpreßstoffe. Zu den Schichtpreßstoffen gehören Hartpapier, Hartgewebe und Isolierrohre. Isolierende Faserstoffe sind Isolierpapier, Isolierband, Preßspan, Isolierleinen. Compoundmassen dienen zur Tränkung von Wicklungen aller Art. Zur Gruppe der Kunststoffe aus Polymerisationsprodukten gehören Polyäthylen, Polystyrol, Polyvinylchlorid. Ein temperaturunempfindlicher, wasserabweisender, hochwertiger elektr. Isolierstoff, der bei bestimmten elektr. Maschinen angewendet wird, ist Silicon-Gummi. Es erträgt dauernd 180° C.

2) *Medizin:* das Unterbringen Kranker in besonderen Anlagen (Krankenhausteilen) oder auch nur in besonderen Räumen; hauptsächlich angewendet bei unruhigen Geisteskranken und bei ansteckend Kranken.

Iso-Linien, Linien gleicher Zahlenwerte auf geograph. und meteorolog. Karten. Die wichtigsten sind:

	Linien gleicher
Isoamplituden ..	Temperaturschwankungen
Isoanomalen ..	Abweichung vom Mittelwert (meist Luftwärme)
Isobaren	Luftdruckwerte
Isobasen	Hebung
Isobathen	Wassertiefe
Isochronen	Zeitdauer (z. B. Verkehr), zeitl. Erscheinungen (z. B. Gewitterausbruch)
Isodynamen ...	magnet. Feldstärke
Isogammen ...	Schwerkraft
Isogonen	magnet. Deklination (Erdmagnetismus)
Isohalinen	Salzgehaltes
Isohyeten	Niederschlagsmengen
Isohypsen	Höhenlage (→Höhenlinien)
Isokatabasen ..	Senkung
Isoklinen	magnet. Inklination
Isoseisten	Erdbebenstärke (→Erdbeben)
Isothermen	Temperaturen

Isomer'ie [griech. Kw.], **1)** *Chemie:* die Erscheinung, daß chem. Verbindungen bei gleicher stofflicher und mengenmäßiger Zusammensetzung sich chemisch und physikalisch unterscheiden. Man unterscheidet *Struktur-* oder *Konstitutionsisomerie* und *räumliche* oder *Stereoisomerie.* Bei ersterer ist die Verschiedenheit der Verbindungen durch die Anordnung der Atome im Molekül bedingt. *Stellungs-* oder *Kernisomerie* liegt vor, wenn die gleiche Atomgruppe im Molekülgerüst an verschiedenen Stellen angelagert ist, z. B. eine CH_3-Gruppe an verschiedenen Stellen eines Benzolringes. Bei der Stereoisomerie ist gleiche Molekülgröße und gleiche gegenseitige Bindung, aber verschiedenartige räumliche Anordnung der Atome vorhanden. Ein Beispiel ist die *geometrische* oder *Cis-Trans-Isomerie* zwischen Maleinsäure und Fumarsäure

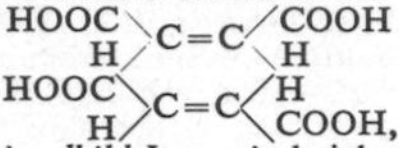

ein anderes die *Spiegelbild-Isomerie,* bei der die beiden Isomeren sich wie Bild und Spiegelbild zueinander verhalten. Zwei Spiegelbild-Isomere (optische Antipoden) drehen die Ebene polarisierten Lichtes in verschiedenem Sinne. Die rechtsdrehende Form wird als (+)-Form, die linksdrehende als (—)-Form bezeichnet. →Enantiomorphie.

2) *Kernphysik:* Bei Atomkernen liegt I. vor, wenn zwei Atomkerne, die aus den gleichen Bausteinen aufgebaut sind, sich physikalisch unterscheiden.

Isomorph'ie [griech. Kw.], das Auftreten von Kristallformen, die in ihren Flächenwinkeln sehr ähnlich sind, bei Kristallen verschiedener chemischer Zusammensetzung. Ist die Struktur zweier Kristalle zwar ähnlich, ihre Symmetrie jedoch verschieden, so liegt *Morphotropie* vor, z. B. bei den monoklinen und triklinen Feldspäten.

Isomorph'ismus [griech. Kw.], Grundbegriff der höheren Algebra. Zwei Mengen von Dingen, z. B. Zahlen, Funktionen, Gruppen, sind *isomorph,* wenn ihre Verknüpfungsregeln die gleichen sind.

Isonikot'insäurehydraz'id, →Neoteben.

Isonitr'ile, farblose, stickstoffhaltige organ. Flüssigkeiten von widerlichem Geruch und giftigen Eigenschaften, entstehen bei der Einwirkung von Chloroform und Kalilauge auf Amine.

Is'onzo, Fluß in den Ostalpen, 136 km lang, entspringt im Val Trenta der Julischen Alpen, durchströmt das Tal von Karfreit und Tolmein, dann die Ebenen von Görz und Friaul und mündet in die Bucht von Triest. – Am I. fanden vom Juni 1915 bis Okt. 1917 zwölf Schlachten statt.

Isop, Pflanzen, →Ysop.

Isoph'ote [griech. Kw.], Kurve gleicher Helligkeit.

is'opisch [grch. ›von gleichem Antlitz‹] nennt man Schichtgesteine von gleicher, **heteropisch** solche von verschiedener Gesteinsbeschaffenheit.

Isopl'ethen [grch. Kw. Linien gleichen Zahlenwertes; *Meteorologie:* Darstellung der Änderungen eines Elements in zwei Dimensionen (z. B. Höhe und Zeit, oder Jahres- und Tagesgang).

Isopr'en [griech. Kw.], flüssiger Kohlenwasserstoff, aus der Steinkohle gewonnen; steht in naher Beziehung zu den Terpenen und zum Kautschuk, der ein Polymerisationsprodukt des I. ist.

Isoprop'ylalkohol [Kw.], technisches Lösungsmittel, wird durch Hydrierung von Azeton gewonnen.

isosm'otisch, →isotonisch.

'Isospin [griech. Kw.], der →isobare Spin.

Isostas'ie [griech. Kw.], Lehre vom Gleichgewichtszustand der Massen innerhalb der Erdkruste. Nach der Vorstellung von Airy schwimmen die Kontinente und Gebirge auf einer plastischen Unterlage von größerer Dichte, nach Pratt tauchen sie trotz verschiedener Dichte in gleiche Tiefen, bis zur *isostatischen Ausgleichsfläche* hinab, in der *isostatisches Gleichgewicht* herrscht. Andere Vorstellungen (Heiskanen, Hayford-Bowie) vermitteln zwischen diesen beiden.

Isoster'ie [grch. Kw.] liegt vor, wenn Atomgruppen oder Moleküle die gleiche Gesamt-Elektronenzahl aufweisen; z. B. *CO* und N_2 je 14 Elektronen. **Isostere Verbindungen,** auch **isoelektronische Verbindungen** genannt, sind oft in ihren Eigenschaften ähnlich.

Isosthenur'ie [grch. Kw.], Anzeichen der Niereninsuffizienz (z. B. bei Schrumpfniere): die Niere kann den Harn nicht höher konzentrieren als das spezif. Gewicht des Blutwassers (Serum) beträgt.

Isot'achen [grch. Kw.], Linien oder Flächen gleicher Strömungsgeschwindigkeit.

Isoth'ermen [von griech. thermos ›warm‹], **1)** *Physik:* Linien, die die Abhängigkeit des Druckes vom Volumen eines Gases bei unveränderter Temperatur angeben. *isotherme Zustandsänderungen,* solche Änderungen des Druckes und der Raumerfüllung eines Gases, bei denen die Temperatur unverändert bleibt. **2)** *auf Wetterkarten* die Verbindungslinien der Orte, die im Mittel gleiche Temperatur haben.

isot'onisch, isosm'otisch [griech. Kw.] heißen Lösungen, die den gleichen osmotischen Druck zeigen.

Isot'ope [griech. Kw.], *Ez.* das **Isotop,** Abarten eines chem. Elements mit gleicher Ordnungszahl, aber verschiedener Massenzahl, entsprechend gleicher Protonenzahl bei verschiedener Neutronenzahl des Atomkerns. Physikalisch unterscheiden sich isotope Atomkerne auch durch Drehimpuls, magnet. Moment und Volumen. Es gibt stabile I., die in der Natur vorkommen, und instabile, meist durch künstl. Kernreaktionen hergestellte I. Die zu einem Element gehörigen I. bestimmt man mit dem Massenspektrographen und dem Massenspektrometer. Die Isotopengemische sind überall auf der Erde (und sehr wahrscheinlich auch im Kosmos) die gleichen.

Die *Isotopentrennung* ist eine wichtige Voraussetzung z. B. für die Atomenergiegewinnung. Ihre Verfahren sind die Massenspektrometrie (→Calutron), die fraktionierte Destillation, die Diffusion, chemische Austauschreaktionen, Elektroanalyse, die Methode des unterbrochenen Molekularstrahls (→Isotopenschleuse), die Thermodiffusion mit dem →Trennrohr, die Ultrazentrifuge. Meist werden die jeweiligen Trenngeräte kaskadenartig hintereinandergeschaltet, wodurch sich eine kleine, praktisch unbedeutende Trennwirkung bis zur Brauchbarkeit vervielfacht. – Die *Isotopie* wurde 1910 von Soddy bei der Untersuchung radioaktiver Zerfallsreihen entdeckt.

Isot'openindikatoren [griech.-lat. Kw.], **Tracer,** chem. Elemente und Verbindungen, in denen eines der in ihnen enthaltenen Isotope stärker angereichert ist, als es den natürlichen Mischungsverhältnissen der Isotope entspricht. Markierte Verbindungen, die etwa mit schwerem Wasserstoff, schwerem Stickstoff oder mit künstlich radioaktiven Isotopen (Radioisotopen) in besonderen Verfahren dargestellt werden, benutzt man insbes. für biochemische Untersuchungen. Die Stoffe werden den Pflanzen in der Nährlösung zugeführt, den Tieren injiziert oder als Nahrung geboten. Ihre Verteilung im Pflanzen- oder Tierkörper oder in Stoffwechselprodukten wird mit Feinmeßverfahren, bei Radioindikatoren vor allem durch Strahlungsmessungen festgestellt. In der Chemie dienen I. zur Untersuchung von Reaktionsabläufen und zur Aufklärung verwickelter Stoffstrukturen. Weitere Anwendungsgebiete sind die Schädlingsbekämpfung, die Werkstoffprüfung u.a.

Isot'openschleuse, Gerät zur Isotopentrennung, bei dem ein Molekular- oder Atomstrahl durch zwei sich periodisch öffnende und wieder schließende Blenden tritt. Während des Fluges zwischen den Blenden setzen sich die leichteren Isotope infolge ihrer höheren Geschwindigkeit an die Spitze; die zweite Blende arbeitet so, daß sie nur diese Spitze passieren läßt, während die zurückbleibenden Moleküle mechan. entfernt werden. Durch Hintereinanderschalten mehrerer Schleusen erhält man eine brauchbare Trennwirkung.

Isotron, ein Isotopentrenngerät, bei dem die Ionen eines Ionenstrahls durch eine Wechselspannung je nach Geschwindigkeit verschieden stark abgelenkt werden.

isotr'op [griech. Kw.] heißen Körper mit gleichen physikalischen, bes. optischen Eigenschaften in allen Richtungen. I. sind die amorphen Stoffe, z. B. Glas, ferner die Flüssigkeiten und Gase. Gegensatz: anisotrop.

Isotyp'ie [griech. Kw.], *Kristallkunde:* die Erscheinung, daß die Kristallgitter verschiedener Kristalle die gleiche Atomanordnung in ihren Gittern haben.

Ispah'an, † für Isfahan in Iran.

Isp'arta, früher **Hamidabad,** Provinzhauptstadt in der Türkei, mit (1970) 51 100 Ew., 920 m ü. M.; Wollindustrie, Teppich-, Rosenölerzeugung.

'Ispica, Val d' oder **Cava d'I.,** Kalksteinschlucht bei Modica, Sizilien, mit vorgeschichtl. Grabhöhlen und Felsenwohnungen des Mittelalters.

Ispra, Ort in Italien, am Südteil des Lago Maggiore; Kernforschungszentrum.

'Israel [hebr. ›Gottes Streiter‹], **1)** Ehrenname Jakobs (1. Mos. 32, 29).

2) Volksname der Nachkommen I.s, daher *Kinder I., Israeliten.* Die israelit. Stämme sind in mehreren Wellen vom 15. bis 13. Jh. v. Chr. von S und O allmählich in das von den Kanaanäern besiedelte Kulturland Palästina vorgedrungen und dort ansässig geworden. Wohl sicher geschichtlich ist die Gestalt des Moses, der die religiöse Einheit des Volkes geschaffen hat in der Verehrung Jahves als des Gottes, der sich Israel zu seinem Volk erwählt hat.

Die ersten Anfänge der polit. Einheit des Volkes zeigten sich in einem religiös-polit. Schutzverband der 12 Stämme. Die erste israel. Staatenbildung erfolgte um 1050 bis 1000 v. Chr. durch Saul, der die israel. Stämme im Kampf gegen ihre westl. und östl. Nachbarn (Philister und Ammoniter) wenigstens für einige Zeit vereinigte. Sein Nachfolger, König David (etwa 1000–960 v. Chr.), gründete dann von dem im S wohnenden Stamm Juda aus das ganz Palästina umfassende, zeitweise noch darüber hinausgreifende Reich I. und gab ihm durch die Eroberung der bis dahin noch kanaanäisch gebliebenen Festung Jerusalem als Hauptstadt den polit. Mittelpunkt. Die Regierungszeit seines Sohnes Salomo (965–926 v. Chr.), der Jahve in Jerusalem einen prächtigen Tempel erbaute, war die Glanzzeit dieses Reichs. Schon unter ihm begann aber bereits der Verfall, der nach seinem Tode zur dauernden Teilung des Reiches (926 v. Chr.) in das Südreich *Juda* mit Jerusalem als Hauptstadt und das Nordreich *Israel* mit der Hauptstadt Samaria führte. Die folgenden Jahrhunderte der israel. Königszeit waren bestimmt durch die dauernde Feindschaft dieser beiden Reiche und stete Reibungen mit den umliegenden Staaten, bis das mächtig erstarkte Assyrerreich 722 v. Chr. das Nordreich I. eroberte und zur assyr. Provinz machte. Ihm folgte eineinhalb Jahrhunderte später das Südreich Juda, das der babylonische König Nebukadnezar durch die Eroberung Jerusalems (597 v.Chr. und 587 v.Chr.) zerstörte. Der größte Teil des Volkes wurde in die Verbannung nach Babylonien geführt; damit endete die Geschichte des Volkes und Reiches I. in Palästina.

Von höchster Bedeutung war die israel. Königszeit in religiöser Hinsicht. In dieser Zeit wirkten die großen alttestamentlichen →Propheten. Ihre Verkündigung bewahrte die auf Moses zurückgehende Jahvereligion vor völliger Vermischung mit dem alteingesessenen kanaanäischen Baalsdienst und hob sie zugleich zu einer in der damaligen Welt einzigartigen Höhe. (→Juden, →Talmud, →Pentateuch).

Lit. M. Noth: Geschichte Israels ([3]1956); E. L. Ehrlich: Geschichte I.s von den Anfängen bis zur Zerstörung des Tempels (70 n. Chr.) ([2]1966).

3) das 926–722 bestehende nördliche israelit. Teilreich.

ZEITTAFEL ZUR GESCHICHTE ISRAELS

Um 2000 v. Chr.: Ächtungstexte mit palästinens. und phönik. Namen.
Um 1475: Erste Erwähnung von ›Jakob‹ in der Palästinaliste des Pharao Thutmosis III.
Um 1375: Auftreten der Chabiru (→Hebräer) in den Briefen von El-Amarna.
Um 1220: Erste Erwähnung des Namens ›Israel‹ im Siegeshymnus des Pharao Merneptah; Eindringen der Stämme in das Westjordanland.
Um 1225: Befreiungskampf der Nordstämme gegen die Kanaanäer (Deboraschlacht, Richt. 4, 5).
Um 1050: Befreiungskampf der mittelpalästin. Stämme gegen die Philister; Königtum des Saul über Israel.
Um 1000: David gewinnt zu dem judäischen Königtum von Hebron das israel. Königtum; Hauptstadt der Doppelmonarchie Jerusalem.
953: Tempelbau des Salomo.
926: Reichsspaltung.
Seit ungefähr 920: Kämpfe gegen die Aramäer von Damaskus.
Um 870: Erstes Auftreten der prophetischen Reaktion (Elias, Elisa) gegen die mit Tyrus verschwägerte Dynastie des Omri von Israel.
845: Jehu stürzt die Dynastie des Omri; 842 Tribut Jehus an Salmanassar III. von Assur.
Um 750: Auftreten des Amos in Bethel gegen Jerobeam II. von Israel.
722: Ende des Reiches Israel; Eroberung von Samaria durch Sargon II. von Assyrien.
701: Vergebliche Belagerung von Jerusalem durch Sanherib von Assyrien; Höhepunkt der Wirksamkeit Jesajas.
622: Reform des Josia auf Grund des Deuteronomiums.
609: Josia fällt bei Megiddo gegen Pharao Necho II.
597: Erste Übergabe Jerusalems an Nebukadnezar II.; Verbannung der Vornehmen; Ezechiel unter den Weggeführten. Wirksamkeit des Jeremia in Jerusalem.
587: Ende des judäischen Staates; Zerstörung Jerusalems durch Nebukadnezar II.
538: Freilassungsedikt des Kyros von Persien.
515: Weihe des neuen Tempels in Jerusalem.
Um 400: Verpflichtung der Jerusalemer Gemeinde auf das von Esra aus Babylonien mitgebrachte Gesetz.

ISRAEL: KÖNIGE

(Saul)
David 1004–965
Salomo 965–926

Reich Juda			*Reich Israel*		
Rehabeam	926–910	(931–913)	Jerobeam I.	926–907	(931–910)
Abia	910–908	(913–911)	Nadab	907–906	(910–909)
Asa	908–872	(911–870)	Baesa	906–883	(909–886)
Josaphat	872–852	(873–848)	Ela	883–882	(886–885)
Joram	852–845	(853–841)	Zimri	882	(885)
Ahasja	845–844	(841)	Interregnum (Tibni)	882–878	(885–880)
Atalja	845–839	(841–835)	Omri	878–871	(885–874)
Joas	839–800	(835–796)	Ahab	871–852	(874–853)
Amasja	800–785	(796–767)	Ahasja	852–851	(853–852)
Uzzia	785–747	(791–740)	Joram	851–845	(852–841)
Jotam	758–743	(750–732)	Jehu	845–818	(841–814)
Ahaz	742–725	(735–715)	Joahaz	818–802	(814–798)
Hiskia	725–697	(715–686)	Joas	802–787	(798–782)
Manasse	696–642	(696–642)	Jerobeam II.	787–747	(793–753)
Amon	641–640	(642–640)	Sacharja	747–746	(753–752)
Josia	639–609	(640–608)	Sallum	747–746	(752)
Joahaz	609	(608)	Menahem	746–737	(752–742)
Jojakim	609–598	(608–597)	Pekachja	736–735	(742–740)
Jojachin	598	(597)	Pekach	734–732	(753–732)
Zedekia	598–587	(597–586)	Hosea	732–724	(732–723)

Zahlen nach J. Begrich: Die Chronologie der Könige von Israel und Juda (1929) und in Klammern die Abweichungen von E. R. Thiele: The mysterious Numbers of the Hebrew Kings (Chicago 1951). – Die Verschiedenheit der Ansätze beruht darauf, daß in verschiedener Weise mit Mitregentschaften gerechnet wird, um die Widersprüche in den Zahlangaben der Texte auszugleichen.

'**Israel**, amtlich hebräisch **Medinet Israel** [›Staat von I.‹], Republik in Vorderasien, 20 700 qkm, mit (1976) 3,570 Mill. Ew.; Hauptstadt ist Jerusalem (seit 23. 1. 1950).

Landesnatur →Palästina.

Bevölkerung. 85 % der Ew. sind Juden, 10 % Araber (Muslime), 5 % Christen, Drusen u. a. Seit der Staatsgründung (1948) bis 1971 sind rd. 1,5 Mill. Juden eingewandert. Die Angleichung der eingewanderten Juden aus verschiedenen Herkunftsländern bringt große Schwierigkeiten. Über 80 % der Bevölkerung leben in Städten. Großstädte sind Tel Aviv, Haifa, Jerusalem, Ramat Gan.

Wirtschaft. Die Landwirtschaft, die rd. 60 % der Fläche nutzt (davon 33 % als Ackerland) deckt rd. ¾ des Inlandbedarfs an Nahrungsmitteln (außer in Dürrejahren). Weit verbreitet sind verschiedene Formen der Kollektivwirtschaft (→Kibbuz). Angebaut werden bes. Getreide und Futterpflanzen, auf bewässertem Land (bes. Küstenebene und Negev-Gebiet) Citrusfrüchte, Gemüse, Oliven, Wein, Zuckerrüben, Baumwolle; Viehzucht und Geflügelwirtschaft sind bedeutend.

An Bodenschätzen werden Phosphate und Erdöl im Negev, Kali und Bromsalze im Toten Meer, Kupfer bei Elath gewonnen, ferner Mangan, Chrom, Schwefel u. a. Die Industrie verarbeitet größtenteils eingeführte Produkte. Wichtigste Zweige sind: Nahrungsmittel-, Textil-, Metall-, Fahrzeug-, Zement-, Glas- und chem. Industrie; Ölraffinerie in Haifa (Ölleitung Elath–Haifa).

Die Ausfuhr umfaßt Citrusfrüchte, Fruchtsäfte, Textilien, Wein, geschliffene Diamanten (Rohmaterial aus Afrika eingeführt), Chemikalien, Kraftfahrzeuge, elektrotechn. Erzeugnisse. Haupthandelsländer: USA, Großbritannien, BRD.

Das Verkehrsnetz umfaßt (1975) 781 km Eisenbahnen, 10 657 km feste Straßen. Kraftfahrzeugbestand: (1975) 281 600. Handelsflotte: (1974) 611 000 BRT; Haupthäfen: Haifa, Aschdod, Elath am Golf von Akaba. Ölhafen in Aschkelon. Hauptflughafen ist Lod bei Tel Aviv.

Staat. Nach den Gesetzen v. 16. 2. 1949/ 5. 12. 1951 (bisher keine geschriebene Verfassung) ist Staatsoberhaupt der auf 5 Jahre vom Parlament gewählte Staatspräsident. Das Parlament besteht aus einer Kammer (Knesset) von 120 vom Volk auf 4 Jahre gewählten Abg. Der Ministerrat ist vom Vertrauen des Parlaments abhängig.

Verwaltungseinteilung in 6 Bezirke. Amtssprache ist Hebräisch (Arabisch f. Minderheit). Wappen: FARBTAFEL Wappen II. Flagge: FARBTAFEL Flaggen I. Maße und Gewichte metrisch. Währungseinheit ist das israel. Pfund zu 100 Agorot.

Das während der Mandatszeit nach engl. Vorbild geschaffene Recht wurde durch neue Gesetze ergänzt; für Familien- und Erbschaftssachen gibt es relig. Gerichte für Juden (Rabbiner-Gerichte), Mohammedaner und Christen. Das Sozialrecht wurde seit 1951 umfassend ausgestaltet.

Bildungswesen: allgem. Schulpflicht vom 5. bis 14. Lebensjahr; der Lehrplan wurde 1953 für Juden und Araber vereinheitlicht. Universitäten in Jerusalem (1918 gegr.), Ramat Gan (1953), Tel Aviv (1953), Haifa (1963), Beerscheba (1965); Weizmann-Forschungsinst. in Rehovot.

Streitkräfte: allgem. Wehrpflicht für Männer vom 18.–26. Lebensjahr mit dreijähr., vom 27.–29. Jahr mit zweijähr. Dienstzeit; ledige Frauen vom 18.–26. Jahr dienen 20 Monate. Der aktive Dienst schließt eine landwirtschaftl. Ausbildung ein. In der Reserve (bis zum 49., bei Frauen bis zum 34. Lebensjahr) erfolgt eine weitere militär. Ausbildung in jährl. Kursen. Kriegsstärke: 275 000 Mann (reguläre Armee rd. 40 000 Mann). Luftwaffe: etwa 350 Flugzeuge.

GESCHICHTE. Am 15. 5. 1948 erlosch das brit. Mandat über →Palästina; am gleichen Tag rief der Jüd. Nationalrat den unabhängigen jüd. Staat unter Chaim Weizmann als Staatspräsidenten (bis Nov. 1952) aus. Am 17. 5. drangen Truppen der arab. Staaten gegen die jüd. Ansiedlungen vor; die Jordanier eroberten die Altstadt von Jerusalem, die Ägypter besetzten Gasa; die israel. Streitkräfte konnten jedoch den im Teilungsplan der Vereinten Nationen vorgeschlagenen Besitzstand im wesentlichen halten (77 % des Mandatsgebiets). Durch den von den Vereinten Nationen vermittelten Waffenstillstand vom 3. 6. 1949 (Graf Bernadotte, dann Bunche) blieb der Gasa-Streifen von Ägypten besetzt; am 24. 4. 1950 wurde O-Palästina Jordanien einverleibt, Jerusalem blieb geteilt. 1949 wurde I. Mitglied der Vereinten Nationen. Die Regierung bildete die sozialdemokratische Mapai unter Ben Gurion zusammen mit den rechtsliberalen Allgem. Zionisten. 1953 erhielt die Regierungskoalition wiederum die absolute Mehrheit. Nachfolger Weizmanns als Staatspräs. wurde Itzhak Ben Zwi, Nachfolger des im Dez. 1953 zurückgetretenen Ben Gurion als MinPräs. der bisherige Außenmin. Mosche Scharett (bis Okt. 1955, danach wieder bis Juni 1963 Ben Gurion), der trotz Einspruchs der arab. Staaten das Wiedergutmachungsabkommen mit der Bundesrep. Dtl. abschloß (10. 9. 1952).

Die Grenzzwischenfälle mit den arab. Nachbarn führten 1956 zum Einmarsch israel. Truppen nach Ägypten (29. 10.); am 31. 10. begann die brit.-franz. Intervention am Suezkanal. Auf Grund des Waffenstillstands vom 7. 11. mußte I. die Sinai-Halbinsel und den Gasa-Streifen wieder räumen. Bei den Wahlen 1961 blieb die Mapai die stärkste Partei im Parlament. Staatspräsident wurde nach dem Tod von Itzhak Ben Zwi (1963) Salman Schasar, 1973 Ephraim Katzir, 1978 Y. Navon; MinPräs. nach dem Rücktritt Ben Gurions: 1963–69 L. Eschkol, 1969–74 Golda Meir, 1974–77 Y. Rabin, seit Juni 1977 M. Begin.

Nach arab. Aufmarsch an den Grenzen I.s und dem Abzug der UN-Truppen aus dem Gasa-Streifen begann am 5. 6. 1967 erneut ein Krieg mit den arab. Staaten. Durch die militär. Erfolge I.s an allen Fronten (Besetzung der Sinaihalbinsel, des westl. des Jordans gelegenen Gebietes Jordaniens und der syr. Grenzstellungen) wurde der militär. Konflikt schnell entschieden und durch Vermittlung der UN mit einem Waffenstillstand (10. 6. 1967) beendet. Nach Wiederaufrüstung ihrer Armeen durch die Sowjetunion griffen Ägypten und Syrien im Oktober 1973 I. an. Nach anfängl. Geländeverlusten konnte I. eine Gegenoffensive einleiten. Die Sowjetunion lieferte den arab. Staaten Waffen, Israel erhielt die gleiche Hilfe von den USA. Nach Verhandlungen beider Weltmächte kam es am 22. 10. 1973 zu einer Waffenstillstandsresolution der UNO. Weitere Verhandlungen (US-Außenmin. Kissinger) führten zu Truppenentflechtungsabkommen mit Ägypten (Jan. 1974, Sept. 1975) und Syrien (Mai 1974). Nach Besuch des ägypt. Präs. Sadat in I. (Dez. 1977) und Gegenbesuch MinPräs. Begins in Ägypten begannen israel.-ägypt. Friedensverhandlungen, die zum Abschluß eines Friedensvertrags zwischen Ägypten und I. im März 1979 führten.

LIT. Israels Weg zum Staat, hg. v. A. Ullmann (1964); A. Elon: Die Israelis. Gründer und Söhne (1972).

israelitische Literatur, die jüngste Stufe in einer zwei Jahrhunderte währenden Entwicklung der modernen hebräischen Literatur (→Judentum), deren Mittelpunkte sich in der ersten Hälfte dieses Jhs. von Europa nach Palästina verlagerten. Anfangs kamen die Schriftsteller Israels aus Europa; die meisten jüngeren Schriftsteller sind in Israel geboren oder wenigstens dort erzogen worden. Führend unter den älteren Schriftstellern ist S. J. Agnon (* 1897, Nobelpreis für Literatur 1966 zus. mit Nelly Sachs), dessen Werk Romane und Kurzgeschichten umfaßt. H. Hasas (* 1897) behandelt die Auflösung des jüdischen Lebens in der nachrevolutionären Ukraine und das Zusammenwachsen verschiedenartiger orientalischer Gemeinschaften zu einem neuen Leben in Israel. Anerkannte Lyriker sind U. Z. Grynberg (* 1894), A. Schlonsky (* 1900), Lea Goldberg (* 1911) und bes. N. Altermann (* 1910). Die literar. Kritik ist stark bestimmt durch die Artikel von B. Kurzweil (* 1907) und D. Sdan (* 1902) und die Vorlesungen von S. Halkin (* 1899).

In der Zeit des israelischen Unabhängigkeitskrieges traten junge Schriftsteller hervor, die an den dramatischen Ereignissen selbst beteiligt waren und darüber schrieben. Von ihnen errangen besonderes Ansehen, auch noch nach dem Kriege, S. Yizhar (* 1916), M. Schamir (* 1921), A. Meged (* 1920) und N. Schaham (* 1925) mit ihrer Prosaliteratur und H. Guri (* 1923), A. Gilboa (* 1917), T. Carmi (* 1925), A. Kovner (* 1918) und O. Hillel (* 1926) mit ihrer Lyrik. Diese Schriftsteller wurden während der ersten Jahre des jungen Staates als ›Junge Garde‹ zusammengefaßt und als Repräsentanten der neuen Literatur des Staates Israel betrachtet.

In den Jahren 1952–54 erschienen in verschiedenen kleinen Zeitschriften (Likrat, 'Ayin, Mevo'ot) und in den literar. Beilagen von ›Zemanim‹ und ›La Merhav‹ Gedichte, Geschichten und Kritiken einer noch jüngeren Schriftstellergruppe. Sie nimmt zum Unterschied von ihren Vorgängern für ihre Stoffe und Formen weniger die modernen Russen als die modernen Angelsachsen und Deutschen zum Vorbild. Charakteristischerweise sind in der Dichtung J. Amihais (* 1924) unverkennbare Anklänge an Rilke und Auden vorhanden.

LIT. P. Navè: Die neue hebräische Literatur (1962).

'Israels, Josef, holländ. Maler, * Groningen 27. 1. 1824, † Haag 12. 8. 1911, schilderte das Leben des arbeitenden Volks und der holländ. Juden.

Issa, Lissa, →Vis.

'Issos, 'Issus, alte Seestadt in Kilikien (Kleinasien), bekannt durch den Sieg Alexanders d. Gr. über den Perserkönig Darius III., 333 v. Chr.

Iss'yk-kul [kirgis. ›warmer See‹], abflußloser Hochgebirgssee in der Kirgis. SSR, 6188 qkm groß.

Istanb'ul, amtl. für →Konstantinopel.

'Istanköy, türk. Name der Insel →Kos.

'Istar, babylon. Gottheit, →Ischtar.

Istäv'onen, →Istwäonen.

'Ister, griech. **Istros,** antiker Name der Donau.

'Isthmus, 'Isthmos [griech.], Landenge, bes. die von Korinth, wo im Altertum beim Heiligtum des Poseidon die *Isthmischen Spiele (Isthmien)* mit sportlichen und musischen Wettkämpfen gefeiert wurden.

Istikl'al [arab. ›Unabhängigkeit‹], *Istiqlal,* nationalist. Parteien in arab. Ländern: **1)** in Marokko, 1952 verboten; wurde seit der Wiedereinsetzung Mohammeds V. (1955) die einflußreichste Regierungspartei. **2)** im Irak die 1946 gegr. Rechtspartei, die am Umsturz 1958 wesentlich Anteil hatte.

Istr'andscha Dagh, Gebirge der Balkanhalbinsel, bis 1018 m hoch.

Istr'ati, Panaït, rumän. Schriftsteller, * Baldovinesti b. Braila 11. 8. 1884, † Bukarest 16. 4. 1935, Anhänger der bolschewist. Revolution, schilderte in franz. Sprache Schicksale unterdrückter Volksschichten (Kyra Kyralina – Onkel Angiel – Die Haiduken. Drei Romane, 1964).

'Istrien, ital. *Istria,* serbokroat. *Istra,* Halbinsel in der Adria, zu Jugoslawien gehörig, zwischen dem Golf von Triest und dem Kvarner Golf. I. besteht großenteils aus verkarsteten Kalkgebieten (Učka, 1396 m). An der buchtenreichen niederen Felsküste ist neben dem italien. Triest vor allem der Kriegshafen Pula wichtig, vor dem die vielbesuchten Brionischen Inseln lagern; im Kvarnergolf liegen die Kurorte Lovran und Opatija (Abbazia). – I. wurde 177 v. Chr. von den Römern unterworfen. Es kam 539 unter byzantin., 788 unter fränk. Herrschaft, wurde 952 dem Hzgt. Bayern, 976 dem Hzgt. Kärnten angegliedert. Ende des 13. Jhs. fiel es größtenteils an Venedig, der NO an die Grafschaft Görz. Das venezian. I. wurde 1797 österreichisch, ganz I. 1805–09 französ., 1814 wieder österreich., 1919 italien., 1947/54 jugoslawisch. →Triest.

Istwä'onen, Istäv'onen, westgermanische Stammesgruppe, aus der die Franken hervorgegangen sind.

Isw'estija [russ. ›Nachrichten‹], neben der ›Prawda‹ eine der größten sowjetruss. Tageszeitungen.

Isw'olski, Alexander Petrowitsch, russ. Staatsmann, * Moskau 17. 3. 1856, † Paris 16. 8. 1919, war 1906–10 Minister des Auswärtigen und 1910–17 Botschafter in Paris, festigte das russ.-franz. Bündnis gegen die Mittelmächte.

it., Abk. für →item.

Itab'ira, früher **Presidente Vargas,** Stadt in Brasilien, (1970) 56400 Ew., Mittelpunkt eines der reichsten Eisenerzgebiete der Welt.

'Itala [lat.], eine altlatein., von Augustin empfohlene Bibelübersetzung; auch die Sammlung der in Fragmenten erhaltenen latein. Bibelübersetzungen aus der Zeit vor Hieronymus, heute *Vetus Latina* genannt.

It'alia. Der wohl von den Griechen geprägte Name I., mit dem späteren lat. Wort vitulus [›Kalb, junger Stier‹] zusammenhängend, erscheint bereits in der griech. Literatur des 5. Jhs. v. Chr. Er bezeichnete ursprünglich nur die von den italischen Oinotriern bewohnte Südspitze Italiens, dann auch ganz Süditalien, wurde von den Römern übernommen und umfaßte seit Mitte des 3. Jhs. v. Chr. bis zu Cäsar als polit. Begriff die Apennin-Halbinsel bis zur Po-Ebene. Unter Augustus wurde schließlich das ganze Gebiet von den Alpenpässen bis zur Südspitze unter dem Namen I. von den übrigen Provinzen des Röm. Reiches geschieden und in 11 Verwaltungsbezirke (Regionen) eingeteilt. Diokletian vereinigte es mit Rätien sowie den Inseln Sizilien, Sardinien und Korsika zu einer Diözese.

Das kelt. Oberitalien bildete bis 42 v. Chr. eine eigene Prov. Gallia cisalpina, die durch den Grenzfluß Rubico von I. geschieden war; nach der Lage nördl. und südl. des Po unterschied man Gallia transpadana und Gallia cispadana. Die Landschaften Venetia und Istria im NO hießen nach den zur illyr. Völkergruppe gehörigen Venetern und Istrern, Liguria im Gebiet von Genua nach den altmediterranen Ligurern. In Mittelital. lag westl. des Tiber Etruria, das Land der Etrusker, östl. davon Umbria, Picenum und die historisch wichtigste Landschaft Latium mit Rom; zahlreiche weitere Gebirgsstämme, so die Sabiner, Äquer, Marser, Päligner, siedelten im mittleren Apennin. In Unteritalien folgten nach SW Campania, Lucania, Bruttium, nach SO Samnium, Apulia, Calabria. Die Bevölkerung Mittel- und Unteritaliens bestand aus Italikern, abgesehen von der mediterranen Grundschicht, von illyr. Stämmen an der Adriaseite und von Griechen in den Küstenstädten.

Italiaander, Rolf, Schriftsteller und Forschungsreisender, * Leipzig 20. 2. 1913.

WERKE. Nordafrika heute (1952), Wüstenfüchse (1954), Die neuen Männer Afrikas (1960), Die neuen Männer Asiens (1964), Terra dolorosa – Wandlungen in Lateinamerika (1969).

It'alica, röm. Kolonie in der span. Prov. Baetica bei Sevilla, 207 v. Chr. von Scipio gegr., die Heimat der röm. Kaiser Trajan, Hadrian und Theodosius.

Italicus, Sohn des Cheruskers →Flavus.

It'alien, ital. *Italia*, amtl. *Repubblica Italiana*, Republik auf der Apenninhalbinsel, 301225 qkm, mit (1976) 56,2 Mill. Ew.; Hauptstadt ist Rom.

Landesnatur. I. besteht aus dem festländischen I., das das italien. Alpengebiet und die Poebene umfaßt, der eigentl. Apenninhalbinsel und Insel-Italien: Sizilien, Sardinien, mehrere kleinere Inseln. Mit Triest greift das italien. Staatsgebiet auf das Gegengestade der Adria über. Seine Landgrenze verläuft meist auf den wasserscheidenden Kämmen der Alpen; nur die Schweiz reicht mit dem Tessingebiet bis dicht an die Poebene heran. Die Poebene (etwa 46000 qkm) und die anschließende venetianische Ebene sind die einzigen bedeutenden Flachlandgebiete I.s. Halbinsel- und Inselitalien sind vorwiegend gebirgig. Hauptgebirge der Halbinsel ist der Apennin, der diese der Länge nach durchzieht und im mittleren Teil (Abruzzen) 2914 m Höhe erreicht. Auf der Westseite sind ihm Abzweigungen (z. B. Apuanische Alpen) und Vorberge vorgelagert. I. besitzt mehrere tätige Vulkane, den Vesuv auf dem Festland, Ätna auf Sizilien, den Inselvulkan Stromboli. Auch Erdbeben sind in I. häufig. Unter den Flüssen ist der Po der bedeutendste, auf der Halbinsel daneben noch Arno und Tiber. Außer Alpenrandseen (Lago Maggiore, Comer See, Gardasee) hat I. einige vulkan. Seen und als größten See der Halbinsel den Trasimenischen See. In I. vollzieht sich der Übergang von dem mitteleurop. Klima des Alpenanteils zu dem sommertrockenen Mediterranklima des S. Besonders geschützt gegen Nordwinde sind die oberitalien. Seen und einige Täler der Südalpen sowie die Riviera. Auf der Halbinsel und den Inseln herrscht mittelmeerisches Klima mit mildem Winter, Herbst- und Frühjahrsregen und heißem trocknem Sommer vor. Die Pflanzenwelt ist im N und in den Gebirgen, abgesehen von den oberitalien. Seen, noch vorwiegend mitteleuropäisch mit Laub- und Nadelwäldern, die aber sehr stark durch Weide und Buschland verdrängt sind. An der Küste und im S herrschen immergrüne mittelmeerische Gewächse (Oleander, Lorbeer, Myrte, Zypresse, Pinie u. a.) und Macchie vor.

Die zu 99% kathol. *Bevölkerung* besteht überwiegend aus →Italienern; in →Südtirol leben Deutsche und Ladiner, im Aostatal Franzosen, in Friaul zahlreiche Slowenen, im südlichen Italien und Sizilien kleine Gruppen von Albanern. Sehr dicht sind die Küstengebiete und die Ebenen besiedelt, das innere Gebirgsland und Sardinien dagegen nur dünn.

Armut, Arbeitslosigkeit und hohe Geburtenüberschüsse im unterentwickelten S sind die Ursache für eine starke zeitweilige oder endgültige Auswanderung; ferner besteht Binnenwanderung von Süd-I. nach Nord-I. und die Pendelwanderung nach Frankreich, in die Schweiz und die Bundesrep. Dtl. Es herrschen starke soziale und polit. Spannungen, bes. in den industriellen Ballungsräumen. Millionenstädte sind Rom, Mailand, Neapel und Turin; daneben gibt es rd. 45 Großstädte.

Wirtschaft. Von den (1970) 19,571 Mill. Erwerbstätigen waren 19 % in der Landwirtschaft, 43 % in Industrie und Baugewerbe, 19,7 % im Handel, Verkehr und Geldwesen, 18,3 % in sonstigen Dienstleistungsberufen tätig. In der Landwirtschaft überwiegen Kleinbetriebe und Großgrundbesitz (bes. Mittel- und Süd-I.); seit dem Bodenreformgesetz von 1950 wird versucht, die Besitzverhältnisse zu verbessern.

Die Agrarwirtschaft nutzt 67 % der Fläche, davon sind 74 % Ackerland, 26 % Wiesen und Weiden, 20 % nimmt der Wald (Forstwirtschaft vorwiegend in den Alpen) und Buschwald (im S) ein. Wichtiges Anbauprodukt ist Weizen (¼ der Ackerfläche). Am intensivsten bearbeitet sind die Gebiete im N; in der Po-Ebene Weizen-, Mais-, Reis- und Zuckerrübenanbau; hier liegen auch die Hauptgebiete der Viehzucht (Milchwirtschaft und Fleischproduktion) mit Feldfutterbau und Bewässerungswiesen (Schaf- und Ziegenzucht im S und auf Sardinien). Am Alpenrand wird Obst, Wein und Gemüse angebaut, an der Westseite des Apennins ist mediterrane Mischkultur (Reben, Obst, Ölbäume, Getreide, Gemüse) verbreitet; äußerst intensiv bearbeitet werden die Gebiete um Neapel (Kampanien). Agrumen werden bes. auf Sizilien und an der Tyrrhen. Küste, Olivenbäume an der Ostseite der Halbinsel und im S (Kalabrien, Apulien) angebaut. Maulbeerbaumkulturen und Seidenraupenzucht kommen im N vor. I. ist neben Frankreich das wichtigste Weinbauland Europas (1973: 76,7 Mill. hl Wein). Von Bedeutung ist die Küstenfischerei (Thunfische, Sardellen, Sardinen, Makrelen, Neunaugen, Schwämme, Korallen).

Der Bergbau fördert Schwefel (Sizilien), Marmor (Carrara), Quecksilber (Toskana), Bauxit, ferner geringe Mengen an Kohle (Sardinien, Aostatal), Eisen, Manganerze, Zink, Blei, Graphit, Asbest, Stein- und Kochsalz. Der Mangel an Steinhokle führte früh zu verstärkter Ausnutzung der Wasserkräfte; wachsende Bedeutung kommt der Kernenergie zu.

Die Erdölgewinnung (bei Ragusa und Gela) deckt nur einen geringen Teil des Bedarfs; Erdgas wird vor allem in der Po-Ebene gefördert.

Die Industrie konzentriert sich bes. in Nord-I. und, außer einzelnen Standorten, im Raum von Genua – La Spezia, Prato – Florenz, Marghera – Venedig, Neapel und Bari. Wichtigste Zweige sind die metallverarbeitende (Maschinen- und Fahrzeugbau), Textil- und Nahrungsmittelind. Der Ausbau der chem. Ind. auf Grund des Schwefelreichtums macht große Fortschritte.

Ausgeführt werden Maschinen, Fahrzeuge, Chemikalien, Textilien, Obst und Südfrüchte, Oliven, Reis, Wein, Käse, Schwefel; in der Einfuhr stehen Kohle, Erdöl, Rohstoffe, Maschinen, Metalle, Holz an erster Stelle. Haupthandelspartner sind die EG-Länder und die USA. Eine wichtige Devisenquelle ist der Fremdenverkehr und Geldüberweisungen der im Ausland beschäftigten Arbeiter.

Das Verkehrsnetz ist bes. in Nord- und Mittel-I. sehr dicht: (1973) 20 200 km Eisenbahnen (davon 9500 elektrifiziert), 286 800 km Straßen (davon 5132 km Autobahnen, 43 800 km Staatsstraßen); Kraftfahrzeugbestand (1974) 14,5 Mill. Bei der Halbinselgestalt I.s haben Küsten- und Seeschiffahrt große Bedeutung. Handelsflotte: (1974) 9,3 Mill. BRT (1945: 470 000). Die wichtigsten Überseehäfen: Genua, Venedig, Neapel, Livorno, Triest, Palermo. Mittelpunkte des Luftverkehrs sind die Flughäfen Fiumicino (Rom), Linate (Mailand) und Venedig (insges. 10 internat. Flughäfen).

Staat. Auf Grund der Volksabstimmung vom 2. 6. 1946 ist I. eine demokrat. Republik. Nach der Verfassung vom 27. 12. 1947 ist Staatsoberhaupt der auf 7 Jahre vom Parlament gewählte Präsident; sein Stellvertreter ist der Vorsitzende des Senats. Das Parlament besteht aus der Abgeordnetenkammer mit (seit Anf. 1963) 630 vom Volk auf 5 Jahre gewählten Abg. und dem Senat (315 auf regionaler Grundlage gewählte Mitgl.). Die vom Präsidenten ernannte Regierung ist dem Parlament verantwortlich. Der Nationalrat für Wirtschaft und Arbeit (errichtet 28. 12. 1957) hat beratende Aufgaben und das Recht, Gesetze vorzuschlagen.

Verwaltungseinteilung in Regionen (siehe ÜBERSICHT). Trentino-Südtirol, Aostatal, Friaul-Julisches Venetien, Sizilien und Sardinien haben eine beschränkte Autonomie. Die Regionen haben Regionalkammern und -räte; für die Gemeinden besteht seit 1947 Selbstverwaltung. Wappen: FARBTAFEL Wappen II. Flagge: FARBTAFEL Flaggen I. Maße und Gewichte metrisch. Währungseinheit ist die Lira zu 100 Centesimi.

Das nach franz. Vorbild kodifizierte Recht wurde in den Jahren 1939–41 umgestaltet und nach 1945 teilweise geändert; oberster Gerichtshof ist der Kassationshof in Rom. Das unter dem Faschismus entwickelte Sozialrecht gilt materiell meist weiter (→Carta del lavoro).

Die kath. Religion ist seit den Lateranverträgen von 1929 Staatsreligion; Patriarchat in Venedig. Die etwa 100 000 Waldenser in Oberitalien bilden eigene protestant. Gemeinden, die Albaner in Süd-I. gehören dem griech. Ritus an.

Bildungswesen: Es besteht allgem. Schulpflicht vom 6.–14. Lebensjahr. Die Schulen sind kommunal, kirchlich oder privat; sie werden vom Staat unterstützt; der Unterricht ist kostenlos. Der Elementarunterricht umfaßt 5 Jahre. Daran schließt sich eine 3jährige mittlere Schule und hieran das 5jährige Lyzeum oder eine fachliche Schule an. Es gibt 31 Universitäten und Hochschulen; die größten sind Rom, Neapel und Mailand, die älteste Universität in Europa ist Bologna (gegr. 1119). Der Behebung des Analphabetentums (1961 waren 6,6 % der Männer und 10 % der Frauen Analphabeten) dient die Volksschule für Erwachsene.

Streitkräfte: Die im Friedensvertrag vom 10. 2. 1947 auferlegten Beschränkungen sind seit 1951 gegen den Widerstand der Sowjetunion zum größten Teil aufgehoben. Oberbefehlshaber ist der Präsident, der Verteidigungsminister verwaltet im Frieden die Wehrmacht. Es besteht allgem. Wehrpflicht vom 19.–55. Lebensjahr; Dienstzeit 15 Monate, in der Marine 24 Monate. Das stehende Heer umfaßt (1968) 5 Infanterie- und 2 Panzer-Divisionen, 5 Alpini- und 4 Infanterie-Brigaden sowie Spezialtruppen, daneben Miliz- und Heimwehrverbände; Gesamtbestand 295000 Mann (ohne rd. 75000 Carabinieri). Die Kriegsmarine hat 45 000 Mann. Die Luftwaffe zählt 73 000 Mann und rd. 425 Flugzeuge. Im Kriegsfall stellt I. große Teile seiner Streitkräfte der NATO zur Verfügung; sie unterstehen dem NATO-Oberbefehlshaber Europa-Süd.

I. ist seit Nov. 1955 Mitgl. der Vereinten Nationen; es gehört dem Europarat und der OEEC (1948, seit 1961 OECD), dem Nordatlantik-Pakt (1949), der Montanunion (1951) und der Westeurop. Union (1954/55) an. 1957 trat es der Europ. Wirtschafts- und Atomgemeinschaft bei. – Von dem früheren *Kolonialbesitz* erhielt I. 1950 →Somalien als Treuhandgebiet der Vereinten Nationen (bis 1. 7. 1960).

VORGESCHICHTE. →Mittelmeerraum.

GESCHICHTE: hierzu ÜBERSICHT S. 208–211.

LIT. O. Weinheber: Die Apenninen-Halbinsel (1949); E. Crosa: La constitution italienne (Paris 1950); M. Hürlimann: I. Bilder einer Landschaft und Kultur (1952); H. Hinterhäuser: I. zwischen Schwarz und Rot (1956); M. Vaussard: De Pétrarque à Mussolini (1961).

REGIONEN UND PROVINZEN ITALIENS

Piemont:
- Alessandria
- Asti
- Cuneo
- Novara
- Turin
- Vercelli

Aostatal:
- Aosta

Ligurien:
- Genua
- Imperia
- Savona
- La Spezia

Lombardei:
- Bergamo
- Brescia
- Como
- Cremona
- Mailand
- Mantua
- Pavia
- Sondrio
- Varese

Trentino-Südtirol:
- Bozen
- Trient

Venetien:
- Belluno
- Padua
- Rovigo
- Treviso
- Venedig
- Verona
- Vicenza

Friaul-Julisches Venetien:
- Görz
- Pordenone
- Triest
- Udine

Emilia-Romagna:
- Bologna
- Ferrara
- Forlì
- Modena
- Parma
- Piacenza
- Ravenna
- Reggio nell'Emilia

Toskana:
- Arezzo
- Florenz
- Grosseto
- Livorno
- Lucca
- Massa-Carrara
- Pisa
- Pistoia
- Siena

Marken:
- Ancona
- Ascoli Piceno
- Macerata
- Pesaro e Urbino

Umbrien:
- Perugia
- Terni

Latium:
- Frosinone
- Latina
- Rieti
- Rom
- Viterbo

Abruzzen:
- Chieti
- L'Aquila
- Pescara
- Teramo

Molise:
- Campobasso
- Isernia

Kampanien:
- Avellino
- Benevent
- Caserta
- Neapel
- Salerno

Apulien:
- Bari
- Brindisi
- Foggia
- Lecce
- Tarent

Basilicata:
- Matera
- Potenza

Kalabrien:
- Catanzaro
- Cosenza
- Reggio di Calabria

Sizilien:
- Agrigent
- Caltanissetta
- Catania
- Enna
- Messina
- Palermo
- Ragusa
- Syrakus
- Trapani

Sardinien:
- Cagliari
- Nuoro
- Oristano
- Sassari

Italiener, italien. *Italiani*, romanisches Volk in Italien, (1971) rd. 54,8 Millionen, dazu im Ausland etwa 10 Mill. (USA, Argentinien, Brasilien, Frankreich, Schweiz, Malta). Die I. sind römisch-katholisch. – Über eine mittelländ. Schicht haben sich am Ende der Jungsteinzeit die indogerman. Italiker, in Oberitalien Ligurer und Kelten, gegen Ende des 9. Jhs. v. Chr. die nichtindogerman. Etrusker und wenig später in Süditalien griech. Kolonisten gelagert; dann brachte die Vormachtstellung Roms Angehörige der verschiedensten Völkerschaften auf die Halbinsel. In der Völkerwanderungszeit drangen german. Völker ein, Goten und vor allem Langobarden, die hauptsächlich den Volkscharakter der Lombardei mit bestimmt haben, im 9. Jh. Araber (Sizilien), im 11. Jh. Normannen. In der volkstüml. Kultur hat sich noch viel altüberliefertes Kulturgut erhalten.

Italiener, italienisches Huhn, →Haushuhn.

itali'enische Geschichte, Kunst, Literatur, Musik: hierzu folgende Übersichten.

ITALIENISCHE GESCHICHTE

Über die Geschichte Italiens im Altertum →Römische Geschichte

Italien im frühen Mittelalter (476–951)

Mit dem Sturz des letzten weström. Kaisers Romulus Augustulus durch Odoaker (476 n. Chr.) fiel auch Italien ganz den Germanen anheim. Theoderich d. Gr. gründete 489–493 das Ostgotenreich in Italien, das aber 535–555 den Byzantinern erlag und oström. Provinz wurde. Dann drangen 568 die Langobarden ein und gründeten ein neues Reich. Die Byzantiner wurden auf Unteritalien und die Gebiete von Genua, Rom und Ravenna (»Exarchat«) beschränkt. Karl d. Gr. verleibte 774 das Land des letzten Langobardenkönigs dem Frankenreich ein. Der Papst hatte 754 unter fränk. Schutzherrschaft außer Rom die byzantin. Besitzungen in Mittel- und Oberitalien, die Grundlage des →Kirchenstaats, erhalten. Während die Araber 827 Sizilien eroberten, wurde die italien. Königskrone von den letzten Karolingern, Burgundern und einheim. Großen wechselvoll umkämpft.

Italien unter den deutschen Kaisern (951–1268)

Der deutsche König Otto d. Gr., der seit 951 Oberitalien in Besitz nahm und sich 962 zum Kaiser krönen ließ, verband die italien. Königskrone und die Kaiserwürde mit dem Deutschen Reich. Ein letzter langobard. König, Arduin von Ivrea, wurde von Heinrich II. besiegt. In Unteritalien und Sizilien setzten sich freilich die Normannen fest, die 1059 das Land nicht vom Kaiser, sondern vom Papst zu Lehen nahmen. Als 1075 der Investiturstreit ausbrach, traten die Normannen und die aufblühenden lombard. Städte auf die Seite des Papstes. So verlor Kaiser Heinrich IV. in Italien alle Macht. Im Wormser Konkordat (1122) mußte Heinrich V. auf die Besetzung der italien. Bistümer verzichten. Venedig, Genua und Pisa gewannen, bes. seit dem 1. Kreuzzug, die Vorherrschaft im Mittelmeer. Der Versuch Arnolds von Brescia, die altröm. Republik wiederherzustellen (1143–55), scheiterte. Der Stauferkaiser Friedrich I. Barbarossa unternahm dann den entschiedensten Versuch, die deutsche Herrschaft in Ober- und Mittelitalien dauernd durchzusetzen. Aber er unterlag nach der Zerstörung Mailands (1162) schließlich 1176 dem lombard. Städtebund; im Frieden von Konstanz gestand er 1183 den Städten die innere Selbständigkeit zu. Im übrigen blieb die von den Staufern eingerichtete Reichsverwaltung noch lange nach deren Untergang wirksam. Heinrich VI. gewann durch Heirat das unteritalien. Normannenreich. Diese Umklammerung des Kirchenstaats durch die staufische Macht trieb den Kampf zwischen Papsttum und Kaisertum auf die Spitze, vor allem unter Kaiser Friedrich II. Im Kampf gegen die päpstlich-lombard. Gegenpartei blieb er lange Zeit siegreich. Erst nach seiner Niederlage bei Vittoria (1248) und nach seinem Tod (1250) gewannen die Päpste die Oberhand. Von ihnen herbeigerufen, entriß Karl von Anjou durch die Siege bei Benevent (1266) und Tagliacozzo (1268) den letzten Staufern ihr unteritalien. Kgr. Neapel-Sizilien.

Die Bildung selbständiger Mittelstaaten im Zeitalter der Renaissance (1268–1559)

Karl von Anjou verlor schon 1282 durch eine Volkserhebung die Insel Sizilien an die Könige von Aragonien und blieb auf das festländ. Kgr. Neapel beschränkt. Die Machtpolitik Papst Bonifaz' VIII. scheiterte am Widerstand des französ. Königtums; das Papsttum geriet durch die Übersiedlung nach Avignon (1309–77) ganz unter französ. Einfluß. Die deutschen Kaiser waren trotz der Romzüge Heinrichs VII. (1310–13, »Dantes Kaiser«) und Ludwigs des Bayern (1328–33) in Italien völlig machtlos. Der Versuch des Cola di →Rienzo, die röm. Republik wiederherzustellen, blieb erfolglos. Während der heftigen Parteikämpfe zwischen Ghibellinen und Guelfen kam in den meisten Städten die Herrschaft in die Hände ehrgeiziger Machthaber. Die Visconti und Sforza vereinigten im Hzgt. Mailand den größten Teil der Lombardei. In Florenz gelangten die Medici zur Herrschaft; in Mantua regierten die Gonzaga, in Ferrara und Modena die Este. Daneben standen als Adelsrepubliken Genua und Venedig, das auch erfolgreich auf das Festland (Venetien) übergriff, ferner die Herzöge von Savoyen (Piemont). In Unteritalien konnten die aragonesischen Herrscher 1435 mit Sizilien wieder das Kgr. Neapel vereinigen. Trotz dieser polit. Zerrissenheit wurde Italien kulturell und wirtschaftlich das führende Land Europas, der Mittelpunkt des Humanismus und der Renaissance, die Vormacht im Handel des Mittelmeers (Venedig und Genua) und im Geldverkehr (Florenz). Hier errichtete →Savonarola nach vorübergehender Vertreibung der Medici die Republik. Die Erweiterungen des Kirchenstaats durch Cesare →Borgia und Papst Julius II. hatten keinen Bestand (Sacco di Roma, 1527). Ende des 15. Jhs. wurde Italien von neuem Schauplatz der Eroberungspolitik fremder Mächte. Der französ. König Karl VIII. eröffnete durch seinen Eroberungszug gegen Neapel 1494 den Kampf um die Vorherrschaft in Italien zwischen Frankreich und Habsburg, bis Frankreich (nach der Schlacht von Pavia 1525) im Frieden von Cambrai (1529) und abermals im Frieden von Cateau-Cambrésis (1559) auf Italien verzichten mußte. Mailand, Sardinien und Neapel-Sizilien kamen nach der Teilung der habsburg. Lande an Spanien, das dadurch den entscheidenden Einfluß auf der ganzen Halbinsel erlangte.

Italien unter spanischer, österreichischer und französischer Fremdherrschaft (1559–1815)

Die führende Stellung innerhalb der europ. Kultur büßte Italien im Zeitalter des Barock und der Aufklärung an Frankreich ein. Auch die wirtschaftl. Blüte ging immer mehr zurück, und Venedig konnte seine Besitzungen in der Levante (Zypern, Kreta, Morea) auf die Dauer nicht gegen die Türken behaupten. Die zukunftsreichste Entwicklung nahm das Hzgt. Savoyen-Piemont, das 1718/20 die Insel Sardinien mit der Königskrone erhielt. Als Folge des Span. Erbfolgekriegs fielen 1713 die Lombardei, Neapel und Sizilien an Österreich, zugleich durch das Aussterben der Gonzaga das Hzgt. Mantua. Allerdings mußte Österreich 1735 das Kgr. Neapel-Sizilien einer Nebenlinie der span. Bourbonen überlassen, ebenso 1731 das Hzgt. Parma-Piacenza. Toskana kam 1737 an Franz Stephan von Lothringen (den späteren Kaiser Franz I.) und durch ihn 1765 an eine habsburg. Nebenlinie. Genua verkaufte Korsika 1768 an Frankreich. In dieser Zeit erwachte ein neues Nationalbewußtsein in Italien und gab den Anstoß zu den ersten geistigen Strömungen, die als Vorläufer der Freiheits- und Einheitsbewegung des 19. Jhs. gelten können.

In den →Französischen Revolutionskriegen vertrieb 1796/97 der Korse Napoleon Bonaparte die Österreicher aus Italien; sie besaßen nur noch 1797–1805 das Gebiet der zusammengebrochenen Republik Venedig. Die Franzosen errichteten in Italien eine Reihe abhängiger Freistaaten, von denen am wichtigsten die Zisalpinische, seit 1802 Italienische Republik (Lombardei, Modena, Romagna) war. Nach Bonapartes Erhebung zum Kaiser wurde die Italien. Republik in das Kgr. Italien verwandelt, als dessen König er sich 1805 in Mailand krönen ließ. Schon 1802 wurde Piemont, 1805 Parma-Piacenza und Genua unmittelbar in Frankreich einverleibt, ebenso 1807/08 Toskana und 1809 der Kirchenstaat mit Rom; Venetien kam 1805 an das Kgr. Italien, und 1806 wurden die Bourbonen aus dem Kgr. Neapel verjagt, das 1808 an Napoleons Schwager Murat kam. Nur auf den Inseln Sizilien und Sardinien behaupteten sich unter dem Schutz der engl. Flotte die früheren Herrscher. 1814/15 brach die napoleonische Herrschaft in Italien zusammen. Der Wiener Kongreß stellte im Sinne Metternichs, daß Italien gleich Deutschland nur ein »geographischer Begriff« sei, den Kirchenstaat wieder her, vergrößerte das Kgr. Sardinien (Piemont) durch Genua und machte Österreich durch den Besitz Venetiens und der Lombardei wieder zur vorherrschenden Macht; wie die habsburg. Nebenlinien in Toskana und Modena (Haus Österreich-Este) lehnten sich auch die Bourbonen in Neapel-Sizilien und Parma-Piacenza eng an Österreich an.

Das Zeitalter des Risorgimento (1815–70)

Im Kampf für den italien. Freiheits- und Einheitsgedanken entstanden die Geheimbünde der Karbonari und des republikan. Verschwörers Mazzini. Bereits 1820 und 1830/31 kam es zu revolutionären Unruhen, und Anfang 1848 brach eine Revolution aus. Die Österreicher wurden aus Mailand und Venedig vertrieben; König Karl Albert von Sardinien stellte sich an die Spitze der nationalen Bewegung. Doch wurde er von Radetzky bei Custozza (25. 7.) geschlagen und abermals bei Novara (23. 3. 1849). Rom, wo Mazzini und Garibaldi die Republik ausgerufen hatten, wurde von einem französ. Hilfskorps des Papstes erobert (4. 6.). Zuletzt fiel Venedig (24. 8.). Fast überall zog nun die härteste Reaktion ein, außer in Piemont-Sardinien unter der Regierung Viktor Emanuels II. (1849–78) und Cavours (1852–61). Zäh und geschickt wußte Cavour die Hoffnungen aller Liberalen, selbst der meisten Republikaner, auf die piemontes. Führung zu vereinigen, und vor allem erlangte er von dem französ. Kaiser Napoleon III. bei einer Zusammenkunft in Plombières (20. 7. 1858) ein Bündnis gegen Österreich. 1859 brach der Krieg aus, der zu den schweren Niederlagen der Österreicher bei Magenta (4. 6.) und Solferino (24. 6.) führte. Durch die Friedensschlüsse von Villafranca (11. 7.) und Zürich (10. 11.) erhielt Piemont freilich nur die Lombardei. Inzwischen waren die Herrscher von Toskana, Parma und Modena aus ihren Ländern vertrieben worden; auch die kirchenstaatl. Romagna schüttelte die päpstl. Herrschaft ab. Die Bourbonenherrschaft in Neapel-Sizilien wurde dann durch die kühne Unternehmung Garibaldis vom Sommer 1860 gestürzt, zuletzt unter offener Mitwirkung piemontesischer Truppen. In allen diesen Gebieten führte Cavour, während er Savoyen und Nizza an Frankreich abtrat, Volksabstimmungen durch, die sich für die Angliederung an Piemont aussprachen. Am 17. 3. 1861 nahm Viktor Emanuel II. den Titel eines Königs von Italien an. Bald darauf starb Cavour. Napoleon III. wollte den Rest des Kirchenstaats nicht preisgeben und hielt Rom besetzt; die Hauptstadt Italiens wurde daher 1865 Florenz an Stelle Turins. Im Bunde mit Preußen führte Italien 1866 einen neuen Krieg gegen Österreich; obwohl es bei Custozza (24. 6.) und zur See bei Lissa (20. 7.) besiegt wurde, gewann es im Wiener Frieden (3. 10.) Venetien. Schließlich gab der Deutsch-Französ. Krieg die günstige Gelegenheit zur Besetzung Roms (20. 9. 1870), das mit dem Rest des Kirchenstaats Italien einverleibt und zur Hauptstadt erhoben wurde.

Das Königreich Italien bis zum Ende des 1. Weltkriegs (1870–1918)

Der Papst nahm, obwohl ihm im Garantiegesetz vom 13. 5. 1871 Unabhängigkeit zugesichert wurde, fortan als »Gefangener im Vatikan« eine schroff feindselige Haltung gegenüber dem italien. Staat ein. Die seit Cavour regierende Rechte wurde 1876 durch die liberale Linke abgelöst. Trotz der wachsenden Bewegung der →Irredenta, die von Österreich das Trentino, Triest mit Istrien und Dalmatien forderte, schloß Italien in seiner Enttäuschung über den Verlust des schon von vielen Italienern bewohnten Tunis, das Frankreich 1881 besetzte, mit dem Deutschen Reich und Österreich-Ungarn am 20. 5. 1882 den Dreibund ab. In Ostafrika nahm es die Kolonie Eritrea und einen Teil der Somaliküste in Besitz. Min.-Präs. Crispi (1887–91, 1893–96) versuchte auch Abessinien unter die italien. Schutzherrschaft zu bringen; aber dies Unternehmen scheiterte infolge der Niederlage bei Adua (1. 3. 1896). Als König Humbert I. (1878–1900) von einem Anarchisten ermordet wurde, kam Viktor Emanuel III. auf den Thron. Der italien.-österreich. Gegensatz führte zu einer inneren Abkehr vom Dreibund, die sich in einem Geheimvertrag mit Frankreich von 1902 ausdrückte. Als führender Staatsmann des Parlamentarismus war Giolitti 1903–05, 1906–09 und 1911–14 MinPräs.; er gewann im Italienisch-türk. Krieg von 1911/12 Libyen (Tripolitanien und die Cyrenaica) sowie die griech. Inselgruppe des Dodekanes.

Als der 1. Weltkrieg ausbrach, erklärte die Regierung Salandra sofort die Neutralität Italiens. Die Nationalisten verlangten den Anschluß an die Gegner der bisherigen Dreibundgenossen; unter ihnen trat der einstige Sozialdemokrat Mussolini in den Vordergrund. Der MinPräs. Salandra ließ sich im Londoner Abkommen (26. 4. 1915) alle gegen Österreich gerichteten irredentistischen Wünsche bewilligen und erklärte am 24. 5. Österreich-Ungarn, erst am 26. 8. 1916 dem Deutschen Reich den Krieg. Nach den vergebl. Angriffen gegen die österreich. Alpenfront in den elf Isonzoschlachten kam es im Herbst 1917 zu der schweren Niederlage von Karfreit, die das italien. Heer bis über den Piave zurückwarf (→Weltkrieg I); erst am Ende des Krieges errang Italien den Sieg von Vittorio Veneto über die zusammenbrechenden Österreicher.

Italien 1919–45

Im Friedensvertrag von Saint-Germain (10. 9. 1919) erhielt Italien nur einen Teil seiner Forderungen: das Trentino und Südtirol bis zum Brenner, Görz, Triest, Istrien und Zara; von der Verteilung der Völkerbundsmandate über die dt. Kolonien wurde es ausgeschlossen. Die Enttäuschung über den »verlorenen Sieg« verschärfte die bestehenden inneren Gegensätze und schwächte die Staatsautorität, die Italien an den Rand des Bürgerkriegs brachten. Die wachsenden Umsturzbestrebungen der Sozialisten und bes. der Kommunisten trafen auf eine scharfe Reaktion der von Mussolini 1919 in Mailand gegründeten faschist. Bewegung; durch den »Marsch auf Rom« (28. 10. 1922) zwang Mussolini den König, ihn an die Spitze der Regierung zu berufen (31. 10.). Durch rücksichtslosen Machtgebrauch und Terror gelang es der faschist. Minderheit, die Staatsgewalt vollständig zu übernehmen (Weiteres →Faschismus). Nach der Angliederung Fiumes (1924) war Mussolini, der als Regierungschef und Führer der faschist. Partei (→Duce) die Stellung eines Diktators innehatte, zunächst auf eine friedl. Außenpolitik bedacht (Völkerbund, Locarnopakt, Kelloggpakt). Mit der kathol. Kirche verständigte er sich durch die Lateranverträge vom 11. 2. 1929. In der Adriafrage verschärfte sich der alte Gegensatz zu Südslawien, als Italien 1926/27 herrschenden Einfluß in Albanien gewann. Mit Ungarn und Österreich kam durch die Römischen Protokolle (17. 3. 1934) eine engere Verbindung zustande, eine Annäherung an Frankreich am 7. 1. 1935. Dem nat.-soz. Dt. Reich stand Italien anfänglich ablehnend gegenüber. Der seit Okt. 1935 sorgfältig vorbereitete Krieg gegen Äthiopien, der trotz der vom Völkerbund unter Englands Führung verhängten Sanktionen begann, führte zur Eroberung des Landes, das mit den Kolonien Eritrea und Somaliland zu Italienisch-Ost-Afrika unter einem Vizekönig vereinigt wurde. Die durch die Teilnahme Italiens am Span. Bürgerkrieg auf seiten Francos begonnene Annäherung an Dtl. wurde durch die →Achse Berlin–Rom (25. 10. 1936), den Beitritt zum →Anti-Komintern-Pakt und den Austritt aus dem Völkerbund (11. 12. 1937) gefestigt. Nach der Besetzung Albaniens (7.–13. 4. 1939) schloß Italien ein Militärbündnis mit Dtl. (22. 5. 1939). Den Kriegsausbruch versuchte Mussolini, der auch am →Münchener Abkommen von 1938 beteiligt war, vergebens zu verhindern. Erst am 10.6. 1940 trat Italien in den Krieg ein, um nationalist. Forderungen gegenüber dem besiegten Frankreich durchzusetzen. Am 27. 9. 1940 schloß es mit Dtl. und Japan den Dreimächtepakt ab (→Weltkrieg II).

Die infolge der Niederlagen zunehmende antifaschist. Stimmung der Bevölkerung verschärfte sich (Streiks in Oberitalien, März 1943); am 24. 7. 1943 erklärte sich auch der faschist. Große Rat gegen Mussolini, der vom König verhaftet und gefangengesetzt wurde; mit der Regierungsbildung wurde Badoglio beauftragt, die faschist. Partei wurde aufgelöst. Am 3. 9. schloß Badoglio einen Waffenstillstand mit den Alliierten (verkündet 8. 9. 1943). Die italien. Truppen in den von den Deutschen besetzten Gebieten wurden daraufhin entwaffnet oder gefangengenommen; der König und Badoglio flohen zu den in Sizilien gelandeten Alliierten. Der am 12. 9. von den Deutschen befreite Mussolini trat an die Spitze der auf das dt. Besatzungsgebiet beschränkten *Italien. Sozialrepublik* in Salò (Repubblica Sociale Italiana). In Rom und Oberitalien entstanden Nationale Befreiungskomitees, deren Partisanenformationen die Alliierten hinter der dt. Front unterstützten. Nach der Besetzung Roms durch die Alliierten (4. 6. 1944) trat Badoglio zurück; Humbert II. übernahm als Generalstatthalter die königl. Gewalt. Am 28. 4. 1945 wurde Mussolini von Partisanen ermordet. Mit der Kapitulation der dt. Streitkräfte (29. 4./2. 5. 1945) endete die Sozialrepublik; im Dez. 1945 übernahm schließlich die →Democrazia Cristiana (bis Juni 1953 unter De Gasperi) die Regierung.

Die Republik Italien seit 1946

Durch den Pariser Friedensvertrag (10. 2. 1947) verlor Italien den Dodekanes an Griechenland, Istrien an Jugoslawien; Triest wurde Freistaat. Äthiopien und Albanien erhielten die Unabhängigkeit zurück. Italien mußte auf alle Kolonien verzichten (→Somalien). Durch die Volksabstimmung vom 2. 6. 1946 wurde es Republik; Viktor Emanuel III. dankte am 9. 5. 1946 ab, sein Nachfolger Humbert II. verließ am 13. 6. 1946 das Land. Vorläufiger Staatspräsident wurde E. de Nicola, dem 1948(–55) Einaudi folgte. Nach Stabilisierung der Republik machte der Wiederaufbau der Wirtschaft und die Beseitigung der schwersten Schäden mit Hilfe des Marshallplans rasche Fortschritte; die Regierung de Gasperi konnte bald mit Sozial- und Agrarreformen beginnen. Die ersten Parlamentswahlen hatten den Sieg der Mittelparteien, bes. der Democrazia Cristiana, über den kommunistisch-sozialist. »Volksblock« gebracht (18. 4. 1948). Trotz kommunist. Parlamentsopposition suchte Italien Anschluß an die Westmächte und nahm an den Bestrebungen zur Europ. Integration teil. Nach den Verlusten bei der Wahl vom Juni 1953 geriet die Democrazia Cristiana, obwohl sie mit 261 von 590 Sitzen die größte Partei blieb, in Schwierigkeiten, die wiederholte Regierungskrisen auslösten (Aug. 1953 Kabinett Pella, Febr. 1954 Koalitionskabinette Scelba und, Juli 1955, Segni). Der Streit mit Jugoslawien um Triest wurde im Okt. 1954 durch Teilung des Freistaats beendet. Unter Staatspräsident G. Gronchi (seit April 1955) wurde die Eingliederung in das westliche Vertragssystem fortgesetzt. Das christlich-demokratische Kabinett A. Zoli (Mai 1957 bis Juli 1958) war auf die Unterstützung der Mittelparteien angewiesen. A. Fanfani bildete Juli 1958 ein Kabinett aus Christl. Demokraten und Sozialdemokraten. 1959 wurde Segni MinPräs., März 1960 Tambroni, Juli 1960 Fanfani (christlich-demokrat. Kabinette). Mai 1962 wurde A. Segni Staatspräs. Im April 1963 trat Fanfani zurück. MinPräs. wurde G. Leone (Democrazia Cristiana). Nach dessen Rücktritt wurde Aldo Moro (DC) im Dez. 1963 MinPräs. einer Mitte-Links-Koalition, die bis Mai 1968 bestand. Die Regierungsbildung unter Einschluß der nicht kommunistischen Linksparteien brachte eine größere Regierungsstabilität.

Nach einer DC-Minderheitsregierung unter Leone folgte im Dez. 1968 wieder eine Mitte-Links-Reg. unter M. Rumor (DC). 1969 wurde das Südtirol-»Paket« verabschiedet (→Südtirol). Die Mitte-Links-Koalition, Aug. 1970 – Jan. 1972 unter F. Colombo (DC), wurde von einer Mitte-Rechts-Koalition unter G. Andreotti (DC) abgelöst (Juni 1972 – Juni 1973). Ihr folgte wieder eine Mitte-Links-Koalition unter M. Rumor (Juli 1973 – Okt. 1974). Nov. 1974 – Juli 1976 Minderheitsreg. unter A. Moro (DC, Republ.; seit Febr. 1976 nur DC). Bei den vorzeitigen Neuwahlen vom 20./21. 6. 1976 siegte die DC nur noch sehr knapp vor den Kommunisten. Seit 29. 7. 1976 Minderheitsreg. der DC unter G. Andreotti. Der DC-Vorsitzende Aldo Moro wurde am 16. 3. 1978 von terrorist. »Roten Brigaden« entführt und ermordet (9. 5.). Nach Rücktritt Andreottis und Neuwahlen (Juni 1979: Verluste der KP) folgte ab Aug. 1979 eine DC-Minderheitsreg. unter F. Cossiga.

Staatspräs. Segni trat am 6. 12. 1964 zurück. Nachfolger: 1964–71 G. Saragat, 1971 bis 1978 G. Leone, seit 1978 S. Pertini.

ITALIENISCHE KUNST

Tafeln Seite 216–219

Bestimmend für die i. K. war das in ihr fortwirkende und sich im Lauf ihrer Entwicklung erneuernde antike Erbe, das vor allem durch sie künstlerischer Besitz des Abendlandes wurde. Nachdem sie in ihren Anfängen vom Formengut der Spätantike gezehrt und lange unter byzantin. Einfluß gestanden hatte, erhob sie sich langsam. Seit dem 14. Jh. war sie an den Wandlungen der europ. Kunst oft entscheidend beteiligt, führend in der Renaissance, maßgebend auch noch im Barock, den ital. Künstler geschaffen haben. Erst gegen Ende des 18. Jhs. begann ihre schöpferische Kraft zu erlahmen.

BAUKUNST

Die aus der frühchristl. Kunst hervorgegangene **Romanik** entwickelte sich seit dem 11. Jh. in landschaftlich stark voneinander abweichenden Stilen. Deutschen und burgundischen Bauten verwandt sind die lombardischen Kirchen Oberitaliens, meist kreuzgewölbte Basiliken mit reich gegliederten Schauseiten und Portalen, Bogenfriesen und Tierornamenten (S. Abbondio in Como, S. Ambrogio in Mailand, S. Zeno in Verona, Dome von Modena, Parma, Ferrara). Der antiken Überlieferung verbunden blieben die toskanischen Kirchenbauten, deren Fassaden bes. in Florenz durch farbige Marmorinkrustationen (Baptisterium; S. Miniato, BILD Inkrustation), in Pisa (Dom, beg. 1063) und Lucca durch Säulenarkaden gegliedert sind. In Unteritalien und auf Sizilien kreuzten sich byzantinische, lombardische, normannische und sarazenische Einflüsse (Martorana und Cappella Palatina in Palermo; Dom von Monreale). Byzantinisch ist der Zentralkuppelbau der Markuskirche in Venedig (1063 begonnen).

Die ersten Bauten der **Gotik** waren nach burgundischer Art errichtete Zisterzienserkirchen (Chiaravalle bei Ancona, 1172ff.). Doch setzte sich im 14. Jh. *(Trecento)* bes. in den Kirchen der Bettelorden bald italien. Formwille durch, dem die Auflösung der Mauerflächen widerstrebte und der auch die Horizontalgliederung zu ihrem Recht kommen ließ (S. Francesco in Assisi, S. Maria Novella und S. Croce in Florenz). In italienisch abgewandelter Gotik wurden der Dom von Florenz, die Dome zu Siena und Orvieto mit ihren reichen Schauseiten und der mit einer Fülle dekorativer Formen geschmückte Mailänder Dom erbaut. Zahlreich sind die weltlichen Bauten der italien. Gotik (Rathäuser in Florenz und Siena; Dogenpalast in Venedig).

Die **Frührenaissance** setzte mit dem 15. Jh. *(Quattrocento)* ein. Führend war Florenz, wo Brunelleschi, der Erbauer der noch gotisch bestimmten Kuppel des Doms, den an die Antike anknüpfenden neuen Stil und mit ihm die Baukunst der Neuzeit begründete (S. Lorenzo, Pazzikapelle; S. Spirito). L. B. Alberti, der nächst ihm bedeutendste Baumeister der Zeit, ging auch als Theoretiker von der Antike aus. Michelozzo baute in Florenz den Palazzo Medici, der mit seinen klar gegliederten Rustikafassaden, dem weitausladenden Kranzgesims und den leichten Arkaden des Binnenhofs maßgebend für den Palastbau wurde. In Urbino schuf L. da Laurana den mächtigen Herzogspalast. In der Lombardei entstanden gegen Ende des Jahrhunderts die noch der Frührenaissance angehörenden Bauten Bramantes.

Die **Hochrenaissance** des 16. Jhs. *(Cinquecento)* sammelte alle künstlerischen Kräfte in Rom. 1506 erhielt Bramante den Auftrag für den Neubau der Peterskirche. Sein Entwurf eines ganz in sich ruhenden, alle Teile harmonisch zusammenschließenden Zentralbaus war der vollkommene Ausdruck des Ideals der Renaissance, wurde aber in veränderter Form ausgeführt. Unter den ihm in der Bauleitung folgenden Architekten (Raffael, G. da Sangallo, Peruzzi, A. da Sangallo d. J.) bestand im Widerstreit mit neuaufgekommenen Langhausplänen lange Ungewißheit über die Fortführung des Baus. Michelangelo, der in Florenz die Grabkapelle der Medici und die Biblioteca Laurenziana geschaffen hatte und 1547 Bauleiter von St. Peter geworden war, setzte die Zentralbauidee wieder durch, die er jedoch in abgewandelter, die Nebenräume dem Hauptraum unterordnender Form verwirklichte. Er schuf auch die gewaltige Kuppel, die 1590 nach seinem Tod vollendet wurde. Von den röm. Palastbauten ist der großartigste der Palazzo Farnese (von A. da Sangallo d. J. und Michelangelo). Der führende Baumeister Venedigs war J. Sansovino. Palladio begründete mit seinen in Vicenza und Venedig geschaffenen Bauten die klassizist. Richtung der Spätrenaissance, die vorbildlich für ganz Europa wurde.

Die Baukunst des **Barock** *(Seicento)* begründeten die Bauten Berninis (Petersplatz, 1657ff.) und Borrominis (S. Carlo alle Quattro Fontane, 1634ff.) in Rom. Neben ihnen wirkten C. Rainaldi und Pietro da Cortana (TAFEL Barock I, 1). An Borromini knüpfte G. Guarini in Piemont an, wo die bedeutendsten Bauten der i. K. des 18. Jhs. *(Settecento)* entstanden (Schlösser und Kirchen von F. Juvara; BILD Turin).

Im 19. Jh. zehrte die Baukunst von der Vergangenheit. Jedoch blieb der Einfluß dieser Bewegung, der auch der Architekt A. Sant'Elia angehörte, auf die Architektur gering. Erst 1927, mit dem Auftreten der Gruppe 7 (Libera, Figini, Frette, Larco, Pollini, Rava, Terragni) begann sich die Architektur von der bisherigen eklektischen Einstellung zu lösen. Ganz im Gegensatz zur Haltung des Nationalsozialismus hemmte der Faschismus diese Tendenzen nicht. Einer der besten modernen Bauten aus dieser Zeit ist das ehemal. Haus der faschist. Partei in Como (1932–36) von G. Terragni. In die dreißiger Jahre fällt auch der Beginn der Tätigkeit P. L. Nervis, der heute zu den bedeutendsten Konstrukteuren der Welt zählt. Nachdem sich nach Kriegsende die ital. Architektur zunächst an den klaren Formen Mies van der Rohes inspiriert hatte (Figini, Fiocchi, Pollini; Verwaltungs- und Fabrikgebäude Olivetti, Ivrea, 1948–50), begann sich eine neue Richtung abzuzeichnen, die R. Banham als Neoliberty, d. h. Rückkehr zum Jugendstil, bezeichnet. Ob diese Verallgemeinerung richtig ist, mag dahingestellt bleiben, sicher ist jedenfalls, daß eine Vorliebe für bestimmte Jugendstildetails vorhanden ist, die durch Publikationen gefördert wird. Beispiele hierfür sind die Arbeiten der Architekten R. Gabetti und A. d'Isola. Wesentliche Unterstützung findet die moderne Architektur in Italien durch große Industrieunternehmungen, die – wie Olivetti und Pirelli – führende Architekten mit der Planung ihrer Bauten beauftragen (Verwaltungsgebäude Pirelli, Mailand, 1957–60, Architekten: G. Ponti, A. Fornaroli, A. Roselli, G. Valtolina, E. dell'Orto, Ingenieure: A. Danusso, P. L. Nervi).

Plastik

Die Plastik stand lange unter byzantin. Einfluß. Hauptwerke der Bronzekunst der **Romanik** des 12. Jhs. sind die Domtüren des Barisanus in Trani (um 1175) und des Bonnannus in Pisa (1180) und Monreale (1186). Die ersten großfigurigen Skulpturen schufen Wiligelmus für den Dom in Modena (um 1120) und Antelami für den Dom (1178) und das Baptisterium (1200) in Parma. Gleichzeitig blühte die Zierkunst der →Cosmaten in Rom. Niccolò Pisano knüpfte im 13. Jh. an römische Vorbilder an (Kanzel im Baptisterium zu Pisa, 1260). Mit Giovanni Pisano setzte sich gegen Ende des 13. Jhs. die Gotik durch (Kanzel im Dom zu Pisa), deren bedeutendste Bildhauer in Florenz A. Pisano und A. Orcagna waren.

Ein neuer Wirklichkeitssinn bestimmte die **Frührenaissance** des 15. Jhs. Gotisches Erbe wirkte in den Werken Ghibertis und auch noch in der Kunst Donatellos fort, dessen an röm. Kunst gereifter Realismus dem Willen zu gesteigertem Ausdruck diente. Unter den in Florenz tätigen Bildhauern ragen als Meister farbig glasierter Tonbildwerke Luca und Andrea della Robbia hervor, als Marmorbildhauer die Brüder Rosselino und Desiderio da Settignano, als Bronzeplastiker A. Pollaiuolo und Verrocchio, der das Reiterdenkmal des Colleoni in Venedig schuf. Der bedeutendste Bildhauer außerhalb von Florenz war J. della Quercia in Siena.

Die Plastik der **Hochrenaissance** kann sich an Fülle der Begabungen mit der des Quattrocento nicht messen. In Florenz und Rom arbeitete A. Sansovino. Alle überragte Michelangelo, der über die Renaissance und ihr klassisches Maß weit hinausreichende, leidenschaftliche Spannungen verkörpernde Bildwerke schuf, seine gewaltigen Pläne (Medici-Gräber, Florenz; Grabmal Papst Julius II., Rom) aber meist nur z.T. verwirklichen konnte. Die führenden Bildhauer des **Manierismus** waren in Florenz Giovanni da Bologna und B. Cellini, in Venedig J. Sansovino.

Im **Barock** des 17. Jhs. wurde der die gesamte europ. Plastik bestimmende neue Stil von Bernini in Rom geschaffen (Tafel Barock II, 1). Von seinem Erbe zehrten auch die Bildhauer des 18. Jhs., bis sich gegen Ende des Jahrhunderts mit der Kunst Canovas der **Klassizismus** durchsetzte. Nach ihm erreichte die italien. Plastik erst wieder in der Gegenwart europ. Geltung (M. Marini, G. Manzù). Weiteres →Malerei.

Malerei

In der Zeit der **Romanik** herrschte byzantin. Einfluß vor. Von den Mosaiken gehören die im 12. Jh. auf Sizilien und in Venedig entstandenen eher der byzantinischen als der italien. Kunst an. Der bedeutendste Meister der sich gegen Ende des 13. Jhs. von der starren Überlieferung allmählich lösenden Malerei war Cimabue in Florenz.

Eine neue Epoche begann in der **Gotik** mit den Werken Giottos, der die gesamte neuere italien. Malerei begründete (Fresken der Arena-Kapelle in Padua, um 1305). Zu seinen unmittelbaren Nachfolgern in Florenz gehören Taddeo und Agnolo Gaddi. Gleichzeitig wirkte, der Vergangenheit enger verbunden, Duccio in Siena, wo nach ihm Simone Martini, Pietro und Ambrogio Lorenzetti tätig waren (Tafel Gotik IV, 2). In Pisa entstanden die großen Freskenfolgen des Camposanto (Triumph des Todes u.a.).

Die wirklichkeitsnahe Malerei der **Frührenaissance** kam mit den Fresken Masaccios in Florenz zum Durchbruch (Brancacci-Kapelle, 1426/27). Während Uccello und Castagno die plastisch-räumliche Erscheinung mit den Mitteln der Perspektive realistisch erfaßten, lebte in den Bildern Fra Angelicos noch die Gotik fort. Spätgot. Kräfte verbanden sich mit dem neuen Wirklichkeitssinn in der Kunst Fra Filippo Lippis und seines Schülers Botticelli, neben dem in der 2. Hälfte des 15. Jhs. Ghirlandajo und Filippino Lippi wirkten. Die bedeutendsten Maler außerhalb von Florenz waren in Mittelitalien Piero della Francesca, Melozzo da Forlì, Signorelli, Perugino und Pinturicchio, in Padua Mantegna, in Venedig die Brüder Gentile und Giovanni Bellini und Carpaccio.

Die frühesten Werke der **Hochrenaissance** sind die mit zarter Verschmelzung von Licht und Schatten gemalten Werke Leonardos. Raffael verwirklichte in seinen Fresken (Stanzen des Vatikans) und Tafelbildern (→Sixtinische Madonna) am reinsten das Ideal der Hochrenaissance, das sich in den Fresken Michelangelos (→Sixtinische Kapelle) bereits zu barocken Gestaltungen wandelte. Die Malerei der venezianischen Hochrenaissance ging von Giorgione aus und gipfelte in den Werken Tizians, neben dem vor allem Palma Vecchio zu nennen ist. In Parma war Correggio tätig.

Die Blüte der Hochrenaissance war von

kurzer Dauer. Schon in den 20er Jahren des 16. Jhs. setzte der Wandel zum gegenklassischen Stil des **Manierismus** ein, so vor allem in Florenz bei Pontormo und Bronzino, in Parma bei Parmeggianino. Die ausdrucksstärksten Werke schuf Tintoretto in Venedig (Scuola di S. Rocco), wo gleichzeitig, doch vom Manierismus unberührt, Paolo Veronese wirkte.

Die Malerei des **Barock** entstand an der Wende zum 17. Jh. in Rom. Der Überwinder des Manierismus war Caravaggio, der die in ganz Europa fortwirkende realistische Helldunkelmalerei begründete (Matthäus-Bilder in S. Luigi dei Francesi in Rom, um 1590–98). Die akadem. Richtung der europäischen Barockmalerei ging vor allem von Annibale Carracci und seinen Fresken im Palazzo Farnese in Rom aus (1597–1604). Unter den zahlreichen vor allem in Rom tätigen Malern ragen Domenichino, Guercino, Reni und Pietro da Cortona, der Meister illusionist. Deckenfresken, hervor, in Neapel der Spanier Ribera und S. Rosa.

Im 18. Jh. war in der Malerei Venedig führend, wo Ricci, Piazzetta und Tiepolo, der bedeutendste, auch in Deutschland tätige Meister des italien. **Rokoko**, wirkten (Fresken in der Würzburger Residenz). Venezian. Stadtansichten schufen die beiden Canaletto und Guardi. G. M. Crespi malte in Bologna, A. Magnasco in Genua.

Von den Malern des 19. Jhs. wurde außerhalb Italiens vor allem Segantini bekannt. Zu Anfang des 20. Jhs. suchte der →Futurismus einen neuen Beginn, indem er sich radikal von der Kunst der Vergangenheit abwandte. G. de Chirico war mit seinen »metaphysischen« Bildern an der Entstehung der surrealistischen Malerei entscheidend beteiligt, griff aber auch wie der ihm zeitweilig nahestehende C. Carrà auf die herbe Sachlichkeit frühitalienischer Meister zurück.

Dem offiziellen Klassizismus des Novecento, einer Ausstellungsgemeinschaft von Malern und Bildhauern, die unter dem Protektorat Mussolinis stand, der jedoch bedeutende Künstler wie M. Sironi, M. Campigli, F. Casorati, C. Carrà, G. Morandi angehörten oder nahestanden, stellten sich in den 30er Jahren die in Paris geschulten Vertreter der geometr. Abstraktion entgegen, vor allem M. Radice, L. Veronesi, A. Soldati, A. Magnelli, O. Licini. Sie wurden zwar nicht geächtet oder verboten, aber als »unitalienisch« kritisiert. Nach 1945 entfaltete sich wie in allen westl. Ländern die abstrakte Malerei und Plastik zu überraschender Variationsbreite. Neben die auf Klarheit des Bildbaus bedachten Älteren traten bald auch freier gestaltende Kräfte und seit etwa 1950 verschiedene Spielarten des Tachismus, der bes. in der nuklearen Kunst surrealist. Elemente und neodadaistische Praktiken der Materialmontage aufnahm (E. Baj, A. Burri, G. Dova, R. Crippa, M. Persico, L. Spazzapan, E. Scanavino u. a.). – Lyrische Abstraktion als malerische Handschrift oder rhythm. Zeichensetzung vertreten R. Birolli, G. Capogrossi, A. Corpora, G. Santomaso, G. Meloni, E. Vedova. Eine Schlüsselfigur am Schnittpunkt verschiedener Stiltendenzen ist als Maler wie als Bildhauer L. Fontana (Spazialismo). – In der Plastik behaupten sich die neuen Konzeptionen in breiter Front: C. Capello, P. Consagra, B. Lardera, A. Viani, die Brüder A. und G. Pomodoro.

LIT. H. Willich u. P. Zucker: Baukunst der Renaissance in Italien (1921 ff.); W. v. Bode: Italien. Plastik ([6]1922); K. Escher: Die Malerei der Renaissance in Mittel- u. Unteritalien (1923); H. Wölfflin: Die klass. Kunst ([7]1924); ders.: Renaissance u. Barock ([4]1926); G. Vitzthum u. W. F. Volbach: Malerei u. Plastik des Mittelalters in Italien (1925); E. v. der Bercken: Malerei der Renaissance in Oberitalien (1927); M. Dvořák: Gesch. der i. K. im Zeitalter der Renaissance, 2 Bde. (1927/28); N. Pevsner: Barockmalerei in den roman. Ländern (1928); A. E. Brinckmann: Barockskulptur ([3]1931); B. Berenson: Die italien. Maler der Renaissance (1952); R. Oertel: Die Frühzeit der italien. Malerei (1954); P. Nestler: Neues Bauen in Italien (1954); B. Degenhart: Italien. Zeichner der Gegenwart (1956); G. Ballo: Italien. Malerei vom Futurismus bis heute (1958); W. Braunfels u. E. Peterich: Kleine italien. Kunstgeschichte (1960); H. Keller: Die Kunstlandschaften Italiens (1965); Kunst in Italien, hg. v. G. Dogo (1975).

ITALIENISCHE LITERATUR

Die i. L. beginnt später als die Literatur der anderen roman. Länder, da die Kenntnis und der Gebrauch des Lateins in Italien länger lebendig blieben (ZEITTAFEL Europäische Literatur, Kunst, Musik).

Dugento (13. Jh.). Die provenzal. Troubadourdichtung wurde im 12. Jh. in Oberitalien in provenzal. Sprache nachgeahmt. Erst am Hofe Friedrichs II. in Palermo dichtete man in der Vulgärsprache *(Sizilianische Schule)*. Die Form des *Sonetts* ist wahrscheinlich eine Neuschöpfung dieser Schule. Fast gleichzeitig entstanden in Umbrien die ersten Ansätze religiöser Volksdichtung (Sonnengesang des Franziskus von Assisi, geistl. Lobgesänge des Jacopone da Todi). Nicht zuletzt durch die tiefgreifenden polit. Verschiebungen (Ende des Stauferreichs) wurde die sizilian. Dichterschule von nord- und mittelital. Lyrikern abgelöst, die in Bologna und in der Toskana (Guittone d'Arezzo) eine neue Richtung der Liebesdichtung einführten *(dolce stil nuovo)*: Guido Guinizelli, Cino da Pistoia, Guido Cavalcanti und Dante. Die Minneauffassung der Provenzalen wurde dabei von einer platonisierenden, intellektuell-mystischen Konzeption der Liebe abgelöst. Die realist. Wesensart der Italiener wandte sich gegen diese Dichtung in den frechen Sonetten eines Cecco Angiolieri. Die *rhetorisch-didaktische Dichtung* ist vor allem vertreten durch Bonvesin de la Riva, Giacomino Veronese und Brunetto Latini. Die Prosa besteht meist aus Übertragungen aus dem Lateinischen und Französischen. Auch die ital. *Novellistik* hat ihre Anfänge bereits in dieser Zeit mit dem *Novellino* (auch *Cento Novelle* genannt).

Im **Trecento** (14. Jh.) erreicht die i. L. bereits ihren Höhepunkt mit dem Dreigestirn Dante, Petrarca, Boccaccio. Dantes Gedichte (»Rime«) fußen noch in der Schule des dolce stil nuovo. Seine ›Divina Commedia‹ ist in ihrer Universalität ein Höhepunkt der abendländ. Dichtung. Der italien. Sprache hat Dante jenen Ausdrucksreichtum gegeben, der Petrarca erst seine Gefühls- und Gedankenlyrik *(Canzoniere, Trionfi)* ermöglichte. Petrarca ist auch Wegbereiter der Neubelebung der klass. Studien (→Humanismus). Der Toskaner Giovanni Boccaccio schuf mit seiner Novellensammlung ›Il Decamerone‹ die *italien. Kunstprosa* und ist bis heute Vorbild dieser literar. Gattung geblieben. Die wichtigsten Vertreter der *lehrhaften Dichtung* im Trecento sind Cecco d'Ascoli, Francesco da Barberino und Fazio degli Uberti, während die *Geschichtschreibung* ihre bedeutenden Anfänge mit Dino Compagni und Giovanni Villani nahm. Unter den Prosaisten ragt Franco Sacchetti mit seinen 300 Novellen hervor. Einfluß auf die Ausbildung der Prosa gewannen die religiösen Schriften des Jacopo Passavanti, des Domenico Cavalca und der Katharina von Siena.

Das **Quattrocento** (15. Jh.) gehört in seiner 1. Hälfte fast ganz den Humanisten. Durch ihren Einfluß wurde das Schrifttum in italien. Sprache zeitweise zugunsten des Lateins zurückgedrängt. In der 2. Hälfte des Jahrhunderts wurde Florenz unter Lorenzo de' Medici Zentrum der Kunst und Dichtung, zugleich Sitz der Akademie (Neuaufnahme der Plato-Studien durch Marsilio Ficino). In Neapel gab Antonio Beccadelli, genannt Panormita, die Anregung zur Gründung der dortigen Akademie, die dann Giovanni Pontano als Latinist leitete. Die größten Dichter in der Vulgärsprache waren neben Lorenzo de' Medici bes. Angelo Poliziano, dessen ›Orfeo‹ das erste weltl. Schauspiel ist, und später Jacopo Sannazaro, der mit dem Versroman ›Arcadia‹ Vorbild für die ganze *Hirtendichtung* wurde. Andrea da Barberinos Bearbeitungen französ. Ritterepen (›Reali di Francia‹) führten zur Wiederbelebung des höfischen Epos, allerdings in romantisch-ironischem Gewande (L. Pulci ›Il Morgante‹, und M. Bojardo ›Orlando innamorato‹). Die größten Vertreter der Prosa sind neben den Historikern (Vespasiano da Bisticci) vor allem M. Palmieri, L. Bruni und Leon Battista Alberti mit seinem Buch ›Della Famiglia‹, das eines der wichtigsten kulturhistor. Dokumente für das 15. Jh. darstellt. Leonardo da Vinci ist der erste große wissenschaftl. Prosaist. Die religiöse Dichtung bildete die Lauden des Trecento zu *geistl. Schauspielen (sacre rappresentazioni)* um, während die religiöse Prosa sich in den Predigten des San Bernardino da Siena und des G. Savonarola formt. Aus dem Rahmen fällt die skurrile Dichtung des Domenico di Giovanni, genannt Burchiello, des Schöpfers der *poesia burchiellesca.*

Das **Cinquecento** (16. Jh., Hochrenaissance) brachte den endgültigen Sieg der Vulgärsprache über das Latein und zugleich einen neuen Höhepunkt der i. L. Durch den glänzenden Stilisten P. Bembo erhielt die italien. Schriftsprache ihre Weihe. Durch seine einseitige Nachahmung Petrarcas begründete Bembo den *Petrarkismus*, der großen Einfluß auf die europ. Dichtung gewann. Von dieser ganz das Formale betonenden Lyrik heben sich eigenwillig Michelangelo Buonarroti und auch einige Dichterinnen ab (V. Colonna, G. Stampa, V. Gambara). Die burleske Lyrik fand ihren Meister in F. Berni *(genere bernesco)*. Das *Ritterepos* erreichte mit L. Ariostos ›Orlando Furioso‹ (1516–32) seine höchste Form. Tassos ›Gerusalemme Liberata‹ (1581) hat bereits Kennzeichen der geistigen Haltung der Gegenreformation. Tassos ›Aminta‹ (1573) und G. Guarinis ›Pastor Fido‹ (1590) brachten die Gattung des *Schäfergedichtes* zu europ. Bedeutung. Die lehrhafte Poesie ist bes. durch L. Alamanni und G. Rucellai vertreten, während Teofilo Folengo im ›Baldus‹ (1517) in einer seltsamen Sprachmischung von Latein und Italienisch *(makkaronisches Latein)* die Ritterepen parodierte. Erst im 16. Jh. entsteht die erste italien. *Tragödie* (G. Trissino ›Sofonisba‹, 1515). Weit größeren Widerhall fanden die zuerst den antiken Autoren nachgebildeten Lustspiele, insbesondere N. Machiavellis ›Mandragola‹ und Bernardo Bibbienas ›Calandria‹. Die von oberitalienischen Schauspielern geschaffene possenhafte Stegreifkomödie *(Commedia dell'arte)* fand Bewunderer in ganz Europa. Auch in der Prosa erreichen alle Gattungen neue Höhepunkte. Die *Novellistik* ist vertreten vor allem durch M. Bandello, A. F. Grazzini, G. Giraldi und G. F. Straparola. Aus der fast unübersehbaren Traktat- und Dialog-Literatur der Zeit hebt sich B. Castigliones ›Libro del Cortegiano‹ (1528) hervor. G. Vasaris Lebensbeschreibungen großer Künstler und B. Cellinis Selbstbiographie bieten reiches kulturgeschichtl. Material. Mit Pietro Aretino wird die Polemik zum Beruf. Das neue Geschichtsbewußtsein fand seinen Ausdruck vor allem im Werk N. Machiavellis, dessen ›Principe‹ die moderne Staatslehre eröffnet. Ein Meister des Briefstils war A. Caro.

1

2

3

4

1 *S. Miniato al Monte in Florenz (11./12. Jh.).* **2** *Chor des Doms von Florenz mit der Kuppel (1436 von Brunelleschi vollendet) und dem Campanile (1334 von Giotto begonnen).* **3** *St. Peter in Rom, Chor und Kuppel von Michelangelo.* **4** *Bernini: Daniel, 1656/57 (S. Maria del Popolo in Rom)*

1

2

3

1 *Michelangelo: Moses am Grabmal von Papst Julius II., um 1515 (S. Pietro in Vincoli in Rom).* 2 *Michelozzo: Palazzo Medici in Florenz (1444–60).* 3 *Borromini: Hof der ehemaligen Universität mit der Kirche S. Ivo in Rom (1642–61)*

1

2

3

4

1 *Caravaggio: Matthäus mit dem Engel, um 1498 (Rom, S. Luigi dei Francesi).* **2** *Tizian: Dornenkrönung Christi, 1570/71 (München, Alte Pinakothek).* **3** *Michelangelo: Aus dem Fresko ›Die Sintflut‹, 1508/09 (Sixtinische Kapelle im Vatikan).* **4** *Raffael: Platon und Aristoteles, aus dem Fresko ›Die Schule von Athen‹, 1509 (Stanza della Segnatura im Vatikan)*

1

2

3

4

1 *Tintoretto: Auferstehung Christi, 1576–81 (Venedig, Scuola di S. Rocco).* **2** *Annibale Carracci: Merkur reicht Paris den Apfel, 1595–1604 (Rom, Palazzo Farnese).* **3** *Sacchi: Der hl. Romuald erzählt die Vision der Himmelsleiter, um 1640 (Rom, Vatikan. Pinakothek).* **4** *Tiepolo: Allegorie Amerikas, aus dem Deckenfresko im Treppenhaus der Würzburger Residenz (1750–53)*

Seicento (17. Jh.). Schon gegen Ende des Cinquecento kündete sich jene Epoche des Prunks und der Rhetorik an, die man als *Barock* bezeichnet. Gleichzeitig entwickelte sich aber auch eine wissenschaftl. Prosa, die ihren ersten Meister in Galilei fand. Auf ähnlicher Ebene stehen P. Sarpis ›Storia del Concilio di Trento‹, die philosoph. Schriften G. Brunos und die T. Campanellas (1568–1639). Das Jahrhundert steht unter dem Druck der span. Besatzung und unter dem der kirchl. Zensur und der Sprachzensur der *Accademia della Crusca.* Die Dichtung nahm durch das Versepos ›Adone‹ (1623) des G. Marino eine Wendung zum Prunkhaften und raffiniert Spitzfindigen; dieser *Marinismus* wurde zu einer literar. Strömung. Die Gründung der *Accademia dell'Arcadia* in Rom (1699) war eine Reaktion auf diese übersteigerten Formen des Ausdrucks, die durch anakreontische Hirtendichtung abgelöst wurden. Unter franz. und span. Einfluß entstanden auch in Italien der Heldenroman und der *Schäferroman.* Eines der bleibenden Werke der Zeit ist G. Basiles Märchensammlung in neapolitan. Dialekt (›Pentamerone‹). Tassos ›Gerusalemme liberata‹ folgten viele heroischkomische Versepen: A. Tassoni ›La secchia rapita‹ (1622), F. Bracciolini ›Lo Scherno degli Dei‹ und N. Forteguerri ›Il Ricciardetto‹.

Das **Settecento** (18. Jh.) nimmt teil an den Formen der europ. Aufklärung, vor allem in Norditalien, wo der franz. Einfluß außerordentlich stark war (Abbé Galiani). Ein eigenwilliges Werk entstand in der ›Scienza Nuova‹ von G. B. Vico. Gaspare Gozzi begründete mit seinen Wochenzeitschriften den italien. Journalismus. Erst mit G. Parinis Satiren kam ein neuer Geist in die Poesie. Die wesentlichsten Leistungen des 18. Jhs. liegen im Bereich des Theaters und der Oper. Scipione Maffeis Tragödie ›Merope‹ ist dem griech. Drama nachgebildet. Nach dem Vorbilde Molières schuf C. Goldoni die italien. Charakterkomödie. V. Alfieri schrieb ein Tragödienwerk, das die Romantik vorausahnen läßt. Die Märchenspiele des Carlo Gozzi, zur Verteidigung der Stegreifkomödie geschrieben, inspirierten die deutschen Romantiker. P. Metastasio reinigte den Operntext von aller Überladenheit.

Ottocento (19. Jh.). Die Literatur wurde einstimmig Vorkämpferin des Gedankens der nationalen Einigung. Die Dichter V. Monti und U. Foscolo leiten bereits zur italien. Romantik über. Foscolos Briefroman ›Le ultime lettere di Jacopo Ortis‹ (nach Goethes ›Werther‹ konzipiert) und seine literarkrit. Schriften machen ihn zu einem der größten Vertreter der i. L. des 19. Jhs. G. Berchet vermittelte Italien in seinen Gedichten und theoret. Arbeiten die deutsche romant. Dichtung. Das Haupt der romantischen Schule wurde A. Manzoni mit seinen geistlichen Hymnen, seinen Tragödien, vor allem aber mit dem Roman ›I promessi sposi‹ (1827). Klassische Formstrenge und romantisches Lebensgefühl vereinigen sich in der einzigartigen Dichtung G. Leopardis. Der romant. Roman ließ alle Jahrhunderte der italien. Vergangenheit zu neuem Leben erstehen (T. Grossi, M. d'Azeglio, F. D. Guerrazzi, C. Cantù, I. Nievo). Die satirische Dichtung trat ebenfalls in den Dienst der Politik (G. Giusti). Die Dialektdichtung blühte überall auf (C. Porta, G. Belli). Zu den Vorbereitern der nationalen Einigung gehört der Philosoph V. Gioberti mit seinem Werk ›Del primato morale e civile degli Italiani‹ (1843). Das größte Werk der romant. Literarkritik ist die ›Storia della letteratura italiana‹ (1870/71) von F. de Sanctis.

Die 2. Hälfte des Jahrhunderts wird in der Lyrik von G. Carducci beherrscht. Ein ganzer Kreis von Dichtern schulte sich an ihm, während G. Pascoli in musikalisch kunstvollen Versen eine neue Art ländlich-idyllischer Dichtung schuf. Die letzten Dezennien des Jahrhunderts sind bes. reich an Romanschriftstellern und Novellisten. A. Fogazzaro ist der Schöpfer des psycholog. Romans. E. de Amicis errang mit seinen Reise- und Jugendbüchern Erfolg. Alle überragt die Erzählkunst G. Vergas, des Begründers des Verismus. Eine große Zahl von Romanciers steht in seinem Gefolge, bes. A. Panzini, A. Beltramelli, L. d'Ambra, Grazia Deledda, A. Vivanti, L. Pirandello. Letzterer wurde auch vor allem durch seine eigenwilligen Dramen bekannt. Die stets lebendige Dialektdichtung hat ihre bedeutendsten Vertreter in R. Fucini, Trilussa und S. di Giacomo. Die Generation um 1900 stand ganz unter dem Einfluß G. d'Annunzios; sein Werk ist dem franz. Symbolismus in vielem verpflichtet.

Neueste Zeit. In den Jahren vor dem 1. Weltkrieg ging von Italien (F. T. Marinetti) der →Futurismus aus. In der Lyrik ist bis in die jüngste Zeit eine Strömung maßgebend, die dem franz. Symbolismus und Surrealismus verwandt ist und sich selbst wegen der oft gewollt dunklen Aussage als »hermetisch« bezeichnet (Hermetismus; G. Ungaretti, U. Saba, E. Montale). Der Lyriker S. Quasimodo erhielt 1959 den Nobelpreis, E. Montale 1975. Italien. Erzähler, R. Bacchelli, G. A. Borgese, A. Palazzeschi, A. Papini u. a., sind durch Übersetzungen auch in der übrigen Welt bekannt geworden. Ähnlich wie im neorealist. Film wurde in vielen Romanen nach dem 2. Weltkrieg die Wirklichkeit schonungslos dargestellt, so in den Romanen von A. Moravia und C. Pavese und den insbes. sozialen Fragen gewidmeten Büchern von V. Pratolini, C. Levi, C. Alvaro, I. Silone und D. Buzzati. Großen Erfolg errangen die Bücher von C. Malaparte und G. Guareschi sowie die Romane von A. de Céspedes. Zu dieser dem Journalismus nahestehenden Gruppe gehören auch die großenteils zeitsatir. Veröffentlichungen von E. Vittorini, I. Montanelli, G. Piovene und L. Longanesi. In jüngster Zeit war ein Welterfolg der Roman von G. Tomasi di Lampedusa ›Der Leopard‹ (1958). Einen starken Auftrieb erhielt das Theater durch U. Betti, D. Fabbri u. a. Unter den Literarkritikern sind, nach dem vielseitigen Lebenswerk B. Croces, vor allem G. de Robertis, G. Pasquali, P. Pancrazi, A. Momigliano, L. Russo und F. Flora zu nennen.

LIT. G. Casati: Dizionario degli scrittori d'Italia (1932 ff.); Dizionario letterario Bompiani, 9 Bde. (1949–52); F. De Sanctis: Storia della lett. ital., 2 Bde. (1870/71, letzte Ausg. 1940; dt. 2 Bde., 1941); Storia dei generi letterari italiani (versch. Verf., 17 Bde., 1930–53); A. Momigliano: Storia della lett. ital. (Messina [3]1938); A. Pompeati: Storia della lett. ital., 4 Bde. (1950); F. Flora: Storia della letteratura ital., 5 Bde. (1950); B. Croce: Letteratura della Nuova Italia, 4 Bde. ([4]1952 ff.). – K. Vossler: Italien. Literaturgeschichte ([5]1948); A. Buck: Italien. Geistesgeschichte (1947); R. Palgen: Geschichte der i. L. (1949); G. Rohlfs: Romanische Philologie, 2 (1952; mit ausführlicher Bibliographie). Italien. Geisteswelt von Dante bis Croce, hg. v. J. v. Stackelberg (1954); F. Flora: Storia della letteratura italiana, 5 Bde. (1956).

H.-W. Wittschier: Die i. L. (1976).

ITALIENISCHE MUSIK

Während der Musik des Nordens die Mehrstimmigkeit, der konstruktive Bau eigen ist, ist in allen Zeitstilen der i. M. die sangbare Melodie, auch in der Instrumentalmusik, vorherrschend. So wurde der Belcanto zum Kennzeichen der i. M. Entsprechend ihrer gesanglichen Grundhaltung waren die größten Meister der i. M. Vokalkomponisten: Palestrina, Monteverdi und Verdi.

Bereits die frühchristliche, auf italien. Boden erblühte Musik beruht auf der einstimmig gesungenen Melodie, dem Gregorianischen Choral. Um 1000 entstanden die Anfänge der abendländ. Notenschrift und die Grundlagen des Gesangsunterrichtes (Guido von Arezzo). Um 1300 bildete sich, vor allem in Florenz, die Ars nova heraus, eine mehrstimmige weltliche Liedmusik, in den Hauptformen Madrigal, Ballata, Caccia. Ende des 15. Jhs. erneuerte sich die i. M. aus dem Geist der volkstüml. Liedmusik, der Frottola. Madrigal, Villanelle, Kanzonette, die Kirchenmusik mit 2 Chören und die Instrumentalmusik erlebten eine dem übrigen Europa weit voraneilende Entwicklung. Der Stimmungsgehalt der Dichtungen wurde gestaltet mit tonmalerischen Zügen, sinngemäßer Wortvertonung und chromatisch bereicherten Klängen. Die ersten Hauptmeister sind: Willaert, Zarlino, der Vater der neueren, auf dem Dreiklang aufgebauten Harmonielehre, Andrea Gabrieli in Venedig, Marenzio, Vicentino, Gesualdo di Venosa. Es entstand die erste selbständige Instrumentalmusik in den fugenartigen Formen Ricercare und Fantasia, denen sich wenig später Präludium und Tokkata hinzugesellten. Auch in dieser Instrumentalmusik führte die von Willaert gegründete venezian. Schule. Noch weiter aber reichte der Einfluß dieser Schule in der Kirchenmusik, deren Hauptmerkmal die Mehrchörigkeit ist (Giovanni Gabrieli). Dagegen wurde die päpstl. Kapelle Roms der Mittelpunkt einer von allem weltl. Beiwerk gereinigten A-cappella-Kunst. Palestrina schuf mit seinen Messen und Motetten die vorbildlichen Werke der Kirchenmusik, die die kontrapunktische Mehrstimmigkeit mit dem neuen harmonischen Empfinden verschmolz. Ende des 16. Jhs. entstand in Florenz die Kunstform der Oper auf der Grundlage eines neuen Gesangsstils, der Monodie, die den aus der Sprache abgeleiteten Einzelgesang mit einfacher harmonischer Akkordbegleitung entwickelte. Die ersten Vertreter sind Peri (›Dafne‹, 1594) und Caccini. Eine entscheidende Wendung brachte Monteverdi: er gab dem Orchester größeren Anteil am Ganzen, vertiefte den Ausdruck und bereicherte den Gesang. Chorsätze und liedartige Formen drangen in die Oper ein; gegenüber dem Sprechgesang entstand die in sich geschlossene reine Gesangsform der generalbaßbegleiteten Arie. Die Nachfolger Monteverdis, der Venedig zum Mittelpunkt der neuen Gattung erhob, waren Cavalli und Cesti. Allmählich eroberte sich die Oper ganz Italien und Europa.

Ähnlich wie die Oper entwickelten sich auch die übrigen Gesangsmusikformen. Aus der Motette wurde die kirchl. Kantate, als kirchl. Gegenstück zur Oper entstand das Oratorium (Cavalieri, Carissimi); die Kammerkantate und das Kammerduett lösten das Madrigal ab. Nicht minder umstürzend wirkte sich der Generalbaßstil in der Instrumentalmusik aus: Kirchen- und Kammersonate. Von großer Bedeutung ist der Orgelmeister Frescobaldi. In der ersten Hälfte des 18. Jhs. erblühten die neuen Formen zur vollen Reife. Die weltbeherrschende neapolit. Oper mit Alessandro Scarlatti, Durante, Jomelli, Piccini, Pergolesi, Paisiello, Cimarosa entwickelte sich immer mehr nach der Seite melodischer Schönheit und Gesangskunst; aus ihr entstand auch die Buffooper, auf der Mozart und die Vertreter der franz. komischen Oper aufbauten. In der Instrumentalmusik herrschte die dem kantablen Melos bes. zugängliche Geige vor. Concerto grosso, Kirchen- und Kammersonate, Violinsonate und Violinkonzert erhielten durch Corelli, dall'Abaco, Vivaldi, Tartini ihre Weltgeltung. Hauptmeister der Klaviersonate war Domenico Scarlatti. Die italien. Oper behielt bis ins 19. Jh. hinein ihre Vormachtstellung: Rossini, Bellini, Donizetti, Spontini. Die überragende Erscheinung in der zweiten Hälfte des 19. Jhs. war Verdi (1813–1901), der größte Dramatiker unter den italien. Opernkomponisten. Den Verismo vertraten Mascagni, Leoncavallo, ferner Puccini, der auch Anregungen des franz. Impressionismus verwertete. Der Hauptmeister der neuen Kirchenmusik ist Perosi.

Die Wandlungen der Musik seit dem Ende des 19. Jhs. griffen auch auf die i. M. über und ließen die im 19. Jh. in den Hintergrund getretene reine Instrumentalmusik wieder an Bedeutung gewinnen. Respighis († 1936) Werke weisen impressionist. Züge auf. Eine Synthese zwischen der Moderne und der Vergangenheit erstreben Pizetti, Malipiero und Casella († 1947). Der Übergang von L. Dallapiccola zur Zwölftontechnik (um 1940) stellt einen Wendepunkt in der i. M. dar: er ist eine endgültige Abkehr von dem bis dahin herrschenden, betont nationalen Traditionalismus. Diese Entwicklung wird auch durch das neuere Schaffen von G. Petrassi (* 1904) und M. Peragallo (* 1910) bestätigt. An der Entfaltung der →seriellen Musik haben B. Maderna (* 1920) und L. Nono (* 1924) entscheidenden Anteil: die Uraufführung von Nonos ›kanonischen Variationen‹ für Orchester 1950 in Darmstadt leitete eine neue Ära ein. B. Maderna hat als erster Komponist auf Tonband aufgenommene Klänge mit instrumentalen kombiniert (Musica su due dimensioni, 1952). Seit 1956 besitzt auch der Mailänder Sender ein eigenes Studio für elektronische Musik, das von dem Komponisten L. Berio (* 1925) geleitet wird.

LIT. H. Goldschmidt: Studien zur Gesch. der italien. Oper im 17. Jh., 2 Bde. (1901–04); G. Cesari in: Hb. der Musikgesch., hg. v. G. Adler ([2]1930); A. Einstein: The Italian madrigal, 3 Bde. (New York 1947); K. Ph. Bernet Kempers u. M. G. Bakker: Italian Opera (Stockholm 1950).

---

itali'enische Philosophie. In Italien vor allem wurde im MA. das philosophische Lehrgut des Altertums dem Abendland überliefert. Bedeutende Vertreter der Scholastik hatten hier ihre Heimat (Bonaventura, Thomas v. Aquino). Eine eigentlich i. P. setzte im Humanismus und in der Renaissance ein. Zunächst suchte man die alte griech. und röm. Philosophie zu erneuern. M. Ficinus übersetzte Platons Werke. Um ihn bildete sich die ›Platonische Akademie‹. Seinen Vorlesungen wohnten auch ausländ. Gelehrte bei, so Reuchlin, so Engländer, die die griech. Sprache und die Kenntnis Platons nach Oxford brachten. Neben dieser neuplatonisch-christlichen Richtung, die bis zu Pico della Mirandola reichte, entwickelte sich auch eine naturalistische Interpretation des Aristoteles (Pietro Pomponazzi). Im 16. Jh. entfaltete sich eine Naturphilosophie, die sich immer stärker in Gegensatz zur scholastischen Metaphysik und zur Lehre der röm.-kath. Kirche stellte. Leonardo da Vinci faßte als erster den modernen Begriff des Experiments und wandte ihn in seinen naturwissenschaftl. Untersuchungen an. Die wissenschaftliche Grundlage zur Befreiung von den mittelalterl. Denkformen gab Galileo Galilei; er führte zum modernen kosmologischen Weltbild sowie zur Natur-Metaphysik der Renaissance (G. Cardano, A. Cesalpino, B. Telesio, T. Campanella). Die Probleme der Metaphysik der Natur wie auch die der humanist. Bestrebungen erreichten ihren höchsten Ausdruck in den Werken des Giordano Bruno. Gleichzeitig mit diesen Richtungen trat das Politische als Problem in den Vordergrund. Für Machiavelli ist Politik die Analyse und Ausnutzung der menschlichen Leidenschaften. Im 18. Jh. brachte Italien den ersten bedeutenden neuzeitlichen Geschichtsphilosophen hervor: G. B. Vico.

Eine selbständige i. P. trat dann erst wieder gegen Mitte des 19. Jhs. auf; sie brach mit der im Humanismus und der Renaissance wurzelnden Tradition und knüpfte mit A. Rosmini und V. Gioberti an Kant, mit B. Croce und G. Gentile an Hegel an. Nach dem 2. Weltkrieg ist die Neuscholastik (C. Ottaviano u. a.) wieder mehr hervorgetreten, insbesondere jedoch ein christlicher Spiritualismus, dessen Vertreter vielfach von Gentile herkommen wie A. Carlini, A. Guzzo, F. Battaglia, M. F. Sciacca. Einer der wenigen Vertreter des Existenzialismus ist N. Abbagnano; ein einflußreicher Rechtsphilosoph ist G. del Vecchio.

itali'enischer Salat, Salat aus feingeschnittenem Fleisch, Fisch, Gemüse und Gewürzen.

itali'enische Sprache, die Landessprache Italiens, ebenso im Tessin und in Teilen Graubündens. Italienische Dialekte werden auf Korsika, in Istrien und z. T. im nördl. Dalmatien längs der Küste gesprochen. Unter den romanischen Sprachen hat die i. S. den latein. Ursprung am reinsten bewahrt. Die jahrhundertelange polit. Zerrissenheit Italiens förderte die Eigenentwicklung der Dialekte. Die Mundarten bestehen aus 3 Hauptgruppen: 1) den süd- und mittelitalienischen Mundarten (mit Sizilien); 2) dem Toskanischen (mit den korsischen Dialekten) und dem Römisch-Umbrischen; 3) der oberitalienischen, gallo-italienischen Gruppe (Piemont, Lombardei, Emilia, Ligurien und Venetien). Das Sardische wird als selbständige romanische Sprache betrachtet, das Furlanische und das Zentralladinische werden dem Rätoromanischen zugeteilt.

Das Lateinische herrschte in Italien länger als Amtssprache als in Frankreich; so entwickelten sich die italien. Mundarten verhältnismäßig spät zur Schriftsprache. Durch den Einfluß Dantes, Petrarcas und Boccaccios errang das Toskanische und insbes. das

Florentinische im Trecento (14. Jh.) den Sieg über alle anderen Dialekte. Im Cinquecento (16. Jh.) ging es um die Frage, ob die Sprache des Trecento (Dante, Petrarca, Boccaccio) oder das gesprochene Toskanisch als Norm für die Schriftsprache gelten sollte. Das Wörterbuch der Accademia della Crusca (1612) entschied endgültig für das gesprochene Toskanisch.

LIT. G. Rohlfs: Histor. Grammatik der i. S., 3 Bde. (Bern 1949–54); Konversationsgrammatiken von A. Mussafia (G. Ressmann: Der neue Mussafia, [10]1960), G. Sacerdote, C. M. Sauer (1955), E. Levi, J. Macchi, M. Alani (1955). – Vocabolario degli Accademici della Crusca ([5]1863 ff.); H. Michaelis: Prakt. Wörterbuch der italien. und dt. Sprache, 2 Tle. ([21]1932); F. Palazzi: Novissiomo dizionario della lingua italiana (Mailand 1939); O. Bulle und G. Rigutini: Italien.-dt. und dt.-italien. Wb., 2 Bde. ([9]1939); P. Stoppani: Italien. Taschenwb. (1954); G. Sacerdote-W. Ross: Langenscheidts italien.-dt. Taschenwb. (1960).

Italienisch-Ost-Afrika, italienisch *Africa Orientale Italiana*, das 1936–41 bestehende italienische Vizekönigreich (→Äthiopien, Geschichte).

Italienisch-Somaliland, →Somalien.

It'aliker, eine Gruppe indogermanischer Völker, die gegen Ende des 2. Jahrtausends v. Chr. in Italien einwanderte. Unterschieden werden eine ältere Schicht mit Totenverbrennung und eine jüngere mit Erdbestattung. Sprachlich unterscheidet man die latinisch-faliskische von der oskisch-umbrischen Gruppe (→italische Sprachen).

Itali'oten, Städtebund unteritalischer Griechen im 4. Jh. v. Chr. zur Abwehr der Stämme des Hinterlandes.

it'alisch, zum antiken Italien gehörend, im Unterschied zu **italienisch.**

it'alische Sprachen, eine Gruppe der indogermanischen Sprachen, die im Altertum in Italien beheimatet war; die Grundform, das nur zu erschließende Ur-Italische, hat enge Beziehungen zum Keltischen, mit dem es wohl in vorgeschichtl. Zeit eine sprachl. Einheit bildete (Italo-Keltisch). Die i. S. bestanden aus zwei Gruppen: 1) latinisch-faliskische Gruppe mit den Dialekten von Latium, der Stadt Falerii in Etrurien und der Sikuler; zu weltgeschichtl. Bedeutung gelangte die →lateinische Sprache, die Sprache der Stadt Rom, die mit der Ausbreitung der röm. Herrschaft über ganz Italien alle anderen i. S. verdrängte. 2) oskisch-umbrische Gruppe mit den Mundarten der Samniten (Osker) in Samnium, Kampanien und Lukanien und den Mundarten der Umbrer in Umbrien.

Itati'aia, früher **Itatiaya,** Bergstock in Brasilien mit dem Agulhas Negras, 2787 m. Das Hochgebiet ist Naturschutzpark.

Itaz'ismus [Kw.], →griechische Sprache.

It'elmen, eigener Name des sibirischen Volkes der Kamtschadalen.

'item [lat.; spätes MA.], **1)** ebenso. **2)** ferner. **Item** *das*, † Weiteres; Fragepunkt (Angelegenheit).

'Ite, m'issa est [lat. ›Gehet, es ist die Entlassung‹], die Entlassungsworte des Priesters am Schluß der kath. Messe.

Iterati'on [lat.], Verfahren zur Auflösung einer auf die Form $x = f(x)$ gebrachten Gleichung. Man geht aus von einer Größe x_0, die mittels $x_1 = f(x_0)$ eine Größe x_1 ergibt, diese wieder mittels $x_2 = f(x_1)$ eine Größe x_2 usw. Unter bestimmten Voraussetzungen hat die Folge $x_0, x_1, x_2, \ldots$ einen →Grenzwert, der eine Lösung der ursprünglichen Gleichung ist.

Iterat'ivum [lat.], Zeitwort der Wiederholung, z. B. *hüsteln*, oft ein wenig husten.

Ith *der*, Gebirgsrücken westl. von der Leine, im Lauensteiner Kopf 439 m.

Ithaca ['iθəkə], Stadt im Staat New York, USA, (1970) 26 200 Ew.; Cornell-Universität (Kernforschungsinstitute).

'Ithaka, neugriech. **Ithaki** [iθ'ɑkji], eine der Ionischen Inseln Griechenlands, 98 qkm groß; wird von einem bis 808 m hohen öden Kalkgebirge eingenommen, in dem sich nur vereinzelte fruchtbare Senken finden. Hauptort ist *Ithaka*, auch *Vathy*, mit Naturhafen. I. ist nach Homer die Heimat des Odysseus; nach einigen neueren Forschern (Dörpfeld) soll das homerische I. die Insel Leukas sein, auf die Homers Angaben besser passen.

Ith'ome *die*, Berg in der griech. Landschaft Messenien, 802 m hoch, auf dessen Gipfel sich ein berühmtes Zeusheiligtum befand.

Ith'yphallos [grch.], das aufgerichtete männl. Glied, das in Nachbildung als Symbol der Fruchtbarkeit in Prozessionen der Dionysosfeste getragen wurde; die dazu gesungenen Lieder waren oft in eigenem Versmaß (**Ithyphallikos** —⏑—⏑—⏓) gedichtet.

Itiner'ar [lat.], **1)** Reisehandbuch und Straßenkarte der röm. Zeit mit Angaben über das Straßennetz, Stationen, Ortsentfernungen in Meilen, Schiffahrtslinien. Für die Kenntnis der antiken Topographie sind die I. von hohem Wert. Das getreue Bild einer röm. I.-Karte hat sich in der bekannten *Peutingerschen Tafel* erhalten. **2)** Die Aufenthaltsorte und Reisewege der Herrscher des Mittelalters, nach den örtl. und zeitl. Angaben der von ihnen ausgestellten Urkunden. **3)** In der modernen Kartographie die Routenaufnahme der Forschungsreisenden in noch nicht vermessenen Gebieten.

'Itio in p'artes [lat. ›Trennung nach Parteien‹], die Teilung eines sonst einheitlich handelnden Beschlußorgans in zwei getrennte. Ein gültiger Beschluß kommt dann nur bei Übereinstimmung beider Corpora zustande. Hauptfall der I. i. p. war die im dt. Reichstag (bis 1806) vorgeschriebene Beschlußfassung über Religionsangelegenheiten, 1648 eingeführt durch den Westfäl. Frieden, um die Überstimmung der einen

Religionspartei durch die andere auszuschließen. Auf Antrag einer Religionspartei schied sich der Reichstag in einen kath. (Corpus Catholicorum) und einen evang. Teil (Corpus Evangelicorum).

ITO, Abk. für International Trade Organization, die →Internationale Handelsorganisation.

Ito, Hirobumi, Fürst (seit 1907), japan. Staatsmann, * Boshu 2. 9. 1841, † (ermordet) Harbin 26. 10. 1909, setzte sich für die Annahme abendländ. Einrichtungen ein. I. war 1885–88, 1892–96, 1898, 1900/01 Min.-Präs., machte Japan zur Großmacht; entwarf nach preuß. Vorbild die Verfassung (1889).

Itschang, postamtlich **Ichang,** Stadt in der Prov. Hupe, China, am Jangtsekiang, mit rd. 110 000 Ew.

Itschikawa, amtl. **Ichikawa,** Trabantenstadt am Ostrand von Tokio, Japan, mit (1970) 261 100 Ew.

Itschinomija, amtl. **Ichinomiya,** Stadt in Japan, östl. von Tokio, (1970) 219 000 Ew.

Itsukuschima, amtl. **Itsukushima,** japan. Insel, →Mijadschima.

Itten, Johannes, schweiz. Maler, Graphiker und Kunstpädagoge, * Schwarzenegg 11. 11. 1888, † Darmstadt 25. 3. 1967, malte seit 1915 konstruktivist. Bilder.

ITU, Abk. engl. für International Telecommunication Union, Internat. Fernmeldeverein, →Weltnachrichtenverein.

Itur'äa, das Land der arab. **Ituräer,** im A. T. **Jetur,** die das Gebiet zwischen Libanon und Antilibanon bis nach Arka (jetzt 'Arka) bewohnten. Sie gründeten dort die Tetrarchie von Chalkis (jetzt *'Andschar*), die durch Pompejus 63 v. Chr. röm. Klientelstaat und in der Kaiserzeit der Prov. Syrien einverleibt wurde.

It'urbide, Agustín de, Kaiser von Mexiko, * Morelia 27. 9. 1783, † Padilla 19. 7. 1824, kämpfte seit 1810 gegen die mexikan. Aufständischen. 1821 forderte er eine selbständige Monarchie in Mexiko und ließ sich 1822 als Augustin I. zum Kaiser ausrufen. 1823 mußte er abdanken; 1824 wurde er vom Kongreß geächtet, verhaftet und erschossen.

It'uri, Fluß in Afrika, Oberlauf des →Aruwimi.

Itz *die,* Nebenfluß des Mains, 80 km lang, entspringt im Thüringer Wald, mündet 12 km nördlich von Bamberg.

Itzehoe [h'o:], Kreisstadt des Kreises Steinburg, Schleswig-Holstein, mit (1977) 34 900 Ew., an der Stör, hat LdGer., AGer., Soz.-Ger., Marschenbauamt, höhere Schulen, Landwirtschaftsschule, Heimatmuseum; Zement-, chem. u. a. Industrie. – I., aus einer von Karl d. Gr. 810 angelegten Burg entstanden, erhielt 1238 Lübisches Stadtrecht.

IUOTO, International Union of Official Travel Organizations, Genf, eine 1948 gegr. internat. Vereinigung der amtl. Fremdenverkehrszentralen von 109 Ländern (1973). 1961 tagte sie erstmals in Deutschland (München). 1963 fand die erste Weltkonferenz für Tourismus der Vereinten Nationen in Rom auf Anregung der IUOTO statt.

Ius [lat. ›Recht‹] *das, Mz.* **Iura,** auch →Jus, der römisch-rechtl. Ausdruck für Recht, von der lat. Gelehrtensprache in vielerlei Zusammensetzungen auch ins deutsche und kirchl. Recht übernommen. →Deutsches Recht, →Kirchenrecht, →Römisches Recht.

Iust'itia [lat.], die →Gerechtigkeit.

i. V., in Vertretung, in Vollmacht.

I. v., Abk. für Irrtum vorbehalten.

Ivanhoe ['aivənhou], Held des gleichnamigen, in der Zeit des Richard Löwenherz spielenden Romans von Walter Scott (1820).

Iv'ernia, lat. Name von Irland.

'Ivo, kath. Heilige:

1) Patron der Juristen, * Kermartin (Bretagne) 17. 10. 1253, † 19. 5. 1303, war zuerst Jurist und wurde um 1284 Priester und Pfarrer. Tag: 19. 5.

2) Bischof **von Chartres** (1090), * bei Beauvais um 1040, † 23. 12. 1116, vertrat nachdrückl. die gregorianische Reform. Seine Hauptleistung sind die wichtigen kirchenrechtl. Sammelwerke ›Collectio tripartita‹, ›Decretum‹, ›Panormia‹. Tag: 20. 5.

Ivogün, Maria, eigentl. *I*da *von Gün*ther, gefeierte Opern- und Konzertsängerin (Koloratursopran), * Budapest 18. 11. 1891, lehrte 1950–58 an der Berliner Musikhochschule.

Ivr'ea, Stadt in der italien. Prov. Turin, an der Dora Baltea, mit (1971) 29 400 Ew.; Kathedrale (um 1000). I., das röm. *Eporedia,* war der Hauptort eines langobard. Herzogtums, dann einer karoling. Markgrafschaft. Berengar II. und Adalbert II. erlangten Mitte des 10., Arduin Anfang des 11. Jhs. vorübergehend die italien. Königskrone. 1015 kam die Markgrafschaft ans Reich, 1313 an Savoyen.

Ivry-sur-Seine [ivri syr sɛ:n], Stadt im Dep. Val-de-Marne (früher Seine), Frankreich, Vorstadt von Paris, (1968) 60 500 Ew.; Elektrizitäts- und Wasserwerk für Paris.

Iwakuni, Schloßstadt in der japan. Prov. Jamagutschi, Hondo, (1970) 106 100 Ew. I. ist bekannt durch die fünfmal gewölbte Bogenbrücke (1673), hat internat. Flughafen, Papierindustrie und Erdölraffinerie.

Iw'an [pers.-arab.], oriental. Bauform, →Liwan.

Iw'an, russische Fürsten:

1) **I. I. Danilowitsch,** genannt **Kalita** [›Beutel‹], Großfürst von Wladimir und (seit 1325) Moskau, * 1304, † 1341; verlegte den Sitz des Metropoliten von Wladimir nacn Moskau.

2) **I. III. Wass'iljewitsch,** Zar (1462–1505), * 22. 1. 1440, † 27. 10. 1505, vereinigte fast alle russ. Fürstentümer mit Moskau, befreite sich 1480 von der Oberhoheit der Tataren. 1472 vermählte er sich mit der byzantin. Prinzessin Sophia, der Nichte des letzten Kaisers von Konstantinopel (seitdem der griech. Doppeladler im zarist. Wappen). I.

nannte sich zuerst »Herr (Gossudar) von ganz Rußland«. Unter seiner Regierung wurde 1497 der ›Sudebnik‹ [›Gesetzbuch‹] verfaßt.

3) I. IV. Wass'iljewitsch, der Schreckliche, Zar (1533–84), * 25. 8. 1530, † 28. 3. 1584, zog deutsche Handwerker, Künstler und Gelehrte ins Land, förderte den Handel und errichtete ein stehendes Heer (Strelitzen). I. eroberte den Wolgaraum (Kasan, Astrachan), über den die Kosaken Jermaks weiter nach Sibirien vordrangen. Seinen Beinamen verdankt I. dem Wüten gegen seine Untertanen, bes. die Bojaren.

4) I. VI. Antonowitsch, Zar (1740/41), Sohn des Herzogs Anton Ulrich von Braunschweig-Wolfenbüttel und der Großfürstin Anna Leopoldowna, * 24. 8. 1740, † 16. 7. 1764, wurde nach dem Tod der Zarin Anna Iwanowna zu ihrem Nachfolger (unter Birons Regentschaft) ernannt. 1741 bemächtigte sich Elisabeth Petrowna des Throns; I. wurde gefangengehalten und bei einem Befreiungsversuch getötet.

Iw'angorod, 1) russ. Name von →Deblin. **2)** große russ. Burg an der Narowa, 1492 von Iwan III. zur Sicherung des russ. Handels gegenüber der Deutschordensstadt Narwa gegründet.

Iw'ankowo-Stausee, Moskauer Meer, Wolga-Stausee, 1937 fertiggestellter Wolgastau nördl. von Moskau, 327 qkm. In den I.-S. mündet der *Moskau-Kanal*, der Moskau mit der Wolga verbindet.

Iw'ano-Frank'owsk, bis 1962 *Stanislaw*, Gebietshauptstadt in der Ukrain. SSR, mit (1972) 117 000 Ew.

Iw'anow, 1) Wjatscheslaw Iwanowitsch, russ. Dichter und klass. Philologe, * Moskau 28. 2. 1866, † Rom 16. 7. 1949, schrieb Gedichte mytholog.-symbolischen und myst. Inhalts in neuklassizist. Form sowie literar. und kunstgeschichtl. Abhandlungen.

2) Wsewolod Wjatscheslawowitsch, russ. Schriftsteller, * Lebjach (Gouv. Semipalatinsk) 24. 2. 1895, verfaßte Erzählungen aus der Zeit der russ. Revolution und der Bürgerkriege (›Panzerzug Nr. 14–96‹; dt. 1923).

Iw'anowo, Gebietshauptstadt in der Russ. SFSR, nordöstl. Moskau, mit (1972) 434 000 Ew., Hochschulen und einem der größten Theater in der Sowjetunion. Bedeutende Textilindustrie (»russ. Manchester«), Chemie-Kombinat, Maschinenbau, Landwirtschafts- und Genußmittelindustrie, Erdöl- und Holzverarbeitung.

Iwaszki'ewicz [ivaʃkj'εvitʃ], Jaroslaw, poln. Schriftsteller, * Kalnik bei Kiew 20. 2. 1894, seit 1918 in Warschau, Mitbegründer der Dichtergruppe ›Skamander‹, war diplomatisch und kulturpolit. tätig; seit 1959 ist I. Vors. des poln. Schriftstellerverbandes.

WERKE. 10 Bde. (Warschau 1958). In dt. Übersetzung: Die roten Schilde (1955), Die Mädchen vom Wilkohof (1956), Chopin (1958), Kongreß in Florenz (1958), Der Höhenflug (1959), Ruhm und Ehre (1960), Die Liebenden von Marona (1962), Heydenreich. Mephisto-Walzer (1966).

'Iwein, Held eines Artusromans. Der Stoff beruht auf breton. Grundlage und wurde um 1170 von Chrétien de Troyes, danach von Hartmann von Aue um 1190 dichterisch behandelt.

IWF, Abk. für Internat. Währungsfonds, →Weltwährungsfonds.

Iwoschima, Iwo Jima, eine der Vulkan-Inseln. Im 2. Weltkrieg wurde die bis dahin japan. Insel vom 19. 2.–16. 3. 1945 in blutigen Kämpfen von den Amerikanern erobert, diente dann als Luftbasis gegen Japan.

Iwr'ith [hebr.], das eigentliche Neuhebräisch im Unterschied zum Neuhebräischen der Mischna (→hebräische Sprache), die amtl. Umgangs- und Behördensprache des Staates Israel. Das I. baut auf dem bibl. Hebräisch auf; die Aussprache ist sephardisch.

Ixelles [isεl], fläm. **Elsene,** südöstl. Vorstadt von Brüssel, (1970) 87 500 Ew.

Iximché, alte Stadt in Guatemala, →Cakchiquel.

Ix'ion, in der griech. Sage König der Lapithen, tötete seinen Schwiegervater Deioneus, verliebte sich in Hera und wurde, da er sich ihrer Gunst rühmte, von Zeus an ein rollendes, glühendes Rad gefesselt.

Iyeyasu [ijejas], →Iejasu.

Izmir, türk. Name von →Smyrna.

Izmit, Stadt und Kriegshafen in der Türkei, am Marmarameer, (1971) 123 000 Ew.; Erdölraffinerie, Schiffbau; chem., Seidenind. I. ist das alte *Nikomedia* in Bithynien.

Iznik, Isnik, türk. Name des alten →Nizäa.

IZO, Abk. für Internationale Zivilluftfahrt-Organisation, →Luftrecht.

Iztaccihuatl [istaks'iuatl], aztekisch ›Weiße Frau‹, erloschener Vulkan in Mexiko, 5286 m hoch.

J

j, das J [jot, in Österreich je], der zehnte Buchstabe im Alphabet, stimmhafter Vordergaumenreibelaut, der einem konsonant. i sehr nahesteht; er wurde daher urspr. mit dem i-Zeichen geschrieben, die Scheidung zwischen i und j in der Schrift ist erst im 15. Jh. aufgekommen.

Jj **Renaissance-Antiqua**

Jj **Fraktur**

Jj **Klassizist. Antiqua**

Entwicklung des Buchstaben J

J, 1) chem. Zeichen für Jod. **2)** *Physik:* Zeichen für die Energieeinheit Joule.

Jabb'ok, bibl. Name des **Nahr es-Serka,** eines östl. Nebenflusses des Jordan.

J'abem, Jabim, Landschaft und Stamm südl. von Finschhafen auf Neuguinea. Die **J.-Sprache** ist durch die Mission bei vielen anderen Stämmen als Verkehrssprache eingeführt worden.

J'ablonec nad Nisou [-nɛts nad n'isɔu], tschech. Name der Stadt Gablonz an der Neiße.

Jablonica-Paß [j'ablɔnitsa-], **Tatarenpaß,** auch **Delatyn-Paß,** Paß in den östl. Waldkarpaten, 931 m hoch.

J'ablonowyj-Gebirge, J'ablonoi-Gebirge, bewaldetes Gebirge in Transbaikalien, Sowjetunion, bis etwa 1700 m hoch, Wasserscheide Amur/Lena.

Jablon'owski, Joseph Alexander, Fürst, poln. Kunstfreund, * 4. 2. 1712, † Leipzig 1. 3. 1777, siedelte bei Ausbruch der Unruhen in Polen 1768 nach Leipzig über und gründete hier 1774 die *Fürstl. Jablonowskische Gesellschaft der Wissenschaften,* von deren Preisschriften 52 Bände erschienen (1747–1925).

Jabl'onski, Daniel Ernst, ref. Theologe, * Nassenhuben bei Danzig 20. 11. 1660, † Berlin 25. 5. 1741, war Hofprediger (1693) und Kirchenrat (1729). Als Enkel des Amos Comenius stand er in enger Beziehung zu den Böhmischen Brüdern, deren Bischof er seit 1699 war, und zur Brüdergemeine. Bei der preuß. Königskrönung 1701 weihte er die beiden Hofprediger Friedrichs I. zu Bischöfen, ebenso 1735 David Nitschmann (erster herrnhutischer Bischof). In Berlin wirkte er mit Leibniz zusammen in den Unionsbestrebungen sowie bei der Gründung der Preuß. Akademie der Wissenschaften.

Jabl'unkagebirge, Teil der Westbeskiden (Karpaten), südl. von Teschen, bis 1082 m hoch, mit dem 551 m hohen *Jablunkapaß* (Bahn), von Teschen nach Sillein.

J'abo, Abk. für **Jagdbomber.**

Jabot [ʒabo, franz.], Brustkrause am Männerhemd des 18. und Anfang des 19. Jhs.; später an Damenkleidern.

Jabot'insky [ʒa-], Vladimir, zionist. Politiker, * Odessa 17. 10. 1880, † Camp Betar (N. Y.) 3. 8. 1940, Führer der jüd. Legion an der Palästinafront des 1. Weltkriegs, begründete 1925 die *Weltunion der Zionisten-Revisionisten* (→Zionismus).

Jabr'ud, Dorf im syr. Antilibanon, bekannt durch Ausgrabungen, bei denen A. Rust 1930–33 in Felsnischen mächtige altsteinzeitl. Siedlungsschichten fand, deren Kulturfolge der in den Karmelhöhlen entspricht. Eine bei den Ausgrabungen neuentdeckte altpaläolith. Kulturgruppe nennt man **Jabrudien.**

LIT. A. Rust: Die Höhlenfunde v. J. (1950).

Jaca [x'aka], span. Stadt am oberen Aragón, in den Pyrenäen, 820 m ü. M., (1970) 11 100 Ew., bewacht den Zugang zum Somport-Paß. Die Kathedrale wurde 1040 gegründet, die Zitadelle von Philipp II. erbaut.

Jacar'anda, Pflanzengattung der Bignoniazeen im warmen Amerika, Bäume meist mit doppelt gefiederten Blättern, blauen oder roten Blüten und linsenförmigen Kapselfrüchten. Einige Arten geben das dunkle, schwere, harte Edelholz *Palisander (brasilian. Rosenholz, Jakarandaholz).*

J'accuse [ʒaky:z, frz. ›ich klage an‹], Zitat aus dem offenen Brief, den E. Zola zugunsten von →Dreyfus an den franz. Staatspräsidenten richtete; seither zur Bezeichnung dieses Briefes und auch anderer Anklageschriften geworden.

Jach'in [hebr.], eine der beiden ehernen Säulen vor dem Tempel Salomos (1. Kön. 7, 21), →Boas.

Jacht [niederländ. ›Jagdboot‹, ursprünglich zum Verfolgen von Schmugglerschiffen], schnellfahrendes Schiff zu Sport- und Vergnügungszwecken. Die *Segeljacht* unterscheidet sich von den gewöhnlichen Segelbooten vor allem durch eingedeckten Rumpf und vorstrebenden Bug. Nach der Bauart des Unterwasserteils unterscheidet man Schwert- und Kieljachten. Die *Schwertjacht,* für seichte Binnengewässer, bei offener Bauart *Jolle,* mit Kajüte *Jollenkreuzer,* hat einen flachen Boden und im Bootsinnern ein bewegliches senkrechtes Schwert (Platte aus Holz oder Stahl), das verschieden tief ins Wasser gesenkt werden kann. Beim Festkommen läßt sich durch Aufholen des Schwertes der Tiefgang schnell vermindern. Die *Kieljacht,* für größere Binnengewässer und freie See, hat einen weit nach unten ragenden Kiel. Ein Mitteltyp ist die *Kielschwertjacht.*

Die Größe einer J. wird in Deutschland gewöhnlich nach der Länge des Rumpfes in Metern angegeben; für die Regatta werden die J. nach Größe des Rumpfes, der Segelfläche und nach Verteilung der Segel bewertet (→Segelschiff). *Dampf-* und *Motor-J.* verzichten meist auf Segel; ihre Größen liegen zwischen Boot und seegehendem Schiff.

LIT. K. Andriano: Segelsport-ABC (⁵1956); C. W. Eichler: Jacht- und Bootsbau für Bootsbauer, Konstrukteure und Segler, 2 Bde. (1961/63).

Jacht: a *Flossen-Kieljacht (hochgetakelter Kutter)*, b *Schwertboot mit Gaffelsegel*, c *Kieljacht (als Ketsch getakelt)*

J'ackbaum, ein →Brotfruchtbaum.

Jacketkrone [dʒ'ækit-, engl.], Porzellanmantelkrone, auch aus Kunststoff, die den zurechtgeschliffenen Zahnstumpf wie ein Jackett umhüllt.

Jackholz, [dʒæk-, engl.], das →Jacqueiraholz.

Jäckh, Ernst, Publizist, * Urach 22. 2. 1875, † New York 17. 8. 1959, begann als Journalist, stand in naher Verbindung zu Friedrich Naumann; kam 1912 nach Berlin und in die auswärt. Politik, wurde durch mehrere Reisen zum Balkan- und Orientsachverständigen. Mit P. Rohrbach gab er die ›Deutsche Politik‹ heraus. Er gründete 1920 die Hochschule für Politik, deren Präsident er bis 1933 war. J. ging dann nach England, später nach den Vereinigten Staaten.

Jackson [dʒ'æksn], **1)** Stadt in Michigan, USA, (1970) 45 500 Ew.; Zweig- und Zulieferwerke der großen Autokonzerne.

2) Hauptstadt von Mississippi, USA, (1970) 154 000 Ew.; vielseitige Industrie, in der Umgebung Erdgasfeld.

Jackson [dʒ'æksn], **1)** Andrew, 7. Präsident der USA (1829–37), * Waxhaw (North Carolina) 15. 3. 1767, † Hermitage (Tennessee) 8. 6. 1845, wurde durch seinen Sieg über die Engländer bei New-Orleans (8. 1. 1815) volkstümlich und kämpfte erfolgreich gegen die Indianer im span. Grenzgebiet. Er führte die einseitige Parteiwirtschaft (Beutesystem) in der Verwaltung ein.

2) John Baptist, genannt *J. of Battersea*, engl. Holzschneider, * 1701, † Newcastle upon Tyne (?) um 1780, schuf Farb- und Hell-Dunkel-Holzschnitte nach Gemälden italien. Meister.

3) John Hughlings, engl. Augen- und Nervenarzt, * York 4. 4. 1835, † London 7. 10. 1911, beschrieb 1863 die nach ihm benannte »Rindenepilepsie« (Jackson-Anfälle), durch Reizung der Hirnrinde verursachte anfallweise auftretende Muskelkrämpfe.

4) Mahalia, amerikan. Sängerin, * New Orleans 26. 10. 1911, † Chicago 27. 1. 1972, Spiritual- und Gospelsängerin.

5) Robert Houghwout, amerikan. Bundesrichter, * Spring Creek (Pa.) 13. 2. 1892, † Washington D. C. 9. 10. 1954, war 1946 öffentl. Hauptankläger im Nürnberger Kriegsverbrecherprozeß.

Jackson Lake [dʒ'æksn leik], großer Bewässerungsstausee am Schlangenfluß im Staat Wyoming, USA.

Jacksonville [dʒ'æksnvil], Stadt in Florida, USA, mit (1970) 528 900 Ew.; zwei Universitäten; Winterkurort; Leichtindustrie; Hafen, Schiffswerften.

J'ack|stag [dʒ'æk-, von engl. Jack], auf die Oberkante der Rahen aufgesetzte Eisenstange zum Befestigen des Segels.

Jacob, 1) François, franz. Biologe, * Nancy 17. 6. 1920, Prof. am Collège de France, arbeitet über die Molekulargenetik; er erhielt den Nobelpreis für Medizin 1965 zus. mit A. Lwoff und J. Monod.

2) Heinrich Eduard, Schriftsteller, * Berlin 7. 10. 1889, † Salzburg 25. 10. 1967.

WERKE. Sage und Siegeszug des Kaffees (Neuf. 1952), Sechstausend Jahre Brot (engl. 1944; dt. 1954), J. Haydn (1950), Felix Mendelssohn und seine Zeit (1959).

3) [ʒakɔb], Max, franz. Dichter und Maler, * Quimper (Bretagne) 11. 7. 1876, † Drancy (nationalsozialist. Konzentrationslager) 5. 3. 1944, trat 1915 vom jüd. zum kath. Glauben über. J. wurde berühmt durch seine Gedichte ›Le Cornet à dés‹ (1917); er gehörte zur Gruppe um Apollinaire, Cendrars u. a. und gilt als erster Surrealist.

Jacob [ʒakɔb], franz. Kunsttischlerfamilie. Der Stammvater *Georges*, * Cheny (Burgund) 6. 7. 1739, † Paris 5. 7. 1814, arbeitete zunächst im Stil Louis XV. und XVI., dann unter klassizist. Einfluß in strengeren Formen; er führte auch Entwürfe von J. L. David aus. Seine Söhne setzten die Werkstatt fort. *François Honoré Georges*, genannt **Jacob-Desmalter,** * Paris 6. 2. 1770, † das. 15. 8. 1841, arbeitete für Napoleon. Die Möbel der J. zählen zu den besten der Directoire- und Empirezeit.

Jacob'ello del Fi'ore, italien. Maler, * um 1370, † 1439, tätig in Venedig und in den Marken, ein Meister des →weichen Stils der venezian. Malerei.

WERKE. Justitia mit zwei Erzengeln, 1421 (Venedig, Akademie), Marienkrönung, 1436 (ebd.).

Jac'obi, 1) Friedrich Heinrich, Philosoph, * Düsseldorf 25. 1. 1743, † München 10. 3. 1819, das. 1807–12 Präsident der Akademie der Wissenschaften. Er setzte sich mit der Geniereligion des jungen Goethe und in der Schrift ›Über die Lehre des Spinoza, in Briefen an Moses Mendelssohn‹ (1785) mit dem Pantheismus Spinozas auseinander. Er verfocht schließlich im Gegensatz zur Aufklärung und zur idealistischen Vernunftphilosophie eine Gefühls- und Glaubensphilosophie. Auf seinem Landsitz Pempelfort bei Düsseldorf besuchten ihn die bedeutendsten Dichter und Denker der Zeit, u. a. Goethe und Hamann.

WERKE. Sämtliche Werke, 6 Bde. (1812–25), Briefwechsel zwischen Goethe und J. (1846), Eduard Allwills Papiere (Nachdr. 1962), Werke, Nachlaß, Briefe (1962 ff.).

2) Johann Georg, Bruder von 1), * Düsseldorf 2. 9. 1740, † Freiburg (Br.) 4. 1. 1814, Prof. der Philosophie in Halle und Freiburg, gab 1774–77, von Goethe unterstützt, die Zeitschrift ›Iris‹ heraus; Lyriker.

3) Karl, Mathematiker, Bruder von 4), * Potsdam 10. 12. 1804, † Berlin 18. 2. 1851, Prof. in Königsberg und Berlin, entwickelte die Theorie der elliptischen Funktionen und arbeitete über Differentialgleichungen und Variationsrechnung.

4) Moritz Hermann von (1850), Physiker und Techniker, * Potsdam 21. 9. 1801, † Petersburg 10. 3. 1874, Prof. in Petersburg, erfand die Galvanoplastik und baute 1834 eine elektromagnetische Maschine, mit der er 1838 ein Boot antrieb.

J'acobsen, 1) Arne, dän. Architekt, * Kopenhagen 11. 2. 1902, † das. 25. 3. 1971, war 1943–45 nach Schweden vertrieben. Erste Bauten 1927; Bellevue-Gelände nördl. Kopenhagen (seit 1932); Rathäuser.

2) Jens Peter, dänischer Dichter, * Thisted 7. 4. 1847, † das. 30. 4. 1885, führte Darwins Theorie in Dänemark ein, suchte trotz seinem träumerischen Wesen die Wirklichkeit im Sinne der Naturalisten festzuhalten. Er schuf einen neuen differenzierten Stil, der nachhaltig den europ. Impressionismus beeinflußt hat. J. schrieb Gedichte, Romane (Frau Marie Grubbe, 1876; Niels Lyhne, 1880) und Novellen. Deutsche Gesamtausgabe 1927 (3 Bde.), Briefe (dt., 2 Bde., 1919).

LIT. H. Bethge: Jens Peter J. (1920); W. Rehm: J. und die Schwermut, in: Experimentum medietatis (1947).

Jacobsohn, Siegfried, Journalist, * Berlin 28. 1. 1881, † das. 3. 12. 1926, gründete 1905 die Theaterzeitschrift ›Schaubühne‹, die er nach 1918 in die polit.-literar. Wochenschrift →Weltbühne umwandelte.

Jacobson, Israel, Philantrop, * Halberstadt 17. 10. 1768, † Berlin 13. 9. 1828. Er bemühte sich als Hof- und Finanzrat in Braunschweig um die Gleichstellung der dt. Juden.

Jacobsson, Per, schwedischer Finanzfachmann, * Tanum (Schweden) 5. 2. 1894, † London 5. 5. 1963, bes. hervorgetreten als Mitglied des Völkerbundsekretariats (1920 bis 1928) und ab 1931 als wirtschaftl. Berater bei der Bank für internat. Zahlungsausgleich; war 1956–63 geschäftsführender Direktor des internationalen Währungsfonds.

J'acobsz, Dirk, holländ. Bildnismaler, * wahrscheinlich Amsterdam um 1497, begraben das. 9. 9. 1567, Sohn und Schüler des Jacob van Oostzanen, schuf als einer der ersten Schützenstücke, wie sie bis ins 17. Jh. in den nördl. Niederlanden (Hals, Rembrandt) gemalt wurden (→Gruppenbild).

Jac'obus a Vor'agine [von Viraggio, jetzt Varazze bei Genua], Dominikaner, * bei Genua um 1230, † 1298 als Erzbischof von Genua; Verfasser der Legenda aurea (→Legende).

Jacoby, Johann, Politiker, * Königsberg i. Pr. 1. 5. 1805, † das. 6. 3. 1877, Arzt, trat seit 1833 als polit. Schriftsteller für die demokrat. Verfassungsbewegung Preußens ein; wegen seiner Flugschrift ›Vier Fragen, beantwortet von einem Ostpreußen‹ (1841) wurde er strafverfolgt. 1848/49 gehörte er der Frankfurter und der preuß. Nationalversammlung an. Im Herbst 1870 wurde er auf der Festung Boyen interniert; 1872 schloß er sich der sozialdemokrat. Partei an.

Jacop'one da Todi, Jac'obus de Bened'ictis, ital. Dichter, * Todi um 1230, † Collazzone 1306, seit 1278 Franziskaner, scharfer Gegner Papst Bonifaz' VIII., er war 1298 bis zu dessen Tod (1303) eingekerkert. J. schrieb Satiren und geistl. Lieder (Lauden), gilt als Verfasser der Sequenz ›Stabat mater‹.

WERKE. Ausgewählte Gedichte (dt. 1864), Lauden (dt. 1924).

LIT. H. Preindl: J. da Todi (1924, mit Übersetzungsproben).

Jacotot [ʒakoto], Jean Josef, Begründer der **Jacototschen Unterrichtsmethode,** * Dijon 4. 3. 1770, † Paris 30. 7. 1840, war Prof. in Löwen; seit 1830 lebte er in Frankreich. 1818 trat J. mit einer »naturgemäßen« Methode des Leseunterrichts hervor. Er ging nicht von Buchstaben und Lauten aus, sondern von einem Leseganzen (Ganzheitsmethode).

WERK. Méthode d'enseignement universel (1822; dt. 1830).

Jacquard [ʒaka:r, franz.], Bezeichnung für reich- und großgemusterte Gewebe, die mit Hilfe der von J. M. Jacquard 1805 erfundenen *J.-Maschine* hergestellt werden. Hierbei können die Kettfäden durch Schäfte (Schaftweberei) einzeln und unabhängig voneinander gehoben und gesenkt werden. Sie werden gesteuert durch eine entsprechend gelochte Pappkarte.

LIT. H. E. Staengle: Jacquardgewebe (1950).

Jacque [ʒak], Charles, franz. Maler und Radierer, * Paris 23. 5. 1813, † das. 7. 5. 1894, malte und radierte, von Millet beeinflußt, Landschaften und Tierstücke, illustrierte auch Bücher und war Mitarbeiter am ›Charivari‹.

Jacqueiraholz [ʒak'e:ra-], **Jackholz**, Nutzholz vom Ind. Brotfruchtbaum.

Jacquerie [ʒakəri, frz., von *Jacques Bonhomme*, dem Spottnamen für den Bauern], der Bauernaufstand vom 28. 5.–10. 6. 1358 im N von Paris. Die Not während des Krieges gegen England, Bedrückung durch Kriegsvolk und Adel führten zur Empörung; zahlreiche Schlösser wurden zerstört. Von den gleichzeitig aufständischen Städten ungenügend unterstützt, erlagen die Bauern dem Adel.

Jacques [ʒak], Norbert, Schriftsteller, * Luxemburg 6. 6. 1880, † Koblenz 15. 5. 1954, schrieb Reisebücher und Abenteuer-Romane.

WERKE. Dr. Mabuse (1921; verfilmt 1922), Das Tigerschiff (1928), Gold in Afrika (1931); Selbstbiographie: Mit Lust gelebt (1950).

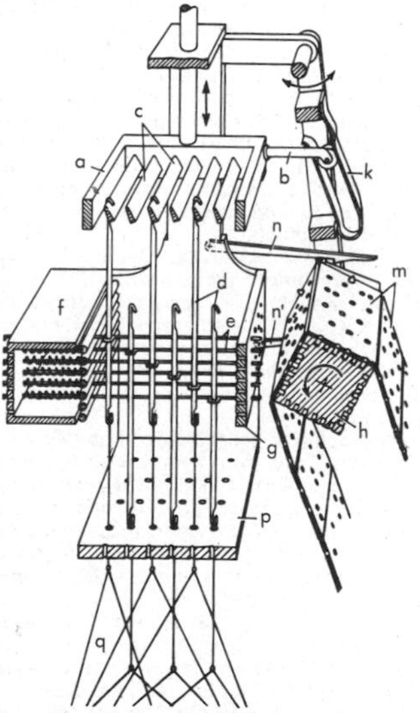

Jacquardmaschine: a *Messerkorb mit Steuerarm* b *für Holzprisma* h, c *Hebemesser,* d *Platinen,* e *gefederte Nadeln, gelagert im Federkasten* f *und Nadelbrett* g, h *Holzprisma mit Kulisse (Federpresse)* k, m *Lochkarten,* n *oberer,* n' *unterer Wendehaken des Holzprismas,* p *Platinenboden,* q *Harnischschnüre*

J'ade [span. piedra de ijada ›Stein (gegen Schmerzen in) der Seite‹], Handelsname für Jadeit und Nephrit, zwei Schmucksteine von grünlicher Farbe. Der *Jadeit*, ein Mineral aus der Gruppe der natriumhaltigen Pyroxene, bildet feinkörnige bis dichte Massen. Nephrit und Jadeit sind in der europ. Jungsteinzeit viel zu Beilen verarbeitet worden; in China werden seit den ältesten Zeiten Sinnbilder, Gottesdienstgeräte, Schmuckgefäße, Zierat aus Jade hergestellt.

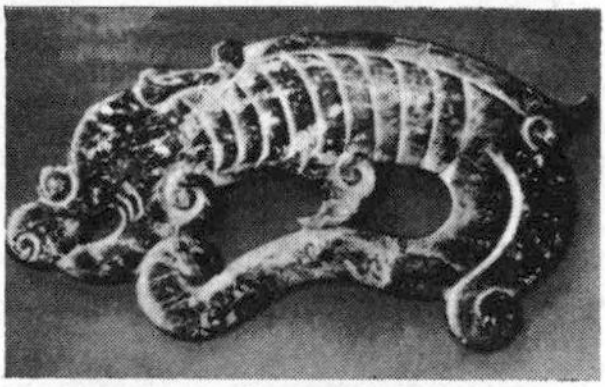

Jade: Drache aus braunroter Jade, 22,5 cm lang; Grabfund aus der Han-Zeit (?)

J'ade *die*, Küstenfluß in Oldenburg, 22 km lang, mündet in den 190 qkm großen *Jadebusen* der Nordsee.

Jadera, im Altertum Name von →Zadar.

Jäderin|draht [nach dem Schweden Jäderin, * 1852, † 1923], Bänder oder Draht bestimmter Abmessungen aus einer Eisen-Nickel-Legierung (Invar).

Jadw'iga, Königin von Polen, →Hedwig.

Jaén [xa'ɛn], Provinzhauptstadt in Südspanien (Andalusien), (1970) 67 700 Ew.; Kathedrale aus dem 16. bis 19. Jh. J. war bis 1246 Hauptstadt eines maur. Königreichs.

J'affa, griech. **Joppe,** Stadt in Israel, am Mittelmeer, bildet mit →Tel Aviv eine Doppelstadt mit zusammen (1971) 384 000 Ew., wichtiger Hafen. J. führt bes. Orangen aus, ferner Melonen, Getreide, Seife und Wein. Außerdem hat J. Mühlen, Ölpressen, Ziegeleien und Zementfabriken. Im O und NO die 1861 gegr. schwäb. Templerkolonien *J. Wilhelma* und *Sarona*. J., um 2000 v.Chr. bereits in ägypt. Inschriften erwähnt, befand sich im Altertum meist in den Händen der Phönizier. Die Makkabäer eroberten J. für die Juden; zur Zeit der röm. Oberherrschaft stand die Stadt unter röm. Verwaltung. Unter Konstantin d. Gr. wurde J. Bischofssitz. In der Kreuzzugszeit war es der Hauptlandungsplatz der Kreuzfahrer, 1268 ging es den Christen verloren. 1799 wurde J. von Napoleon, 1917 von den Engländern besetzt.

Jaffé, Philipp, Geschichtsforscher, * Schwersenz bei Posen 17. 2. 1819, † Wittenberge 3. 4. 1870, war seit 1862 Prof. in Berlin; bedeutend durch seine Text-Ausgaben in den ›Monumenta Germaniae historica‹.

Jaffna, Dschaffna, Provinzhauptstadt an der Nordspitze von Ceylon, mit (1971) 107 000 Ew., Sitz eines kath. Bischofs; Hafen.

Jafi, Abdullah, libanes. Politiker, * 1901, Rechtsanwalt; war Min. verschiedener Ressorts und mehrmals MinPräs., zuletzt 9. 4. bis 2. 12. 1966.

Jagaila, litauisch für →Jagiello.

Jagd [westgerman. Stw.], *Waidwerk, Weidwerk,* das Erlegen und Fangen →jagdbarer Tiere nach den Regeln des Jagdrechts und Jagdbrauchs. Die J. wird nach altem Herkommen eingeteilt in *hohe* und *niedere J.* Zum Hochwild gehören das Schalenwild (außer Rehwild), das Auergeflügel, Steinadler und Seeadler; alle anderen Wildarten sind Niederwild.

Jagdarten sind: die *Suche* (auf Hasen, Kaninchen, Federwild), das *Pirschen* (Pirschgang) auf Schalenwild, der *Anstand* (Ansitz), die *Treibjagd* (Kesseljagd, Druck- und Riegeljagd), die *Hetzjagd* (Parforcejagd und eigentl. Hetze oder Hatz), die *Fangjagd* (von Raubwild), das *Graben* (von Dachs und Fuchs), das *Frettieren* (von Kaninchen), die *Beize* (mit Falken) und die *Hüttenjagd* (auf Raubvögel und Krähen). – Als *Jagdhilfsmittel* dienen: Jagdwaffen (Jagdgewehre, Hieb- und Stichwaffen); Hunde, Frettchen, Beizvögel, Locktiere wie Uhu und Lockente; Fallen und Fangvorrichtungen; Jagdzeug, wie Lappen, Tücher, Netze, Garne; Ruf- und Lockgeräte; Lockspeisen und Witterungen; künstliche Deckungen, wie Jagdschirm, Ansitzhütte, Hochsitz.

Jagdrecht, die ausschließliche Befugnis, jagdbaren Tieren nachzustellen. Das Jagdrecht ist in der Bundesrep. Dtl. im *Bundesjagdgesetz* v. 30. 3. 1961 (mit neuen J.-Zeiten ab 1. 4. 1968) und in landesrechtl. Vorschriften enthalten. Im Dt. Reich galt bis 1945 das Reichsjagdgesetz v. 3. 7. 1934.

Die ausschließl. Befugnis, in einem bestimmten Gebiet die Jagd auszuüben *(Jagdgerechtigkeit),* steht grundsätzlich dem Eigentümer auf seinem Grund und Boden zu und ist mit dem Grundeigentum verbunden. Das Jagdrecht darf nur in *Jagdbezirken* ausgeübt werden. Eigenjagdbezirke gehören in ihrer ganzen Ausdehnung einem Eigentümer. Sie müssen eine bestimmte Mindestgröße haben (meist 75 ha). Gemeinschaftl. Jagdbezirke werden aus den Grundflächen eines Gemeindebezirks gebildet, die nicht zu einem Eigenjagdbezirk gehören (Mindestgröße 150 ha). Die einzelnen Grundstückseigentümer bilden eine *Jagdgenossenschaft* (jurist. Person des öffentl. Rechts); sie übt das Jagdrecht aus und wird durch den Jagdvorsteher vertreten.

Die Ausübung ist ortspolizeil. oder landesrechtl. Beschränkungen unterworfen (*Jagdbeschränkungen*; →Schonzeit, Abschuß des Wildes, Mitnahme von Hunden u. a.); über die Haftung des Ausübenden →Wild- und Jagdschaden. Die Ausübung des Jagdrechts kann an Dritte verpachtet werden *(Jagdpacht).* Für den Pachtvertrag wird eine bestimmte Mindestdauer der Pacht gefordert. Im Interesse der Erhaltung des Wildbestandes ist die Anzahl der Pächter nach der Größe des Jagdbezirks beschränkt. Jagdpächter kann nur sein, wer einen Jahresjagdschein (→Jagdschein) besitzt und schon vorher einen solchen während dreier Jahre besessen hat. Der Abschluß eines jeden J.-Vertrages muß der zuständigen Jagdbehörde angezeigt werden. Die Jagdgenossenschaften können die Jagd auch für eigene Rechnung durch angestellte Jäger ausüben lassen.

Die Durchführung der Jagdgesetze und die Überwachung der Jagdausübung obliegt den *Jagdbehörden (Jagdpolizei).* Oberste J.-Behörden sind die Minister der Länder für Landwirtschaft und Forsten, mittlere die Regierungspräsidenten, untere die Landräte. Bei beiden letzteren bestehen als beratende Organe Jagdbeiräte, in einigen Ländern auch bei den oberen Behörden (Landesjagdräte), neben ihnen seit 1952 als Jagdberater der unteren und mittleren J.-Behörden die Jägermeister (Ober-, Kreisjägermeister). Die Verwaltung der J. in den staatl. Forsten üben die Staatsforstverwaltungen durch Forstbeamte aus. Über die strafbare Verletzung des Jagdrechts →Jagdvergehen.

Der *Jagdschutz* umfaßt den Schutz der J. gegen Raubwild und Raubzeug, gegen Futternot und Wildseuchen, gegen wildernde Hunde und Katzen und bes. gegen Wilderer. Er ist meist staatl. und gemeindl. Forst- und Jagdschutzbeamten übertragen, denen polizeil. Befugnisse zustehen.

Jagdreservate sind Gebiete, in denen die heimische Tierwelt geschützt wird, so bes. in den USA, in Kanada und in Südafrika. Im Dt. Reich gab es bis 1945 große *Wildschutzgebiete* bes. in Ost-Deutschland (Elche, Edelhirsche u. a.). In der Bundesrep. Dtl. unterliegen Naturschutz-, Baumschutz- und Wildschutzgebiete sowie Wildparks landesrechtl. Regelung.

In *Österreich* steht das Jagdrecht dem Grundeigentümer bei einer Grundfläche von 115 ha aufwärts zu *(Eigenjagd),* sonst den Gemeinden *(Gemeindejagd).* In einigen Ländern gibt es Jagdgenossenschaften der Grundeigentümer. Nach 1945 wurden in den meisten Ländern neue Landesjagdgesetze erlassen.

In der *Schweiz* steht das Recht zur Ausübung der Jagd den Kantonen zu *(Jagdregal),* die es durch *Jagdpacht* oder durch *Jagdpatent* gegen Gebühr (in den meisten Kantonen) an die Einzelnen vergeben; Ausübung der Jagdpolizei durch die Kantone unter Oberaufsicht des Bundes (Bundesges. v. 1925 i. d. F. v. 1962).

GESCHICHTLICHES. Die J. war bes. in der Altsteinzeit neben dem Sammeln von Früchten und Kleintieren der wichtigste Nahrungserwerb; sie hat diese Bedeutung beibehalten bei den Völkern, die auf der Jagd- und Sammelstufe stehen. Die Ackerbau- und Hirtenvölker betrieben sie zum Schutze der Pflanzungen und des Viehs (Treib-, Hetz-, Fallgruben-J.); bei den Hochkulturvölkern wurde sie schon sehr früh als Sport betrieben, wurde aber zunehmend Vorrecht des Herrn. Im Mittelalter entwickelte sich an den Höfen und Edelsitzen eine zunftmäßige Jägerei mit einer heute noch lebendigen Zunftsprache (→Jägersprache.) Durch die

Kreuzzüge kam aus Asien und Nordafrika die Falkenjagd (Beize) nach Europa. Bald nach der Einführung des Steinschloßgewehrs, der ersten Jagdfeuerwaffe, entartete die J. Die Berufsjägerei jedoch blühte auf. Seit der Französ. Revolution, bes. seit 1848, ist die J. zum Gemeingut geworden und hat große wirtschaftliche Bedeutung erlangt.

LIT. F. v. Raesfeld: Das dt. Waidwerk, bearb. v. G. v. Lettow-Vorbeck ([12]1970); Hb. des Dt. Jagdschutz-Verbands (jährl.). – Zeitschr.: D. Dt. Jäger (seit 1878); Wild u. Hund (seit 1895); Die Pirsch (seit 1949). A. Beurmann: Der Aberglaube der Jäger (1961); H. Schulze: Der waidgerechte Jäger ([19]1971).

jagdbare Tiere sind nach dem Bundesjagdgesetz: 1) *Haarwild:* Wisente; Elch-, Rot-, Dam-, Sika- und Rehwild; Gams-, Stein- und Muffelwild; Schwarzwild; Hasen, Schneehasen, Wildkaninchen; Biber und Murmeltiere; Wildkatzen und Luchse; Füchse; Stein- und Baummarder; Iltisse, Hermeline, Mauswiesel, Zwergwiesel, Nerze, Dachse und Fischottern; Seehunde. 2) *Federwild:* Wildhühner (Rebhühner, Fasanen, Wachteln, Auerwild, Birkwild, Rackelwild, Haselwild, Schneehühner, Steinhühner, wilde Truthühner); Wildtauben; Entenvögel (Wildschwäne, Wildgänse, Wildenten, Säger); Schnepfenvögel (einschl. Regenpfeifer und Triel); Rallen (Bläßhühner, Teichhühner, Wasserrallen, Wachtel-Könige, Sumpfhühnchen); Kraniche; Möwen; Alken; Haubentaucher; Kormorane; Schreitvögel (Störche, Löffler, Ibisse, Reiher, Rohrdommeln) außer weißen Störchen; Trappen; Greifvögel (außer Eulen); Kolkraben und Drosseln außer Schwarzdrosseln. Nach den Abschußrichtlinien heißt ein Hirsch oder Rehbock jagdbar, der nach Alter und Geweih auf dem Höhepunkt seiner Entwicklung angelangt ist.

J'agdbomber, ein Jagdflugzeug, das auch als Bomber verwendet wird.

J'agdflugzeuge dienen der Bekämpfung feindlicher Flugzeuge, aber auch von Erdzielen. Sie erreichen Überschallgeschwindigkeit. Ihre Bewaffnung besteht aus Maschinenwaffen und Luft/Luft-Raketen. Sondertypen sind Allwetter- und Nachtjäger. J. werden oft durch Jägerleitoffiziere vom Boden aus zum Ziel geleitet.

J'agdgewehr, zum Erlegen jagdbarer Tiere bestimmte Handfeuerwaffe; für Kleinwild mit Schrotschuß (Streugeschoß) aus glattem Lauf, teils einläufig, teils zweiläufig als Doppelflinte; für die Jagd auf Schalenwild mit Langgeschoß aus gezogenem Lauf, und zwar einläufig als *Pirsch-(Birsch-)Büchse* oder zweiläufig als *Doppelbüchse*. Die *Büchsflinte* hat einen gezogenen und einen glatten Lauf, der *Drilling* zwei glatte Läufe und einen gezogenen. Kurze Büchsen nennt man *Stutzen.*

J'agdhorn, Blasinstrument, →Horn.

J'agdhunde, 1) eine Gruppe der →Hunde. 2) lat. *Canes venatici,* Sternbild am nördl. Himmel, mit Spiralnebel.

J'agdhyäne, der Hyänenhund (→Hunde).

J'agdleopard, Raubtier, der →Gepard.

J'agdreiten, sportliches Reiten einer von einem »Master« angeführten Reitergruppe über eine ausgesuchte Geländestrecke mit Hindernissen, aber ohne Wild, meist auch ohne Meute.

J'agdrennen, ein →Hindernisrennen der Pferde.

J'agdschein, Ausweis für die Ausübung der Jagd. Er wird auf Antrag von der unteren Polizeibehörde ausgestellt und setzt eine abgelegte Jägerprüfung voraus. Der J. ist gebührenpflichtig.

J'agdsignale, auf dem Jagdhorn geblasene Signale und Fanfaren, womit Treibjagd geleitet, erlegtes Wild »verblasen« wird, getrennte Jäger sich verständigen usw.

J'agdspinnen, Spinnen, die ihre Beute ohne Netz im Lauf oder Sprung ergreifen.

J'agdspringen, ein Wettbewerb im Reit- und Springturnier. Die Bahn (Parcours) führt über Hindernisse (Hecke, Barriere, Zaun, Doppelzaun, Gatter, Mauer, Oxer, Graben u. a.), die nach Zahl, Höhe und Abstand für die einzelnen Klassen der Springen (A, L, M, Sa, Sb) verschieden sind. Gewertet wird nach Fehlern und Zeit.

J'agdverband, Spitzenorganisation der Vereine und Verbände der Jägerei, bis 1934 Jagdkammern genannt. In der Bundesrep. Dtl. bestehen Landes-J. in allen Bundesländern, auf Bundesebene seit 1949 der *Deutsche Jagdschutzverband* (DJV) in Bonn.

J'agdvergehen, Jagdfrevel, Wilderei, die Ausübung der Jagd an Orten, an denen der Täter zu jagen nicht berechtigt ist; wird mit Freiheits- oder Geldstrafe bestraft. Strafverschärfend ist die Ausführung der Tat zur Nachtzeit, in der Schonzeit u. a. Gewerbs- oder gewohnheitsmäßige J. werden in bes. schweren Fällen mit Freiheitsstrafe nicht unter 3 Monaten bestraft. Die Einziehung des Jagdgeräts und der Hunde, neuerdings auch des beim J. benutzten Kraftfahrzeugs, ist zulässig (§§ 292, 295 StGB). In *Österreich* werden J. als Wilddiebstahl bestraft (§ 174 StGB). In der *Schweiz* sind J. nach dem Bundesges. über Jagd- und Vogelschutz vom 10. 6. 1925 und nach kantonalen Vorschriften strafbar.

J'agdwagen, leichter, meist viersitziger, hochgebauter Kutschwagen.

J'agdzauber, Bräuche der Naturvölker und Vorzeitmenschen, um durch zauberische Einwirkungen Jagderfolg zu haben.

J'agdzeug, Hilfsmittel zum Einstellen (Einschließen) des Wildes auf kurze Zeit: *Jagdnetze* (lichtes Zeug); kleine Netze oder *Garne* dienen zur Niederjagd, bes. zum Vogelfang, *Jagdtücher* (dunkles Zeug) und *Lappen* oder *Blendzeug* zur *Lappjagd*.

Jag'ello, →Jagiello. **Jagell'onen,** die →Jagiellonen.

Jagemann, 1) Christian, * Dingelstedt (Eichsfeld) 1735, † Weimar 5. 2. 1804, kath.

Priester in Rom, später Protestant, wurde 1775 Bibliothekar der Herzogin Anna Amalia in Weimar.

2) Ferdinand, Maler, Sohn von 1), * Weimar 24. 8. 1780, † das. 9. 1. 1820, malte und zeichnete Bildnisse aus der klass. Zeit Weimars. Bildnisse: Goethe (1805, 1806, 1817, 1819), Schiller auf dem Sterbebett (1805), Karl August (1813).

3) Karoline, Schauspielerin und Sängerin, Tochter von 1), * Weimar 25. 1. 1777, † Dresden 10. 7. 1848. Sie spielte seit 1797 in Weimar. Als Geliebte des Herzogs Karl August wurde sie Freifrau v. Heygendorf. Ihre Intrigen waren vorwiegend die Ursache für Goethes Rücktritt von der Theaterleitung (1817). Sie wirkte als Heroine bes. durch die Würde ihrer Erscheinung und ihre ausdrucksvolle Stimme.

J'agen, regelmäßiges Forststück, von geraden, unbeholzten Geländestrichen (Gestellen, Schneisen) begrenzt. *Jagenstein, Distriktstein,* Merkstein mit Nummern oder Buchstaben der zusammenstoßenden J. (auch Abteilungen oder *Distrikte* genannt).

J'ager, das vorderste dreieckige Segel eines Segelschiffs.

J'äger, 1) jeder, der die Jagd rechtmäßig und weidgerecht ausübt, also Berufsjäger, Jagdpächter, Jagdgast usw., im Gegensatz zum Aasjäger und Schießer. **2)** Infanteriesondertruppe mit bes. guter Schießausbildung, in Preußen zuerst von Friedrich d. Gr. aufgestellt. Im dt. Heer nach 1935 gab es nur Gebirgs- und Panzer-J., im 2. Weltkrieg auch J.-Divisionen. **3)** das Jagdflugzeug.

Jaeger, 1) Ernst, Jurist, * Landau 22. 12. 1869, † Leipzig 12. 12. 1944, lehrte in Erlangen, Würzburg und seit 1905 in Leipzig Konkursrecht.

2) Fritz, Geograph, * Offenbach a.M. 8. 1. 1881, † Zürich 25. 11. 1966, 1911 Prof. in Berlin, seit 1928 in Basel.

3) Lorenz, Erzbischof von Paderborn (1941–73), Kardinal (seit 1965), * Halle (Saale) 23. 9. 1892, † Paderborn 1. 4. 1975.

4) Richard, Politiker, * Berlin 16. 2. 1913, Jurist, war 1949 Oberbürgermeister von Eichstätt. Als Mitgl. der CSU gehört J. seit 1949 dem Bundestag an und wurde im Okt. 1953 dessen Vizepräsident, 1961 Vors. des Verteidigungsausschusses des Bundestags, 1965/66 Bundesjustizmin.; seit Mai 1967 wieder Bundestagsvizepräsident.

5) Werner, klass. Philologe, * Lobberich (Rheinland) 30. 7. 1888, † Boston 14. 10. 1961, 1914 Prof. in Basel, 1915 in Kiel, 1921 in Berlin, 1936 in Chicago, seit 1939 an der Harvard-University.

WERKE. Studien zur Entstehungsgesch. der Metaphysik des Aristoteles (1912), Aristoteles, Grundlegung einer Geschichte seiner Entwicklung (1923; dt. ²1955), Platons Stellung im Aufbau der griech. Bildung (1928), Paideia, die Formung des griech. Menschen, 4 Bde. (1933–47, 3 Bde. 1959), Demosthenes (1939, ²1963), The theology of the early Greek philosophers (1947, ²1948; dt. Die Theologie der frühen griech. Denker, 1953, ²1964).

J'ägerhof, 1) frühere Einrichtung an Fürstenhöfen der dt. Mittel- und Kleinstaaten zur Ausbildung berufsmäßiger Jägerei. **2)** Einrichtung zur Pflege weidmänn. Geistes in der Deutschen Jägerschaft (1935–45 in Grillenburg, Riddagshausen, Herrenhausen; seit 1952 in Kranichstein).

J'ägerlatein, scherzhaft für aufgebauschte Erzählungen von Jägern von ihren Erlebnissen auf der Jagd.

J'ägerndorf, tschech. **Krnov,** Stadt im Kreis Nordmähren, Tschechoslowakei, (1972) 22500 Ew., am Fuß des Burgbergs (437 m), hat Textil-, pharmazeut. Industrie. – J. war seit 1377 Hauptstadt eines Teilherzogtums der schles. Piasten, das 1523 an die fränk. Seitenlinie der Hohenzollern, 1623 an die Fürsten von Liechtenstein kam. Der östlich der Oppa gelegene Teil des Fürstentums wurde 1742 preußisch.

J'ägerrecht, die dem Jagdbeamten zugesprochenen Teile des Wildbrets.

Jägerschreie, alte kurze Reime, mit denen die Teilnehmer einer Jagd zusammengerufen und die Leithunde angefeuert wurden. Verwandt sind die *Waidsprüche,* die, meist aus Frage und Antwort bestehend, allerlei Einzelheiten der Jagdkunst erörtern. Ende des 17. Jhs. starben diese Reime allmählich aus.

J'ägersprache, Weidmannssprache, die Gesamtheit der Ausdrücke der Jäger bei der Beschreibung der Jagdtiere und beim Jagdbetrieb. Die J. ist zum großen Teil von der alten Jägerzunft auf die Neuzeit vererbt worden.

Jäger und Sammler, Naturvölker auf der urtümlichsten Wirtschaftsstufe, →Wildbeuter.

J'agić [-tʃ], Vatroslav (Ignatz), kroat. Slawist, * Varaždin 6. 7. 1838, † Wien 5. 8. 1923, Prof. in Odessa (1871), Berlin (1874), Petersburg (1880), Wien (1886), Gründer und Herausgeber des ›Archivs für Slaw. Philologie‹, wurde durch grundlegende Arbeiten zur Geschichte der slaw. Sprachen und Literaturen sowie durch Textausgaben zum eigentl. Schöpfer der modernen Slawistik.

Jagi'ello [poln.], **Jagello, Jagaila** [litauisch], Großfürst von Litauen (1377) und König von Polen (1386), † Grodek bei Lemberg 1. 6. 1434, folgte seinem Vater Algirdas in Litauen und bestieg nach seinem Übertritt zum Christentum und seiner Vermählung mit der Königin Jadwiga (→Hedwig) als *Władisław II.* den poln. Thron. Den Deutschen Orden besiegte er in der Schlacht bei Tannenberg (1410).

Jagiell'onen, Jagellonen, litauisch-poln. Herrscherhaus, benannt nach dem Stammvater Jagiello.

Jag'oda, Genrich Georgijewitsch, sowjet. Politiker, * Lodz 1891, † (erschossen) Moskau 15. 3. 1938, 1920–24 Leiter der Geheimpolizei (Tscheka, GPU); als Volkskommissar des Innern (1934–36) führte er die Vernichtung der Oppositionsgruppen durch; 1937 wurde er abgesetzt.

Jagre|zucker [dʒ'ægri-, engl.-ind.], Zucker aus dem Saft der Brennpalme.

Jagst *die*, rechter Nebenfluß des Neckar, entspringt am östl. Albrand und mündet bei Bad Friedrichshall.

Jagsthausen, Gem. im Kr. Heilbronn, Baden-Württemberg, an der Jagst, mit (1977) 1500 Ew.; im ältesten der 3 Schlösser der Stadt wurde 1480 Götz von Berlichingen geboren.

J'aguar [Tupisprache], die **Unze,** das größte und gefährlichste Katzenraubtier Amerikas, 1,5–2 m lang, rostgelb mit schwarzen Flecken oder Ringen, am Bauch weiß, nicht selten ganz schwarz; von Patagonien bis Texas in feuchten Waldungen.

Jaguar

J'ahja, Hamid ed-Din, Imam von Jemen (seit 1911), * 1876, † (ermordet) bei Sana 16. 1. 1948, hielt im 1. Weltkrieg zu den Türken, unterlag 1934 Ibn Saud.

Jahn, 1) Friedrich Ludwig, der »Turnvater«, * Lanz (Prignitz) 11. 8. 1778, † Freyburg a. d. Unstrut 15. 10. 1852, wurde 1810 Lehrer in Berlin und eröffnete, um durch die Turnkunst zur inneren Erneuerung Preußens beizutragen, 1811 einen Turnplatz in der Hasenheide. 1813 war er kurze Zeit in Lützows Freikorps. Auch an der Gründung der Burschenschaft war er beteiligt. 1819 wurde er zu einer Festungsstrafe verurteilt; noch bis 1840 lebte er unter Polizeiaufsicht. 1848 wurde er in die Frankfurter Nationalversammlung gewählt.

2) Gerhard, dt. Politiker (SPD), * Kassel 10. 9. 1927, Jurist, 1969–74 Bundesjustizminister.

3) Janheinz, Schriftsteller, * Frankfurt a. M. 23. 7. 1918, † Messel 20. 10. 1973.

WERKE. Schwarzer Orpheus (1964), Die neoafrikanische Literatur (Bibliographie, 1965), Geschichte der neoafrikanischen Literatur (1966).

4) Johannes, Kunsthistoriker, * Orlandhof 22. 11. 1892, † Leipzig 17. 2. 1976.

WERKE. Lucas Cranach als Graphiker (1955), Rembrandt (1956), Wörterbuch der Kunst (⁷1966).

5) Moritz, Schriftsteller, * Lilienthal bei Bremen 27. 3. 1884, schrieb hoch- und niederdeutsche Dichtungen (›Ulenspegel un Jan Dood‹, Gedichte, 1933).

Jahnn, Hans Henny, Schriftsteller, Orgelbauer, Baumeister und Biologe, * Altona-Stellingen 17. 12. 1894, † Hamburg 29. 11. 1959, war 1915–18 als Kriegsgegner in Norwegen, beschäftigte sich seit 1924 mit der Erneuerung des Orgelbaus, 1933 Emigration, bis 1945 auf Bornholm; schrieb, von Freud und Joyce beeinflußt, Dramen und Romane, auch musiktheor. Schriften.

WERKE. Dramen: Pastor Ephraim Magnus (1920), Armut, Reichtum, Mensch und Tier (1948), Thomas Chatterton (1959), Trümmer des Gewissens (1961). Romane: Perrudja, 2 Bde. (1929), Fluß ohne Ufer, 3 Tle. (1949–51). Dramen, 2 Bde. (1963 und 1965).

LIT. H. H. J. – Buch der Freunde, zusammengestellt v. R. Italiaander (1960); H. Wolffheim: H. H. J. (1966).

Jahr [german. Stw.], der Zeitabschnitt eines einmaligen Umlaufs der Erde um die Sonne *(Sonnenjahr)*, als *Kirchenjahr* mit dem 1. Sonntag im Advent beginnend. Das *Sonnenjahr* ist entweder ein astronomisches oder ein bürgerliches J. Das *astronomische J.* ist als *siderisches J. (Sternjahr)* die wahre Umlaufsperiode der Erde um die Sonne, d. h. die Zeit zwischen zwei aufeinanderfolgenden Stellungen der Sonne bei dem gleichen Fixstern. Es dauert 365,25636 mittlere Sonnentage. Als *tropisches J. (Äquinoktialjahr)* ist es die Zeit zwischen zwei aufeinanderfolgenden Durchgängen der Erde durch den Frühlingspunkt (365,2422 mittlere Sonnentage). Die →Nutation hat eine geringe Schwankung der Länge des tropischen J. zur Folge. Sieht man von ihr ab, so hat man das *mittlere tropische J.* Das *anomalistische J.* ist die Zeit zwischen zwei Periheldurchgängen der Erde. Dem *bürgerlichen J.* von 365 oder 366 Tagen ist das tropische J. zugrunde gelegt. Das restliche Tagesbruchteil wird summiert und durch Einschaltung ganzer Tage (Schalttage, *Schaltjahr*) ausgeglichen (→Kalender).

Das *Mondjahr*, entstanden durch Zusammenfassung von 12 Mondumläufen, ist mit 354 Tagen etwa 11 Tage kürzer als das Sonnenjahr.

Jahr und Tag, Frist des alten deutschen Rechts, die meist 1 Jahr, 6 Wochen und 3 Tage umfaßte.

J'ahrbücher, 1) die →Annalen; **2)** *astronomische J.* Sie enthalten die wichtigsten Angaben über Kalender, Bewegungen der Sonne, des Mondes, der Planeten, Örter der Sterne des →Fundamentalkatalogs und Tabellen für Orts- und Zeitbestimmung.

J'ahresabschluß, der jährliche →Abschluß der Buchführung.

J'ahresfeuer, ein jährlich an bestimmten Tagen durch eine Gemeinschaft abgebranntes Feuer. Nach dem bäuerl. Glauben soll ein Feuer an bedeutsamen Einschnitten des Jahres die Fruchtbarkeit der Felder fördern; daher werden auch brennende Scheiben ins Feld geschleudert (bes. im Schwarzwald) oder brennende Fackeln durch die Felder getragen. Damit verbinden sich Abwehr schädigender Wesen (Tod- oder Judasverbrennen, Hexenfeuer des 1. Mai) und Reinigung durch den Sprung durch die Flamme, ebenso Opferbräuche. Ein Teil der J. wurde mit Heiligennamen verbunden, so das Martinsfeuer im westl. Rheinland. Gebräuchlich ist noch heute das Osterfeuer in Nordwestdeutschland, zwischen Isar und Lech, in Steiermark und Kärnten, das Maifeuer in Holstein, in Mitteldeutschland und Böhmen, das Fastenfeuer in West- und Süddeutschland. Außerdem gibt es das Johannisfeuer am 21. oder 24. 6. (Sonnenwende).

J'ahresregent, *Astrologie:* der Stern, der im jeweiligen Jahr besonders großen Einfluß, z. B. auf die Witterung, haben soll.

J'ahresringe, Jahrringe, konzentrische Ringe im Baumstamm, →Holz.

J'ahreszeiten, die vier Zeitabschnitte des Jahres: Frühling, Sommer, Herbst, Winter. Der Wechsel der J. beruht darauf, daß die Umdrehungsachse der Erde auf der Erdbahnebene nicht senkrecht steht, sondern unter dem Winkel von 66½° gegen sie geneigt ist.

Die *astronomischen J.* sind auf der:

Nordhalbkugel		*Südhalbkugel*
Frühling	21. 3.–22. 6.	Herbst
Sommer	22. 6.–23. 9.	Winter
Herbst	23. 9.–22. 12.	Frühling
Winter	22. 12.–21. 3.	Sommer

Sommer und Winter beginnen mit der *Sommer-* und *Wintersonnenwende,* dem höchsten und dem tiefsten Stand der Sonne. – Die *meteorologischen J.* sind hiervon abweichend auf der:

Nordhalbkugel		*Südhalbkugel*
Frühling	März, April, Mai	Herbst
Sommer	Juni, Juli, August	Winter
Herbst	Sept., Okt., Nov.	Frühling
Winter	Dez., Jan., Febr.	Sommer

Kunst. Die Darstellung der J. geht bis in die Antike zurück, in der sie als weibl. Halbfiguren oder Genien, oft auch mit unterscheidenden Attributen wiedergegeben wurden: der Frühling mit Blumen, der Sommer mit Getreideähren und einer Sichel, der Herbst mit Weintrauben, der Winter mit einem Wildbret. Die frühchristl. Kunst übernahm die Personifikationen der J. als Sinnbilder des menschl. Lebens, doch auch der Auferstehungshoffnung. Zu den frühesten erhaltenen Darstellungen des MA.s gehören die des 11. Jhs. an den Bronzetüren d. Augsburger Doms u. d. Kapitellen v. Cluny. Im allgemeinen wurden die J. nach antikem Vorbild als Personifikationen mit den entsprechenden Attributen oder wie die Monate mittelbar in kennzeichnenden Naturvorgängen oder menschl. Tätigkeiten dargestellt. Aus späterer Zeit sind am bekanntesten der Frühling von Botticelli, der Herbst von Cossa, Grotesken von Arcimboldi, Gemälde von Bruegel d. Ä., Bronzestatuetten von Vittoria und W. Jamnitzer. Musikalische Darstellungen der J. gibt es z. B. bei A. Vivaldi (Concerti grossi) und J. Haydn (Oratorium, 1801).

Jahrhundertpflanze, Agavenarten.

Jährling, einjähriges Schaf oder Pferd.

J'ahrmarkt, auch als Kirmes, Messe, Kirbe, Kerb, schweizer. Kilbi bezeichnet, volkstüml. Krammarkt, meist mit Volksbelustigungen, Schaustellungen u. ä., zu bestimmten Zeiten im Jahr.

Jahrwoche, ein Zyklus von 7 Jahren (Sabbatjahr). Die **Jahrwochenprophetie** im Buch →Daniel (9, 24–27) sagt die Wiederherstellung Jerusalems und des Volkes Israel nach 70 J. voraus.

J'ahrzeit, 1) *schweiz.* Jahrestag, Anniversarium. **2)** *schweiz.* jährliche, kath. Gedächtnismesse für einen Verstorbenen an seinem Todestag. **J.-Buch,** Aufzeichnung der Gedächtnistage Verstorbener; wichtige Geschichtsquelle.

Jahve, Jahwe, vielleicht von den Kenitern (Midianitern) übernommener Eigenname des Gottes Israels (in 2. Mos. 3, 14 als »Ich bin« gedeutet). Die Israeliten sprachen seiner Heiligkeit wegen den Namen Gottes nicht aus, sondern ersetzten ihn durch *Adonai* (daraus fälschlich »Jehova«) oder *Elohim.* Seinem ursprüngl. Wesen nach war J. Naturgott, durch Moses wurde er zum Geschichte schaffenden Gott Israels umgedeutet. In wörtlicher Befolgung von 3. Mos. 24, 16 ersetzen die Septuaginta und ihr folgend die Vulgata und Luther den Eigennamen durch das Appellativum Kyrios, Dominus, der HERR.

Jahv'ist, Jahwist, nach neuerer, bes. von protestant. Seite vertretener Auffassung der Verfasser einer Quellenschrift im Pentateuch.

Jail a [türk. ›Sommerweide‹], Gebirge auf der Krim, 150 km lang, im Roman-Kosch 1545 m hoch.

J'aina [dʒ-], engl. für →Dschaina.

Jaipur, engl. für →Dschaipur.

Ja'irus, Synagogenvorsteher, dessen Tochter von Jesus auferweckt wurde (Mark. 5, 21 ff.).

J'ajce [-tse], Stadt in Jugoslawien, in maler. Lage über dem 30 m hohen Absturz der Pliva in den Vrbas, (1971) 9100 Ew. J. war bereits in röm. Zeit strategisch wichtig. Um 1404 erbaute dort Großwoiwode Hrvoje Vukčić eine Burg gegen König Sigismund, die unter dem bosn. König Stefan Tomas (1443–61) Residenz wurde. 1463 von König Matthias von Ungarn in Besitz genommen, schwer umkämpft, wurde J. 1528 von den Osmanen erobert und als Stützpunkt ausgebaut; bis 1878 blieb es unter deren Herrschaft. – Die Stadt mit mehreren Moscheen und Kirchen wird überragt von der Ruine der bosn. Königsburg.

Jak [tibetisch], **Grunzochse, Yak,** sehr langhaariges Rind der tibetanischen und angrenzenden Hochländer; Last-, Reit- und Milchtier.

Jak (bis 3,5 m lang)

Jakar'andaholz, →Jacaranda.

Jak'arta, Stadt in Indonesien, →Djakarta.

Jako, der →Graupapagei.

J'akob, 1) *A. T.:* zweiter Sohn von Isaak, Stammvater Israels. Er erkaufte durch ein Linsengericht von seinem älteren Bruder Esau das Recht der Erstgeburt und erschlich von seinem erblindeten Vater auch den Segen des Erstgeborenen (1. Mos. 25,29ff., 27,1ff.). Vor Esaus Rache floh J. zu dem Aramäer Laban, dem er 14 Jahre um seine Töchter Lea und Rachel diente und den er schließlich durch größere Klugheit überwand. Nach seiner Heimkehr mußte er am Jabbok mit einem Engel kämpfen (1. Mos. 32,22ff.) und wohnte nach Versöhnung mit Esau in der Gegend von Sichem (1. Mos. 34,1ff.). Auf ihn werden die 12 Stämme Israels, 8 vollbürtige (6 von Lea: Ruben, Simeon, Levi, Juda, Isaschar, Sebulon; 2 von Rachel: Joseph, Benjamin) und 4 halbbürtige (2 von Bilha: Dan, Naphtali, 2 von Silpa: Gad und Asser) zurückgeführt; sie werden in dem Jakobssegen (1. Mos. 49), einer Weissagung J.s, mit ihren Schicksalen gekennzeichnet. J. soll in Ägypten in hohem Alter gestorben sein. – Mit der Gestalt des J. sind viele Legenden, vor allem die von der bild. Kunst oft dargestellte Himmelsleiter (Jakobsleiter) verbunden.

2) *N. T.:* →Jakobus.

J'akob, Fürsten:

Aragonien. **1) J. I., der Eroberer, Jaime el Conquistador,** König (1213–76), * Montpellier 22. 2. 1208, † Valencia 27. 7. 1276, entriß den Mauren 1229–35 die Balearen und 1232–38 das Kgr. Valencia.

2) J. II., der Gerechte, span. **Jaime,** König (1291–1327), Enkel von 1), * Montpellier 1264, † Barcelona 2. 11. 1327, erhielt von seinem Vater Peter III. 1285 Sizilien, das er 1295 auf Wunsch des Papstes Bonifaz VIII. mit Sardinien und Korsika vertauschte.

Großbritannien. **3) J. I.,** engl. **James,** König (1603–25), als **J. VI.** König von Schottland (seit 1567), Sohn der Maria Stuart und Lord Darnleys, * Edinburgh 19. 6. 1566, † 27. 3. 1625, gelangte durch Elisabeths Tod auf den engl. Thron. Er stützte sich bes. auf die anglikan. Staatskirche gegenüber den Presbyterianern; die Aussöhnung mit den Katholiken vereitelte die Pulververschwörung (1605).

4) J. II., engl. **James,** König (1685–88), zweiter Sohn Karls I., * 14. 10. 1633, † Saint-Germain 16. 9. 1701. Von seiner ersten protestant. Gemahlin Anna Hyde hatte er zwei Töchter, die späteren Königinnen Maria und Anna. 1672 wurde er Katholik. Da er eifrig für die Wiederherstellung des Katholizismus in England arbeitete, riefen die parlamentar. Führer 1688 Wilhelm von Oranien, den Schwiegersohn J.s, herbei; J. floh nach Frankreich. Der Versuch, mit französ. Hilfe von Irland aus seinen Thron zurückzuerobern, endete 1690 mit der Niederlage am Boyne. Sein Sohn aus zweiter Ehe, **J. Eduard (J. III.)** (* London 1688, † Rom 1766), scheiterte 1708 und 1715/16 bei Unternehmungen zur Wiedergewinnung des Throns.

Jakob von Compostela, →Jakobus.

Jakob von Vitry, franz. Theologe, * vor 1170, † Rom 30. 4. 1240, war Kreuzzugsprediger, Bischof von Akkon (1216) und Kardinalbischof von Frascati (seit 1228). Seine Schriften und Briefe bilden wichtige Quellen für die Zeitgeschichte Frankreichs, Italiens und des Kreuzfahrerstaates.

J'akoba, engl. **Yakoba,** ehemal. Name von →Bauchi.

Jakob'äa, 1) auch **Jakobe,** Tochter Markgraf Philiberts von Baden-Baden, * 16. 1. 1558, † (erdrosselt) 3. 9. 1597, prot. Herkunft, kath. erzogen, 1585 mit Herzog Johann Wilhelm von Jülich vermählt, der 1590 wahnsinnig wurde. Die jülichschen Räte und Stände rangen mit ihr um die Macht.

2) J. von Holland, auch **J. von Bayern,** Erbtochter Wilhelms II. von Bayern, des Grafen von Holland, Seeland und des Hennegaus, * Le Quesnoi 25. 7. 1401, † Teilingen (bei Haarlem) 9. 10. 1436, kam nach dem Tode ihres Vaters (1417) in den Besitz Hollands und des Hennegaus, vermochte aber diese trotz ihrer Heiraten mit Johann von Brabant (1419), Humphrey von Gloucester (1422) und Frank von Borselen nicht zu behaupten. Sie kamen 1433 an ihren Vetter Philipp den Guten von Burgund.

Jakob'iner, franz. **Jacobins, 1)** in Frankreich die →Dominikaner, so genannt nach ihrem Kloster St-Jakob in Paris, das sie seit 1218 innehatten.

2) die Mitglieder des bedeutendsten polit. Klubs der Französ. Revolution, der seinen Namen nach der Tagungsstätte im Jakobinerkloster zu Paris erhielt. Er wurde im Sommer 1791 der Mittelpunkt der radikalen Republikaner und erreichte den Höhepunkt seiner Bedeutung während der Schreckensherrschaft von 1793/94. Nach Robespierres Sturz wurde der Jakobinerklub am 11. 11. 1794 geschlossen.

Jakob'inermütze, die in der Zeit der Französ. Revolution als Sinnbild der Freiheit dienende Kopfbedeckung der Jakobiner; der →phrygischen Mütze nachgebildet.

Jakob'iten, 1) die christl. Sekte der Monophysiten in Syrien; benannt nach dem Gründer, dem syr. Mönch Jakob Baradäus. **2)** die Anhänger des 1688 vertriebenen engl. Stuartkönigs Jakob II. und seiner Nachkommen, bes. in Schottland.

J'akobskraut, Jakobsstab, ein →Kreuzkraut.

J'akobslauch, die →Winterzwiebel.

J'akobsleiter, 1) Himmelsleiter, die der Erzvater Jakob im Traume sah (1. Mos. 28, 12f.). **2)** auch *See-Fallreep*, eine Strickleiter auf Schiffen. **3)** Pflanzenart, →Himmelsleiter.

J'akobsmuschel, →Kammuschel.

Jakobsonsches Organ [nach dem dän. Anatomen L. Jakobson, * 1783, † 1843], *Vomeronasal-Organ*, ein an der inneren (medialen) Wand der Nasenhöhle gelegenes Sinnesorgan, eine Abgliederung von der Nasenhöhle, die mit Riechepithel ausgestattet ist und wahrscheinl. den Geruch der Nahrung prüft. Das J. O. mündet in die Nasenhöhle, oder, bei den meisten Reptilien und den Säugern, durch den Gaumen in die Mundhöhle. – Das J. O. kommt bei Amphibien, Reptilien und Säugetieren vor, ist aber bei Vögeln, Schildkröten und Krokodilen sowie manchen Säugetieren und beim Menschen zurückgebildet.

J'akobsstab, 1) *Astronomie: Gradstock, Grundstock, Kreuzstab*, ein einfaches Gerät zum Winkelmessen: ein Stab mit Skala und verschiebbarem Querstab, ebenfalls mit Skala. **2)** die drei in gerader Linie stehenden Sterne δ, ε, ζ im Gürtel des Orion. **3)** ein →Kreuzkraut.

J'akobstag, Jakobi, der 25. Juli.

J'akobszwiebel, die →Winterzwiebel.

Jak'obus, *N. T.:* **1) J. der Ältere,** Apostel (Mark. 5,37ff.), Sohn des Zebedäus, Bruder des Evangelisten Johannes, ein galiläischer Fischer, gegen 44 n. Chr. hingerichtet. Tag: 25. 7. Nach einer seit dem 7. Jh. nachweisbaren Legende soll J. in Spanien gewirkt haben. Über seinem angeblichen Grab wurden von König Alfons II. um 829 eine Kirche und ein Kloster erbaut, um die herum die Stadt →Santiago de Compostela entstand, im MA. (10.–15. Jh.) neben Jerusalem der berühmteste Wallfahrtsort der Christenheit. J. war zeitweise auch außerhalb Spaniens der volkstümlichste Apostel, neben Michael der Schutzheilige im Kampf gegen die Mohammedaner, Schutzheiliger Spaniens und der Pilger. Mehrere geistl. Ritterorden, vor allem der 1161 im Kampf gegen die Mauren gegr. »Orden von Compostela«, tragen seinen Namen, ebenso viele Städte in Spanien, Portugal und Lateinamerika (Santiago, San Diego).

2) J. der Jüngere (nach Mark. 15, 40), Apostel, Sohn des Alphäus (Mark. 3,18).

3) Bruder (nach kathol. Lehre Vetter) Jesu (Mark. 6, 3), war neben Petrus und Johannes das Haupt der ersten christl. Gemeinde Jerusalems, wurde 62 n. Chr. gesteinigt. Vielleicht Verfasser des *Jakobusbriefes*, einer judenchristl. Schrift im N. T. In der kathol. Liturgie unter Gleichsetzung mit 2) Tag: 11. 5. (bis 1955: 1. 5.).

Jak'obusbrief, wichtige judenchristliche Schrift im Neuen Testament.

Jaksch, Wenzel, Politiker (SPD), * Langstrobnitz (Sudetenland) 25. 9. 1896, † Wiesbaden-Schierstein 27. 11. 1966, war als sudetendt. Sozialdemokrat 1929–38 Mitgl. des tschechoslowak. Parlaments, emigrierte 1939 nach England, opponierte dort gegen die Austreibungspläne Beneschs; 1949 übernahm er die zentrale Flüchtlingsbetreuung innerhalb der SPD, seit 1953 MdB, seit 1. 3. 1964 Präs. des Bundes der Vertriebenen.

Jaktation [lat.], das unruhige Sichhinundherwerfen der Kranken, bes. bei Fiebernden.

Jakubowski, Iwan, sowjet. General, * 7. 1. 1912, † Moskau 30. 11. 1976; seit 1961 Mitgl. des ZK der KPdSU, seit 1967 Oberkommandierender der Truppen der Warschauer-Pakt-Staaten.

Jakudn, Djakun, Stamm der Primitiv-Malaien im Innern der südl. Malaiischen Halbinsel.

Jak'uten, Turkvolk an der mittleren und unteren Lena (1970 rund 296000); im S Pferde- und Rinder-, im N Rentierzucht und Pelztierjagd; geschickte Eisen- und Silberschmiede. Ihre Sprache dient als Verkehrssprache in NO-Sibirien. – Ihr Wohngebiet bildet die am 27. 4. 1922 im Rahmen der Russ. SFSR errichtete *Jakutische Autonome Sozialist. Sowjetrepublik* (ASSR), 3103200 qkm mit (1972) 694000 Ew.; Hauptstadt: Jakutsk. Sie umfaßt den NO des Mittelsibir. Berglandes, das Werchojansker und das Tscherskij-Gebirge, das Tiefland der mittleren und unteren Lena und Teile der Eismeerküste; im N Tundra, sonst hauptsächlich Nadelwälder mit großen Lärchenbeständen. Der Reichtum des Landes besteht in den Kohlenlagern, im Vorkommen von Blei- und Zinkerzen, Silber, Wolfram, Molybdän, Zinnerzen und in Öl- und Goldfeldern.

Jak'utsk, Hauptstadt der Jakutischen ASSR, links der Lena, mit (1972) 120000 Ew., wichtigste Stadt NO-Sibiriens; Steinkohlenlager, Pelzhandel; Flughafen.

Jalapa [xa-], Hauptstadt des mexik. Staates Veracruz, mit (1970) 127100 Ew., kathol. Erzbischofssitz; Kaffee-, Tabak- und Südfruchtanbau.

Jal'ape, Jalappe, Purg'ierwinde, 1) *Exogonium purga*, mexikan., in den Tropen angebautes Windengewächs mit großen roten Blüten, dessen Wurzelstock *(Jalappenwurzel)* und Harz Abführ- und Wurmmittel sind. **2)** andere amerik. und ostind. Windengewächse von ähnl. Bedeutung.

Jalisco [xa-], Staat von Mexiko, 80137 qkm mit (1970) 3,3 Mill. Ew., vorherrschend

Bergland. Anbau von Weizen, Agaven, Zuckerrohr, Tabak, Kaffee, Baumwolle, Reis, Obst; Bergbau auf Silber, Gold, Kupfer, Blei, Zink. Hauptstadt: Guadalajara.

Jalón [xal'ɔn], rechter Nebenfluß des Ebro in Spanien, 180 km lang.

Jalousie [ʒaluz'i, französ. ›Eifersucht‹], Sonnenschutz vor Fenstern; waagerechte Brettchen aus Holz, Kunststoff u. a., durch Gurte und Schnüre verstellbar.

Jaloux [ʒal'u], Edmond, franz. Schriftsteller, * Marseille 19. 6. 1878, † Lausanne 22. 8. 1949, bes. Literaturkritiker, u. a. für die ›Nouvelles littéraires‹ (1922–40).

J'alta, Hafenstadt, Kur- und Badeort an der Südküste der Krim, Sowjetunion, mit (1972) 65000 Ew. 4 km westlich von J. liegt das ehemal. Zarenschloß *Liwadia.* – Auf der **Jalta-Konferenz** (4.–11. 2. 1945) einigten sich Roosevelt, Stalin und Churchill über die militär. Besetzung Deutschlands und die Einteilung in vier Besatzungszonen, über die poln. Ostgrenze und die Bildung von demokrat. Regierungen für Polen und Jugoslawien, die Organisation der Vereinten Nationen (bes. das Vetorecht), die Bestrafung von Kriegsverbrechern und über militär. Maßnahmen zur Beendigung des Kriegs und Nachkriegsfragen. In einem Geheimabkommen verpflichtete sich die Sowjetunion zum baldigen Eintritt in den Krieg gegen Japan gegen territoriale und politische Zugeständnisse.

LIT. A. Conte: Die Teilung der Welt. Jalta 1945 (1965).

J'alu, Yalu, korean. **Amnokgang,** Grenzfluß zwischen Korea und der Mandschurei, mündet in die Koreabai; am Unterlauf Kraftwerke.

Jaluit [dʒɑl'u:t], **Djaluit, Dschalut,** größtes Atoll der →Marshallinseln, aus ca. 80 kleinen Inseln bestehend, mit dem Regierungssitz *Jabor.*

Jalungkiang, linker Nebenfluß des Jangtsekiang, wegen seiner Länge (1324 km) und Wasserfülle früher als dessen Quellfluß angesprochen, entspringt in O-Tibet.

Jam [dʒæm, engl.] *das,* Marmelade.

J'ama, ind. Todesgott, Richter über die Unterwelt.

Jamagata, Yamagata, Stadt auf Hondo, Japan, mit (1970) 204100 Ew.; Seidenerzeugung.

Jamagata, Aritomo, Fürst, →Yamagata.

Jam'aika, engl. **Jamaica** [dʒəm'eikə; aus dem indian. chaymaka ›wohl bewässert‹], drittgrößte Insel der Großen Antillen, Land des Commonwealth, 10962 qkm mit (1976) 2,080 Mill. Ew.; Hauptstadt: Kingston. J. ist gebirgig und erreicht in den Blauen Bergen mit 2256 m seine höchste Erhebung. Bevölkerung: vorwiegend Neger, rd. 1% Europäer. Hauptlieferant von Bauxit (Förderung 1970: 12,5 Mill. t). Hauptausfuhr: Zucker, Bauxit, Rum, Bananen, Kaffee. – J. wurde 1494 von Kolumbus entdeckt. Unter der span. Herrschaft wurden die eingeborenen Indianer ausgerottet. 1655 eroberten die Engländer die Insel und führten viele Negersklaven ein. J. gehörte 1958 bis zur Volksabstimmung vom Sept. 1961 zum →Westindischen Bund. Am 6. 8. 1962 erlangte J. seine Unabhängigkeit. Premierminister: 1967–72 Hugh Shearer (Labour Party), seit März 1972 M. N. Manley (Volkspartei).

Jam'aika|apfel, eine Anonenfrucht.

Jam'aikapfeffer, Gewürz, →Piment.

Jam'alo-N'enzen, der nordöstliche Zweig der Samojeden (Nenzen), auf den Halbinseln Jamal und Gydan. – Ihr Wohngebiet bildet seit 1932 den *Nationalbezirk der J.-N.* in der Russ. SFSR, meist Waldtundra und Tundra, 750300 qkm mit (1970) 80000 Ew. (neben J.-N. Russen, Chanten, Mansen u. a.); Hauptstadt ist Salechard. Vorherrschend sind Rentierzucht und Fischfang (Mittelpunkt der Hafen Nowyi Port am Ob); Fischkonservenindustrie; vom unteren Ob Eisenbahnverbindung nach Workuta.

Jam'an-Tau, höchster Berg im südlichen Ural, 1638 m hoch.

Jamato, Yamato, historische Kern-Landschaft am östl. Gestade der japan. Inlandsee.

J'ambendichtung, eine auf ionischem Gebiet entstandene volkstüml. Dichtungsgatt., deren Hauptvertreter die **Iambographen** Archilochos von Paros, Semonides und Hipponax waren und die ihre Blüte im 7. und 6. Jh. v. Chr. hatte; anfängl. im Parteikampf wie in persönl. Fehde angreifend und spottend, von der attischen Tragödie und Komödie weiterentwickelt, in hellenist. Zeit meist des persönl. Spotts entkleidet (Herondas, Phönix von Kolophon).

J'ambol, Stadt in Bulgarien, (1970) 70300 Ew., Flughafen; Handel, Industrie (Wolldecken).

Jamboree [dʒæmbər'i:, engl.], internationales Pfadfindertreffen.

J'ambul, südostasiat.-austral. Obstbaum der Familie Myrtengewächse.

J'ambus [griech.], Versfuß aus einer kurzen und einer langen Silbe (⏑—), in den dt. Nachbildungen aus einer Senkung und einer Hebung. Der →Blankvers ist ein reimloser jambischer Fünffüßer.

Jamb'use, Malay-Apfel, Obstfrucht von einer indischen Eugenienart.

James [dʒeimz], engl. für →Jakob.

James [dʒeimz], **1)** Harry Haag, amerikan. Jazztrompeter, * Albany (Georgia, USA) 15. 3. 1916, Bandleader.

2) Henry, nordamerikan. Erzähler, * New York 15. 4. 1843, † London 28. 2. 1916, Bruder von 3), schrieb Romane, die durch scharfe Beobachtung, durch Stil und Technik wegweisend für die Entwicklung des psycholog. Romans wurden.

WERKE. Der Amerikaner (1877; dt. 1966), Bildnis einer Dame (1881; dt. 1950), Prinzessin Casamassima, 3 Bde. (1886–88; dt. 1954), Maisie (1898; dt. 1955), Die Gesandten (1903; dt. 1956), Tagebuch eines Schriftstellers (dt. 1965).

3) William, amerikan. Philosoph und Psychologe, * New York 11. 1. 1842, † Chocorna (N. H.) 26. 8. 1910, Prof. an der Harvard-Univ., richtete das erste psycholog. Universitätsinstitut in Amerika ein. Er war Begründer des Pragmatismus und Anhänger des Pluralismus, schuf die Grundlagen einer neuen Psychologie, insbes. der Religionspsychologie.

WERKE. Prinzipien der Psychologie, 2 Bde. (1890; dt. 1909), Die religiöse Erfahrung in ihrer Mannigfaltigkeit (1902; dt. 1907), Pragmatismus (1907; dt. 1908), Das pluralistische Universum (1909; dt. 1914).

LIT. H. Schmidt: Der Begriff der Erfahrungskontinuität bei W. J. und seine Bedeutung für den amerikan. Pragmatismus (1959); J. Linschoten: Die Psychologie von W. J. (1961).

Jamesone [dʒ'eimsn], George, schott. Maler, * Aberdeen 1587/88, † Edinburgh 1644, das. Schüler seines Onkels, John Anderson, malte lebendige Bildnisse des schott. Adels (»der schottische van Dyck«).

Jameson Raid [dʒ'eimsn reid], der Einfall des Engländers Leander Jameson (* 1853, † 1917) mit 800 Mann Schutztruppe in Transvaal (1895/96), der den Sturz des Burenpräsidenten Krüger bezweckte, aber durch den Burengeneral P. J. Joubert abgewehrt wurde.

James River [dʒeimz r'ivə], **1)** linker Nebenfluß des Missouri in den USA. **2)** 550 km langer Fluß in Virginia (USA).

Jammerbucht, flache, für die Schiffahrt gefährliche Bucht der Nordküste Jütlands.

Jammertal, auf die griech. und lat. Übersetzung [›Tal der Tränen‹] von Ps. 84 (83), 7 zurückgehende, bes. durch das →Salve Regina verbreitete kirchl. Bezeichnung des irdischen Daseins.

Jammes [ʒam], Francis, franz. Dichter, * Tournay 2. 12. 1868, † Hasparren (Pyrénées-Atlantiques) 1. 11. 1938, Lyriker, Erzähler und Essayist, verfaßte Gedichte und Erzählungen voll naiver Frömmigkeit. War befreundet mit A. Gide und P. Claudel.

WERKE. Der Roman der drei Mädchen (1898–1904; dt. 1950), Der Hasenroman (1903; dt. 1916), Œuvres, 5 Bde. (1913–26), Poèmes choisis (1947).

Jammu, engl. für →Dschammu.

Jamnagar, engl. Schreibung für die ind. Stadt →Dschamnagar.

Jamnia, palästin. Ort am Mittelmeer, heute **Jebna,** war im 2. Jh. n. Chr. ein jüd. Zentrum, dessen Synode den Kanon des A. T. festsetzte.

J'amnitzer, Wenzel, * Wien 1508, † Nürnberg 9. 12. 1585, schuf mit seinem Bruder *Albrecht*, später seinen Söhnen und Schwiegersöhnen Prunkgefäße, die mit Figuren, Tieren, Mauresken und Blumen aus Silber und Email verschwenderisch geziert sind. In gleicher Art arbeitete sein Enkel *Christoph* (* 1563, † 1618).

LIT. M. Rosenberg: J. (1920).

Jam Session [dʒæms'eʃən, engl.], zwangloses, mehr solistisches Zusammenwirken von Jazz-Musikern, an Stelle organisierter Kapellen; heute auch von Jazz-Klubs veranstaltet.

Jamshedpur, engl. Schreibung für die ind. Stadt →Dschamschedpur.

J'ämtland, Landschaft und Provinz (Län) im nördl. Schweden, mit 51 548 qkm, (1973) 126 400 Ew., wald- und seenreiches Gebirgsland; Holzwirtschaft. Einzige Stadt ist Östersund.

Jan [niederd.], Kurzform für: Johann. **Jan Maat, Janmaat,** Matrose. **Jan Rasmus,** *niederd.* die tobende See. **Jan im Sack,** westfäl. Gericht aus Reis, Graupen, Backpflaumen, Rosinen, in eine Serviette gebunden und im Wasserbad gekocht.

J'ana, Fluß in NO-Sibirien, 872 km lang, mündet mit großem Delta ins Eismeer; am Mittellauf liegt Werchojansk.

Janáček [j'ana:tʃɛk], Leoš, tschech. Komponist, * Hochwald (Mähren) 3. 7. 1854, † Mährisch-Ostrau 12. 8. 1928, verarbeitete mährisches Volksmusikgut und prägte einen unabhängigen persönl. Stil, obwohl sich Züge von Verismo, Naturalismus und Impressionismus nachweisen lassen.

WERKE. Opern: Jenufa (1904), Katja Kabanova (1921), Das Schlaue Füchslein (1924), Aus einem Totenhaus (1930). Orchester- und Chorwerke, Kammermusik, Lieder.

LIT. J. Vogel: L. J. (1958); H. H. Stuckenschmidt: L. J., in: Schöpfer der neuen Musik (1958); H. Hollander: L. J. (1964).

Janam, französ. **Yanaon,** ehemal. französ. Besitzung in Indien, im Godavaridelta, 18 qkm mit etwa 5900 Ew.; gehört seit 1956 zu Indien.

Janata-Partei (Volkspartei), indische Partei, im Jan. 1977 unter dem Vorsitz von M. Desai gegründet, Zusammenschluß der nichtkommunist. Opposition gegen Indira Gandhi; nach dem Wahlsieg vom März 1977 übernahm die J.-P. die Regierung.

Jangtsekiang, engl. **Yangtzekiang,** bedeutendster Strom Asiens, der wasserreichste Chinas, 5800 km lang, entspringt in Tibet, durchfließt Südchina und mündet nördl. von Schanghai in das Gelbe Meer. Die Schwankungen des Wasserstandes sind sehr groß und führen im Sommer oft zu verheerenden Überschwemmungen. Er ist auf 2700 km schiffbar, bis Hankau von Mai bis Oktober auch für größere Seeschiffe.

Jan'iculum, mons janiculus, Hügel des alten Rom, rechts des Tiber im heutigen Stadtteil Trastevere, nach einem Heiligtum des Janus benannt und früh befestigt, von Augustus in die Stadt einbezogen.

Janitsch'aren [türk. ›neues Heer‹], türk. Fußtruppe, seit 1329 aus christlichen, zum Islam übergetretenen Kriegsgefangenen gebildet, in der Blütezeit des türk. Reichs die Kerntruppe des Heeres; 1826 von Sultan Mahmud II. aufgelöst.

Janitsch'arenmusik, Militärmusikkapelle aus Bläsern und Schlagzeug; von den Türken übernommen.

Jank, Angelo, Maler und Illustrator, * München 30. 10. 1868, † das. 9. 10. 1940, war in München Mitgl. der ›Scholle‹ und Mitarbeiter der ›Jugend‹, seit 1907 Lehrer der Akademie. Er malte impressionist. Bilder von Pferden, Jagden und Rennen.

Janker, Trachtenjacke in Süddtl. und den Alpenländern.

Jan M'ayen, norweg. Vulkaninsel im Europ. Nordmeer, 373 qkm groß, bis 2270 m hoch; ständige Wetterstation.

J'annings, Emil, Schauspieler, * Rorschach (Schweiz) 23. 7. 1884, † Strobl (Wolfgangsee) 2. 1. 1950. Filme: Der blaue Engel, Varieté, Der alte und der junge König, Traumulus, Robert Koch, Die Entlassung, Der zerbrochene Krug u. a.

Jaensch, Erich, Psychologe, * Breslau 26. 2. 1883, † Marburg 12. 1. 1940, Prof. in Marburg, begründete eine psycholog. Anthropologie (→Integration, →Eidetik).

WERKE. Die Eidetik (1925), Grundformen menschl. Seins (1929), Über den Aufbau des Bewußtseins ([2]1930 f.).

J'ansen, Cornelius, niederländ. Theologe, * Akkoy 28. 10. 1585, † Ypern 6. 5. 1638, Prof. in Löwen, seit 1636 Bischof von Ypern. J. ist durch sein Buch ›Augustinus‹ (1640) Urheber des **Jansen'ismus,** einer kath. Richtung im 17. und 18. Jh., die die Gnadenlehre des Augustinus entgegen der Kirchenlehre zur Unwiderstehlichkeit der Gnade überspitzte und von den Jesuiten heftig bekämpft wurde. Der J. war bes. unter den franz. Gelehrten verbreitet und hatte seinen Hauptsitz in dem 1710 zerstörten Kloster Port Royal bei Versailles. In den folgenden Jahren flohen viele belgische und französ. Jansenisten nach Holland, wo die Utrechter Kirche ihnen eine Zuflucht bot.

J'ansen Enikel (Enkel, auch Enenkel), **Jans,** Reimchronist, Wiener Bürger, der um 1280 in mittelhochdt. Reimversen eine ›Weltchronik‹, ferner ein ›Fürstenbuch von Österreich‹ schrieb; beide hg. in den ›Monumenta Germaniae historica‹, Deutsche Chroniken, Bd. 3 (2 Tle., 1891 bis 1900).

J'anssen, 1) Horst, Zeichner, * Hamburg 14. 11. 1929; Karikaturen, Zeichnungen, Graphiken.

2) Peter, Maler, * Düsseldorf 12. 12. 1844, † das. 19. 2. 1908, Prof. und Direktor der Akademie, schuf histor. Wandgemälde und Porträts.

3) Victor Emil, Maler, * Hamburg 11. 6. 1807, † das. 23. 9. 1845, schloß sich in Rom den Nazarenern an. Seine große Begabung zeigen vor allem seine Zeichnungen.

Janssens, 1) Abraham, gen. **van Nuyssen,** fläm. Maler, * um 1575, begraben Antwerpen 25. 1. 1632, in Italien ausgebildet, schuf religiöse, mytholog. und allegor. Historienbilder.

2) Cornelis **van Ceulen,** niederländ. Maler, getauft London 14. 10. 1593, † Utrecht 5. 8. 1661, schuf Porträts.

Jansson, Eugène Fredrik, schwed. Maler, * Stockholm 18. 3. 1862, † das. 15. 6. 1915, malte in impressionist. Art Stockholmer Stadtmotive.

J'antra *die,* **Jetar,** 271 km langer, im Balkan entspringender rechter Nebenfluß der Donau in Bulgarien.

Jantzen, Hans, Kunsthistoriker, * Hamburg 24. 4. 1881, † Freiburg 15. 2. 1967, war seit 1916 Prof. in Freiburg, 1931 in Frankfurt, 1935–50 in München. J. veröffentlichte wegweisende Arbeiten bes. über die Kunst des Mittelalters (Kunst der Gotik, 1957; Die Gotik des Abendlandes, 1962).

J'anuar [lat., vom röm. Gott Janus], **Jänner, Jenner,** auch **Hartung,** der erste Monat des Jahres, hat 31 Tage.

Janu'arius [lat. ›Pförtner‹], nach der Überlieferung Märtyrer unter Diokletian Anfang des 4. Jhs., Schutzheiliger von Neapel. Tag: 19. 9.

J'anus, altröm. Gott, Schützer des Hauses, später der Gott des Anfangs; dargestellt mit Doppelantlitz.

J'anus Pann'onius, eigentl. **Johannes Csezmiczei,** ungar. Humanist, * Esseg 29. 8. 1434, † Schloß Medve 1472, wurde nach elfjähr. Studium in Italien 1460 Bischof von Fünfkirchen. In eine Verschwörung gegen König Matthias Corvinus verwickelt, mußte er flüchten und starb in der Verbannung.

Jap, Yap, Insel der →Karolinen, mit vorgelagerten Inseln 207 qkm, bis 150 m hoch, von einem 2–4 km breiten Riff umgeben. Die Bewohner (1971: 7400) sind Mikronesier.

J'apan [›Sonnenaufgangsland‹], japan. **Nihon,** auch **Nippon,** Kaiserreich in Ostasien, 372300 qkm mit (1976) 112,8 Mill. Ew.; Hauptstadt ist Tokio.

Landesnatur. J. ist ein Inselreich vor der Ostküste Asiens. An das Kernland, die Hauptinseln Kiuschu, Schikoku, Hondo und Hokkaido, schließen sich im S die Riukiu-Inseln, im N die Kurilen an. Vom Festland ist J. durch das Ostchines. und das Japan. Meer getrennt. Die japan. Inseln sind durch Meeresbuchten reich gegliedert, im Innern sehr gebirgig. Höchster Berg ist der Vulkankegel Fudschijama (3776 m). Nördl. von ihm erreichen die Japan. Alpen noch mehrfach über 3100 m. J. besitzt zahlreiche heiße Quellen und gegen 300 Vulkane, von denen viele noch tätig sind; es ist eins der erdbebenreichsten Länder der Erde.

Die Flüsse sind sehr wasserreich, meist infolge starken Gefälles nicht schiffbar, aber für Bewässerung der Reisfelder, Flößerei und Kraftgewinnung wichtig. Die Seen sind meist klein; der einzige große ist der Biwasee (675 qkm). Das Klima ist gekennzeichnet durch den Wechsel der Monsunwinde, im Sommer aus SO, im Winter aus NW, die beide den ihnen zugewandten Gebirgen reiche Niederschläge, im Winter z.T. Schnee bringen. Der S ist subtropisch heiß, der N warm- bis kühl-gemäßigt. Im Hoch- und Spätsommer treten an der Südostküste häufig verheerende Taifune auf. Die Pflanzenwelt ist überaus artenreich. Die Wälder

(70 Prozent der Gesamtfläche) bestehen im S aus immergrünen neben laubabwerfenden Bäumen, Zypressen und Kiefern, im N aus winterkahlen Laubbäumen und Nadelhölzern mit reichem Unterholz. Die Tierwelt enthält viele einheimische Arten, darunter der japan. Affe, der schwarze Bär, ein wilder Hund, eigne Arten von Hirsch, Hase, Antilope und Flugeichhörnchen.

Die *Bevölkerung* besteht fast ausschließlich aus →Japanern, ferner (1973) rd. 640000 Koreanern; auf der Insel Hokkaido leben noch Reste der →Ainu. Die Inseln sind in den Tälern und Küstenebenen sehr dicht bevölkert (über 500 Ew. auf 1 qkm), die Gebirge, das nördlichste Hondo und Hokkaido dagegen dünn. Seit 1854 hat sich die Bevölkerung fast vervierfacht. J. hat rund 150 Großstädte, darunter 9 Millionenstädte (Tokio, Osaka, Nagoja, Jokohama, Kioto, Kobe, Kitakiuschu, Sapporo, Kawasaki).

Wirtschaft. Von den 52,7 Mill. Erwerbstätigen (1970) sind 19% in der Land-, Forstwirtschaft und Fischerei, 34% im produzierenden Gewerbe, 28% im Handel, Geldwesen und Verkehr, 18% im übrigen Dienstleistungsbereich beschäftigt. Bedingt durch die natürl. Gegebenheiten (Bergland) werden nur rd. 16% der Fläche als Ackerland, 2,6% als Wiesen und Weiden von der Landwirtschaft (hauptsächlich in Kleinbetrieben) genutzt. Hauptanbaupflanze ist Reis (rd. 55% der Anbaufläche), daneben Gerste, Weizen, Bohnen, Kartoffel, Gemüse. Im S werden Tee, Tabak, Zuckerrohr und trop. Früchte angebaut. Die Viehzucht wird seit 1945 gefördert; bedeutend ist die Geflügelzucht. Die Seidenraupenkultur hat infolge der Entwicklung neuer Faserstoffe stark abgenommen. Trotz hoher Erträge reicht die landwirtschaftl. Erzeugung zur Ernährung der Bevölkerung nicht aus. Bedeutend ist die Seefischerei, in der J. nach Peru führend ist (1973: 10,2 Mill. t). Eine Besonderheit ist die Perlmuschelzucht.

Bergbau. Der Abbau von verschiedenen Bodenschätzen (Stein- und Braunkohle, Erdöl, Erze, Silber, Gold) reicht für die Eigenversorgung nicht aus. Nur Schwefel, Pyrit und Kalkstein decken den Eigenbedarf.

Die *Industrie* hat sich seit 1952 stark entwickelt; sie ist überwiegend auf importierte Rohstoffe angewiesen und exportintensiv; daher liegen die meisten Großbetriebe, mit eigenen Hafenanlagen ausgestattet, an der pazif. Küste. Führend ist J. im Schiffbau (1973/74: 14,7 Mill. BRT); im Kraftfahrzeugbau und in der Kunstfaserproduktion, in der Stahl- und Zementerzeugung steht J. auf vorderen Plätzen der Welt. Ferner werden Maschinen, opt. und Präzisionsinstrumente, elektr. Geräte u. a. hergestellt. Bedeutend ist die Textilind. und die Petrochemie.

Die wichtigsten Ausfuhrgüter sind Schiffe und Fahrzeuge, Rundfunk- und Fernsehgeräte, Chemikalien und Fischwaren, Haupthandelspartner sind die Verein. Staaten.

Verkehr. Das staatl. Eisenbahnnetz umfaßt (1972) 20900 km (davon 11000 km elektrifiziert) und rd. 6000 km Privatbahnen; befestigte Straßen (1972) ca. 200000 km. Kraftfahrzeugbestand: (1973) 25,1 Mill. Ein 3,4 km langer Meerestunnel zwischen Honschu und Kiuschu wurde 1958 eröffnet; bis 1979 soll ein 54 km langer Tunnel zwischen Honschu und Hokkaido fertiggestellt sein. Handelsflotte (1974): 38,7 Mill. BRT. Haupthäfen sind Jokohama, Kobe, Fukuoka, Osaka, Nagoja, Kitakiuschu, Otaru. Internat. Flughäfen sind Tokio und Osaka.

Staat. Nach der Verfassung vom 3. 11. 1946, einem Kompromiß zwischen altjapan. und amerikanisch-demokrat. Auffassungen, ist der Kaiser (Tenno) Staatsoberhaupt als Symbol der Staatseinheit. Das Parlament übt die Gesetzgebung aus; es besteht aus dem Unterhaus mit 491 vom Volk auf 4 Jahre gewählten Abg. und dem Oberhaus (dem amerikanischen Senat nachgebildet) mit 252 je zur Hälfte alle 3 Jahre gewählten Mitgl. Die vollziehende Gewalt liegt beim Kabinett, dem der MinPräs. vorsitzt.

Verwaltungseinteilung in 47 Präfekturen: 44 Ken, 2 Fu (Kioto und Osaka), 1 To (Tokio). Wappen: TAFEL Wappen IV. Flagge: FARBTAFEL Flaggen I. Maße und Gewichte metrisch (seit 1921). Währungseinheit ist der Jen zu 100 Sen.

Das *Recht* wurde nach 1945 in weitem Umfang geändert. Oberster Gerichtshof in Tokio. Das Sozialrecht wird seit 1947 weiter ausgebaut.

Religionen. Es besteht Religionsfreiheit. Der Schintoismus war bis 1945 Staatskult.

Das *Bildungswesen* wurde früh einheitlich geregelt und nach 1945 nach amerikan. Vorbild umgestaltet. Es besteht allgemeine Schulpflicht vom 6.–15. Lebensjahr. Neben 75 Universitäten bestehen 322 Colleges.

Streitkräfte. Die Verfassung von 1946 und der Friedensvertrag von 1951 untersagten eine Neuaufstellung der 1945 aufgelösten Streitkräfte. 1950 wurde eine ›Nationale Polizeireserve‹ geschaffen, die 1954 zu einer ›Selbstverteidigungsstreitkraft‹ ausgebaut und modern ausgerüstet wurde. Es besteht keine Wehrpflicht. Die freiwillige Rekrutierung erfolgt auf 2 Jahre. Das Heer (1972: 180000 Mann) soll auf 336000 Mann vergrößert werden. Ferner gibt es »Seeverteidigungskräfte« (39000 Mann) und eine selbständige Luftwaffe (41000 Mann). Seit 1957 leitet ein Verteidigungsrat den Aufbau. 1972 wurde ein neuer gegenseitiger Verteidigungsvertrag mit den USA geschlossen.

VORGESCHICHTE. →Asien, Vorgeschichte.

GESCHICHTE. Als Anfangsdatum der japan. Zeitrechnung galt bis 1945 der 11. 2. 660 v. Chr., an dem der Mikado (Kaiser) Jimmu Tenno angeblich als Nachkomme der Sonnengöttin den Grund zum heutigen Reich und dem bis heute regierenden Herrscherhaus gelegt hat. Über Korea kam J. mit China in Berührung, übernahm um 400 n. Chr. die chines. Schrift, um 552 den chines. Buddhismus und geriet in den späteren Jahrhunderten immer stärker unter den Einfluß der chines. Kultur.

Im 7. Jh. begann die Umgestaltung des altjapan. Geschlechterstaates zu einem absoluten Beamtenstaat; der Mikado war der einzige Eigentümer des Reichsbodens. 702 wurde das nach chines. Vorbildern geschaffene Recht in einem Gesetzbuch (Taihorjo) festgelegt. Der Aufstieg des Hofadels, der Kuge, die sich im erblichen Besitz der ihnen verliehenen Ämter zu behaupten wußten, drängte die kaiserl. Macht in den Hintergrund. Durch den Gründer des Lehnsstaates, den Reichsfeldherrn (Schogun) Joritomoto, verlor der Hofadel seit 1192 Macht und Besitz an den aufkommenden Militäradel (Buke), der das Vasallenheer des Schoguns stellte. In heftigen inneren Kämpfen mit den aus dem Kriegeradel hervorgegangenen Daimyos und ihren ritterlichen Lehnsleuten, den Samurai, erweiterten die Schoguns ihre Macht immer mehr. Besonders Iejasu, der Gründer des Schogungeschlechtes Tokugawa, sicherte im Anfang des 17. Jhs. durch eine straffe Neuordnung des Reiches für mehr als zwei Jahrhunderte J. den inneren Frieden.

Die ganze Regierungsgewalt wurde dem Schogun vorbehalten, der sie im Namen des Tenno ausübte. Damals wurde auch das politisch verdächtige Christentum ausgerottet, das um 1550 durch Jesuitenmissionare (Franz Xaver) nach J. gebracht worden war. 1637 wurde J. von der Außenwelt streng abgeschlossen; nur mit Holländern und chines. Kaufleuten wurde ein sehr beschränkter Handelsverkehr aufrechterhalten. Neben der schintoistischen Volksreligion wurden der Buddhismus und der chines. Konfuzianismus eifrig gepflegt; Kunst und Wissenschaft erlebten eine Blütezeit.

Die starre Absperrung J.s gegen die Außenwelt wurde erst um die Mitte des 19. Jhs. durchbrochen. Freundschafts- und Handelsverträge wurden mit den USA (1854) und vielen europ. Staaten abgeschlossen, eine Reihe von Häfen wurde den Fremden geöffnet. Eine fremdenfeindliche Bewegung führte 1861 zum Bürgerkrieg, durch den der letzte Schogun 1867 gezwungen wurde, die polit. Gewalt in die Hände des jungen Kaisers Mutsuhito (Meiji Tenno, 1867–1912) zurückzulegen. An Stelle des alten Lehnsstaates entstand eine absolute Monarchie. Eine letzte Erhebung gegen die neue Ordnung, der Satsuma-Aufstand 1877, wurde niedergeworfen. Durch die Verfassung Itos vom 11. 2. 1889 wurde die konstitutionelle Monarchie eingeführt. Der Gegensatz zu China über den vorherrschenden Einfluß in Korea führte 1894 zum Chinesisch-Japanischen Krieg. Nach dem Sieg der Japaner mußte China 1895 im Frieden von Schimonoseki die Unabhängigkeit Koreas anerkennen, Formosa und die Pescadores an J. abtreten.

Gegenüber dem Boxeraufstand in China 1900 trat J. bereits als ebenbürtiger Bundesgenosse der europ. Großmächte auf. 1902 schloß es ein Bündnis mit England. Die Weigerung Rußlands, seine Truppen aus der Mandschurei zurückzuziehen, und seine Versuche, sich in Korea festzusetzen, führten im Febr. 1904 zum Russisch-Japanischen Krieg und zur russ. Niederlage. Im Frieden von Portsmouth (Sept. 1905) erhielt J. Liautung mit Port Arthur und die Südhälfte von Sachalin; seine vorherrschende Stellung in Korea wurde bestätigt, die Verwaltung der mandschur. Eisenbahn zwischen J. und Rußland geteilt. Damit war J. als erster asiat. Staat in den Kreis der Großmächte eingetreten. Doch geriet es bald in wachsende innen- und außenpolit. Schwierigkeiten. Der rasch anschwellenden Bevölkerung wurde das Inselreich zu eng, aber gegen die japan. Massenauswanderung sperrten sich bes. Australien und die USA (Kalifornien) durch immer strengere Verbote ab; das nordamerikan. Einwanderungsgesetz von 1924 schloß sie gänzlich aus. Zwischen J. und den USA kam daher eine starke Spannung auf, in deren Hintergrund der Kampf um die Vormachtstellung im Stillen Ozean stand.

1910 wurde Korea von J. einverleibt; gleichzeitig einigte sich J. mit Rußland über den Einfluß in der Mandschurei. 1912 starb Kaiser Mutsuhito; den Thron bestieg sein Sohn Joschihito (1912–26), dem dessen Sohn Hirohito (seit 1921 Regent) nachfolgte. Im 1. Weltkrieg stand J. seit Aug. 1914 in der Reihe der Gegner Deutschlands; es eroberte Kiautschou und besetzte die meisten deutschen Südseeinseln. Gleichzeitig versuchte J. sich die Vorherrschaft in China zu sichern. Nach dem Zusammenbruch Rußlands drang es 1918 vorübergehend in Transbaikalien vor. Durch den Versailler Vertrag erhielt J. 1919 Kiautschou und das Völkerbundsmandat über die Karolinen, Marianen und Marshallinseln. Unter dem Druck der beiden angelsächs. Großmächte mußte J. 1921 auf die Vorherrschaft in China verzichten und nach der Abrüstungskonferenz von Washington (1922) die Festsetzung der Stärke seiner Schlachtflotte im Verhältnis von 3:5:5 (gegenüber den USA und Großbritannien) hinnehmen. Das schwere Erdbeben vom 1. 9. 1923 und die Kämpfe um das allgemeine Wahlrecht (1925) schwächten J.s Stellung weiter (Ministerkrisen, polit. Attentate). Seit 1927 geriet J. in zunehmenden Gegensatz zur chines. Zentralregierung. Ende 1931 besetzten die Japaner die Mandschurei und schufen dort 1932 den von ihnen abhängigen Staat Mandschukuo. In der allgemeinen polit. Spannung nahm die nationalrevolutionäre Bewegung in J. selbst z. T. gewaltsame Formen an. Der maßvolle MinPräs. Admiral Saito bildete 1932–34 eine nationale Regierung. Wegen der Mandschureifrage trat J. am 27. 3. 1933 aus dem Völkerbund aus und kündigte im Dez. 1934 das Washingtoner Flottenabkommen. Im März 1935 erwarb es von der Sowjetunion die Ostchines. Bahn und setzte sich im Sommer auch in N-China fest. Am 25. 11. 1936 schloß J. mit Deutschland den Anti-Komintern-Pakt ab. Am 7. 7. 1937 brach unter MinPräs. Konoje (1937–41) der offene Krieg gegen Tschiang Kai-schek aus, in dessen Verlauf J. einen großen Teil Chinas besetzte. Am 27. 9. 1940 trat es dem →Dreimächtepakt bei. Nach dem Neutralitätsvertrag mit der Sowjetunion (13. 4. 1941) griff J. unter dem chauvinist. MinPräs. Tojo (1941–44), der nach Auflösung der alten Parteien ein totalitäres Regime führte, ohne Kriegserklärung die amerikan. Flotte in Pearl Harbor an und trat in den Krieg gegen die USA und Großbritannien ein (7. 12. 1941). Trotz anfänglich glänzender Erfolge im gesamten ostasiat. Raum mußte J. nach dem dt. Zusammenbruch, der sowjet. Kriegserklärung (8. 8. 1945) und dem Abwurf der beiden ersten Atombomben auf Hiroschima und Nagasaki (6., 9. 8.) am 2. 9. 1945 kapitulieren.

Dadurch verlor J. alle seit 1895 erworbenen Gebiete (Formosa, Korea, S-Sachalin, Kurilen, Südseemandate) und wurde von den Amerikanern besetzt; die Riukiu-Inseln wurden Treuhandgebiet der USA. Der Kaiser blieb, jedoch nur als Symbol der Staatseinheit; mit der Verfassung von 1946 wurde das parlamentar. System eingeführt, erster MinPräs. wurde der Führer der Liberalen, Joschida (bis Dez. 1954, mit Unterbrechung 1947/48). Er schloß mit den USA und 47 Alliierten (ohne Sowjetunion und Volksrep. China) den Friedensvertrag von San Francisco ab (8. 9. 1951); dieser gab J. die Souveränität zum größten Teil zurück. Der am 8. 9. 1951 mit den USA abgeschlossene Sicherheitsvertrag, der 1952 und 1954 ergänzt wurde, gestattete den Amerikanern, in und um J. Streitkräfte zu stationieren. Trotz Spaltung der Liberalen blieben diese die stärkste Partei; Dez. 1954 bis Dez. 1956 war ihr neuer Führer Hatojama MinPräs. 1954 wurde J. in den Colombo-Plan aufgenommen; die Beziehungen zu den ehemals besetzten Nachbarländern wurden normal (seit 1955 Zugehörigkeit zu den Bandungstaaten). Anf. 1957 wurden die diplomatischen Beziehungen zur Sowjetunion wiederhergestellt, im Dez. 1956 wurde J. Mitglied der Vereinten Nationen. Nach Wiedervereinigung der Liberalen in der Liberal-Demokratischen Partei wurde Kischi Min.-Präs. (1957, wiedergewählt 1958), 1960 H. Ikeda (1964 zurückgetreten). Sein Nachfolger wurde Eisaku Sato (wiedergewählt 1967 und 1969, Juli 1972 zurückgetreten). Der Sicherheitsvertrag mit den USA wurde 1960 und 1972 verlängert. 1969 wurden die Bonin-Inseln und 1972 die Riukiu-Inseln (mit Okinawa) von den USA an J. zurückgegeben.

Seit den 60er Jahren erlebte J. einen starken wirtschaftlichen Aufstieg.

Juli 1972 bis Nov. 1974 war K. Tanaka (Liberal-Demokrat. Partei) MinPräs.; Aufnahme diplomat. Beziehungen zur VR China (Sept. 1972). Bei den Unterhauswahlen vom Dez. 1972 blieben die Liberal-Demokraten trotz Verlusten stärkste Partei (271 Sitze). Nach Tanakas Rücktritt wurde T. Miki MinPräs. (Dez. 1974), nach dessen Rücktritt (Dez. 1976) folgten T. Fukuda und (seit Dez. 1978) M. Ohira.

LIT. A. Wedemeyer: Japan. Frühgeschichte (1930); R. Storry: Gesch. des modernen J. (dt. 1962); H. Erlinghagen: J. (1974).

Jap'aner, Volk auf den japan. Inseln, über 100 Mill., ein Mischvolk, dessen Bestandteile (Mongolen, Tungusen, Koreaner, Chinesen, Ainu, Austroasiaten, Austronesier u. a.) zu einer ethn. Einheit verschmolzen sind. Nach 1945 sind etwa 6 Mill. J. aus Übersee zurückgekehrt.

Durch die techn. Modernisierung und die damit verbundene beträchtliche Erhöhung des Lebensstandards hat die Wirtschafts- und Gesellschaftsstruktur eine grundlegende Umwandlung erfahren. Eine große Zahl von Problemen, die das Leben der westlichen Welt beherrschen, z. B. die Jugendkriminalität, gehört zu den Sorgen der J. der Gegenwart. Aber trotz der stürmischen Amerikanisierung hat sich in der Lebenshaltung der ländlichen Bevölkerung nur wenig geändert. Nach wie vor sind Reis, Fisch und Gemüse die Hauptnahrung, der grüne Tee das Hauptgetränk, Eßstäbchen das einzige Eßgerät. Als Anregungsmittel dienen Reiswein (sake) und Tabak. Das wichtigste, beiden Geschlechtern gemeinsame herkömmliche Kleidungsstück ist der →Kimono, über den Männer eine Art Mantel (haori) tragen. Bei festlichen Gelegenheiten tragen Männer und junge Mädchen einen Hosenrock (hakama).

Das *Wohnhaus* rein japan. Stils aus leichtem Fachwerk mit Stroh-, Schindel- oder Ziegeldach wird durch verschiebbare, mit Papier bespannte Holzrahmen und Schiebetüren in einzelne Räume geteilt; bewegliche Holzläden ersetzen die Außenwände, die Fußböden sind mit Binsenmatten (tatami) ausgelegt. Einrichtungsgegenstände, die zum technisierten Haushalt der westl. Länder gehören, werden auch von den J. immer mehr verwendet. Zum Haus gehörten in der Regel ein Garten und ein Bad (hölzerne Wanne mit darunter befindlicher Heizung, furo).

Das *Siedlungsbild* beherrschen neben den Großstädten, in denen moderne Großbauten (Kaufhäuser mit Lichtreklamen, Hotels u. a.) schnell entstehen, Haufen- oder Straßendörfer. Die leichte zweirädrige Rikscha ist aus dem Straßenbild fast ganz verschwunden.

Jap'anische Alpen, Gebirge auf der japan. Insel Hondo, gipfelt im Jarigatake (3180 m).

Japanische Inlandsee, japan. **Setonaikai,** das innerhalb der 3 südwestl. Hauptinseln

Japans gelegene Meeresbecken, von zahlreichen bergigen Inseln erfüllt.

japanische Kunst (TAFELN S. 244/245). Sie begann mit der Einführung des Buddhismus und entwickelte sich unter immer erneutem Einfluß der chines Kunst, deren Formen sie japan. Eigenart gemäß verarbeitete und fortbildete.

In der *Baukunst* herrscht die Verwendung von Holz vor. Die Tempelanlagen wurden nach chines. Vorbild errichtet, so vor allem der Horyuji in Nara (607), dessen Holzbauten die ältesten der Welt sind. Mächtige Pfeiler mit Kraggebälk, weit ausladende Ziegeldächer mit emporgeschwungenen Traufecken sind die gleichbleibenden Kennzeichen der buddhist. Baukunst. Um die Tempelhallen ordnen sich lockere Gruppen von Torbauten, Vorratshäusern, Glokken- und Trommeltürmen. Mit Ausnahme der Stockwerkpagoden sind die Bauten meist einstöckig. Das japan. Wohnhaus ist von äußerster Schlichtheit (→Japaner).

Die japan. Architektur übernahm, als sich das Land im 19. Jh. der Außenwelt öffnete, die Fehler der europäischen. So findet sich in Japan das merkwürdige Phänomen eines Eklektizismus europäischer Herkunft. Ein Wandel trat erst ein, als einzelne Architekten sich mit der inzwischen in Europa entstandenen modernen Architektur vertraut machten. S. Horiguchi hat 1923/24 in Österreich und Deutschland gearbeitet und hatte Kontakt mit dem Bauhaus. J. Sakakura und K. Mayekawa arbeiteten bei Le Corbusier. Von Sakakura stammt der Entwurf für den japan. Pavillon auf der Weltausstellung in Paris 1937, der spezifische Elemente der alten japan. Architektur mit denen der modernen verband. Der Kontakt zwischen Westen und Japan war jedoch schon vorher geknüpft worden: F. L. Wright verdankt manche Anregung der alten japan. Architektur. Sein in Tokio errichtetes Imperial-Hotel (fertiggestellt 1922) beeinflußte aber auch die japan. Architektur. Heute gibt es in Japan eine breite Strömung moderner Architektur, die eine eigene Note verrät. Kenzo Tange ist der bekannteste Architekt (Präfektur Kagawa, Takamatsu, 1958; Rathaus Tokio, 1952 bis 1958; Rathaus Kuraioshi, 1955–56). Weiterhin sind zu nennen: K. Mayekawa (Wohnhochhaus Harumi, Tokio, 1957/58; Konzerthalle Tokio, 1959/60), H. Kosaka (Postsparkasse, Kioto, 1955) und J. Sakakura (Rathaus Hajima).

Als Mittelpunkt alles künstlerischen Schaffens galten wie in China die *Malerei* und die Schreibkunst. Um 700 entstanden, auf indische Vorbilder zurückgehend, die Wandbilder im Horyuji in Nara, das wohl bedeutendste Werk der buddhist. Malerei (1949 verbrannt). Neben Kultbildern, die auf Seide gemalt und mit Goldfolie verziert wurden, entstanden schon früh Werke der weltlichen Malerei. Die *Yamato-E* (Japan. Malerei) genannte Richtung stellte meist Szenen des höfischen Lebens dar, die auf langen Querrollen (Makimono) erzählende Texte durch Pinselzeichnungen illustrieren. Das älteste nachweisbare Werk (12. Jh.) sind Illustrationen zum Genji Monogatari (→japanische Literatur); sie zeigen die typisierende Darstellung von Mensch, Bauwerk und Landschaft, die in der Folgezeit die Tosa-Schule übernahm. Die Blütezeit der Tuschmalerei begann im 15. Jh. mit der Ausbreitung des Zen-Buddhismus, dessen Malerpriester an die chines. Sung-Malerei anknüpften. Aus der Schule Shubuns gingen Noami, Soami, der Gründer der Kano-Schule Masanobu und Sesshu hervor, der als der größte Meister der klass. Tuschmalerei Japans gilt. Zu reicher Mannigfaltigkeit entwickelte sich die Malerei seit dem 16. Jh.; für die prunkvollen Paläste schufen Meister der Kano-Schule dekorative Malereien auf Goldgrund, bes. Wandschirme und Schiebetüren. Einen neuen Stil begründete in der 2. Hälfte des 16. Jhs. Koetsu, der, auch als Lackmeister tätig, auf Motive des Yamato-E zurückgriff und als wesentliches Bildelement Schrift in seine Malereien einbezog. Ihm folgten im 17. Jh. Sotatsu, Ogata Korin und Kenzan. Die um die gleiche Zeit aufgekommene Richtung des *Ukiyo-E* (»Malerei der vergänglichen Welt«) stellte Genreszenen bes. aus den Vergnügungsvierteln und Schauspieler der Kabuki-Theater dar und fand weiteste Verbreitung durch den anfänglich kolorierten, im 18. Jh. zum Vielfarbendruck entwickelten Holzschnitt, dessen bekannteste Meister Harunobu, Sharaku und Utamaro sind. Von starkem Einfluß auf die neuere j. K. war die von Okyo gegründete Schule, die, angeregt von europ. Kunst, Realismus mit ostasiat. Pinseltechnik verband. Von den Malern des 19. Jhs. sind in Europa Hokusai und Hiroshige durch ihre Holzschnitte bekannt. Nach der Öffnung des Landes wurde mit der Zivilisation auch die Kunst Europas übernommen. Erst um die Wende zum 20. Jh. gelang es, wieder eine lebensvolle, Altes mit Neuem verbindende japan. Form zu finden, wie sie vor allem Taikan vertritt.

Typisch für die japan. Malerei der Gegenwart ist das bereits in der Meiji-Zeit erscheinende Nebeneinander unterschiedlichster Stile und Techniken sowie deren eigenschöpferische Verschmelzung. Meister der traditionellen Richtung (japan. Nippon-ga) sind in jüngerer Zeit Kobayashi Kokei (* 1883, † 1957), Maeda Seison (* 1885), Kawabata Ryushi (* 1885), Terashima Shimei (* 1896), in deren Werken sich bei modernen Zügen die alte Kunst dekorativer Gestaltung zu neuer Blüte entfaltet. – Die Malerei internationalen Stils in Öl (bekanntester Vertreter der Frühzeit: Ishida Ryusei, * 1891, † 1926) ging von Paris aus. Um 1931 entstanden Künstlergruppen des Fauvismus, Surrealismus, Kubismus und des sozialist. Realismus.

Die abstrakte Malerei, vertreten durch die

JAPANISCHE KUNST I

1

2

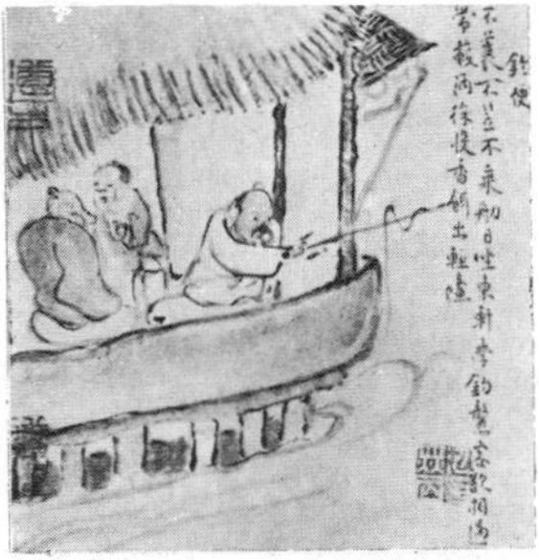

3

5

4

1 *Innenhof des Horyuji in Nara; 607.* **2** *Dotaku (vorgeschichtl. Bronze), 69 cm hoch.* **3** *Ikeno Taiga († 1776): Angler; Albumblatt, Literatenmalerei.* **4** *Toilettenkasten; 17. Jh., Relieflack in Gold (Hamburg, Mus. für Kunst und Gewerbe).* **5** *Innenraum des Katsura-Palastes in Kioto; um 1630*

1

2

3

4

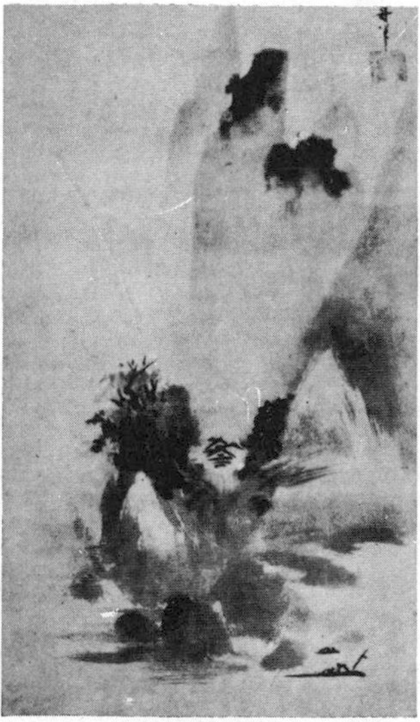

5

6

1 *Der Buddha mit zwei Bodhisattwas; vergoldete Bronze, 86,4 cm hoch, datiert 623 (Nara, Horyuji).* **2** *Unkei: Der Patriarch Hsüan-tsang; Holz, 188 cm hoch, datiert 1209 (Nara, Kofukuji).* **3** *Schwertstichblatt (Tsuba); 18. Jh., Eisen, goldtauschiert, 8,2 cm Durchmesser.* **4** *Masanao († 1850): Netsuke, Frosch auf Kürbis; Holz.* **5** *Sesshu († 1506): Landschaft; Tusche (Privatbesitz).* **6** *Kano Motonobu († 1559): Landschaft; Tusche, Stil der Kano-Schule (Kioto, Myoshinji)*

»Gruppe Freier Kunst« (japan. Jiyubijutsu-Kyokai) und die »Modern Art Group« gewann erst nach dem 2. Weltkrieg Eigenständigkeit (Yahashi Rokuro, * 1905). – Um 1950 trat die »Vereinigung schöpferischer Kunst« (japan. Sozobijutsu-kai) in den Vordergrund, der die Verschmelzung östlicher und westlicher Malprinzipien formal und technisch durch flächendeckenden Auftrag der alten Pigmentfarben und Rahmung der Bilder gelingt (Fukuda Heihachiro, * 1892).

Für die *Kalligraphie* findet die Künstlervereinigung »Bokujin« neue, dem Tachismus verwandte Formen durch Abstrahierung der alten Sinnzeichen (Morita Shiryu, * 1905). – Die moderne *Graphik* erreichte mit den Arbeiten der »Künstlerdruck-Bewegung« (japan. Sosakuhanga) Weltrang, da hier Handwerkstradition und japan. Form- und Farbempfinden sowohl in archaisierenden (Munakata Shiko, * 1905) wie auch in abstrahierenden Darstellungen (Onchi Koshiro, * 1891, † 1955) zum Ausdruck kommt.

Die *Plastik* entwickelte sich in Anlehnung an chines. Vorbilder. Das Hauptwerk der Frühzeit, das Bronzebildwerk des Buddha mit zwei Bodhisattwas im Horyuji in Nara wurde 623 von einem Künstler chines. Abkunft geschaffen. Als Werkstoff wurde außer Bronze vor allem Holz, auch Trokkenlack (Kanshitsu) und Ton verwendet. Dargestellt wurden der Buddha, Bodhisattwas, Weltenwächter und andere Gottheiten, auch Patriarchen und Priester, wie in den beiden bildnishaft-realistischen Holzfiguren des Kofukuji in Nara (1209). In der nichtreligiösen Plastik sprach sich die Begabung für physiognom. Ausdruck vor allem in den Masken für das No-Schauspiel aus. Reich an Formen und Einfällen war auch die Kleinplastik, der bes. das →Netsuke Gelegenheit zur Entfaltung bot.

Seit der Meiji-Zeit gibt es in der Plastik neben archaisierender Holzskulptur (Takamura Koun, * 1852, † 1934) eine anfangs von Rodin und Maillol beeinflußte Richtung. Nach 1951 wandten sich vieie Bildhauer abstrakten Formen zu (Hino Hisashi), die sich auch auf die Kunst des Blumenstekkens (Ikebana) auswirkten (Teshigahara Sofu).

Kunsthandwerk. Die von China ausgehende Lackkunst entwickelte sich im Anschluß an das Yamato-E seit dem 12. Jh. zu ausgeprägt japan. Eigenart (Schreibkästen, Kästen für Kultgeräte, →Inro u. a.) und erreichte ihre handwerkl. Vollendung im späteren 15. Jh. In der Töpferkunst waren koreanische Einflüsse stärker als chinesische maßgebend. Japanischem Formempfinden entspricht vor allem der schlichte Stil des handgeformten, naturhaft groben Teegeräts (Chaire, ›Teebehälter‹; Chawan, ›Teeschale‹ u. a.), wie es seit Ende des 16. Jhs. bes. von der Töpferfamilie Raku in Kioto geschaffen wurde. Porzellan wurde nach chines. Vorbildern zuerst in Arita hergestellt und seit Mitte des 17. Jhs. durch sparsame Schmelzmalerei bereichert. Das reichgeschmückte Imari-Porzellan war für den Export bestimmt. Der Metallbearbeitung bot die vornehmste künstlerische Aufgabe das Schwert, dessen Stichblatt (Tsuba) mannigfach durchbrochen und mit Einlagen verziert wurde.

LIT. T. Yoshida: Japan. Architektur (1952); ders.: Das japan. Wohnhaus (1954); K. Moriya: Die japan. Malerei (1953); W. Speiser: Die Kunst Ostasiens (1956); Y. Yashiro u. P. C. Swann: J. K. (1959); T. Akiyama: Japan. Malerei (Gent 1961); J. A. Michener: Japan. Holzschnitte (1961); Die Meister des japan. Farbendruckes, Einl. v. J. Hillier (1961); R. Lane: Japan. Holzschnitte (1963); J. K., hg. v. J. Berndt (1975).

japanische Literatur. Die älteste Gedichtsammlung ist das Manyoshu (Zehntausend-Blätter-Sammlung, 750–800), von dessen 4500 Gedichten die meisten 31silbige Fünfzeiler *(Tanka)* sind. Auch die vielen amtlichen Gedichtsammlungen (Kokinshu, ›Lieder aus alter und neuer Zeit‹, 905) enthalten fast ausschl. Kurzgedichte. Aus dem Tanka entwickelte sich der 17silbige Dreizeiler *(Haiku)*, dessen Meister Matsuo Basho (* 1643, † 1694) war. Beide Formen bestehen bis heute fort.

Hauptformen der Prosadichtung sind das *Monogatari* (Sagen-, Märchen-, Geschichtserzählungen), das *Nikki* (Tagebuch) und das *Zuihitsu* (Essay). Das überragende Werk der erzählenden Dichtung ist das um 1010 von der Hofdame Murasaki Shikibu verfaßte Genji Monogatari (dt. Die Geschichte des Prinzen Genji, 2 Bde., [5]1965). Das bekannteste Werk der Zuihitsu-Literatur, die flüchtige Eindrücke und Einfälle festhält, ist das Makura no Soshi der Hofdame Sei Shonagon (um 1000; dt. Das Kopfkissenbuch, Zürich 1952). Das klassische japan. Drama mit Musik und Tanz *(No)* geht in seiner heutigen Form auf das 15. Jh. zurück. Im 17. Jh. entwickelte sich das *Kabuki* als Theater des Volks und gleichzeitig das Puppenspiel; für beide schrieb Chikamatsu Monzaemon (* 1653, † 1724) die Texte. Ibara Saikaku (* 1642, † 1693) schildert in seinen Romanen die Sitten und Unsitten seiner Zeit. Nachdem Japan den Anschluß an das geistige Leben des Westens gefunden hatte und die europ. Literatur in ihrer ganzen Breite durch japan. Übersetzungen bekannt geworden war, spiegeln sich deren verschiedene Richtungen alle auch in der j. L. Ozaki Koyo (* 1867, † 1903) zeigt sich in seinen Romanen ›Ninin-Nyobo‹ (1891; dt. Zwei Frauen, 1905) und ›Konjikiyasha‹ (1897; 1905 von Oguri Fuyo vollendet; engl. The golden demon, 1925) als Realist, so auch Mori Ogai (* 1862, † 1922), ein Goethe-Anhänger, in seinen histor. genauen Romanen. Der Roman ›Hakai‹ (1906) von Shimazaki Toson und ›Futon‹ (1907; dt. Das Bettzeug, in: Flüchtiges Leben, 1948) von Tayama Katei vertreten den Naturalismus. Sie erweitern das literar. Gesichtsfeld auf die Alltagswelt des Bürgertums, stellen das Leben so, wie es ist, dar und erheben die Alltagssprache zur Sprache ihrer Aussage. Um die Lyrik des Symbolismus machte sich Ueda Bin (* 1874, † 1916) verdient. Idealismus und Ästhetizismus vertreten Nagai Kafu (* 1879, † 1959), dessen in den Geisha-Vierteln Tokios spielende Werke eine wehmütige Romantik heraufbeschwören, ferner der Tolstoi-Anhänger Mushanokoji (* 1885, † 1976) und der seine realist. Darstellung durch betont idealist. Haltung mildernde Shiga Naoya (* 1883), dessen Roman ›Anyakoro‹ (1921) als ein Meisterwerk seiner Zeit gilt. Auch Tanizaki Junichiro (* 1886), von Wilde, Baudelaire, Poe beeinflußt und zunächst der Neuromantik nahestehend, gehört hierher. Die Darstellungen seiner tiefenpsychologisch durchleuchteten Werke wie ›Tade kuu mushi‹ (1929; dt. Insel der Puppen, 1957), ›Shunkin-sho‹ (1933; dt. in: Die fünfstöckige Pagode, 1961) und ›Kagi‹ (1956; dt. Der Schlüssel, 1961) lassen ihn zu einer auffallenden literar. Persönlichkeit Japans werden. Natsume Soseki (* 1867, † 1916), der sich später einer psychologisch analysierenden Methode bedient, vertrat nach romantischen auch neuidealistische Tendenzen. Eine Sonderstellung nimmt Kawabata Yasunari (* 1899) ein; ursprünglich ein Vertreter des Neuimpressionismus, wandte er sich, in seinen Werken betont japanisch, dem Leben, wie es ist, zu (»ein Wind und ein Strom, mit denen man forttreibt«). Seine Werke, straff in Aufbau und Führung, schildern eine Welt des reinen Gefühls, so ›Yukiguni‹ (1937; dt. Schneeland, 1957) und ›Zembazuru‹ (1949; dt. Tausend Kraniche, 1956). Der betont moralistische, bei allem Realismus eine eigene Form betonende Kikuchi (Hiroshi) Kan (* 1888, † 1948) war ein bedeutender Dramatiker und Erzähler, dem der Gegensatz von Gut und Böse den Stoff gibt. Akutagawa Ryunosuke (* 1892, † 1927), reich an formaler und stilist. Eigenart, vertritt einen von dämon. Eindringlichkeit betonten harten Realismus.

LIT. K. Florenz: Gesch. der j. L. ([2]1909); W. Gundert in: O. Walzel, Handb. der Literaturwiss. (1929ff.); O. Beul: Die Entwicklung der japan. Poetik bis zum 16. Jh. (1951); Lyrik des Ostens, hg. v. W. Gundert u. a. (1952); Ruf der Regenpfeifer. Zweitausend Jahre japan. Lyrik (hg. 1961).

japanische Musik, im wesentlichen einstimmige Gesangsmusik mit Instrumentenbegleitung (z. B. Flöten, Gitarren, Gongs), die sich auf Verstärkung der Melodie und einfache verzierende Umspielung beschränkt. Während fast der gesamten autochthonen Kunstmusik Japans halbtönig pentaton. Skalen zugrunde liegen (z. B. e-fis-g-h-c-e im Gegensatz zum javan. Pelog e-f-g-h-c-e), hat die Volksmusik die auch in China dominierende halbtonlose Pentatonik bewahrt. Um eine Sammlung und wissenschaftl. Publikation der Volksmusik hat sich vor allem der japan. Rundfunk NHK verdient gemacht. Ihm ist auch die nähere Kenntnis der Musik der Ureinwohner, der Ainu, zu danken. Auch die japan. Musikwissenschaftler interessieren sich in zunehmendem Maße für die einheimische Musik. Ein Teil der jungen, abendländisch ausgebildeten Komponisten beschäftigt sich mit der Zwölfton-Technik und mit elektronischen Möglichkeiten.

LIT. H. Eckardt: Das Kokonchomonshû des Tachibana Narisue als musikgeschichtl. Quelle (1956).

Japanisches Meer, Binnenmeer an der Ostküste Asiens, bis über 4200 m tief, im O vom japan. Inselbogen, im W vom asiat. Festland begrenzt, im S durch die Koreastraße mit dem Ostchines. Meer, im N durch den Tatarensund mit dem Ochotskischen Meer in Verbindung.

japanische Philosophie. Das japan. Wort für »Philosophie« ist »tetsugaku«. Es ist von Nishi Amane (* 1825, † 1894), der in Leiden studiert hatte, zum ersten Male gebraucht worden. Die Philosophie der großen chines. Klassiker wird üblicherweise als »jugaku« oder »jukyo«, »Konfuzianistenlehre«, bezeichnet. Sie haben, abgesehen vom Buddhismus, vor allen anderen das Geistesleben Japans seit dem 16. Jh. bis in die Mitte des 19. Jhs. gestalten helfen. Daher versteht man, streng genommen, unter »tetsugaku« die abendländ. Philosophie, die sich seitdem in Japan ausbreitete.

Die oriental. Philosophie Japans. In drei großen Wellen ist *konfuzianisches* Gedankengut von China nach Japan gelangt: a) die Ethik und das Rechtssystem der Sui- und später der Tang-Dynastie schlug sich nieder in den siebzehn Artikeln des Prinzen Shotoku Taishi (* 572, † 621), der bald folgenden Taika-Reform (645) und den Taiho-Gesetzen (701); b) die Sung-Philosophie, bes. die Lehre des Tschu Hi (* 1130, † 1200), die in der späteren Muromachi-Zeit nach Japan gelangte, aber erst unter den Tokugawa (1603–1867) voll entfaltet und zur Staatsphilosophie erhoben wurde, und c) die Philosophie des Wang Yangming (* 1472, † 1529), die ebenfalls in der Tokugawa-Zeit blühte, aber andere Tendenzen verfolgte und schließlich mit anderen Schulen verboten wurde.

Die konfuzian. Ethik bildete für das japan. Lehnssystem die moralische und geistige Grundlage. Fujiwara Seika (* 1561, † 1619) ist Begründer und der japan. Kommentator der Sung-Philosophie, die er mit seinem Schüler und Nachfolger Hayashi Razan (* 1583, † 1657) für das feudalist. Staatswesen der Tokugawa anwendbar machte. Neben dieser orthodoxen Schule standen auch andere, wie die Yomei-(Oyomei-) Schule des Nakae Toju (* 1608, † 1648) und Kumazawa Ryokai (* 1619, † 1691), die die spiritualist. Ideen des Wang Yang-ming verbreitete und im allgemeinen der empirist.

Lehre des Tschu Hi entgegengesetzt war. In der Kansei-Ära (1789–1801) wurden alle heterodoxen Schulen von einem der größten Minister der Tokugawa, Matsudaira Sadanobu, verboten. So wurde Tschu His Lehre im philosoph. Bereiche die amtliche: »Kangaku«. Sie geriet mit dem Tokugawa-System in Verfall.

Die *buddhistische* Philosophie ist von der oberen und leitenden Priesterschaft der großen Kirchen, bes. zu Zeiten der Gründung neuer japan., nicht aus China eingewanderter Sekten gepflegt worden. Die Meditierübungen der *Zen*-Sekte sind dem indischen Joga nachgebildet; aber die zugrunde liegenden Ideen von ihrem pädagog. Wert für körperliche und geistige Härte zeigen japan. Tönungen. Der Einfluß der Zen auf Dichtung, Malerei und Plastik, auf Gartenbau, auf Teezeremonie (Chanoyu), auf alltägliche Betätigungen ist beachtlich.

Die abendländ. Philosophie Japans. Sie wurde zuerst von den Niederländern vermittelt. Obwohl im strengen Sinn des Wortes nicht Philosoph, ist doch Fukuzawa Yukichi (* 1835, † 1901) als der erfolgreichste Vorkämpfer für die Einführung europ., mehr noch amerikan. Ideen und Institutionen zu nennen. Über 30 Jahre leitete er die von ihm 1868 gegründete private Keio-Universität, von der aus sich der aufgeklärte Utilitarismus der frühen und mittleren Meiji-Zeit (1868–1912) ausbreitete. Als eigentliche Begründer der abendländ. Philosophie sind Nishi Amane und Inoue Tetsujiro (* 1855, † 1944) anzuführen. Der bedeutendste unter den Philosophen der 1. Hälfte des 20. Jhs. war Kitaro Nishida (* 1870, † 1945); das »Nichts« *(mu)* ist eins der großen Probleme seiner Philosophie, die stark unter der Nachwirkung Hegels steht. Zu seinen Anhängern gehörte Tanabe Hajime (* 1885), einer der Führenden der lebenden Generation, der sich dann gegen ihn wandte, ebenso wie Miki Kiyoshi (* 1897, † 1945), der zum Marxismus übertrat. Amano Teiyu (* 1884) ist Japans Kant-Übersetzer. Shimizu Ikutaro (* 1907) neigt zur amerikan. Soziologie. Yamanouchi Tokuryu (* 1890), ältester Schüler Nishidas, vertritt die Phänomenologie Husserls. Tanaka Michitaro ist Prof. der griech. Philosophie. Der Einfluß der dt. Philosophie überwiegt denjenigen anderer Länder; im Mittelpunkt stehen Scheler, Nicolai Hartmann, Jaspers und Heidegger. Aber auch die Klassiker Frankreichs und Englands sind vertreten. Am geringsten war bis jetzt die Einwirkung der amerikan. Systeme, abgesehen von William James und John Dewey.

LIT. O. Beul und H. Hammitzsch: Japan. Geisteswelt (1956).

japanische Sprache, die einen eigenen Sprachstamm bildende Sprache der Japaner. Im Gegensatz zum Chinesischen, von dem sie stark beeinflußt wurde, ist sie eine mehrsilbige Sprache. Ein grammat. Geschlecht gibt es nicht. Um 500 wurde die chines. Schrift (→chinesische Kultur) eingeführt. Die Schriftzeichen laufen rechts beginnend von oben nach unten; neuerdings wird auch in Zeilen von links nach rechts gedruckt. Schon früh wurde aus chines. Schriftzeichen eine Silbenschrift *(Kana)* entwickelt, von der es zwei verschiedene Formen gibt *(Hiragana* und *Katagana)*. Im Druck werden die chines. Schriftzeichen verwendet, vermischt mit Kana-Zeichen, die Partikeln sowie Endungen von Zeit- und Eigenschaftswörtern angeben. Seit dem 19. Jh. sind Bestrebungen im Gange, die für die j. S. wenig geeigneten chines. Zeichen durch Lateinschrift zu ersetzen. TAFEL Schrift.

LIT. K. Meissner: Lb. der Grammatik der japan. Schriftsprache (Tokio 1927); ders.: Unterricht in der japan. Umgangssprache (1936); B. Lewin: Abriß der japan. Grammatik (1959).

japanisches Theater. Das aus kult. Tänzen hervorgegangene j. T. entwickelte sich unter dem Einfluß buddhist. Priester. Im 14. und 15. Jh. fand es seine lyrisch melodramat. Form im *No*, das von 5 Häusern gespielt wurde. Unter diesen brachte die Kwanze-Familie Meister wie Kwan-'ami Kiyotsugu (* 1333, † 1384) und seinen Sohn Seami Motokiyo (* 1363, † 1444), Textdichter, Schauspieler, Musiker und Regisseure zugleich, hervor. Seami überlieferte die Gesetze dieser Kunst. Noch heute werden etwa 260 No-Stücke gespielt, von denen es drei Gruppen gibt: Götter- und Tempelstücke, histor. und bürgerliche Stücke. Die vorhanglose Bühne ist quadratisch, nach drei Seiten offen und überdacht; eine mit einer Kiefer bemalte Rückwand schließt sie ab; davor sitzt das Orchester, das aus Hand-, Schlagtrommel und Flöte besteht, auf der rechten Querseite der Chor. Es gibt zwei Hauptrollen, nämlich den Hauptspieler (Shite) und den unmaskierten Gegenspieler (Waki), denen Nebenspieler (Tsure, Tomo) zur Seite stehen. Der Shite und sein Tsure tragen Masken, die, je nach der Stimmung, im gleichen Stück gewechselt werden können. Die Kostüme sind von auserwählter Pracht, Requisiten nur angedeutet. In den Pausen des feierl. No werden possenhafte Szenen aufgeführt *(Kyogen)*. Während das No die Gunst des Hofs und des Adels genoß, war das *Kabuki*, das sich aus Tänzen der Tempeltänzerin Izumo no Okuni (1603) entwickelt hatte, ein Theater des Volkes. Im Gegensatz zum No traten im Kabuki ursprünglich auch Frauen auf, bis nach einem Verbot des gemeinsamen Auftretens (1628) auch die Frauenrollen von Männern (Onnagata) gespielt wurden, wie schon vorher im Wakashu-Kabuki [›Jünglings-Kabuki‹]. Statt der unveränderl. Masken des No gibt es im Kabuki nur Schminkmasken. Zu seiner heutigen Form hatte sich das Kabuki schon 1670 entwickelt. Seine Hauptgestalter waren die Schauspieler Sakata Tojuro (* 1645, † 1709, Kioto) und Ichikawa

Danjuro I (* 1660, † 1708, Edo), große Textdichter →Chikamatsu Monzaemon und Takeda Izumo (* 1691, † 1756). Die Kabuki-Bühne ist 30 m breit; vom Hintergrund des Zuschauerraumes läuft auf ihre linke Seite der Hanamichi [›Blumenweg‹] zu, durch den die Handlung aus dem Bühnenrahmen hinaus unter die Zuschauer getragen oder von außen her auf die Bühne gebracht werden kann. Seit 1758 wird für das Kabuki die Drehbühne verwendet. Ende des 19. Jhs. kam das *Shin-Kabuki* auf, das den strengen Stil ablehnte. Diesem folgte das mit Stoffen des Alltagslebens die Möglichkeit freier Rollengestaltung gebende moderne Drama der *Shimpa* [›Neuen Schule‹]. Das *Puppenspiel*, dessen Blütezeit die Mitte des 18. Jhs. war, entwickelte sich mit dem Kabuki. Die durchschnittlich 1,50 m großen und bis 40 kg schweren, kostbar gekleideten Puppen werden von einem Puppenlenker und zwei Helfern sichtbar geführt, so daß sich nicht nur die Puppen, sondern auch die Spieler auf der Bühne befinden. Die Spielhandlung mit eingestreuten Dialogen liest ein Rezitator, der mit einem Samisenspieler auf einer erhöhten Drehscheibe neben der Bühne sitzt. *Joruri*-Balladen (bes. von Chikamatsu) sind Inhalt der Puppenspiele. Noch heute besteht ein Puppentheater, das Bunrakuza in Osaka. Nach 1868 entstanden unter europ. Einfluß das moderne Schauspiel, die Oper und verschiedene Theaterschulen. Neben europ. Bühnenwerken werden moderne japan. Dramatiker aufgeführt. Doch hat die Kunst des klassischen Theaters ihre Lebenskraft bewahrt.

LIT. A. C. Scott: The Kabuki Theatre of Japan (1955); H. Bohner: Nô (1959); P. Weber-Schäfer: Ono no Komachi. Gestalt und Legende im Nô-Spiel (1960).

japanische Zwerghühner, die Chabos, →Haushuhn.

Japankäfer, *Popillia japonica*, ein in Japan heimischer, 1,2 cm langer Blatthornkäfer; seit 1916 auch in Nordamerika als Großschädling an Blättern, Knospen und Früchten vieler Kultur- und Wildpflanzen. J. wurden erstmalig 1952 auf englischen, 1959 auch auf franz. und dt. Flughäfen in Flugzeugen gefunden und sofort vernichtet. Zur Überwachung der Flughafenumgebung werden Köderfallen mit Attractants aufgestellt. Für eine dauernde Ansiedlung des J. kommen in Mitteleuropa aus klimatisch-biologischen Gründen vor allem die fruchtbaren Täler der Gebirge in Betracht.

J'apanknolle, Gemüse vom knolligen Ziest.

J'apanpapier, →chinesisches Papier.

J'apanseide, ein reinseidenes, nicht beschwertes Gewebe japan. Herkunft, in Taftbindung.

J'aphet, Sohn Noahs (1. Mos. 9 und 10), Stammvater namentlich der kleinasiat. Völker *(Japhet'iden)*.

Japhet'itische Theorie, von dem russ. Sprachforscher N. J. Marr (* 1865, † 1934) aufgestellte Theorie, die die Abstammungsverwandtschaft der kaukas. Sprachen mit dem Baskischen, Etruskischen, (vorgriech.) Pelasgischen, Hethitischen und anderen wenig bekannten Sprachen der alten Welt behauptet. Diese **japhetitischen Sprachen,** (nach →Japhet genannt) sollen eine ältere Schicht vor den indogerman. und semitischen Sprachen sein.

Jap'oden, lat. **Japodes,** ein ursprüngl. illyrisches, um 400 v. Chr. mit Kelten vermischtes mächtiges Volk, dessen Siedlungsgebiet von Istrien bis zur Una (Bosnien) reichte. Von Octavian 35–33 v. Chr. unterworfen.

Japurá [ʒa-] *der*, portug. **Yapurá,** linker Nebenfluß des Amazonas, 2800 km lang.

Jaques-Dalcroze [ʒak-], →Dalcroze.

J'ara-J'ara, Yara-Yara, ß-Naphtholmethyläther, eine organ. Verbindung, die stark nach Orangenblüte riecht; verwendet als Seifenriechstoff.

Jar'ama [xa-], rechter Nebenfluß des Tajo in Spanien, auf der Hochfläche Neukastiliens, 199 km lang, entspringt in der Sierra de Guadarrama und nimmt den Manzanares und Henares auf.

Jardinière [ʒardinjɛ:rə, franz. ›Gärtnerin‹], **1)** bepflanzter Blumenkorb. **2)** eine Gemüsesuppe.

Jargon [ʒargɔ̃, franz.], die besondere Ausdrucksweise eines bestimmten Gesellschaftskreises.

Jari, früher **Jary** [ʒa-], linker Nebenfluß des Amazonas, 580 km lang.

Jark'end, chines. **Sotcho,** postamtl. **Soche** und **Yarkand,** Oasenstadt in der chines. Prov. Sinkiang, mit rd. 70000 Ew., in einer vom Jarkend-Darja bewässerten Ebene, Kreuzungspunkt von Karawanenstraßen.

Jarkend-Darj'a, südlicher Hauptquellfluß des Tarim in Innerasien, durchzieht die Wüste Takla-Makan.

Jarl [altnord.], im Mittelalter in den nordischen Reichen ein vom König eingesetzter Statthalter.

J'armuk, arab. **Scheriat el-Menadir,** der bedeutendste linke Nebenfluß des Jordan, 150 km lang, entspringt in mehreren Quellflüssen im Hauran-Gebirge. – 636 n. Chr. Sieg der Araber über die Byzantiner.

J'arnach, Philipp, Komponist, * Noisy (Frankreich) 28. 7. 1892, schuf Klavier-, Kammermusik- und Orchesterwerke.

J'ärnefelt, Armas, finn. Komponist, * Wiborg 14. 8. 1869, † Stockholm 23. 6. 1958, erstrebte einen nationalfinn. Musikstil: Orchester-, Chorwerke, Männerchöre, Klavierstücke, Lieder.

Jarnés [xarn'ɛs], Benjamin, span. Schriftsteller, * Codo (Saragossa) 7. 10. 1888, † Madrid 11. 8. 1949, bedeutender span. Prosaist.

J'arno, Georg, Komponist, * Budapest 3. 6. 1868, † Breslau 25. 5. 1920, schrieb u.a. die Operette ›Die Förster-Christel‹.

Jarosl'aw I., der Weise, Großfürst von Kiew, * 978, † 20. 2. 1054, seit 1036 Herr des ganzen damaligen Rußlands; auf ihn führt man die Gesetzessammlung *Russkaja Prawda* (1051) zurück.

Jarosl'awl, Stadt in der Russischen SFSR, beiderseits der Wolga, mit (1972) 538000 Ew. J., gegr. um 1024 von Jaroslaw I., hat 2 bedeutende Kathedralen (17. Jh.), Universität und Techn. Hochschule; Kunstkautschukfabrik, Elektromotoren-, Holzverarbeitungs-, Papier-, Leinenverarbeitungsfabriken, Erdölraffinerie.

Jarosz'ewicz, Piotr. poln. Politiker, * Nieswiez 8. 10. 1909, seit 1952 stellv., seit 1970 MinPräs.

Jarowisation [von russ. jarowoje, ›Sommergetreide‹], **Vernalisation,** *Versömmerlichung*, ein von dem russ. Forscher T. D. Lyssenko ausgearbeitetes Verfahren zur Entwicklungsbeschleunigung *(Keimstimmung)* des Saatgutes landwirtschaftl. Kulturpflanzen.

Jarrell [dʒærel], Randall, amerikan. Schriftsteller, * Nashville (Tennessee) 6. 5. 1914, † Greensboro (N. C.) 14. 10. 1965, schrieb Gedichte und Romane.

Jarres, Karl, Politiker, * Remscheid 21. 9. 1874, † Duisburg 20. 10. 1951, wurde 1914 Oberbürgermeister von Duisburg. Während des Ruhrkampfes wurde er von den Franzosen zu Gefängnis verurteilt und ausgewiesen. Nov. 1923 bis Jan. 1925 war er Reichsinnenmin. und Vizekanzler und gehörte zum rechten Flügel der Deutschen Volkspartei. Im März 1925 war er Kandidat der Rechtsparteien bei der Reichspräsidentenwahl; er erhielt die meisten Stimmen im 1. Wahlgang, aber nicht die erforderl. absolute Mehrheit, und kandidierte im 2. Wahlgang nicht mehr. 1925–33 war er wieder Oberbürgermeister von Duisburg.

Jarrow [dʒ'ærou], Stadt im nordöstl. England, am Tyne, (1971) 28800 Ew.; Kohlengruben, Schiffbau, chem. Industrie.

Jarry [ʒari], Alfred, franz. Dichter,* Sauval 8. 9. 1873, † Paris 1. 11. 1907, Vorläufer von Apollinaire, Begründer des surrealist. Theaters. In seinem Stück ›Ubu Roi‹ (1897; dt. König Ubu, 1959) demaskierte er mit grimmig-possenhaftem Humor die bürgerlich-wohlanständige Welt. J. hat Breton, Ionesco, H. Michaux beeinflußt.

WERKE. Ubu enchaîné (1900), Le surmâle (1902), Gestes et opinions du docteur Faustroll, pataphysicien (1911). Œuvres complètes, 8 Bde. (1948).

Jary, Michael, Komponist, * Laurahütte 24. 9. 1906, schrieb Unterhaltungs- und Filmmusik.

Jaschmak [türk.], der Schleier der muslim. Frauen.

Jaslo, Stadt in Polen, (1971) 17000 Ew., Zentrum eines Erdölgebiets.

Jasm'in [pers. jasamin], **1)** *echter J.* (Jasminum), Pflanzengattung der Ölbaumgewächse in wärmeren Gegenden; Sträucher mit unpaarig gefiederten oder dreizähligen, meist immergrünen Blättern und weißen oder gelben, duftreichen Trichterblüten. Asiatische Arten geben Duftstoffe (→Jasminöl) und dienen als Gartenpflanzen. **2)** *falscher J.* (Philadelphus), strauchige Pflanzengattung der Steinbrechgewächse in Mitteleuropa, Nordamerika und Asien; mit gegenständigen Blättern und weißen Blüten. Der *Gerten-* oder *Pfeifenstrauch* (P. coronarius) aus Südosteuropa und dem Orient, dessen Blüten betäubend duften, ist Zierstrauch. Die markigen Wurzelschosse geben Pfeifenrohre.

Jasm'in|aldehyd, chemisch α-Amylzimtaldehyd, synthet. Riechstoff, der ähnlich wie Jasminöl duftet; Verwendung in der Parfümerie.

Jasm'inöl, Blütenöl aus echtem Jasmin, wird in Südfrankreich gewonnen, aber wegen seines hohen Preises meist durch künstl. Erzeugnisse ersetzt.

Jasm'on, Keton aus Jasminöl und Orangenblütenöl. Verwandte, ähnlich duftende Verbindungen werden für die Parfümerie synthetisch hergestellt.

J'asmund, nordöstl. Halbinsel der Insel Rügen (→Stubbenkammer, →Saßnitz).

J'asnaja Polj'ana, russ. Dorf südwestl. Tula, Stammsitz und Sterbeort Leo Tolstois; Nationalmuseum.

Jas'omirgott, Herzog Heinrich J. von Österreich, →Heinrich.

J'ason, in der griech. Sage Sohn des Königs Aison von Jolkos in Thessalien, war der Führer der Argonauten. Nachdem er mit Hilfe der Medea seine Aufgabe, das »Goldene Vlies« zurückzugewinnen, erfüllt hatte, kehrte er mit Medea als seiner Gemahlin zurück, mußte aber nach Korinth flüchten. Hier verstieß er Medea, um Glauke oder Kreusa, Tochter des korinth. Königs Kreon, zu heiraten. Medea rächte sich durch Ermordung der Kinder, und aus Verzweiflung darüber soll sich J. selbst getötet haben.

J'ason von Pherä, seit etwa 380 v. Chr. Tyrann seiner Vaterstadt, † (ermordet) 370, einigte Thessalien. Mit Makedonien und Theben verbündet, vermittelte er nach der Schlacht bei Leuktra (371) zwischen Sparta und Theben einen Waffenstillstand. Er erstrebte die Hegemonie über Griechenland.

Jasper-Nationalpark [dʒ'æspə -], größter Nationalpark Kanadas, im Felsengebirge, etwa 11500 qkm.

J'aspers, Karl, Philosoph, * Oldenburg 23. 2. 1883, † Basel 26. 2. 1969, wurde 1916 Prof. der Psychologie in Heidelberg, 1948 in Basel Prof. der Philosophie. Von der Psychopathologie ausgehend, vertritt J. seit 1932 eine selbständige Ausformung der →Existenzphilosophie. Der Grundgedanke ist, daß uns keine Methode des objektiven Forschens der Einheit der Welt versichert oder eine einheitliche Weltansicht ermöglicht. Die philosophische »Existenzerhellung« ist eine Analyse der möglichen Schicksale des um Seins- und Selbstverständnis ringenden Menschen. Der Ort der in ihren letzten Gründen nur in »Chiffren« erkennbaren Wahrheit ist die personale

Kommunikation. J. erhielt 1958 den Friedenspreis des Dt. Buchhandels.

WERKE. Allgem. Psychopathologie (1913, [8]1965), Psychologie der Weltanschauungen (1919, [6]1971), Die geistige Situation der Zeit (1931, [5]1971), Philosophie, 3 Bde. (1932, [3]1956), Vernunft und Existenz (1935, neu [3]1973), Existenzphilosophie (1938), Von der Wahrheit (1947), Der philosoph. Glaube (1948), Vom Ursprung und Ziel der Geschichte ([3]1952), Die großen Philosophen, 3 Bde. (1957ff.), Die Atombombe und die Zukunft des Menschen (1958). Werkverzeichnis (1958), Wohin treibt die Bundesrepublik? (1966), Antwort (1967), Philosophische Aufsätze (1967).

LIT. P. A. Schilpp (Hg.): K. J. (1957).

J'aspis [assyr.-griech.], trüber, durch Oxyde gefärbter Chalzedon.

Jaß *der*, in der Schweiz beliebtes Kartenspiel mit deutschen oder Schweizer Karten von 36 Blättern *(Jaßkarte)* zwischen 2 bis 4 Teilnehmern.

J'assy, rumän. **Iasi** [jaʃ], Hauptstadt der Region J., Rumänien, mit (1970) 183800 Ew., 42 m ü. M., in einem Nebental des Pruth, ist Sitz eines griech.-orthodoxen Metropoliten; hat Universität, Malerakademie, Museen, Staatsarchiv; Textilindustrie und Lebensmittelhandel. – J. wurde 1565 die Hauptstadt des Fürstentums Moldau. Es entstanden bedeutende Kirchen und Bojarenpaläste. Im Frieden von J. (9. 1. 1792) trat die Türkei an Rußland das Land zwischen Bug und Dnjestr ab. 1917 war J. Zufluchtsort der rumän. Regierung.

Jastorf-Gruppe, westgerman. Kulturgruppe der frühen Eisenzeit von 550–250 v. Chr., bezeichnet nach dem Fundort Jastorf in Niedersachsen. Die J.-G. ist eine german. Parallele zur Latène-Kultur.

J'astrow [-ro:], Kleinstadt im ehemal. Kr. Deutsch-Krone, Prov. Pommern, mit (1939) 5900 Ew.; seit 1945 unter poln. Verwaltung *(Jastrowie)*.

Jastrun, Mieczyslaw, poln. Lyriker und Essayist, * Korolówka (Ostgalizien) 29. 10. 1903, schrieb auch biograph. Romane.

Jas'ykow [-ɔf], Nikolai Michailowitsch, russ. Dichter, * Simbirsk 16. 3. 1803, † Moskau 7. 1. 1847, Lyriker, gehörte zum Dichterkreis um A. Puschkin.

Jászberény [j'ɑ:sbɛre:ɲ], Stadt in Ungarn, (1970) 29800 Ew., 100 m ü. M., östl. von Budapest.

Jatag'an [türk.], **Yatagan**, der lange, gebogene Säbel der Türken, vereinzelt auch in Iran und Indien gebraucht.

Jatsuschiro, Yatsushiro, Mittelpunkt der japan. Polderlandschaft südl. Kumamoto auf Kiuschu, mit (1970) 102000 Ew.; Zement-, Papier-, Reyon-, Spirituosen-Industrie.

Jatwinger, den alten Preußen nahestehender, im 14. Jh. untergegangener baltischer Volksstamm, in den Gebieten um Suwalki, Lomza und Grodno.

Jau, Volksgruppe in S-China, →Yao.

J'auche [slaw. Lw.], **1)** *Gülle*, organischer Flüssigkeitsdünger, durch Vergären von Fäkalien, tierischen Ausscheidungen, Abfällen (Hornspäne) oder Harn gewonnen; arm an Phosphorsäure, verhältnismäßig stickstoff- und kalireich. **2)** übelriechende Flüssigkeit, die bei Anwesenheit von Fäulniserregern von Geschwüren abfließt.

Jauche-Algen, mikroskopisch kleine, einzellige, begeißelte Algen, meist *Polytoma uvella* aus der Ordn. *Volvocales* (Stamm *Chlorophyta*) und Arten von Euglena.

J'auchert [wohl zu Joch], *bayr.* **Juchart**, Jochacker, ein süddeutsches, bes. bayrisches Feldmaß.

J'auer, ehem. Kreisstadt in der Prov. Niederschlesien, an der Wütenden Neiße (Nebenfluß der Katzbach), hatte (1939) 13800 Ew.; hatte u. a. Maschinenindustrie und Fleischverarbeitung *(Jauersche Würstchen)*. – Das Fürstentum J. wurde 1314–92 von einer Linie der schles. Piastenherzöge regiert, dann fiel J. mit Schweidnitz an Böhmen. Durch Friedrich II. kam es zu Preußen. Seit 1945 steht J. unter poln. Verwaltung *(Jawor)*, hat (1971) 15700 Ew. Bei J. werden Uranvorkommen ausgebeutet.

J'aufen, ital. **Passo del Giovo** [dʒ'o:vo], 2094 m hoher Paß in Südtirol, verbindet Sterzing (Eisacktal) mit dem Passeiertal (Meran).

Jaufré Rudel [ʒofre rydɛl], provenzal. Troubadour des 12. Jhs.; seine legendäre Liebe zu einer »Dame in der Ferne« wurde von Uhland, Heine, Swinburne, Carducci, Rostand thematisch verarbeitet.

Ja'unde [nach einem Bantustamm], franz. **Yaoundé**, Hauptstadt der Rep. Kamerun, mit (1972) 180000 Ew.

Jaurès [ʒorɛs], Jean, französ. Sozialist, * Castres (Dep. Tarn) 3. 9. 1859, † (ermordet) Paris 31. 7. 1914, wurde 1883 Prof. der Philosophie in Toulouse, war 1885–89 als Abgeordneter der radikalen Linken, 1893 bis 1898 und 1902–14 als Sozialist in der Kammer. Er verteidigte wiederholt Streikbewegungen, unterstützte später Combes und forderte die Revision des Dreyfus-Prozesses. In der 1905 geeinigten sozialist. Partei vertrat J. im Gegensatz zu Guesde den Revisionismus und lehnte die Unterstützung bürgerl. Parteien nicht ab. J. war Anhänger einer dt.-franz. Verständigung. Sein Sozialismus beruhte philosophisch auf der Überzeugung von der Wesenseinheit und -gemeinsamkeit von Welt, Gott und Bewußtsein. 1902 gründete J. die Zeitung ›L'Humanité‹. Sein rednerisches Talent im Dienst eines kultivierten Geistes und humanitärer Leidenschaft verschafften J. großes persönl. Ansehen. Doch führten die zunehmenden sozialen Gegensätze sowie J.s entschlossener Pazifismus, der ihn zur Unterstützung Caillaux' gegen Poincaré veranlaßte, nach 1907 zu wachsender Entfremdung zwischen den Sozialisten und den bürgerl. Parteien. Wegen seiner leidenschaftl. Bemühungen um den Friedensgedanken fiel J. unmittelbar vor Ausbruch des 1. Weltkriegs einem Attentat des nationalist. Fanatikers Villain zum Opfer.

WERKE. Histoire socialiste de la république française 1789–1900, 13 Bde. (1901–08), Sozialistische Studien (dt. 1902), Frankreich und Deutschland (dt. 1903).

J'ava, indones. **Djawa**, die wichtigste Insel Indonesiens, 126730 qkm, umfaßt mit Madura 132200 qkm mit (1971) 79,8 Mill. Ew. Hauptstadt ist Djakarta. Über die Bevölkerung →Indonesier.

J. gehört zu den vulkanreichsten Ländern der Erde. Im O ragen die Vulkane als einzelne Kegel auf: Merapi, Semeru (mit 3676 m der höchste Berg der Insel), Bromo. Die Südküste weist die bizarren Formen des trop. Kegelkarstes auf; im N liegt eine teilweise versumpfte Küstenebene. Das Klima ist tropisch mit überall reichlichen Niederschlägen. In der Pflanzenwelt herrscht im W immergrüner Regenwald; in der Mitte überwiegt der laubabwerfende Monsunwald, im O und in der Höhe Kasuarinenwald. Große Städte sind neben Djakarta: Surabaja, Surakarta, Semarang, Bandung und Djogjakarta. Angebaut werden Reis, Kokospalmen, Mais, Zuckerrohr, Tee, Kaffee, Tabak, Chinarinde, Kautschuk, Kakao. Im NO wird Erdöl gewonnen. Industrie gibt es hauptsächlich in den Hafenstädten. Ein vorzügliches Eisenbahn- und Straßennetz durchzieht die Insel. Verwaltungsmäßig ist J. in W-J., Mittel-J. und O-J. aufgeteilt.

GESCHICHTE. →Indonesien, Geschichte.

Die *Kunst* auf J. entwickelte sich im Dienst des Brahmanismus und Buddhismus als Zweig der indischen Kunst, die auch in den sich allmählich herausbildenden Stilen javan. Gepräges fortwirkte. Ihr Hauptwerk ist der Tempel →Borobudur (um 800) mit der Überfülle seiner Bildwerke, bes. Reliefs aus der Buddhalegende. Unter dem Islam erlosch die monumentale Kunst. Das Kunsthandwerk, das bes. Verfahren im Färben und Mustern von Stoffen entwickelte (Batik), hat sich bis in die Gegenwart erhalten. Hoch entwickelt sind auch das Orchesterspiel (→Gamelan), Tanz, Theater und bes. die Schattenspielkunst (Wajang).

Jav'anen, ein malaiischer Stamm in Mitteljava (→Indonesier); verallgemeinert: die Bewohner Javas.

Jav'aneraffe, →Makak.

jav'anische Sprache, eine indonesische Sprache. Sie ist stark mit Sanskritwörtern durchsetzt, bes. die wahrscheinlich nie gesprochene Literatursprache *Kawi*, in der ein großer Teil des javan. Schrifttums abgefaßt ist. Die *javan. Schrift* wurde von ind. Silbenschriften abgeleitet (TAFEL Schrift II).

Javari [ʒavar'i], früher **Javary, Yavary, Yacarana,** rechter Nebenfluß des Amazonas, 1600 km lang.

J'avasee, Binnenmeer zwischen Borneo und Java.

Javel-Lauge [ʒavɛl-, frz.], **Eau de Javel** (meist **Javelle** geschrieben), Chlorbleichlauge, erstmals 1785 von dem franz. Chemiker Berthollet in Javel bei Paris durch Einleiten von Chlorgas in Pottaschelösung hergestellt. J.-L. enthält Kaliumhypochlorit *(KOCl)*, ein Salz der unterchlorigen Säure, wirkt stark oxydierend und wurde deshalb als Bleich- und Desinfektionsmittel verwendet. Heute wird statt J.-L. Natriumhypochlorit-Lauge benutzt, die aus Chlorkalk und Soda-Lösung oder auf elektrochem. Weg aus Kochsalz gewonnen wird.

Chlorbleichlauge findet vorzugsweise in der Textilindustrie, im Ausland auch zum Wäschebleichen Verwendung; in Dtl. statt dessen »selbsttätige« Waschmittel mit Sauerstoffbleichsalzen.

J'avornikgebirge, nördl. Fortsetzung der Weißen Karpaten, im *Javornik* 1071 m hoch.

Jawara [engl. dʒɑ:w'ɑ:rɑ], Dauda Karaiba, gamb. Politiker, * Barajally (Gambia) 1924; Begründer der People's Progressive Party (1960); seit 1963 MinPräs.

Jawata, Yawata, Industrie- und Hafenstadt auf Kiuschu, Japan, mit (1960) 332200 Ew., seit 1963 Teil der neuen Stadt →Kitakiuschu.

Jawl'ensky, Alexej von, russ. Maler, * Torschok (bei Twer) 25. 3. 1864, † Wiesbaden 15. 3. 1941, seit 1896 in München, wo er den Künstlern des →Blauen Reiters nahestand, malte mit kräftigen Farben Landschaften, Porträts und Stilleben.

Jaw'orow, Peju, bulgar. Dichter, * Tschirpan 13. 1. 1878, † (Selbstmord) 29. 10. 1914, verherrlichte zunächst die makedonische Revolutionsbewegung und wandte sich seit 1907 der symbolist. Lyrik zu. Seine Dramen (Am Fuße des Witoscha, Als der Blitz einschlug) zählen zu den ersten dramat. Werken Bulgariens.

Jaz'ygen, 1) im Altertum ein Nomadenstamm nördlich vom Schwarzen Meer, von wo er bis zur Donau und Theiß gelangte. Von dort fielen die J. in die röm. Provinzen ein und kamen schließlich unter got. Oberherrschaft. **2)** ungar. *Jászok*, Volksstamm in Ungarn an der mittleren Theiß, vermutlich Nachkommen von 1).

Jazz [dʒæz, vermutlich von engl. to jazz ›hetzen‹], entstand um 1900 in New Orleans (USA) aus geistlichen Gesängen (Spirituals), weltlichen Blues sowie rhythmischen und melodischen Elementen der afrikanischen Musik. Europäischer Herkunft sind Harmonik, die aus der schottischen Volksmusik stammende Synkope sowie das Instrumentarium. Der J. verbreitete sich vom Süden der USA über Nordamerika und die ganze Welt; dem von Negern getragenen *New Orleans-Stil* trat der weiße *Dixieland-Stil* gegenüber. Weitere Abwandlungen sind *Chikago-Stil, Hot, Cool, Swing*. Kennzeichnend für die J.-Musik sind: Verwendung zu kleiner Terzen und Septimen im Rahmen der üblichen Tonleitern, die elementare, vorwärtstreibende Rhythmik, Glissandi, Improvisation. Der durch Schlagzeug, Bläser und Banjo bestimmte Klang bevorzugt neben dunkel-weicher Klanggebung das Grelle und Groteske. Der J. gab namhaften modernen Komponisten wie Weill, Milhaud, Gershwin, Ravel, Strawinsky u. Hindemith Anregungen.

LIT. H. H. Lange: Die dt. J.-Diskographie (1955); Knaurs J.-Lexikon, hg. v. A. M. Dauer (1957); ders.: J., die mag. Musik (1961); J. E. Berendt: Das neue Jazzbuch (1959); D. Schulz-Koehn u. W. Gieseler: J. in der Schule (1959); H. Lilje: Das Buch der Spirituals u. Gospel Songs (1961); J. Jahn: Spirituals (1962); N. Shapiro u. N. Hentoff: J. erzählt (1962); E. Ferstl: Die Schule des J. (1963); Reclams Jazzführer (1967).

jean [dʒiːn, engl. ›Baumwollköper‹, ›Hose‹], **blue jeans** [bluː], lange Hose aus blauem Baumwollköper.

Jean de Meung [ʒɑ̃ də mœ̃], altfranz. Dichter, schrieb den zweiten Teil des →Roman de la Rose.

Jeanne d'Arc [ʒan dark], **heilige Johanna, Jungfrau von Orléans,** franz. *Pucelle d'Orléans* [pysɛl dɔrleɑ̃], französ. Nationalheldin, * Domrémy (an der Maas, Hzgt. Bar) zwischen 1410 und 1412, † Rouen 30. 5. 1431, Bauernmädchen, glaubte von überirdischen Stimmen beauftragt zu sein, das seit Herbst 1428 von den Engländern belagerte Orléans zu befreien und den Dauphin (Karl VII.) nach Reims zur Krönung zu führen. Am 25. 2. 1429 wurde sie in Männerkleidung von Karl empfangen und führte die entscheidende Wendung des Krieges gegen England herbei. In den weiteren Kämpfen hatte sie aber weniger Erfolg; sie stieß auch auf den wachsenden Widerstand einer Friedenspartei am Hofe Karls. Am 23. 5. 1430 geriet sie bei Compiègne in die Gefangenschaft der Burgunder, die sie gegen eine hohe Summe den Engländern auslieferten. Der französ. Hof tat nichts für sie. Sie wurde nach Rouen gebracht, vom geistl. Gericht als Zauberin und Ketzerin verurteilt und auf dem Scheiterhaufen verbrannt. Schon von den Zeitgenossen verherrlicht, wurde ihre Verurteilung 1456 kirchlich aufgehoben. 1909 wurde sie selig-, 1920 heiliggesprochen (Tag: 30. 5.) und zur zweiten Patronin Frankreichs gemacht. – Komisches Epos von Voltaire (1739), Trauerspiel von Schiller (1802), Schauspiel von Shaw (1924), Drama von Brecht (1932), Oratorium von Honegger (1934), Schauspiel von Anouilh (1953).

LIT. Prozeßakten (dt. 1943); A. Mirgeler: J. (1952); S. Stolpe: Das Mädchen v. Orléans (1954); R. Schirmer-Imhoff (Hg.): Der Prozeß der J. (1956); M. Lavater-Sloman: J., Lilie von Frankreich (1963).

Jeanneret [ʒanrɛ], Pierre, →Le Corbusier.

Jeannette-Expedition [ʒan'ɛt-], von G. →De Long geleitete Nordpolarexpedition durch die Beringstraße 1879–81. Nach 21monatigem Treiben im Eis ging das Expeditionsschiff unter, die Mannschaft wurde gerettet, erlitt aber später den Hungertod.

Jean Paul [ʒɑ̃], Schriftstellername von Jean Paul Friedrich **Richter,** * Wunsiedel 21. 3. 1763, † Bayreuth 14. 11. 1825, Pfarrerssohn, studierte Theologie, war dann Hauslehrer. In Weimar (1796; 1798–1800) schloß er schwärmerische Freundschaften mit adeligen Frauen (Charlotte v. Kalb); 1801 vermählte er sich mit Karoline Mayer; seit 1804 lebte er in Bayreuth. Seine an Sterne und Fielding anknüpfenden Erzählwerke kommen aus dem Widerstreit zwischen der Idealität der Seele und der irdischen Realität. Die Spannweite seiner Dichtung reicht von humorvoller Idyllik über die »hohen Menschen« und unvergeßlichen Jünglingsgestalten der großen Romane zu den das kommende Jahrhundert vorwegnehmenden tragischen Gestalten der Zerrissenen (Roquairol, Schoppe). J. P.s Erzählweise verstrickt den Leser in ein schwer entwirrbares Ineinander von Erzählung, Zwischenreden, Abschweifungen usw. Die Klang- und Bildkraft seiner Sprache verwandelt die Natur in eine magische Zeichenwelt.

WERKE. Romane: Die unsichtbare Loge (1793), Hesperus (1795), Quintus Fixlein (1796), Siebenkäs (1796/97), Titan (1800–03), Flegeljahre (1804/05), Der Komet (unvollendet, 3 Bde., 1820–22). Idyllen und Humoresken: Schulmeisterlein Wuz (geschrieben 1790/91), Leben Fibels (1812) u. a. – Levana oder Erziehungslehre (1807), Vorschule der Ästhetik (1804), Selina oder Über die Unsterblichkeit der Seele (1827). Krit. Gesamtausg. (1927 ff.); Werke, 6 Bde. (1960–63).

LIT. J. Müller: J. P. (²1923); W. Harich: J. P. (1925); F. Burschell: J. P. (1926); J. Alt: J. P. (1925); M. Kommerell: J. P. (³1957); K. Berger: J. P. (1939); J. P.s Persönlichkeit in Berichten d. Zeitgenossen (1956, Erg. Bd. d. Histor.-Krit. Ausg.); J. P. u. Herder. Briefwechsel, hg. v. P. Stapf (Bern 1959); Elisabeth Enders: J. P. Die Struktur seiner Einbildungskraft (1961); W. Rasch: Die Erzählweise J. P.s (1961); J. P., Werk – Leben – Wirkung (1963); W. Muschg: Gedenkrede auf J. P. (1964); U. Profitlich: Die Rolle des Lesers in Dichtung und Ästhetik J. P.s (1967).

Jean Potage [ʒɑ̃ pɔtaːʒ, franz. ›Hans Suppe‹], Hanswurst.

Jeans [dʒiːnz], Sir James Hopwood, engl. Mathematiker, Physiker und Astronom, * Southport 11. 9. 1877, † Dorking 16. 9. 1946, hat vor allem auf dem Gebiet der Thermodynamik, der Stellardynamik und der Kosmogonie bahnbrechend gewirkt. Er wurde bekannt durch seine Theorie der Planetenentstehung und durch naturphilosoph. Bücher und Schriften.

Jebavý, Václav, tschech. Schriftsteller, →Březina, Otokar.

Jebus'iter, die kanaanitischen Bewohner von Jebus (→Jerusalem).

J'edermann, das Spiel vom Menschen (»Jedermann«) im Augenblick des Todes: von allen guten Freunden (Schönheit, Macht, Reichtum) wird er verlassen und nur von seinen guten Werken vor Gottes Richterstuhl begleitet. Die beiden ältesten Fassungen stammen aus dem Ende des 15. Jhs.: der niederländ. Elckerlijk (gedr. 1495) und der engl. Everyman (gedr. 1509). Seither ist der Stoff oft bearbeitet worden; die Bearbeitung von H. v. Hofmannsthal (1911, neue Ausg. 1954) steht seit 1920 im Mittelpunkt der Salzburger Festspiele.

Here begynneth a treatyse how þ hye fader of heuen sendeth dethe to somon euery creature to come and gyue a counte of theyr lyues in this worlde/and is in maner of a morall playe.

Jedermann: Titelseite von Everyman (Druck von John Scot, London 1530)

Jedikule [türk. ›Sieben Türme‹], griech. **Heptapyrgon**, ein vom Sultan Mohammed II. auf griech. Ruinen am Marmara-Meer in Konstantinopel 1468 errichtetes Bollwerk, diente lange auch als Gefängnis, u. a. für europ. Gesandte in Kriegszeiten.

Jedlersdorf und **Jedlesee,** Teile des Gemeindebez. Floridsdorf von Wien.

Jedo, Jeddo, Yedo, Edo, früherer Name von →Tokio.

Jeep [dʒi:p], ein Kraftwagen mit starkem Motor, Vierradantrieb; während des 2. Weltkrieges von amerikan. Firmen als Gemeinschaftserzeugnis herausgebracht. Der Name kommt wahrscheinlich von G. P. (General Purpose Car, Allzweck-Wagen).

J'eetze, auch **Jeetzel,** linker Nebenfluß der unteren Elbe, 80 km lang, kommt aus der südl. Lüneburger Heide.

Jeffers [dʒ'efəz], John Robinson, amerikan. Schriftsteller, * Pittsburgh (Pa.) 10. 1. 1887, † Carmel (Cal.) 20. 1. 1962, von Nietzsche und Freud beeinflußt, entwickelt in allegorischen Verserzählungen ein düsteres Weltbild. Dramen, dt. 1960 (Die Quelle, Medea, Die Frau aus Kreta).

Jefferson [dʒ'efəsn], Thomas, 3. Präsident der USA (1801–09), * Shadwell (Va.) 13. 4. 1743, † Monticello (Va.) 4. 7. 1826, verfaßte die Unabhängigkeitserklärung vom 4. 7. 1776, war 1779–82 Gouverneur von Virginien, 1785–89 Gesandter in Paris und 1790 bis 1793 Washingtons Außenminister. Im Kampf gegen A. Hamilton wurde er der Gründer der Demokratischen Partei. 1797 bis 1801 war er Vizepräsident; als Präsident gelang ihm die Erwerbung Lousianas von Frankreich (1803).

WERKE. The complete J., hg. v. S. K. Padover (New York 1943), Gesamtausg. (Princeton 1950 ff.).

Jefferson City [dʒ'efəsn -], Hauptstadt von Missouri, USA, (1970) 32400 Ew., am Missouri; Hochschule für farbige Lehrer.

Jeftić [j'ɛftitç], Bogoljub, jugoslaw. Politiker, * Kragujevac 24. 12. 1886, † Paris 7. 6. 1960, 1932 Außenmin. und 1934/35 MinPräs. J. schloß am 9. 2. 1934 mit Griechenland, der Türkei und Rumänien die Balkanentente ab; seit 1941 im Exil.

J'egerlehner, Johannes, schweizer. Schriftsteller, * Thun 9. 4. 1871, † das. 17. 3. 1937, Erzähler und Jugendschriftsteller.

Jeg'orjewsk, Stadt in der Russ. SFSR, südöstlich von Moskau, mit (1972) 69000 Ew.; Eisengießerei, Textilindustrie.

Jehol, engl. Schreibung für die chines. Prov. →Dschehol.

Jeh'ova [hebr.], fälschlich für →Jahve.

Jeh'ovablümchen, ein →Steinbrech.

Jehu, israel. König (845–818). Im Auftrag des →Elisa gesalbt, überfiel er König Joram zu Jesreel, tötete ihn wie auch Ahasja von Juda, rottete die Fam. Ahabs aus und ließ zu Samaria alle Baalverehrer umbringen. In dieser »Blutschuld von Jesreel« sah Hosea (1, 4) im Gegensatz zu der sie verherrlichenden Darstellung von 2. Kön. 9 die Wurzel des späteren staatl. Unheils. An Stelle einer Politik des syr. Zusammenschlusses gegen Assur zahlte J. Tribut an Salmanassar III.

JEIA, Abk. für Joint Export-Import Agency, 1947–51 das Organ der amerikan. und brit. Militärregierung zur Überwachung und Durchführung des dt. Außenhandels.

J'ejsk, Hafenstadt und Badeort am Asowschen Meer, in der Sowjetunion, mit (1972) 67000 Ew.; Fischerei, Industrie.

Jej'unum [lat.], *das, Intestinum jejunum,* **Leerdarm,** ein Teil des Dünndarms, →Darm.

Jekater'inburg, früherer Name von →Swerdlowsk.

Jekaterinod'ar, früherer Name von →Krasnodar.

Jekaterinosl'aw, früherer Name von →Dnjepropetrowsk.

Jel'ängerjelieber, Pflanzenarten, wie: ein Geißblatt, Kapuzinerkresse, Stiefmütterchen.

J'elena, Despotin von Serbien, † 1474, versuchte vergeblich nach dem Tode ihres Mannes, des Despoten Lazar Branković (1457/58), Serbien zu retten, das mit der Eroberung Smederevos (20. 6. 1459) im Osman. Reich aufging. J. war die Nichte des letzten byzant. Kaisers, Konstantins XI., und die Schwester der Sophia, späteren Gemahlin Iwans III. v. Moskau, die die Tradition von Byzanz auf Moskau übertrug.

Jel'ez, Stadt im Gebiet Lipezk, Sowjetunion, (1972) 104000 Ew.; Industrie.

Jelinek, Hanns, österr. Komponist, * Wien 5. 12. 1901, † das. 27. 1. 1969, Vertreter der Zwölftonmusik.

WERKE. Streichquartette, Prometheuskantate, Symphonia Brevis (1950), Zwölftonwerk (1950). Schrift: Anleitung zur Zwölftonkomposition (1952).

Jellicoe [dʒ'ɛlikou], John Rushworth, Earl J. (1925) und Viscount J. *of Scapa* (1918), brit. Admiral, * 5. 12. 1859, † London 20. 11. 1935, war 1912–14 2. Lord der Admiralität, im 1. Weltkrieg 1914–16 Chef der Großen Flotte, die er in der Schlacht vor dem Skagerrak führte.

J'ellinek, 1) Georg, Staatsrechtslehrer, * Leipzig 16. 6. 1851, † Heidelberg 12. 1. 1911, Prof. das.; vertrat eine soziolog. Betrachtung des Rechts.

WERKE. System der subjektiven öffentl. Rechte (1892; ²1905), Das Recht des modernen Staates, Bd. 1: Allgem. Staatslehre (1900; ³1929).

2) Hermann, Schriftsteller, * Drslawitz (Mähren) 22. 1. 1823, † (standrechtl. erschossen) Wien 23. 11. 1848; als Student wegen revolut. Umtriebe aus Leipzig und Berlin ausgewiesen, seit 1847 in Wien.

3) Max Hermann, Germanist, Bruder von 1), * Wien 29. 5. 1868, † das. 6. 5. 1938.

WERKE. Geschichte der neuhochdt. Grammatik, 2 Halbbde. (1913/14), Gesch. der got. Sprache (1926).

4) Walter, Staatsrechtslehrer, Sohn von 1), * Wien 12. 7. 1885, † Heidelberg 9. 6. 1955, Prof. in Kiel und Heidelberg.

WERKE. Verwaltungsrecht (³1931), Grenzen der Verf.-Gesetzgebung (1931).

Jelling, dän. Großgem. in O-Jütland, (1971) 4800 Ew., bekannt durch 2 Runensteine und die beiden »Königshöhen«.

Jelusich [-sitʃ], Mirko, Erzähler, * Semil (Nordböhmen) 12.12.1886, † Wien 22.6.1969. WERKE. Cäsar (1929), Cromwell (1933).

Jemen, engl. **Yemen, 1)** Republik in SW-Arabien, 195000 qkm mit (1976) 6,0 Mill. Ew.; Hauptstadt ist Sana.

Natur. Der Küstenstreifen am Roten Meer ist feuchtheiß und dünn besiedelt. Das nach dem Inneren anschließende Hochgebirge ist im Westen sehr fruchtbar; der Ostteil geht in Steppe und Wüste über.

Die *Bevölkerung* besteht in der Mehrzahl aus südarabischen *(Jemeniten)* und aus später aus N eingewanderten Stämmen *(Ismaeliten)*. Sie sind Mohammedaner; die 50000 Juden wurden nach Israel umgesiedelt. – Im Hochland werden Hirse, Weizen, Gerste und Mais, ferner Reis, Gemüse, Obst und Wein angebaut, in mittleren Lagen Kaffee (Menacha), im Küstengebiet bes. Datteln und Feigen; die Nomaden treiben Viehzucht mit Schafen, Rindern, Kamelen. – Die Bodenschätze (Gold, Silber, Eisen, Schwefel, Erdöl) werden noch kaum genutzt; im Nov. 1955 erhielt eine amerikan. Gruppe Erdöl-Konzessionen auf 30 Jahre (50% der Einnahmen erhält J.). Ausgeführt werden Häute, Felle, Kaffee. – Neben Karawanenstraßen sind die größeren Städte durch Straßen mit den Häfen verbunden (Haupthafen Hodeida, seit 1962 moderner Hafen Al-Ahmadi nördlich von Hodeida). Es gibt eine Schiffahrts- und eine Luftverkehrsgesellschaft; moderner Flughafen in Hodeida.

Staat. Die Verfassung vom 29. 12. 1970 wurde von einer Militärjunta am 13. 6. 1974 suspendiert, das Parlament aufgelöst. Übergangsverfassung vom 20. 6. 1974; »Militär. Kommandorat« als höchstes Staatsorgan.

Die Staatssprache ist Arabisch. Wappen: TAFEL Wappen IV. Flagge: TAFEL Flaggen III. Währung: J.-Rial zu 40 Bogscha.

Rechtsprechung auf Grund der alten islam. Gesetze. Neben den überkommenen Koran-Schulen, deren Besuch für Knaben vom 6. bis 15. Lebensjahr Pflicht ist, wurden moderne Schulen eingerichtet. Das Analphabetentum ist noch nicht beseitigt.

Die Streitkräfte (etwa 12000 Mann) sind überwiegend mit sowjet. Waffen ausgerüstet.

GESCHICHTE. Im 1. Jahrtausend v. Chr. war das Gebiet des heutigen J. von den Sabäern und Minäern besiedelt. Später gewannen die Himjariten an Bedeutung. 630 kam J. in den Besitz der Mohammedaner, seit 1517 gehörte es zum Osman. Reich. 1918 wurde es ein unabhängiges Königreich. Nach dem Konflikt mit Saudi-Arabien erkannte dieses die Unabhängigkeit J.s im Vertrag von Taif an (20. 5. 1934). 1945 trat J. der Arab. Liga bei, im Sept. 1947 wurde es Mitglied der Verein. Nationen. Dem 1948 ermordeten Imam Jahja folgte sein Sohn Achmed als König. Er erneuerte 1951 den Freundschaftsvertrag mit Großbritannien von 1934 und schloß 1956 vorübergehend einen Verteidigungspakt mit Saudi-Arabien sowie einen Freundschaftsvertrag mit der Sowjetunion ab. Mit Großbritannien bestand bis 1967 ein Konflikt um die südl. Grenzgebiete. 1958–61 war J. föderatives Mitgl. der Verein. Arab. Rep. Der Nachfolger Imam Achmeds, Kronprinz Badr, wurde am 27. 9. 1962 wenige Tage nach seinem Amtsantritt durch die Armee gestürzt. Der Führer des Revolutionsrates, Sallal, rief die Republik aus. Badr entkam und sammelte königstreue Truppen, mit denen er, unterstützt von Saudi-Arabien, gegen die republikan. Truppen (unterstützt von Ägypten) bis 1970 kämpfte. Im Juni 1967 hat auch der J. →Israel den Krieg erklärt. Im Aug. 1967 zogen sowohl Saudi-Arabien als auch Ägypten ihre Truppenhilfen zurück. Am 4./5. 11. wurde Präs. Sallal durch Staatsstreich abgesetzt. Übernahme der Reg. durch die jemenit. Armee unter A. al-Iriani, der Vors. eines Präsidentschaftsrates wurde (Nov. 1967). 1970 kam es zur Einigung mit den Royalisten, die an der Regierung beteiligt wurden. Am 13. 6. 1974 übernahm eine Militärjunta unter Oberst J. al-Hamidi die Macht; nach dessen Ermordung im Okt. 1977 regiert ein Präsidentschaftsrat.

2) Demokrat. Volksrepublik J., →Südjemen. Am 28./29. 10. 1972 wurde ein Vertrag über die geplante Vereinigung beider J. geschlossen.

Jen, Yen *der*, japan. Währungseinheit, = 100 Sen.

J'ena, Stadtkreis und Kreisstadt im Bez. Gera, an der Saale, 145–350 m ü. M., mit (1974) 97500 Ew., im breiten Taleinschnitt zwischen den Hängen einer Kalkhochfläche. J. ist Sitz der Friedrich-Schiller-Universität (Neubau 1905–08), des Zentralinstituts für Erdbebenforschung, hat Sternwarte, Institut für Mikrobiologie der Dt. Akademie der Wissensch., unter den Fachschulen bes. die für Optiker, Konservatorium, Ernst-Haeckel-Museum, Planetarium, botan. Garten. Zu Weltruf kamen die opt. Industrie (→Zeiss, →Abbe) und das Jenaer Glaswerk Schott & Gen.; nach 1945 Aufbau einer pharmazeut. Industrie *(Jenapharm)*. Von den alten Bauten der 1945 schwer zerstörten Innenstadt blieben nur wenige übrig (Johannistor, Pulverturm; Stadtkirche, 1438 bis 1525). – J., zwischen 830 und 850 zuerst erwähnt, erhielt 1322 Stadtrecht und war seit 1331 wettinisch. Kurfürst Johann Friedrich der Großmütige stiftete 1547 die Universität (als Gründungsjahr gilt 1558). J. war 1672–90 Hauptstadt eines kleinen ernestin. Herzogtums und gehörte seit 1741 zu Sachsen-Weimar. – Am 14. 10. 1806 wurde ein preuß. Korps unter dem Fürsten Hohenlohe in der *Schlacht bei J.* von Napoleon entscheidend geschlagen, während die preuß. Hauptmacht bei →Auerstedt unterlag.

LIT. O. Stölten: J. (^{2}1939); J. H. Schultze: J. (1955).

J'enaer Glas, Glasarten für besondere wissenschaftliche und optische Zwecke, zuerst von O. Schott in Jena hergestellt (→Geräteglas), auch für feuerfestes Geschirr.

J'enaer Glaswerk Schott & Gen., Mainz, Unternehmen der Glasindustrie, gegr. 1884 von O. Schott, E. Abbe und C. Zeiss als Stiftung des priv. Rechts in Jena. Nach 1945 wurde die Jenaer Stammfirma enteignet. Die bayer. Zweigbetriebe wurden wieder-aufgebaut, der Sitz in Mainz errichtet.

J'enaer Liederhandschrift, Sammlung mittelhochdt. Lyrik und Spruchdichtung mit beigegebenen Singweisen, aus dem 14. Jh. (hg. 2 Bde., 1901; in Lichtdruck 1896).

Jenak'ijewo, 1936–44 Ordschonikidse, Stadt im Donez-Becken, Ukrain. SSR, mit (1972) 92000 Ew.; Steinkohlenbergbau, Industrie.

Jenan, engl. **Yenan,** chines. Stadt in der Prov. Schensi, etwa 30000 Ew.; wurde 1936 nach dem »Langen Marsch« der Kommunisten aus Kiangsi unter Mao Tse-tung Mittelpunkt der komm. Bewegung.

J'enatsch, Georg (Jürg), Graubündener Freiheitsheld, * Samaden 1596, † (ermordet) Chur 24. 1. 1639, anfangs evangel. Pfarrer im Veltlin, wurde der schärfste Gegner der spanisch-kathol. Partei (Ermordung des Pompejus Planta 1621). Um die Rückgabe des Veltlins an Graubünden zu erreichen, trat er 1635 zum Katholizismus über und zwang 1637 den franz. Herzog Rohan zum Abzug. – Roman von C. F. Meyer (1876).

J'enbach, Gemeinde und Sommerfrische in Tirol, Österreich, am Inn, mit (1971) 5800 Ew.; hat Industrie. Auf einer Höhe bei J. Schloß Tratzberg.

J'engi *der*, ein abessinischer Wildhund.

j'enisch [verwandt mit Gauner], **1)** schlau. **2)** gaunersprachlich.

Jeniss'ej *der*, Strom in Sibirien, entsteht in der ASSR Tuwa, von hier aus 3605 km lang und ab Minussinsk von Juni bis Oktober schiffbar, mündet in die Kara-See des Nordpolarmeers. Hauptnebenflüsse: →Abakan, →Angara und →Tunguska.

Jenkins, Roy Harris, engl. Politiker (Labour), * Abersychan (Wales) 11. 11. 1920; war 1964 Luftfahrt-, 1965–67 Innenmin., 1967–1970 Schatzkanzler, 1974 Innenmin.; Karlspreis 1972.

Jenner [dʒ'enə], Edward, engl. Landarzt, * Berkeley (Gloucestershire) 17. 5. 1749, † das. 26. 1. 1823, untersuchte die Schutzwirkung der Kuhpocken beim Menschen und führte 1796 die erste Impfung durch.

Jenpien, koreanischer autonomer Bezirk in der nordostchines. Provinz Kirin. Die Hauptstadt Jentschi hat Universität.

Jens, Walter, klass. Philologe, Schriftsteller und Literaturkritiker, * Hamburg 8. 3. 1923, Prof. für Rhetorik (1965) an der Univ. Tübingen; schrieb Romane, Hörspiele, Essays, wissenschaftl. Abhandlungen; seit 1976 Präs. des PEN-Zentrums der BRD.

WERKE. Nein – Die Welt der Angeklagten (1950), Der Mann, der nicht alt werden wollte (1955), Hofmannsthal und die Griechen (1955), Statt einer Literaturgesch. (1957, ^{2} 1970), Das Testament des Odysseus (1957, ^{2}1968), Republikan. Reden (1976); Eine dt. Universität. 500 Jahre Tübinger Gelehrtenrepublik (1977).

Jenseits, die religiösen Vorstellungen von der nichterfahrbaren Welt im Gegensatz zum →Diesseits; die philosophische Entsprechung ist das Irreale oder →Transzendente. Der relig. J.-Glaube betrifft hauptsächlich das Schicksal des einzelnen Menschen nach dem Tode.

1) *Religionsgeschichtlich* wird das J. in den außerchristl. Religionen teils als Steigerung (leuchtendes Land, Insel der Seligen), teils als Verschlechterung und Entkräftung (Schattenreich: Hades, Hel, Scheol) des Diesseits verstanden. Der Übergang ins J. wird mit dem Gericht Gottes verbunden. Dabei werden Ort der Seligkeit oder der Qual entsprechend den Lebensbedingungen der einzelnen Völker ausgemalt; so ist z. B. die Hölle der Eskimos ein sonnenloses, sturmerfülltes Eis- und Schneeland. Auch die mannigfachen Unsterblichkeitsvorstellungen (Seelenwanderung, Aufgehen der Seele in der göttl. Unendlichkeit, leibl. Auferstehung usw.) bestimmen den J.-Glauben. Im Christentum haben sich die verschiedenen Vorstellungen des Judentums, Griechentums und der persischen Religion mit den Lehren des N. T. verbunden.

2) Nach *christl.* Glauben tritt der Mensch mit dem Tod in einen Zustand ein, der ewige Seligkeit (Himmel) oder ewige Verdammnis (Hölle) in sich schließt und über den das Gericht Gottes entscheidet. Die *kathol.* Kirche hält daran fest, daß dieses Gericht von dem allgem. oder →Jüngsten Gericht zeitlich getrennt sei und verlegt in diese Zwischenzeit auch das →Fegfeuer. Nach *evangel.* Glauben ist die Lehre vom Zwischenzustand der Toten zwischen ihrem Tode und dem Jüngsten Tag kein Glaubens-, sondern ein Denkproblem: der evangel. Christ ist in der Erkenntnis, daß in Gottes Ewigkeit die Gesetze der irdischen Zeitlichkeit nicht gelten, dessen gewiß, daß in der Stunde des Sterbens auf der anderen Seite Christus der Erhöhte, der Jüngste Tag wartet. Gemeinchristl. ist die Überzeugung, daß der Jüngste Tag auch die Vollendung des Menschengeschlechts bringen wird. →Eschatologie, →Reich Gottes.

J'ensen, 1) Adolf, Komponist, * Königsberg 12. 1. 1837, † Baden-Baden 23. 1. 1879, schuf in der Nachfolge Schumanns Klavierstücke und Lieder.

2) Hans Daniel, dt. Physiker, * Hamburg 25. 6. 1907, † Heidelberg 12. 2. 1973, Prof. in Heidelberg, erhielt zus. mit M. Goeppert-Mayer und E. Wigner den Nobelpreis für Physik 1963 für die Entdeckung der nuklearen Schalenstruktur.

3) Johannes Vilhelm, dän. Dichter, * Farsö (Himmerland) 20. 1. 1873, † Kopenhagen 25. 11. 1950. Durch seine Sprachkunst und seine von Darwins Evolutionstheorie beeinflußte Philosophie übte er großen Einfluß aus. Nobelpreis 1944.

WERKE. Gedichte. Romane: Des Königs Fall (1900/01), Die lange Reise (Romanreihe, 1908–22; Entwicklungsgesch. der nord. Rasse), Gudrun (1936). Himmerlandsgeschichten (1899–1910). Novellen.

4) Wilhelm, Dichter, * Heiligenhafen (Holstein) 15. 12. 1837, † Thalkirchen bei München 24. 11. 1911, schrieb historische Romane und Erzählungen.

Jenson, Nicolaus, Drucker, * Sommevoire (Frankreich) um 1420, † Rom 1480, gründete 1470 in Venedig eine Druckerei, pflegte Geschäftsverbindung mit dt. Kaufleuten und Druckern. Seine klassische Antiquatype hat die neuere angelsächs. Typographie (seit William Morris und Cobden-Sanderson) stark angeregt.

Jepischew, Alexei Alexejewitsch, sowjet. Offizier, * 1908; Armeegeneral; Mitgl. des Obersten Sowjets der UdSSR, seit 1964 Mitgl. des ZK der KPdSU.

J'ephtha, einer der israel. Richter (Richt. 10, 17–12, 7), befreite seinen Stamm von den Ammonitern, opferte dafür seinem Gelübde gemäß seine Tochter.

Jequitinhonha [ʒekitiŋ'ɔɲa], Fluß in Brasilien, 1100 km lang.

Jeremi'ade, Klage, Klagelied.

Jeremias: Fresko von Michelangelo in der Sixtinischen Kapelle, Vatikan

Jerem'ias [hebr. Jirmejahu ›Gott verwirft‹], alttestamentlicher Prophet, um 625 v. Chr. in Jerusalem, verkündete den unabwendbaren Untergang des judäischen Staates. Das unter dem Namen des J. überlieferte Buch ist auf echt jeremianischen Sprüchen und einer von seinem Schüler Baruch verfaßten Lebensbeschreibung (36, 1 ff.) aufgebaut. Nicht von J. stammen die **Klagelieder Jeremiä,** fünf Elegien über den Untergang des judäischen Staates und der Stadt Jerusalem (586 v. Chr.). – Kommentare von Nötscher (1958; kath.), Rudolph (²1958; protestant.).

Jerem'ias, Joachim, evang. Theologe, * Dresden 20. 9. 1900, Prof. für N. T. am Herder-Institut in Riga (1927), Univ. Berlin (1928), Greifswald (1929), Göttingen (1935).

WERKE. Jerusalem z. Zeit Jesu, 2 Tle. (1923–37, ³1962), Golgatha (1925), Jesus als Weltvollender (1930), Die Briefe an Timotheus und Titus (1934, ⁸1963), Die Gleichnisse Jesu (1947, ⁷1965), Unbekannte Jesusworte (1948, neubearb. 1951, ³1963), Jesu Verheißung für die Völker (1956, ²1959), Die Kindertaufe in den ersten vier Jh. (1958), Die Anfänge der Kindertaufe (1962).

LIT. Judentum, Urchristentum, Kirche (Festschrift J. J., 1960, ²1964).

J'erewan, armen. Stadt, →Eriwan.

Jerez de la Front'era [xɛr'ɛθ dɛ -], Stadt in Spanien, Andalusien, mit (1970) 149800 Ew.; Weinbau *(Jerezwein)*. Hier siegten die Araber 711 über die Westgoten.

Jerezwein [x'ɛrɛθ-], **Xeres,** engl. **Sherry,** hell- bis goldgelbe Dessertweine aus Jerez de la Frontera.

J'ericho, uralte befestigte Stadt im Jordantal, unweit vom Toten Meer, wurde von

Josua zerstört, gelangte unter Herodes d. Gr. zu neuer Blüte.

J'ericho-Rose, mehrere einjährige Pflanzen des östl. Mittelmeergebiets, die beim Vertrocknen ihre kurzen Äste kugelig einbiegen und in Wasser oder feuchter Luft wieder ausbreiten; diese Bewegung galt früher als Wunder. Der Kreuzblüter *Anastatica hierochuntica* kommt auch als *Marienrose* in den Handel. *Odontospermum pygmaeum*, ein kleiner Korbblüter, der bei Jericho vorkommt, wird als die echte J. der Kreuzfahrer angesehen.

Jerichow [-o:], Stadt im Bez. Magdeburg, mit (1964) 3000 Ew. Die Kirche des ehemal. Prämonstratenserklosters ist der erste bedeutende märkische Backsteinbau des 13. Jahrhunderts.

J'eritza, Maria, * Brünn 6. 10. 1887, gefeierte Sopransängerin der Wiener, New Yorker u. a. Opern.

Jerm'ak, Timofejewitsch, der »Eroberer Sibiriens«, † 6. 8. 1585, besiegte 1582 den Chan Kutschum von Sibirien, eroberte dessen Residenz Sibir (Isker) und unterwarf dem russ. Zaren alle Völker bis zum Irtysch.

Jer'obeam, Könige des Reiches Israel:

1) J. I. (wohl 926–907 v. Chr.), wurde nach Salomos Tod König von Israel (1. Kön. 11,26 ff., 12,1 ff.).

2) J. II. (787–747 v. Chr.), der letzte bedeutende israel. Herrscher (2. Kön. 14,23).

Jérôme [ʒero:m, franz. ›Hieronymus‹] **Bonaparte,** König von Westfalen (1807–13), jüngster Bruder Napoleons I., * Ajaccio 15. 11. 1784, † Schloß Villegenis (bei Paris) 24. 6. 1860, zunächst Marineoffizier, war erst mit der nordamerik. Kaufmannstochter Elisabeth Patterson, dann mit der württemberg. Prinzessin Katharina verheiratet. Als König von Westfalen nahm er seinen Sitz in Wilhelmshöhe bei Kassel und ergab sich ganz den Vergnügungen (»morgen wieder lustig«). Nach dem Sturz Napoleons lebte er als Fürst von Montfort in Österreich, Italien und der Schweiz; durch Napoleon III. wurde er kaiserl. Prinz. Von ihm stammt die spätere Hauptlinie des Hauses Bonaparte ab.

Jerome [dʒər'oum], Jerome Klapka, engl. Erzähler, * Walsall 2. 5. 1859, † Northampton 14. 6. 1927.

WERKE. Drei Mann in einem Boot (1889; dt. 1920), Drei Männer auf dem Bummel (1900; dt. 1905); ferner Romane und sozialkrit. Lustspiele.

LIT. W. Gutkeß: J. K. J. (1930).

Jersey [dʒ'ə:zi], südlichste und größte der zu Großbritannien gehörenden Normann. Inseln, 116 qkm mit (1971) 69 300 Ew.; Kartoffel-, Tomaten-, Obstausfuhr. Hauptstadt: Saint Hélier.

Jersey [dʒ'ə:zi], **1)** Wirk- oder Strickware aus Woll- oder Wollmischgarnen, die gewebeähnlich wirkt, für modische Damenoberbekleidung. **2)** Kreppgewebe aus Seide oder Reyon mit leichter Rippenmusterung.

Jersey City [dʒ'ə:zi s'iti], Stadt in New Jersey, USA, mit (1970) 260 500 Ew., als Metropolitan Area 609 000 Ew.; am Hudson gegenüber Manhattan gelegen, hat beträchtl. Anteil am Groß-New-Yorker Hafen, bedeutende Industrie.

Jer'usalem, hebr. **Jeruschalajim,** arab. **El Kuds,** Hauptstadt des Staates Israel, war seit 1948 zwischen Jordanien und Israel aufgeteilt. Am 7. 6. 1967 eroberten israel. Truppen den jordan. Teil der Stadt, der Ende Juni 1967 mit dem israel. Teil zu einer Verwaltungseinheit zusammengefaßt wurde. Die Vereinigung wurde bisher (1974) international nicht anerkannt. Die vereinte Stadt hatte (1970) 291 700 Ew. J. liegt 800 m ü. M. auf einer wasserarmen hügeligen Kalkhochebene über dem Kidrontal. (Wappen: TAFEL Städtewappen II).

Die von einer Ringmauer (Mitte 16. Jh.) umschlossene Stadt zerfällt in das christl. Viertel mit der Grabeskirche, der deutschen evang. Erlöserkirche, vielen Klöstern, das mohammedan. Viertel mit dem Felsendom auf dem Tempelplatz, das jüdische und das armenische Viertel. Außerhalb der Ringmauer sind Vorstädte, christl. Kolonien und jüd. Niederlassungen entstanden. J. ist Sitz von Bischöfen aller christl. Bekenntnisse und besitzt eine hebr. Universität, eine mohammedan. theolog. Fakultät, ausländ. wissenschaftl. Institute, Museen, Unterrichts-, Wohlfahrtsanstalten und Kirchen aller christl. Bekenntnisse, Moscheen, 70 Synagogen. Die Bewohner leben größtenteils vom Fremdenverkehr.

GESCHICHTE. J., schon im 19. Jh. v. Chr. erwähnt, war einst die Hauptstadt der Jebusiter *(Jebus)*, wurde von David erobert und zu seinem Königssitz gemacht und von Salomo prächtig ausgeschmückt. 587 v. Chr. wurde die Stadt von Nebukadnezar zerstört, nach der Babylonischen Gefangenschaft wiederaufgebaut, 70 n. Chr. von Titus völlig zerstört, 130 von Hadrian wiederhergestellt (Aelia Capitolina). 637 wurde J. von den Arabern, 1099 von den Kreuzfahrern erobert und war dann Hauptstadt des Königreichs J., bis es durch den ägypt. Sultan Saladin 1187 den Christen wieder entrissen wurde. Seit 1244 stand J. ununterbrochen unter der Macht des Islams, seit 1517 unter türkischer Herrschaft. 1917 wurde es von den Engländern erobert. Durch die Grenzziehung nach dem Krieg zwischen Juden und Arabern 1948 verblieb die Altstadt bei Jordanien, während die Vorstädte im N und W und der SW-Hügel mit dem sog. Davidsgrab israelisches Staatsgebiet wurden. Im Verlauf des Krieges zwischen Israel und den arabischen Staaten besetzten am 6. 6. 1967 israelische Truppen auch die Altstadt.

LIT. R. Röhricht: Gesch. des Kgr. J. 1100 bis 1291 (1898); C. Watzinger: Denkmäler Palästinas, 2 Bde. (1933–35); J. Simons: J. in the Old Testament (Leiden 1952); J. Jeremias: J. zur Zeit Jesu (^{3}1963).

Jerusalem, 1) Karl Wilhelm, * Wolfenbüttel 21. 3. 1747, † Wetzlar 30. 10. 1772. Er verübte aus Schwermut und aussichtsloser Liebe Selbstmord, ein Ereignis, das Goethe, der ihn von Wetzlar her kannte, in seinem ›Werther‹ verwendete.

2) Wilhelm, Pädagoge und Philosoph, * Drenič (Böhmen) 11. 10. 1854, † Wien 15. 6. 1923, wurde 1918 Prof. in Wien; stand dem Pragmatismus nahe; vertrat eine genetische, biologische und soziologische Auffassung des Geistes- und Seelenlebens.

WERKE. Lehrb. der empir. Psychologie (1888, [8]1926), Einleitung in die Philosophie ([10]1923), Einführung in die Soziologie (1926).

Jer'usalemsblume, eine Lichtnelke und die Türkenbundlilie.

Jes'aja [hebr. Jescha'ja ›Heil Jahves‹], judäischer Prophet, wirkte 740–701 v. Chr. Das unter seinem Namen überlieferte Buch im A. T. enthält, was von den Weissagungen des J. erhalten ist (Kap. 1–35), in Verschmelzung mit Resten exilischen und nachexilischen prophetischen Schrifttums. Der bedeutendste Abschnitt unter diesen nicht von J. herrührenden Teilen des Buches J. sind Kap. 40–55 **(Deuterojesaja).** – Kommentare von J. Ziegler (1958; kathol.), V. Herntrich (1957; protest.).

J'eschkengebirge, tschech. **Ještěd,** Gebirgszug im nördl. Böhmen, südwestl. von Reichenberg, im Jeschken 1010 m hoch.

Jesch'onnek, Hans, Generaloberst (1942), * Hohensalza 9. 4. 1899, † (Selbstmord) Ostpreußen 18. 8. 1943, war seit 1. 2. 1939 Chef des Generalstabs der Luftwaffe.

Jesi, Stadt in Italien, →Iesi.

Jesiden, Jeziden, →Teufelsanbeter.

J'espersen, Jens Otto Harry, dän. Sprachforscher, * Randers 16. 7. 1860, † Kopenhagen 30. 4. 1943, erforschte Phonetik, Syntax und die Rolle der Sprache in der menschl. Gesellschaft und entwarf eine internationale Hilfssprache »Novial«.

Jesre'el [hebr.], Ebene im nördl. Palästina, zwischen dem Bergland Galiläas und Samarias; heute *Merdsch Ibn Amir*.

J'esse, griech. Form für hebr. *Isai,* Vater des israel. Königs David. In der Kunst ist die *Wurzel J.* eine bildliche Darstellung des Stammbaums Christi, der in dem ruhenden J. wurzelt.

J'essel, Leon, Operettenkomponist, * Stettin 22. 1. 1871, † (nach Gestapohaft) 4. 1. 1942, bekannt durch ›Das Schwarzwaldmädel‹ (1917).

J'essen, Kreisstadt im Bez. Cottbus, an der Schwarzen Elster, mit (1964) 5600 Ew.; Land- und Forstwirtschaft, Obstbau.

Jess'enin, Sergej, russ. Lyriker, * Konstantinowo (Gouv. Rjasan) 4. 10. 1895, † (Selbstmord) Leningrad 28. 12. 1925, schloß sich den russ. Symbolisten an, Bekanntschaft mit A. Block.

WERKE. Werke, 4 Bde. (russ., 1926 ff.); 2 Bde. (1955 f.), Liebstes Land, das Herz träumt leise (Gedichte; dt. 1958), Gedichte, dt. v. P. Celan (1960); Gedichte (zweisprachig 1961, [2]1964).

J'essner, Leopold, Regisseur, * Königsberg/Pr. 3. 3. 1878, † Los Angeles 13. 12. 1945, war 1919–30 Generalintendant der Staatl. Schauspiele Berlin. J. suchte durch symbolische Mittel (z. B. die Treppe als Spielfläche für gesteigerte Bewegungen) die Idee eines Stückes deutlich zu machen.

J'eßnitz, Stadt im Kr. Bitterfeld, Bez. Halle an der Mulde, mit (1964) 7000 Ew.; Papier-, Holzindustrie.

Jesso, die japan. Insel →Hokkaido.

Jessup [dʒ'ɛsəp], Philipp, amerikan. Völkerrechtler, * New York 5. 1. 1897, Professor an der Columbia-Universität. 1943–53 war J. bei der UNRRA und bei den Vereinten Nationen tätig (Sonderbotschafter).

WERKE. Neutrality (1935–36), A modern law of nations (1948; dt. 1950).

Jessup-Malik-Abkommen, am 4. 5. 1949 geschlossenes Abkommen zwischen Großbritannien, Frankreich, UdSSR und USA, nach dem amerikan. UN-Botschafter und dem sowjet. UN-Vertreter benannt. Inhalt: Aufgabe der Berlin-Blockade und Beschluß auf einer Außenministerkonferenz in Paris (23. 5. 1949), die Berlin-Frage erneut zu erörtern.

Ještěd [j'ɛʃtjɛd], tschech. Name für das →Jeschkengebirge.

Jesu'iten, Gesellschaft Jesu, lat. **Societas Jesu,** abgekürzt **SJ,** kathol. Orden, gegr. 1534 von Ignatius von Loyola, 1540 von Papst Paul III. bestätigt. Hauptziel des Ordens ist die Ausbreitung der kathol. Lehre, Förderung der christl. Sitte und Selbstheiligung. Auf die Pflege der Wissenschaften und eine lange sorgfältige, strenge Ausbildung der Ordensmitglieder wird großer Wert gelegt. Die J. haben sich von jeher auch dem Schulunterricht gewidmet und bauten ein gutgeleitetes Schulwesen auf *(Jesuitenschulen).* An der Spitze des Ordens steht der auf Lebenszeit gewählte General mit dem Sitz in Rom. Er ernennt die Provinzialoberen, die Oberen der Studienhäuser (Rektoren) und sonstiger Niederlassungen (Superioren). Die SJ zählt (1971) rd. 31700 Mitglieder, die in 63 Provinzen (im dt. Sprachgebiet 3 mit rund 1000 J.) organisiert sind; diese Prov. sind in 10 Assistenzen zusammengefaßt.

GESCHICHTE. Während Portugal die J. freundlich aufnahm, stießen sie anfangs auf Widerstand in Spanien, ebenso in Paris und in Venedig; auch in Belgien und in England hatten sie Schwierigkeiten. Um 1600 war die SJ schon in allen kathol. Ländern Europas (in Deutschland seit 1544) sowie missionarisch auch in Indien, Japan, China, den Philippinen, dem Kongo, Abessinien, Brasilien, Peru, Mexiko, Paraguay (Jesuitenstaat), Chile, Kanada tätig.

Papst Klemens XIV. hob den Orden 1773 auf, Papst Pius VII. stellte ihn 1814 wieder her. Auch die Staaten urteilten verschieden: Friedrich d. Gr. schützte den aufgehobenen Orden, ebenso Katharina II. von Rußland; aber 1820 wies Rußland die J. aus, 1872 Deutschland *(Jesuitengesetz),* 1901 Frankreich. Deutschland ließ seit 1904 die J. als

Privatpersonen zu, seit 1917 wieder den Orden. In der Schweiz war den J. jede Tätigkeit in Kirche und Schule bis 20. 5. 1973 untersagt (Art. 51 der Bundesverf.).

Lit. H. Böhmer: Die J. ([5]1957); P. v. Hoensbroech: Der Jesuitenorden, 2 Bde. (1926/27); H. Becher: Die J. (1951); P. Lippert: Zur Psychologie des J.-Ordens ([2]1956); R. Fülöp-Miller: Macht und Geheimnis d. J. (Neuaufl. 1962).

Jesuitendramen, →Jesuitentheater.

Jesu'itenrinde, Kardinalsrinde, die Chinarinde, die im 17. Jh. bes. durch die Jesuiten in Europa verbreitet wurde.

Jesu'itenstaat, die Jesuitenmissionen des 17. und 18. Jhs. unter den Guaraní-Indianern am Paraná (→Paraguay, Geschichte).

Jesu'itenstil, eine nicht mehr übliche Bezeichnung für die zu Pracht und Schaustellung neigende Richtung des Barock. Die Hauptkirche der Jesuiten in Rom (Il Gesù) war von starkem baugeschichtl. Einfluß. Doch paßten sich die Jesuiten meist der Kunst der Länder an, in denen sie wirkten.

Jesu'itentheater, dramat. Aufführungen, die in den Gymnasien der Jesuiten (seit 1570) gepflegt wurden, in Anknüpfung an das humanist. Schuldrama; sie dienten der Glaubensverbreitung (propaganda fidei). Im Wetteifer mit der Oper wurden Musik, prunkvolle Ausstattung, Massenszenen reichlich verwendet. Die Sprache war lateinisch, doch wurden dt. Programmhefte herausgegeben. Die bedeutendsten Dramatiker des J. gehörten dem Barock an, in Dtl.: Bidermann und Balde. Einwirkungen des J. zeigen sich bei Corneille, Gryphius und dem süddt. Volksschauspiel.

Lit. W. Flemming: Das Ordensdrama (1930); J. Müller: Das Jesuitendrama, 2 Bde. (1930); K. Adel: Das Wiener J. (1960).

Jesuitinnen, →Englische Fräulein.

J'esus Chr'istus, der Träger und Mittelpunkt der neutestamentl. Verkündigung. Der Eigenname J., die griech. Umschrift des hebr. Jeschua, bedeutet »Jahve hilft«. →Christus.

Geschichtl. Nachrichten über das *Leben J.* sind vor allem in den Schriften des N. T. erhalten. Diese Quellen reichen weder für eine Lebensbeschreibung noch für eine Darstellung der inneren Entwicklung Jesu aus; sie sind viel mehr als Zusammenfassung der urchristl. Verkündigung denn als historischer Bericht zu verstehen. Bei ihrer Wertung muß bedacht werden, daß ihre schriftl. Festlegung etwa 30 Jahre nach der irdischen Wirksamkeit J. begann. Seine Persönlichkeit wird aber auch von nichtchristl. Schriftstellern (Josephus, Tacitus) erwähnt.

J. wurde noch zur Zeit von Herodes d. Gr., vielleicht im Jahre 8 oder 7 v. Chr., geboren. In seinem 33. oder 34. Lebensjahr (nach Lukas 3, 23 ungefähr 30 Jahre alt) begann J. sein öffentliches Wirken. Es vollzog sich hauptsächlich in Galiläa. Jesu Auftreten als *Prediger* war dem eines Rabbi ähnlich. Jedoch beschränkte J. sich nicht auf die Synagoge, sondern lehrte und ermahnte, wo sich ihm eine Möglichkeit bot, auf dem Berge, vom Kahn aus, am See. Nach Art der Propheten legte er dabei »Gesetz und Propheten« aus, sprach aber auch aus eigenem: »Ich aber sage euch« (Matth. 5, 17 u. 22). Seine Predigt kennt den drohenden Ernst ebenso wie die suchende Güte und Liebe, den Zorn und die Ironie; sie scheut nicht vor Übertreibungen zurück und spricht die Wahrheiten in scharf auf den Fall angewandten Sätzen aus. Die orientalische, spannungsvolle Bildrede, der kurze Spruch, das Gleichnis (Parabel, Gleichniserzählung, Allegorie) sind die häufigsten Formen seiner Predigt. Ihr Eindruck war von Anfang an gewaltig. Scharen drängten sich um ihn (Mark. 1, 45; 2, 2 u. ö.).

Nicht geringeren Eindruck machten seine *Taten* (Wunder). Die Evangelien berichten von Heilungen Gelähmter, Epileptischer und Tobsüchtiger. Lahme, Blinde, Taube und Stumme, ja selbst Aussätzige spürten seine Heilkraft. In einem Ort erweckte er ein zwölfjähriges Mädchen, in Nain einen Jüngling vom Tode. Naturwunder geschahen: Sturmstillung, Meerwandeln, Speisung der 5000. Für J. waren die Wundertaten »Finger« Gottes (Luk. 11, 20). Schauwunder als Erweis seiner Macht hat er abgelehnt (Matth. 12, 38 f.).

Aus der Schar seiner Anhänger *(Jünger)* sonderte J. eine engere Gruppe von zwölf aus, sicher in Beziehung auf die 12 Stämme Israels; er sandte sie in die Städte und Dörfer, damit sie als seine Gehilfen vom Gottesreich kündeten (Mark. 6, 7 ff.). – J. wandte sich an alle; mancherlei Erfahrungen aber führten ihn immer mehr zu den »Armen« und »Verlorenen«. So nahm er sich der Sünder an, verschmähte die Gemeinschaft mit den Zöllnern nicht und wies Ehebrecherinnen und grobe Sünderinnen nicht von sich (Mark. 2, 17). Seine *Gegner*, die Pharisäer und ihre geistigen Führer, die Schriftgelehrten, nannten ihn darum »Der Zöllner und der Sünder Geselle« (Matth. 11, 19). Ihr Widerspruch erwuchs daran, daß J. auftrat »wie einer, der Macht hat« (Matth. 7, 29), daß er die pharisäische Gesetzlichkeit und die Schranke zwischen Rein und Unrein ablehnte und daß er ihre heuchlerische Frömmigkeit schonungslos angriff (Matth. 23, 27; Luk. 11, 42). Er wurde in Jerusalem etwa im Jahre 30 n. Chr. gekreuzigt. Nach dem Tode Jesu haben die Jünger wahrscheinlich Jerusalem verlassen und sind nach Galiläa geflohen (Mark. 16, 7). Frauen, die am Ostermorgen zum Grabe Jesu gingen, fanden das Grab leer (Mark. 16, 1 ff.). Die Wirkung war Entsetzen (Mark. 16, 5 u. 8), wie überhaupt durch alle Ostergeschichten das Bangen (Matth. 28, 8), das Zweifeln (Matth. 28, 17) gegenüber dem Unerhörten der Auferstehung hindurchgeht. – In Galiläa hat Petrus als erster J. wiedergesehen, dort haben sich die Jünger zusammengefunden, den Missionsauftrag erhalten (Matth. 28, 16 ff.) und sind wieder nach Jerusalem gezogen. Dort trug sich die Erscheinung Jesu vor den 500 zu, die die neue Gemeinde begründete; eine letzte Erscheinung vor den führenden Männern der Gemeinde zur Bestätigung in ihrem Amte schloß sich an. Dann fuhr Jesu in den Himmel auf (Luk. 24, 51).

Jesu Lehre. Im Mittelpunkt seiner Lehre stand die Verkündigung von dem Reiche Gottes (Herrschaft Gottes); die wesentlichsten religiös-sittl. Forderungen des Reiches Gottes sind in der Bergpredigt (Matth. 5–7) enthalten. Jesus forderte Umkehr, Gottesliebe, die sich in Liebe zu den Mitmenschen betätigt, vertrauende Hingabe an Gott. Dieses Reich Gottes erwarteten die Zeitgenossen Jesu als in unmittelbarer Zukunft bevorstehend und das Ende der Zeiten herbeiführend. Zugleich erscheint es auch wieder als schon gegenwärtig (Luk. 17, 21).

Die national-jüdischen Messias-Hoffnungen hat J. stillschweigend abgelehnt (Matth. 11, 2 ff.). Am häufigsten hat er von sich als dem »Menschensohn« gesprochen und darin das vollkommene Verborgensein der kommenden Herrlichkeit Gottes und die Abhängigkeit von Gott ausgedrückt. Der Menschensohn ist der Christus, der am Ende der Tage als Weltenrichter kommen wird, der aber auch schon in seinem irdischen Leben Macht hat, Sünden zu vergeben. Jesus weiß sich darin als der Sohn Gottes, der den Vater den anderen offenbart. In dem Wort vom Lösegeld und in den beim Abendmahl gesprochenen Worten (Mark. 14, 22 ff.) wird deutlich, daß durch sein Blut der neue Bund geschlossen, durch sein Opfer »die Vielen« frei gemacht, erlöst werden sollen.

Die Urgemeinde hat die Verkündigung Jesu aufgenommen und fortgeführt. Für Paulus sind an Person und Schicksal Jesu besonders Tod und Auferstehung wichtig. Als Heilsgeschehen sind sie das wichtigste Glied in dem gottgewirkten Vorgang der Erlösung. Die weitere Ausformung des Glaubens an J. Chr. führte zur Christologie. (→Dreieinigkeit, →Heiliger Geist).

LIT. H. Haag: Auf den Spuren J. (1953); J. Blinzler: Der Prozeß J. (^{4}1969); K. Schubert: Der histor. J. u. der Christus unseres Glaubens (Wien 1962); R.-L. Bruckberger: Die Gesch. Jesu Christi (1967). *Evangel.:* A. Schweitzer: Gesch. der Leben-Jesu-Forschung (^{7}1966); R. Bultmann: J. (^{3}1967); G. Bornkamm: J. v. Nazareth (^{9}1971); E. Stauffer: J. (1957); W. Grundmann: Die Geschichte J. Christi (1957). *Kathol.:* J. Sickenberger: Leben J. (1932); K. Adam: J. Chr. (^{8}1949); F. M. Willam: Das Leben J. (^{8}1949); R. Guardini: Der Herr (^{13}1964).

J'esuskind, Darstellung Jesu als Kind (→Bambino). Die Darstellung des J. als Einzelfigur kam im späten MA. auf. In der nord. Graphik des späten 15. Jhs. be-

Jesuskind: Neujahrswunsch, Holzschnitt (15. Jh.)

gegnen Darstellungen des J. auch als Neujahrsglückwunschblätter (Vorläufer der Neujahrspostkarten).

J'esus S'irach, →Sirach.

Jet [dʒet, engl.], Düsenstrahl; Verkehrsflugzeug mit Strahlantrieb.

Jet, Schwarzer Bernstein, →Gagat.

J'ethro [hebr. ›hervorragend‹], der Schwiegervater des Moses (2. Mos. 3, 1), auch **Reguel** genannt.

Jeton [ʒetõ, franz.], Spielmarke.

Jet-set [dʒet set], prominente internat. Gesellschaft.

Jetstream [dʒ'etstri:m, engl. ›Strahlstrom‹], Zonen von höchster Windgeschwindigkeit in etwa 10 km Höhe.

Jetzerprozeß, das kirchl. Gerichtsverfahren gegen 4 Dominikaner des Berner Konvents wegen Anstiftung des Schneidergesellen und späteren Laienbruders Johann Jetzer (* Zurzach 1483, † um 1514) zur Vortäuschung von Muttergottes-Wundern. Die Dominikaner wurden am 24. 5. 1509 verbrannt; ob sie von Jetzer getäuscht wurden, ist strittig.

LIT. G. Schuhmann: Die Berner Jetzertragödie (1912).

Jeu [ʒø, franz.], **1)** Glücksspiel. **2)** Pfeifenreihe, Register bei der Orgel.

Jeunesse dorée [ʒœnɛs dɔre, franz. ›goldene Jugend‹], **1)** ursprünglich die jugendl. Kreise des französ. Großbürgertums, die nach dem Sturz der Schreckensherrschaft 1794 in Paris durch ihre Haltung und Kleidung den Ton angaben. **2)** später allgemein die elegante Großstadtjugend.

Jeunesses musicales [ʒœnɛs myzika:l, frz.], internat. Vereinigung zur musikal. Förderung der Jugend (dt. Landesgruppe in München), gegr. von dem Belgier Cuvelier in Verbindung mit der UNESCO.

Jeux floraux [ʒø floro, franz. ›Blumenspiele‹], poetische Wettkämpfe, die in Toulouse seit 1323 alljährlich Anfang Mai vom *Consistori de la gaya sciensa,* der ältesten literar. Gesellschaft Europas, um den Preis von goldenen und silbernen Blumen veranstaltet werden. 1695 nach dem Vorbild der franz. Akademie als *Académie des Jeux floraux* umgebildet, umfaßt die Gesellschaft 40 Mitglieder; sie läßt seit 1895 wieder Gedichte in provenzal. Mundarten zu. Im 19. Jh. gewannen ähnliche Spiele auch in anderen Städten S-Frankreichs, Kataloniens und Aragons, seit 1899 auch die von J. Fastenrath in Köln geschaffenen Blumenspiele lokale Bedeutung.

J'ever, Kreisstadt (Kr. Friesland) in Niedersachsen, (1977) 12200 Ew., zwischen Marsch und Geest; Schloß (16. Jh.). – Im 14. Jh. bildete sich die selbständige Herrschaft J. unter eigenen fries. Häuptlingen; sie kam 1575 an Oldenburg, 1667 an Anhalt-Zerbst, 1793 an Rußland und 1818 wieder an Oldenburg.

Jevons [dʒ'evənz], William Stanley, engl. Philosoph und Nationalökonom, * Liverpool 1. 9. 1835, † (ertrunken bei Bexhill, Sussex) 13. 8. 1882, entwickelte gleichzeitig mit Walras und Menger die Grenznutzentheorie.

Jewish Agency for Palestine [dʒ'uiʃ 'eidʒənsi fɔ: p'ælistain], die im Mandatsvertrag für Palästina (1922) anerkannte öffentl. Vertretung des →Zionismus für Palästina. Sie beriet 1929–48 die brit. Mandatsregierung und das jüd. Nationalkomitee.

Jewpat'orija, Eupatoria, Hafenstadt und Seebad auf der Krim, Ukrain. SSR, (1972) 85000 Ew., Umschlagplatz für Weizen; in den Kurorten im Umkreis Salz- und Jodgewinnung. Die von Mithridates d. Gr. erbaute Stadt Eupatoria war seit Ende des 15. Jhs. ein befestigter türk. Handelsplatz *(Gelewe).* 1783 wurde J. russisch.

Jewtusch'enko, Jewgenij Aleksandrowitsch, russ. Schriftsteller, * Zima (Sibirien) 18. 7. 1933, Lyriker der jungen Generation; formal eigenwillige und kritische Dichtungen; bes. bekannt wurden die Gedichte ›Babi Jar‹ (gegen Antisemitismus) und ›Stalins Erben‹ (gegen ein Wiederaufleben des Stalinismus).

WERKE. Gedichtbände (russ.): Kundschafter der Zukunft (1952), Der dritte Schnee (1955), Die Chaussee der Begeisterten (1956), Bahnstation Zima (1956), Das Versprechen (1959).

J'ezabel, jüd. Königin, →Isebel.

Jezir'a [hebr. ›Schöpfung‹], **Sefer J.,** Name einer zwischen dem 3. und 6. Jh. n. Chr. entstandenen kabbalist. Schrift über die Geheimnisse der Schöpfung, die als Dokument der jüd. Gnosis zu bewerten ist und eine entwickelte Buchstaben- und Zahlenmystik zeigt.

JGG, Abk. für Jugendgerichtsgesetz, →Jugendstrafrecht.

Jhering, 1) Herbert, Theaterkritiker und Publizist, * Springe (Hannover) 29. 2. 1888, † Berlin 15. 1. 1977, war 1918–33 Mitarbeiter am ›Berliner Börsen-Courier‹, 1945–54 Chefdramaturg des Deutschen Theaters in Berlin (Ost).

WERKE. Aktuelle Dramaturgie (1924), Heinrich Mann (1951), Von Reinhardt bis Brecht, 3 Bde. (1959/61).

2) Rudolf von, Rechtslehrer, * Aurich 22. 8. 1818, † Göttingen 17. 9. 1892, betonte als einer der bedeutendsten Gründer der jüngeren histor. Rechtsschule im Gegensatz zu der älteren den praktischen Endzweck der Rechtswissenschaft.

J'ičín, tschech. Stadt, →Jitschin.

Jiddisch, Judendeutsch, die Sprache der aschkenas. Juden. Sprachl. Ausgangspunkt ist das Festhalten am semit. Sprachgut, bes. an der hebräischen Schrift. Als Entstehungsraum wird das Rheinland angenommen, Entstehungszeit das 11. und 12. Jh. Gliederung: **Altjiddisch** (bis 1500), **Mitteljiddisch** (1500–1750) und **Neujiddisch** (seit 1750).

Grundlage des J. ist der german. Bestandteil (bes. Mitteldt. und Bairisch). Dazu kommen semitische, seit Ausbreitung des J. nach dem Osten, slawische Bestandteile.

J. wurde um 1900 von 7 Mill. Menschen gesprochen, war damit nach Englisch, Deutsch und Niederländisch die viertgrößte german. Sprache. Anfang des 19. Jh. erlosch das J. in Westeuropa; in Osteuropa blieb es Umgangssprache der Juden. Bis heute ist J. trotz schwerer Verluste in der Sprachgemeinschaft und der Wiederbelebung des Hebräischen in Israel die meistgesprochene jüd. Sprache. Geschrieben und gedruckt wird es mit hebr. Buchstaben.

Literatur: Bis Ausgang des 18. Jh. überwog das geistl. Schrifttum. Es bestand aus Bibelübersetzungen, Gebetbüchern, Schriften belehrenden und erbauenden Inhalts, kleineren Dichtungen (Cambridger Gedichte, 1382) und gereimten Bibelparaphrasen, die formale Züge mhd. Spielmanns- und Heldenepik aufweisen. Als Hauptwerk jidd. Narrenliteratur gilt das Bovo-Buch von Elia Levita (1507), Legenden, Sagen, Märchen und Schwänke sind im Maase-Buch (1602) zusammengefaßt, wichtigste volkstümlichste Bibelübersetzung die ›Zenne Renne‹ des Jakab Aschkenasi (Erstdruck vor 1620). Im 19. Jh. bestimmten Probleme und Themen der Gegenwart die jidd. Literatur. Das hohe Niveau dieser Epoche prägten Autoren wie die Klassiker M. M. Sforim, S. Alejchem, J. L. Perez, der Lyriker M. Rosenfeld, die Dramatiker J. Gordin, D. Pinski, P. Hirschbein.

Jidd'istik, Wissenschaft von der jidd. Sprache und Literatur.

Jig [dʒig, engl.], →Gigue.

Jigger [dʒ'igə, engl.], **1)** das unterste Rahsegel am hintersten Mast (Jiggermast) eines Viermast-Vollschiffes. **2)** eine Breitfärbemaschine für Gewebe.

J'ihlava, tschech. Name von →Iglau.

Jiménez [xim'εnεθ], 1) Francisco, span. Kardinal, →Ximenes.

2) Juan Ramón, span. Lyriker, * Moguer (Huelva) 24. 12. 1881, † San Juan (Puerto Rico) 29. 5. 1958. J. strebte in seiner Lyrik nach der vollkommenen poetischen Schönheit. Sein Weg führt von impressionistischer Lyrik über Gegenständlichkeit zur »Poésie pure«. Nobelpreis 1956.

WERKE. Erzählung: Platero y yo (1917; dt. Platero und ich, 1957). Gedichtsammlungen: Poesias escogidas (1917), Tercera Antologia poetica (Madrid 1957), Libros de poesia (Madrid 1957), Herz, stirb oder singe (Gedichtauswahl, span. und dt. 1958).

Jimmu Tenno [dʒ'imu], Stammvater des japan. Kaiserhauses, * angeblich 711, † 585 v. Chr. (→Japan, Geschichte).

Jingkou, Hafenstadt in der südl. Mandschurei, China, mit rd. 80000 Ew.; Sojabohnen- und Sojaölausfuhr.

Jingo [dʒ'iŋgo], Spottname für die brit. Imperialisten, entstanden während des russ.-türk. Krieges 1877/78.

J'innah, Mohammed Ali, →Dschinnah.

Jinsen, japan. Name für →Intschön.

J'itschin, Gitschin, tschech. **Jičín,** Stadt im Kreis Ostböhmen, Tschechoslowakei, mit (1970) 12500 Ew.; Maschinenfabrik, Basaltbrüche. Auf dem Ring mit den Laubengängen stehen die barocke Dekanatskirche und Wallensteins Schloß (1623), die Residenz des ehemaligen Hzgt.s Friedland.

Jitterbug ['dʒitəbʌg], Gesellschaftstanz amerikan. Herkunft, entstanden aus dem Swing um 1935, seit 1940 auch in Europa.

Jiu [ʃ'iu] *die,* dt. **Schyl,** Fluß in Rumänien, 349 km lang, entspringt in den Südkarpaten, mündet in die Donau.

Jiu-Jitsu [dʒiu:dʒ'itsu, japan. ›die sanfte Kunst‹], →Judo.

Jivaro [ç'ivaro], Waldindianer im östl. Ecuador; bekannt sind ihre Kopftrophäen (→Tsantsa).

Jizo [dʒiso], *japan. Buddhismus:* Schutzpatron der Notleidenden, bes. der Wanderer, der schwangeren Frauen und verstorbenen Kinder, die er ins Paradies führt; meist als Priester mit langem Stab in der rechten und einem Edelstein in der linken Hand dargestellt.

J'oab, Oberfeldherr des israel. Königs David, wurde durch Salomo getötet (1. Kön. 2, 5. 28ff.).

J'oachim [hebr. ›Gott richtet auf‹], männl. Vorname.

J'oachim, nach Apokryphen der Name des Vaters Mariens, der Mutter Jesu. Er wird als Heiliger verehrt; Tag: 16. 8.

J'oachim, Fürsten:

Brandenburg, Kurfürsten. **1) J. I. Nestor** (1499–1535), * 21. 2. 1484, † Stendal 11. 7. 1535, gründete 1506 die Universität Frankfurt a.d.O., vereinigte 1524 die Gfsch. Ruppin mit der Mark und bekämpfte die Reformation.

2) J. II. Hektor (1535–71), Sohn von 1), * 13. 1. 1505, † Köpenick 3. 1. 1571, trat 1539 zur Reformation über, unterstützte aber im Schmalkald. Krieg den Kaiser gegen die Protestanten. Seine Verschwendungssucht zerrüttete die Finanzen des Landes.

3) J. Friedrich (1598–1608), Enkel von 2), * 27. 1. 1546, † 18. 7. 1608, seit 1566 Administrator des Erzstifts Magdeburg, setzte 1599 den *Geraischen Hausvertrag* über die Unteilbarkeit des hohenzollernschen Besitzes mit Ausnahme der fränk. Lande durch.

Joachim, Joseph, Geiger und Komponist, * Kittsee (Burgenland) 28. 6. 1831, † Berlin 15. 8. 1907, berühmter Solist und Streichquartett-Primarius, dem das Musikleben des 19. Jhs. viele Anregungen verdankt. Schumann, Bruch, Brahms und Dvořák widmeten ihm Violinkonzerte. Historisch wichtig wurden auch seine Kadenzen zu mehreren klassischen Violinkonzerten.

Jo'achimstaler, von den Grafen Schlick seit 1515 geprägter Guldengroschen aus dem Silber von →Sankt Joachimsthal in Böhmen. Aus dem Namen J. ging das Wort Taler hervor.

Joachimstaler: Vorderseite mit hl. Joachim, Rückseite mit böhm. Löwen (um 1524; etwa 2/3 nat. Gr.)

Joachimsthal, 1) Stadt und Luftkurort im Bez. Frankfurt/Oder, am NO-Rand der Schorfheide zwischen Grimnitz- und Werbellinsee, mit (1964) 3800 Ew.; wurde 1604 vom Kurfürsten Joachim Friedrich in der Nähe des Schlosses Grimnitz angelegt, erhielt 1607 eine Fürstenschule, die 1650 als Joachimsthalsches Gymnasium nach Berlin, 1912 nach Templin verlegt wurde. J.s neuklass. Kreuzkirche wurde von Schinkel erbaut.

2) böhm. Stadt, →Sankt Joachimsthal.

Joachim von Floris, J. von Fiore, Ordensgründer, Theologe, * Celico bei Cosenza um 1130, † San Giovanni in Fiore (Kalabrien) 20. 3. 1202, war Zisterzienserabt in Corazzo, gründete um 1190 ein strengeres Kloster im Silagebirge, aus dem ein neuer Orden (Florenser, im 16. Jh. aufgelöst) entstand. J. war wegen seiner prophet. Bibeldeutung angesehen. Nach seiner Lehre von den 3 Zeitaltern des Vaters, des Sohnes und des Hl.Geistes war das Ende der neutestamentl. Klerikerkirche und der Anbruch der mönch. Geistzeit spätestens 1260 zu erwarten. Nach J.s Tod wurde seine Trinitätslehre 1215 verurteilt. Seine Geschichtslehre wurde von den radikalen Franziskanern (Spiritualen), die neue Schriften unter J.s Namen schrieben, auf ihren Orden bezogen und als *Ewiges Evangelium* betrachtet, deshalb von einer päpstl. Kommission 1255 zensuriert. Trotzdem wirkten J.s Gedanken nachhaltig weiter.

Jo'as [hebr. ›Jahve ist gewaltig‹], **1)** israel. König (802–787 v. Chr.), kämpfte siegreich gegen die Syrer und Amasja von Juda (2. Kön. 13, 10ff.; 14, 8ff.).

2) König von Juda (839–800 v. Chr.), wurde nach Ermordung der Athalia König. Er entzog den Priestern die Verfügung über die Tempelspenden, mußte aber den Tempelschatz dem syr. König Hasael ausliefern (2. Kön. 12, 1ff.).

Job, in der Vulgata für →Hiob.

Job [dʒɔb, engl.], Stellung, Beschäftigung.

Jobber [dʒ'ɔbə, von Job], Wertpapierhändler an der Londoner Börse; in Deutschland abfällig für den Börsenspekulanten.

Jobsi'ade, Die J., grotesk-komisches Epos von K. A. Kortum, 1784; bearbeitet und illustriert von Wilhelm Busch, 1874.

Jobst, Jost, Jodokus, Markgraf von Mähren, † 17. 1. 1411, Enkel des Böhmenkönigs Johann von Luxemburg, folgte 1375 seinem Vater in Mähren und erwarb während der Streitigkeiten seiner Vettern als Pfand Luxemburg, Brandenburg, die Lausitz und das nordwestl. Ungarn. Am 1. 11. 1410 wurde er gegen Sigismund zum dt. König gewählt.

Joch [german. Stw.], **1)** Zuggeschirr für Ochsen, auf der Stirn und über dem Nacken getragen. **2)** ein Gespann Zugtiere. **3)** Schultertrage. **4)** *Kirchenbau:* durch vier Eckstützen bezeichnete, meist überwölbte Raumeinheit. **5)** *Brückenbau:* hölzerne Stütze mit Querbalken. **6)** *Bergbau:* hölzerner, viereckiger Rahmen zum Schachtausbau. **7) Jochacker, Jauchert, Juch,** auch **Morgen, Mannsmahd, Tagwerk** genannt, früheres süddt. Feldmaß: so viel Land, wie ein Gespann (Joch) Ochsen an einem Tag umpflügen kann (zwischen 30 und 65 a). **8)** Einsattelung in einem Gebirgskamm. **9)** Blattpaar am gefiederten Blatt.

Jochan'an ben Zakk'ai, galiläischer Rabbi des 1. Jhs. n. Chr., erwirkte nach der Zerstörung des Tempels zu Jerusalem (70) von den röm. Behörden die Erlaubnis zur Eröffnung eines Lehrhauses in Jabne (Jamnia). J. hat die Umstellung des Ritus und Zeremonials auf die geänderten Verhältnisse und somit die Entwicklung zum talmudischen Judentum eingeleitet.

J'ochbein, Backenknochen, *Os zygomaticum*, paariger Knochen, der die Wange nach oben begrenzt.

J'ochenstein, Ortschaft am linken Ufer der Donau, etwa 22 km flußabwärts Passau, dicht vor der österreich. Grenze. Die 1952 bis 1956 als Gemeinschaftsleistung (Rhein-Main-Donau AG, München, und Österreich. Elektrizitätswirtschafts-AG, Wien) erbaute *J.-Staustufe* besteht aus einer Doppelschleuse an der linken (dt.), dem Wehr an der rechten (österreich.) Stromseite und dem dazwischenliegenden Kraftwerk.

Jöcher, Christian Gottlieb, Lexikograph, * Leipzig 20. 7. 1694, † das. 10. 5. 1758, wurde 1730 Prof., 1742 auch Universitätsbibliothekar, Hg. eines Gelehrtenlexikons.

J'ochum, 1) Eugen, Dirigent, * Babenhausen (Bayern) 1. 11. 1902, seit 1934 Generalmusikdirektor in Hamburg, 1949–60 Chefdirigent am Bayerischen Rundfunk in München, seit 1961 Dirigent des Concertgebouw-Orchesters, Amsterdam.

2) Georg Ludwig, Dirigent, Bruder von 1), * Babenhausen (Bayern) 10. 12. 1909, † Mülheim/Ruhr 1. 11. 1970, Generalmusikdir. in Duisburg.

3) Otto, Komponist, Bruder von 1), * Babenhausen (Bayern) 18. 3. 1898, † Bad Reichenhall 24. 10. 1969, schuf Oratorien, Messen, symphonische Werke u. Kammermusik.

J'ockei, Jockey [dʒ'ɔki, engl.; Goethezeit], berufsmäßiger Rennreiter (im Unterschied zum Herrenreiter); das Körpergewicht muß auf 50–52 kg gehalten werden, beim Leichtgewichts-J. auf 40 kg. Die Ausübung ist an die Erteilung einer Reiterlaubnis durch die Rennsportbehörde gebunden.

Jod [griech. iodes ›veilchenfarbig‹ nach der Farbe seines Dampfes] *das*, Zeichen J, zu den Halogenen gehöriges chem. Element, Ordnungszahl 53, Massenzahl 127, Atomgewicht 126,9044, glänzend-grauschwarze Kristalle, die bei 113,5° C schmelzen und sich bei 184,4° C in violetten Dampf verwandeln. J. ist in Wasser nur sehr wenig löslich, gut löslich in Kaliumjodidlösung, Chloroform, Alkohol, Äther, Schwefelkohlenstoff. Verbindungen des J. finden sich in geringen Mengen überall in der Natur, bes. in Meerwasser, Meeralgen, Salzquellen, Mineralwasser. Gewonnen wurde es früher aus eingeäscherten Seealgen, jetzt meist aus den Mutterlaugen des Chilesalpeters durch Zersetzen mit Natriumsulfit; der dabei niedergeschlagene schwarze Jodschlamm wird in Filterpressen ausgepreßt und durch Destillation gereinigt. J. ist ein Nachweismittel für Stärke, die blau wird.

Verbindungen. Jodwasserstoff, HJ, farbloses, stechend riechendes Gas, wird dargestellt durch Zugabe von J. zu rotem Phosphor, der in Wasser aufgeschwemmt ist; die wässerige Lösung ist eine Säure, die mit Metallen und Basen Salze bildet, die *Jod'ide,* z. B. das in der Photographie verwendete Silberjodid, AgJ. Eine Sauerstoffsäure des J. ist die in farblosen Tafeln kristallisierende *Jodsäure,* HJO_3, die durch Erhitzen von J. in Salpetersäure dargestellt wird; bei etwa 200° C geht die Säure unter Wasserabgabe in *Jodp'entoxyd,* J_2O_5, über. Die Salze der Jodsäure heißen *Jod'ate.*

Über J. als *Heilmittel* →Jodpräparate.

J'öde, Fritz, Musikerzieher und ein Führer der musikal. Jugendbewegung, * Hamburg 2. 8. 1887, † das. 19. 10. 1970, seit 1956 Vorsitzender der Arbeitsgem. der Volksmusikverbände. Er gab Lied- und Instrumentalmusiksammlungen heraus.

Jodelle [ʒɔdɛl], Étienne, Sieur du **Limodin,** franz. Dichter der →Plejade, * Paris 1532, † das. Juli 1573, schrieb die ersten franz. Renaissancedramen (Cléopâtre captive, 1552).

j'odeln [Alpenwort aus dem Ruf jo], mit schnellem Wechsel von Kopf- und Bruststimme singen; in den Alpen sowie anderen europäischen und außereuropäischen Gebieten verbreitete Gesangsform.

Jodhpur, engl. Schreibung für die indische Stadt →Dschodhpur.

Jodl, Alfred, Generaloberst (1944), * Würzburg 10. 5. 1890, † (hingerichtet) Nürnberg 16. 10. 1946, war als Chef des Wehrmachtführungsstabs (seit 22. 8. 1939) Berater Hitlers in allen strateg. und operativen Fragen; unterzeichnete am 7. 5. 1945 in Reims die Kapitulation. 1. 10. 1946 vom Internat. Militärtribunal in Nürnberg wegen Verbrechen gegen den Frieden, wegen Kriegsverbrechen und Verbrechen gegen die Menschlichkeit zum Tode verurteilt.

Jodof'orm, Trijodmeth'an, CHJ_3, entsteht bei der Einwirkung von Jod und Alkali auf Äthylalkohol, Azeton und ähnliche Verbindungen; es bildet zitronengelbe, glänzende, durchdringend riechende Blättchen. J. wurde um 1880 als keimtötendes Mittel in die Wundbehandlung eingeführt. Es kann Jodvergiftung hervorrufen und wird daher meist als Jodoformgaze oder -kollodium angewendet.

Jodometr'ie [Kw.], Maßanalyse mit Jodlösung als Maßflüssigkeit.

J'odpräparate, Arzneimittel, deren wirksamer Bestandteil Jod ist. Anwendung: äußerlich meist *Jodtinktur* (eine Lösung von 7 Tln. Jod, 3 Tln. Kaliumjodid und 90 Tln. Weingeist, die 6,8–7% freies Jod enthalten soll), zur Desinfektion der Haut und zum rascheren Aufsaugen entzündl. Ausschwitzungen (z. B. bei Rippenfellentzündung); innerlich meist *Kaliumjodid,* z. B. bei chron. Blei- und Quecksilbervergiftung und zur Verhütung und Behandlung des →Kropfs; nach A. Bier soll 1 Tropfen Jodtinktur, auf ein Glas Wasser schluckweise genommen, ein Mittel zur Behandlung eines beginnenden Schnupfens sein. – Als Kontrastmittel bei Röntgenuntersuchungen werden wegen ihrer schattengebenden Wirkung bestimmte organische Jodverbindungen benutzt.

Jodquellen, →Heilquellen.

Jodrell Bank [j'ɔdrəl bæŋk], bei Manchester, Standort eines Radioteleskops (Durchmesser 76 m); dient bes. zur Verfolgung der Satelliten und Raumsonden.

J'odvergiftung, Jod'ismus, Schädigung durch Jod oder Jodverbindungen. J. mit freiem Jod oder Jodtinktur führt zu Ätzerscheinungen im Magen-Darmkanal; in Dampfform eingeatmetes Jod kann die Schleimhäute der Atemwege entzündlich reizen *(Jodschnupfen).* Häufiger treten J. durch arzneilich gebrauchte Jodverbindungen ein (z. B. Jodoform). *Behandlung:* Milch, Stärke, Eiweiß, *Magnesia usta* verabreichen; Fortlassen jodhaltiger Medikamente.

J'odzahl, Kennzahl für Fette, die angibt, wieviel g Jod von 100 g Fett gebunden werden, was sich durch Entfärbung zeigt. Da nur ungesättigte Fettsäuren Jod binden können, drückt die J. den anteiligen Gehalt eines Fettes an ungesättigten Fettsäuren aus.

J'oel [hebr. ›Jahve ist Gott‹], alttestamentl. Prophet, Verfasser eines der jüngsten prophetischen Bücher.

J'oel, Karl, Philosoph, * Hirschberg (Schlesien) 27. 3. 1864, † Walenstadt (Schweiz) 23. 7. 1934, seit 1897 Prof. in Basel; Neuidealist, vertrat eine organische Weltauffassung. Sein Werk ›Wandlungen der Weltanschauung‹ (2 Bde., 1928–34) enthält eine umfassende, von der Philosophie her konzipierte dt. Geistesgeschichte seit der Aufklärung.

Joest [jo:st], **van Calcar, J. van Kalkar,** Jan, niederrhein.-niederländ. Maler, * Wesel um 1460, † Harlem 1519, dort seit 1509 nachweisbar, schuf den großen Flügelaltar mit 16 Darstellungen der hl. Geschichte in der Nicolaikirche zu Kalkar (1505–08) und wohl schon um 1505 den Johannesaltar in Palencia (Spanien).

Joffe, Abram Theodor, sowjet. Physiker, * Romny (Gouv. Poltawa) 30. 10. 1880, † Leningrad 14. 10. 1960, Direktor des Physikal.-Agronom. Instituts in Leningrad, Mitglied des Präsidiums der Akademie der Wissenschaften der UdSSR, arbeitete bes. über Kristallphysik und Dielektrika. **Joffe-Effekt,** Steigerung der Plastizität und Reißfestigkeit von Ionenkristallen bei Einwirkung eines Lösungsmittels.

Joffre [ʒɔfr], Joseph Jacques Césaire, französ. Marschall (1916), * Rives-Altes (Ostpyrenäen) 12. 1. 1852, † Paris 3. 1. 1931, wurde 1911 Generalstabschef, 1914 Oberbefehlshaber an der N- und NO-Front. Der Ausgang der Marneschlacht ist bes. seiner Führung zuzuschreiben. Am 2. 12. 1915 wurde J. Oberkommandierender aller französ. Armeen. Seine Versuche, den Einfluß der Regierung auf die militär. Maßnahmen auszuschalten, führten am 26. 12. 1916 zu seinem Abschied. Er wurde Vorsitzender des gemeinsamen Kriegsrates. J. schloß im Frühjahr 1917 mit den USA ein Militärabkommen ab.

WERKE. La préparation de la guerre et la conduite des opérations 1914/15 (1920); Mémoires du Maréchal J., 2 Bde. (1932).

Joga, Yoga [Sanskrit ›Anspannung‹] *der*, die in Indien entwickelte Praxis geistiger Konzentration, die durch völlige Herrschaft über den Körper den Geist befreien will. Das dem Patandschali (Patanjali) zugeschriebene brahman. philosoph. System, dessen Lehrschrift (J.-Sutras) in der uns vorliegenden Form den ersten Jh. n. Chr. entstammt und als metaphys. Grundlage die Sankhja-Philosophie benutzt, lehrt einen Heilsweg von 8 ›Gliedern‹: 1) moralisches Wohlverhalten, 2) äußere und innere Reinheit, 3) Einnehmen bestimmter Körperstellungen [asana ›Sitzart‹], 4) Regelung des Atmens, 5) Abwendung der Sinnesorgane von den Objekten, 6) Festlegen des Denkens auf einen bestimmten Punkt, 7) Meditation und 8) deren Steigerung: die Versenkung (samadhi). Anregungen hat der J. der modernen Psychologie und Psychotherapie vermittelt.

LIT. M. Eliade: Yoga (1936); Techniques du Yoga (1948) H. Day: Studium und Praxis der J.-Übungen (1959); R. Mishra: Fundamentals of Yoga (1959); W. Lindenberg: Yoga (1960).

J'oghurt, Yoghurt [türk.], eine durch Bakterien aus eingedickter, warmer Milch erzeugte kremartige, würzige Sauermilch, wichtiges diätetisches Nährmittel.

J'ogi, indischer Büßer brahman. Glaubens, der die Praxis des →Joga ausübt.

Jogjakarta, →Djogjakarta.

J'ohann, Fürsten:

Böhmen. **1) J. von Luxemburg,** König (1310–46), Sohn Kaiser Heinrichs VII., * 10. 8. 1296, † 26. 8. 1346, Erbe der böhm. Przemysliden, erwarb 1315 Eger, 1320 Bautzen, 1329 Görlitz und 1335 Breslau sowie die Lehnshoheit über die meisten schles. Herzöge. Seit 1340 war er erblindet. Er fiel in der Schlacht bei Crécy, in der er auf franz. Seite gegen die Engländer kämpfte. Sein ältester Sohn war Kaiser Karl IV.

Brandenburg. **2) J. Cicero,** Kurfürst (1486 bis 1499), * Ansbach 2. 8. 1455, † Arneburg (Altmark) 9. 1. 1499, war schon seit 1476 Statthalter der Mark Brandenburg für seinen Vater Albrecht Achilles; bekämpfte die Raubritter.

3) J., genannt **Hans von Küstrin,** Markgraf (1535–71), Enkel von 2), * 3. 8. 1513, † 13. 1. 1571, erhielt nach dem Tode seines Vaters, des Kurfürsten Joachim I., die Neumark mit Lebus, Sternberg und anderen Gebieten. Er führte 1537 die Reformation ein, schloß sich aber im Schmalkald. Krieg den Kaiserlichen an.

4) J. Georg, Kurfürst (1571–98), * 11. 9. 1525, † 8. 1. 1598, vereinigte nach dem Tod seines Vaters Joachim II. und seines Oheims Hans von Küstrin die brandenburgischen Lande wieder in einer Hand.

5) J. Sigismund (1608–19), Enkel von 4), * 8. 11. 1572, † 23. 12. 1619, trat 1613 zur reformierten Kirche über; er erwarb 1614 Kleve, Mark und Ravensberg, 1618 das Hzgt. Preußen.

Burgund. **6) J. der Unerschrockene,** Herzog (1404–19), Sohn Philipps des Kühnen, * Dijon 28. 5. 1371, † 10. 9. 1419, ließ im Streit um die Herrschaft am Hofe des wahnsinnigen Königs Karl VI. von Frankreich den Herzog Ludwig von Orléans 1407 ermorden, wurde aber selbst von Anhängern des Dauphins (Karl VII.) umgebracht.

Dänemark. **7) J. I.,** König (1481–1513), * 5. 6. 1455, † Aalborg 20. 2. 1513, konnte sich in Schweden nur vorübergehend gegen den Reichsverweser Sten Sture durchsetzen. Von den Dithmarscher Bauern wurde er 1500 bei Hemmingstedt besiegt.

England. **8)** genannt **J. ohne Land,** König (1199–1216), * Oxford 24. 12. 1167, † 19. 10. 1216, folgte seinem Bruder Richard Löwenherz, verlor 1203–06 fast alle engl. Festlandsbesitzungen an König Philipp August von Frankreich und erkannte 1213 Papst Innozenz III. als Lehnsherrn an; verlor 1214 die Schlacht von →Bouvines. Die aufständ. engl. Barone erzwangen 1215 von ihm die →Magna Charta.

Frankreich. **9) J. der Gute,** König (1350 bis 1364), * 16. 4. 1319, † London 8. 4. 1364, geriet in der Schlacht bei Maupertuis 1356 in engl. Gefangenschaft und mußte 1360 im Frieden von Brétigny das ganze südwestl. Frankreich abtreten.

Luxemburg. **10) J. (Jean),** Großherzog (seit 1964) * Schloß Berg 5. 1. 1921, vermählt seit 1953 mit der belg. Prinzessin Josephine Charlotte, der Tochter Leopolds III.

Mecklenburg. **11) J. Albrecht,** Herzog, jüngerer Sohn des Großherzogs Friedrich Franz II., * Schwerin 8. 12. 1857, † Schloß Wiligrad (Mecklenburg) 16. 2. 1920, preuß. General, seit 1895 Präs. der Deutschen Kolonialgesellschaft. In Mecklenburg-Schwerin führte er 1897–1901 die Regentschaft für seinen Neffen Friedrich Franz IV., in Braunschweig 1907–13 bis zur Thronbesteigung Ernst Augusts.

Österreich, Erzherzöge. **12) J.,** sechster Sohn Kaiser Leopolds II., * Florenz 20. 1. 1782, † Graz 10. 5. 1859, war als Heerführer wenig erfolgreich. 1809 betrieb er den Aufstand der Tiroler und gehörte zum Kreis des Alpenbundes. Er stiftete 1811 das steirische Landesmuseum (Johanneum) in Graz und gewann in den Alpenländern große Volkstümlichkeit. 1848/49 war er, gewählt von der Frankfurter Nationalversammlung, deutscher Reichsverweser. J. hatte sich 1829 mit Anna Plochl, der Tochter des Postmeisters in Aussee (später Gräfin von Meran), verheiratet.

LIT. V. Theiß: Erzherzog J. (1950).

13) J. (Nepomuk) Salvator, jüngster Sohn des Großherzogs Leopold II. von Toskana, * Florenz 25. 12. 1852, für tot erklärt 1911, verzichtete 1889 auf seine Würde und nannte sich (nach dem Schloß Orth bei Gmunden) **J. Orth.** 1890 unternahm er eine Weltreise, auf der er bei der Umschiffung Südamerikas mit seinem Schiff unterging.

Polen, Könige. **14) J. II. Kasimir** (1648–68), * 21. 3. 1609, † Nevers 16. 12. 1672, verlor 1660 zugunsten des Großen Kurfürsten die Oberhoheit über Ostpreußen, 1667 an Rußland die Ukraine und entsagte 1668 der Krone.

15) J. III. Sobieski (1674–96), * Olesko (Galizien) 2. 6. 1624, † Wilanów 17. 6. 1696, wurde 1667 Krongroßmarschall, nach seinem Siege bei Hotin über die Türken (1673) zum König gewählt, beteiligte sich 1683 an der Befreiung des von den Türken belagerten Wien. Er gilt als poln. Nationalheld.

LIT. O. Forst de Battaglia: J. S. (1946).

Portugal, Könige. **16) J. I.** (1385–1433), * Lissabon 11. 4. 1357, † das. 14. 8. 1433, Stammvater der neuen Dynastie Aviz, entriß den Mauren 1415 Céuta. Sein jüngster Sohn war Heinrich der Seefahrer.

17) J. II. (1481–95), * 3. 5. 1455, † 25. 10. 1495, ließ die portugies. Entdeckungsfahrten erfolgreich fortsetzen, schloß 1494 mit Spanien den Vertrag von Tordesillas (Abgrenzung aller portugies. und span. Entdeckungen).

18) J. IV. (1640–56), * 19. 3. 1604, † Lissabon 6. 11. 1656, der erste Herrscher des Hauses Bragança, befreite das Land von der spanischen Herrschaft.

Sachsen. **19) J. der Beständige,** Kurfürst (1525–32), * 30. 6. 1468, † 16. 8. 1532, regierte bis 1525 zusammen mit seinem Bruder Friedrich dem Weisen, führte seit 1526 die luther. Kirchenordnung in seinem Lande durch. Unter seiner Führung kam 1530 der Schmalkaldische Bund zustande.

20) J. Friedrich der Großmütige, Kurfürst (1532–47), Sohn von 19), * Torgau 30. 6. 1503, † Weimar 3. 3. 1554, war neben Philipp von Hessen der Führer der dt. Protestanten, wurde im Schmalkald. Krieg bei Mühlberg 1547 besiegt und gefangengenommen (bis 1552). Durch die Wittenberger Kapitulation verlor er die Kurwürde und die Hälfte seiner Gebiete an die Albertiner. Er ist Stifter der Universität Jena.

21) J. Friedrich II., der Mittlere, Herzog (1554–95), Sohn von 20), * Torgau 8. 1. 1529, † Schloß Steyr (Oberösterreich) 9. 5. 1595. Als er sich auf die Pläne →Grumbachs einließ, verfiel er der Reichsacht; er wurde 1567 durch Kurfürst August von Sachsen festgenommen, nach Österreich abgeführt.

22) J. Georg I., Kurfürst (1611–56), * 5. 3. 1585, † 8. 10. 1656, schloß sich im Dreißigjährigen Krieg 1620 dem Kaiser an, 1631/32 (unter Zwang) Gustav Adolf; im Prager Frieden 1635 erhielt er die Lausitzen.

23) J. Georg III., Kurfürst (1680–91), Enkel von 22), * 20. 6. 1647, † Tübingen 12. 9. 1691, errichtete 1682 ein stehendes Heer, unterstützte Kaiser Leopold I. im Kampf gegen Türken und Franzosen. Ihm folgte nach seinem ältesten Sohn **J. Georg IV.** (* 1668, † 1694) sein zweiter Sohn August der Starke.

24) J., König (1854–73), * 12. 12. 1801, † Pillnitz 29. 10. 1873, widmete sich unter dem Decknamen **Philalethes** der Danteforschung (Übertragung der ›Göttlichen Komödie‹, 3 Bde., 1839–49). Im Krieg 1866 kämpfte er auf österreich. Seite gegen Preußen, trat aber dann in den Norddt. Bund ein.

J'ohann, genannt **Parric'ida,** Enkel König Rudolfs I., * 1290, † Pisa 13. 12. 1313, ermordete 1308 seinen Oheim, König Albrecht I., der ihm sein väterl. Erbteil vorenthielt, floh nach Italien und wurde Mönch.

Joh'anna, Fürstinnen:

England. **1) J.** (engl. **Jane) Seymour,** dritte Gemahlin König Heinrichs VIII., * um 1509, † 23. 10. 1537, starb nach der Geburt des Thronerben Eduard VI.

Kastilien. **2) J. die Wahnsinnige,** Königin (1504), Erbtochter Ferdinands des Katholischen von Aragonien und Isabellas von Kastilien, * Toledo 6. 11. 1479, † Tordesillas 12. 4. 1555, heiratete 1496 Philipp den Schönen, den Sohn Kaiser Maximilians I. Der frühe Tod ihres Gemahls (1506) löste eine Geisteskrankheit aus. J. ist die Mutter der Kaiser Karl V. und Ferdinand I.

Neapel. **3) J. I.,** Königin (1343–82), * um 1326, † (erdrosselt) Aversa 27. 7. 1382, folgte ihrem Großvater Robert dem Weisen, ließ 1345 ihren ersten Gatten, Andreas von Ungarn, ermorden und heiratete noch dreimal.

Joh'anna, heilige J., →Jeanne d'Arc.

Joh'anna, Frau Jutte, ungeschichtl. Päpstin, die Mitte des 9. Jhs. oder um 1100 rund 2½ Jahre den Päpstlichen Stuhl innegehabt haben und erst durch eine Geburt als Frau erkannt worden sein soll. Die Sage geht wohl auf eine falsch verstandene Inschrift zurück.

Joh'annes [hebr. ›Gott ist gnädig‹], männl. Vorname; weibl. **Johanna.**

Joh'annes, Johann, Päpste:

1) J. XXII. (1316–34), * Cahors 1245, † Avignon 4. 12. 1334, festigte das Papsttum in Avignon und wirkte politisch im Interesse Frankreichs.

2) J. XXIII. (1410–15), aus Neapel, † Florenz 22. 12. 1419, mußte in die Berufung des Konzils von Konstanz einwilligen, auf dem er 1415 abgesetzt wurde (→Reformkonzilien, →Schisma). Er gilt nur als Gegenpapst.

3) J. XXIII. (1958–63), vorher **Angelo Giuseppe Roncalli,** * Sotto il Monte (Prov. Bergamo) 25. 11. 1881, † Rom 3. 6. 1963, wurde nach Studium in Bergamo und Rom 1904 zum Priester geweiht. Er wirkte zunächst in der Diözese Bergamo als Professor am Priesterseminar und in der kirchl. Verwaltung; während des 1. Weltkrieges war er Sanitätssoldat, später Militärgeistlicher. Seit 1921 war er in Rom beim Missionswerk ›für die Glaubensverbreitung‹ als Präsident des Zentralrates für die italienischen Diözesen tätig. 1925 wurde er Titularerzbischof und Apostolischer Visitator für Bulgarien. Seit 1931 war er Apostol. Delegat, erst noch in Bulgarien, seit 1934 in der Türkei und Griechenland. 1944 wurde er zum Apostol. Nuntius in Frankreich, 1953 zum Kardinal und Patriarchen von Venedig ernannt, am 28. 10. 1958 zum Papst gewählt. Wichtige Maßnahmen seines Pontifikats waren die Vermehrung des Kardinalskollegiums, die liturg. Reform (1960), die Enzyklika →Mater et Magistra, die Einberufung des II. →Vatikanischen Konzils. Seine besondere Sorge galt der Wiedervereinigung der Christenheit. Als Bischof von Rom hielt er 1960 die erste röm. Diözesansynode ab.

WERKE. In memoria di Mons. G. M. Radini Tedeschi, vescovo di Bergamo (1916), Gli inizi del seminario di Bergamo e S. Carlo Borromeo (1939), Gli atti della visita apostolica di S. Carlo Borromeo a Bergamo, 1575 (hg. mit P. Forno, 2 Bde., 1936–59), Scritti e Discorsi 1953–58, 3 Bde. (1959), Discorsi, Messagi, Collogui 1958–63, 5 Bde. (1960–64). Deutsch: Erinnerungen eines Nuntius (1965); Geistliches Tagebuch und andere geistliche Schriften ([11]1966).

Joh'annes, Fürsten:

Abessinien. **1) J. IV.,** Kaiser (1872–89), * um 1832, † 10. 3. 1889, schlug 1875/76 die Ägypter, 1885–87 die Italiener, fiel 1889 bei Metamma im Kampf gegen die Mahdisten.

Byzanz, Kaiser. **2) J. I. Tzim'iskes** (969 bis 976), † 976, ermordete Nikephoros II. Phokas, besiegte 971 die Russen, gewann die Donaugrenze wieder, eroberte Syrien und einen Teil Mesopotamiens. Dem dt. Kaiser Otto II. gab er 972 seine Nichte Theophano zur Frau.

3) J. II. Komnenos (1118–43), der »gute Johannes« genannt, nahm den Seldschuken einen Teil Kleinasiens wieder ab, vernichtete die Petschenegen und dehnte seinen Einfluß bis über Ungarn und die syr. Kreuzfahrerstaaten aus.

4) J. VIII. Palaiologos (1423–48), * 21. 7. 1391, † 31. 10. 1448, schloß 1439 auf dem Konzil von Florenz eine Union mit Rom ab, um sich der westl. Hilfe im Kampf gegen die Osmanen zu versichern. Der daraus hervorgehende Kreuzzug fand am 11. 11. 1444 durch den Sieg Murads II. bei Warna ein rasches Ende; J. konnte die Union im eigenen Lande nicht durchsetzen.

Joh'annes, biblische Personen:

1) J. der Täufer, Bußprediger, der taufend und das heranbrechende Reich Gottes verkündigend am Jordan auftrat. Von ihm ließ auch Jesus sich taufen. Das N. T. (Matth. 14, 3 ff.) berichtet von seiner Hinrichtung durch Herodes Antipas. Heiliger; Tage: 24. 6. und 29. 8. BILD Geertgen tot Sint Jans.

2) J. der Evangelist, J. der Apostel, Jünger Jesu (Mark. 9, 1 ff.), galiläischer Fischer, Sohn des Zebedäus. Nach Jesu Tode gehörte er in der Jerusalemer Gemeinde zu den Säulenaposteln (Gal. 2, 9). Nach altkirchl. Überlieferung hat er später in Ephesos gewirkt und ist erst unter Trajan gestorben. Nach dieser Tradition ist er auch der Verfasser des Johannesevangeliums, der Briefe und der Offenbarung des J. Seine Verbannung nach Patmos wurde aus Offenb. 1, 9 geschlossen. Heiliger; Tag: 27. 12., morgenl. Kirche 26. 9. Sinnbild als Evangelist: Adler; Kennzeichen als Apostel: Kelch mit einer Schlange.

3) J. der Pr'esbyter, Jünger Jesu, der nach altkirchl. Überlieferung Ende des 1. Jhs. in Ephesos gelebt hat. Er wird von manchen mit dem Apostel Johannes gleichgesetzt, von anderen für einen früh verwechselten Doppelgänger des Apostels gehalten; manche sehen daher in ihm den Verfasser des Johannesevangeliums.

LIT. W. Larfeld: Die beiden J. von Ephesos (1914).

Johannes der Evangelist vom Hochaltar des Meisters HL (Münster zu Breisach, 1526)

Joh'annes, Heilige:

1) J. vom Kreuz, San Juan de la Cruz [kruθ], span. Mystiker und Dichter, * Fontiveros (Altkastilien) 1542, † Kloster Ubeda (Andalusien) 1591, war Priester und Erneuerer des Karmeliterordens. Kirchenlehrer, 1726 heiliggesprochen; Tag: 24. 11., seit 1969: 14. 12.

2) J. von Capestrano, Franziskaner, * Capestrano 1386, † Ilok (Jugoslawien) 1456, wirkte als Bußprediger und Inquisitor in Italien. Heiliger; Tag: 28. 3.

3) J. von Damaskus, morgenländ. Kirchenlehrer, * Damaskus um 650, † Kloster Saba bei Jerusalem um 750. Sein Hauptwerk, die ›Quelle der Erkenntnis‹, hat für die morgenländ. Kirche hohe Bedeutung. Tage: 27. 3., in der Ostkirche 4. 12.

4) J. von Nepomuk, Schutzheiliger von Böhmen, * Pomuk bei Pilsen (?) um 1340, † 20. 3. 1393, war Generalvikar des Erzbischofs von Prag, wurde 1393 durch König Wenzel wegen seiner unnachgiebigen Vertretung der kirchl. Rechte gefoltert und in die Moldau geworfen. Er soll sich auch als Beichtvater der Königin dem König gegenüber geweigert haben, das Beichtgeheimnis zu brechen. Heiliggesprochen 1729; Tag: 16. 5.

Joh'annes|apokalypse, →Apokalypse.

Joh'annesbriefe, drei Briefe im N. T., die eng mit dem Johannesevangelium zusammenhängen.

Joh'annesburg, Stadt in der Prov. Transvaal, Republik Südafrika, 1750 m ü. M., mit (1970) 1,43 Mill. Ew., Bahnknotenpunkt, Hauptflughafen, Universität (1921). Inmitten der Goldfelder des Witwatersrands gelegen, verdankt die aus einer Goldgräbersiedlung von 1886 hervorgegangene, im Schachbrettgrundriß weiträumig angelegte Stadt ihre Bedeutung dem Goldbergbau. Weitere Industrien: Maschinenbau, Diamantschleiferei, Nahrungsmittel u. a. Im SW entstand die große Bantu-Siedlung *Soweto* mit (1971) 588000 Ew.

Johannes Charlier [ʃarlje], genannt **Johannes Gerson,** französischer Theologe, * 1363, † 1429, Vertreter des Konziliarismus, suchte Scholastik und Mystik zu vereinigen.

Joh'annes Duns Sc'otus, franziskanischer Scholastiker, * Maxton (Schottland) um 1265, † Köln, 8. 11. 1308 lehrte in Paris, Oxford, Köln, wurde durch seine Auseinandersetzung mit der Lehre des Thomas von Aquin bekannt und erhielt den Ehrennamen Doctor subtilis (scharfsinnig). Er lehrte insbes. den Vorrang des Willens vor der Vernunft.

WERKE. Opera Omnia (Rom 1950 ff.).

Joh'annes|evangelium, das vierte Evangelium im Neuen Testament. Sein Bericht über die Geschichte Jesu weicht in zahlreichen Zügen von dem der drei ersten Evangelien ab. Vor allem ist die Art der Überlieferung des Wortes Jesu eine völlig andere: nicht Sprüche und Gleichnisse, sondern predigtartige Reden. Der eigentliche Gegenstand des J. ist die Darstellung des Menschen Jesu (4, 6; 19, 34 f.) als ewiger Gottessohn (1, 14). – Kommentare, kath.: A. Wikenhauser (³1957); prot.: A. Schlatter (²1948), R. Bultmann (¹⁶1959).

Joh'annes Fid'anza, Kirchenlehrer, →Bonaventura.

Johannes Italos, byzantin. Philosoph der 2. Hälfte des 11. Jhs., Schüler und Nachfolger von Michael Psellos, Dialektiker und Vertreter sowohl aristotel. wie platon. und neuplaton. Lehren. Er geriet in Konflikt mit der orthodoxen Kirche, eine Reihe seiner Lehrsätze wurde verurteilt.

Joh'annespassion, Passionsoratorium von Joh. Seb. Bach für Soli, Chor, Orchester und Orgel über die Leidensgeschichte Christi nach dem Evangelium des Johannes (1723); vertont auch von H. Schütz (1665).

Johannes Paul, Päpste:

1) J. P. I. (1978), vorher Albino **Luciani,** * Forno di Canale (Prov. Belluno) 17. 10. 1912, † Rom 28. 9. 1978, regierte nur kurze Zeit.

2) J. P. II. (seit 1978), vorher Karol **Wojtyla** [vɔjt'ila], * Wadowice (Galizien) 18. 5. 1920, früher (seit 1964) Erzbischof von Krakau, seit Hadrian VI. der erste nichtital. Papst.

Joh'annes Sc'ot(t)us oder **Johannes Eri'ugena** (Erigena) [d. h. aus (h)ériu = Erin, Irland, stammend], scholastischer Philosoph und Theologe, * in Irland um 810, † um 877, leitete die Hofschule in Paris. Sein philos. Werk ›Über die Einteilung der Natur‹ (dt. 1870–74), in dem er ein System neuplatonischer Emanationslehre darstellt, ist das erste große, geschlossene Lehrgebäude des Mittelalters, 1210 von der Kirche verboten.

Joh'annes von Saaz, eigentlich **J. von Tepl,** böhm. Frühhumanist, * Tepl, kam vor 1378 als Notar und Stadtschreiber nach Saaz, wo er auch Rektor der Lateinschule wurde. 1411 ging er als Notar und Stadtschreiber nach Prag-Neustadt, wo er 1414 gestorben sein soll. Nach dem Tod seiner ersten Frau schrieb er 1399 das Streitgespräch vom ›Ackermann aus Böhmen‹ über den Sinn von Leben und Tod. Es ist die erste größere Dichtung der dt. Renaissance. Von der großen Wirkung zeugen 16 Handschriften und 17 verschiedene Drucke.

Johannes von Salisbury, Saresberiensis, engl. Scholastiker, * um 1115, † Chartres 1180, ausgebildet bei Abaelard und Gilbert de la Porrée, wurde als Sekretär und Freund der Erzbischöfe von Canterbury in die kirchenpolit. Streitigkeiten unter Heinrich II. verwickelt; 1176 Bischof von Chartres. Bedeutend als Humanist, Logiker und Staatsphilosoph, darf er als Vorläufer des Ockhamismus gelten.

Johannes von Soest, Dichter, * Unna (Westf.) 1448, † Frankfurt a. M. 2. 5. 1506, Arzt in Heidelberg, Worms und Frankfurt a. M.; schrieb den Ritterroman ›Margarethe von Limburg‹ (an 25000 Verse).

Johannes von Würzburg, vollendete 1314 das Ritterepos ›Wilhelm von Österreich‹, das bis zum 16. Jh. sehr beliebt war (Ausg. v. E. Regel, 1903).

Johannge'orgenstadt [nach dem sächs. Kurfürsten Johann Georg I.], Stadt im Bez. Karl-Marx-Stadt (Chemnitz), auf einer Hochfläche im Erzgebirge, an der tschechoslowak. Grenze, 753 m ü. M., mit (1974) 10400 Ew., Wintersportplatz (Sprungschanze).

Joh'annis, das →Johannisfest.

Joh'annisbeere [nach der Reifezeit], **Johannisbeerstrauch,** der Hauptteil der Gattung Ribes aus der Fam. Steinbrechgewächse; Sträucher mit gelappten Blättern und strahligen Blüten, deren unterständiger Fruchtknoten eine mehrsamige Beere gibt. Die als säuerlich-süßes Beerenobst wichtigsten Sorten, die *Rote* und *Weiße J. (Ribisel)*, stammen von wilden Arten. Die *Schwarzfrüchtige J.* (*Ahl-*, *Wanzen-*, *Gichtbeere*, Ribes nigrum) des europ.-nordasiat. feuchten Laubwalds hat rauhaarige, drüsige Blätter, rötlich-grüne Blüten und schwarze, behaarte, strengwürzige Beeren, die Volksheilmittel sind (gegen Husten, Gicht, Rheuma). Die J. geben Obstwein, Likör, Branntwein, Saft, Marmelade. Als Ziersträucher dienen z. B. die nordamerik. Arten: *Goldjohannisbeere* (*Goldtraube*, *Goldribisel*, R. aureum), mit goldgelben, wohlriechenden Blüten und schwarzen, nicht schmackhaften Beeren, Pfropfunterlage für hochstämmige Stachel- und Johannisbeeren; *blutrote Johannisbeere* (R. sanguineum), mit hellroten, duftenden Blüten und schwarzen, bereiften, drüsenhaarigen Beeren.

Joh'annisberg, ehem. selbständige Gem. im Rheingau, Hessen, ist berühmt durch den **Johannisberger,** der in den Weinbergen am S-Hang des Schloßberges wächst. Das Schloß wurde von einem Fürstabt von Fulda 1719 ff. an der Stelle eines zwischen 1088 und 1109 gegründeten Benediktinerklosters errichtet und kam 1816 an die Fürsten Metternich. J. gehört jetzt zu Geisenheim.

Joh'annisblume, vielerlei, meist um den Johannistag blühende Pflanzen, wie: Hartheu, Maßlieb, Gänseblümchen, Frauenmantel, Wachtelweizen.

Joh'annisblut, 1) Pflanzen, z. B. ein Hartheu. **2)** Insekt, →Koschenille.

Joh'annisbrot, Karobe, Karube, die Frucht des arab.-syrischen, ums Mittelmeer als Nutzpflanze verbreiteten Bäumchens *Karoben-*, *Karobbaum* (Ceratonia siliqua) der Familie Hülsenfrüchter. Die Blätter sind immergrün, lederig, die Hülsen *(Bockshörner)* mit süßlichem Fruchtmark gefüllt, dem »wilden Honig« Johannes' des Täufers. Die Samen waren früher Apotheker- und Juweliergewichte (→Karat).

Johannisbrot: a *Zweig mit weibl. Blütenstand;* b *weibl.*, c *männl. Einzelblüte;* d *Frucht;* e *Samen (*a, d, e *etwa* $^1/_3$ *nat. Größe)*

Joh'annisburg in Ostpreußen, ehemal. Kreisstadt, am O-Rand der *Johannisburger Heide*, eines großen Waldgebietes (Kiefern), 116 m ü. M., hatte (1939) 6300 Ew., in den Weltkriegen erheblich zerstört, seit 1945 unter poln. Verwaltung (*Pisz*; 1971: 7500 Ew.).

Joh'annisechse, *Ablepharus kitaibelii*, bis 10 cm lange Wühlechse in SO-Europa und N-Afrika.

Joh'annisfest, Johannistag, Johannisnacht, das am 24. 6. gefeierte Geburtsfest Johannes' des Täufers, ein kirchliches Fest, mit vielen Volksbräuchen aus den alten Sonnwendfeiern: Scheibenschlagen, Feuerrad, Johannisfeuer, -tänze, -kränze und -kronen aus heilkräftigen Kräutern. Die Johannisnacht gilt im Volksglauben als »bes. geeignet zum Schätzeheben«.

Joh'annisfeuer, Sonnwendfeuer, am Vorabend des 24. 6. (→Johannisfest) meist an hochgelegenen Plätzen angezündeter Holzstoß oder -haufen.

Joh'anniskäfer, ein →Leuchtkäfer und der →Junikäfer.

Joh'anniskraut, Gattung Hartheu und Pflanzenarten, wie die große Fetthenne, ein Christophskraut, ein Labkraut, eine Nelkenwurz.

Joh'annisminne, Johannissegen, -trunk, -lieb, -wein, ein Wein, der am Festtag Johannes' des Evangelisten geweiht und dargereicht wird; nach dem Volksglauben soll er vor Verzweiflung schützen; er wird auch als Abschieds- und Versöhnungstrunk gereicht. Die J. geht auf den german. Minnetrunk zurück (Minne = Gedenken).

Johannisthal, Ortsteil im VerwBez. Treptow der Stadt Berlin (Ost). Auf dem ehemal. Flugplatz fanden die ersten dt. Probeflüge statt.

Joh'annistrieb, Augustsaft, nachträglicher Austrieb der Holzgewächse aus Winterknospen um die Johanniszeit, durch Rotfärbung am auffälligsten bei den Eichen; bei vielen Holzgewächsen auch nach Laubverlust (Raupenfraß). *bildlich:* späte Liebesregung.

Joh'anniswurzel, Farnkrautwurzel (bes. Wurmfarn).

Johann'iterorden, 1) Johanniter, geistlicher Ritterorden, wahrscheinlich von Kaufleuten aus Amalfi in Jerusalem gegründet, 1099 vom Papst bestätigt, gliederte sich in Ritter zur Kriegführung, Priester und dienende Brüder für die Krankenpflege; an der Spitze stand ein Großmeister. Ritterkleidung: schwarzer, im Krieg roter Mantel mit weißem →Kreuz; Ordenswappen: weißes Kreuz im roten Feld. Zur Zeit der Kreuzzüge war der Orden von großer Bedeutung. Nach der Eroberung Jerusalems durch Sultan Saladin (1187) wurde Akka, nach dessen Verlust (1291) Zypern, seit 1310 Rhodos (daher

Rhodiserritter) Sitz des Ordens. Als die Türken 1523 Rhodos eroberten, überließ Karl V. dem J. 1530 Malta (daher →Malteserritter). Später ging die Bedeutung des Ordens sehr zurück; auf Malta war er bis 1798 selbständig.

2) Preußischer J. (Ballei Brandenburg). Die 1351 gegr., bald recht selbständige Ballei Brandenburg des J. ging um 1540 zur evang. Religion über. Sie wurde durch das preuß. Säkularisationsedikt von 1810 aufgelöst. Zur Fortführung des Ordens erfolgte 1812 die Stiftung als prot. Adelsgenossenschaft; widmet sich seit 1852 der Krankenpflege; seit 1949 erneut staatl. genehmigt, Sitz Rolandseck. Zum J. gehören Genossenschaften in Ungarn, Finnland und in der Schweiz. Er läßt evangel. Schwestern, *Johanniterschwestern* oder *Johanniterinnen*, in Diakonissenhäusern für die Krankenpflege ausbilden. Herrenmeister (seit 1958): Prinz Wilhelm Karl von Preußen.

Johannsdorf, Albrecht von, →Albrecht von Johannsdorf.

J'ohann von Leiden, eigentlich **Jan Beuckelzoon,** auch **Bokelson, Bockold** genannt, Führer der →Wiedertäufer in Münster, * bei Leiden 1509, † Münster 23. 1. 1536, errichtete hier das Königreich Zion, machte die Stadt zum Schauplatz wüster Ausschweifungen und wurde nach der Eroberung Münsters hingerichtet.

J'ohann von Neumarkt, Frühhumanist und Kanzler (1353–74) Kaiser Karls IV., * Hohenmauth (Böhmen) oder Neumarkt (bei Breslau) um 1310, † 23. 12. 1380, seit 1353 Bischof von Naumburg, Leitomischl, Olmütz, Breslau, bildete am latein. Humanistenstil die Sprache der kaiserl. Kanzlei.

J'ohann von Österreich, →Juan de Austria.

Johansson [j'u-], Lars, nannte sich Lucidor den olycklige = L. der Unglückliche, schwed. Dichter, * Stockholm 18. 10. 1638, † das. 12. 8. 1674; lebte als »souveräner Vagabund« und »Tagelöhner der Poesie«. Er dichtete Geburtstags- und Grabgedichte, erotische Weisen und burleske Bacchuslieder in barockem Stil. Sein Humor war bitter; seinem Weltschmerz und seiner Reue gab er in Psalmen Ausdruck.

John [dʒɔn], Sir Augustus, engl. Maler und Radierer, * Tenby (Wales) 4. 1. 1879, † Fordingbridge (Hampshire) 31. 10. 1961.

John Bull [dʒɔn bul], Spitzname des Engländers, nach der Satire von J. Arbuthnot ›History of J. B.‹ (1712), in der Englands Rolle im Span. Erbfolgekrieg unter der Maske des handfesten und nüchternen Tuchhändlers J. B. gezeichnet wird. Auch auf Minister Bolingbroke zurückzuführen.

Johner, Dominicus (Franz Xaver), Choralforscher, * Waldsee (Oberschwaben) 1. 12. 1874, † Beuron 4. 1. 1955, Benediktiner, war Schüler von A. Kienle und J. Haas, Prior und Kantor der Erzabtei, wurde 1930 Prof. an der staatl. Musikhochschule Köln.

WERKE. Neue Schule des gregorian. Choralgesanges (1906, [7]1937 u. d. T. Große Choralschule); Kleine Choralschule (1910, [8]1932); Der gregorian. Choral, in: Engelhorns musikal. Volksbücher (1924); Die Sonn- u. Festtagslieder des vatikan. Graduale (1928); Erklärung des Kyriale (1933); Wort u. Ton im gregorian. Choral (1940).

LIT. Festschrift zum 75. Geburtstag. hg. v. F. Tack (1950); M. Pfaff: Zu Pater J.s 80. Geburtstag, in: Musica, 9 (1955).

Johns (dʒɔnz], Jasper, amerikan. Maler, Graphiker und Bildhauer, * Allendale (S. C.) 15. 5. 1930, einer der Bahnbrecher der zeitgenöss. amerikan. Malerei.

Johns Hopkins University, die →Hopkins Universität in Baltimore.

Johnson, 1) [dʒ'ɔnsn], Andrew, 17. Präsident der USA (1865–69), Republikaner, * Raleigh (N. C.) 29. 12. 1808, † Carter's Station (Tenn.) 31. 7. 1875, Schneider, 1857 Bundessenator. 1861 stand er als einziger südstaatl. Senator zur Union. 1864 wurde er Vizepräs., nach der Ermordung Lincolns am 15. 4. 1865 Präsident; er geriet in heftige Feindschaft mit dem Kongreß, von dem er 1867 des Verfassungsbruches angeklagt wurde. Der Senat sprach ihn frei.

2) [j'unssn], Eyvind, schwed. Erzähler, * Svartbjörnsbyn (Överlueå) 29. 7. 1900, † Stockholm 25. 8. 1976, schrieb den Olof-Romanzyklus (4 Bde., 1934–37; dt. Hier hast Du dein Leben, 1951), den Krilon-Zyklus (3 Bde., 1941–43). Romane: Träume von Rosen und Feuer (1952), Fort mit der Sonne (1953). 1974 erhielt er den Nobelpreis für Literatur (zus. mit H. Martinson).

3) [dʒ'ɔnsn], Lyndon B., der 36. Präsident der USA, Demokrat, * bei Stonewall (Tex.) 27. 8. 1908, † San Antonio (Texas) 22. 1. 1973, wurde Jan. 1961 Vizepräs. und unmittelbar nach der Ermordung John F. Kennedys am 22. 11. 1963 laut Verfassung Präs., 1964 mit großer Mehrheit gewählt. Während seiner Amtszeit: Verabschiedung des Bürgerrechtsgesetzes, Eskalation des Vietnamkrieges. J. kandidierte nicht mehr bei den Präsidentschaftswahlen 1968.

4) [dʒ'ɔnsn], Samuel, engl. Schriftsteller, * Lichfield 18. 9. 1709, † London 13. 12. 1784, beurteilte als einflußreicher Kritiker die Literatur nach den klassizistischen Grundsätzen des Lehrhaften, Sittlichen, Vernünftigen. 1747–54 schuf er sein berühmtes ›Dictionary of the English language‹. Eine eindrucksvolle Biographie schrieb sein Freund →Boswell.

5) Uwe, Schriftsteller, * Cammin (Pommern) 20. 7. 1934, erhielt 1960 den Fontanepreis, 1962 den Internat. Verlegerpreis, 1971 den Georg-Büchner-Preis.

WERKE. Mutmaßungen über Jakob (1959), Das dritte Buch über Achim (1961), Karsch und andere Prosa (1964), Zwei Ansichten (1965), Jahrestage (Bd. 1, 1970, Bd. 2, 1971).

Johnston [dʒɔnstən], (William) Denis, irischer Dramatiker, * Dublin 18. 6. 1901, seit 1961 Leiter der Theaterabteilung im Smith College (Massachusetts), behandelt vorwiegend den Konflikt zwischen Ideal und Wirklichkeit (Collected Plays, 2 Bde. 1960).

Johnston-Insel, unbewohnte kleine Koralleninsel südwestl. von Hawaii, den USA gehörend. Im April 1962 begannen die Amerikaner hier mit Unterwasser-Kernwaffenversuchen.

Johnstown [dʒ'ɔnstaun], Stadt in Pennsylvanien, USA, mit (1970) 42500 Ew.; Hochofen-, Stahl- und Walzwerke, Textilindustrie.

Joh'ore, engl. für den Staat →Dschohor.

Johst, Hanns, Schriftsteller, * Seerhausen bei Riesa 8. 7. 1890, schrieb Gedichte, Romane, trat für den Nationalsozialismus ein und war 1935–45 Präs. der Reichsschrifttumskammer.

Joint [dʒɔint], Kurzform für **American Joint Distribution Committee** (Gemeinsamer Amerikanischer Verteilungsausschuß), die 1914 in den USA gegr. jüdische Hilfsorganisation.

Joint [dʒɔint, engl.] *der,* selbstgedrehte Haschischzigarette.

Jointstock Company [dʒɔint stɔk k'ʌmpəni], Aktiengesellschaft. Die engl. J. deckt sich im Aufbau mit der dt. AG, die amerikan. (Stock Corporation) dagegen ist keine jurist. Person. *Joint Stock Bank,* Aktienbank.

Joinvile [ʒɔinv'i:lə], frühere Schreibung **Joinville,** Stadt in Südbrasilien,(1970)126 100 Ew.; ein Industriemittelpunkt Brasiliens.

Joinville [ʒwɛ̃vil], Jean, Sire de, französ. Geschichtsschreiber, * 1225, † 24. 12. 1317, begleitete König Ludwig IX. auf dem Kreuzzug nach Ägypten (1248–54) und schrieb die Geschichte des Königs.

Joinville-Insel [ʒwɛ̃vil-], westantarktische Insel, 1842 durch J. C. Ross entdeckt.

Jojak'im, judäischer König, † 598 v. Chr., wurde von Pharao Necho II. 609 v. Chr. als Lehnsfürst über Juda eingesetzt, 604 den Babyloniern abgabepflichtig. Sein Sohn **Jojachin** wurde 597 v. Chr. nach Babylon geführt.

Jo-Jo, Yo-Yo, Geschicklichkeitsspiel, bei dem durch federndes Auf- und Abbewegen der Hand eine an einer Schnur hängende Spule auf- und abrollt.

Jókai [j'o:kɔi], Mór, ungar. Schriftsteller, * Komorn 18. 2. 1825, † Budapest 5. 5. 1904, war 1848 mit Petöfi Führer der revolutionären Jugend; schrieb rd. 200 Novellen, Erzählungen, Humoresken und Romane: Ein ungar. Nabob (1854), Der neue Gutsherr (1867).

Joker [dʒ'oukə, engl. ›Spaßmacher‹], in manchen Kartenspielen (Rommé, Canasta) gebrauchte zusätzliche Karte mit dem Bild eines Narren, die jede beliebige Karte vertreten kann.

Jokkaitschi, Yokkaichi, Hafenstadt auf Hondo, Japan, mit (1970) 229200 Ew.; Baumwoll-, Porzellanindustrie.

Jokohama, Yokohama, Hauptstadt der Provinz Kanagawa, Hondo, Japan, (1974) 2,538 Mill. Ew., nächst Kobe der bedeutendste Hafen Japans, bildet mit Tokio, Kawasaki und Tschiba die Hafengemeinschaft *Keihin.* Werften, Stahlindustrie; Universitäten.

Jokosuka, Yokosuka, japan. Marinehafen an der W-Küste der Tokio-Bucht, mit (1970) 347600 Ew.; Schiffswerften.

Joliet [dʒ'ouliet], Stadt in Illinois, USA, mit (1970) 80400 Ew.; bedeutende Industrie.

Joliot [ʒɔljo], Frédéric, Atomphysiker, * Paris 19. 3. 1900, † das. 14. 8. 1958, entdeckte gemeinsam mit seiner Frau Irène J.-Curie (* Paris 12. 9. 1897, † das. 17. 3. 1956) die künstl. Radioaktivität. Nach Entdekkung der Kernspaltung durch Hahn und Straßmann führte J. mit seinen Mitarbeitern 1939 den Nachweis für das Auftreten einer Kettenreaktion innerhalb einer Uranmasse. Er erhielt zusammen mit Irène J.-Curie 1935 den Nobelpreis für Chemie.

J'olle [niederd.], **1)** kleines festes Ruderboot, u. a. Beiboot auf Kriegsschiffen. **2)** kleines offenes Segelboot mit Schwert, z. B. →Flying Dutchman.

J'öllenbeck, ehem. Gem. im RegBez. Detmold, Nordrhein-Westfalen, mit (1967) 9200 Ew.; Seidenwebereien, Werkzeugmaschinenfabrik. J. wurde 1952 aus Ober- und Nieder-J. zusammengelegt. Seit Jan. 1973 Stadtteil von Bielefeld.

Jolly-Hotels [dʒ'ɔli-], eine italienische Hotelkette, bes. in Süditalien. Die nach modernen Grundsätzen erbauten Häuser sind einheitlich ausgestattet.

Joly [ʒɔli], Maurice, franz. Schriftsteller, * Lons-le-Saunier 1821, † Paris 16. 7. 1878, Advokat in Paris. Sein anonymer ›Dialogue aux enfers entre Machiavel et Montesquieu ou la politique de Machiavel au XIXe siècle‹ (Brüssel 1864, Neudr. 1948; dt. 1948), ein klass. Werk der polit. Publizistik, diente den Fälschern der ›Protokolle der Weisen von Zion‹ als Vorlage.

Jomini [ʒo-], Henri Baron de, französ. und russ. General und Militärschriftsteller, * Payerne (Schweiz) 6. 3. 1779, † Passy (Paris) 24. 3. 1869, diente seit 1798 im Heer der Helvet. Republik, seit 1804 im französ. Heer. Wegen eines Konfliktes mit Berthier trat J. 1813 in die russ. Armee über und wurde Adjutant des Zaren. Nach dem Krieg war er militär. Erzieher des Thronfolgers Nikolaus.

Jom Kipp'ur [hebr.], der →Versöhnungstag.

Jomm'elli, Niccolò, italien. Komponist, * Aversa (Neapel) 10. 9. 1714, † Neapel 25. 8. 1774, erstrebte wie Gluck in seinen Opern, denen ein grüblerisch-ernster Zug eigen ist, eine Vertiefung des dramat. Ausdrucks (›Fetonte‹, 1768). J. schrieb auch Oratorien, Messen und ein Requiem.

J'omsburg, Wikingerfeste auf →Wollin, 1098 von den Dänen zerstört. Die isländ. Geschichte von der Gründung der J. berichtet die *Jomsv'ikingasaga* (deutsch 1924).

J'ona, Jonas, israel. Prophet unter Jerobeam II., Held des unter den kleinen Propheten im Alten Testament überlieferten Buches Jona. J., der den Befehl erhalten hatte, den Niniviten den Untergang zu verkünden, wollte sich der Verkündigung der Weissagung durch die Flucht entziehen; er wurde aber bei einem Sturm von den Schiffsleuten über Bord geworfen und von einem großen Fisch verschluckt, der ihn am Strand von Ninive ausspuckte. Die Geschichte des J. wurde schon seit frühchristl. Zeit häufig in der Kunst dargestellt.

Jona (Holzschnitt, um 1526)

J'onas, 1) Franz, österr. Politiker (SPÖ), * Wien 4. 10. 1899, † Wien 24. 4. 1974, Schriftsetzer, 1951–65 Bürgermeister und Landeshauptmann von Wien, seit 1950 stellvertr. Vors. der SPÖ, 1965 österr. Bundespräs., wiedergewählt 1971.

2) Justus, Mitarbeiter Luthers, * Nordhausen 5. 6. 1493, † Eisfeld 9. 10. 1555, war Propst und Prof. in Wittenberg, dann Prediger in Halle, Coburg und Eisfeld. – Briefwechsel, 2 Bde. (1884–85).

J'onathan [hebr. ›Jahve hat gegeben‹], **1)** Sohn Sauls und Freund Davids, der J.s Tod in der Schlacht auf dem Gebirge Gilboa (1. Sam. 31; 2. Sam. 1, 17 ff.) besang.

2) Pseudonym von Joh. Pieter →Hasebroek.

Jonathan [engl. dʒ'ɔnəθən], Joseph Leabua, Politiker in Lesotho, * Leribe (Lesotho) 1914; Häuptling; seit 1965 MinPräs. von Basutoland, seit 1966 von Lesotho.

Jones [dʒounz], **1)** Ernest, engl. Psychoanalytiker, * 1. 1. 1879, † 11. 2. 1958, war als einer der ersten Freud-Schüler maßgeblich am Aufbau der Psychoanalyse beteiligt. Er schrieb: The life and work of S. Freud, 3 Bde. (1954–57; dt. 1960–62).

2) Henry Arthur, engl. Dramatiker, * Grandborough (Buckingham) 20. 9. 1851, † Hampstead 7. 1. 1929, schrieb soziale Dramen.

3) Inigo, engl. Baumeister, * London 1573, † das. 1652, baute in den klassizist. Formen Palladios, die für die engl. Architektur der Folgezeit maßgebend wurden (Queen's House, Greenwich; Bankettsaal von Schloß Whitehall; Südfront von Wilton House).

4) James, amerikan. Schriftsteller, * Robinson (Ill.) 6. 11. 1921, † Southampton (N. Y.) 10. 5. 1977; Roman über das Soldatenleben auf Hawaii kurz vor dem japan. Angriff ›From here to eternity‹ (1951, dt. Verdammt in alle Ewigkeit, 1953; verfilmt).

5) Le Roi, afroamerikan. Schriftsteller, * Newark (N. J.) 7. 10. 1934, machte sich in Bühnenstücken, Essays, Gedichten zum militanten Sprecher der Black-Power-Bewegung.

6) Sidney, engl. Komponist, * Islington/London 17. 6. 1861, † London 29. 1. 1946, bekannteste Operette: ›Die Geisha‹ (1896).

7) Sir William, engl. Rechtsgelehrter und Orientalist, * London 28. 9. 1746, † Kalkutta 27. 4. 1794, wo er seit 1783 Richter am Obertribunal war. J. ist neben Côlebrooke der Begründer des Sanskritstudiums und der ind. Altertumsforschung in Europa. J. übersetzte u. a. Kalidasas ›Sakuntala‹ (1789; dt. von Forster, 1791) und die Gesetze des Manu (1794). Seine Ausgabe des Ritusamhara (in Bengalischrift 1792) ist der erste Sanskrit-Druck. J. erkannte als erster die Verwandtschaft des Sanskrit mit dem Griech., Latein. und Got. (1786).

Jong, Piet de, niederländ. Politiker (Kath. Volkspartei), * Apeldoorn 1915, war 1963 Verteidigungsmin., 1967–71 MinPräs.

Jongkind, Johan Barthold, holländ. Landschaftsmaler, * Latdorp 3. 6. 1819, † Côte-Saint-André 27. 2. 1891, Schüler von Schelfhout im Haag und Isabey in Paris.

Jongleur [ʒɔ̃glœr, franz., von spätlat. joculator, ›Gaukler‹], Geschicklichkeitskünstler im Werfen und Auffangen von Bällen, Tellern, Keulen usw. – In der Provence und in Nordfrankreich war J. der Name für die Berufsspielleute im Unterschied zu den gelehrten und höfischen Troubadours; im Dienst fürstl. Höfe auch *Menestrels* genannt. Blütezeit 12.–14. Jh.

Jongsong Peak [dʒ'ɔŋsɔŋ pi:k], Gipfel im Himalaja, nördl. vom Kangchendzönga, 7459 m hoch.

J'onkheer [niederländ. ›Junker‹], im niederländ. Adel die unterste Adelsbezeichnung, stets vor dem Vornamen.

Jönköping [j'œntçœpiŋ], **1)** Bezirk (Län) in S-Schweden, 11488 qkm mit (1973) 307900 Ew. **2)** Bezirksstadt, eine der ältesten Städte Schwedens, am Ufer des Vättersees, mit (1973) 108400 Ew., hat Zündholz-, Papier- u. a. Industrie. J. erhielt 1284 Stadtrecht. J. ist mit der Industriestadt Huskvarna zusammengewachsen.

Jonnart [ʒɔna:r], Célestin Charles, franz. Politiker, * Fléchin (Pas-de-Calais) 27. 12. 1857, † Paris 30. 9. 1927, war 1889–1914 rechtsrepublikan. Abgeordneter, dann Senator und wiederholt Minister, 1900–11 GenGouv. von Algerien. Als Oberkommissar in Griechenland erzwang er 1917 die

Abdankung König Konstantins. 1919 führte er den Bloc national; als Botschafter am Vatikan (1921–24) knüpfte er die Beziehungen zu diesem wieder an.

Jonquille [frz., ʒɔ̃kij], eine →Narzisse.

Jonson [dʒ'ɔnsn], Benjamin, meist **Ben J.** genannt, engl. Dramatiker, * Westminster 11. 6. 1573, † London 6. 8. 1637, humanistisch gebildet, schrieb Gedichte, Essays und Schauspiele.

WERKE. Timber (Essays, 1640), Catiline (1611), Volpone (1606; dt. bearb. v. Stefan Zweig, 1926), Epicoene or the silent woman (1609; dt. bearb. v. St. Zweig als Operntext für ›Die schweigsame Frau‹ von R. Strauss, 1935). Works, 11 Bde. (1925–52).

Joos van Cleve, niederländ. Maler, →Cleve.

Joos (Justus) van Gent oder **van Wassenhove,** flämischer Maler, * wohl in Gent um 1430, † wahrscheinlich Urbino nach 1475, wurde 1460 Meister in Antwerpen und 1464 in Gent; etwa seit 1472 war er im Dienst des Herzogs Federigo da Montefeltre in Urbino. Sein dortiges Hauptwerk, das Abendmahl (1474), stellt die Verteilung der Hostie dar. Die 7 freien Künste und 28 Bildnisse berühmter Männer der Geistesgeschichte malte er für die Bibliothek des Herzogs.

J'openbier, altertümliches, porterähnliches Bier Danzigs.

Joplin [dʒ'ɔ-], Stadt in Missouri, USA, mit (1970) 39300 Ew.; Zink- und Germaniumgewinnung.

J'oppe [mhd. aus arab. deschubba], Jacke ohne Taille; auch Hausjacke.

J'oppe, griech. Name von →Jaffa in Israel.

Jörd [›Erde‹] *die, nord. Mythologie:* die Personifikation der Erde.

J'ordaens [-dɑ:ns], Jakob, fläm. Maler, * Antwerpen 19. 5. 1593, † das. 18. 10. 1678, malte Bilder mit religiösen und mythologischen Motiven, auch Genrebilder mit humorvollen Darstellungen des fläm. Volkslebens.

WERKE. Der Satyr beim Bauern (München und Kassel), Das Bohnenfest (Wien, Kassel, Brüssel, Leningrad, Paris), Wie die Alten sungen, so zwitschern die Jungen (Antwerpen, Paris, Berlin, Dresden).

J'ordan, hebr. **Jarden,** arab. **Scheriat el-Kebir,** längster und wasserreichster Fluß Jordaniens und Israels, rd. 250 km lang, entsteht aus mehreren Quellen im libanes.-syr.-israel. Grenzgebiet, durchfließt das Hule-Tal und den Genezarethsee und zieht dann zum Toten Meer; nicht schiffbar. Das Gefälle wird in Kraftwerken genutzt; an den Ufern subtrop. Wälder. Wichtigste Nebenflüsse: Jarmuk und Jabbok.

J'ordan, 1) Franziskus, Gründer der →Salvatorianer.

2) Pascual, Physiker, * Hannover 18. 10. 1902, Prof. in Rostock, Berlin und Hamburg, war maßgebend an der Ausbildung der Quantenmechanik beteiligt, arbeitete über Quantenelektrodynamik, allgemeine Relativitätstheorie, Astrophysik, suchte neue Wege in der Kosmologie und in den Grundfragen der Biologie.

WERKE. Anschauliche Quantentheorie (1936), Die Physik des 20. Jahrhunderts ([8]1949, [9]1956 u. d. T.: Atom und Weltall), Die Physik und das Geheimnis organischen Lebens ([6]1949), Das Bild der modernen Physik ([2]1949), Physik im Vordringen (1949), Schwerkraft und Weltall ([2]1955), Der Naturwissenschaftler vor der religiösen Frage ([3]1965).

3) Sylvester, Staatsrechtslehrer und Politiker, * Omes (bei Innsbruck) 30. 12. 1792, † Kassel 15. 4. 1861, wurde 1821 Prof. in Marburg. In der kurhess. Ständeversammlung nahm er führenden Anteil an der Ausarbeitung der Verfassung von 1831. J. wurde wegen hochverräterischer Unternehmungen 1839 verhaftet, 1845 freigesprochen. 1848 war er in der Frankfurter Nationalversammlung; in Theorie und Praxis verfocht er den entschiedenen Liberalismus.

4) Wilhelm, Schriftsteller, * Insterburg 8. 2. 1819, † Frankfurt a. M. 25. 6. 1904, typischer Vertreter des optimistisch-selbstbewußten Bürgertums der Bismarckzeit. Sein Hauptwerk ist die Neubehandlung des Nibelungenstoffes in Stabreimen, das Doppelepos ›Die Nibelunge‹ (1868–74). Er veröffentlichte ferner Schauspiele, Romane, Übersetzungen (Homer, Sophokles, Edda u. a.).

Jordaens: Junge Liebe (Rötel- und Federzeichnung; Wien, Albertina)

Jordan von Sachsen, 2. Ordensgeneral der Dominikaner (seit 1222), * Borgberge bei Dassel vor 1200, † bei Akkon (Schiffbruch) 13. 2. 1237. J., der 1220 Dominikaner wurde, hat als erster Nachfolger des hl. Dominikus den Grund zum Aufstieg des Ordens gelegt. Seliger; Tag: 15. 2.

Jordangraben, arab. El-Ghor, der vom Jordan durchflossene Teil des großen syrischen Grabenbruches, zieht zwischen Palästina und dem arab. Tafelland nach S zum Golf von Akaba und reicht mit dem Spiegel des Toten Meeres 392 m, mit dessen Sohle 800 m unter den Meeresspiegel.

Jord'anien, amtl. arab. *Al-Mamlaka al-Haschimija al-Urdunija* (›Haschemit. Königreich J.‹), Königreich in Vorderasien, 94500 qkm mit (1976) 2,790 Mill. Ew., darunter 600000 registrierte Flüchtlinge aus Palästina; Hauptstadt ist Amman.

Landesnatur. Die Einsenkung des Jordangrabens trennt Jordanien in das im W gelegene Hügelland und das ostjordanische Bergland, das bis zu 1745 m ansteigt und in steilen Stufen zum Jordangraben abbricht. Nach O geht dieses Bergland in die Tafelländer der Jord. Wüste über. Das mediterrane Klima bringt im W und NW für den Feldbau ausreichende Niederschläge, im O herrscht Wüstenklima.

Die *Bevölkerung* besteht aus Arabern; 98% sunnit. Moslems, daneben Christen; rd. 2% sind Nomaden.

Wirtschaft. Von der Gesamtfläche sind nur 9,2% Ackerland, 8,1% Weiden, vorwiegend in Ost-J. (nomad. Viehzucht von Schafen, Ziegen); in den Oasen auch Anbau von Datteln, Feigen, Wein, Melonen. Der intensiv bewirtschaftete westl. Teil (Weizen, Gerste, Tomaten, Oliven, Trauben, Hülsenfrüchte) war das Hauptanbaugebiet.

Am Toten Meer werden die umfangreichen Phosphat- und Salzlagerstätten abgebaut. Außer einer Erdölraffinerie, Zement- und Lebensmittelfabrik bestehen Kleinbetriebe.

Ausgeführt werden Phosphate, Kaolin, Obst und Südfrüchte, Häute und Felle, Haupthandelsländer sind Großbritannien, Verein. Staaten, Bundesrep. Dtl., Saudi-Arabien.

Eisenbahn: Hedschasbahn, deren jordan. Strecke von Deraa bis Maan führt; eine Teilstrecke nach Akaba ist im Bau, geplant ist die Verbindung mit Medina. Straßen sind 2100 km ausgebaut (bes. im NW). Einziger Hafen ist Akaba am Roten Meer. Luftverkehrszentren sind Amman und (bis 1967) Jerusalem, ein neuer internat. Flughafen soll in Akaba entstehen.

Staat. Nach der Verfassung vom 8. 1. 1952 ist J. ein konstitutionelles Königreich, erblich im Hause der Haschemiten. Die Nationalversammlung besteht aus Senat (37 vom König ernannte Mitgl.) und Abgeordnetenhaus (60 gewählte Abg.).

Verwaltungseinteilung in 5 Distrikte und die Wüstenregion. Amtssprache ist Arabisch. Wappen: TAFEL Wappen IV. Flagge: FARBTAFEL Flaggen I. Währungseinheit ist der jordan. Dinar zu 1000 Fils. Rechtsprechung nach neueren europ. Gesetzen, in Familien- und Erbsachen nach islam. Recht.

Es besteht allgem. Schulpflicht vom 6. bis 15. Lebensjahr (über 50% Analphabeten). Universität in Amman (seit 1962).

Das Heer umfaßt 12 Brigaden mit 58000 Mann; Luftwaffe: 2000 Mann. Marine: 250 Mann. Es besteht keine Wehrpflicht.

GESCHICHTE. 1918 kam das Ostjordanland mit Palästina unter brit. Verwaltung und wurde 1920 als künstl. Neuschöpfung Großbritanniens unter dem Namen *Transordanien* brit. Mandat (1923 von Palästina getrennt) unter dem haschemit. Emir Abdallah ibn Husein. 1925 erwarb es den Hafen Akaba von Saudi-Arabien. Transjordanien war eine Hauptstütze der brit. Fernost-Politik; die militär. Führung lag seit 1931 in der Hand des brit. Generals Glubb Pascha. 1939–45 nahm es am Krieg gegen die Achsenmächte teil, am 22. 3. 1946 gewährte Großbritannien formell die Unabhängigkeit (Annahme des Königstitels, Änderung des Landesnamens in J.). Im arab.-israel. Krieg (1948) stand J. auf seiten der arab. Staaten und eroberte die Altstadt von Jerusalem, das mit Arabisch-Palästina am 24. 4. 1950 einverleibt wurde. Nach der Ermordung Abdallahs (20. 7. 1951) brachen um den Nachfolger Talal Thronwirren aus. Nach seiner Absetzung (11. 8. 1952) wurde sein Sohn Husein II. König. Unter dem Druck nationalist. Offiziere entließ er am 2. 3. 1956 Glubb Pascha und kündigte den Freundschaftsvertrag mit Großbritannien (1. 4. 1957). Die linksneutralist. Regierung Nabulsi (seit Okt. 1956) wurde mit Hilfe der Armee 1957 entlassen; seitdem regiert der König praktisch autoritär. Die Feb. 1958 mit dem Irak geschlossene Arabische Föderation zerfiel nach der Revolution im Irak (1958). Trotz vorheriger Spannungen schloß J. im Mai 1967 einen fünfjährigen Verteidigungspakt mit Ägypten und beteiligte sich mit den übrigen arab. Staaten am Kriege gegen →Israel. Im Verlauf der Kämpfe besetzte Israel West-J. (Gebiet westl. des Jordan, einschließlich der Altstadt von Jerusalem). Wachsende Spannungen führten 1971 zu bürgerkriegsähnlichen Kämpfen. Am arab.-israel. Krieg im Okt. 1973 nahm J. nicht direkt teil, sondern entsandte Truppen zur Unterstützung Syriens. Im Nov. 1974 verzichtete J. auf die von Israel besetzten Gebiete. Deren Vertretung hat die »Paläst. Befreiungsfront« (PLO) übernommen.

Jord'anis, Historiograph des 6. Jhs., war Bischof von Croton (Unteritalien), rechnete sich selbst zu den Ostgoten, deren Geschichte er 551 verfaßte (De origine actibusque Getarum; dt. ^{3}1913).

J'ordansmühl, Gemeinde im ehemal. Kr. Reichenbach, Niederschlesien, hatte (1939) 1280 Ew., Fundstelle von jungsteinzeitlichen Siedlungen und Gräbern, bes. der Jordansmühler Gruppe der Bandkeramik. Seit 1945 unter poln. Verwaltung *(Jordanów Slaski)*.

Jores, Arthur, Internist, * Bonn 10. 2. 1901, Prof. in Hamburg. – Der Mensch und seine Krankheit (^{4}1970).

Jörg, Joseph Edmund, kath. Politiker, * Immenstadt 23. 12. 1819, † Burg Trausnitz bei Landshut 18. 11. 1901, Vorkämpfer des polit. Katholizismus, dessen Anschauungen, bes. den Kampf gegen Bismarck und das kleindt. Reich und das Eintreten für eine berufsständische Lösung der sozialen Probleme, er als Schriftleiter der ›Historisch-politischen Blätter‹ (1852–1901) vertrat.

J'örgensen, Johannes, dän. Schriftsteller, * Svendborg 6. 11. 1866, † das. 29. 5. 1956, wirkte, vom ästhetischen Symbolismus (Baudelaire, Huysman, Verlaine) beeinflußt, stark auf die junge Generation. 1896 trat er zum Katholizismus über und lebte meist in Assisi, war 1913/14 Prof. der Ästhetik in Louvain (Löwen).

Jor'isten, Davidisten, Anhänger des Täufers David Joriszoon (* Brügge oder Gent um 1501, † Basel 25. 8. 1556), hielten sich als Sekte in Holland bis ins 17. Jahrhundert.

Jorn, Asger, dän. Maler, * Vejrun (Jütland) 3. 3. 1914, † Aarhus 1. 5. 1973, Wegbereiter der →Informellen Kunst.

J'oruba, Stammesgruppe der Sudanneger (→Yoruba).

Joruri [ʒo:-], japan. Puppentheater, bei dem J.-(Balladen-)Rezitation, Samisen-Musikbegleitung und Handlung der Puppen eine Einheit bilden.

J'osaphat, 1) König von Juda (872–852), war auf Reinhaltung des Jahwedienstes und auf geordnete Rechtspflege bedacht. Er erreichte auch eine Aussöhnung mit dem Königshaus Israels durch Heirat seines Sohnes Joram mit der israelit. Prinzessin Athalia.

2) Sagengestalt, →Barlaam und Josaphat.

J'osaphat Kuncewicz [-ts'evitʃ], Heiliger (1867), * Wlodzimierz um 1580, † Witebsk 12. 11. 1623. Als Erzbischof von Polozk (seit 1618) war er bes. tätig für den Anschluß der ruthen. Kirche an Rom; wurde auf einer Visitationsreise ermordet. Tag: 14. 11.

Joschida, Yoshida, Schigeru, japan. Politiker (Liberaler), * Tokio 22. 9. 1878, † Oiso 20. 10. 1967, war 1945/46 Außenmin., 1946/1947 und 1948–54 MinPräs. Er erreichte den Abschluß des Friedensvertrags von San Francisco (1951).

Joschihito, Yoshihito, japan. Kaiser (122. Tenno, seit 1912; Regierungszeit: Taischo, ›Große Gerechtigkeit‹), * Tokio 31. 8. 1879, † Hadschama 25. 12. 1926, seit 1921 geisteskrank, Regentschaft durch seinen Sohn Hirohito.

Joschk'ar-Ol'a, bis 1919 **Zarewokokschajsk,** 1919–27 **Krasnokokschajsk,** Hauptstadt der ASSR der Mari, Sowjetunion, mit (1972) 180000 Ew.; Maschinen- u. a. Industrie.

José Bonifacio [ʒɔz'ɛ bonif'asjɔ], brasilian. Staatsmann, →Andrada e Silva.

J'osef [hebr. ›Gott fügt hinzu‹], **Joseph,** männl. Vorname.

Josefstadt, VIII. Gemeindebez. von Wien.

Josel von Rosheim, bedeutender jüd. Schtadlan (Sachwalter) des ausgehenden MA.s, * Mittelbergheim 1478, † Rosheim (Elsaß) 1554, trat für die Rechte der unterdrückten Juden in allen Teilen des Reiches erfolgreich ein und erhielt von Karl V. 1520 ein Judenprivileg für ganz Deutschland. Luthers spätere antijüd. Schriften durften auf sein Betreiben in Straßburg nicht publiziert werden.

J'oseph, 1) im Alten Testament ein Sohn Jakobs und der Rahel (1. Mos. 30, 24), wurde von seinen Brüdern nach Ägypten verkauft, stieg dort zum höchsten Beamten des Herrschers auf.

Die Geschichte J.s hat die *christl. Kunst* immer wieder angezogen. Hinzu kam, daß J. von den Kirchenvätern als Vorbild Christi angesehen wurde. Noch in der Biblia pauperum und dem Speculum humanae salvationis werden die Schicksale J.s den Passionsszenen Christi gegenübergestellt. Aus neuerer Zeit sind die bedeutendsten Darstellungen die Rembrandts (Jakob empfängt den blutigen Rock J.s; J. erzählt seine Träume; J. und Potiphar) und das Fresko von Cornelius (J. und seine Brüder, Berlin).

Auch literarisch und musikalisch wurde das J.-Thema oft gestaltet, u. a. in Dramen von Macropedius (um 1544), N. Frischlin (1585), Bodmer (1754), Roman von Grimmelshausen (1667; mit Forts. 1670), Phil. v. Zesen (1670); Josephs-Roman von Thomas Mann (1934–43); Oratorium von Händel (1743); musikal. Drama ›J. in Ägypten‹ von E. N. Méhul; ›Josephslegende‹, Pantomime, Handlung von H. Graf Kessler und H. von Hofmannsthal, Musik von R. Strauss.

2) im Neuen Testament der Gatte Marias, der Mutter Jesu, Zimmermann in Nazareth; seit 1870 Schutzheiliger der kath. Kirche. Tage: 19. 3. und 1. 5.

3) J. von Arimath'ia, Mitglied des Hohen Rates von Jerusalem, bestattete Jesus in einem Felsengrab (Mark. 15, 43f.). Heiliger; Tag: 17. 3.

J'oseph, Fürsten:

Römisch-deutsche Kaiser. **1) J. I.** (1705 bis 1711), ältester Sohn Kaiser Leopolds I., * Wien 26. 7. 1678, † das. 17. 4. 1711, setzte den Spanischen Erbfolgekrieg siegreich fort. Der frühe Tod des hochbegabten Herrschers war ein schwerer Schlag für die europ. Machtstellung Österreichs; er brachte den Habsburgern den Verlust der span. Erbfolge.

2) J. II. (1765–90), ältester Sohn Kaiser Franz' I. und Maria Theresias, * Wien 13. 3. 1741, † das. 20. 2. 1790, folgte 1765 seinem Vater in der Kaiserwürde; zugleich nahm ihn Maria Theresia als Mitregenten in den habsburg. Erblanden an. Gegen den Willen seiner Mutter setzte er 1772 die Teilnahme Österreichs an der 1. Teilung Polens durch (Gewinn von Galizien); die Türkei bewog er 1775 zur Abtretung des Buchenlandes. Seinem Plan einer Erwerbung Bayerns trat Friedrich d. Gr. 1778/79 im Bayerischen Erbfolgekrieg erfolgreich entgegen. Als er

1785 auf den Plan eines Austausches Bayerns gegen die Österreich. Niederlande zurückgriff, mußte er abermals vor Friedrich d. Gr. zurückweichen, der den →Fürstenbund gegen ihn zusammenbrachte. Durch sein Bündnis mit Rußland wurde J. 1788 in einen erfolglosen Türkenkrieg hineingezogen. Er war einer der Hauptvertreter des aufgeklärten Absolutismus. Sein großes Ziel war ein zentralistisch verwaltetes Reich mit deutscher Staatssprache; er ging überall gegen die Sonderrechte der einzelnen Länder seiner Monarchie vor. In Galizien und dem Buchenland, in Ungarn und Siebenbürgen gründete er zahlreiche deutsche Ansiedlungen. 1781 wurde die Leibeigenschaft der Bauern aufgehoben; die Folter wurde abgeschafft; das Toleranzpatent von 1781 gewährte volle Religionsfreiheit, die Klöster wurden aufgehoben (→Josephinismus). Gegen J.s überstürzte Reformen wandten sich Erhebungen Ungarns und der Österreich. Niederlande; auf dem Sterbebett mußte J. für diese Länder die meisten Reformen widerrufen. – Briefwechsel mit Maria Theresia, 3 Bde. (1867), mit seinem Bruder und Nachfolger Leopold II., 2 Bde. (1872), mit Graf Ludw. Cobenzl, 2 Bde. (1901).

LIT. P. v. Mitrofanow: J. II., 2 Bde. (1910); E. Benedikt: J. II. (1936); F. Fejtö: J. II. Kaiser und Revolutionär (1962).

Köln. **3) J. Klemens,** Kurfürst (1688–1723), Herzog zu Bayern, Bischof von Freising und Regensburg (seit 1684 und 1685), * München 5. 12. 1671, † Bonn 12. 11. 1723, wurde 1689 Erzbischof; 1694 erhielt er das Bistum Lüttich. Während des Span. Erbfolgekrieges stand J. auf seiten Ludwigs XIV., wurde vom Kaiser geächtet, mußte 1706 nach Frankreich fliehen, wurde aber durch den Badener Frieden (1714) wieder in seine Länder eingesetzt.

Spanien. 4) König von Neapel (1806–08) und Spanien (1808–13), ältester Bruder Napoleons I., * Corte (Korsika) 7. 1. 1768, † Florenz 28. 7. 1844. Als Napoleon ihn zum König von Spanien machte, brach hier sofort der große Volksaufstand aus, von den Engländern (Wellington) unterstützt; J. mußte nach der Niederlage bei Vitoria (21. 6. 1813) Spanien verlassen.

LIT. G. Kircheisen-Aretz: Napoleon und die Seinen, 1 (1914).

Joseph'ine, Kaiserin der Franzosen, erste Gemahlin Napoleons I., * Trois-Ilets (Martinique) 23. 6. 1763, † Malmaison 29. 5. 1814, geb. Tascher de la Pagerie, heiratete 1779 den Vicomte de Beauharnais, der 1794 hingerichtet wurde; aus dieser Ehe stammten Eugen (→Leuchtenberg) und →Hortense. Ihr Freund Barras begünstigte die zweite Ehe mit dem General Bonaparte (1796). Da die Ehe unfruchtbar blieb, wurde sie am 16. 12. 1809 geschieden. Briefe (dt. 1901, 1912, 1929).

LIT. G. Kircheisen-Aretz: Die Frauen um Napoleon (1912).

Josephin'ismus, Josefinismus, das von Kaiser →Joseph II. in Österreich durchgeführte Staatskirchentum, das die kathol. Kirche in Österreich vollständig der Staatshoheit unterstellte. Die Richtung gegen Papsttum und geistl. Orden teilte der J. mit der ganzen Aufklärung. Danach allgemein die von der kath. Aufklärung bestimmte geistige Haltung, die eine der Wurzeln des Liberalismus war.

LIT. E. Winter: Der J. u. seine Gesch. (1943, ²1962); F. Valjavec: Der J. (²1945); ders.: Die Entstehung d. polit. Strömungen in Dtl. 1770–1815 (1951); F. Maass: Der J., 5 Bde. (1951 –61); H. Rieser: Der Geist des J. und sein Fortleben (1963).

J'osephs|ehe, Engelsehe, Ehe, bei der die Ehegatten durch Verabredung die geschlechtl. Vereinigung ausschließen. Nach weltl. Recht ist eine solche Vereinbarung nichtig (§ 1353 BGB, § 44 ABGB, Art. 159 ZGB).

Josephson, 1) [dʒ'ouzəfsən], Brian Davis, brit. Physiker, * Cardiff 4. 1. 1940, erhielt 1973 für Untersuchungen auf dem Gebiet der Supraleitung (J.-Effekt) zusammen mit L. Esaki und J. Giaever den Nobelpreis für Physik.

2) Ernst, schwed. Maler, * Stockholm 16. 4. 1851, † das. 22. 11. 1906.

3) Ragnar, schwed. Dramatiker und Kunsthistoriker, * Stockholm 8. 3. 1891, † Lund 27. 3. 1966, Prof. in Lund.

Jos'ephus, Flavius, jüd. Geschichtsschreiber, * Jerusalem 37 n. Chr., † Rom um 100, war bei dem Aufstand der Juden gegen die röm. Oberherrschaft (66–70 n. Chr.) jüd. Feldherr in Galiläa, später Günstling des Vespasian und des Titus, den er nach der Eroberung Jerusalems nach Rom begleitete. Er schrieb hier in griech. Sprache die ›Geschichte des jüd. Krieges‹, ferner ›Jüdische Altertümer‹ und eine Geschichte seines eigenen Lebens. Ausg. seiner Werke, 7 Bde. (1885–95), dt. 3 Bde. (1923).

Joseph von Copertino, Heiliger (1767), * Copertino (Lecce) 17. 6. 1603, † Osimo (Ancona) 18. 9. 1663, war zuerst Laienbruder, später Franziskanerkonventuale. Er wurde durch Ekstasen, Vorhersagungen und Wundertaten so berühmt, daß die Inquisition in Neapel und Rom sich mit ihm beschäftigte und ihn den Augen des Volkes entzog. Tag: 18. 9.

Jos'ia, König von Juda (639–609 v. Chr.), stellte nach dem Niedergang des assyr. Reiches religiös und politisch die Selbständigkeit Judas wieder her.

Josquin des Prez [ʒɔskɛ̃ dɛ: pre:], Komponist, →Prez.

Jost, 1) Heinrich, Graphiker, Schrift- und Buchkünstler, * Magdeburg 13. 10. 1889, † Frankfurt a. M. 27. 9. 1948, Schüler von Renner und Preetorius, wurde 1923 künstler. Leiter der Bauerschen Schriftgießerei, Frankfurt a. M.; entwarf die Druckschriften *Atrax* (1926), *Jost Mediaeval* (1927), *Beton* (1930).

2) Isaak Marcus, Historiker, * Bernburg

22. 2. 1793, † Frankfurt 22. 11. 1860, war Schuldirektor in Berlin und Frankfurt, Anhänger der liberalen Reformbewegung; als Historiker war er Aufklärer vor der Zeit der quellenkritischen Geschichtsforschung.

WERKE. Gesch. der Israeliten, 9 Bde. (1820–29), Neuere Geschichte der Israeliten 1815–45, 3 Bde. (1846/47), Geschichte des Judentums und seiner Sekten, 3 Bde. (1857–59).

J'ostedalsbre, Plateaugletscher in S-Norwegen, zwischen Sogne- und Nordfjord, 1600–1800 m ü. M. (höchster Punkt 2083 m), mit 1000 qkm größtes Gletschergebiet des festländischen Europa.

J'osua [hebr. ›dessen Hilfe Jahve ist‹], im Alten Testament der Nachfolger Moses. Das biblische **Buch J.** schildert die Landnahme der Israeliten im Westjordanland. Es enthält Reste derselben Quellenschriften wie der Pentateuch, hat aber seine endgültige Gestalt erst nach Abschluß des Pentateuchs erhalten.

Jota *das*, griech. Name des i; übertragen: eine Winzigkeit.

J'otham [hebr. ›Jahve ist vollkommen‹], Sohn Gideons, entging allein dem Blutbad, das Abimelech unter seinen Brüdern anrichtete.

J'otunheim, Hochfläche in S-Norwegen, von Gebirgsstöcken überragt (darunter Glittertind, 2481 m, und Galdhöpig, 2469 m); Gletschergebiet, wilde Hochgebirgstäler.

J'ötun [›Fresser‹], in der nordischen Göttersage dämonische Wesen mit ungefüger Kraft, zuweilen mit mehreren Armen oder Häuptern, meist in menschlicher, aber auch in Tiergestalt. Ihr Reich im N war *Jötunheim.*

Joubert [ʒubɛ:r], Joseph, franz. Schriftsteller, * Montignac 1754, † Villeneuve-sur-Yonne 4. 5. 1824, Freund und Berater von Chateaubriand.

Jouhandeau [ʒuɑ̃do], Marcel, franz. Schriftsteller, * Guéret (Creuse) 26. 7. 1888, Romancier des »Renouveau catholique«, beschreibt den vom Bösen bedrohten Menschen in mit Ironie durchsetzten Schilderungen franz. Provinzlebens.

Jouhaux [ʒuo], Léon, französ. Gewerkschaftsführer, * Paris 1. 7. 1879, † das. 29. 4. 1954, Zündholzarbeiter, seit 1909 Generalsekretär des französ. Gewerkschaftsbundes CGT, 1919 stellvertretender Vors. des internat. Gewerkschaftsbundes; verhinderte 1920 die Übernahme der Gewerkschaften durch die Kommunisten. Im 2. Weltkrieg war J. in Deutschland interniert; 1947 überwarf er sich mit der kommunist. Mehrheit im Präsidium der CGT und gründete die antikommunist. Gewerkschaft »Force Ouvrière«. 1949 war J. Vors. des internat. Rats der Europabewegung, ferner franz. Vertreter bei den Vereinten Nationen. Er erhielt 1951 den Friedens-Nobelpreis.

Joule [dʒaul], James Prescott, engl. Physiker, * Salford bei Manchester 24. 12. 1818, † Sale bei London 11. 10. 1889, einer der Entdecker des Energiesatzes; er bestimmte die Menge der durch mechan. Arbeit erzeugten Wärme (mechan. Wärmeäquivalent) und untersuchte die innere Energie der Gase. 1841 fand er das *Joulesche Gesetz,* nach dem die in einem stromdurchflossenen Widerstand erzeugte Wärmemenge *(Joulesche Wärme)* der Größe des Widerstandes, der Zeit des Stromdurchflusses und dem Quadrat der Stromstärke proportional ist.

Joule [dʒaul, nach dem Physiker Joule], abgekürzt **J,** Maßeinheit der elektr. Energie: $1\ J = 10^7$ erg = 1 Wsec = 1 Nm.

Joule-Thomson-Effekt [dʒaul t'ɔmsn-], die Temperaturänderung eines Gases bei Ausdehnung ohne Arbeitsleistung und Wärmeabgabe; bei hoher Temperatur nimmt diese zu, bei niedriger ab. Auf der Abkühlung beruhen wichtige Verfahren zur Verflüssigung von Gasen.

Jour [ʒu:r, franz. ›Tag‹], Empfangstag, bes. als **Jour fixe,** bestimmter Wochentag, an dem man ohne besondere Einladung Gäste empfängt.

Jourdan [ʒurdɑ̃], Jean Baptiste, Graf (1804), franz. Marschall, * Limoges 29. 4. 1762, † Paris 23. 11. 1833, siegte 1794 über die Österreicher bei Fleurus und eroberte Belgien, wurde aber 1795–99 mehrfach geschlagen. 1800 wurde er Gouv. von Piemont, 1804 Marschall; 1806–13 war er Generalstabschef König Joseph Bonapartes.

Journ'al [ʒurnal, franz.; Lutherzeit], **1)** Tagebuch, Grundbuch in der Buchführung. **2)** Zeitschrift, Zeitung.

Journal'ismus [zu Journal], schriftstellerische Tätigkeit für die Presse, auch die hierbei entwickelte eigentümliche Schaffens- und Darstellungsweise. Diese kann zur Kunst entwickelt werden durch Kürze, Prägnanz, Vollständigkeit des Berichts, exakte Formulierung, kritische Schärfe, Esprit, Witz, Pointe. Im weiteren Sinn spricht man neuerdings von J. auch in bezug auf die Arbeit für Rundfunk, Fernsehen, Wochenschau, Dokumentarfilm oder polit. und wirtschaftl. Werbung. Seit dem Aufkommen der Presse ist der J. ein wesentl. Mittel zur Unterrichtung und Beeinflussung der Öffentlichkeit (Bekundung wie Steuerung der öffentl. Meinung).

LIT. E. Dovifat in: Hb. der Zeitungswiss. (1941); W. Hagemann: Die Zeitung als Organismus (1950); J. März: Die mod. Zeitung (1951); F. Siebert, T. Peterson, W. Schramm: Four theories of the press (1956); W. Hagemann: Grundzüge der Publizistik (1966); E. Dovifat: Handbuch der Publizistik (1967).

Journal'ist [zu Journal], ein Schriftsteller, der hauptberuflich für Zeitungen, Zeitschriften, Nachrichten- und Korrespondenzbüros, bei Film, Funk usw. tätig ist. Er steht entweder als Redakteur (Schriftleiter) im Anstellungsverhältnis oder arbeitet freiberuflich. Zwischenformen sind u. a. der Reporter, der Korrespondent, der vertraglich verpflichtete freie Mitarbeiter. *Berufsorganisationen* sind: der Dt. Journalisten-Verband e. V. Bonn, gegr. Berlin 1949, und der Internationale Journalistenverband, 1952 neu gegr. in Brüssel. Ztschr.: Der J. (seit 1951).

Jouve [ʒu:v], Pierre-Jean, franz. Schriftsteller, * Arras 11. 10. 1887, † Paris 12. 1. 1976, schrieb Gedichte, Romane, psychoanalyt. Studien.

WERKE. Tragiques (1922), Les noces (1931; Lyrik seit 1925; dt. Ausw. 1966), Sueur de sang (1934), Romane: Paulina 1880 (1925; dt. 1964), Le monde désert (1927; dt. 1966).

Jouvenet [ʒuvnɛ], Jean, genannt *le Grand*, franz. Maler, * Rouen 1644, † Paris 5. 4. 1717, seit 1707 Rektor der Akademie, befreite sich nach Zusammenarbeit mit Lebrun von dessen Dogmatismus und entwickelte in der religiösen Monumentalkunst einen von Rubens beeinflußten malerischen Stil. Hauptwerk: Decke im Justizpalast, Rennes.

Jouvet, Louis, franz. Schauspieler und Theaterleiter, * Crozon (Finistère) 24. 12. 1887, † Paris 16. 8. 1951, leitete 1924–34 die Comédie des Champs Elysées und von 1934 bis 1951 das Théâtre de l'Athénée, das er zu einer der ersten Pariser Bühnen machte. Filme: Drôle de drame, Hôtel du Nord.

Joux, Val de J. [val də ʒu:], Hochtal im Schweizer Jura, Kanton Waadt, von der oberen Orbe in NO-Richtung durchflossen. Hauptort ist Le Sentier (1022 m hoch).

Jov'anović [-vitʃ], genannt **Zmaj,** Jovan, serb. Dichter, * Neusatz 24. 11. 1833, † Kamenica 3. 6. 1904, Arzt, Herausgeber von Zeitschriften, auch Kinderzeitschriften. Kinderdichter, Humorist, Lyriker, Übersetzer.

Jovellanos [xəvɛʎ'anəs], Gaspar Melchor de, span. Politiker und Schriftsteller, * Gijon 5. 1. 1744, † Vega (Asturien) 27. 11. 1811, war seit 1778 Richter am Hofgericht von Madrid. 1790 verbannte ihn Godoy vom Hofe, berief ihn aber 1797 als Justizmin. J. war ein bedeutender Vertreter der Aufklärung in Spanien.

jovi'al [Astrologenwort: jupiterhaft], heiter, strahlend-wohlwollend.

Jovi'anus, Flavius, röm. Kaiser (363/64), * in Pannonien 332, † Dadastana (Bithynien) 17. 2. 364, wurde nach dem Tod Julians von der Orientarmee als rangältester Offizier der Leibgarde zum Kaiser proklamiert, schloß einen Verzichtfrieden mit den Persern (Nisibis und die Gebiete jenseits des Tigris wurden geräumt), verkündete als Christ allgemeine Toleranz.

Joxe [ʒɔks], Louis, französ. Diplomat, * Bourg-la-Reine 16. 9. 1901, seit 1932 im Diplomat. Dienst, war 1961/62 führend in den Algerien-Verhandlungen; 1967/68 Justizminister.

Joyce [dʒɔis], **1)** James Augustine Aloysius, engl. Schriftsteller irischer Abkunft, * Dublin 2. 2. 1882, † Zürich 13. 1. 1941; J. besuchte verschiedene Jesuitenschulen in Irland, lebte in Triest, Zürich und Paris, in den dreißiger Jahren fast erblindet. J. begann mit einem Gedichtband (Chamber Music 1907; dt. 1957), dem die Dubliner Skizzen (Dubliners, 1914; dt. 1928) und ein autobiograph. Jugendroman (Portrait of the artist as a young man, 1916; dt. Jugendbildnis, 1926) und 1918 das von Ibsen beeinflußte Schauspiel ›Exiles‹ (dt. Verbannte, 1918) folgten, in denen J. allmählich seine persönl. Stilform entwickelte (im Anschluß an E. Dujardin, M. Proust, D. Richardson). Die Dingwelt wird ganz in das Bewußtsein einbezogen und ohne Rücksicht auf ursächliche Zusammenhänge so dargestellt, daß die Gleichzeitigkeit der Bewußtseinsschichten in Erscheinung tritt. Auf diesem Stilgrundsatz ist das Romanwerk ›Ulysses‹ (1922; dt. 1927, neu übersetzt von H. Wollschläger 1976) aufgebaut, an dem der Dichter sieben Jahre gearbeitet hat. Hier werden die Erlebnisse, Gedanken und Empfindungen des ungar. Juden und Anzeigenmaklers Leopold Bloom, seiner Frau Marion und des jungen Stephen Dedalus am 16. Juni 1904 in Dublin in achtzehn epischen oder dramat. Szenen vorgeführt, die ihrerseits zu bestimmten Abschnitten der Odyssee in symbolhafte Beziehung gesetzt sind. 1927 veröffentlichte er ›Pomes Penyeach‹ (dt. Am Strand von Fontana, 1957). J.s letztes Werk ›Finnegan's Wake‹ (1939) dient der Erforschung der unbewußten Welt des Traumlebens und ordnet jeder Szene den ihr gemäßen Prosastil zu. J. hat stark auf die Entwicklung des modernen Romans eingewirkt (→innerer Monolog).

LIT. W. Rothe: J. J. (1957); R. Ellmann: J. J. (dt. 1960); St. Joyce: Meines Bruders Hüter (dt. 1960); J. Paris: J. J. in Selbstzeugnissen und Bilddokumenten (dt. 1960); H. Levin: J. J. ([2]1960); S. Gilbert: Das Rätsel Ulysses (erw. Neuausg. 1960).

2) William, *Lord Haw Haw,* * Brooklyn (N. Y.) 24. 4. 1906, † (gehängt) London 3. 1. 1946. J. blieb als engl. Polizeispitzel in Irland amerikan. Staatsbürger, wurde später in England Faschist. Vor Kriegsanfang floh er nach Dtl., wo er im Englanddienst des Rundfunks als Kommentator auftrat und 1940 die dt. Staatsangehörigkeit erwarb. Ende Mai 1945 verriet sich J. gegenüber engl. Offizieren, wurde verhaftet und wegen Hochverrats verurteilt.

Joyeuse entrée [ʒwajø:z ɑ̃tre, frz. ›fröhlicher Einzug‹] *die,* fläm. **Blyde Incomst,** eine Urkunde über die Unteilbarkeit des Landes und über die Vorrechte der brabant. Stände, die die Herzöge von Brabant und Limburg (zuerst Wenzel 3. 1. 1356, zuletzt Kaiser Franz II. 31. 7. 1792) vor ihrem Einzug in die Hauptstadt beschwören mußten.

József [j'o:ʒɛf], Attila, ungar. Schriftsteller, * Budapest 11. 4. 1905, † Balatonszárszó 3. 12. 1937, Dichter des städtischen Proletariats, versuchte den Freudianismus mit dem Marxismus zu vereinen.

jr., Abk. für junior, der Jüngere.

Juan [xu'an, span.], Johann. →Don Juan.

Juan [xu'an], **Don J.**, Graf von Barcelona, * San Ildefonso 20. 6. 1913, Sohn Alfons' XIII., wurde 1941 zum Thronfolger bestimmt. Nach Vereinbarungen mit Franco (1948–54) wurde sein Sohn Don *Juan Carlos*, Prinz von Asturien (* Rom 5. 1. 1938), seit 1955 zum künftigen König bestimmt; seit 22. 11. 1975 regiert er als König **Juan Carlos I.** Er ist verheiratet (1962) mit Prinzessin Sophia von Griechenland.

Jüan, bis 1952 chines. Währungseinheit, seitdem →Dschen Min Piao.

Juan de Austria, Johann von Österreich, natürl. Sohn Kaiser Karls V. und der Barbara →Blomberg, * Regensburg 24. 2. 1547, † bei Namur 1. 10. 1578, unterdrückte im Auftrag seines Halbbruders Philipp II. von Spanien 1568–70 den Aufstand der Morisken in Granada, erfocht 1571 den großen Seesieg bei Lepanto über die Türken, wurde 1576 span. Statthalter in den Niederlanden, wo er die Aufständischen unter Führung Wilhelms von Oranien Anfang 1578 bei Gembloux besiegte.

Juana [xu ana] **Inès de la Cruz,** →Cruz.

Juan Fernández [xu'an fɛrn'andɛs], chilen. (seit 1817) Inselgruppe im Stillen Ozean. Hauptinseln: *Más a tierra*, *Más a fuera* (seit 1966 umbenannt in *Robinson Crusoe* und *Alejandro Selkirk*) und das Felseiland *Santa Clara*, zusammen 185 qkm. Die Inseln wurden 1572 durch den Spanier Juan Fernández entdeckt; 1704–09 lebte hier einsam der schott. Seemann Selkirk, Defoes Vorbild zum ›Robinson Crusoe‹.

Juan-les-Pins [ʒyã lɛ pɛ̃], Sommer- und Winterkurort an der französ. Riviera, zur Gem. Antibes gehörig.

Jüan Schi-kai, chines. Staatsmann, * Weihui-fu (Honan) 1859, † Peking 6. 6. 1916, war seit 1898 Vertrauensmann der Kaiserinwitwe Ts'e-hi, betrieb seit 1901 eine vorsichtige Reformpolitik, bes. die Schaffung der neuen nationalen Armee; bei Ausbruch der Revolution (1911) sicherte er die Einheit Chinas durch die von ihm veranlaßte Abdankung der Mandschu-Dynastie (12. 2. 1912) und wurde Präs. der chines. Rep. Ein Versuch, sich zum Kaiser zu machen, mißglückte (1915).

Juárez [xu'arɛs], Benito, Präsident von Mexiko (1861–72), * San Pablo Guelatao (Oaxaca) 21. 3. 1806, † Mexiko 18. 7. 1872, von indian. Abstammung, Anhänger der Liberalen, übernahm 1858 die Regierung, erließ 1859 die »Reformgesetze« gegen die kath. Kirche (Einziehung der reichen Kirchengüter) und wurde 1861 zum Präsidenten gewählt. Als er die Zinsenzahlungen an die auswärtigen Gläubiger Mexikos einstellte, entsandte Napoleon III. ein franz. Heer und machte 1864 den österr. Erzherzog Maximilian zum Kaiser von Mexiko. Im Kampf gegen ihn wurde J. bis in den äußersten N des Landes zurückgedrängt; er gewann aber nach dem Abzug der franz. Truppen die Oberhand und ließ Maximilian 1867 in Querétaro erschießen.

J'uba, Dsch'uba, Fluß im O Afrikas, rd. 1650 km lang, entspringt in 3 Quellflüssen im SO Äthiopiens, mündet in den Indischen Ozean. *Jubaland*, die um den J. gelegenen Regionen von →Somalien.

J'ubal, nach 1. Mos. 4, 21 Stammvater der Musikanten.

Jubbulpore, engl. Schreibung für die ind. Stadt →Dschabalpur.

J'ubeljahr, 1) Jobeljahr, Halljahr, bei den alten Juden jedes 50. Jahr, mit Sklavenbefreiung, Schulderlaß und Pfandrückgabe, daher auch Freijahr, Erlaßjahr. **2) Heiliges Jahr, Jubiläumsjahr,** in der kath. Kirche die Wiederkehr eines bestimmten großen Ablasses, der zum erstenmal 1300 von Papst Bonifaz VIII. gewährt wurde. An Stelle des Zuges nach Jerusalem konnte man nach Rom wallfahren oder die Kosten einer Romreise für kirchl. Zwecke spenden. Das J. wird seit 1475 alle 25 Jahre gefeiert. Es beginnt am 24. 12. mit der Eröffnung des Jubeltores in St. Peter und schließt mit dessen Neuvermauerung am Heil. Abend des folgenden Jahres. Das J. 1975 steht unter dem Motto »Wiederversöhnung«.

Jubil'äen, Buch der J., auch **Kleine G'enesis,** Name eines im 1. Jh. v. Chr. entstandenen ursprünglich hebräischen Buches, das eine pharisäische Bearbeitung des 1. Mos. 1 bis 2. Mos. 12 gegebenen Stoffes enthält.

Jubil'ate [lat. ›jauchzet‹, ›frohlocket‹], der dritte Sonntag nach Ostern, nach dem Anfangswort des 66. Psalmes.

Júcar [x'u-], Fluß im O Spaniens, 506 km lang, mündet südl. Valencia ins Mittelmeer.

J'uchart [zu Joch], **Juchert, Jauchert,** früheres süddeutsches und schweiz. Feldmaß: als *Tagewerk* in Bayern: 34,07 a, in Württemberg: 47,28 a, in der Schweiz: 36 a.

J'uchten, Cuir de Russie, ein nach Juchtenleder duftendes Parfüm.

J'uchtenleder, ein mit Weidenrinde gegerbtes Fahlleder (ursprüngl. nur in Rußland erzeugt); durch Imprägnieren mit Birkenrindenteer ist es besonders wasserdicht gemacht und erhält den kennzeichnenden Juchtengeruch.

Jucken, entsteht durch leichte Erregung des Schmerzsinns; es ist Begleiterscheinung vieler Hautkrankheiten (bes. des Ekzems, der Nesselsucht, der Krätze). J. entsteht ferner nach Insektenstichen und kann auch bei inneren Krankheiten (z. B. Gelbsucht) auftreten. Das *Alters-Hautjucken* (Pruritus senilis) beruht wahrscheinlich auf einer altersbedingten Degeneration der Haut. Der *Juckausschlag* (Juckflechte, Prurigo) mit bis linsengroßen Knötchen auf der Haut, ist wahrscheinlich allergisch bedingt.

J'ucker [zu alemann. jucken ›springen‹], leichtes Wagenpferd. **Juckerleine,** Wiener Leine.

Jud, 1) Jakob, schweizer. Romanist, * Wängi (Thurgau) 12. 1. 1882, † Zollikon (Zürich) 15. 6. 1952, 1922–50 Prof. in Zürich; vereinigte die sprachgeograph. Methode mit der Wort- und Sachforschung.

2) Leo, schweizer. Reformator, Mitarbeiter Zwinglis, später Bullingers, * Gemar (Elsaß) 1482, † Zürich 19. 6. 1542, übersetzte die meisten Schriften Zwinglis ins Deutsche oder Lateinische und hat das Hauptverdienst an der Züricher Bibelübersetzung.

J'uda [hebr. ›Gottlob‹], **1)** im Alten Testament der Stammvater des Stammes Juda, Sohn des Jakob und der Lea.

2) der wichtigste israelitische Volksstamm, der sich nach der Einwanderung in Palästina (→Israel, Geschichte) im Süden des Landes ansiedelte in dem Gebiet um Hebron und um Jerusalem, das seit seiner Eroberung durch David (um 1000 v. Chr.) die Hauptstadt Judas war. Auch als David König von ganz Israel geworden war, behauptete J. eine Sonderstellung. Als der Reichstag zu Sichem die Davidische Dynastie entthronte, blieb J. dieser treu und bestand seit 926 v. Chr. als selbständiges Königreich bis zu seiner Vernichtung durch Nebukadnezar.

Jud'äa, das den Juden nach 538 v. Chr. von den Persern überwiesene Siedlungsgebiet. Die röm. Provinz J. umfaßte 6–41 n. Chr. auch Idumäa und Samaria, die 67 n. Chr. neugebildete Provinz auch Galiläa.

Juda Halevi, Jehuda ha-Levi, arab. **Abu 'l-Hasan al-Lawi,** bedeutendster hebr. Dichter des MA.s und Religionsphilosoph, * Toledo um 1083, † nach 1140 auf einer Reise nach Palästina. Seine Zionslieder geben den Gefühlen und Hoffnungen des leidenden Volkes Ausdruck und fanden z. T. Aufnahme ins Gebetbuch. Sein arab. geschriebenes und zweimal ins Hebräische übersetztes Prosawerk ›Kusari‹ setzt in Form eines Gespräches mit einem Chasarenkönig die Vorzüge des Judentums gegenüber dem Christentum und Islam auseinander. J. folgte in seiner Religionsphilosophie dem arab. Denker Algazel und vertrat den überintellektuellen Charakter der jüd. Offenbarungslehre.

J'udas, 1) J. Isch'arioth [d. h. Judas, der Mann von Kariot], Jünger Jesu, der Jesus verriet (Matth. 26, 14 ff.).

2) J., Jakobus' Sohn (Luk. 6, 16; Apostelgesch. 1, 13), ein vielleicht mit Thaddäus oder Lebbäus personengleicher Jünger Jesu. Heiliger; Tag: 28. 10., in der Ostkirche 19. 6.

3) J. Makkab'äus [wahrscheinlich hebr. ›Hammer‹], jüd. Heerführer, Sohn des Priesters Mattathias, leitete den Befreiungskampf der Juden gegen die syrischen Könige, fiel 161 v. Chr. im Kampf gegen die Syrer. Seine Kriegstaten werden in den beiden Makkabäerbüchern erzählt. – ›Judas Makkabäus‹, Oratorium von Händel (1746).

J'udasbaum, *Cercis siliquastrum,* Hülsenfrüchterbaum der Unterfamilie Zäsalpiniengewächse, in Vorderasien und im Mittelmeerbereich, mit purpurnen Blüten und Edelholz; Parkpflanze.

J'udasbrief, ein kurzer, vor Irrlehren warnender Brief im N. T., der wahrscheinlich ins 2. Jh. n. Chr. zu datieren ist; inhaltlich eng mit dem 2. Petrusbrief verwandt.

Judaskuß, in verräterischer Absicht erzeigte Freundlichkeit. **Judaslohn,** Bezahlung für Verrat.

Judas ohr, Judenohr, Hol'underpilz, *Auricularia sambucina,* zu den Basidiomyzeten gehörender, ohrmuschelförmiger, gallertiger Pilz, an Holunderstämmen.

J'udas|silberling, Pflanzenfrucht, →Mondviole.

J'uden, eine über fast alle Länder zerstreute Volks- und Religionsgemeinschaft, heute auf ca. 14 Mill. geschätzt. Der Name J. ist abgeleitet von dem Kgr. →Juda, der späteren Provinz →Judäa, als dem ursprünglichen Wohnsitz dieses Volkes. Im Altertum wurden sie zunächst nur von den Nichtjuden so genannt. Sie selbst sprachen von sich als dem Volk Israel, was sie bis heute in der gottesdienstlichen Sprache beibehalten haben.

Die J. sind keine biologische, sondern eine sozialreligiöse Einheit. Von einer semitischen Rasse zu sprechen, wäre unrichtig, da Semiten ein sprachwissenschaftlicher Begriff ist. Nach biblischen Quellen vermischten sich schon die ersten J. mit Kanaanitern, Amoritern, Hethitern, Amalekitern, Kenitern und Ägyptern. Bes. aber in den ersten nachchristlichen Jahrhunderten nahmen sie Elemente anderer Völker auf. Es wird zwischen zwei Haupttypen unterschieden: die *Sephardim* (die im Typus verhältnismäßig einheitlichen spanischen und portugiesischen J.) und die *Aschkenasim* (deutsche, russische und polnische J., die sich im Typus vielfältig unterscheiden.).

GESCHICHTE. Als seit 537 v. Chr. Israeliten aus der Babylonischen Gefangenschaft nach Palästina zurückkehrten (→Israel, Geschichte), bauten sie unter Führung Esras und Nehemias (nach 450 v. Chr.) den zweiten Tempel auf und schufen, im Kampf gegen die inzwischen hier heimisch gewordenen Völker, eine neue jüdische Volksgemeinde. Das Thora-Studium wurde jedem zur Pflicht gemacht.

330 v. Chr. unterwarf Alexander d. Gr. Vorderasien. Ptolemäus I. siedelte größere jüd. Bevölkerungsteile in Alexandria an, wo neben Babylon die zweite große Judenkolonie entstand. Hier begann eine jahrhundertelange kulturelle Auseinandersetzung mit dem Hellenismus. Unter Judas Makkabäus empörte sich das Volk in Palästina gegen die Seleukiden und beseitigte die Fremdherrschaft (167). Während der Partherkriege (Pompejus) kam Judäa unter römische Oberhoheit. Mit Hilfe der Römer bestieg der idumäische Heerführer Herodes den Thron; er baute den zweiten Tempel aus. Seit 4 n. Chr. residierten röm. Statthalter in Judäa, unter denen eine große Mißwirtschaft herrschte. Örtl. Unruhen in Cäsarea führten 66 n. Chr. zum entscheidenden Freiheitskampf. 70 wurde Jerusalem von den Römern erobert; die Kriegsgefangenen wurden nach Rom und in entlegene Provinzen (Spanien, Rhein, Donau) verbannt. Nach nochmaliger Erhebung des

Bevölkerungsrestes unter Kaiser Hadrian (Aufstand des Bar Kochba 132–135) wurde Jerusalem dem Erdboden gleichgemacht. Nunmehr ging die 800 Jahre vorher von den Propheten vorausgesagte Zerstreuung der J. über alle Länder (hebr. Galuth, griech. Diaspora) in Erfüllung.

Ein Großteil der Flüchtlinge wandte sich nach Babylon. Von dort kamen J. nach Persien, Afghanistan und Buchara. Aus Indien liegen Zeugnisse alter Niederlassungen von J. seit 490 vor. Seit dem 8. Jh. gab es ansehnliche J.-Gemeinden in China (Honan) und zahlreiche jüdische Würdenträger in chines. Diensten. Nach Japan kamen J. frühzeitig unter dem Namen Chada. In der hellenistischen Zeit gingen J. nach Kleinasien und ins Kaukasusgebiet. An der Küste des Schwarzen Meeres siedelten sich J. in vorchristl. Zeit als Kolonisatoren neben den Griechen an, längs der arab. Küste gelangten sie bis Jemen; die häufig als abessinische J. bezeichneten Falascha sind eigentlich hamitische Agau, zu denen die jüd. Religion auf bisher nicht geklärte Weise gelangt war.

Die nach Spanien gebrachten Kriegsgefangenen, vermehrt durch die über Nordafrika zugewanderten J., überdauerten das Ende des Römerreichs und genossen unter den Goten Freiheit, solange diese Arianer waren. 613 begannen Glaubensverfolgungen, die mit der arab. Eroberung (711) endeten. Zwischen 800 und 1500 erlebten die span. J. erst unter arab., dann span. Herrschaft eine Glanzzeit (erste Blüte der neuhebr. Dichtung, Religionsphilosophie, Naturwissenschaften, Ausrüstung und Beteiligung an der Kolumbusexpedition u. a.). Nach der Vertreibung der Araber beließen die christl. Eroberer die J. im Lande; unter den span. Königen gelangten die J. zu höchsten Staatswürden. Aber die kathol. Kirche setzte den gegen die Moslems geführten Kampf nunmehr gegen die J. fort, unterstützt von der Inquisition. Unter Torquemada, der 1492 ein Auswanderungsdekret von Isabella erzwang, mußten etwa 300000 J. mittellos Spanien verlassen. Vier Jahre später vertrieb Manuel I. die J. auch aus Portugal. Siedlungen der »span. J.« entstanden in Italien, Marokko, Algier, Tunis, Saloniki u. a. türk. Städten; gastfrei aufgenommen wurden sie auch seit Ende des 16. Jhs. in den Niederlanden, seit 1656 in England, auch in Altona. Ihre Sprache war ein mit Hebräisch vermengtes Altspanisch, das ›Spaniol‹; viele waren Handwerker.

In den anderen westeurop. Ländern begann der Kampf der Kirche gegen die J. als »Ketzer« schon zur Zeit der Kreuzzüge. 1180 wurden die J. aus Frankreich ausgewiesen, 1198 zurückgerufen, nach 100 Jahren von neuem verfolgt und 1394 endgültig des Landes verwiesen. Auch in England erlitten die J., bes. unter Richard Löwenherz, vielfache Verfolgungen. In Deutschland treten die J. zuerst zur Römerzeit auf; 321 privilegierte Konstantin die J. Kölns; 800 werden J. in Augsburg, 950 in Magdeburg und Merseburg, 1009 in Meißen erwähnt. Zunächst unter germanischem Recht begünstigt, wurden sie später unter kirchl. Einfluß einer »Judenordnung« unterstellt. Grundbesitz und Wohnen auf dem Lande war ihnen verboten, so daß sie ausschließlich »Städter« wurden. Dann wurden sie in Judenviertel verwiesen (erstes Ghetto in Venedig 1516). Für den Aufenthalt im Lande mußten sie ein hohes jährl. »Toleranzgeld« zahlen (1811 zahlten die J. Ungarns 1,6 Mill. Gulden). Das Verlassen des Ghettos war nur mit besonderen Pässen, befristet und in bes. Kleidung (Judenabzeichen, »gelber Fleck«) gestattet, an den Stadt- und Landesgrenzen mußten sie Leibzoll zahlen. Die Gotteshäuser mußten schmucklos bleiben und in versteckten Winkeln stehen. Von Zeit zu Zeit wurden die J. zu Bekehrungszwecken in die Kirche zur »Judenmesse« geführt. »Ehrliche Gewerbe« wurden ihnen verboten, nur der Trödelhandel und der Geldverleih gestattet. In Anbetracht der Rechtsunsicherheit erfolgte dieser zu hohen, behördlich festgesetzten Zinssätzen; dadurch wurden die J. zu einer willkommenen Finanzquelle und 1176 »zur kaiserl. Kammer gehörig« erklärt (»Kammerknechte«). Bes. befähigte J. wurden vom Kaiser mit Schutzbriefen versehen (»Schutzjuden«) und von den Fürsten zur Führung ihrer Finanzgeschäfte, zur Organisation des Handels und der Industrie an den Hof gezogen (»Hofjuden«). Hierdurch wurden die Juden dem vielfach ausgebeuteten Volke immer verhaßter. Zum erstenmal kam es in Deutschland während der Kreuzzüge zu offenen Feindseligkeiten, die am Rhein mit Judenmetzeleien (Trier, Worms, Speyer, Mainz u. a.) begannen, sich nach O und S ausbreiteten und die Auswanderung großer Teile der deutschen J. nach Litauen, Polen, Galizien u. a. östl. Nachbarländern veranlaßten. Wie die span. Flüchtlinge bewahrten diese J. Sitten und Sprache des verlassenen Landes in abgewandelten Formen (→Jiddisch). Der lange Judenrock (Kaftan), der Judenbart, der Judenhut u. a. sind wenig veränderte Bestandteile deutsch-mittelalterl. Tracht. Später wurden die J. auch in den Ostländern unter Ausnahmegesetze gestellt. Seit 1794 wurden sie in Rußland auf »Ansiedlungsrayons« zusammengedrängt und allmählich auf bestimmte Gewerbe beschränkt. Die ersten russ. Pogrome von 1881 und die »Maigesetze« von 1882 veranlaßten den Beginn der Auswanderung nach Amerika, die im Laufe von 25 Jahren fast 3 Mill. Juden aus Osteuropa dorthin führte (New York hat heute die größte jüd. Gemeinde der Welt).

Von England ging seit Mitte des 17. Jhs. der Gedanke der *Judenemanzipation* aus, d. h. die Gleichstellung der J. mit den Bürgern des Landes. 1776 übernahm ihn die »Erklärung der Menschenrechte« der USA.

Lessing setzte sich, wie vorher der Humanismus, für Toleranz ein (Nathan der Weise, 1779). 1791 wurde die Emanzipation in Frankreich gegen den heftigen Widerstand der Geistlichkeit Gesetz, in Preußen 1812 unter Hardenberg. Die letzten staatsrechtl. Einschränkungen wurden auch in den anderen dt. Staaten bis 1871 aufgehoben; 1874 folgte die Schweiz, 1876 Spanien, 1910 Portugal, 1917 Rußland.

Seit der Mitte des 19. Jhs. trat hiergegen der →Antisemitismus in Deutschland und Frankreich als polit. Kampfmittel hervor. In Frankreich wurde die *Alliance Israélite Universelle* zur Hilfeleistung für bedrängte J. gegründet, in Deutschland der *Centralverein deutscher Staatsbürger jüd. Glaubens.* In der Überzeugung, daß die Emanzipation der J. nicht die endgültige Lösung sei, begründeten Herzl und Nordau in Paris den →Zionismus.

Die schwersten Verfolgungen der europ. Juden begannen 1933 unter dem Nationalsozialismus in Deutschland, der die Juden als rassisch minderwertig und als Staatsfeinde brandmarkte und die Volksstimmung systematisch gegen sie aufhetzte. 1933 brachte das »Beamtengesetz« die Ausschaltung der J. und der »Mischlinge« aus dem öffentl. Leben; am 1. 4. 1933 organisierte Streicher auf Hitlers Weisung einen allgem. Judenboykott; die Rassengesetze von 1935 legalisierten die Diffamierung der J. und verboten u. a. die Ehe mit ›Ariern‹. Die Terrorisierungen begannen am 9./10. 11. 1938 (»Kristallnacht«) mit der Zerstörung der Synagogen, jüd. Geschäfte und Wohnungen durch SA und SS; den J. wurde eine Sondersteuer von 1 Mrd. RM auferlegt. Anschließend wurden die J. völlig aus dem wirtschaftl. und sozialen Leben ausgeschaltet (»Arisierung«) und gezwungen, den Judenstern zu tragen. Eine Massenemigration setzte ein. Von den (1933) im Dt. Reich lebenden 499700 Juden wanderten mehr als 300000 aus. Der Plan (1939), die J. in Reservaten anzusiedeln, wurde bald aufgegeben. Mit Kriegsausbruch verschärfte sich der Terror. Nach 1941 konkretisierten sich Pläne zur Vernichtung der gesamten J.; der Befehl zur »Endlösung der Judenfrage« erging am 31. 7. 1941. Durch »Einsatzgruppen« der SS und des SD wurden im Osten zahlreiche Erschießungen durchgeführt. In geheimgehaltenen Aktionen hat ein kleiner Kreis unter dem SS-Führer Eichmann die J. aus Dtl., Österreich, der Tschechoslowakei, Polen, Litauen und dem übrigen Südost- und Osteuropa, später auch aus Frankreich und den Niederlanden, in →Konzentrationslager gebracht und in »Vernichtungslagern« im Osten (Treblinka, Maidanek, Belzek, Auschwitz-Birkenau) durch Giftgase umgebracht.

Eine Gesamtziffer der Opfer hat sich bisher nicht mit letzter Gewißheit feststellen lassen; die statist. Angaben schwanken zwischen 4 und 5,97 Millionen. Ein großer Teil der Überlebenden wanderte nach 1945 nach Palästina aus. Die dort vom polit. Zionismus verfolgte Idee eines jüd. Staates erhielt dadurch neuen Auftrieb, bis sie nach schweren Kämpfen mit der Gründung des Staates Israel (14. 5. 1948) verwirklicht wurde. Der Rest der jüd. Bevölkerung in Polen, Ungarn, der Tschechoslowakei und anderen östl. Ländern hatte nach 1945 unter Verfolgungen der kommunist. Machthaber zu leiden; in der Sowjetunion nahmen sie unter Stalin und Berija besonders scharfe Formen an. Viele J. versuchten nach Israel auszuwandern; die Sowjetunion suchte die Abwanderung zu verhindern.

In der Bundesrep. Dtl. lebten (1973) 31700 J., bes. in Berlin, Hamburg, Köln, Düsseldorf, Frankfurt und München; Spitzenorgan der jüd. Gemeinden, Organisationen und Einrichtungen ist der *Zentralrat der J. in Deutschland*, Sitz Düsseldorf; die Sozialfürsorge ist in der *Zentralwohlfahrtsstelle*, Frankfurt, zusammengefaßt. Seit der Vernichtung des europ. Judentums wurden die USA, wo etwa 6,28 Mill. J. leben, das jüd. Geisteszentrum in den Ländern der Diaspora (theolog. Lehr-, wissenschaftliche Forschungsanstalten, philanthrop. Stiftungen u. a.).

Lit. →Judentum.

J'udenburg, Bez.-Stadt und Sommerfrische in der Obersteiermark, Österreich, an der Mur, am Fuß der Seetaler Alpen, 739 m ü. M., mit (1971) 11300 Ew., hat Bez.-Ger., Edelstahlwerk, Kartonagenfabrik.

J'udenchristen, im Unterschied zu den Heidenchristen die ersten Christen jüdischer Herkunft, die sich an das mosaische Gesetz gebunden hielten.

J'udenhut, im Mittelalter der den Juden gesetzlich vorgeschriebene spitze, meist gelbe Hut.

Jud'enitsch, Nikolai, russ. General, * 18. 7. 1862, † Nizza 5. 10. 1933, war im 1. Weltkrieg Führer einer Armeegruppe an der kaukas. Front. Nach der russ. Revolution kämpfte er gegen die Bolschewisten und wurde bei Petrograd (Leningrad) 1919 geschlagen.

J'udenkirsche, Pflanzen wie: Kornelkirsche, Geißblatt, Eberesche, Trauben-, Blasen-, Tollkirsche, Bittersüß.

Juden|ohr, der Pilz →Judasohr.

Judentum, die von dem Volk →Israel ausgegangene Religion, deren jetzige Form ihre Prägung in dem Volksteil erhielt, der sich als Stamm Juda empfand. Grundlage ist der Glaube an den einen-einzigen unkörperl. und rein geistigen Gott, den Vater aller Menschen, der Inbegriff aller sittl. Vollkommenheit ist und vom Menschen Liebe und Gerechtigkeit verlangt. Die Form der jüd. Religiosität ist der Gehorsam gegenüber dem göttl. Gesetz, ihre Quelle ist die Bibel (das A. T.), insbes. die fünf Bücher Mose, Thora genannt. Dazu tritt der →Talmud.

Die Zeremonialgesetze (Speisegesetze) gelten für den orthodoxen Juden als unbedingt verpflichtend. Wöchentl. Feiertag ist der →Sabbat (Sonnabend); er wird durch strenge Arbeitsruhe gefeiert. Jahresfeste sind das Passah, Wochenfest, Laubhüttenfest, Neujahr und der große Versöhnungstag. Eine Kirche im Sinne einer durch übernatürl. Stiftung eingesetzten Heilsanstalt kennen die Juden nicht. Träger des religiösen Lebens ist nicht der Geistliche (Rabbiner), sondern die Gemeinde in Erfüllung des allgemeinen Priestertums. Sie sorgt für den Gottesdienst in der Synagoge und den Religionsunterricht, ferner für die Möglichkeit, die Speisegesetze zu halten (→Schächten), schließlich für die (für alle gleich einfache) Totenbestattung.

Literatur. Über das A. T. →Bibel. Die Periode der *Schriftgelehrten (Soferim)* wurde durch Esra (440 v. Chr.) begründet; als Sammler, Erläuterer und Lehrer der Thora erhielten sie das seit dem Exil immer mehr durch die aramäische Volkssprache verdrängte Hebräisch wenigstens als Gelehrtensprache (Neuhebräisch). In der Diaspora entstand die jüd.-hellenist. Literatur, die mit der griech. Bibelübersetzung, der Septuaginta, begann, und von der neben den Apokryphen und Pseudepigraphen des A. T. sowie Philo und Josephus nur Bruchstücke erhalten sind.

Die Periode der *Lehrer (Tannaim)* reicht von etwa 10 n. Chr. bis zum Anfang des 3. Jhs.; sie machte das Lehrhaus an Stelle des Tempels zum Mittelpunkt. Rabbi Akiba schuf die Grundlage zum →Talmud.

Einen Aufschwung nahm das jüd. Schrifttum durch die Berührung mit den Arabern in Afrika und Spanien. Als Philosophen traten hervor: Salomon ibn →Gabirol (* etwa 1021, † 1070) und Juda ha-Levi (*etwa 1083, † nach 1140), beide zugleich bedeutende Dichter. Die hebräische Sprachwissenschaft und die Bibelerklärung blühte; die bis dahin nur in arab. Sprache gepflegte Wissenschaft der span. Juden wurde durch hebr. Schriften nach Italien und Frankreich verpflanzt. Den Höhepunkt dieser Periode bezeichnet Rabbi Mose ben Maimon (→Maimonides). Von exakten Wissenschaften wurden Medizin, Mathematik und Astronomie betrieben. In Nordfrankreich wurde die Erklärung der Bibel und des Talmuds fortgesetzt (Rabbi Salomo ben Isaak aus Troyes; * 1040, † 1105). Im 13. Jh. verbreitete sich die phantast. Mystik der →Kabbala.

Nach der Vertreibung aus Spanien entfaltete sich bes. unter den Juden Italiens ein durch die Erfindung der Buchdruckerkunst wie durch den Humanismus gefördertes geistiges Leben. Der Schulchan Aruch von J. Karo wurde bald nach seinem Erscheinen (1564) der Ritualkodex für die Juden aller Länder. In Holland haben die Marranen in hebräischer, span. und portug. Sprache eine reiche Literatur geschaffen; bedeutend sind Manasse ben Israel (* 1604, † 1657) und →Spinoza (* 1632, † 1677).

In Dtl. beginnt mit Moses Mendelssohn (* 1729, † 1786) die Anteilnahme der Juden an der allgem. europ. Kultur und damit ein völliger Umschwung im jüdischen Schrifttum, das sich bald fast ausschließl. der deutschen Sprache bediente; in Osteuropa hat sich neben der jiddischen Umgangssprache das Hebräische als Literatursprache erhalten, bis der Zionismus eine Neubelebung bewirkte.

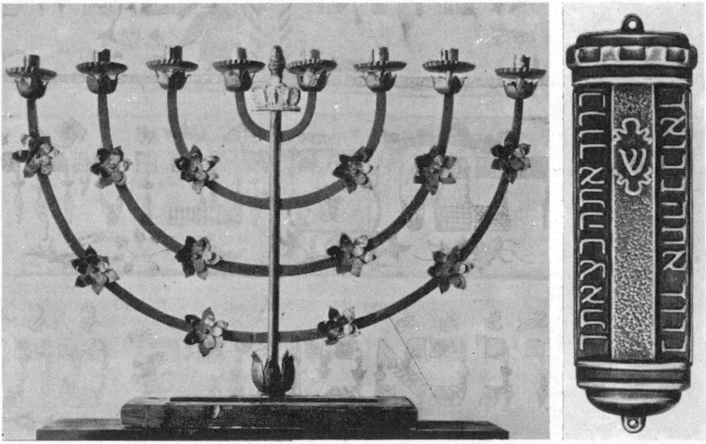

Judentum: links Chanukka-Leuchter, um 1830 (Kassel, Landesmus.); rechts moderne Mesusah

Die *jüdische Musik* ist in ihrer frühesten Form der aus dem A. T. bekannte Psalmengesang, der von Trompeten, Posaunen, Zimbeln usw. begleitet war. Einzelnes ging vermutlich in den christl. gregorianischen Choral über, während der heutige Synagogalgesang vorwiegend aus dem 19. Jh. stammt. Zur Bildung einer einheitlichen, nationaljüd. Musik ist es in der Geschichte nicht wieder gekommen (→Chassidim).

LIT. J. Weigl: Die Lehren des J.s, 5 Bde. (1920–29); M. Buber: Reden über das J. (1932); ders.: Zwei Glaubensweisen (1950); Universal Jewish Encyclopaedia, 10 Bde. (Brooklyn 1939–43, ^{2}1948); The Jewish people past and present, 3 Bde. (New York 1946–52); American Jewish Yearbook (Philadelphia seit 1899); H. J. Schoeps: Jüd. Geisteswelt, Quellenzeugnisse aus zwei Jahrtausenden (1953); D. Lauker: Die jüd. Musik (1926); L. Baeck: Das Wesen des J.s (^{6}1960); G. Scholem: Zur Kabbala und ihrer Symbolik (1960); ders.: Judaica (1963); Monumenta Judaica, hg. v. K. Schilling (1963); J. P. Sartre: Betrachtungen zur Judenfrage (dt. 1964). *Geschichte:* H. Graetz: Gesch. der Juden, 12 Bde. (Neubearb. 1911–23); S. Dubnow: Weltgesch. des jüd. Volkes, 10 Bde. (1925–29); C. Roth: The History of the Jewish People (^{2}1952; dt. Gesch. des jüd. Volkes, 1954); M. Orlinsky: Ancient Israel (1953); S. W. Baron: A social and religious history of the Jews, 7 Bde. (^{2}1953); E. Reichmann: Die Flucht in den Haß (1956); B. Blau: Das Ausnahmerecht für die Juden in den europ. Ländern 1933–45, 1: Deutschland (^{2}1953); H. G. Adler: Theresienstadt (1955); G. Reitlinger: The final solution (London 1953; dt. Die Endlösung, 1956); J. Meisl: Gesch. der Juden in Polen u. Rußland, 3 Bde. (1921–25); M. U. Schappes (Hg.): Documentary history of the Jews in the United States 1654–1875 (New York 1950); J. Lestschinsky: Das wirtschaftl. Schicksal des dt. J.s (1932); A. Ruppin: Soziologie der Juden, 2 Bde. (1930/31); European Jewry ten years after the war (New York 1956); E. Schopen: Gesch. des J.s im Orient (1960); ders.: Gesch. des J.s im Abendland (1961); H. G. Adler: Die Juden in Deutschland (^{2}1961); W. Keller: Und wurden zerstreut unter alle Völker (1966).

J'udica [lat. ›richte‹], **Judika,** der 2. Sonntag vor Ostern, nach dem Anfangswort von Psalm 43.

Judik'arien, ital. **Valli Giudic'aria** oder **Giudicarie,** Tallandschaft im Trentino, Italien, auf der Ostseite des Adamello; Hauptort: Tione di Trento.

Judik'at [lat.], Urteil. **Judikati'on,** Beurteilung, Aburteilung, **Judikat'ur,** Rechtsprechung, richterliche Praxis.

J'üdisches Autonomes Gebiet, autonomes Gebiet der Juden in der Russ. Sowjetrepublik, am mittleren Amur, 36000 qkm mit (1972) 178000 Ew.; Hauptstadt ist Birobidschan.

J'üdisch-Romanisch, Sammelbegriff für die im Mittelalter von den Juden der roman. Länder entwickelten Sonderformen der roman. Sprachen. Lebendig ist noch das Jüdisch-Spanische *(Spaniolische)*, auch *Ladino* genannt, das bis zur nationalsozialist. Verfolgung von einigen hunderttausend Personen auf dem Balkan und in der ganzen Levante gesprochen und gepflegt wurde. Seine Träger sind die Nachkommen der 1492 aus Spanien ausgewiesenen Juden.

J'udith, die Heldin des alttestamentl. apokryphen **Buches J.** Während einer Belagerung ihrer Vaterstadt Betylua (Bethulia bei Luther) durch Holofernes ging J. ins feindliche Lager und schlug Holofernes, als sie des Nachts bei ihm schlief, mit dem Schwert das Haupt ab. Bronzegruppe von Donatello (Florenz); Schauspiele von H. Sachs (1551), Hebbel (1840), G. Kaiser (1911); Opern von E. N. v. Reznicek (Holofernes, 1923), A. Honegger (1925).

Judith mit dem Haupt des Holofernes (weißgehöhte Federzeichnung von Mantegna; Florenz, Uffizien)

judiz'ieren [lat.], † urteilen, richten.

J'udo, beim altjapan. Schwertadel, den Samurai, als **Jujutsu** die Kunst der Selbstverteidigung ohne Waffen, bei der der Unterliegende meist getötet wurde. In der 2. Hälfte des 19. Jhs. entwickelte Schigoro Kano die heutige Form des J., der Kunst, durch Nachgeben zu siegen. Kano schied alle lebensgefährlichen Griffe, Schläge und Stöße aus. Es zielt nicht auf die Schwächung des Gegners ab, sondern auf die Stärkung der eigenen Kraft, auf die Entwicklung zur Harmonie durch völlige Selbstbeherrschung. Gewichtsklassen: bis 63 kg Leichtgewicht, bis 70 kg Weltergewicht, bis 80 kg Mittelgewicht, bis 93 kg Halbschwergewicht, über 93 kg Schwergewicht.

Lit. A. Hasemeier: J. – Grundschule (1973); ders.: J. – Lehrgang (1975).

Jud Süß, →Süß-Oppenheimer.

Juel [ju:l], Jens, dän. Maler, * Balslev (Fünen) 12. 5. 1745, † Kopenhagen 27. 12. 1802, dort Akademieprof., malte Bildnisse, Familienbilder und Landschaften. Er war der Lehrer von Ph. O. Runge.

Jugend, eine 1896–1940 in München erschienene humoristisch-satir. Wochenschrift für Kunst, Literatur, Leben und Politik, mit künstlerischen Illustrationen; gegr. von Georg Hirth als Organ der literar. Jugend der Jahrhundertwende und ihres neuen Kunststils (→Jugendstil).

J'ugendamt, in der Bundesrep. Dtl. die Behörde für Jugendwohlfahrtspflege in Stadt- und Landkreisen, hat die Aufgabe der öffentl. Jugendfürsorge; ein *Jugendwohlfahrtsausschuß* ist ihm eingegliedert. Für größere Bezirke, meist für die einzelnen Bundesländer, bestehen *Landesjugendämter*. In der DDR ist an die Stelle des J. das »Referat Jugendhilfe« beim Rat der Kreise und kreisfreien Städte getreten. Auch in Österreich und in der Schweiz bestehen J.

J'ugendarbeit, 1) die Erwerbsarbeit von Kindern und Jugendlichen, geregelt durch besondere Gesetze (→Jugendschutz). **2)** Sammelausdruck für Jugendhilfe und Jugendpflege, z. B. für die kirchliche Jugendpflege.

J'ugendarrest, ein Zuchtmittel des Jugendstrafrechts zur Ahndung kleinerer Straftaten Jugendlicher, kann als *Dauerarrest* (1–4 Wochen), *Freizeitarrest* (1–4 Freizeiten) oder *Kurzarrest* (1–6 Tage) verhängt werden. Der J. hat nicht die Rechtsfolgen einer Strafe und wird nicht ins Strafregister eingetragen.

Jugendaufbauwerk, Bundesarbeitsgemeinschaft J., Zusammenschluß aller gemeinnützigen Träger der prakt. Jugendsozialarbeit; gegr. 1949 in München, Sitz: Bonn.

J'ugendbewegung, die Erneuerungsbewegung der jugendlichen Menschen in Deutschland seit etwa 1900 und ihr Ringen um eine wesensgemäße Lebensform. Sie schuf diese im scharfen Gegensatz zu Familie und Schule in den freien Bünden weltanschaulich Gleichgesinnter und suchte durch Wanderungen (→Wandervogel), Lagerleben, Pflege des Volkstanzes und -liedes, des Laienspiels und durch jugendl. Kleidung ihren neuen Kulturwillen zu bekunden. Der neue Geist zeigte sich besonders bei dem Jugendfest auf dem Hohen Meißner im Oktober 1913 (→Meißnerformel). Nach dem 1. Weltkrieg zerfiel die J. in zahlreiche Einzelbünde. Es entstanden nationale (z. B. Bündische Jugend), religiöse, weltbürgerlich-pazifistische und sozialistische Gruppen. Der Gedanke der J. griff auch auf andere Länder über. In Deutschland entstanden Jugendverbände mit verschiedenen Aufgaben und Organisationen der Jugendpflege, die die Ideen der J. fortführten. 1933 wurden sie aufgelöst.

Lit. H. Blüher: Wandervogel, 2 Bde. ([4]1919); E. Baumann: Die Gesch. d. dt. J. (1947); K. Seidelmann: Bund u. Gruppe als Lebensformen der dt. Jugend (1954); J. Schult: Aufbruch einer Jugend (1956); Grundschriften der dt. Jugendbewegung (Dokumentation; 1963).

Jugendbewegung: Titelblatt des Zupfgeigenhansl von 1911

J'ugenddorf, →Kinderdörfer.

J'ugendführer, ein ehrenamtlich tätiger Leiter einer Jugendgruppe, ohne fest vorgeschriebene Berufsvorbildung; im Unterschied zum Jugendleiter.

J'ugendfürsorge, die Gesamtheit der Maßnahmen zum Schutze Minderjähriger, die in ihrer Entwicklung gefährdet oder geschädigt sind. Organe in der BRD sind die Jugendämter in Zusammenarbeit mit der privaten Fürsorge und Wohlfahrtspflege. Formen der J. sind: Erziehungsberatung; Erziehungsaufsicht und Ersatzerziehung durch Unterbringung in Krippe, Kindergarten, Hort; Heimerziehung oder Familienpflege. Die Herausnahme eines Minderjährigen aus der eigenen Familie setzt einen Beschluß des Vormundschaftsgerichtes oder ein Urteil des Jugendgerichtes voraus (→Fürsorgeerziehung).

In *Österreich* wird die J. ähnl. wie in Deutschland von den Jugendämtern und freien Organisationen ausgeübt. In der *Schweiz* wird die öffentl. J. von verschiedenen Behörden getragen; bes. Bedeutung hat die 1912 gegr. Stiftung *Pro Juventute*.

Lit. F. Harrer: Jugendwohlfahrtskunde ([6]1971).

J'ugendgericht, →Jugendstrafrecht.

J'ugendherberge, Aufenthalts- und Übernachtungsstätte zur Förderung des Jugendwanderns, die das *Deutsche Jugendherbergswerk* seit 1909 mit staatl. und kommunaler Unterstützung sowie aus Spenden, auch der Schuljugend (Herbergsgroschen), unterhält. Seit 1925 entstanden auch im Ausland J.

Jugendhilfe, Sammelbegriff für alle Maßnahmen zur Förderung der Jugendwohlfahrt, Jugendfürsorge und Jugendpflege. Neuerdings wird auch der Begriff Jugendsozialarbeit gebraucht. J.-Ges. →Jugendwohlfahrt.

J'ugendhof, eine Ausbildungsstätte (Heim), in der Lehrgänge für die Tätigkeit in der Jugendpflege abgehalten werden.

J'ugendleiter(in), hauptamtl. tätige, auf Sozialschulen ausgebildete Kraft für Jugendwohlfahrtsarbeit, heute Sozialpädagoge.

Jugendlicher, *im Recht:* Person vom 14. bis 18. Lebensjahr.

Jugendliteratur, umfaßt dieselben Gattungen wie die Erwachsenenliteratur. Dem Interesse des jugendl. Lesers entsprechend stehen jedoch ereignisreiche Inhalte im Vordergrund: z. B. abenteuerliche Geschichten, Märchen, Sagen, Fabeln, phantastische Erzählungen, epische Gedichte, Berichte von Entdeckungsreisen und Forschungen. J. besteht aus Bearbeitungen von Erwachsenenliteratur, aus Übernahmen von volkstümlichen Dichtungen oder aus eigens für Kinder oder Jugendliche geschriebenen Werken (H. Hoffmanns ›Struwwelpeter‹, E. Kästners ›Doppeltes Lottchen‹, A. Lindgrens ›Pippi Langstrumpf‹ u. a.). Man unterscheidet Bucharten wie Bilderbuch, Kinderbuch, Jugendbuch, aber auch Abenteuer-, Mädchen-, Sach-, Tier-, Bildungsbuch u. a.

Die J. hat seit der 2. Hälfte des 18. Jh. eine steigende Bedeutung als pädagog. Mittel, als Entfaltungsmittel für Künstler und Schriftsteller und als wirtschaftl. Faktor erlebt. In den 1890er Jahren entwickelte die bürgerl. Jugendbewegung ein literar. Programm, das auf künstler. Erziehung durch Dichtung zielte. Später wurde die Gleichberechtigung des Sachbuchs durchgesetzt. Nach 1945 wurde das Buchangebot durch Übersetzungen ausländ. Jugendbücher bereichert. Das Interesse an Kinder- und Jugendbüchern mit gesellschaftl. und polit. Thematik hat seit dem Ende der 60er Jahre merklich zugenommen (antiautoritäre Kinderbücher). Ebenso hat die in den 50er Jahren von der Literaturpädagogik als verderblich abgelehnte Comic-Literatur eine veränderte Einschätzung und eine größere Anerkennung erfahren.

Der Verbreitung und Förderung der J. dienen u. a. Kinder- und Jugendbibliotheken, von Fachverbänden herausgegebene Empfehlungslisten. Seit 1956 wird jährlich der *Deutsche Jugendbuchpreis* verliehen, gestiftet vom Bundesministerium für Jugend, Familie und Gesundheit. Auch in Österreich gibt es einen *Staatspreis für Jugendliteratur*. Das von der UNESCO unterstützte »Internationale Kuratorium für das Jugendbuch« vergibt jedes zweite Jahr einen internationalen Preis, die *Hans-Christian-Andersen-Medaille*. Die BIB (Biennale der Illustrationen, Bratislava) ist eine alle zwei Jahre stattfindende Weltausstellung und Prämierung der besten Kinderbuchillustrationen aus aller Welt.

Jugendmusik, in der Jugendbewegung entstandene Form des Laienmusizierens. Sie wurde ins Leben gerufen als Angriff auf den seit Ende des 19. Jhs. herrschenden »Musikbetrieb« und erstrebte eine Erneuerung der Musik aus dem Singen als natürlichem Ausgangspunkt allen Musizierens. Die Singbewegung wurde getragen von der aus dem Wandervogel (H. Breuer: ›Der Zupfgeigenhansl‹, 1908 u. ö.) hervorgegangenen bündischen Jugendbewegung. Ihre Gründer waren Fritz Jöde in Norddeutschland und Walther Hensel in Böhmen und Schlesien. Während Jöde die ersten Volksmusikschulen der Musikantengilde in Hamburg und Berlin gründete, führte Hensel die erste Singwoche in Finkenstein (Mähren) durch, die dem Finkensteiner Bund den Namen gab. Beide Richtungen fanden ihre breiteste Auswirkung in der volkstüml. Form des »offenen« Singens. In der Zeit zwischen den beiden Kriegen, bes. aber nach 1945 hat sich das Feld der J. immer mehr nach der künstlerischen Seite hin geweitet und umfaßt auch das Musizieren der Jugend in Schule und Haus. Neben der Barockmusik, deren musikantischer Charakter der J. besonders nahekommt, steht die Spielmusik zeitgenössischer Komponisten wie P. Hindemith, K. Thomas, H. Distler, A. Knab, C. Orff, H. Bräutigam, C. Bresgen. Fragen der internationalen Zusammenarbeit werden wichtig. Die »Jeunesses musicales« (Sitz Brüssel) und in deren Rahmen die »Musikalische Jugend Deutschlands« (Sitz München) bemühen sich um Jugendkonzerte und aktive Erziehungsarbeit. Die Verbindung zur alten Musik schafft der Arbeitskreis für Hausmusik.

J'ugendpflege, die behördlichen, kirchlichen, parteipolitischen und freien Bestrebungen zur Förderung des Gruppenlebens der Jugendlichen; insbes. →Jugendverbände, →Bundesjugendplan, →Gesellenvereine, →Kolpingsfamilie, →Pro Juventute. Die nach dem Jugendwohlfahrtsgesetz geregelte öffentl. J. wird durch hauptamtl. *Jugendpfleger* bzw. *Jugendpflegerinnen* wahrgenommen.

Jugendpsychologie, →Kinder- und Jugendpsychologie.

Jugendschriften, →Jugendliteratur.

J'ugendschutz, der Schutz der Kinder und Jugendlichen vor gesundheitl. und sittlichen Gefahren.

1) Die *Kinder- und Jugendarbeit* regelt das Jugendarbeitsschutz-Ges. v. 9. 8. 1960/29. 7. 1966. Danach ist die Erwerbsarbeit von Kindern grundsätzlich verboten, Ausnahmen sind bei Kindern über 12 Jahren für leichtere Arbeiten (Botengänge u. a.;

→Arbeitskarte) und bei der Beschäftigung von Kindern bei Musik- oder Theatervorführungen mit Genehmigung des Gewerbeaufsichtsamtes möglich. Die Höchstarbeitszeit ist für Jugendliche unter 16 Jahre auf 40 Stunden je Woche, für Jugendliche über 16 Jahre auf 44 Stunden begrenzt; der Berufsschulunterricht gilt als Arbeitszeit. Nacht-, Sonn- und Feiertagsarbeit, Beschäftigung mit gesundheitlich oder sittlich gefährdenden Arbeiten u. a. sind verboten. Für bestimmte Gewerbezweige (z. B. Gast- und Beherbergungswesen, Bäckereien, Musik- und Theatervorführungen) sind begrenzte Ausnahmen zugelassen. Der jährl. Mindesturlaub beträgt 24 (im Bergbau 28) Werktage. Ähnliche Vorschriften gelten in *Österreich*; in der *Schweiz* ist der J. teils durch Bundes-, teils durch kantonale Gesetze geregelt. In der *DDR* besteht für Kinder unter 14 Jahren sowie für Jugendliche, die nach Vollendung des 14. Lebensjahres noch die Einheitsschule besuchen, ein grundsätzl. Beschäftigungsverbot. Ausnahmen möglich.

2) Der *Schutz der Jugend in der Öffentlichkeit*, d. h. vor den sittl. Gefahren, denen sie in ihrer Freizeit außerhalb von Familie, Schule und Arbeitsstätte ausgesetzt sein kann, ist durch Ges. v. 4. 12. 1951/27. 7. 1957 geregelt. Danach sind Jugendliche, die sich an Orten aufhalten, an denen ihnen eine sittliche Gefahr oder Verwahrlosung droht, dem Jugendamt zu melden. Der Besuch von Kinos, Gaststätten und Spielhallen, das öffentl. Rauchen, der Genuß alkoholischer Getränke, die Teilnahme an öffentl. Tanzveranstaltungen u. a. sind beschränkt und z. T. verboten. Die Verantwortung für die Einhaltung der Schutzvorschriften liegt in erster Linie bei den Veranstaltern.

3) Über den *Schutz vor jugendgefährdenden Schriften* →Schundliteratur.

J'ugendstil, die um 1895 aufgekommene, nach der Münchener Zeitschrift ›Jugend‹ (seit 1896) benannte Stilrichtung. Sie brach mit den Nachahmungen historischer Stile und führte trotz ihrer Kurzlebigkeit (bis etwa 1910) eine Stilwende im Kunsthandwerk und der Wohnraumgestaltung, dann auch in der Architektur herbei. Die bes. von O. Eckmann entwickelte neuartige Ornamentik des J., die, ausgehend von Pflanzenmotiven, diese zu flächengebundenen Liniengebilden umformte, war bald überholt. Die künstlerische Entwicklung der Zukunft bestimmend waren die Bestrebungen einer stoff- und zweckgerechten Formgebung.

LIT. F. Ahlers-Hestermann: Stilwende ([2]1956); D. Sternberger: Über den J. (1956); J., hg. v. H. Seling (1959); R. Schmutzler: J.-Art Nouveau (1962); J. Cassou, E. Langui, N. Pevsner: Durchbruch zum 20. Jh. (1962).

J'ugendstrafe, die einzige echte Strafe des Jugendstrafrechts. Sie besteht in einem nach erzieher. Grundsätzen ausgestalteten Freiheitsentzug (in besonderen *Jugendstrafanstalten*) von bestimmter oder unbestimmter Dauer. Die Dauer der bestimmten Strafe beträgt mindestens 6 Monate, höchstens 5, bei schwersten Verbrechen 10 Jahre. Die Höchstdauer der unbestimmten Strafe beträgt 4 Jahre; der Jugendliche kann vom Vollstreckungsleiter zur Bewährung entlassen werden, sobald der erzieherische Erfolg des Strafvollzugs gewährleistet erscheint. J. unter einem Jahr können mit Bewährungsfrist ausgesetzt werden, ebenso kann unter Festsetzung einer Bewährungsfrist von der Verhängung einer Strafe abgesehen werden. Die J. wird im Strafregister vermerkt; bei einwandfreier Führung kann 2 Jahre nach Verbüßung oder Erlaß der J. der Strafmakel beseitigt werden.

Jugendstraffälligkeit, früher *Jugendkriminalität*, unterscheidet strafbare Handlungen Jugendlicher (14–18jähriger) von denen Heranwachsender (18–21jähriger) und Erwachsener (über 21 Jahre).

J'ugendstrafrecht, das für Jugendliche (14- bis 18jährige) und z. T. auch für Heranwachsende (18–21jährige) geltende Straf- und Strafprozeßrecht; es weicht in wesentl. Grundsätzen vom allgemeinen Strafrecht ab. In der Bundesrep. Dtl. beginnt nach dem Jugendgerichts-Ges. (JGG) v. 4. 8. 1953/11. 12. 1974 die strafrechtl. Verantwortlichkeit mit der Vollendung des 14. Lebensjah-

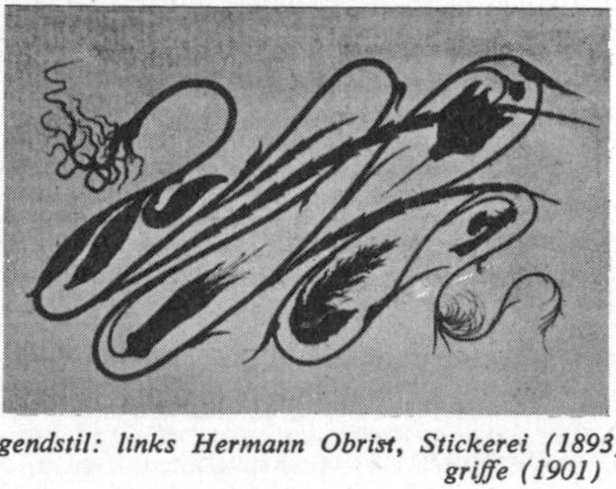

Jugendstil: links Hermann Obrist, Stickerei (1893); rechts Henry van de Velde, Türgriffe (1901)

res, wenn der Jugendliche zur Zeit der Tat nach seiner sittl. und geistigen Entwicklung reif genug ist, das Unrecht der Tat einzusehen und nach dieser Einsicht zu handeln. Auf Heranwachsende wird das J. angewendet, wenn der Täter zur Zeit der Tat nach seiner sittl. und geistigen Entwicklung noch einem Jugendlichen gleichstand oder es sich bei der Tat um eine Jugendverfehlung handelt. Die Straftat kann durch Erziehungsmaßregeln, d. h. Erteilung von Weisungen (z. B. Rauch- und Alkoholverbot, Arbeitsauflagen), →Schutzaufsicht oder →Fürsorgeerziehung geahndet werden; wenn diese nicht ausreichen, wird die Straftat mit →Zuchtmitteln (→Jugendarrest) oder mit →Jugendstrafe geahndet. Über die Verfehlungen Jugendlicher entscheiden die *Jugendgerichte*, und zwar nach der Schwere des Falles der Jugendrichter (meist zugleich Vormundschaftsrichter) als Einzelrichter, das Jugendschöffengericht (Jugendrichter und zwei Jugendschöffen) oder die Jugendstrafkammer (drei Richter und zwei Jugendschöffen). Das Verfahren vor dem Jugendgericht ist nicht öffentlich. – Für die Dauer des Wehrdienstes eines Jugendlichen gilt das J. mit einzelnen Abweichungen. In *Österreich* (JGG von 1961) und der *Schweiz* (Art. 82–100 StGB) gelten, mit Abweichungen in Einzelheiten, ähnliche Grundsätze; das J. wird jedoch nicht auf Heranwachsende angewendet. In der *DDR* gilt das JGG vom 12. 1. 1968. Die Strafen mit Freiheitsentzug reichen von der Jugendhaft (1–6 Wochen) über die Einweisung in ein Jugendhaus (1–3 Jahre) bis zu Freiheitsstrafen wie gegenüber Erwachsenen, die aber in besonderen Jugendstrafanstalten vollzogen werden. Besondere Jugendgerichte gibt es nicht mehr.

J'ugendverbände, Zusammenschlüsse von Jugendbünden und Organisationen der freien Jugendpflege für größere Gebiete. Die Anfänge der großen J. reichen z. T. bis ins 19. Jh. zurück; eine Umprägung erfuhren sie seit etwa 1910 (→Jugendbewegung). Die J. sind in den letzten Jahrzehnten zu einem wichtigen Bestandteil der Jugenderziehung geworden. In der Bundesrep. Dtl. wird die Arbeit der J. durch Zuwendungen aus den Bundes- und Landesjugendplänen gefördert. Gepflegt wird insbes. die Freizeitgestaltung. Zur Vertretung gemeinsamer Interessen gegenüber Behörden und Öffentlichkeit sind die J. vielfach zu *Jugendringen* zusammengeschlossen, auf kommunaler Ebene zu *Stadt-* und *Kreisjugendringen*, in den Bundesländern zu *Landesjugendringen*, in der Bundesrep. zum *Deutschen Bundesjugendring* (über 7 Mill. Mitglieder).

J'ugendweihe, 1) eine Feier freireligiöser Gemeinden an Stelle der Konfirmation. **2)** In der *DDR* wurde die J. seit 1955 als offizieller Festakt für alle Jugendlichen beim Verlassen der Einheitsschule eingeführt. Seit 1956 wird die J. in das Familienstammbuch eingetragen. Im Jugendgesetz von 1964 hat sie gesetzliche Verankerung gefunden. Die Kirchen lehnen die J. als atheistisch ab, schließen aber diejenigen, die an ihr teilnehmen, nicht unbedingt von Konfirmation und Kommunion aus.

Jugendwohlfahrtsausschuß, der Teil des Jugendamtes, der die sachlichen Entscheidungen gegenüber der Verwaltung des Jugendamtes trifft (§§ 12–18 Gesetz zur Jugendwohlfahrt).

J'ugendwohlfahrtspflege, Sammelbegriff für Jugendpflege und Jugendfürsorge. Gesetzliche Grundlage ist in der Bundesrep. das Jugendwohlfahrtsgesetz vom 11. 8. 1961 i. d. F. v. 22. 12. 1967. Der Entwurf für ein Jugendhilfegesetz, das das J.-Ges. ablösen soll, ist in Vorbereitung.

Jugosl'awien, amtlich *Socijalisticka Federativna Republika Jugoslavija*, Sozialist. Föderative Republik in SO-Europa, 255804 qkm mit (1976) 21,5 Mill. Ew.; Hauptstadt ist Belgrad.

Landesnatur. Das Land erstreckt sich der Adria entlang von der italien. Grenze im Norden zur albanischen und griech. Grenze im Süden. J. hat im NW Anteil an den Ostalpen, daran nach SO anschließend an den Dinarischen Alpen (→Dinarisches Gebirge), die gegen die Adria hin zu felsigen, von Bergrücken durchzogenen Platten abbrechen. Ihnen sind in der Adria langgestreckte Kalkinseln vorgelagert. Im Norden gehört ein Teil des Pannonischen Beckens zu J. Im Osten hat es Anteil an den Karpaten, am Balkan und am Rhodopegebirge. Hauptflüsse: Save, Drau, Donau, Theiß und Morawa. Das Klima ist nur an der Küste und in einigen Tälern Makedoniens mittelmeerisch, im Innern mitteleuropäisch, im Osten kontinental.

Die *Bevölkerung* besteht zu 74 % aus serbokroatisch sprechenden Völkern (Serben, Kroaten, Bosniern, Montenegrinern), ferner Slowenen (9 %), Makedoniern (5 %) und madjar., rumän., alban. und bulgar. Minderheiten in den Randgebieten. 40 % der Bevölkerung sind orthodoxe, 32 % röm.-kath. Christen, 12 % Moslems.

Wirtschaft. In J. finden sich zentralverwaltungswirtschaftliche und marktwirtschaftl. Elemente nebeneinander. Die Kollektivierung der Landwirtschaft wurde aufgegeben, die Größe der privat bewirtschafteten Betriebe ist gesetzlich auf 10 ha beschränkt. Die jugoslaw. Landwirtschaft beschäftigt 50 % der Erwerbstätigen, erbringt jedoch nur 20 % des Bruttosozialprodukts; sie nutzt rd. 59 % der Fläche, davon ist etwa die Hälfte Ackerland, meist im fruchtbaren Tiefland von Donau, Theiß und Save. Angebaut werden dort vor allem Weizen und Mais, Zuckerrüben, Hopfen, Baumwolle, Sojabohnen. Außerdem Anbau von Obst (Pflaumen, Kirschen, Äpfel), fast überall Wein, Gemüse, Tabak (bes. in Makedonien). Viehzucht auf Schafe, Schweine, Rinder, Pferde, Ziegen, Geflügel; Fischfang auf Sardinen, Makrelen, Thunfische u. a.; 34 % der Gesamtfläche sind Wald.

J. ist reich an Bodenschätzen: Abbau von Kupfer-, Antimon-, Blei-, Zink-, Eisen-, Mangan-, Chrom-, Molybdänerzen, Quecksilber, Magnesit, Silber, Gold u. a. Bedeutend ist die Förderung von Braunkohle, Bauxit, Erdöl, Eisenkies, Kalkstein.

Die Industrie ist mit ausländ. Wirtschaftshilfe im Ausbau begriffen. Die Energieerzeugung basiert vorwiegend auf Wasserkraft.

Die Ausfuhr umfaßt bes. Fahrzeuge, Maschinen, Bauholz, Erze, Vieh, Obst, Tabak, Wein. Wichtige Handelspartner sind Bundesrep. Dtl., Italien, Sowjetunion, Großbritannien, Verein. Staaten. Von großer wirtschaftlicher Bedeutung sind der Fremdenverkehr und die Geldüberweisungen der im Ausland arbeitenden Jugoslawen (rd. 1 Mill.).

Die Dichte des Verkehrsnetzes ist in einzelnen Landesteilen unterschiedlich; der Ausbau wird im Rahmen der Wirtschaftspläne gefördert: (1971) 10 300 km Eisenbahnlinien, 95 000 km Straßen, davon 67 000 km modern ausgebaute (Autostraße Laibach–Belgrad–Gevgelija; Küstenstraße Rijeka–Bar); Kraftfahrzeugbestand (1972) 1,15 Mill. Von großer Bedeutung ist der Binnenschiffsverkehr, bes. auf der Donau. Die Handelsflotte umfaßt (1972) 1,58 Mill. BRT. Wichtigste Häfen sind Rijeka, Split, an der Donau Belgrad. Internationaler Flughafen Zemun in Belgrad.

Staat. Nach der Verfassung vom 7. 4. 1963 ist J. ein Bundesstaat, der aus den Sozialistischen Republiken Bosnien-Herzegowina, Montenegro, Kroatien, Makedonien, Serbien (mit 2 autonomen Provinzen) und Slowenien besteht. Die Bundesversammlung hat 5 Kammern mit je 120 Abg.: Rat der Völker (zusätzlich 20 Abg. aus den autonomen Provinzen), Wirtschaftsrat, Sozial- und Gesundheitsrat, Bildungs- und Kulturrat. Gesellschaftlich-polit. Rat. Unmittelbar vom Volk werden auf 4 Jahre nur die Abg. des Gesellschaftl.-polit. Rats gewählt; über die Zusammensetzung der übrigen Kammern entscheiden bes. Wahlgremien. Die Bundesversammlung wählt den Präsidenten der Republik auf 5 Jahre (Wiederwahl einmal möglich). Präs. Tito behält jedoch sein Amt auf Lebenszeit. Der Präsident (MinPräs.) des Bundesvollzugsrates (Regierung) wird vom Rat der Völker auf 4 Jahre gewählt. Die Republiken haben eigene Regierungen.

Mit der Verfassungsänderung vom 29. 7. 1971 wurde ein Staatspräsidium (Präs. auf Lebenszeit: Tito) mit 22 Mitgl., je 3 aus den 6 Teilrep., je 2 aus den 2 autonom. Gebieten geschaffen. Nach Titos Ausscheiden wird der Vorsitz im Staatspräsidium im jährl. Turnus unter den Teilrep. rotieren. Zentral geleitet werden nur noch die Außen- und Wirtschaftspolitik sowie die Verteidigung. Das Staatspräsidium soll die Politik des Völkerstaates koordinieren und die Kontinuität des jugoslawischen Staates gewährleisten. Die tatsächl. Macht liegt bei der kommunist. Partei (Bund der Kommunisten).

Anerkannte Staatssprachen sind Slowenisch (latein. Schrift), Makedonisch (kyrill. Schrift) und Serbokroatisch (Serbisch meist m. kyrillischer, Kroatisch m. latein. Schrift); letzteres ist Umgangssprache. Wappen: TAFEL Wappen IV. Flagge: FARBTAFEL Flaggen I. Maße und Gewichte metrisch. Währungseinheit ist der Neue Dinar zu 100 Para.

Das Recht wurde seit 1945 einheitlich nach kommunist. Grundsätzen umgestaltet; Oberster Gerichtshof in Belgrad.

Staat und Kirche sind getrennt; alle anerkannten Kirchen sind gleichberechtigt. Die orthodoxe Kirche, die in 24 Diözesen eingeteilt ist, steht unter dem Patriarchen in Belgrad (mit 3 Metropoliten). Für die Kath. Kirche bestehen 6 Erz- und 16 Bistümer.

Das Schulwesen ist staatlich; allgem. Schulpflicht gilt vom 7. bis 15. Lebensjahr. Die nationalen Minderheiten haben eigene Schulen und Lehrerbildungsanstalten. Es gibt 8 Universitäten (die älteste in Belgrad 1863 gegr.).

Es besteht allgem. Wehrpflicht; Dienstzeit 18, in der Marine und Luftwaffe 24 Monate (Wehrpflicht auch für Frauen). Die Gesamtstärke (1970) wird auf 238 000 Mann geschätzt; daneben gibt es Territorialverbände. Die Kriegsmarine (18 000 Mann) umfaßt 3 Zerstörer, 4 Torpedo-, 5 U-Boote und kleinere Einheiten. Die Luftwaffe zählt etwa 400 Flugzeuge (20 000 Mann).

GESCHICHTE. J. entstand im Okt./Nov. 1918 aus der Vereinigung von Serbien, Montenegro und den bis dahin zu Österreich-Ungarn gehörenden, von Südslawen bewohnten Gebieten als *Königreich der Serben, Kroaten und Slowenen, SHS* (1. 12. 1918; zentralist. Verfassung vom 28. 6. 1921). Durch die Verträge von Trianon und St-Germain wurden die Grenzen festgelegt. Es schloß sich der →Kleinen Entente an und hielt anfangs wegen des Gegensatzes zu Italien (Fiume, Adriafrage) enge Verbindung mit Frankreich. Die seit der Staatsgründung bestehenden Auseinandersetzungen mit den Kroaten beendete König Alexander I. am 6. 1. 1929 durch ein autoritäres Regime, das sich vor allem auf das Heer stützte; aus dem Königreich SHS wurde das *Königreich J.* 1934 schloß es sich dem Balkanpakt an, 1937 wurden die Gegensätze zu Italien und Bulgarien beigelegt. Nachfolger des am 9. 10. 1934 ermordeten Königs Alexander wurde Peter II. unter Regentschaft des Prinzen Paul, der wegen seines Beitritts zum →Dreimächtepakt (25. 3. 1941) mit seiner Regierung am 27. 3. 1941 gestürzt wurde; Peter II. ging nach London ins Exil und bildete dort eine Gegenregierung. Der innerlich uneinheitliche Staat brach unter dem Angriff der Achsenmächte rasch zusammen (April 1941). Es wurden die »unabhängigen« Staaten Kroatien, Serbien, Montenegro geschaffen, der Rest an Italien, Ungarn, Bulgarien und das Dt. Reich aufgeteilt.

Gegen die italien. und dt. Besetzung brach bald eine Widerstandsbewegung aus, die sich als königstreue Partisanen unter D. Mihailović und als kommunist. Volksbefreiungsarmee unter Tito auch untereinander blutig bekämpften. Nach dem Zusammenbruch Italiens (Sept. 1943) gewann Tito die Oberhand. Aus den Volksbefreiungsausschüssen bildete er als MinPräs. am 29. 11. 1945 die Föderative Volksrepublik, die Gründermitglied der Vereinten Nationen wurde (1945) und seit der Verfassung vom 31. 1. 1946 unter rein kommunist. Führung steht. Vorsitzender des Präsidiums wurde J. Ribar (Staatschef). Im Friedensvertrag von Paris (10. 2. 1947) erhielt J. von Italien dessen dalmatin. Inseln, Zara, Fiume und Istrien; Triest blieb umstritten (Aufteilung des Freistaats 5. 10. 1954). Die Selbständigkeit der Politik Titos führte im Juni 1948 zum Ausschluß J.s aus dem Kominform und zur Kündigung des 1945 mit der Sowjetunion abgeschlossenen Freundschaftspaktes. Seitdem näherte sich J. den Westmächten (Annahme von Wirtschaftshilfen der USA und Großbritanniens, Abschluß des zweiten →Balkanpakts 1954). Nach Änderung der Verfassung (1953) wurde Tito Staatspräsident. Die Beziehungen zur Sowjetunion, die sich seit 1953 normalisiert hatten, verschärften sich nach den Unabhängigkeitsbestrebungen in Polen und Ungarn (1956) wieder. 1957 nahm J. diplomat. Beziehungen zur DDR auf; die Bundesrep. Dtl. brach daraufhin ihre Beziehungen ab (Wiederaufnahme 1968). Seit dem Auftreten erneuter Spannungen im Verhältnis zur Sowjetunion wandte sich J. den Staaten der nichtpaktgebundenen Dritten Welt zu (1961 Konferenz in Belgrad). Den Einmarsch von Truppen des Warschauer Paktes in die Tschechoslowakei (1968) empfand J. als Bedrohung seiner Unabhängigkeit.

Im Innern suchte Tito die Spannungen zwischen den Nationalitäten (Studentendemonstrationen 1968) durch Reformen abzubauen (Verfassungsreform 1971). Gegen Unruhen in Kroatien setzte Tito alle staatlichen Machtmittel ein.

Jug'urtha, König von Numidien, * nach 160 v. Chr., † (hingerichtet) Rom 104 v. Chr., wurde im *Jugurth'inischen Krieg* (111–105 v. Chr.), dessen Geschichte Sallust dargestellt hat, 108 v. Chr. von Metellus, später von Marius geschlagen, 104 von Marius im Triumph durch Rom geführt.

Juin [ʒyɛ̃], Alphonse, französ. Marschall (1952), * Bône (Algerien) 16. 12. 1888, † Paris 27. 1. 1967, wurde 1944 Generalstabschef; 1947–51 Generalresident in Marokko, dann Oberbefehlshaber der Landstreitkräfte, 1953–56 aller Waffengattungen der NATO für Mitteleuropa; Gegner der Algerienpolitik de Gaulles.

Juist [jy:st], eine der Ostfriesischen Inseln, 16,2 qkm groß mit (1975) 2500 Ew.; Seebad.

Juj'ube, *Zizyphus,* strauch- und baumartige Gattung der Kreuzdorngewächse mit rundlichen Steinfrüchten. Der vorderasiat. *Christusdorn* (Zizyphus spina Christi) soll die Stammpflanze der Dornkrone sein.

Jujuy [xux'ui], **San Salvador de J.,** Provinzialhauptstadt im nördl. Argentinien, 1260 m ü. M., in den östl. Anden am Rio Grande, mit (1970) 77 100 Ew.

J'ukon, Strom in Alaska, →Yukon.

Jul [german. Stw.], **Julfest,** altes heidnisches Mittwinterfest. Später wurde das german. Julfest mit dem christl. Weihnachtsfest verschmolzen. Besondere Bräuche sind noch in Skandinavien und Norddeutschland der *J'ulblock,* ein die ganze Weihnachtsnacht brennender großer Holzklotz, der *J'ulbock,* eine vermummte Gestalt, auch aus Holz oder Stroh hergestellt, und der *J'ulklapp,* ein Scherzgeschenk, das mit dem Ruf »Julklapp« ins Zimmer geworfen wird.

J'uli [lat. nach Julius Cäsar], *Heumonat, Heuert,* der 7. Monat, 31 Tage; im altröm. Kalender vor J. Cäsar als *Quintilis* der 5. Monat.

J'ulia, kath. Heilige:

1) zu unbekannter Zeit vor dem 5. Jh. in Korsika als Märtyrerin gestorben. Tag: 22. 5.

2) legendarische Märtyrerin in Troyes unter Aurelian (270–75). Tag: 21. 7.

J'ulia, 1) Tochter Cäsars, Gemahlin des Pompejus, * um 76, † 54 v. Chr.

2) Tochter des Kaisers Augustus, * 39 v. Chr., † Rhegium 14 n. Chr., in dritter Ehe mit Augustus' Stiefsohn Tiberius vermählt, wurde wegen ihres ausschweifenden Lebens von Augustus aus Rom verbannt.

3) **J. Domna,** röm. Kaiserin, * Emesa in Syrien, † Antiochia 217, zweite Frau des Septimius Severus, Mutter des Caracalla; verkehrte mit Philosophen und Gelehrten und förderte Kunst und Wissenschaft. Nach Caracallas Ermordung schied sie freiwillig aus dem Leben.

Juli'an, kath. Heilige:

1) Erzbischof von Toledo (seit 680), † 6. 3. 690, energischer Vertreter der kirchl. Leitung des Staates und des toledanischen Primats. Tag: 8. 3.

2) **J., Julianus Hospitator** [lat. ›der Gastfreie‹], nach der Legende * Ath (Hennegau) um 640. Er soll zur Buße für die Tötung seiner Eltern ein Pilgerhospiz in der Provence oder bei Macerata (Italien) unterhalten haben. Tag: 29. 1., teilweise auch 28. oder 31. 8.

Juli'an, röm. Kaiser:

1) **Flavius Claudius Iulianus,** (361–363 n. Chr.), von den Christen **Ap'ostata** [griech. ›Abtrünniger‹] genannt, * 332 als Brudersohn Konstantins d. Gr., † 26. 6. 363, schlug 357 die Alemannen bei Straßburg, wurde 360 zum Augustus ausgerufen und 361 Alleinherrscher. J. suchte dem Christentum ein im neuplatonischen Geist erneuertes Heidentum entgegenzustellen.

2) **Marcus Didius Severus Iulianus,** * Mailand 29. 1. 133, † Rom 2. 6. 193, erkaufte

sich im März 193 als reicher Senator von den Prätorianern die Kaiserwürde, wurde aber nach kurzer Zeit auf Befehl des Senats, der sich für Septimius Severus entschieden hatte, von einem Soldaten auf dem Palatin ermordet.

Juliana, dt. **Juliane,** kath. Heilige:

1) J. Falconieri, Servitin, * Florenz (aus altem Adelsgeschlecht) um 1290, † das. 19. 6. 1341; 1737 heiliggesprochen; Tag: 19. 6.

2) J. von Lüttich, Augustiner-Chorfrau, * Rétinne bei Lüttich 1192, † Fosses 5. 4. 1258, war bis 1248 im Kloster Kornelienberg (Mont Cornillon) als Nonne, dann Reklusin in Fosses. Ihre Visionen veranlaßten die Einführung des Fronleichnamsfestes. Tag: 5. 4.

3) J. von Nikomedien, nach der Legende Märtyrerin unter Diokletian. Tag: 16. 2.

Juliana von Norwich, engl. Mystikerin; * um 1340, † nach 1413, Benediktinerin (Reklusin); schrieb ›Offenbarungen der göttlichen Liebe‹.

Juli'ana, Königin der Niederlande (seit 6. 9. 1948), * Den Haag 30. 4. 1909, seit 1937 mit Prinz Bernhard zur Lippe-Biesterfeld verheiratet; war 1940–45 in England und Kanada im Exil. Thronfolgerin ist →Beatrix.

Juli'anische Peri'ode, die Periode von 7980 Jahren, gebildet aus den Zahlen 28 × 19 × 15, die dem *Sonnenzirkel,* dem *metonischen Zyklus* und dem *Indiktionszyklus* entsprechen. Mit der J. P. ist eine Zählung der einzelnen Tage verknüpft, die als **Julianisches Datum** bezeichnet und für astronom. Zwecke benutzt wird.

J'ülich, Stadt im Kreis Düren, Nordrhein-Westfalen, mit (1977) 31 200 Ew., an der Rur, 83 m ü. M., hat AGer., höhere Schulen, Handelsschule, Landwirtschaftsschule; Papier-, Zuckerfabriken, Kleinindustrie; Kernforschungsanlage für das Land Nordrhein-Westfalen. J., wurde im 2. Weltkrieg zu 97% zerstört, ist aber wieder aufgebaut. – J., das röm. *Juliacum,* wurde im 13. Jh. Stadt. Die Grafen, seit 1356 Herzöge von J., erwarben 1423 auch das Herzogtum Berg; sie selbst wurden 1511 von den Herzögen von Kleve beerbt. Als diese 1609 ausstarben, entstand der →Jülich-Klevische Erbfolgestreit.

J'ülich-Klevischer Erbfolgestreit zwischen Sachsen, Brandenburg und Pfalz-Neuburg führte 1609 im Dortmunder Rezeß zur gemeinsamen Verwaltung. Durch den Vergleich von Xanten (1614) erhielten Brandenburg Kleve, Mark, Ravensberg und Ravenstein; Pfalz-Neuburg Jülich und Berg. Der Vertrag von Kleve (1666) bestätigte im wesentl. den Xantener Vertrag. Nach dem Erlöschen der Linie Pfalz-Neuburg (1742) gelangten Jülich und Berg an Pfalz-Sulzbach, nachmals Kurbayern, 1801 wurde Jülich an Frankreich abgetreten, 1814 fiel es mit Ausnahme einiger zu Limburg geschlagener Stücke an Preußen; desgleichen →Berg.

J'ulier, schon von den Römern begangener Paß der Graubündener Alpen, Schweiz, 2284 m hoch, zwischen dem Oberhalbstein und Oberengadin, mit 1820–26 erbauter Straße von Tiefencastel nach Silvaplana.

J'ulier, vornehmes altröm. Geschlecht; ihm gehörte Julius Cäsar an; sein Großneffe Augustus war der Gründer des julisch-claudischen Kaiserhauses (bis 68 n. Chr.).

Julikäfer, Rosenlaubkäfer, *Anomala aenea,* ein 12–15 mm langer Blatthornkäfer mit grünschillernden Deckflügeln.

Jul'in, ehemalige Handelssiedlung auf →Wollin.

J'uli|resolution, die →Friedensresolution 1917.

J'uli|revolution, die Pariser Revolution vom 27.–29. 7. 1830, stürzte den Bourbonenkönig Karl X. und schuf das Julikönigtum Ludwig Philipps von Orléans.

J'ulische Alpen, Teil der südöstl. Kalkalpen, an der italien.-jugoslaw. Grenze. Die bedeutendste Erhebung ist der 2864 m hohe Triglav.

Jul'itta, kath. Heilige, die mit ihrem dreijähr. Söhnchen **Quiricus** unter Diokletian zu Tarsus als Christin getötet worden sein soll. Tag: 16. 6.

J'ulius, Päpste:

1) J. I. (337–52), Römer, † 12. 4. 352, trat im arian. Streit für Athanasius ein. Die abendländ. Gruppe des Konzils von Serdika suchte ihm daraufhin die letztinstanzliche Entscheidung zuzusprechen, konnte sich aber nicht durchsetzen. Heiliger; Tag: 12. 4.

2) J. II. (1503–13), vorher *Giuliano della Rovere,* * Albissola bei Savona 5. 12. 1443, † Rom 21. 2. 1513, befestigte und vergrößerte die Macht des Kirchenstaats, begann den Neubau der Peterskirche (Bramante) und förderte Michelangelo (Grabmal des J., Decke der Sixtinischen Kapelle) und Raffael (Stanzen des Vatikans, Bildnis des J., Florenz, Galleria Pitti). Mit Kaiser Maximilian I. und Ludwig XII. von Frankreich schloß J. 1509 die Liga von Cambrai gegen Venedig, dann 1511 mit Venedig gegen Frankreich die Heilige Liga und eröffnete 1512 in Rom das fünfte Laterankonzil.

3) J. III. (1550–55), vorher *Giovanni Maria del Monte,* * Rom 10. 9. 1487, † das. 23. 3. 1555, war in der kurialen Verwaltung tätig (seit 1536 Kardinal) und eröffnete als Legat und Präsident die 1. Tagung des Konzils von Trient. Als Papst mehr ein Mann der Renaissance als der Reform, war er in seiner Politik im Kirchenstaat nicht sehr glücklich. Doch erwarb er sich Verdienste um die Reform an der Kurie. Unter J. III. kehrte England vorübergehend zu Rom zurück.

J'ulius, Fürsten:

Braunschweig. **1)** Herzog (1568–89), * Wolfenbüttel 29. 6. 1528, † das. 3. 5. 1589, führte die Reformation ein und gründete 1576 die Universität Helmstedt.

Würzburg. **2) J. Echter von Mespelbrunn,** Fürstbischof (1573–1617), * Schloß Mespelbrunn im Spessart 18. 3. 1545, † Würzburg

13. 9. 1617, gründete 1576 das Juliusspital und 1582 die Universität in Würzburg. Er war mit Hilfe der Jesuiten einer der ersten Vorkämpfer der Gegenreformation in Würzburg, Bamberg und Fulda.

Julius Afric'anus, Sextus, antiker Historiker aus Jerusalem, † nach 240; verfaßte ein durch Zitate des Eusebius bekanntes griech. geschriebenes Werk in 5 Büchern, ›Chronographiai‹ von Adam (5500 v. Chr.) bis 217 n. Chr., die älteste christl. Weltchronik.

J'uliusturm, 1) Turm der früheren Zitadelle in Spandau, in dem bis 1914 der aus der franz. Kriegsentschädigung von 1870/71 stammende Reichskriegsschatz (120 Mill. M in Gold) aufbewahrt wurde; **2)** danach: in der Bundesrep. Dtl. die zwischen 1952 und 1956 bei der Dt. Bundesbank (Bank dt. Länder) gebildete Rücklage (Höchstbestand 7 Mrd. DM) für Besatzungskosten und Erfüllung von Verpflichtungen im dt. Wehrhaushalt, die ratenweise in den Haushalt übernommen und 1959 aufgelöst wurde.

J'ullundur, engl. Schreibung der indischen Stadt →Dschalandhar.

J'ulmond [zu Jul], altdeutscher Name des Dezembers.

Jumbo-Jet, populäre Bezeichnung für ein Großraumflugzeug mit Strahlantrieb.

Jumet [ʒymɛ], Gem. im belg. Hennegau, bei Charleroi, mit (1971) 27 800 Ew., hat Kohlenbergbau, Eisen- und Glasindustrie.

Jumna, ind. Fluß →Dschamna.

J'umne, Jumneta, ehemalige Handelssiedlung auf →Wollin.

Jumruktschal, seit 1950 **Vrh Botev,** höchster Balkan-Gipfel, 2375 m hoch.

jun., Abk. für junior, der Jüngere.

J'uncus [lat.], die Pflanzengatt. →Binse.

Juneau [dʒ'unou, engl., ʒyno:, franz.], Stadt in (bis 1976 Hauptstadt von Alas.) Alaska, USA, (1970) 6100 Ew., hat ganzjährig eisfreien Hafen an dem in den Lynnkanal führenden Gastineaukanal, in der Nähe früher Goldbergbau; Lachsfang, Pelztierzucht; Flughafen; kath. Bischofssitz; im Sommer Fremdenverkehr.

Jung, 1) Carl Gustav, schweizer. Psychologe und Psychiater, * Keßwil 26. 7. 1875, † Küsnacht b. Zürich 6. 6. 1961, Prof. in Zürich (1933–40) und Basel (seit 1945). J. ging von der Psychonanalyse Freuds aus, entwickelte dann aber eigene Lehren von der psychischen Energie, von der Entwicklung der individuellen Persönlichkeit (→Individuation), vom individuellen und kollektiven →Unbewußten, vom Archetypus und von den Typen der Bewußtseinseinstellung (intro- und extravertiert).

WERKE. Über psychische Energetik ([4]1971), Von den Wurzeln des Bewußtseins (1954), Symbole der Wandlung ([4]1952), Ges. Werke (1958ff.), Erinnerungen, Träume, Gedanken von C. G. J., hg. v. A. Jaffé (1962), Psychol. Typen ([9]1971), Die Beziehungen zw. dem Ich u. dem Unbewußten ([8]1971).

LIT. Festschr. zum 60. Geburtstag (1935), zum 80. Geburtstag, 2 Bde. (1955); F. Seifert: Tiefenpsychologie (1955); F. Fordham: Eine Einf. in die Psychologie J.s (1959); T. Wolff: Studien zu J.s Psychologie (1959); J. Jacobi: Die Psychologie von C. G. J. ([4]1959); E. A. Bennet: C. G. J. Einblicke in Leben und Werk (1962).

2) Heinrich, →Jung-Stilling.

J'ungbrunnen, im Volksglauben ein Brunnen, der alternde Menschen verjüngt und Kranke heilt.

Jungb'unzlau, tschech. **Mladá Boleslav,** Stadt im Kreis Mittelböhmen, Tschechoslowakei, mit (1970) 31 100 Ew., am linken Iserufer, 230 m ü. M. Industrie: landw. Maschinen, Kraftwagen, Mälzerei, Zucker,

Jungbrunnen, Gemälde von Cranach, 1546 (Staatl. Mus. Berlin)

Brauerei, Brennerei. J. ist eine Gründung des Herzogs Boleslaw II. (995). Die schönsten Bauwerke der alten Stadt sind die got. Marienkirche, die Kirche der Böhm. Brüder (1554), deren Hauptsitz J. war, die Burg, das Templerhaus und das Alte Rathaus (1559).

J'ungdemokraten, 1) 1919–33 eine Gruppe jüngerer Anhänger der Dt. Demokrat. Partei, seit 1928 *Reichsbund deutscher J.*; Hauptvertreter war E. Lemmer.

2) die 1948 als *Jungliberale* gegründete Nachwuchsorganisation der FDP (seit 1951 *Deutsche J.*).

J'ungdeutscher Orden, abgekürzt **Jungdo,** ein 1920 von A. Mahraun in Kassel gegründeter nationaler Bund, der sich zum Neuaufbau Deutschlands bekannte und sich 1930 vorübergehend mit der Demokrat. Partei zur Deutschen Staatspartei vereinigte; 1933 aufgelöst.

Junge Gemeinde, zu gemeinsamer Arbeit zusammengeschlossene evangel. Jugendgruppen in der DDR.

Junge Kirchen, die aus der evangel. Missionsarbeit hervorgegangenen, anfänglich so genannten eingeborenen oder einheimischen Kirchen, im Unterschied zu den alten Kirchen der sendenden Länder.

Junge Pioniere, polit. Jugendorganisation in der DDR, →Freie Deutsche Jugend.

Jünger, geistiger Gefolgsmann, Schüler eines Meisters; bes. die zwölf J. Christi.

Jünger, 1) Ernst, Schriftsteller, * Heidelberg 29. 3. 1895, im 1. Weltkrieg Frontoffizier (Pour le mérite), studierte dann Naturwissenschaften und Philosophie; seit 1925 lebte er als freier Schriftsteller. Im 2. Weltkrieg wurde J. als Stabsoffizier 1944 wegen »Wehrunwürdigkeit« entlassen. J. gilt als Vertreter eines »magischen Realismus«; in seinen frühen, vom »heroischen Nihilismus« geprägten Werken stellt er den Kampf als innere Bewährung dar, später wendet er sich vom ethisch-humanitären Standpunkt gegen den drohenden Zerfall des Individualismus, gegen Macht, Gewalt, Krieg und Vermassung. J. ist ein hervorragender Stilist von glasklarer, kühl-distanzierter Prosa.

WERKE. In Stahlgewittern (1920), Feuer und Blut (1925), Die totale Mobilmachung (1931), Das abenteuerl. Herz (1929, 2. Fass. 1938), Der Arbeiter (1932), Blätter und Steine (1934, Neuausg. 1949), Afrikan. Spiele (1936), Gärten und Straßen (1942), Strahlungen (1949, Kriegstagebuch), Heliopolis (1949, Roman), Besuch auf Godenholm (1952), Der gord. Knoten (1953), Rivarol (1956), Gläserne Bienen (1957), Jahre der Okkupation 1945–48 (1958), An der Zeitmauer (1959), Sgraffiti (1960), Subtile Jagden (1967), Zwei Inseln. Formosa, Ceylon (1968), Annäherungen (1970), Die Zwille (1973). Werke, 10 Bde. (1961 ff.).

2) Friedrich Georg, Schriftsteller, Bruder von 1), * Hannover 1. 9. 1898, † Überlingen 20. 7. 1977; als Lyriker Klopstock, Hölderlin und der Antike verpflichtet; z.T. autobiographisch bestimmte Erzählungen und Romane; zeitkrit. Essays.

WERKE. Die Perfektion der Technik (1946, erw. 1949), Gedichte (1949), Ring der Jahre (1954), Der erste Gang (1954), Zwei Schwestern (1956), Spiegel der Jahre (1958), Sprache und Denken (1962), Wiederkehr (1965).

Jungermani'ales [nach dem Botaniker L. Jungerman, * 1582, † 1653], größte Gruppe der Lebermoose, umfaßt über 9000 auf Erde oder auf Baumstämmen haftende Arten.

Junges Deutschland, eine nach der französ. Julirevolution 1830 aufgekommene Gruppe liberalrevolutionärer Schriftsteller, die, ohne engeren persönlichen Zusammenhang, von den sie bekämpfenden staatl. Mächten (Metternich, Juste-milieu) zu einer literar. Partei zusammengefaßt wurden. Die Jungdeutschen wollten die Kunst zu einem wirksamen Organ der moralischen, politischen und sozialen Erneuerung machen. Dem entsprach die entschlossene Wendung zu einer journalistisch aufgelockerten Prosa, einem polemisch-witzigen, feuilletonistischen Stil, der das Wort in den Dienst des Kampfes für die Freiheit des Geistes, die Emanzipation der Frau, der Juden, für Verfassung und Demokratie stellte. Hauptvertreter waren Heine, Börne, Gutzkow, Theod. Mundt u. a. Der Name wurde durch Wienbarg eingeführt, der seine ›Ästhet. Feldzüge‹ (1834) dem J. D. widmete. Durch Bundestagsbeschluß wurden 1835 die Werke der Jungdeutschen verboten.

LIT. Kleinmayr: Welt- und Kunstanschauung des J. D. (1930); W. Dietze: J. D. und deutsche Klassik (1962); Das J. D. Texte und Dokumente, hg. v. J. Hermand (1964).

Junges Europa, eine Vereinigung geheimer republikan. Verbindungen aus mehreren Nationen, wurde durch →Mazzini im April 1834 gegr., zerfiel jedoch schon nach wenigen Jahren. Das J. E. umfaßte außer dem →Jungen Italien ein **Junges Polen** und →Junges Deutschland, später auch ein **Junges Frankreich.**

Junges Italien, Giovine Italia, ein von →Mazzini 1831 gegr. Geheimbund, der die nationale Einigung Italiens auf republikan. Grundlage durch Verschwörungen, Putsche und Fürstenmord erstrebte. Anfangs rasch verbreitet, verlor er schon nach den Mißerfolgen in Piemont (1833/34) allmählich seine Bedeutung, bis er 1848 von Mazzini aufgelöst wurde.

Junge Union, Nachwuchsorganisation der CDU/CSU, Sitz Bonn.

J'ungfer, 1) die →Jungfrau.

2) im 17. und 18. Jh. das bürgerl. Mädchen im Unterschied zum adligen Fräulein.

3) *Seemannssprache:* von einem Tau umschlungene oder mit Durchbohrungen für Taue versehene, blockähnliche Holzscheibe zum Straffspannen der Wanten.

Jungfer im Grün, Zierpflanze, →Schwarzkümmel.

J'ungfernhaar, 1) der Haarfarn (→Adiantum).
2) das Laubmoos →Widerton.

Jungfernheide, Volkspark im VerwBez. Charlottenburg und der anschließende Wald im VerwBez. Reinickendorf der Stadt Berlin (West-Berlin).

J'ungfernherz, →Tränendes Herz.

J'ungferninseln, Virginische Inseln, engl. **Virgin Islands,** Gruppe der Kleinen Antillen, umfaßt die brit. Inseln Anageda, Virgin Gorda und Tortola, 153 qkm, mit (1971) 11 000 Ew., und die den Vereinigten Staaten gehörigen Inseln Saint John, Saint Thomas und Saint Croix mit vielen Nebeninseln, 344 qkm, mit (1971) 65 000 Ew.

J'ungfernrebe, Jungfernwein, 1) Wilder Wein (Parthenocissus, Quinaria), Gattung der Weinstockgewächse, mit blauen, ungenießbaren Beeren und Haftscheiben an den Ranken zum Klettern; darunter als Gartensträucher mit roter Herbstfärbung *fünfblättrige J.* (Parthenocissus quinquefolia) aus Nordamerika mit fünfteiligem Laub sowie die ostasiat. Arten *dreispitzige J.* (Parthenocissus tricuspidata) mit dreilappigem Laub und die *Veichts-J.* mit immer purpurnem Laub. 2) Kletterzierstrauch mit nur männlichen, resedaduftenden Blüten, die nie Beeren tragende Form der zweihäusigen nordamerikan. echten Weinstockart *Uferrebe* (südl. Fuchsrebe, Vitis riparia).

fünfblättrige Jungfernrebe (etwa 1/5 nat. Gr.)

Jungfernrede, die erste Rede eines Parlamentsmitglieds.

J'ungfernschaft, die →Jungfräulichkeit.

J'ungfernwein, Pflanzen, →Jungfernrebe.

J'ungfernzeugung, *Parthenogenese,* 1) Fortpflanzung bei Tieren durch Eier, die nicht befruchtungsbedürftig sind; hauptsächlich bei Würmern, Krebsen und Insekten. 2) **Jungfernfrüchtigkeit** bei Pflanzen, Fruchtbildung ohne Befruchtung.

J'ungfrau, 1) unberührtes Mädchen. **2)** großes Sternbild des nördl. Himmels, das sechste Zeichen des Tierkreises (Zeichen:) mit dem Stern erster Größe, Spica, und vielen nur im Fernrohr sichtbaren Nebeln.

J'ungfrau, ein Gipfel der Finsteraarhorngruppe in der Schweiz, 4158 m hoch, im N sind das Silberhorn (3695 m) und das Schneehorn (3408 m) vorgelagert. Erstbesteigung 1811. *Jungfraubahn,* eine elektrische Zahnradbahn (1896–1912) von der Kleinen Scheidegg (2061 m) bis Jungfraujoch (3454 m), mit hochalpiner Forschungsstation.

J'ungfrau von Orléans [ɔrleɑ̃], →Jeanne d'Arc.

Jungfrauen, kluge und törichte J. Die Parabel Matth. 25, 1 ff., in der frühchristl. Literatur oft herangezogen, gehört in der Kunst des MA.s als Hindeutung auf das Jüngste Gericht, oft auch in Zusammenhang mit diesem, zum Darstellungsprogramm der Kathedralen (Magdeburger Dom, Straßburger Münster, Burgkirche in Lübeck).

Jungfrauen, elftausend J., →Ursula, Heilige.

Jungfrauengeburt, *Parthenogenese,* **1)** *Biologie:* →Jungfernzeugung. **2)** *Religionsgeschichte:* die Geburt eines Menschen, der nicht natürl. geschlechtl. gezeugt wurde. Die religiöse Anschauung von der J. besonderer Menschen findet sich bei fast allen Völkern: so entstammen die ägypt. Könige der Verbindung des Gottes Amon-Re mit der königl. Gemahlin; Herakles und Asklepios wurden von Göttern und einer Jungfrau gezeugt; Atia, die Mutter Augustus', wurde durch eine Schlange im Apollontempel schwanger. Der Gott kann sich in Menschen- oder Tiergestalt der Jungfrau nahen oder auch durch Blitz zeugen, wie etwa die Sage von Alexander dem Großen berichtet. **3)** *christl. Dogmatik:* die Lehre, daß Jesus vom Hl. Geist empfangen und aus der Jungfrau Maria geboren worden ist, gründet sich auf Matth. 1, 18 und Luk. 1, 35 und ist in die Glaubensbekenntnisse aufgenommen. Im Glauben an die J. wird das Geheimnis der Gotteskindschaft, die nicht durch leibliche Geburt, sondern durch das Gnadenwirken Gottes erlangt wird, ausgedrückt (Joh. 1, 12).

J'ungfräulichkeit, Zustand des geschlechtsreifen weiblichen Körpers bis zum ersten Geschlechtsverkehr. J. läßt sich meist ärztlich feststellen an der Unversehrtheit des Jungfernhäutchens am Scheideneingang. Nach *kathol. Lehre* ist die J. als Tugend die lebenslängliche Enthaltung von aller geschlechtl. Betätigung (→Keuschheit) sowie der Verzicht auf den Ehestand (→Zölibat).

Junggeselle, ursprüngl. der junge Handwerksgeselle, seit dem 16. Jh. unverheirateter Mann.

J'unggesellensteuer, →Ledigensteuer.

J'unghans, Gebr. J. GmbH, Uhrenfabrik in Schramberg, Kreis Rottweil, gegr. 1861 von Erhard Junghans.

J'ung|hegelianer, die Vertreter des linken Flügels der Hegelschen Schule: Ruge, Bruno Bauer, David F. Strauß, Feuerbach, Marx, Lassalle.

J'ungius, Joachim, Philosoph und Naturwissenschaftler, * Lübeck 22. 10. 1587, † Hamburg 23. 9. 1657, wurde 1609 Prof. in Gießen. 1622 gründete er in Rostock die erste wissenschaftl. Ges. Deutschlands zur Pflege der Mathematik und Naturwissenschaften. 1624 wurde er Prof. in Rostock, 1625 in Helmstedt.

Jungk, Robert, Journalist und Schriftsteller, * Berlin 11. 5. 1913; ist seit 1950 amerikan. Staatsbürger.

Werke. Die Zukunft hat schon begonnen (1954), Heller als tausend Sonnen (1956), Strahlen aus der Asche (1958), Die große Maschine (1966).

Jungki, neuer Name für →Kirin.

J'ungmann, Joseph Andreas, Jesuit (seit 1917), * Sand in Taufers/Südtirol 16. 11. 1889, seit 1930 Prof. in Innsbruck, führender Liturgiker im dt. Sprachgebiet; hatte großen Einfluß auf die Liturgiereform des 2. Vatikan. Konzils.

Werke. Die lat. Bußriten (1932), Missarum Sollemnia, 2 Bde. (1948, [5]1962), Katechetik ([3]1965).

J'ungpaläol'ithikum, →Altsteinzeit.

J'ungsozialisten, **1)** 1919–33 eine sozialdemokrat. Richtung, aus der sozialist. Jugendbewegung hervorgegangen, bemüht um die Erneuerung sozialist. Gedankenguts (Organ: Jungsozialist. Blätter).

2) nach 1945 Nachwuchsorganisation der SPD, Sitz Bonn.

Jungsteinzeit, Neol'ithikum (Tafel S. 297), die dritte große Zeitstufe der Menschheitsgeschichte, die auf die Mittelsteinzeit folgt und von der Bronzezeit abgelöst wird. Sie beginnt in Mitteleuropa im 5. Jahrtausend und endet 1800 v. Chr. Kennzeichen: Im Gegensatz zur Mittelsteinzeit, die wie die Altsteinzeit nur behauene und retuschierte, durch Schlag und Druck gefertigte Steingeräte aufweist, sind die Steingeräte der J. zusätzlich geschliffen und oft durchbohrt. Tongefäße treten erstmalig in der J. auf. Im Vorderen Orient und in SO-Europa wird diese Kulturstufe durch ein *Präkeramisches Neolithikum* oder *Proto-Neolithikum* eingeleitet, in dem nur aus Stein gefertigte Gefäße vorkommen. Die mit der J. einsetzende wirtschaftl. Umwälzung, die sogenannte »neolithische Revolution«, beruht auf der Haustierhaltung (Domestikation von Schaf, Ziege, Schwein, Rind, Pferd) und dem Anbau von Kulturpflanzen (Gerste, Weizen, Hirse) in Form des Hackbaus und des Ackerbaus mit dem vom Rind gezogenen Pflug (Bauerntum). Die bodengebundene Wirtschaftsweise führte zur Anlage dörflicher Siedlungen und damit zur Seßhaftwerdung. Die Hausformen sind kultur- und gebietsweise verschieden. Neben viereckigen Pfostenhäusern und Blockhäusern kommen Rund- und Ovalbauten vor. Der Verkehr wurde durch Wagen und Wasserfahrzeuge (Floß, Einbaum) erleichtert.

Kulturkreise und -gruppen innerhalb der europ. J. sind: der *mitteleuropäisch-bandkeramische Kreis* mit Linearbandkeramik, Stichbandkeramik, Rössener Kultur u. a.; der *Balkankreis* und die *Tripolje-Kultur* der Ukraine mit bemalter Keramik; der *pontisch-aralische Kreis*; der *westeuropäische Kreis* mit Megalith- und Kuppelgräbern, der mit der *Glockenbecherkultur* nach Mitteleuropa vordrang; die *Michelsberger Kultur* und der *nordische Kreis* mit der Trichterbecherkultur (Megalithkultur) und der Schnurkeramik; der *nordeurasisch-arktische Kreis* mit Kamm- und Grübchenkeramik, dessen Bewohner auf der mittelsteinzeitl. Wirtschaftsstufe des Sammlers und Jägers verharrten.

Lit. V. Milojčić: Chronologie der jüngeren Steinzeit Mittel- und Südosteuropas (1949); K. Tackenberg in: Historia Mundi, 2 (Bern 1953); G. Smolla: Neolithische Kulturerscheinungen (1960); K. J. Narr: Urgeschichte der Kultur (1961).

J'üngstenrecht, Juniorat, die Bevorzugung des jüngsten Sohnes bei der Einzelerbfolge in Bauerngütern.

J'üngstes Gericht, in der christl. Lehre das am *Jüngsten Tag* auf die Wiederkunft Christi auf Erden folgende Weltgericht mit Auferstehung der Toten.

In den seit dem 9. Jh. erscheinenden bildlichen Darstellungen des J. G. thront Christus als Weltenrichter, meist umgeben von Maria und Johannes dem Täufer als Fürbittern und den Aposteln als Beisitzern, über den Auferstehenden, die von Engeln zum Himmel geleitet oder von Teufeln in die Hölle geschleppt werden; in der Mitte ist oft Michael als Seelenwäger dargestellt.

Darstellungen des J. G.: Fresken an der Westwand der Kirchen in Münster (Graubünden; 9. Jh.), Oberzell (Reichenau; 10. Jh.), Sant'Angelo in Formis (11. Jh.); Mosaik an der Westwand des Doms zu Torcello (12. Jh.); Reliefs in den Bogenfeldern der Westportale in Beaulieu, Autun, Paris, Bourges, Freiburg; Fresken von Giotto (Arenakapelle, Padua), Signorelli (Orvieto, Dom), Michelangelo (Sixtin. Kapelle); Altarbilder von Lochner, Memling, Rubens. Bild S. 298.

Jung-St'illing, eigentlich Heinrich **Jung,** Dichter, * Grund bei Hilchenbach (Westfalen) 12. 9. 1740, † Karlsruhe 2. 4. 1817, aus streng pietistischer Familie, studierte 1769–72 in Straßburg, wo er Goethe kennenlernte, wirkte dann als Arzt in Elberfeld, berühmt wegen seiner Staroperationen, wurde 1778 Prof. in Kaiserslautern, dann in Heidelberg und Marburg und lebte zuletzt in Karlsruhe. Von ihm stammt eine fromm und kindlich gemütvoll geschriebene Darstellung seiner Jugend, deren ersten Teil Goethe bearbeitete und als ›Heinrich Stillings Jugend‹ 1777 herausgab; die Fortsetzungen (1778–1817) lassen die scharfe Beobachtung hinter religiösen Gedanken zurücktreten.

Werke. Sämtl. Schriften, 14 Bde. (1835–38).

Lit. H. R. G. Günther: Jung-Stilling ([2]1948).

J'ungtürken, türk. Partei, gegr. um 1876, die die Umformung der Türkei in einen verfassungsmäßigen Staat erstrebte; regierte 1908–18.

Jünho, Jünliangho, der chines. →Kaiserkanal.

J'uni [lat. junius; Herleitung unsicher], **Br'achmonat, Br'achet,** der 6. Monat mit 30 Tagen; im altrömischen Kalender vor Julius Cäsar der 4. Monat.

1 2 3

4

5

6

7

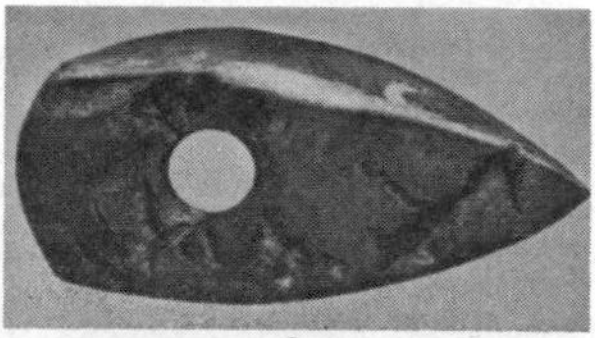

8

9

10 11

1 *Glockenbecher der Glockenbecherkultur, 18 cm hoch (Lampertheim, Kr. Bergstraße).* **2** *Gefäß der Stichbandkeramik (Hinkelsteintypus), Durchm. 15 cm (Worms).* **3** *Gefäß der Bandkeramik mit Stichreihenornament und Bemalung, Durchm. 25 cm (Prag).* **4** *Schale der Rössener Kultur, Durchm. 24 cm (Groß-Quenstedt, Kr. Halberstadt).* **5** *Armringe aus Marmor, Rössener Kultur, Durchm. etwa 10 cm (Rössen).* **6** *Henkelkrug der Michelsberger Kultur, 19,4 cm hoch (Bodman am Bodensee, Kr. Stockach).* **7** *Dicknackiges Feuersteinbeil der Megalithkultur, 21,6 cm lang (Klementelvitz, Gem. Saßnitz, Rügen).* **8** *Axt aus Kieselschiefer, 13,2 cm lang (Rössen).* **9** *Feuersteinsichel der Megalithkultur, 15 cm lang (Rügen).* **10** *und* **11** *Facettierte Streitäxte der Schnurkeramik (Felsgestein):* **10** *17,6 cm lang (Querfurt),* **11** *18,8 cm lang (Peißen, Saalkreis)*

Jüngstes Gericht (Stephan Lochner, um 1445; Köln, Wallraf-Richartz-Museum)

Juni [x'uni], Juan de, span. Bildhauer, * Joigny (Burgund) um 1507, † Valladolid April 1577, bildete sich in Italien unter Michelangelo und war seit 1534 in Spanien.

WERKE. Hochaltäre von Santa Maria la Antigua, Valladolid u. in Burgo de Osma; Bildwerke in den Kathedralen von Segovia u. Salamanca.

J'uniaufstand, Siebzehnter Juni, die Volkserhebung in der DDR im Juni 1953, ausgelöst durch spontane Proteststreiks und Demonstrationen in O-Berlin am 16. 6. gegen die Beibehaltung der im Mai 1953 beschlossenen Arbeitsnormenerhöhungen. Am 17. 6. kam es in O-Berlin und vielen mitteldt. Industriestädten zu Demonstrationen und Unruhen (Verjagung von SED-Funktionären, Gefangenenbefreiung, Entwaffnung von Volkspolizisten), z. T. auch in ländl. Gebieten; gefordert wurden Rücktritt der Regierung und freie Wahlen. Gegen Mittag wurde das Standrecht verhängt, bis zum Abend war die unbewaffnete Erhebung nach anfängl. Teilerfolgen von der Volkspolizei mit Unterstützung der seit Mittag eingesetzten sowjet. Panzer unterdrückt. Streiks und Unruhen zogen sich in manchen Gebieten noch einige Tage hin. Die Regierung suchte sich danach trotz des Protests der westl. Besatzungsmächte mit zahlreichen Verhaftungen und Vollstreckung vieler Todesurteile durch sowjet. Standgerichte zu sichern; Justizmin. Fechner wurde von Hilde Benjamin abgelöst. Die Zahl der Todesopfer am 17. 6. 1953 und an den folgenden Tagen betrug 267 Demonstranten, 116 Funktionäre des SED-Regimes und 18 Soldaten der Roten Armee; nicht genau zu ermitteln sind die Zahlen der standrechtlich Erschossenen und der zum Tode Verurteilten. Im Zusammenhang mit dem J. ergingen 1334 Gerichtsurteile. In der Bundesrep. Dtl. wurde der 17. Juni als »Tag der deutschen Einheit« durch Ges. v. 4. 8. 1953 zum Feiertag erklärt (umstritten).

LIT. A. Baring: Der 17. 6. 1953 (^{2}1965).

J'unikäfer, Brach-, Johanniskäfer, gehören zu den Blatthornkäfern; Hauptgattungen sind *Amphimallon* und *Rhizotrogus*. J. sind meist braun, 1,5–2 cm lang; ihre Larven (Engerlinge) leben von Wurzeln im Boden.

Jun'imea [ʒu- ›Jugend‹], 1863 in Jassy gegr. literar. Kreis zur Pflege der rumän. Sprache (Reinerhaltung des Wortschatzes, Festigung der Orthographie, Bildung einer Literatursprache, Förderung einer nationalen Literatur).

j'unior [lat.], abgek. **jr., jun.,** der Jüngere. **1)** Sohn (im Geschäftshaus), Gegensatz: Senior. **2)** Sportwettkämpfe der mittleren Leistungsklasse zwischen »Neuling« und »Senior«.

Jun'iperus, die Pflanzengatt. →Wacholder.

J'unius, Franciscus, eigentl. **François du Jon,** Germanist, * Heidelberg 1589, † bei Windsor 19. 11. 1677, lebte als Erzieher und Privatgelehrter in den Niederlanden und in England. Als erster beherrschte J. die meisten altgerman. Sprachen, namentlich das Gotische, das er aus dem →Codex argenteus, damals im Besitze seines Neffen Isaak Vossius, kennenlernte; er gab diesen Kodex zum ersten Male heraus (2 Bde., 1665).

J'uniusbriefe, polit. Briefe, die unter dem Decknamen *Junius* 1769–72 in der Londoner Zeitschrift ›Public Advertiser‹ erschienen und die führenden Männer der brit. Regierung angriffen. Der Verfasser ist niemals mit Sicherheit festgestellt worden. Deutsche Übersetzung 1909.

Junkaz'een, Pflanzenfam., →Binse.

J'unker [ahd. ›junger Herr‹], **1)** adliger Großgrundbesitzer, bes. ostelbischer. **2)** † junger Edelmann.

J'unkers, Hugo, Flugzeugkonstrukteur, * Rheydt 3. 2. 1859, † Gauting bei München 3. 2. 1935, war 1897–1912 Professor an der Techn. Hochschule Aachen. J. machte bedeutende Erfindungen, so den Doppelkolbenmotor (1907), den Schwerölflugmotor (1929). Er gründete folgende Werke: Junkers & Co., Fabrik für Gasapparate, Dessau (1895); Kaloriferwerk Hugo Junkers, Dessau (1908); Forschungsanstalt Prof. Junkers, Dessau (1915); Junkers-Flugzeugwerk AG, Dessau (1919); Junkers-Motorenbau GmbH, Dessau (1924); sie wurden 1936 zur *J. Flugzeug- und Motorenwerke AG* zusammengeschlossen (nach 1945 demontiert), 1967 wurden sie in eine GmbH umgewandelt.

J'unktim [lat.], Verbindung mehrerer Gesetzesvorlagen, die im Parlament gemeinsam behandelt werden sollen *(Junktimsvorlagen, Junktimsgesetze)*, auch bei völkerrechtl. Verträgen, wenn der eine nur unter der Bedingung abgeschlossen wird, daß auch der andere in Kraft tritt.

Jünnan, postamtl. **Yünnan,** die südwestlichste Provinz Chinas, 436200 qkm, (1970) 24 Mill. Ew.; Ackerbau, Viehzucht, Bergbau auf Zinn. Hauptstadt ist Kunming.

Jünnanfu, früherer Name der chines. Stadt →Kunming.

J'uno, altital. Göttin. Ursprünglich hatte jede Frau ihre J., wie jeder Mann seinen Genius hatte; später Ehe- und Geburtsgöttin, als Gattin des Jupiter Himmelskönigin, von den Römern der Hera gleichgesetzt.

J'uno [nach der Göttin J.], einer der hellsten und größten →Planetoiden, 204 km Durchmesser.

Junqueiro [ʒuŋk'ɛiru], Abílio Manuel de **Guerra,** portug. Dichter, * Freixo de Espada à Cinta 17. 9. 1850, † Lissabon 7. 7. 1923, Vorkämpfer und Mitbegründer der Republik.

Junta [x'unta], in Spanien und Lateinamerika ein Regierungs- oder Volksausschuß; heute allgem. revolut. Ausschüsse, bes. von Offizieren (Militär-J.).

Junta, Buchdruckerfamilie, →Giunta.

Juon [jon], Paul, Komponist und Musiktheoretiker, * Moskau 8. 3. 1872 als Schweizer, † Vevey 21. 8. 1940, schrieb Kammermusik- und Klavierwerke, Lieder, Orchestermusik.

J'upiter, lat. **Juppiter,** altrömischer Himmelsgott, Herr des Blitzes und Donners, segnet die Felder und schützt das Recht. Sein berühmtestes Heiligtum befand sich auf dem Kapitol; es war das Wahrzeichen der röm. Macht. J. entspricht dem griech. Zeus.

Jupiter: Kolossalkopf aus Pompeji, 1. Jh. v. Chr. (Neapel, Nat. Mus.)

J'upiter [nach dem Gott J.], der größte und massenreichste Planet unseres Sonnensystems (Zeichen ♃) mit einem Äquator-Durchmesser von 142000 km, ist 778 Mill. km von der Sonne entfernt. Seine Masse ist größer als die aller anderen Planeten zusammen: die 318fache Erdmasse. Die Umlaufzeit um die Sonne beträgt 11 Jahre und 315 Tage, die Umdrehungsdauer 9 Stunden 55 Minuten. Der Planet ist von 14 Monden begleitet, von denen 4 bereits mit einem kleinen Prismenfernrohr beobachtet werden können. Die J.-Oberfläche erscheint im Fernrohr durch schnell veränderliche rotbraune bis rosafarbene, äquatorparallele Streifen und Flecke gegliedert; relativ konstant ist der »Große Rote Fleck«. Die Atmosphäre besteht im wesentlichen aus Wasserstoff und Helium mit Beimengungen von Methan *(CH_4)* und Ammoniak *(NH_3)*. Die Oberflächentemperatur beträgt –130° C. Aus der mittleren Dichte des J. von 1,31 g/cm³ schließt man, daß sich der Planet hauptsächlich im gasförmigen Zustand befindet. Am 3. 12. 1973 passierte die amerikan. Raumsonde Pioneer 10 (Start: 2. 3. 1972) den J. in rd. 130 000 km Entfernung.

J'upitersäulen, den →Gigantensäulen verwandte, von einer Jupiterstatue bekrönte röm. Kultdenkmäler im Rheinland; am bekanntesten ist die vor 67 n. Chr. errichtete, einst etwa 12,5 m hohe J. in Mainz.

J'upiter|sinfonie, Sinfonie C-Dur mit großer Fuge im Schlußsatz von W. A. Mozart (K V 551, 1788). Die Herkunft des erst nach Mozarts Tod auftauchenden Namens ist unbekannt.

J'ura [wohl ›Wald‹] *der,* **1)** erdgeschichtliche Schichtenfolge (→Juraformation).

2) hauptsächlich von der →Juraformation aufgebauter Gebirgszug in Mitteleuropa:

a) *Französisch-Schweizerischer J.,* auch

nur: *Schweizer J.*, umzieht in einem nach O offenen Bogen das Schweizer Mittelland und endet in der Lägernkette bei Baden südlich des Rheins. Er ist ein junges Faltengebirge. Auf der Ostseite, im *Kettenjura*, wo die Falten dichter gedrängt sind, finden sich die höchsten Erhebungen (Crêt-de-la-Neige 1723 m). Nach W flachen die Falten erheblich ab, und das Gebirge ist zugleich stark abgetragen zu einer einförmigen Hochfläche, dem *Plateaujura*. Die Hochflächen sind im Bereich der Kalksteine wasserarm. Das eingesickerte Wasser tritt in den Tälern in wasserreichen Quellen wieder hervor. Die Flüsse folgen in ihrem Lauf den Längstälern, durchbrechen jedoch häufig in engen, tiefen Schluchten die trennenden Bergrücken (Zickzacklauf, z. B. Doubs). Im äußersten N ist dem Kettenjura der *Tafeljura* vorgelagert, eine bis 750 m hohe Fläche, meist bewaldet, von breiten, gut angebauten Tälern zerschnitten. – Das Klima ist in den Höhen rauh und feucht, über der Waldgrenze (1300 m) herrscht trockne Heidevegetation. Im Gebirge überwiegt die Viehzucht, der Ackerbau ist mehr auf das Vorland und die niederen Vorstufen beschränkt. Dort erlaubt das mildere Klima auch den Obst- und Weinbau, bes. im S. Bedeutend ist die Uhrenindustrie, daneben Zement-, Glas-, Papierindustrie.

b) *Deutscher J.*, nicht gefaltet, sondern aus flach lagernden Schichten aufgebaut, gehört zum süddeutschen Schichtstufenland und besteht aus Hochflächen, die nach N und W steil abfallen. Er gliedert sich in den vom Rhein bis zum Ries sich erstreckenden *Schwäbischen J.* (→Schwäbische Alb) und den am Ries anschließenden *Fränkischen J.* (→Fränkische Alb).

3) neuer Kanton (seit 1979) der Schweiz, 779 qkm, (1977) 67500 Ew.; Hauptstadt: Delsberg. →Bern.

J'ura [lat.], *Mz.* von →Jus, die Rechte, die Rechtswissenschaft.

J'ura|formation [nach dem Gebirge Jura], **Jura** *der*, Zeitabschnitt des Erdmittelalters, eine erdgeschichtl. Schichtenfolge aus Tonen, Mergeln, Kalken usw., mit Eisenerzen und Steindruck-Platten als nutzbaren Werkstoffen. Unterteilung: nach engl. Bezeichnungen in *Lias*, *Dogger*, *Malm* oder nach den in Süddeutschland vorherrschenden Gesteinsfarben in *schwarzen*, *braunen*, *weißen Jura* (→geologische Formationen).

Jürgens, Curd, Schauspieler, * München 13. 12. 1915. Filme: Des Teufels General (1955), Die Ratten (1955), Der Schinderhannes (1958), Jakobowsky und der Oberst (1958), Die Dreigroschenoper (1962).

jur'idisch [von Jura, →Jus], rechtswissenschaftlich. **Jurisdikti'on,** Gerichtsbarkeit. **Jurisprud'enz,** Rechtswissenschaft.

Jurisdikti'onsnorm, das österreich. Ges. vom 1. 8. 1895, das die Ausübung der Zivilgerichtsbarkeit und die Zuständigkeit der ordentl. Gerichte in bürgerl. Rechtssachen regelt.

Jur'ist [→Jus], Rechtskundiger mit planmäßiger rechtswissenschaftl. Ausbildung (→Justizausbildung). **juristisch,** rechtskundlich, das Recht betreffend. **Juristenrecht,** durch Gerichtsgebrauch und richterliche Urteile herausgebildetes Gewohnheitsrecht.

jur'istische Person, von der Rechtsordnung mit eigener Rechtspersönlichkeit versehene Personenvereinigung (Körperschaft, Verein) oder Vermögensmasse (Anstalt, Stiftung). Die j. P. ist grundsätzlich wie jeder Mensch Träger von Rechten und Pflichten (fingierte Person) und kann Vermögen erwerben. Sie handelt durch ihre Organe.

J'urjew, 1) russ. Name für →Dorpat.

2) J. Polskij, Stadt in Mittelrußland, in der Nähe von Iwanowo, mit rd. 17000 Ew., hat eine Papierfabrik, Flachsverarbeitung, Textil- und Metallverarbeitungsindustrie. J. P. ist eine der ältesten russ. Städte, gegr. 1152 (St. Georgskloster von 1234).

J'urte [türk.] *die*, Wohnzelt west- und zentralasiat. Nomaden: Rundbau aus Stangen, darüber Filzdecken, 2–3 m hoch, bis 8 m Durchmesser.

Jurte der Sunit (Mongolei)

Juruá [ʒurw'a] *der*, rechter Nebenfluß des Amazonas, 3283 km lang, entspringt in den peruanischen Anden und mündet unterhalb von Fonte Boa.

Jür'üken, Götschebe, türk. Nomaden im östl. Kleinasien, Schaf- und Pferdezüchter.

Jury [dʒ'u:ri, engl.] *die*, **1)** in England und den USA die über Tatfragen entscheidende Geschworenenbank, das Schwurgericht. **2)** [ʒyri, franz.], Ausschuß von Sachverständigen, z. B. bei Kunstausstellungen.

Jus [ʒy, franz. aus lat. ius ›Brühe‹] *die*, auch *das*, **1)** Fleischsaft, der sich nach Erkalten in Gallerte verwandelt. **2)** dick eingekochte Fleischbrühe.

Jus [lat.; spätes MA.] *das*, Recht, Rechtskunde. **jus aequum,** billiges, auf Treu und Glauben beruhendes Recht. **jus can'onicum,** Kirchenrecht. **jus civ'ile,** römisches Bürgerrecht. **jus 'c'ogens,** zwingendes Recht, das eine abweichende Regelung durch Vereinbarung der Beteiligten nicht zuläßt. **jus div'inum,** göttliches Recht. **jus g'entium,** Völkerrecht. **jus pr'imae n'octis,** Recht auf die erste Nacht, im Mittelalter vereinzelt bezeugtes Recht des Grundherrn auf die Brautnacht einer neuvermählten Hörigen.

J'uschno-Sachal'insk, Gebietshauptstadt von Sachalin, Russ. SFSR, im S der Insel, mit (1972) 117 000 Ew.; Metallverarbeitungs- und Nahrungsmittelindustrie.

Juss'owka, früherer Name der Stadt Donezk (→Stalino).

Jussieu [ʒysjø], Bernard de, franz. Botaniker, * Lyon 17. 8. 1699, † Paris 6. 11. 1776, wurde 1758 Leiter des Gartens von Trianon, den er nach einer natürlichen Anordnung der Pflanzen einrichtete; damit regte er ein natürliches Pflanzensystem **(Jussieusches System)** an, das von seinem Neffen Antoine Laurent de J. (* 1748, † 1836) ausführlich dargelegt wurde (›Genera plantarum‹ 1789).

Justaucorps [ʒystokɔ:r, franz.] *der* oder *das*, **1)** Frauenmieder mit Schoß, um 1640; **2)** eng anliegender, knielanger (Soldaten-) Leibrock ohne Kragen, um 1670 aufgekommen. Aus ihm entwickelte sich das heutige Männerobergewand (FARBTAFEL Mode II, 4).

Juste [ʒyst], ital. **Giusto,** in Frankreich tätige Bildhauerfamilie ital. Ursprungs. *Antoine*, * Corbignano bei Settignano 1479, † Tours 1519, und *Jean*, * bei Florenz 1485, † Tours 1549, siedelten um 1504 nach Frankreich über, wo sie sich in Tours niederließen. Ihr Hauptwerk ist das 1531 vollendete Grabmal Ludwigs XII. und seiner Gemahlin in St-Denis.

Juste-milieu [ʒystmiljø, franz. ›richtige Mitte‹] *das*, **1)** gemäßigte Regierungsweise. **2)** laue Gesinnung.

Justi, 1) Carl, Kunsthistoriker, * Marburg 2. 8. 1832, † Bonn 9. 12. 1912, schrieb Biographien.

WERKE. Winckelmann, 3 Bde. (1866–72, [4]1943), Velasquez u. s. Jh., 2 Bde. (1888, [3]1922/23), Michelangelo (1, 1900, 2, 1909).

2) Ludwig, Neffe von 1), * Marburg 14. 3. 1876, † Potsdam 19. 10. 1957, war Direktor der Berliner Nationalgalerie.

just'ieren [lat. Kw.], **1)** ein Meßgerät genau einstellen. **2)** Münzen prüfen und auf das vorgeschriebene Gewicht bringen. **3)** Druckstöcke auf Schrifthöhe bringen und die umbrochenen Satzseiten auf das festgelegte Format. **4)** Matrizen zum Guß fertigmachen. **5)** messerscharfe Kanten geschnittener Flachgläser durch Schleifen mit Sandsteinscheiben, ohne nachfolgende Politur, beseitigen.

Justierer, Einrichter, Facharbeiter, der die Stellung der Teile eines bereits zusammengesetzten Werkstückes kontrolliert und bes. feine oder wichtige Teile einfügt.

Justifikati'on [lat.], Rechtfertigung, Genehmigung.

Just'ina, kath. Heilige, † als Märtyrerin zu Padua 304. Tag: 7. 10.

Justinger, Konrad, Chronist, * Rottweil um 1370, † Zürich April 1438, war 1390 bis 1431 Stadtschreiber und Notar in Bern und schrieb im Auftrag des Rates eine Berner Stadtchronik (bis 1421, hg. v. G. Studer, 1871).

Justini'an, oström. Kaiser:

1) J. I. (527–565), * 11. 5. 483, † 14. 11. 565, von seiner Gattin Theodora beeinflußt, warf die Parteien der Hauptstadt nieder und vollendete so seine Alleinherrschaft; durch seine Feldherren Belisar und Narses brachte er einen großen Teil des von german. Stämmen überfluteten weström. Reiches unter seine Herrschaft. Er erbaute die →Hagia Sophia in Konstantinopel und gab dem Rechtsleben eine feste Grundlage durch Aufzeichnung des röm. Rechtes im Corpus iuris.

2) J. II. Rhinometos [griech. ›mit der abgeschnittenen Nase‹], (685–695 und 705–711), * um 670, † (ermordet) 711, zwang die Slawen um Thessalonike zur Anerkennung der byzantin. Herrschaft, baute die Themenverfassung aus und bekämpfte den Großgrundbesitz der Aristokraten. Er wurde durch eine Revolution verbannt, konnte aber mit Hilfe der Bulgaren 705 den Thron wieder einnehmen.

Justinian I., Mosaik; S. Vitale, Ravenna (geweiht 547 n. Chr.)

Just'inus II., byzantin. Kaiser (565–578), Neffe Justinians I., † 5. 10. 578, vermählt mit einer Nichte der Kaiserin Theodora, verlor einen großen Teil Italiens an die Langobarden; nahm den Kampf gegen die Perser auf.

Just'inus der Märtyrer, Heiliger und Kirchenvater, der bedeutendste der frühchristl. Apologeten, wirkte in Rom und wurde hier um 165 hingerichtet. Tag: 14. 4.

Just'itia [lat.], altröm. Göttin der Gerechtigkeit. Attribute: Ölzweig, Zepter, Waage und Füllhorn. Das MA. gab der Justitia kein Attribut (Quedlinburger Teppich, N. Pisano) oder das der Palme (Bibel Karls des Kahlen), entschied sich dann aber vornehmlich für Schwert und Waage, die einzeln oder zusammen auch für die Folgezeit verbindlich blieben. Dem Schwert konnte der Kopf des Enthaupteten hinzugefügt werden (A. Lorenzetti, Tizian), die Wägung mit verbundenen Augen erfolgen (ältestes Beispiel: Narrenschiff, 1494).

Justiti'ar [lat. Kw.], mit der Bearbeitung der Rechtsangelegenheiten einer Behörde oder eines Verbandes beauftragter Beamter oder Angestellter; Rechtsbeistand.

Just'itium [lat.], Stillstand der Rechtspflege infolge außerordentlicher Ereignisse; bewirkt in Zivilprozessen Unterbrechung des Verfahrens (§ 245 ZPO).

Just'iz [lat.], Rechtspflege.

Just'iz|ausbildung. In der *Bundesrep. Dtl.* sind die Voraussetzungen für die Berufsausbildung als Richter, Staatsanwalt, Rechtsanwalt, Notar oder höherer Verwaltungsbeamter im GVG, im Richtergesetz und in den Justizausbildungsordnungen der Länder festgelegt. Nach einem rechtswissenschaftl. Universitätsstudium (mindestens 7 Semester) kann die 1. Staatsprüfung (Referendarexamen), nach einer weiteren Vorbereitungszeit von 2 Jahren (früher 3 ½) die 2. Staatsprüfung (Assessorexamen) abgelegt werden.

In *Österreich* umfaßt das Studium 8 Semester, die in 3 Abschnitte gegliedert sind. Nach jedem Abschnitt ist eine Staatsprüfung abzulegen. Die anschließende Vorbereitungszeit ist von unterschiedlicher Dauer.

In der *Schweiz* ist die J. kantonal unterschiedlich geregelt, in der Regel wird neben dem Erwerb des jurist. Doktorgrades die Ablegung einer Prüfung (Staats-, Anwaltsexamen) nach prakt. Tätigkeit gefordert.

Just'izbeamte, Beamte bei Gerichtsbehörden und Staatsanwaltschaften. Die Beamten des einfachen Dienstes *(Justizwachtmeister)* sind bes. im Sitzungs- und Strafvollzugsdienst tätig, die des mittleren Dienstes *(Justizassistenten, -sekretäre)* in leichterer Bürotätigkeit, z. B. im Registratur- und Protokolldienst. Zu den Aufgaben der Beamten des gehobenen Dienstes *(Justizinspektoren, -amtmänner)* gehören schwierigere Büroarbeiten und Kostenberechnungen; außerdem sind sie als →Rechtspfleger, bei den Staatsanwaltschaften als Amtsanwalt tätig. J. im höheren Dienst sind bes. die Staatsanwälte. Richter werden in neuester Zeit nicht mehr zu den Beamten gerechnet; sie stehen in einem bes. öffentl.-rechtl. Dienstverhältnis zum Staat.

Justizfreiheit, die Freistellung hochpolit. Akte (Regierungsakte) von der richterl. Kontrolle der Rechtmäßigkeit.

Just'izhoheit, die Staatsgewalt, soweit sie sich auf die Gerichtsbarkeit bezieht.

Just'iz|irrtum, falsche Entscheidung eines Gerichts auf Grund eines Irrtums über Tatsachen oder irriger Gesetzesauslegung.

Just'izministerium, die vom Justizminister geleitete oberste Justiz-Verwaltungsstelle eines Staates. Sie bereitet die Justizgesetze vor, übt die *Justizverwaltung* aus und hat die Dienstaufsicht über die Justizbeamten und -behörden. In der *Bundesrep. Dtl.* gibt es neben dem Bundesministerium der Justiz (für den Bundesgerichtshof und die höchsten Bundesgerichte) noch die Justizmin. der Länder, in der *DDR* das Ministerium der Justiz. In *Österreich* ist die Justizverwaltung Bundessache. In der *Schweiz* ist die Verteilung zwischen der Justizverwaltung des Bundes und der der Kantone ähnlich wie in der Bundesrep. Dtl.

Just'izmord, Hinrichtung eines Unschuldigen; im weiteren Sinn jede dem Recht nicht entsprechende Verurteilung.

Just'izrat, früher an ältere Richter, Rechtsanwälte und Notare ehrenhalber verliehener Titel (auch *Oberjustizrat, Geheimer J.*).

J'ustus von Beauvais, kath. Heiliger, der nach der Legende unter Diokletian als Märtyrer starb. Tag: 18. 10.

J'usuf Ibn Taschfin, almorawidischer Herrscher (1061–1107), eroberte NW-Afrika und gründete Marrakesch; siegte 1086 über Alfons VI. von Kastilien und León.

J'usuf und Zuleicha, Titel vieler Epen der pers. Literatur über Joseph und das Weib des Potiphar, im Anschluß an die 12. Sure des Koran.

J'ute [engl., aus neuind. dschut], **1)** Bastfaser zum Spinnen aus den in Indien heimischen, krautigen Gewächsen der Gattung Corchorus (Familie Lindengewächse). Die Fasern, die wie beim Flachs durch Gärung (Rösten) vom holzigen Stengel getrennt werden, sind dem Manilahanf ähnlich; Farbe: in den besten Sorten weißlich bis silbergrau und von seidenartigem Glanz, in den geringeren Sorten gelblich bis braun. Die Länge der Faserbündel beträgt 1,5–2,5 m, die Einzelfasern sind 1–4 mm lang und 0,02–0,03 mm dick. Festigkeit: größer als Flachs, geringer als Hanf. Verwendung: zur Herstellung von Säcken, Matten, Gurten, Seilerwaren, als Grundgewebe für Teppiche, Linoleum, Möbelstoffe. Haupterzeugungs-

Jute (Corchorus capsularis): a Blüte, b Früchte (Hauptbild etwa ²/₅ nat. Gr.)

länder sind Pakistan und Indien (Bengalen); Haupthandelsplätze: Kalkutta und London. **2)** andere Pflanzenfaser, so von →Abutilon *(chinesische Jute)* und →Eibisch *(Bastardjute)*.

J'üten, german. Stamm in Jütland, nahm an der german. Besiedelung Britanniens teil; der Rest ging in den Dänen auf. Teile der J. finden sich im 5. Jh. auch in Flandern *(Euten)*, später südl. der Themse.

Jüterbog, Kreisstadt im Bez. Potsdam, im Niederen Fläming, mit (1974) 13600 Ew.; Industrie: Möbel, Konserven, Papier u. a.; nahe bei Truppenübungsplatz. – J. (Stadtrecht 1174) hat mit seinen Stadttoren und Kirchen, der Liebfrauenkirche (12. Jh.), der spätroman. Jakobinerkirche (13. Jh.) und der spätgot. Mönchenkirche, das alte Stadtbild gewahrt.

J'ütisches Low, das 1241 von Waldemar II. erlassene dän. Gesetzbuch, das in Schleswig vor dem BGB, in Dänemark vor dem Gesetzbuch Christians V. (1683) galt.

Jütland, dän. **Jylland,** der festländ. Teil Dänemarks (→Dänemark, Landesnatur).

Jutta, kath. Selige:

1) Reklusin beim Kloster Disibodenberg, Erzieherin der hl. Hildegard von Bingen, † 22. 12. 1136. Tag: 22. 12.

2) J. von Sangershausen (Thüringen), † bei Kulmsee um 1260 als Einsiedlerin. Sie war als Witwe ins Ordensland Preußen gezogen. Tag: 5. 5.

Jut'urna, altröm. Quellgöttin, mit hl. Bezirk (lacus Juturnae) an der Nordecke des Palatins. Das Fest der J., die **Juturnalia,** ist am 11. 1.

Juv'ara, Juvarra, Filippo, ital. Baumeister, * Messina 27. 3. 1678, † Madrid 1. 2. 1736, bildete sich in Rom bei Carlo Fontana, schuf dort Theaterdekorationen und Bauentwürfe und wurde 1714 kgl. Architekt in Turin. J. führte den mit Guarini einsetzenden piemontes. Spätbarock auf die Höhe europ. Geltung. Seine Räume und perspektivisch wirksamen Baugruppen (Superga) stellen, bei klass. Disziplin der Formen, die architekton. Höchstleistung Italiens im 18. Jh. dar. J. besuchte Frankreich, war in Lissabon (1719), am kgl. Schloß in Madrid (1735) und an verschiedenen Orten Italiens tätig. Er hinterließ in Piemont eine bedeutende Schule.

WERKE. Die Schlösser Veneria Reale (1714 f.), Rivoli (Ausbau 1718 f.), Stupinigi (1729–33); in Turin: Treppenhaus im Palazzo Madama (1718–20), mehrere Paläste, Fassade von S. Cristina (1715); die Votivkirche Superga bei Turin (1717–31).

Juv'avum, lat. Name von Salzburg.

Juven'al, Decimus Junius Juvenalis, röm. Dichter, etwa 58–140 n. Chr. Seine Gedichte (16 in Hexametern, eingeteilt in 5 Bücher) haben den modernen Begriff der →Satire maßgeblich bestimmt. Mit äußerster Schärfe und geschliffenem Wort hat J. die Verkehrtheiten der Menschen angegriffen. Viele seiner Sätze sind geflügelte Worte geworden. Im MA. zählte man ihn zu den »goldenen« Dichtern. Krit. Ausg. v. U. Knoche (mit dt. Übers., 1950/51).

Juv'encus, Gaius Vettius Aquilinus, lat. Dichter, schrieb zur Zeit Konstantins, um 330 n. Chr., ein großes christl. Epos, das ›Evangelienbuch‹ (Evangeliorum libri), das die Heilsgeschichte nach dem Matthäus-Evangelium poetisch behandelt.

juven'il [lat.], jugendlich. **Juvenilwasser,** aus dem Magma stammendes Wasser, das noch nicht am Kreislauf des Wassers teilgenommen hat.

Juv'entas, altröm. Göttin der Jugend, später mit der griech. Hebe gleichgesetzt.

Juw'el [franz. Lw.; 15. Jh.] *das,* Kleinod, kostbarer Schmuck. **Juwel'ier,** →Goldschmied.

Juw'elenporzellan, mit farbigen, durchscheinenden Emailperlen über einem Goldplättchen verziertes Porzellan, das in Sèvres seit 1781 hergestellt wurde.

Jux [lat. Lw. von jocus; spätes MA.], Spaß, Vergnügtheit; lustiger Streich.

Jylland, dän. Name für →Jütland.

J'yväskylä, Stadt in Mittelfinnland, am Päijännesee, mit (1971) 57300 Ew.; Papier-, Holzind., Waffenherstellung.

K

k, K [kɑ], der elfte Buchstabe im Alphabet, stimmloser gutturaler Verschlußlaut. In den ältesten lat. Inschriften gab es das K, später wurde es durch das C verdrängt. Die roman. Sprachen benutzen das K nicht mehr; im Ahd. wurde es gleichbedeutend mit c angewandt; später wurde c auf bestimmte Fälle eingeschränkt.

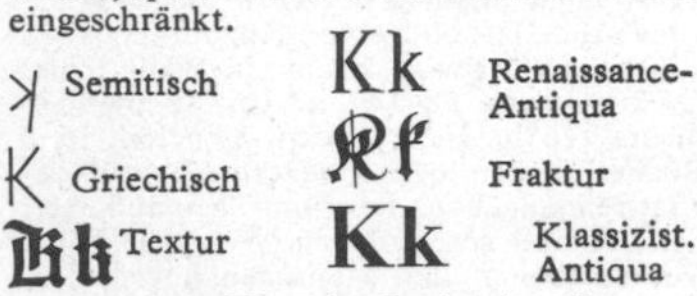

Entwicklung des Buchstaben K

K, 1) chem. Zeichen für Kalium. **2)** früher °K, Zeichen für Grad Kelvin.

k, Abkürzung für **1)** (metrisches) Karat; **2)** Kilo...

K 2, Tschogori, Godwin Austen, der zweithöchste Berg der Erde, höchster Gipfel des Karakorum, 8611 m hoch. Erstbesteigung 1954 durch eine italien. Expedition (Prof. A. Desio).

kA, Abkürzung für Kiloampere.

Ka [ägypt.], *altägypt. Religion:* eine Art zweites Ich des Menschen, das diesen das ganze Dasein begleitet; auch Lebenskraft.

K'aaba [arab. ›Würfel‹], Hauptheiligtum des Islam, ein Gebäude in Mekka, in das der *Schwarze Stein* (Hadschar) eingelassen ist. Sie ist das Ziel der den Mohammedanern vorgeschriebenen Pilgerfahrt (Haddsch).

K'aaden, tschech. **Kadaň,** Stadt im Kreis Nordböhmen, Tschechoslowakei, (1970) 15 100 Ew., an der Eger; Lederind.

Kaas, Ludwig, kath. Theologe und Politiker, * Trier 23. 5. 1881, † Rom 15. 4. 1952, seit 1918 Prof. des Kirchenrechts am Priesterseminar in Trier; 1924 Domkapitular. 1919 Abg. des Zentrums in der Nationalversammlung, seit 1920 im Reichstag, wo er besonders in außenpolit. Fragen hervortrat. 1928–33 Vorsitzender der Zentrumspartei und als solcher seit 1930 eine Stütze der Regierung Brüning. Die Politik v. Papens lehnte er ab und brachte sie zum Scheitern; dem Ermächtigungsgesetz für Hitler stimmte er zu. Er ging 1933 nach Rom, wo er als Wirklicher Apostolischer Protonotar und als Sekretär der Kardinalskongregation von St. Peter die archäologischen Ausgrabungen unter St. Peter leitete. Politisch trat er nur noch beim Abschluß des Reichskonkordats (1933) hervor.

Kabak'owsk, früherer Name der Stadt →Serow.

Kab'ale [franz.], geheimer Anschlag, Ränke.

Kabalewskij, Dmitrij Borisowitsch, russ. Komponist, * St. Petersburg 30. 12. 1904, Hauptvertreter des musikal. Sozialistischen Realismus. Internat. Erfolg hatte die Ouvertüre zur Oper ›Colas Breugnon‹ (nach R. Rolland, 1938).

Kabard'iner, den →Tscherkessen stammverwandtes Volk im mittleren Kaukasus. Sie bewohnen mit den →Balkaren innerhalb der Russ. SFSR die *Kabardino-Balkarische ASSR* (1946–57 Kabardinische ASSR), 12500 qkm mit (1972) 614000 Ew.; Hauptstadt ist Naltschik.

Kabar'ett, Cabaret [franz.], **1)** Kleinkunstbühne; ursprünglich Schenke, Wirtshaus, dann die Kneipen der Bohémiens in Paris, deren erste ›Chat noir‹ 1881 gegründet wurde. **2)** Schüssel mit mehreren Teilen.

K'abbala [hebr. ›Überlieferung‹], die Lehre und die Schriften der mittelalterl. jüd. Mystik.

In Abwehr gegen den nüchternen mittelalterlichen jüd. Talmudismus entstand von etwa 1200 ab, zunächst unter den Juden der Provence, dann auch Italiens und Spaniens, die jüd. Mystik, die sich bald über das gesamte Judentum ausbreitete. Sie beschäftigt sich bes. mit dem vermeintlichen geheimen, mystischen Sinn des Alten Testaments und der talmudischen Religionsgesetze, mit Begriffs- und Zahlenspielerei, mit der geheimen Bedeutung und mystischen Kraft der verschiedenen Gottesnamen. Zuweilen klingen schlichte Gemütswerte der andächtigen Versenkung in die Liebe Gottes an. Das noch heute bei den Ostjuden vielfach für heilig gehaltene Hauptwerk der K. ist das Buch →Sohar. Im 16. und 17. Jh. verfiel die Kabbalistik immer mehr in primitiven Wunderglauben, in Messias- und Erlösungsträumerei (Isaak Jurja in Palästina, 1533–71), die überging in die schwärmerische Bewegung des »Messias« Sabatai Zebi (1626–76). →Chassidim.

LIT. G. Scholem: Bibliographia Kabbalistica (1927); E. Bischoff: Die K. (1903); ders.: Elemente der K., 2 Bde. (^{2}1921); G. Scholem: Die jüd. Mystik in ihren Hauptströmungen (1958); Zur K. und ihrer Symbolik (1960); ders.: Von der mystischen Gestalt der Gottheit (1962).

K'abbelung, an der Berührungslinie verschieden gerichteter Strömungen im Meer auftretende kleine Wellen.

K'abel [franz. Lw.; Bismarckzeit], **1)** jede biegsame elektr. Leitung, die eine Schutzhülle zur Isolierung und meist eine Hülle gegen mechan. und chem. Beschädigung hat. Der stromführende Teil eines K., die *K.-Seele,* wird durch einen oder mehrere gegeneinander isolierte elektr. Leiter (Adern) gebildet. Die Leiter bestehen entweder aus einem einzigen Draht (Massivleiter) oder aus mehreren miteinander verseilten oder verflochtenen Drähten (Leiterseile, Litzen). Zur Isolierung der Leiter werden verwendet: trockenes oder mit Öl-Harzmasse getränktes

1

2

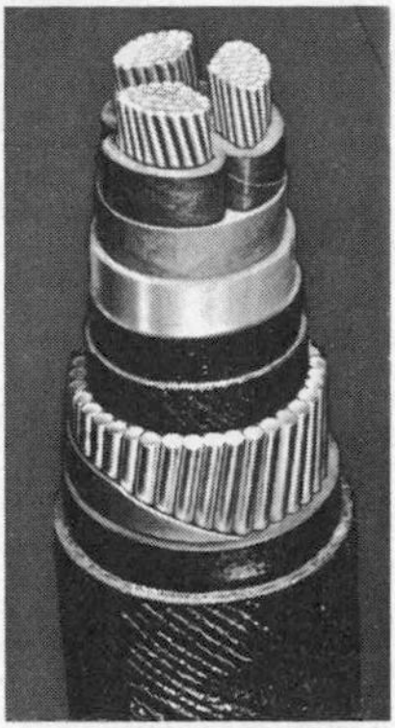
3

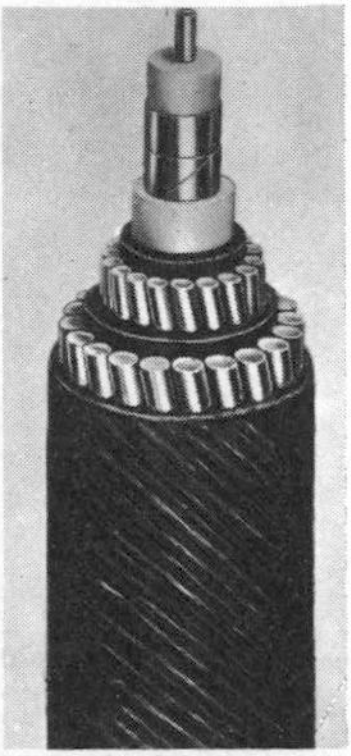
4

5

6

Kabel: 1 *Fernsprechteilnehmerkabel mit 1100 Paaren.* 2 *Trägerfrequenzkabel mit koaxialem Kern und beigepackten Trägerstrom-Verstärkern.* 3 *Gürtelkabel.* 4 *Telegraphenseekabel.* 5 *Ölkabel (einphasig).* 6 *Verseilmaschine*

Papier, Gummi, thermoplastische Kunststoffe, natürl. oder synthet. Textilfasern, Guttapercha *(Papier-K., Masse-K., Gummi-K., Kunststoff-K.).* Zum Schutz gegen Feuchtigkeit erhalten die K. oft einen gemeinsamen geschlossenen *K.-Mantel* aus Blei, Aluminium, Kunststoff, der in den meisten Fällen durch eine Bewehrung (Armierung) aus Papier, Jute und Stahl (Stahlband, Draht) gegen mechan. Beschädigungen geschützt wird. – *Starkstrom-K.* sind K., die je nach Belastung mit mehrfacher Isolierung oder Umhüllung versehen sind: Gürtel-K. (bis 20000 V), Dreimantel-K., Hochstädter-K. (bis 15000 V), Höchstspannungs-K. (60000 V und mehr, oft als *Öl-K.* oder *Druck-K.* mit Öl oder Gas unter Überdruck gefüllt). – *Fernmelde-K.* haben eine Isolierung aus sorgfältig getrocknetem Papier, das locker auf den Leiter aufgebracht wird, so daß eine Hohlraum-(Luft-)Isolierung entsteht. Um Verzerrungen zu vermeiden, die bei der Übertragung sehr hoher Frequenzen auftreten können, sind verlustarme Kunststoffe wie Polystyrol oder Polyäthylen erforderlich. Auch hier wirkt Luft als Isolator.

Die K. werden im allgemeinen als *Erd-K.* in ausgehobenen Gräben verlegt. Fernmelde-K. werden in stark bebautem Gelände (Städte) in *K.-Kanäle* eingezogen. Bei Starkstrom-K. wählt man diese Art der Verlegung wegen der notwendigen Wärmeableitung im allgemeinen nicht. K. können ferner als *Luft-K.* verlegt werden. *Fluß-* und *See-K.* erhalten eine starke Bewehrung, besonders in Gewässern mit großem Schiffsverkehr. Die K. werden vom Schiff aus unmittelbar ins Wasser verlegt, häufig werden sie auch in die Gewässersohle eingespült.

Der Schutz der außerhalb der Küstengewässer eines Staats gelegten Unterwasser-K. ist international im Kabelschutzvertrag von 1884 geregelt.
2) →Drahtseil für Hängebrücken, Drahtseilbahnen u. ä.

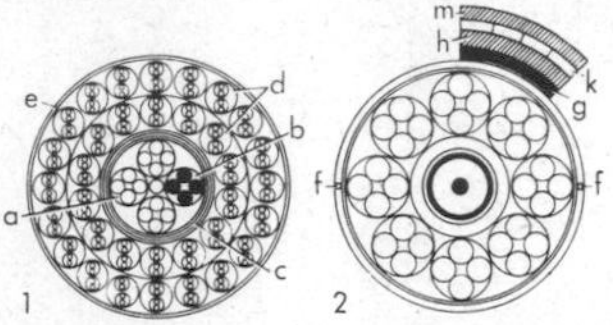

Kabel: **1** *Fernleitungskabel. Seele: vier Sternvierer, 1,4 mm Durchmesser, davon* a *drei mit Isolierung durch Bespinnung und* b *einer mit Lackisolierung;* c *einige Lagen Papier und metallisiertes Papier;* d *zwei Lagen 34 DM-Vierer 0,9 mm Durchmesser;* e *drei Lagen Papier.* **2** *kombiniertes TF-Fernkabel mit einer koaxialen Leitung 2,6/9,4 mm Durchmesser.* f *Prüfleiter; Bewehrung (bei Verwendung als Erdkabel):* g *Bleimantel,* h *innere Schutzhülle,* k *Flachdraht,* m *äußere Schutzhülle*

K'abelgatt, Schiffsraum für Tauwerk.
K'abeljau, Kabliau [niederl.], **Dorsch,** plattdeutsch **Dösch, Pomuchel,** am Rücken dunkelfleckiger Raubseefisch der Dorschartigen, in allen Meeren zwischen 40 und 75° n. Br., wird 1,50 m lang, 70 kg schwer; im Handel teils frisch, teils getrocknet *(Stockfisch)* oder gesalzen und getrocknet *(Klippfisch)*. Die Leber liefert Lebertran.
K'abellänge, Längenmaß der Schiffahrt: $^1/_{10}$ Seemeile = 185,2 m; ursprünglich die Länge eines Ankertaus.
Kabelleger, ein zum Verlegen und Wiedereinholen von Seekabeln ausgerüstetes Schiff.
K'abelmuffe, mit Isoliermasse ausgegossener Stahlkasten zur Verbindung zweier unterirdischer Kabel.
K'abelschuh, Kontakthülse zum Anschluß elektr. Leitungen an Geräte.
Kab'inda, nördlich der Kongomündung gelegene Exklave der portugiesischen Überseeprovinz →Angola.
Kab'inenroller, →Motorroller.
Kabin'ett [franz.], **1)** kleines Zimmer; Beratungsraum. **2)** Raum mit Kunstwerken und Schaustücken: *Kupferstichkabinett, Münzkabinett, Naturalienkabinett.* **3)** Kunstschrank zum Aufbewahren von Kostbarkeiten, Briefschaften u. a., im 16./17. Jh. beliebt. **4)** *Staatsrecht:* seit dem 18. Jh. der kleine Kreis persönl. Berater des Staatsoberhauptes **(Geheimes K.)**, gegenwärtig dem engl. Sprachgebrauch folgend das Gesamtministerium als oberste Regierungsbehörde (Ministerkollegium; ÜBERSICHT Bundesregierung). In Großbritannien gehört nur ein Teil der Minister zum eigentl. K. (Cabinet). **Kabinettsfrage,** eine Streitfrage mit dem Parlament, von deren Entscheidung das Verbleiben oder der Rücktritt eines Ministeriums abhängig ist (Vertrauensfrage). **Kriegs-K.,** ein engerer Ausschuß der Gesamtregierung für Angelegenheiten der Kriegführung während eines Kriegs (→Wirtschaftskabinett, →Schattenkabinett). **Kabinettspolitik,** im absoluten Staat die mit rein diplomat. Mitteln (Geheimdiplomatie) geführte Außenpolitik; **Kabinettskrieg,** der vom Herrscher ohne Befragung des Volkes oder einer Volksvertretung geführte Krieg; **Kabinettsjustiz,** die Eingriffe des Landesherrn in die Rechtspflege; **Kabinettsorder,** Anordnung des Herrschers in Sachen, die seiner eigenen Entschließung vorbehalten waren **(Kabinettsachen)**; **Kabinettschreiben,** vertraul. Schreiben des Herrschers an andere Staatsoberhäupter (ohne Gegenzeichnung des Ministers). Das K.-System lebte in konstitutionellen Staaten in Form des **Zivil-, Militär-, Marine-K.** fort (in Dtl. bis 1918).
Kabin'ettkäfer, 2,5 mm langer, plumper, brauner, graugelb und weiß getigerter Speckkäfer, dessen braune, behaarte Larve bes. an Insektensammlungen sehr schadet *(Museumskäfer)*.

Kabinettkäfer:
1 *Käfer,* 2 *Larve (etwa 5fach vergr.)*

Kabinettwein, in bes. kleinen Kellern gelagerter Edelwein; nach dem neuen dt. Weingesetz von 1971 ein Qualitätswein mit Prädikat.
Kabir, indischer Sektengründer, * 1440, † 1518, brach mit der Avatara-Vorstellung (Inkarnation der Gottheit in einem hl. Mann) und vertrat unter islam. Einfluß einen bildlosen Monotheismus. Er begründete die Sekte der Panthis und übte großen Einfluß auf die Religion der Sikhs aus.
Kab'iren [grch. kabeiroi], auf Inschriften oft nur die »Großen Götter« genannt, griech. Gottheiten, ursprüngl. wohl phryg. Herkunft, und Fruchtbarkeitsdämonen. Sie wurden auf einigen Inseln des Ägäischen Meeres (Samothrake und Lemnos), in Milet, Pergamon, Theben kultisch und mit Mysterien verehrt. Meist sind es zwei männl. K., doch kommt auch die Vierzahl vor (auf Samothrake; zwei weibl. K.?). Die K. galten als Beschützer der Seefahrt, wurden oft mit den Dioskuren gleichgestellt oder mit Kybele, Demeter und auch Dionysos in Verbindung gebracht.
Kabotage [-ta:ʒə, span.-franz.], **1)** *Seeverkehr:* die Küstenschiffahrt; sie kann von jedem Staat den eigenen Staatsangehörigen vorbehalten werden. **2)** *Flußverkehr:* **Fluß-**

K., die Binnenschiffahrt. 3) *Luftverkehr:* die →Luftkabotage.

Kabriol'ett [franz.], 1) Kraftwagen mit rückklappbarem Verdeck. 2) zweirädriger Einspänner.

Kabr'usche [hebr.], Gesellschaft, Bande.

Kabuki, das volkstümliche →japanische Theater.

Kab'ul, 1) *der*, rechter Nebenfluß des Indus, etwa 500 km lang, entspringt westl. der Stadt K. und mündet bei Attock; Staudamm mit Kraftwerk in Sarobi.

2) Hauptstadt von Afghanistan, mit (1970) 488 800 Ew., 1800 m ü. M., am K. und an der Karawanenstraße Sowjet-Turkestan–Pakistan. Die von einer Festung überragte Stadt bestand größtenteils aus Lehmhütten; seit König Aman Ullah sind neue Stadtviertel mit modernen Gebäuden entstanden. K. hat Universität, deutsche Schule, Tuch-, Schuh- und Lederindustrie, Woll-, Porzellanfabrik. – K. gehörte seit dem 16. Jh. zum Reich des Großmoguls von Delhi und wurde im 18. Jh. Hauptstadt des Afghanenreiches.

Kabylei, franz. **Kabylie,** Landschaft in Nordalgerien, östl. von Algier, besteht aus zwei Gebirgsstöcken des Tell-Atlas; über 2300 m hoch ist der Dschurdschura.

Kab'ylen [arab.], Stammesgruppe (etwa 1 Mill. Menschen) der Berber, ansässig in der Kabylei. Die K. treiben Ackerbau, Obst-, Olivenkultur und sind häufig Wanderarbeiter außerhalb ihrer übervölkerten Heimat. Unter der Oberfläche des Islam lebt altes berber. Gewohnheitsrecht und Brauchtum. Fehden und Aufstände sind in der Geschichte der freiheitsliebenden K. häufig (→Abd el Krim). **Rif-K.** (nur im dt. Sprachgebrauch), die Berber der Küste NW-Marokkos.

K'achel [lat. Lw.], Platte aus reinem oder mit Schamotte gemagertem Ton, Steingut, Porzellan, glatt oder reliefartig gemustert oder bemalt. Die K. werden in Muffel- oder Tunnelöfen gebrannt, oft bei einem 2. Brand mit einer dichten Glasur überzogen; verwendet als *Ofen-K.*, Belag für Wände und Fußböden u. ä.

Kachelofen, aus Kacheln gemauerter Ofen.

Kachelofen, Konrad (Kunz), urkundlich bezeichnet als *Contze Holthusen* alias Kacheloffen von Wartberg, Buchdrucker in Leipzig und Freiberg, † Ende 1528 oder Anfang 1529. Sein hervorragendster Druck ist das *Missale Misnense*. Seine Druckerei übernahm sein Schwiegersohn Melchior Lotter.

Kachex'ie [griech.], Kräfteverfall, Abzehrung; Endstadium vieler chron. Krankheiten, bösartiger Geschwülste. **kach'ektisch,** abgezehrt.

K'achlet [aus G'hachlet ›Stelle, wo sich die Schiffer mit Haken hinaufhachelten‹], Engtal der Donau, 5 km oberhalb Passau, mit der Staustufe des *Kachlet-Großkraftwerks*.

Kach'owka, Stadt am unteren Dnjepr, in der Ukrainischen SSR, (1971) 35 000 Ew. Der **Kachowkaer Stausee** (2150 qkm groß, 18,2 Mrd. cbm Fassungsvermögen) bewässert die südukrain. Gebiete und die nördl. Krim. Der K. Stausee hat Kraftwerk (312000 kW, 1950–56 erbaut).

Kackar Dağ [katʃkar], höchster Teil des nordostanatolischen Randgebirges, über 3 500 m hoch, vergletschert.

Kadaň [k'adaɲ], tschech. Name der Stadt →Kaaden.

Kádár, Janos, ungar. Politiker (Kommunist), * Kapoly 26. 5. 1912, war 1948–50 Innenminister, 1950–53 wegen angebl. Opposition zu Rákosi inhaftiert, Okt. 1956 Mitgl. der Revolutionsregierung Nagy, beim Eingreifen der Sowjetarmee Nov. 1956 Min. Präs. (bis 1958 und wieder 1961–65); Erster Sekretär des ZK der KP.

Kad'aver [lat.], Leiche, bes. Tierleiche.

Kadaverbeseitigung, Kadaververwertung, →Tierkörperverwertung und -beseitigung.

Kadavergehorsam, unbedingter, blinder Gehorsam unter völligem Aufgeben des eigenen Willens; nach Loyolas Vorschrift für den Jesuitenorden sollten seine Mitglieder sich von der göttlichen Vorsehung durch die Oberen leiten lassen, »als wenn sie ein Leichnam wären«.

Kadaverin [lat. Kw.], 1,5-Diaminopentan, bildet sich bei Fäulnis von Eiweißstoffen aus der Aminosäure Lysin; Bakterien-Wuchsstoff.

Kadd'isch [aramäisch ›heilig‹], bei den Juden Schlußteil des tägl. Gebets und Gebet

Kachelofen: a *Frühstufe, Bauernofen aus Lehm mit Topfkacheln.* b *Kastenofen mit Bank* c *Kastenofen mit Aufsatz, 16. Jh.* d *barocker K. um 1700.* e *Fayenceofen, 18. Jh.*

der Söhne bei Bestattung der Eltern und an deren Gedenktag.

K'adelburg, Gustav, Schauspieler u. Schriftsteller, * Budapest 26. 7. 1851, † Berlin 11. 9. 1925, verfaßte mit Oskar Blumenthal, Franz von Schönthan u. a. Schwänke u. Lustspiele (Im weißen Rößl, 1898).

Kaden-Bandr'owski, Juljusz, poln. Schriftsteller, * Rzeszów 24. 2. 1885, † Warschau 8. 8. 1944, behandelte in seinen Romanen (General Barcz, 1923; dt. 1929; Schwarze Fittiche, 1928/29) Probleme des Staates und der Gesellschaft.

Kaden'etten, nach dem Marschall Cadenet benannte männl. Haartracht am Hofe Ludwigs XIII.: zwei an den Seiten des Gesichts herabhängende Zöpfe wurden mit seidenen Schleifen unter dem Hut zusammengebunden.

Kad'enz [von lat. cadere ›fallen‹], **1)** die ein Musikstück oder einen Teil eines solchen abschließende Akkordfolge. Die vollkommene K. schließt auf der Tonika, die unvollkommene K. (Halbschluß) auf der Dominante, der Subdominante oder auf einer anderen Stufe (Trugschluß). Man unterscheidet die *authentische K.* von der *abgeleiteten* oder *plagalen K.*

Die K. ist ein wesentl. Bestandteil der abendländ. Musik etwa der letzten 300 Jahre, der bei atonaler Musik fehlt, auch beim Jazz möglichst vermieden wird.

2) Ein ursprünglich improvisierter, virtuoser Soloteil im Instrumentalkonzert, der dem Interpreten Gelegenheit gibt, im Solo zu glänzen. Insbes. bedeutet im Instrumentalkonzert K. einen unmittelbar vor dem Schluß eingeschobenen phantasieartigen Teil.

K'ader [franz. cadre ›Rahmen‹], **1)** Stammbestand einer Truppe, bes. die zur Ausbildung und Führung erforderlichen Offiziere. **Kadersystem,** Truppenaufbau: die vorhandenen Stämme werden nur im Kriegsfall aufgefüllt *(Rahmenheer)*.

2) im kommunistischen Sprachgebrauch: alle wichtigen Funktionäre.

Kad'ett [franz. cadet ›Jüngerer‹, ›Nachgeborener‹; Barockzeit], **1)** Zögling einer militärischen, zur Offizierslaufbahn vorbereitenden Erziehungsanstalt *(Kadettenanstalt)*. Im Deutschen Reich bestanden bis kurz nach dem 1. Weltkrieg *Kadettenkorps* in Preußen, Bayern und Sachsen. Die K. traten meist als Fähnriche in das Heer ein. **2) Seekadett,** Anwärter auf die Seeoffizierslaufbahn der Marine. ÜBERSICHT Dienstgrade.

Kad'etten, Kurzwort aus Konstitutionelle Demokraten **(K. D.)**, die Mitglieder der liberalen *Partei der Volksfreiheit* in Rußland 1905–17.

K'adi [arab.], **Kasi** [türk. und pers.], Richter in den islam. Ländern, der nach dem Religionsgesetz entscheidet. 1922 wurde das Amt in der Türkei aufgehoben.

K'adijewka, Stadt im Donezbecken, Ukrain. SSR, mit (1972) 139000 Ew.; Bergakademie; Industrie.

Kadl'ubek, Wincenty, poln. Chronist, * Karwów bei Opatów um 1160, † Kloster Jedrzejów 8. 3. 1223, Bischof von Krakau (1208–18). Seine Verehrung als Seliger wurde 1764 kirchl. anerkannt; Tag: 8. 3. Seine ›Chronica Polonorum‹ reicht bis 1206.

Kadm'eia, die alte Burg von Theben, nach →Kadmos genannt.

K'admium [lat. cadmia ›Galmei‹], chem. Element, Zeichen **Cd,** Ordnungszahl 48, Massenzahlen 114, 112, 111, 110, 113, 116, 106, 108, Atomgewicht 112,40; spez. Gewicht 8,64, Schmelzpunkt 321°C, Siedepunkt 766°C. K. kommt in geringer Menge in Zinkerzen vor, aus denen es bei der Zinkdarstellung durch mehrmalige Destillation gewonnen wird. Es ist ein glänzendweißes, geschmeidiges Metall und dient als Elektrodenstoff, als rostschützender Überzug auf Eisen *(kadmieren, verkadmen)*, zum Absorbieren langsamer Neutronen im Kernreaktor und zur Herstellung der leicht schmelzenden *Kadmiumlegierungen*, z. B. des Woodschen, Lipowitzschen oder Newtonschen Metalls.

Wichtigste Erzeuger: die USA (über 50%), Kanada, Belgien, Japan, die Bundesrep. Dtl., Sowjetunion.

Verbindungen. Kadmiumoxyd, CdO, braunes Pulver, entsteht bei der Verbrennung von K. *Kadmiumsulfat*, $CdSO_4$, durch Lösen von K. in Schwefelsäure erhalten, kristallisiert in farblosen Tafeln, die als mildes antiseptisches Mittel verwendet werden. *Kadmiumsulfid*, CdS, aus Kadmiumsalzlösungen als gelber Niederschlag *(K.-Gelb)* gefällt, ist Malerfarbe.

K'admos, *griech. Mythologie:* K. war von seinem Vater, dem phönikischen König Agenor, ausgesandt worden, seine Schwe-

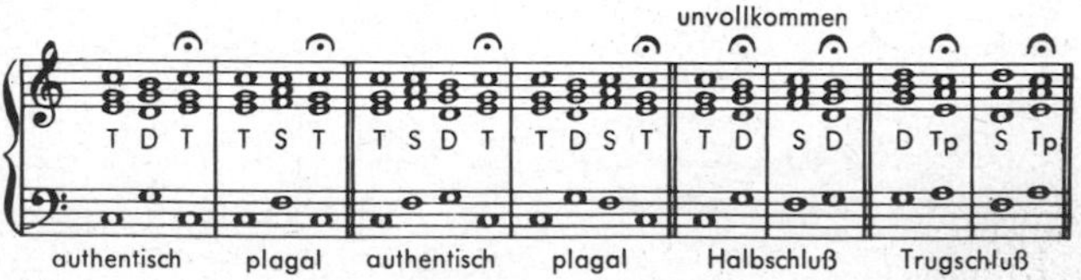

Kadenz: T = *Tonika,* D = *Dominante,* S = *Subdominante,* Tp = *Tonika der Mollparalleltonart*

ster Europa zu suchen. Er erschlug an der Quelle des Ares einen Drachen, dessen Zähne er aussäte. Daraus erwuchsen geharnischte Männer, unter denen ein Kampf entstand, in dem nur fünf übrig blieben. K. mußte darauf acht Jahre dem Ares dienen und wurde dann König von Theben. Man schrieb ihm die Einführung der Schrift in Griechenland zu.

Kad'una, Hauptstadt des North Central State, Nigeria, mit (1972) 185 800 Ew.; Handelszentrum, Textilindustrie.

Kad'uzëus, Heroldstab, →Kerykeion.

kaduzierte Aktien, Aktien, die wegen nicht geleisteter Einzahlung für ungültig erklärt worden sind.

Kaesong, Stadt in Korea, →Kaisöng.

Kaf [arab.], das Gebirge, das nach islam., ursprüngl. iran. Anschauung die irdische Welt umschließt, von der bewohnten Erde durch eine unpassierbare Region getrennt.

Käfer [westgerman. ›Nager‹], **Deckflügler,** *Koleopteren,* Ordn. der Insekten mit gegen 350000 Arten, mit einer Körperlänge von 0,25 mm bis über 15 cm. Die K. besitzen meist einen harten Hautpanzer. Sie haben kauende Mundwerkzeuge, die (je nach der sehr vielfältigen Ernährungsweise) ebenso verschieden gestaltet sind wie auch die Fühler. Die Vorderflügel sind mehr oder weniger verhärtet und decken in Ruhelage über den einfaltbaren Hinterflügeln auch den Hinterleib. Die Verwandlung ist vollständig.

LIT. A. Horion: Käferkunde f. Naturfreunde (1949); H. Brandt: Insekten Deutschlands III. Käfer (1960); J. Bechyně: Welcher K. ist das? (1968).

Käfer

I. **Raubkäfer** mit den Familien: Sandkäfer, Laufkäfer, Fadenschwimmkäfer, Taumelkäfer, Fühlerkäfer.

II. **Vielfresser** mit den Familien: Kurzflügler, Aaskäfer, Biberkäfer, Stutzkäfer, Weichkäfer, Buntkäfer, Schnellkäfer, Prachtkäfer, Bohrkäfer, Diebkäfer, Speckkäfer, Pillenkäfer, Kolbenwasserkäfer, Himbeerkäfer, Glanzkäfer, Schmalkäfer, Marienkäfer, Feuerkäfer, Schwarzkäfer, Blasenkäfer, Fächerkäfer, Hirschkäfer, Skarabäiden, Bockkäfer, Blattkäfer, Samenkäfer, Langkäfer, Spitzmäuschen, Afterrüsselkäfer, echte Rüsselkäfer, Borkenkäfer. – Hirschkäfer und Skarabäiden werden als Blatthornkäfer zusammengefaßt.

K'äferschnecken, zu den Wurmmollusken *(Amphineuren)* gehörige Weichtiere mit schildkrötenähnlicher, doch gelenkiger Rükkenschale; leben in der Brandungszone des Meeres.

K'affa, Landschaft im SW Äthiopiens, mit Urwald, in dem der wilde Kaffeebaum wächst. Das alte *Königreich K.* war eine Gründung der →Kaffitscho.

K'affee, *oberdt.* **Kaff'ee,** *Kaffeebaum* (Coffea), Gatt. der Färberrötengewächse, im trop. Afrika und Asien heimisch; Sträucher oder Bäumchen mit weißen Blüten, kirschähnlichen Früchten und meist zwei Steinkernen. In jedem Stein sitzt in grauweißer, seidenpapierdünner Samenhaut (Seiden-, Silberhaut) ein Samen, die *Kaffeebohne,* deren knorpelig-hartes Zellgewebe 1–$1^{3}/_{4}$% Koffein, etwa 5% Gerbsäure (Kaffeegerbsäure) und ein ätherisches Öl von eigenartigem Geruch enthält. Einsteinige, einsamige Früchte geben den rundbohnigen *Perlkaffee.*

Anbau, Arten, Sorten. Der Kaffeeanbau erfordert ziemlich große Wärme und erhebliche Niederschläge oder Bewässerung. Alle bisher angebauten Kaffeearten stammen aus Afrika, so der *Arabische K.* mit seiner Abart *Mokkakaffee* und den heute wichtigeren javanischen und amerik. Sorten. Andere Arten sind der *Liberische K.* und der bes. in Java gebräuchliche *Robustakaffee.*

Aufbereitung. Bei der seltener gewordenen trockenen Aufbereitung werden die Früchte getrocknet und maschinell geschält. Bei der

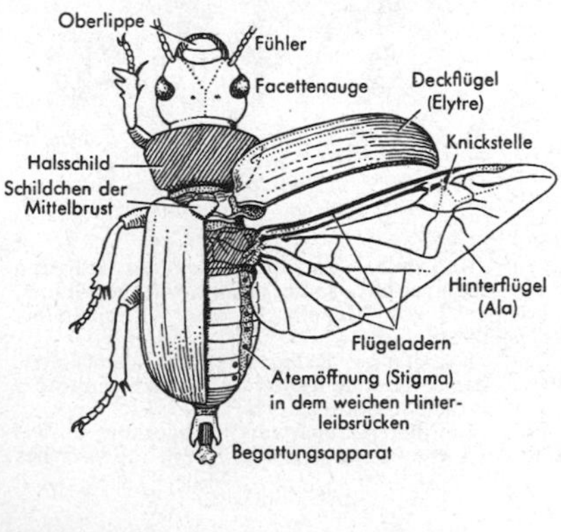

Käfer: Männchen, Rückenansicht; Vorder- und Hinterbrust schräg schraffiert, Flügel der rechten Seite ausgebreitet

nassen Methode wird das Fruchtfleisch in einer Maschine (Despolpator) abgequetscht, und die Pergamenthülle entfernt. Vor dem Verkauf durch den Kleinhandel werden die Rohbohnen geröstet, wodurch sich erst die aromat. Stoffe, die den K. zu einem Genußmittel machen, entwickeln. Gerösteter Kaffee enthält u. a. 1–1,5 % Koffein und 5–7 % Chlorogensäure. Das Koffein kann dem K. durch Dämpfen der rohen Bohnen und darauffolgendes Extrahieren mit Lösungsmitteln entzogen werden. Koffeinfreier K. darf nach der VO. über K. nicht mehr als 0,08 %, koffeinarmer K. nicht mehr als 0,2 % Koffein enthalten.

KAFFEE-ERNTE (in 1 000 t)

Land	1948/52	1971	1975
Brasilien	1077	1666	1228
Kolumbien	352	520	540
Elfenbeinküste ...	50	249	258
Äthiopien	27	215	174
Angola	50	210	68
Uganda	35	210	180
Mexiko	63	192	214
Indonesien	39	180	186
El Salvador	75	144	193
Guatemala	58	129	129
Übrige Länder ...	396	1162	1218
Welt	2222	4877	4388

Wirtschaftliches. Wichtige K.-Importländer sind die USA, die Bundesrep. Dtl. und Frankreich. Der Verbrauch je Ew., der im Dt. Reich (1936) 1,94 kg betragen hatte, stieg in der Bundesrep. Dtl. von (1950) 0,6 auf (1955) 1,82 und (1972) 4,3 kg.

Anwendung und Wirkung. Das im K. enthaltene Koffein wirkt erregend auf das Zentralnervensystem und zugleich erschlaffend auf die Gefäßmuskulatur. Hierdurch kommt es zu besserer Herzleistung und Durchblutung der Gehirngefäße, worauf die Wirkung des Kaffeegenusses beruht: Nachlassen der Müdigkeit und erhöhte Auffassungskraft, sowie verstärkte Nierenfunktion. Mäßiger Kaffeegenuß ist bei gesundem Organismus nicht schädlich.

GESCHICHTE. Der K. wurde erstmals von dem arab. Arzt Rhazes (um 900) erwähnt und um 1450 in Jemen zum erstenmal angebaut, jedoch schon bedeutend früher getrunken. In Europa kommt er zum erstenmal 1582 in dem Buch des Arztes L. Rauwolf, der den Vorderen Orient bereist hatte, unter dem Namen »Chaube« vor. Um die Mitte des 17. Jh. gelangte er in die großen europäischen Seehandelsstädte. 1671 kamen die ersten Kaffeepflanzen nach Java, bald darauf setzte der Anbau auf Ceylon und in Surinam ein, in der 2. Hälfte des 18. Jh. breitete er sich über große Gebiete Südamerikas aus. Die ersten europäischen Kaffeehäuser gab es in Venedig 1647, Oxford 1650, London 1652, Marseille 1671, Hamburg 1677 und Wien 1683.

K'affee-Ersatz, Stoffe, die den Bohnenkaffee ersetzen sollen oder mit ihm zusammen verwendet werden, um das Getränk bekömmlicher und billiger zu machen: Gerste, Roggen, Malz, Zichorie, Feige, Dattel, Milo (Mohrenhirse), Eichel, Kastanie, Zuckerrüben-, Mohrrübenschnitzel, Lupine. *Kaffeezusatz* wird aus Pflanzenteilen, Zuckerarten oder Melasse durch Karamelisieren hergestellt.

K'affeemaschine, Gerät zur Kaffeebereitung. Beim *Aufbrühverfahren* wird siedendes Wasser langsam durch gemahlenen Kaffee hindurchgefiltert. Beim *Espresso-Verfahren* verwendet man überhitztes, unter Druck stehendes Wasser. In der *Doppelfilter-K.* fließt bis kurz vor den Siedepunkt erhitztes Wasser aus einem Behälter zweimal – im Vor- und Rücklauf – durch den gemahlenen Kaffee und dann unter Luftabschluß in einen geheizten Vorratsbehälter.

K'affeesteuer, eine in der Bundesrep. Dtl. zusammen mit dem Kaffeezoll erhobene Verbrauchsteuer. Das dem Bund zustehende Aufkommen aus der K. betrug (1974) 1190 Mill. DM.

K'affern [arab. kafir ›Ungläubiger‹], alte zusammenfassende Bezeichnung für die rassisch und kulturell hamitisch beeinflußten SO-Bantu der Republik Südafrika und von Mosambik (etwa 6–7 Millionen); Hackbauern und Viehzüchter. Einzelne Gruppen, z. B. die Zulu, zeigen Buschmann- oder Hottentotteneinflüsse. In den *K.-Kriegen* im 19. Jh. kämpften einige K.-Stämme gegen die Buren u. Engländer.

Kaffernbüffel, →Büffel.

Kaffernkorn, Sorghum, eine →Hirse.

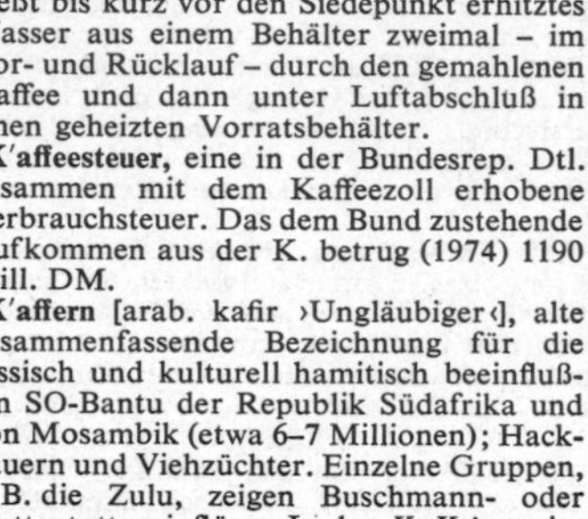

Kaffeebaum: a *Blüte,* b *Frucht,* c *Fruchtlängsschnitt mit 2 Bohnen,* d *entsprechender Querschnitt,* e *Keimling von der Seite und von vorn,* f *Bohne (Hauptbilder etwa* 1/2 *nat. Gr.)*

Kaff'itscho, die Bewohner des früheren Königreichs →Kaffa, das um 1400 gegründet, 1897 von Menelik II. von Äthiopien erobert wurde.

K'äfigläufer, Käfiganker, Kurzschlußanker, der rotierende Teil eines Asynchronmotors (→Elektromotor).

Kaf'iller [Gaunerwort], Abdecker.

K'afir [arab. ›Ungläubiger‹], indoarisches

Volk in der afghan. Landschaft *Kafiristan* (Hindukusch), Viehzüchter, Acker- und Gartenbauern. Gewaltsam zum Islam bekehrt, halten sie z. T. an der alten Götter-, Ahnen- und Feuerverehrung fest.

K'afka, Franz, Schriftsteller, * Prag 3. 7. 1883, † Sanatorium Kierling bei Wien 3. 6. 1924 an Lungentuberkulose. Nach Jurastudium Versicherungsbeamter in Prag (1907–20). K. war u. a. befreundet mit F. Werfel, von größter Bedeutung war seine Freundschaft mit Max →Brod. Wie bei wenigen Schriftstellern finden in K.s Werken persönliche Probleme ihren Niederschlag. Diese Tatsache, K.s tiefverwurzelte Scheu vor dem Aufdringlichen und sein hoher Anspruch an literar. Qualität bei immer wiederkehrenden Zweifeln an den eigenen Fähigkeiten deuten auf die Gründe hin, die K. von der Veröffentlichung seiner Hauptwerke Abstand nehmen ließen. Zu seinen Lebzeiten erschienen nur ›Betrachtung‹ (Erzählungen, 1913), ›Der Heizer‹ (später das 1. Kapitel des Romans ›Amerika‹, 1913), ›Das Urteil‹ (E., 1913), ›Die Verwandlung‹ (E., 1915), ›Ein Landarzt‹ (Erzählungen, 1919), ›In der Strafkolonie‹ (E., 1919), ›Ein Hungerkünstler‹ (4 Novellen, 1924). Die drei Romane gab Max Brod entgegen K.s Wunsch postum heraus. Die ›Briefe an Milena‹ (hg. v. W. Haas, 1952) geben einen eindrucksvollen Einblick in die komplizierte Liebesbeziehung zu der dt.-tschech. Schriftstellerin Milena Jesenska in den Jahren 1920–22.

WERKE. Romane aus dem Nachlaß: Der Prozeß (1925), Das Schloß (1926), Amerika (1927). Ges. Werke, hg. v. M. Brod, 10 Bde. (1951 ff.).

LIT. The K. Problem, hg. v. A. Flores (1946); G. Janouch: Gespräche mit K. (1951); Franz Kafka today, hg. v. A. Flores (1958); K. Wagenbach: F. K. Eine Biographie seiner Jugend (1958); W. Emrich: Die Weltkritik F. K.s (1958); ders.: F. K. ([5]1965); Max Brod: F. K. ([4]1962); F. K. Ein Symposion (Datierung, Funde, Materialien, hg. v. K. Wagenbach u. a., 1965); Bibliographie: Harry Järv: Die Kafka-Literatur, Malmö 1962; J. Urzidil: Da geht Kafka (erw. Ausg. 1966).

Kaft'an [ägypt.-arab. quftan], **1)** langärmeliger Überrock, bes. der vorderasiat. Völker. **2)** langer, enger, geknöpfter Oberrock der rechtgläubigen Juden.

Kafzeh, Dschebel K., Höhle bei Nazareth, Fundort von fünf menschl. Skeletten vermutl. aus der Riß-Würm-Warmzeit.

Kaga, frühere japan. Provinz, heute Teil der Prov. Ischikawa; im 17. Jh. bekannt durch die Herstellung des **Kaga-Porzellans,** das sich durch tiefgrüne Schmelzfarben auszeichnet.

Kagami, japan. Metallspiegel, rund oder blütenkelchförmig, meist ohne Handgriff. Sie sind wie chines. Spiegel auf der Rückseite mit einer Öse versehen und verziert. In vielen Shinto-Tempeln dient ein dauernd verhüllter Metallspiegel als Sinnbild der Gottheit.

Kagan'owitsch, Lasar, sowjet. Wirtschaftspolitiker, * Kabany (Gouv. Kiew) 22. 11. 1893, seit 1930 Mitgl. des Politbüros (seit 1952 des Präsidiums des Zentralkomitees), hatte als enger Mitarbeiter Stalins Anteil am Aufbau der Schwerindustrie, an der Zwangskollektivierung und den Vernichtungsaktionen 1934–38. 1957 wurde er aller Posten enthoben.

Kagawa, Tojohito, japan. Theologe und Schriftsteller, * Kobe 2. 7. 1888, † Tokio 23. 4. 1960, war einer der bekanntesten Christen und Sozialreformer Japans.

Kagel, Mauricio, argentin. Komponist und Dirigent, * Buenos Aires 24. 12. 1931, seit 1957 in Köln, seit 1965 auch als Gastprof. in New York; versucht die sichtbare Seite der Darbietung von Musik zu eigener künstlerischer Bedeutung zu erheben (instrumentales Theater); auch Werke für Musiktheater (›Sur scène‹, 1960; ›Staatstheater‹, 1970), Filme (›Ludwig van‹, 1970).

Kag'era *der,* Fluß im Zwischenseengebiet Ostafrikas, mündet in den Viktoriasee, Quellfluß des Nils.

Kagi, Stadt auf Formosa, →Kiai.

K'aegi, Werner, schweizer. Historiker, * Ötwil (Kt. Zürich) 26. 2. 1901, Prof. in Basel.

WERKE. Michelet und Deutschland (1936), Histor. Meditationen, 2 Bde. (Aufsätze, 1942–46), Jacob Burckhardt, 3 Bde. (1946 bis 1956), Europ. Horizonte im Denken Jacob Burckhardts (1962).

Kagoschima, amtl. **Kagoshima,** Hafenstadt auf Kiuschu, Japan, mit (1970) 403 300 Ew.; berühmt durch die Satsuma-Fayencen.

Kahl, K. am Main, Gem. im Kr. Aschaffenburg, Unterfranken, Bayern, rechts vom Main, mit (1977) 7900 Ew.; nahebei das erste dt. Versuchskernkraftwerk.

K'ahla, Stadt im Landkreis Jena, Bez. Gera, an der Saale, 170 m ü. M., mit (1974) 10 100 Ew., hat Porzellanindustrie, Maschinenfabrik. Östlich von K., das 860 erstmals erwähnt wird, auf einem Bergkegel (395 m) die *Leuchtenburg* (jetzt Jugendherberge).

K'ahlenberg, 1) der nordöstlichste, bis an die Donau bei Wien reichende Ausläufer der Ostalpen, ein über 400 m hoher Bergzug, gipfelt im *Hermannskogel* (524 m), dem eigentl. *Kahlen-* oder *Josefsberg* (483 m) und dem *Leopoldsberg* (423 m). Durch die Schlacht am K. (12. 9. 1683) wurde Wien von der türk. Belagerung befreit.

2) Kahlenbergerdorf, ehem. Dorf am Fuß des K., jetzt zum 19. Wiener Gemeindebezirk gehörig. Die Schwänke des **Pfaffen vom Kalenberg,** der angeblich um 1330 gelebt hat, wurden um die Mitte des 15. Jhs. von Philipp Frankfurter in Reime gebracht (älteste bekannte Ausgabe, nur Bruchstücke, 1473; Faksimileausg. 1905). ›Der Pfaff vom K.‹, Dichtung von Anastasius Grün (1850).

K'ahler 'Asten, höchste Erhebung des Sauerlandes im Rothaargebirge, 840 m hoch; meteorolog. Station.

K'ahlwild, die geweihlosen weibl. Tiere und die Kälber von Edel-, Elch- und Damwild.

Kahm, ältere Form **Kahn** [wohl mhd., lat. Lw.], Schimmelüberzug. **K'ahmigkeit,** Zersetzung alkoholischer Getränke durch hefenähnliche *Kahmpilze (Kahmhefe)*, die als *Kahmhaut* auf der Oberfläche alle organischen Getränkebestandteile (Alkohol, Säuren, Extraktstoffe) zersetzen, doch nicht Zucker in Alkohol zu vergären vermögen wie die echten Hefen; durch Luftabschluß ausschließbar (Spundvollhalten, Verkorken).

Kahn [niederd.; 14. Jh.], **1)** kleines, ungedecktes Boot zum Rudern oder Segeln auf Flüssen und Binnenseen. **2)** Lastschiff mit flachem Boden auf Flüssen (Schleppkahn).

Kahn, Gustave, franz. Schriftsteller, * Metz 21. 12. 1859, † Paris 5. 9. 1936, formulierte eine Theorie des freien Verses, der der lyrischen Musikalität des Symbolismus diente.

Kahnbein, Knochen: 1) der Handwurzel; 2) der Fußwurzel.

Kahnschnabel, *Cochlearius cochlearius,* entengroßer Nachtreiher Südamerikas mit Hinterhauptschopf und breitem Schnabel.

Kahnschnabel (etwa 1/10 nat. Gr.)

Kahnweiler, Daniel-Henry, Kunsthändler, * Mannheim 25. 6. 1884, hatte wesentlichen Anteil am Durchbruch der modernen franz. Malerei, mit zahlreichen Malern befreundet (Picasso, Derain, Vlaminck, Braque, Gris).

Kahr, Gustav Ritter von (1911), * Weißenburg (Bay.) 29. 11. 1862, † (von den Nationalsozialisten ermordet) München 30. 6. 1934, war seit 1890 im bayer. Verwaltungsdienst, 1917–24 als RegPräs. von Oberbayern; dazwischen war er nach dem Kapp-Putsch 1920/21 MinPräs., wobei er sich auf den zur Abwehr der Räteherrschaft gebildeten »Ordnungsblock« stützte. Er galt seitdem als der »starke Mann« Bayerns und erhielt im Sept. 1923 unter Verhängung des Ausnahmezustands die vollziehende Gewalt als »Generalstaatskommissar« übertragen. Als K. im Okt. 1923 zur Erreichung partikularist. Ziele den bayer. Teil der Reichswehr (Gen. Lossow) »in Pflicht« nahm, kam es zum Konflikt mit dem Reich. Am 8. 11. 1923 wurde K. durch Hitler überrumpelt, schlug aber am 9. 11. den Putsch zus. mit der Reichswehr nieder. 1924–27 war er Präs. des bayer. Verwaltungsgerichtshofs.

Kai [niederländ. aus franz.; 17. Jh.], **Kaje,** das befestigte Ufer, an dem das Fahrwasser so tief ist, daß das Schiff dort festmachen, löschen und laden kann. Die *Kaimauer* ist eine lotrechte oder fast lotrechte Mauer in massiver oder Pfahlrostbauweise, die die Belastung durch Uferkräne, Eisenbahnwagen und gestapelte Ladung tragen kann.

Kai [fries. ›der Gefährliche‹], männl. Vorname.

Kaifeng, Stadt in der chines. Prov. Honan, mit über 300000 Ew., Erdnußhandel.

Kai-Graben, Tiefseegraben in der →Banda-See.

Kail'as, Gipfel im Transhimalaja, 6714 m hoch, gilt den Hindus als Sitz Schiwas und den Tibetern als heilig.

Kailas, Uuno, finn. Lyriker, * Heinola 29. 3. 1901, † Nizza 22. 3. 1933, war zunächst expressionistisch beeinflußt, strebte später nach strenger klass. Form.

Kaim, Franz, Dirigent, * Kirchheim unter Teck 13. 5. 1856, † München 17. 11. 1935, veranstaltete in München seit 1893 Sinfoniekonzerte **(Kaimkonzerte).** Aus dem **Kaimorchester** entstanden die Münchener Philharmoniker.

Kaimane [span.-indian.], Arten der Alligatoren in tropisch-südamerikan. Flüssen und Seen, mit dem bis 4 m langen *Mohrenkaiman* und dem kleineren *Krokodil-* oder *Brillenkaiman.*

Kaiman: Krokodilkaiman (bis 2,75 m lang)

K'aimanfisch, Schmelzschupperfisch im südl. Nordamerika, bis 3 m lang, hechtförmig, mit rautenförmigen Schmelzschuppen.

K'ain, erstgeborener Sohn Adams und Evas (1. Mos. 4, 1 ff.), Mörder seines Bruders Abel.

Kainar, Josef, tschech. Schriftsteller, * Prerau (Mähren) 29. 6. 1917, Lyriker und Übersetzer (u. a. Rilke).

Kain'it [griech.], Mineral aus den Kalisalzlagern um den Harz, bildet monokline Kristalle; chemisch eine Verbindung von

Magnesiumsulfat und Kaliumchlorid; gemahlen eines der wichtigsten Düngemittel.

K'ainszeichen, Stammeszeichen der Keniter, das Kain auf seiner Stirn getragen und das ihn als Schutzbefohlenen Jahves ausgewiesen haben soll; meist entgegen 1. Mos. 4 mißverstanden als Brandmarkung des Brudermörders.

Kainz, 1) Friedrich, Ästhetiker und Sprachpsychologe, * Wien 4. 7. 1897, das. seit 1931 Univ.-Professor.

WERKE. Psychologie der Sprache, 5 Bde. (1941–65), Einf. in die Sprachpsychologie (1946), Vorlesungen über Ästhetik (1948), Einführung in die Philosophie der Kunst, 2 Hefte (1948).

2) Josef, Schauspieler, * Wieselburg (Ungarn) 2. 1. 1858, † Wien 20. 9. 1910, wirkte am Deutschen Theater in Berlin, seit 1899 am Wiener Burgtheater. K. vereinigte leidenschaftliche Spielfreude mit geistiger Durchdringung der Rolle; bes. berühmt wurde sein Hamlet. K. war mit der Romanschriftstellerin Sarah Hutzler (* 1853, † 1893) verheiratet.

Kaiow'ä, Kiowa, selbständige Sprachgruppe einst jägerischer Prärie-Indianer Nordamerikas.

K'aiphas, jüd. Hoherpriester (18–36 n. Chr.) zur Zeit Jesu (Matth. 26).

Kaira, Stadt im ind. Staat Gudscharat, schon im Mahabharata genannt, angebl. 1400 v. Chr. gegr.; berühmter Dschainatempel mit Holzschnitzereien.

K'airo, engl. **Cairo,** arab. **al-Kahira,** Hauptstadt Ägyptens, am Nil, 20 km südlich seiner Spaltung in Rosette- und Damiette-Arm, ist mit (1974) 7,07 Mill. Ew. (mit Vororten) die größte Stadt Afrikas. K., bis 1952 Residenz, ist Sitz der Regierung.

Außer der →Azhar-Moschee hat es eine 1908 gegr. Universität, wissenschaftl. Institute und Gesellschaften, Museen für ägypt. Altertümer, für arab. Kunst, für Geologie, für Hygiene, Staatsbibliothek, mehrere Theater, zoolog. Garten. K. ist Mittelpunkt des ägypt. Eisenbahnnetzes, Hauptflughafen, Nilhafen und Großhandelsplatz für Baumwolle, Getreide, Holz, landwirtsch. Maschinen u. a. – K., im O durch die Mukattam-Hügel, im W vom Nil begrenzt, greift auf die Insel Dschesire und das linke Nilufer aus; mit den Vororten bildet es ein eigenes Gouvernement. K. ist reich an Schätzen islam. Baukunst: von den über 500 Moscheen gehören einige dem 9. und 10., andere dem 13.–15. Jh. an, 2 Stadttore stammen aus der Fatimidenzeit. Das Stadtbild wird bestimmt von alten arab. Wohngebieten mit ihren Basaren, von den Moscheen und den Hochhäusern der modernen Viertel.

Kairo: Azhar-Moschee

GESCHICHTE. Bei dem röm. Kastell Babylon entwickelte sich aus dem Lager des arabischen Eroberers Amr seit 642 die Stadt El Fustat, die sich allmählich nach N erweiterte. Nördlich davon entstand seit 969 unter dem fatimidischen Feldherrn Gohar der Kern des heutigen K., Misr el Kahira, das immer mehr das Übergewicht über El Fustat errang. 1168 wurde El Fustat in Brand gesetzt, um es nicht in die Hände der Kreuzfahrer fallen zu lassen, und völlig zerstört. 1517 kam K. in osmanischen Besitz. Die Entwicklung zur modernen Großstadt setzte mit Mehmed Ali Anfang des 19. Jhs. ein.

K'airo-Konferenzen, 1) Besprechung zwischen Roosevelt, Churchill und Tschiang Kai-schek (22.–26. 11. 1943) über Kriegführung und Kriegsziele gegenüber Japan. **2)** Besprechung zwischen Roosevelt, Churchill und Inönü (2.–6. 12. 1943) über militär. Unterstützung der Türkei durch die Alliierten. **3)** Gründungskonferenz der →Arabischen Liga (22. 3. 1945). **4)** Konferenz der »blockfreien« Staaten vom 5.–10. 10. 1964, an der 46 Staaten teilnahmen. **5)** »Kleine Gipfelkonferenz« am 28. 6. 1965 mit Tschou En-lai, Sukarno, Ayub Khan und Nasser. Zweck: Stärkung der afro-asiatischen Solidarität.

Kair'os [griech.], der günstige Augenblick; in der Anschauung der alten Griechen der Augenblick, der dem Menschen schicksalhaft entgegentritt, aber von ihm auch genützt werden muß. Der K. steht als subjektiver Zeitbegriff im Gegensatz zum Chronos, der gleichförmig fließenden Zeit.

Kairu'an, französ. **Kairouan** [kɛruɑ̃], Stadt in Tunesien, mit (1966) 46 200 Ew., eine der heiligen Städte des Islam, reich an Moscheen; Teppichknüpferei.

Kaisar'ije, türk. Stadt, →Kayseri.

Kaisar'ije, →Caesarea 5).

K'aisen, Wilhelm, Politiker (SPD), * Bremen 22. 5. 1887, polit. Redakteur, 1928–33 Bremer Senator, danach wiederholt in Haft; 1945–65 Präs. des Senats und Bürgermeister von Bremen.

K'aiser [german. Lw. aus lat. Caesar], der höchste Herrschertitel, ursprünglich der Name des Gründers der Alleinherrschaft im röm. Weltreich: Cäsar. Der K. wurde von den Römern selbst vorzugsweise Imperator genannt (daher franz. empereur); dagegen hieß bei ihnen seit Hadrian der Thronfolger und seit Diokletian der Mitregent Caesar. Das röm. Kaisertum teilte sich 315 n. Chr. in das oströmische oder byzantinische (bis 1453) und das weströmische (bis 476). Durch die Krönung Karls d. Gr. (800) wurde das röm. (weströmische) Kaisertum als höchste weltl. Würde der Christenheit erneuert; seit Otto d. Gr. (962) war es mit dem deutschen Königtum verknüpft und erlosch 1806, als der Habsburger Franz II. die Würde niederlegte. Bis Maximilian I. (1508) führten die Könige den Kaisertitel erst, wenn sie vom Papst in Rom gekrönt worden waren; dann nannten sie sich gleich nach der Wahl »erwählter röm. Kaiser«. 1871–1918 führte der König von Preußen den Titel »Deutscher Kaiser«. In Rußland nahm Peter d. Gr. 1721 in Erinnerung an das alte byzantinische Kaisertum den Kaisertitel an, in Österreich 1804 Franz II. In Frankreich war 1804 bis 1814/15 Napoleon I., anknüpfend an das Kaisertum Karls d. Gr., »K. der Franzosen«, ebenso dann Napoleon III. (1852–70). Der engl. König führte 1877–1947 auch den Titel »K. von Indien«, der italien. König vorübergehend auch den Titel »K. von Äthiopien«. Die Herrscher von China, Japan und Iran wurden im Abendlande stets als K. bezeichnet; der türk. Sultan nahm 1877 den Titel »K. der Osmanen« an.

LIT. J. Haller: Das altdeutsche Kaisertum (³1944); E. Eichmann: Die Kaiserkrönung im Abendland, 2 Bde. (1942).

Kaiser, 1) Georg, Dramatiker, * Magdeburg 25. 11. 1878, † Ascona 4. 6. 1945. K. war der meistgespielte Dramatiker des Expressionismus. In seinen Stücken werden die Gegensätze des durch Geld und Maschine beherrschten Lebens ausgetragen. Im Hintergrund steht seit seinen ›Bürgern von Calais‹ (1914) das Wunschbild eines »neuen Menschen«, der sich der ganzen Menschheit verbunden weiß. K. schrieb auch Komödien.

WERKE. Von Morgen bis Mitternacht (1916), Rektor Kleist (1918), Gas, 2 Tle. (1918–20), Kolportage (1924), Der Soldat Tanaka (1940), Das Floß der Medusa (1942), Stücke, Erzählungen, Aufsätze, Gedichte (1966).

LIT. E. A. Fivian: G. K. (1947); W. Paulsen: G. K. (1960; mit Bibliogr.).

2) Henry J., amerikan. Unternehmer, * Canajoharie (N. Y.) 9. 5. 1882, † Honolulu 24. 8. 1967, war im Tiefbau tätig (Bonneville-, Boulder- und Grand-Coulee-Staudämme), organisierte im 2. Weltkrieg den Serienbau von Transport- und Handelsschiffen.

3) Jakob, Politiker (CDU), * Hammelburg (Unterfranken) 8. 2. 1888, † Berlin 7. 5. 1961, seit 1912 führend in den Christl. Gewerkschaften, gehörte unter dem Nat.-Soz. der Widerstandsbewegung an, war 1945 Mitgründer der CDU in Berlin und der Sowjetzone (1947 von der SMAD seiner Ämter enthoben); 1949–57 MdB und Bundesminister für gesamtdeutsche Fragen.

K'aiserbart, Backenbart.

K'aiserbaum, die →Paulownie.

K'aiserchronik, mittelhochdeutsche Dichtung über die Geschichte der röm. und deutschen Kaiser von Cäsar bis auf Konrad III., um 1150 als Gemeinschaftsarbeit mehrerer bayr. Geistlicher verfaßt (Ausgabe 1892).

Kaiser-Friedrich-Museum in Berlin, von →Bode geschaffene Gemäldegalerie und Skulpturensammlung, jetzt: Bode-Museum (Ost-Berlin).

K'aisergebirge, Gebirgsstock der Nordtiroler Kalkalpen, östl. von Kufstein, gliedert sich in den zerklüfteten **Wilden Kaiser** (Ellmauer Haltspitze, 2344 m) im S und den **Zahmen Kaiser** (Pyramidenspitze, 1999 m).

K'aiserjäger, Tiroler K., 1816 aufgestellte österr. Jägertruppe, die sich im Frieden nur aus Tirol und Vorarlberg ergänzte; nach dem 1. Weltkrieg aufgelöst.

K'aiserkanal, 1) *Großer Kanal,* chines. *Jünho* oder *Jünliangho,* etwa 1300 km lang, führt von Peking nach Hangtschou; 486 v. Chr. begonnen, 1290 n. Chr. vollendet; seit 1958 zum Großschiffahrtsweg ausgebaut.

2) span. *Canal Imperial,* rechter Seitenkanal des Ebro, 116 km lang, dient der Bewässerung.

K'aiserkrone, 1) die zu den Abzeichen kaiserl. Würde gehörige Krone. Die K. des röm.-deutschen Reiches, im 10. Jh. angefertigt, kam 1424 mit dem Krönungsschatz nach Nürnberg und befindet sich seit der Reichsauflösung (1806) in der Weltlichen Schatzkammer zu Wien (BILD Krone).

Kaiserkrone

2) *Fritillaria imperialis*, innerasiatisches Liliengewächs; Gartenzierpflanze mit quirlig belaubtem Stengel und ziegelroten Blüten.

K'aiserling, Speisepilz, →Wulstling.

K'aisermantel, Schmetterling, →Silberstrich.

Kaiserpfalz, →Pfalz.

K'aiserquartett, Streichquartett von Jos. Haydn (C-Dur, op. 76, 3, 1797/98) mit Variationen über die Melodie der Kaiserhymne ›Gott erhalte Franz den Kaiser‹.

K'aisersage, Sage von einem im Berg schlafenden Kaiser, der aufwachen und die alte entschwundene Kaiserherrlichkeit erneuern wird. Sie wurde in Deutschland übertragen auf Karl d. Gr., Friedrich I. (Kaiser Barbarossa) und Friedrich II. Als Aufenthaltsort des verzauberten Kaisers gilt der Untersberg bei Salzburg oder, am bekanntesten, der Kyffhäuser.

LIT. F. Kampers: Die dt. Kaiseridee in Prophetie und Sage (1896).

K'aiserschmarren, *österr.* Mehlspeise aus Eierteig und Rosinen.

Kaiserschnitt [falsche Übersetzung aus dem Lat., *sectio caesarea* ›Schnittentbindung‹], *Geburtshilfe:* Schnittentbindung, bei der durch Leibschnitt die Gebärmutter eröffnet wird; angewendet bei starker Beckenverengung, Eklampsie oder ungünstiger Kindslage.

K'aisersemmel, rundes Brötchen mit fünf Strahlen.

Kaiser's Kaffeegeschäft AG, Viersen, 1880 von J. Kaiser (und Geschwistern) gegr. Lebensmittelfilialbetrieb (Großaktionär Tengelmann).

Kaisersl'autern, kreisfreie Stadt und Kreisstadt im RegBez. Rheinhessen-Pfalz, Rheinland-Pfalz, mit (1977) 100 400 Ew., im Pfälzer Wald, an der Lauter, bedeutende Industriestadt (Nähmaschinenfabrik G. M. Pfaff, Automobilbau [Opel-Zweigwerk], Eisen-, Textil-, Holzindustrie, Brauereien, Buntsandsteinbrüche) und Behördensitz, mit Hauptzollamt, LdGer., AGer., Handwerks- und Landwirtschaftskammer, Landesgewerbeanstalt. An Erziehungs- und Bildungseinrichtungen hat K. Universität (bis 1975 K.-Trier); Fachhochschule, Meisterschule für Handwerker, höhere Schulen, Konservatorium, Pfalztheater, ein Studio des SW-Funks, Pfalzgalerie mit graph. Sammlung, Pfälzer Wörterbuchkanzlei.

In K., 800 und 882 als *Lutra* urkundlich erwähnt, erbaute Friedrich Barbarossa 1152–58 eine Kaiserpfalz. *Lautern* wurde 1276 Reichsstadt, kam aber 1375 an Kurpfalz. In den Kriegen des 17. und 18. Jhs. stand K. mehrfach im Brennpunkt der Kämpfe (1635, 1688, 1793/94).

K'aisersprung, Kopfsprung ins Wasser mit verschränkten Armen.

K'aiserstuhl, jungvulkan. Gebirge in der Oberrheinischen Tiefebene, nordwestl. von Freiburg i. Br., im Totenkopf 557 m hoch; bedeutender Weinbau.

Kaisersw'erth, seit 1929 Stadtteil von Düsseldorf mit Ruine der Kaiserpfalz Friedrich Barbarossas und dem ältesten, 1836 von Pastor Fliedner gegründeten Diakonissenhaus (mit höherer Schule, Gärtnerinnenschule, Kranken- und Waisenhaus).

K'aiserwald, tschech. **Slavkovský Les,** früher **Císařský Les,** waldbedecktes Hochland in Nordwestböhmen, im Judenhau 987 m hoch. Der östl. Teil an der unteren Tepl heißt auch *Karlsbader Gebirge.*

Kaiser-Wilhelm-Gesellschaft zur Förderung der Wissenschaften, gegr. 1911 auf Anregung Kaiser Wilhelms II. und nach dem Vorschlag Adolf v. Harnacks zur Pflege vornehmlich naturwissenschaftl. Forschung durch Gründung selbständiger Forschungsinstitute, die nur der reinen Forschung dienen, →Max-Planck-Gesellschaft.

Kaiser-Wilhelm-Kanal, der →Nord-Ostsee-Kanal.

Kaiser-Wilhelm-II.-Land, Teil der Ost-Antarktis, mit dem Gaußberg, 1902 von der deutschen Südpolarexpedition unter E. von Drygalski entdeckt.

Kaiser-Wilhelms-Land, das frühere deutsche Schutzgebiet auf →Neuguinea.

Kaisheim, Markt im Kr. Donau-Ries, Bayern, mit (1977) 3100 Ew., hat ehemaliges, 1134 gegr. und 1803 säkularisiertes Zisterzienserkloster, dessen im 14. Jh. erbaute Kirche zu den bedeutendsten got. Bauten Schwabens zählt.

Kaisöng, Kaesong, Stadt in N-Korea, mit etwa 140 000 Ew., bis 1392 die Hauptstadt des alten Königreichs Korea.

K'aiwurm, Larve des Apfelblütenstechers (→Blütenstecher).

K'ajak [grönländ.], **1)** Männerboot der Eskimos: mit Seehundshaut überzogene Spanten, Doppelpaddel; zu unterscheiden vom →Umiak. **2)** *danach:* Sportpaddelboot (→Kanusport).

K'ajanbohne, *Cajanus indicus,* strauchiger indischer oder afrikan. Schmetterlingsblüter *(Bohnenstrauch, Erbsenbohne),* mit gesprenkelten Samen *(Taubenerbse)*; trop. Gemüse.

Kaj'anus, Robert, finn. Komponist und Dirigent, * Helsingfors 2. 12. 1856, † das. 6. 7. 1933, erstrebte auf der Grundlage des finnischen Volkslieds einen nationalen Musikstil: Sinfonien, sinfonische Dichtungen, Rhapsodien und Suiten für Orchester, Kantaten, Chorlieder.

Kaje, wasserseitige Randzone des Kais.

Kajep'utbaum, *Melaleuca leucadendron,* indonesisch-austral. Myrtengewächs mit weißer, abblätternder Rinde *(Weißbaum),* speerspitzenförmigen, streifennervigen, lederigen Blättern, weißen Blütenähren und eichelbecherförmigen Früchten. Die jungen Triebe geben das ätherische *Kajeputöl,* das zum Einreiben gegen Rheuma und Zahnschmerz dient.

kajolieren [kaʒɔl'i:rən, franz.], schmeicheln, hätscheln.

Kaj'üte [Nordseewort], Wohnraum auf Schiffen.

K'akadu [malaiisch], eine von Australien

Kakadu: großer Gelbhaubenkakadu (Länge etwa 50 cm)

bis Celebes und auf den Philippinen heimische Sippe der Papageien, mit aufrichtbarer Federhaube und kurzem Schwanz.

Kakam'izli [indian.], ein Kleinbär, →Bären.

Kak'ao [altmexik. kakauatl], *Kakaobaum* (Theobroma), eine tropisch-amerikanische Gattung der den Malvengewächsen verwandten Familie Sterkuliengewächse; mit rötlichen Blütchen, die aus älterem Holz entspringen, gurkenförmigen, gelben oder roten, lederig-holzigen Früchten, süßlichem Fruchtmus und bohnenförmigen Samen, den *Kakaobohnen*. Aus ihnen wird das rotbraune *Kakaopulver* gewonnen, Grundstoff des ebenfalls K. genannten Getränks und der →Schokolade. Der K. regt durch das in ihm enthaltene →Theobromin an und nährt außerdem.

Anbau. Der in Pflanzungen genutzte *Echte Kakaobaum* gedeiht nur in wärmsten und regenreichsten Teilen der Tropen. Ein Baum bringt alle 6 Wochen 40–50 Früchte; Ertrag etwa 200–1200 kg Bohnen je ha.

Aufbereitung. Die geernteten Bohnen läßt man 2–10 Tage zum Gären stehen. Ist die Gärung, das Rotten, beendet, die bitteren Gerbstoffe und verwandte Verbindungen in das mildere Kakaobraun umgewandelt, so sind die Bohnen im Bruch rotbraun. Nach dem Rotten werden die Bohnen meist gewaschen, getrocknet und in Säcke gefüllt. Die Verarbeitung bis zur Kakaomasse ist für die Herstellung des Kakaopulvers und der Schokolade gleich: Reinigen und Auswählen, Rösten, Brechen, Entkeimen und Mahlen. Das Mahlen ergibt die Kakaomasse des Handels, die beim Entstehen warm und flüssig ist. Sie wird durch hydraulischen Druck entölt und vom meisten Kakaofett (→Kakaobutter) befreit, wobei der Puderkakao entsteht, zunächst als Preßkuchen, die dann gepulvert werden. Dieses Pulver wird gesiebt, oft gewürzt. Die abfallenden Kakaoschalen dienen als Viehfutter, Düngemittel oder zur Herstellung von Fett, Theobromin, Tee (Kakao- oder Schokoladentee).

Kakaobaum: a *Blütenlängsschnitt*, b *Staubblatt von oben und unten*, c *Fruchtknotenquerschnitt*, d *Fruchtquerschnitt mit den Samen* e *Samen*, f *derselbe im Längsschnitt*, g *herausgelöster Keimling (Hauptbild etwa* $^1/_4$ *nat. Gr.)*

Geschichte. Schon vor der Entdeckung Amerikas wurde K. von Mexiko bis Peru gebaut. Die Bohnen dienten dort stellenweise als Münze. Genossen wurde der K. kalt, als schäumendes Getränk. 1520 kam der K. nach Spanien. Im 17. Jh. verbreitete sich der Kakaogenuß nach Italien, Frankreich, Deutschland. In Preußen verbot Friedrich d. Gr. den K. aus wirtschaftspolit. Gründen. Die Herstellung des Kakaopulvers erhielt erst in der ersten Hälfte des 19. Jhs. größere Bedeutung.

Kak'aobutter, Kakaoöl, Kakaofett, talgartiges Nebenerzeugnis bei der Herstellung des →Kakaos und der Schokolade, wichtiger Rohstoff für die Schokoladenfabrikation, für kosmet. Artikel und für die Pharmazie.

Kakao-Ernte (in 1000 t)

Land	1965	1970	1975
Ghana	581	414	396
Nigeria	298	223	220
Elfenbeinküste ...	145	181	205
Brasilien	118	201	290
Kamerun	92	110	100
Welt insges.	1523	1413	1551

Kakemono [japan. ›Hängesache‹] *das*, zum Aufhängen bestimmtes zusammenrollbares Bild, auf Seide oder Papier gemalt, oben und unten mit je einem waagerechten Holzstab; Hauptgattung des ostasiatischen Gemäldes. Gegensatz: →Makimono.

K'akerlak [südamerikan.], **1)** Küchenschabe (→Schaben). **2)** übertragen: Albino (→Albinismus).

Kakipflaume, trop. und subtrop. Ebenholzbaum *(Diospyros kaki)*. Die tomatenähnl. Früchte sind eßbar und werden in S-Europa in versch. Sorten gezüchtet.

Kakinada, Cocanada, Hafenstadt in Andhra Pradesch, Indien, mit (1971) 164200 Ew.; Ausfuhr von Ölsaaten, Baumwolle und Reis.

Kakinomoto Hitomaro, japan. Dichter, * um 662, † 710, schrieb thematisch vielgestaltige epische Lang- und lyrische Kurzgedichte.

K'äkisalmi, schwed. **Kexholm,** sowjetruss., ehemals finn. Stadt auf einer Insel der alten Mündung des Vuoksi in den Ladogasee, mit etwa 5000 Ew. K. wurde 1293–95 als schwed. Festung angelegt.

Verzeichnis der Tafeln des neunten Bandes

	Seite
Historienbild I	8
Historienbild II	9
Holzschnitt I	48
Holzschnitt II	49
Hunde I	86
Hunde II	87
Hunde III	88
Indische Kunst I	138
Indische Kunst II	139
Insekten I (Farbtafel): siehe Bd. 6, neben S. 161	
Insekten II	162
Insekten III	163
Islamische Kunst	195
Italienische Kunst I	216
Italienische Kunst II	217
Italienische Kunst III	218
Italienische Kunst IV	219
Japanische Kunst I	244
Japanische Kunst II	245
Jungsteinzeit	297